A. M. Textor

Sag es treffender

Ein Handbuch mit 25000 sinnverwandten Wörtern und Ausdrücken für den täglichen Gebrauch in Büro, Schule und Haus

In neuer Rechtschreibung

Vollständig überarbeitet und erweitert von Renate Morell

Rowohlt Taschenbuch Verlag

42. Auflage August 2001
Veröffentlicht im Rowohlt Taschenbuch Verlag GmbH,
Reinbek bei Hamburg, März 1968
Copyright © 1962, 1996 und 2000 by Verlag Ernst Heyer, Essen
Umschlaggestaltung Ulrike Kuhr
Satz Life & Univers Postscript PageOne
Gesamtherstellung Clausen & Bosse, Leck
Printed in Germany
ISBN 3 499 60862 6

Die Schreibweise entspricht den Regeln
der neuen Rechtschreibung.

Vorwort

Synonyme, also bedeutungsgleiche oder bedeutungsverwandte Wörter, sind für jeden, der schreibt, unverzichtbares Stilmittel. Das treffende Wort, das das Gemeinte auf den Punkt bringt, verleiht der Sprache nicht nur Prägnanz, sondern auch Farbigkeit und Nuancenreichtum. Bei der Suche nach dem «erlösenden» Wort ist ein Lexikon sinnverwandter Ausdrücke ein fast unverzichtbares Hilfsmittel.

Sag es treffender von A. M. Textor erschien erstmals 1962 im Verlag Ernst Heyer, Essen, im März 1968 dann als Taschenbuch, das mit einer Gesamtauflage von 857 000 Exemplaren längst zu einem unentbehrlichen Nachschlagewerk geworden ist.

Die erweiterte Neuausgabe von *Sag es treffender* ist das Ergebnis einer vollständigen Überarbeitung. In vielen Bereichen hat sich ein gravierender sprachlicher Bedeutungswandel vollzogen, sodass der gesamte Textbestand einer strengen systematischen Durchsicht unterzogen werden musste. Veraltete Sprichwörter wurden aufgelöst, moderne Sinnzusammenhänge hergestellt, eine Fülle von mittlerweile gängigen Fremdwörtern den entsprechenden Stichwörtern neu zugeordnet.

Mit dem vorliegenden Handbuch, das nahezu 2000 Stichwörter, über 25 000 Wörter und Ausdrücke sowie ein lückenloses, alphabetisch geordnetes Register umfasst, verfügt der Benutzer über eine praktische Handhabe und – sofern er «sein» Wort nicht im schnellen Zugriff findet – über einen beständigen Ideengeber für den eigenen sprachlichen Ausdruck.

Dr. Renate Morell

Benutzerhinweise

1. Jedes im Buch enthaltene Wort, wonach Sie suchen, finden Sie zuerst – nach dem Alphabet – im Register im hinteren Teil. Die Ziffer hinter dem Wort führt zum Stichwort im vorderen Teil bzw. zu einem der Bedeutungsfelder des Stichworts, wiederum gegliedert nach Ziffern.

2. Wortkombinationen mit den Hilfs- bzw. Funktionsverben (Zeitwörtern) haben, sein, bleiben, dürfen, können, lassen, machen, tun, werden und wollen finden Sie so:

müde sein	unter: müde sein
Mut haben	unter: Mut haben
rot werden	unter: rot werden usw.

3. Reflexive Verben sind im Register umgestellt:

sich bewegen	unter: bewegen, sich
sich Gedanken machen:	unter: Gedanken machen, sich usw.

4. Wortkombinationen mit einem Verb (Zeitwort) finden Sie unter dem Verb selbst:

das Unterste zuoberst kehren	unter: kehren, das Unterste zuoberst usw.

5. Ausdrücke mit einem Nomen (Hauptwort) finden Sie unter dem Nomen selbst:

in Ordnung	unter: Ordnung, in
nichts Halbes und nichts Ganzes	unter: Halbes und nichts Ganzes, nichts usw.

6. Andere Ausdrücke finden Sie unter dem sinntragenden Wort:

vor kurzem	unter: kurzem, vor usw.

7. Der Schrägstrich / steht zwischen austauschbaren Wörtern in Fügungen, z. B. für nötig/erforderlich/unabdingbar halten.

Abkürzungen: jmd. = jemand
jmds. = jemandes
jmdm. = jemandem
jmdn. = jemanden

A

1 abbilden 1. wiedergeben, darstellen, zeigen, **2.** abmalen, abzeichnen, nachzeichnen, porträtieren, konterfeien, fotografieren, knipsen, Bild / Aufnahme machen, abfilmen; abformen, nachformen, nachbilden, Plastik anfertigen, in Stein hauen, **3.** übertragen, projizieren, reproduzieren, kopieren.

2 Abenteurer Spekulant, Glücksritter, Spieler, Hasardeur, Glücksjäger, Wagehals, Freibeuter, Filibuster, Bukanier, Pirat, Korsar, Überflieger, Kriegsgewinnler, Desperado, Dunkelmann, Schatzsucher, Goldgräber, Mitgiftjäger, Hochstapler, Bohemien, Lebenskunstler, Luftikus, Aussteiger.

3 aber indessen, hingegen, doch, jedoch, gleichwohl, trotzdem, dennoch, dagegen, wogegen, wohingegen, immerhin, zwar, allein, allerdings, freilich, nur, vielmehr, im Gegenteil, richtiger, besser, sondern, dabei, wiederum, während, andererseits, indes, sogar, nichtsdestoweniger, wiewohl, alldieweil.

4 Aberglaube Irrglaube, Dämonenglaube, Geisterglaube, Gespensterglaube, Hexenglaube, Wunderglaube, Kinderglaube, Orakelwesen, Zauberglaube.

5 Abfall 1. Überbleibsel, Rückstand, Bodensatz, Rest; Schnitzel, Fetzen, Lappen, Lumpen, Kram, Krempel, Zeug, Bettel, Gerümpel, Kruscht; Trümmer, Schutt, Bauschutt, Scherben, Abhub, Abraum, Schlacke, Abschaum, Kehricht, Unrat, Dreck; Müll, Sperrmüll, Problemstoffe, Sondermüll, Giftmüll, Altlast, **2.** Ramsch, Ausschuss, Makulatur, Altpapier, Altmaterial, Alteisen, Schrott, Trödel, Plunder, Klamotten, Gerümpel, wertloses Zeug, Strandgut; Schleuderware, Batzenware, Ladenhüter, Altkleider, Altwaren, Getragenes, Gebrauchtes, Unverkäufliches, Krimskrams, **3.** Schutthaufen, Abfallhaufen, Müllhalde, Müllkippe, Mülldeponie, Abwasser, Abgas, Smog. **4.** Senkung, Neigung, Schräge, Abdachung, schiefe Ebene, Hang, Abhang, Berghang, Bergseite, Berglehne, Steilhang, Lehne, Leite, Rain, Böschung, Halde; Gefälle, Abschüssigkeit, Steile, **5.** Abtrünnigkeit, Apostasie, Verrat, Lossagung.

abfallen 1. sich senken, neigen; abda- **6** chen, abflachen, fallen, absinken, **2.** übrig bleiben, verbleiben, erhalten bleiben, zu viel / übrig sein, restieren, liegen bleiben, überzählig / überflüssig sein; fortfallen, entfallen, wegfallen, **3.** herunterfallen, zu Boden fallen, herabplumpsen, sich lösen; herabfallen, hinfallen, **4.** abfallen gegen, schlechter / im Nachteil sein, Vergleich nicht aushalten, darunter liegen, nicht nachkommen / gleichziehen, **5.** sich lossagen; abtrünnig werden, abspringen, brechen mit, abschwören, verraten.

Abgabe Tribut, Abführung, Gebühr, **7** Zoll, Steuer, Beitrag, Maut, Obolus.

Abhandlung 1. Essay, Artikel, En- **8** trefilet, Kolumne, Untersuchung, Studie, Betrachtung, Beitrag, Analyse, Traktat, Feuilleton, Bericht, Reportage, Dokumentation, Feature, Elaborat, Niederschrift, Werk, Monographie, **2.** Aufsatz, schriftliche Arbeit, Hausarbeit, Referat, Thesen, Semesterarbeit, Zulassungsarbeit, Diplomarbeit, Dissertation, Doktorarbeit, Habilitationsschrift.

abhängen von 1. abhängig sein von, **9** angewiesen sein auf, nicht leben können ohne, in jmds. Hand / Macht sein, jmds. Brot essen, von jmdm. versorgt werden, **2.** sich abhängig machen, jmdm. in die Hand geben, ausliefern, aussetzen; süchtig nach sein, am Tropf hängen, hörig sein, **3.** beruhen / fußen auf, gründen / wurzeln in, sich gründen auf, basieren / sich stützen auf; getragen werden von, bedingt / bestimmt sein durch, liegen / gebunden sein an, **4.** voraussetzen, sich ergeben aus; herrühren von, resultieren aus, kommen von, zusammenhängen / verbunden sein mit, in Beziehung stehen zu, sich beziehen auf; wichtig sein für, ankommen auf.

ablaufen 1. abfließen, abrinnen, ver- **10** rinnen, verfließen, sich verlaufen; versickern, abperlen, **2.** verlaufen, geschehen, sich abspielen; statthaben, stattfinden, hergehen, vorgehen, abrollen, veranstaltet werden, **3.** ungültig/wertlos werden, verfallen, verjähren, außer Kraft treten, Gültigkeit verlieren, auslaufen.

11 ableiten 1. umleiten, wegführen, verlegen, **2.** Ablauf schaffen, ablassen, herauslassen, Ventil öffnen, ablaufen lassen, **3.** folgern, herleiten.

12 abnehmen 1. Gewicht verlieren, abmagern, abfallen, einfallen, mager/dünner werden, kränkeln, hinschwinden, **2.** abmachen, herunternehmen, abhängen, ablösen, wegnehmen, losmachen, **3.** sich zuspitzen, verjüngen, verengen, verschmälern; spitz zulaufen, **4.** prüfen, kontrollieren, genehmigen.

13 abnehmend nachlassend, schwindend, zurückgehend, im Abnehmen, rückläufig, sinkend, fallend, niedergehend, untergehend, regressiv, rezessiv, verlustbringend, herbstlich, alternd, vergehend, auslaufend.

14 Abneigung 1. Ablehnung, Antipathie, Aversion, Abwehr, Voreingenommenheit, Ressentiment, Animosität, Feindseligkeit, **2.** Unmut, Unwille, Widerstände, Widerstreben, Abscheu, Widerwille, Ekel, Übelkeit, Überdruss, Unlust, Übersättigung, Missfallen, Schauder, Gräuel.

15 abraten widerraten, abbringen von, warnen, ausreden, einwenden, zu bedenken geben, vermiesen, verleiden.

16 absichtlich mit Bedacht/Vorbedacht, willentlich, gewollt, beabsichtigt, intendiert, intentional, geplant, mit Absicht/Willen, gezielt, vorsätzlich, geflissentlich, wohlweislich, wohl überlegt, bewusst, eigens, bezweckt, extra, ausdrücklich, mit Fleiß, zum Trotz, demonstrativ, ostentativ, nun gerade, mutwillig, wissentlich, einkalkuliert, in vollem Bewusstsein, böswillig, arglistig.

17 absondern (sich) 1. beiseite tun, ausschließen, aussperren, abtrennen, absperren, abteilen, separieren, isolieren, in Quarantäne halten, **2.** sich zurückziehen, abseits stellen, abseits halten, im Hintergrund halten, verkriechen; Menschen scheuen, sich verkapseln, abkapseln, entziehen; im Schneckenhaus/Elfenbeinturm/Abseits/zurückgezogen/einsam/als Eremit leben, sich einspinnen, ausschließen, einpuppen, isolieren, separieren, einigeln, vergraben, verbunkern, verschanzen; in die innere Emigration gehen, vereinsamen, privatisieren.

18 Absonderung 1. Quarantäne, Separierung, Separation, Isolation, Isolierung, Internierung, Hausarrest, Einsperrung, Ghettoisierung, Ghetto, Wagenburg, Vereinzelung, **2.** Separatismus, Sonderbündelei, Partikulation, Sezession, **3.** Ausscheidung, Sekretion.

19 abspenstig machen ausspannen, abjagen, wegengagieren, ablisten, wegverpflichten, kapern, umdrehen, wegschnappen, entfremden, wegholen, abwerben, weglocken.

20 abspringen 1. abschwenken, weglaufen, abwandern, zur Konkurrenz gehen, sich abkehren, abwenden, lossagen, abseilen, distanzieren, verziehen, verflüchtigen; widerrufen, ausscheren, aussteigen, ausbrechen, umschwenken, konvertieren, umkippen, umfallen, im Stich lassen, fallen lassen, desertieren, übergehen, überlaufen, **2.** springen, herabspringen, hinunterspringen, sich in die Tiefe stürzen.

21 absteigen 1. heruntersteigen, herabsteigen, hinabsteigen, hinuntersteigen, zu Tal gehen, hinuntergehen, hinabsinken, zu Tal fahren, abwärts/bergab gehen, **2.** einkehren, Quartier nehmen, übernachten, **3.** abgestuft/zurückgestuft werden, Rangplatz verlieren, zurückfallen, disqualifiziert werden.

22 abstellen 1. niederstellen, niedersetzen, absetzen, hinstellen, zu Boden stellen, **2.** drosseln, abdrosseln, abdrehen, zudrehen, schließen, stoppen, abstoppen, anhalten, bremsen, abbremsen, verlangsamen, entschleunigen, Tempo verringern, zum Stehen bringen, ausschalten, abschalten, stilllegen, unterbrechen, halten, **3.** einstellen, hinterlegen, deponieren, sicherstellen, parken, unterbringen, platzieren, aufstellen, lagern, in Verwahr geben, **4.** abhelfen, Abhilfe schaffen, abschaffen, aufheben, beheben, beseitigen, abändern.

23 Abstufung 1. Nuancierung, Nuance, Abtönung, Schattierung, Dosierung, Gradation, Staffelung, Terrassierung, Übergang, **2.** Abqualifizierung, Abwertung.

24 absurd widersinnig, abwegig, unsinnig, vernunftwidrig, sinnlos, hirnverbrannt, sinnwidrig, gegensätzlich, paradox, unlogisch, ungereimt, aberwitzig, wahnwitzig, verkehrt, folgewidrig; töricht, lächerlich, lachhaft, verrückt, abstrus, verstiegen, bizarr, kindisch, gesponnen, närrisch, unglaubhaft, unerhört.

25 abtreiben abortieren, eingreifen, Frucht abtreiben, Eingriff vornehmen, Schwangerschaft abbrechen, unterbrechen.

26 Abtreibung Schwangerschaftsabbruch, Schwangerschaftsunterbrechung, Abbruch, Eingriff, Abortus, Abort, Fehlgeburt.

27 abwärts nach unten, hinab, hinunter, zu Tal, bergab, erdwärts, niederwärts, talwärts, herunter, herab, zu Boden, in die Tiefe, Talfahrt; flussabwärts, stromabwärts.

28 abweichen 1. abgehen, abbiegen, abzweigen, sich wenden; Biegung machen, umfahren, Umweg machen; vom Kurs abkommen, aus dem Ruder laufen, Richtung/Kurs ändern, abfälschen, aus der Reihe tanzen/dem Rahmen fallen, 2. abkommen, abgleiten, abrutschen, abracken, entgleiten, entweichen, 3. abschweifen, Faden verlieren, abirren, vom Thema abkommen, vom Hundertsten ins Tausendste kommen, von Hölzchen auf Stöckchen kommen, 4. voneinander abweichen, anderer Meinung sein, nicht übereinstimmen, divergieren, nicht übereinkommen, sich nicht einigen können; keinen Kompromiss finden, uneinig sein/bleiben, Sache verschieden sehen.

29 Abweichung 1. Ableitung, Umleitung, Verlegung, 2. Abbiegung, Abzweigung, Schwenkung, Gabelung, Kurve, Abweg, Umweg, Nebenweg, Seitenweg, Schleichweg, Abkürzung, Abstecher, Abzweig, Abtrift, Deviation, Aberration, Richtungsänderung, Weiche, Ausweichstelle, 3. Irrweg, Abirrung, Entgleisung, Verirrung, Holzweg, 4. Abschweifung, Abschwenkung, Umorientierung, Exkurs, Unterbrechung, 5. Regelverstoß, Irregularität, Normwidrigkeit, Regelwidrigkeit, Anomalie, Devianz, Diskrepanz, Divergenz, 6. Variable, Varianz, Variation.

30 abweisen 1. zurückweisen, abwehren, von sich weisen, zurückstoßen, abstoßen, abfertigen, abschütteln, 2. ablehnen, absagen, zurückgeben, retournieren, remittieren, zurückschicken, verzichten auf, keine Verwendung haben, abschlägig bescheiden, abschlagen, 3. verneinen, protestieren, negieren, nein sagen, verschmähen, verwerfen, Finger davonlassen, sich verwahren gegen; ausschlagen, nicht akzeptieren, 4. nicht empfangen, sich verleugnen lassen; abwimmeln, abwinken, abwiegeln, abblitzen lassen, kalte Schulter zeigen, abspeisen, Korb geben, vom Tisch wischen, Abfuhr erteilen, 5. hinauswerfen, an die Luft setzen, heimleuchten.

abweisend 1. ablehnend, zurückhaltend, unzugänglich, unpersönlich, unfreundlich, einschüchternd, ungnädig, unwirsch, unnahbar, zugeknöpft, reserviert, herb, verhalten, verschlossen, kühl, frostig, unterkühlt, kalt, eisig, steinern, brüsk, karg, barsch, schroff, spitz, kurz angebunden, stachelig, kratzbürstig, widerborstig, ungesellig, 2. kritisch, abwertend, pejorativ, abfällig, tadelnd, bissig, scharf, spitze Zunge, spitze Feder, missfällig, missbilligend, abschätzig, mäkelig, krittelig, geringschätzig, kompromittierend, wegwerfend, verächtlich, 3. abgeneigt, verneinend, abschlägig, negativ, polemisch, unwillig, widerwillig, nicht willens, widerstrebend, abhold, nicht grün, 4. atheistisch, gottlos, areligiös, antireligiös. **31**

Abweisung 1. Zurückweisung, Abwehr, Abfuhr, Abfertigung, 2. Ablehnung, Versagung, Absage, Verwerfung, Weigerung, Verweigerung, Nein, Verneinung, Negierung. **32**

Abwesenheit 1. Fehlen, Ausfall, Ausbleiben, Fernbleiben, Lücke, Leere, Vakanz, 2. Unaufmerksamkeit, Unüberlegtheit, Zerstreutheit, Gedankenlosigkeit, Versunkenheit, Vertieftheit, Versponnenheit, Verträumtheit, Geistesabwesenheit, Entrückung, Unkonzentriertheit, Zerfahrenheit, Kopflosigkeit, Gedankenflucht, 3. Vergesslichkeit, Gedächtnisschwund, Gedächtnislücke, Absence, Gedächtnisstörung, Gedächtnisschwäche, Bewusstseinslücke, Sperre, Block, Blockade, Mattscheibe, Black-out, Hänger. **33**

abzahlen in Raten / Teilzahlungen **34**

zahlen, tilgen, ratenweise zahlen, zurückerstatten, auf Abschlag kaufen, abtragen, ableisten, abbezahlen, finanzieren, abstottern, kleckerweise zahlen.

35 Achtung Beachtung, Ehrerbietung, Ehrfurcht, Respekt, Akzeptanz, Wertschätzung, Hochachtung, Hochschätzung, Anerkennung, Ergebenheit, Scheu, Verehrung, Idolisierung, Vergöttlichung.

36 Adel 1. Noblesse, Vornehmheit, Hoheit, **2.** Nobilität, Aristokratie, Hochadel, Hocharistokratie, Adelskaste, Adelsstand, Feudalaristokratie, Feudaladel, Geburtsadel, Landadel, niederer Adel, Verdienstadel, Patriziat.

37 aggressiv 1. unfriedlich, offensiv, provokant, provozierend, provokativ, expansiv, herausfordernd, aufreizend, zänkisch, streitlustig, streitsüchtig, heftig, kämpferisch, attackierend, angriffslustig, angreiferisch, handgreiflich, tätlich, gewaltbereit, zerstörerisch, destruktiv, violent, hadersüchtig, streitlüstern, zanksüchtig, händelsüchtig, gewalttätig, **2.** kriegerisch, militant, militaristisch, kriegstreiberisch, kriegslüstern.

38 alle 1. jeder, jede, jedermann, alle ohne Ausnahme, jedwede(r), samt und sonders, allesamt, sämtliche, jegliche, Mann für Mann, Freund und Feind, Groß und Klein, Kind und Kegel, Alt und Jung, Gesamtheit, das Ganze, Plenum, **2.** vollständig, vollzählig, ausnahmslos, Krethi und Plethi, alle Mann, mit Mann und Maus, alle Mann an Bord, alle miteinander, die ganze Sippschaft/Gesellschaft, wie ein Mann, tout le monde.

39 allerdings ja, jawohl, gewiss, tatsächlich, in der Tat, sicherlich, jedenfalls, immerhin, freilich, natürlich, zwar, zugegeben.

40 allgemein 1. gängig, üblich, vorherrschend, Standard, **2.** allgemein gültig, verbindlich, für alle geltend, grundsätzlich, **3.** interdisziplinär, übergreifend, fachübergreifend, **4.** universell, allumfassend, universal, umfassend, gemein, allseitig, generell, international, weltumspannend, global.

41 Allgemeinen (im) im Großen und Ganzen, durchgängig, durchweg, in Bausch und Bogen, üblicherweise, in der Regel, gewöhnlich, meistens, sozusagen, gewissermaßen, wie man so sagt, gemeinhin, generell, alles in allem, durchweg, im Ganzen, überhaupt.

Alltag 1. Wochentag, Werktag, Arbeitstag, **2.** Gleichmaß, Regelmäßigkeit, Gewohnheit, Tretmühle, Gleichförmigkeit, Eintönigkeit, Alltäglichkeit, Öde, grauer Alltag, Monotonie, immer dasselbe, alte Leier, ewiges Einerlei, Trott. **42**

also daher, darum, deswegen, demnach, folglich, demzufolge, mithin, somit, infolgedessen, dementsprechend, deswegen, aus diesem Grund, demgemäß, logischerweise, ist doch so, ergo, nach Adam Riese. **43**

alt 1. bejahrt, betagt, ältlich, bei Jahren, vorgerückten Alters, angegraut, meliert, ergraut, grau, grauhaarig, weiß, schlohweiß, weißhaarig, hoch an Jahren, hochbetagt, gesegneten Alters, greis, steinalt, uralt, **2.** verblüht, abgeblüht, abgelebt, abgestorben, absterbend, verknöchert, verkalkt, vergreist, greisenhaft, abständig, senil, tatterig, überaltert, überlebt; knittrig, faltig, runzlig, zerknittert, pergamenten, vertrocknet, zusammengefallen, zusammengeschrumpft, gefurcht, schrumplig, verhutzelt, verrunzelt, bemoost, zittrig, **3.** abgenutzt, abgegriffen, verbraucht, verschlissen, zerschlissen, oll, abgeschabt, morsch, krumplig, fadenscheinig, schäbig, eingerostet, baufällig, klapprig, abgewetzt, **4.** gebraucht, aus zweiter Hand, secondhand, abgetragen, abgelaufen, getragen, abgefahren, **5.** antiquarisch, altertümlich, ehrwürdigen Alters, antik, archaisch, veraltet, fossil, **6.** altgedient, ausgedient, abgedankt, verabschiedet, pensioniert, emeritiert, im Ruhestand, außer Dienst. **44**

Alter 1. Jahre, Lenze, Lebensalter, Lebensherbst, Lebensabend, Lebensneige, Bejahrtheit, hohe Jahre, Greisenalter, biblisches Alter, **2.** alter Mann, Greis, Nestor, Patriarch, Stammvater, Senior, Jubilar, alter Herr/Knabe/Knacker/Kracher, Methusalem; Altgedienter, Ausgedienter, Veteran, Pensionär, Rentner, **3.** Ruhestand, Pension, Pensionierung, Altenteil, **4.** Überalterung, Überlebtheit, Vergreisung, Verkalkung, Abständigkeit, Senilität, Greisenhaftigkeit, Greisentum. **45**

46 Altweibersommer Sommerende, Frühherbst, Spätsommer, Nachsommer, Fadensommer, Indian Summer, Sommerfaden, Frauenfaden, Himmelfaden, Mariengarn.

47 Analyse Untersuchung, Zerlegung, Zergliederung, Dekonstruktion, Dekomposition, Auflösung, Dissolution.

48 anbei beiliegend, anliegend, inliegend, beigefügt, beifolgend, angebogen, angeheftet, hierbei, hiermit, beigeschlossen, im Brief, beigepackt, als Anlage, ergänzend, mit gleicher Post, eingeschlossen, nebenher, nebenbei, dazu, nachträglich, sowie, Sonstiges.

49 Anbetracht (in) im Hinblick, in Bezug auf, bedingt durch, wegen, weil, umständehalber, aufgrund, hinsichtlich, in puncto, rücksichtlich, motiviert durch, denn, nämlich, in Betracht, alles in allem, angesichts, gegenüber, vor, mit Rücksicht auf, was … angeht/betrifft/anbelangt, im Zusammenhang mit.

50 anbieten (sich) 1. antragen, vorschlagen, empfehlen, offerieren, anpreisen, feilbieten, ausbieten, ausschreiben, zu verkaufen suchen, auf den Markt bringen, vermarkten, vorführen, ausstellen, auslegen, zur Schau stellen, aushängen, vorweisen, vorzeigen, zeigen, herausstellen, unterbreiten, vorlegen, einschicken, einsenden, 2. Angebot machen, inserieren, annoncieren, in die Zeitung setzen, anzeigen, Anzeige aufgeben/schalten, 3. reichen, darbieten, ausschenken, einschenken, kredenzen, darreichen, servieren, auftragen, auftischen, anrichten, aufwarten, bewirten, vorsetzen, beköstigen, laben, nötigen, 4. sich anerbieten, zur Verfügung stellen, bereit erklären, anheischig machen, verpflichten; auf sich nehmen.

51 Anfang 1. Beginn, Anbeginn, Vorabend, Anbruch, Auftakt, Ausbruch, Antritt, Eintritt, Entstehung, Aufkommen, Geburt, Wiege, Quelle, Keim, Ei, Samen, Initialstadium, Embryonalstadium, 2. Gründung, Begründung, Etablierung, Eröffnung, Niederlassung, Anbahnung, Ankurbelung; Start, Anpfiff, Anlauf; Anstich; Grundsteinlegung, Erstbezug, Debüt, Ouvertüre, Jungfernfahrt, Jungfernrede, Antrittsvorlesung, Einweihung, Feuertaufe, Einstand, Uraufführung, Erstaufführung, Premiere,

Vernissage, 3. Morgen, Morgenröte, Sonnenaufgang, Morgenlicht, Frühlicht, Erwachen, Dämmerung, Frühe, Frühstunde, Tagesanbruch, Morgengrauen.

anfangen 1. beginnen, anheben, einsteigen, angehen, losgehen, ansetzen, einsetzen, anlaufen, sich entspinnen, 2. anbrechen, dämmern, grauen, tagen, hell werden, Tag werden, heraufkommen, aufgehen, erwachen, sich erheben; werden, entstehen, in Gang kommen, 3. Anfang machen, debütieren, in Angriff nehmen, anpfeifen, starten, anklicken, gründen, begründen, eröffnen, aufmachen, etablieren, niederlassen, ankurbeln, anpacken, anlaufen lassen, ins Rollen bringen, vom Stapel lassen, in Gang setzen, sich anschicken; unternehmen, ins Leben rufen, errichten, einführen, Vorkehrungen treffen, in die Wege leiten/Hand nehmen, Hebel ansetzen, loslegen, Fühlung nehmen, ins Gespräch kommen, anspinnen, Anstalten machen, im Begriff sein, sich in Bewegung setzen; drangehen, herangehen an, Anlauf nehmen, initiieren, Initiative ergreifen, konstituieren. **52**

anfangs 1. anfänglich, zuerst, in erster Linie, primär, vor allem, als Erstes, zuallererst, als Wichtigstes, vorab, zunächst, einleitend, zuvor, zuvorderst, vorweg, eingangs, zu Beginn, 2. ursprünglich, keimhaft, embryonal, werdend, im Werden/Entstehen, in der Entwicklung, im Entwurf/Bau/Rohbau, in Umrissen, 3. erstmalig, zum ersten Mal, beim Debüt/ersten Auftritt. **53**

angeblich vorgeblich, vermeintlich, anscheinend, nominell, gleichsam, als ob, on dit, gewissermaßen, sozusagen, unter dem Deckmantel. **54**

angeboren ererbt, vererbt, erblich, vererbbar, von Geburt her, genbedingt, kongenital, hereditär, in die Wiege gelegt, von Haus aus, im Blut, naturgegeben, in den Genen. **55**

Angeklagter Beschuldigter, Verdächtiger, Beklagter, Verklagter, Untersuchungsgefangener. **56**

angenehm 1. willkommen, wünschenswert, erwünscht, wohlgefällig, günstig, kommod, unkompliziert, pflegeleicht, bequem, gelegen, genehm, zupass, passend, zusagend, praktisch, **57**

recht, trifft sich gut, lieb, sympathisch, nett, **2.** ergötzlich, erquickend, wohltuend, erfrischend, genussreich, befriedigend, erfreulich, nach dem Herzen.

58 angesehen geachtet, geschätzt, anerkannt, geehrt, hoch geschätzt, respektiert, renommiert, gerühmt, bejubelt, gefeiert, verehrt, umschwärmt, umjubelt, vergöttert.

59 angestammt 1. eingeboren, nativ, indigen, hiesig, einheimisch, entropisch, endemisch, **2.** sesshaft, bodenständig, autochthon, verwurzelt, verankert, verwachsen, ortsfest, ortsgebunden, heimatverbunden, immobil, stationär, **3.** genuin, überkommen, traditionell, ureigen.

60 angreifen 1. auf jmdn. losgehen, in die Offensive gehen, Kampf aufnehmen, in die Arena steigen, **2.** anfallen, angehen, attackieren, vorgehen, vorrücken, vorstoßen, stürmen, zum Angriff übergehen, Frieden brechen, überfallen, losgehen, losschlagen, dreinschlagen, dreinhauen, berennen, zu Leibe gehen, auf den Leib rücken, vorpreschen, anfliegen, beschießen, bombardieren, packen, überrumpeln, überrollen, überkommen, herfallen über, einfallen, sich stürzen auf; überrennen, vordringen, Vorstoß machen, einmarschieren, besetzen, einhauen auf, sich hermachen über; einstürmen auf, Attacke reiten gegen, unter Beschuss nehmen, mit Granaten belegen, Feuer eröffnen, **3.** anfeinden, bezichtigen.

61 Angriff 1. Offensive, Anmarsch, Vormarsch, Vorgehen, Einfall, Überfall, Vorstoß, Überrumpelung, Handstreich, Attacke, Sturm, Aggression, Affront, Einmarsch, Beschuss, Kanonade, **2.** Hetzjagd, Hatz.

62 Angst 1. Furcht, Bangen, Grauen, Schauder, Schauer, Grausen, Entsetzen, Erzittern, Erbeben, Erschrecken, Schrecken, Panik, Kopflosigkeit, Horror, Schock, **2.** Unruhe, Beklemmung, Beklommenheit, Bangigkeit, Nervosität, Beunruhigung, Bestürzung, Spannung, Erregung, Aufregung, Lampenfieber, Reisefieber, Zittern, Herzklopfen, Alpdruck, Nachtmahr, Alptraum, Horrortrip, Angstträume, Gespensterfurcht, Gruseln, Zähneklappern, **3.** Befürchtung, Besorgnis, Sorge, Furchtsamkeit,

Ängstlichkeit, Bänglichkeit, Bedenklichkeit, Vorsicht, Berührungsangst, **4.** Feigheit, Kleinmut, Kleingläubigkeit, Zaghaftigkeit, Verzagtheit, Mutlosigkeit, Bammel, Heidenangst, Schiss, Muffensausen, **5.** Krankheitsangst, Krankheitswahn, Hypochondrie, **6.** Phobie, Objektangst, Situationsangst, Erwartungsangst, Zwangsbefürchtung, Klaustrophobie, Platzangst, Phobiephobia, Angst vor der Angst.

ängstigen (sich) 1. Angst haben, **63** fürchten, bangen, ängsten, erschrecken, beben, erbeben, entsetzen, zittern, zagen, schlottern, gruseln, Nerven verlieren, Schrecken bekommen, Schock erleiden, erbleichen, erblassen, sich verfärben; zusammenfahren, zucken, zusammenzucken, erschauern, aufschrecken, zur Salzsäule erstarren, zurückfahren, zurückschaudern, zurückprallen, zurückschrecken, Atem anhalten, Blut schwitzen, graulen, grauen, grausen, schaudern, zittern wie Espenlaub, **2.** befürchten, sich sorgen, Gedanken machen; beklommen / besorgt sein, Manschetten / Furcht haben vor, Gespenster sehen, sich quälen, abhärmen, Sorgen machen; kein Auge schließen, schwarz sehen, sich Kummer machen; zittern um.

ängstlich 1. angstvoll, bekümmert, **64** furchtsam, bange, bänglich, beklommen, unruhig, unbehaglich, nervös, schreckhaft, angespannt, aufgewühlt, aufgeregt, besorgt, sorgenvoll, bangend, bebend, angsterfüllt, entsetzt, panisch, phobisch, **2.** feige, mutlos, zittrig, zitternd, schreckhaft, schlotternd, angstgepeinigt, angstbesessen, von Furien gejagt, nervenschwach, zähneklappernd, zage, zaghaft, zitterig, kleinmütig, kleingläubig, verängstigt, verschüchtert, befangen, verzagt, übervorsichtig, schwachherzig, schwachmütig, angst und bange.

anhängen 1. anhangen, dienen, treu **65** ergeben / verbunden sein, sympathisieren, nachfolgen, sich zugehörig fühlen, verbunden halten; Fan sein, Kult betreiben mit, **2.** sich anklammern; nachlaufen, verfolgen, nicht loslassen, sich abhängig machen, aufgeben; hörig werden, **3.** treu bleiben, nicht im Stich lassen, nicht aufgeben, zu jmdm. halten /

stehen, nicht verlassen, sich nicht abwenden, **4.** zulaufen, zuströmen, sich einfinden, anschließen.

66 Anhänger 1. Beiwagen, Hänger, Wohnwagen, **2.** Parteigänger, Gefolgsmann, Quartiermacher, Nachfolger, Paladin, Proselyt, Mitkämpfer, Mitstreiter, Kombattant, Fellowtraveller, Kampfgenosse, Kamerad, Vertrauter, Sympathisant, Getreuer, Mitglied, Parteigenosse, Kämpe, Mitverschworener, Gesinnungsgenosse, Gefährte, Jünger, Begleiter, Schatten, Linientreuer, **3.** Nachläufer, Mitläufer, Nachbeter, Trabant, Satellit, Vasall, Höriger, Geschöpf, Werkzeug, Kreatur, Marionette, **4.** Anhängerschaft, Gefolgschaft, Entourage, Gefolge, Gemeinde, Anhang; Tross, Hofstaat, Kamarilla, Günstlinge, **5.** Fan, Fex, Groupie, Verehrer, Bewunderer, Schlachtenbummler.

67 ankommen 1. eintreffen, Ziel erreichen, ans Ziel gelangen, anlangen, kommen, nahen, sich einfinden; erscheinen, eintreten, auftauchen, vorfahren, sich einstellen; einziehen, auftreten, auf der Bildfläche erscheinen, antreten, aufmarschieren, einlaufen, einfliegen, anmarschieren, anrollen, landen, eintrudeln, antanzen, angestiefelt kommen, im Anzug sein, **2.** zur Welt kommen, geboren werden, Licht der Welt erblicken.

68 Ankunft 1. Eintreffen, Erscheinen, Einzug, Kommen, Eintritt, Antritt, Antreten, Betreten, Auftreten, Auftritt, Anfahrt, Anmarsch, Anreise, Landung, Arrival, Einlaufen, **2.** Geburt, Partus, Niederkunft, freudiges Ereignis, Entbindung.

69 anlässlich 1. aus Anlass, aufgrund, bei Gelegenheit, gelegentlich, bei, zu, zum, wenn, als, **2.** denn, weil, nämlich, halber, wegen, infolge, um … willen, ob, dank.

70 Anmut Grazie, Liebreiz, Lieblichkeit, Holdseligkeit, Süße, Feinheit, Zierlichkeit, Leichtigkeit, Zauber, Charme, Reiz.

71 anmutig 1. reizend, bezaubernd, zauberhaft, hold, holdselig, lieblich, liebreizend, charmant, liebenswürdig, gewinnend, einnehmend, **2.** graziös, zierlich, grazil, geschmeidig, leicht, beweglich, leichtfüßig, gazellenhaft, rehhaft, niedlich, allerliebst, beschwingt, süß.

anordnen 1. angeben, anweisen, verordnen, verschreiben, gebieten, bestimmen, erlassen, vorschreiben, reglementieren, befinden, ansagen, zudiktieren, auferlegen, verhängen, aufbrummen, verfügen, Auflage machen; diktieren, dekretieren, kommandieren, beordern, zitieren, kommen lassen, vorladen, **2.** disponieren, ansetzen, festsetzen, festlegen, anberaumen. **72**

anpassen (sich) 1. synchronisieren, synchron schalten, aufeinander abstimmen, harmonisieren, angleichen, timen, tunen, orchestrieren, adaptieren, **2.** sich angleichen, annähern, assimilieren, anverwandeln, akklimatisieren, eingewöhnen, schicken, fügen, einordnen, einreihen; nicht aus der Reihe tanzen, nicht auffallen, sich einstellen auf, einfügen, einrichten, einleben; vertraut/heimisch werden, Fuß fassen, sich aneinander gewöhnen, einspielen auf, abschleifen; zusammenwachsen, sich anschmiegen. **73**

Anpassung 1. Harmonisierung, Angleichung, Synchronisierung, Timing, **2.** Einordnung, Assimilierung, Einfügung, Akklimatisierung, Adaptation, Adaption, Anverwandlung, Mimikry; Angepasstheit, Konformismus. **74**

anregen 1. initiieren, veranlassen, vorschlagen, anraten, anempfehlen, nahe legen, Gedanken eingeben, hinlenken auf, suggerieren, anspitzen, **2.** ermuntern, anspornen, anfeuern, drängen, Impuls/Antrieb geben, anstacheln, anheizen, hochkochen, elektrisieren, beschwingen, animieren, antreiben, beleben, aufrütteln, aktivieren, anstecken, begeistern, packen, umwerfen, entflammen, entzünden, befeuern, beflügeln, inspirieren, beseelen, treiben, motivieren, ermutigen, encouragieren, **3.** aufregen, antörnen, reizen, stimulieren, anmachen, aufputschen, erregen, beleben, dopen, aufpeitschen, aufmöbeln, erfrischen, aufmuntern, aufpulvern, in Schwung bringen, **4.** erheitern, erquicken, zerstreuen, unterhalten, vergnügen, amüsieren, fröhlich stimmen, belustigen. **75**

anregend 1. belebend, unterhaltend, abwechslungsreich, amüsant, erheiternd, aufheiternd, ermunternd, erfrischend, reizvoll, **2.** geistreich, geistvoll, sophisticated, einfallsreich, witzig, **76**

spritzig, charmant, unterhaltsam, belustigend, zerstreuend, ablenkend, prickelnd, perlend, moussierend, sprühend, 3. erregend, inspirierend, begeisternd, entflammend, aufregend, aufreizend, aufputschend, aufpeitschend, stimulierend, beflügelnd, animativ, animierend.

77 Anregung 1. Rat, Impuls, Anstoß, Denkanstoß, Gedanke, Einfall, Idee, Vorschlag, Antrieb, Betreiben, Inspiration, Verursachung, Veranlassung, 2. Ermunterung, Ermutigung, Belebung, Erweckung, Kick, Auftrieb, Ansporn, Anreiz, Herausforderung, 3. Zerstreuung, Ablenkung, Unterhaltung.

78 anschaulich 1. bildhaft, eidetisch, lebendig, lebhaft, bunt, farbig, blutvoll, sinnfällig, plastisch, figürlich, gegenständlich, prägnant, augenfällig, sprechend, expressiv, intensiv, frisch, 2. prall, saftig, malerisch, pittoresk, sinnlich, illustrativ, ausdrucksvoll, ausdrucksstark, unverwischbar, einprägsam, lebensnah, wirklichkeitsnah, praxisnah, handfest, deutlich, konkret, greifbar, handgreiflich.

79 anscheinend vermutlich, wahrscheinlich, offenbar, glaubhaft, anzunehmen, sicherlich, augenscheinlich, scheinbar, mutmaßlich, wie es scheint, dem Anschein nach, dem Vernehmen nach, angeblich, gerüchteweise, voraussichtlich, aller Voraussicht nach, mit ziemlicher Gewissheit, nach menschlichem Ermessen.

80 ansehen (sich) 1. anschauen, betrachten, besehen, besichtigen, sich umsehen; in Augenschein nehmen, beschauen, begucken, angucken, mustern, prüfen, taxieren, untersuchen, studieren, sich beschäftigen/befassen mit, 2. anblicken, den Blick richten auf, Blick zuwerfen, aufs Korn nehmen, anpeilen, anstarren, anstieren, begaffen, anglotzen, fixieren, nicht aus den Augen lassen, 3. sich betrachten; vor dem Spiegel stehen, sich bespiegeln, beschauen, prüfen, mustern.

81 Anspielung 1. Andeutung, Stichelei, Neckerei, Fopperei, Hänselei, Hieb, Stich, Seitenhieb, Spitze, Gehässigkeit, 2. Doppelsinnigkeit, Anzüglichkeit.

82 Anspruch 1. Recht, Anrecht, Berechtigung, Befugnis, Anwartschaft, Gewohnheitsrecht, 2. Ehrgeiz, Ambition, Lebensansprüche, Lebenswünsche, Konsumansprüche, 3. Anforderung, Forderung, Kostenaufstellung, Rechnung.

anspruchslos 1. bescheiden, selbstgenügsam, bedürfnislos, schlicht, leicht zufrieden zu stellen, genügsam, sparsam, 2. zufrieden, wunschlos glücklich, wunschlos, zufrieden gestellt, saturiert. **83**

anspruchsvoll 1. verwöhnt, unbescheiden, verfeinert, luxuriös, raffiniert, differenziert, wählerisch, subtil, heikel, kennerisch, niveauvoll, von gutem/gewähltem/erlesenem Geschmack, kritisch, urteilssicher, 2. anmaßend, selbst ernannt, blasiert, dünkelhaft, versnobt, snobistisch, eingebildet, hochtrabend, hochgestochen, prätentiös, elitär, hochfahrend, hochnäsig. **84**

Anstand 1. Benehmen, Betragen, Umgangsformen, Manieren, Erziehung, gute Sitten, Kinderstube, Niveau, Takt, Schliff, Höflichkeit, Artigkeit, Bonhomie, 2. Ethik, Moral, Moralität, Tugend, Sitte, Sittsamkeit, Schicklichkeit, Biedersinn, Rechtschaffenheit, Lauterkeit, Redlichkeit, Integrität, Anständigkeit, Wohlanständigkeit, Fairplay, Fairness, Seriosität. **85**

anständig 1. gehörig, passend, angemessen, gemäß, schicklich, ziemlich, salonfähig, stubenrein, 2. ethisch, moralisch, sittlich, sittenfest, achtbar, honorig, gesittet, sittsam, sittig, honett, respektabel, wohlerzogen, reine Weste, unsträflich, untadelig, tadellos, reputierlich, einwandfrei, unbescholten, unangreifbar, seriös, 3. fair, lauter, solide, rechtschaffen, gediegen, korrekt, ordentlich, zuverlässig, vertrauenswürdig, ehrenhaft, ehrlich, grundehrlich, hochanständig, grundanständig, sauber, fair, ritterlich, unbestechlich, integer, reell, aufrichtig. **86**

anstandslos ohne weiteres, unbesehen, glattweg, schlankweg, ohne Bedenken/Umschweife/Zögern, ungescheut, kurzum, kurzweg, kurzerhand, ungehemmt, ohne jede Schwierigkeit, widerspruchslos, natürlich, selbstverständlich, klar, unbedenklich, mir nichts, dir nichts, gern, blanko, ungeprüft, mit einem Federstrich. **87**

anstehen 1. ausstehen, fällig sein, **88**

restieren, fehlen, offen stehen, zu erledigen/bezahlen/erwarten sein, anliegen, an der Reihe/unerledigt sein, **2.** zustehen, zukommen, gebühren, sich gehören; angemessen sein, sich schicken, ziemen; beanspruchen/verlangen können, ein Recht haben auf, **3.** Schlange stehen, sich anstellen; warten.

89 anstellen 1. verpflichten, einstellen, einsetzen, engagieren, dingen, heuern, chartern, werben, nehmen, verwenden, beschäftigen, in Dienst nehmen, Arbeit geben, unterbringen, ernennen, bestellen, bestallen, bediensten, betrauen, **2.** vereidigen, schwören lassen, unter Eid nehmen, vergattern, **3.** aufdrehen, in Gang setzen, ankurbeln, anlassen, zünden, in Bewegung bringen, einschalten, auf Stand-by schalten, anknipsen, anstoßen, Antrieb geben, aufmachen, **4.** etwas anstellen/anrichten.

90 anstoßen 1. anprallen, gegenstoßen, aufprallen, aufstoßen, **2.** anstürmen, branden, wogen, anrollen, **3.** in die Seite stoßen, aufmerksam machen, anrempeln, **4.** anecken, auffallen, Ärgernis/Befremden erregen, ärgern, ins Fettnäpfchen treten, Fauxpas begehen, zu nahe treten, Missfallen erregen, von sich reden machen; ins Gerede kommen, **5.** lostreten, auslösen, initiieren, **6.** zuprosten, zutrinken, auf jmds. Wohl trinken, Toast ausbringen, jmdn. hochleben/Gläser erklingen lassen, Glas erheben, Hoch ausbringen, Glück wünschen.

91 anstößig 1. ungehörig, unfein, unpassend, unschicklich, anzüglich, zweifelhaft, zweideutig, eindeutig, unanständig, unter der Gürtellinie, pikant, frivol, schlüpfrig, anstandswidrig, nicht salonfähig, nicht stubenrein, halbseiden, **2.** lose, locker, freizügig, leichtfertig, liederlich, unzüchtig, zügellos, lasterhaft, **3.** pornographisch, lasziv, obszön, gewagt, frei, schamlos; erotisierend, libidinös, sexuell stimulierend, aufgeilend, scharf machend, **4.** geschmacklos, wüst, unflätig, zotig, sexistisch, pöbelhaft, gemein, gewöhnlich, verletzend, ordinär, vulgär, schmutzig, dreckig, schweinisch, pervers, säuisch, **5.** fragwürdig, übel beleumdet, anrüchig, **6.** Ärgernis erregend, Anstoß erregend, schockierend, shocking.

anstrengen (sich) 1. Mühe/zu **92** schaffen machen, beanspruchen, in Anspruch nehmen, Umstände machen, **2.** sich Mühe geben; keine Mühe scheuen, auf sich nehmen, sich befleißigen, angelegen sein lassen, zum Anwalt machen; alle Hebel in Bewegung setzen, in die Vollen gehen, sich engagieren, einsetzen; nichts unversucht lassen, sein Bestes geben, alles tun/aufbieten, von Pontius zu Pilatus laufen, sich ins Zeug legen, dahinter klemmen, abstrampeln, abhampeln, **3.** schwer arbeiten, sich abmühen, plagen, placken, anspannen, ins Geschirr legen, dranhalten; schuften, malochen, asten, ackern, sich erschöpfen, aufreiben, verausgaben, schinden, abrackern, quälen, abarbeiten, aus den Rippen leiern, abringen, **4.** Mühe haben, sich schwer tun; schweren Stand/nichts zu lachen haben.

antizipieren vorgreifen, vorwegnehmen, präjudizieren, vorausdenken, voraussehen, vorwegwissen, prophezeien. **93**

Antrag 1. Anfrage, Frage, Bitte, Vorlage, Gesuch; Ansuchen, Eingabe, Bewerbung, Heiratsantrag, **2.** Bittgesuch, Bittschreiben, Bittschrift, Denkschrift, Bettelbrief, Memorandum, Petition, Gnadengesuch. **94**

Anwärter 1. Erbe, Nachfolger, Nachkomme, künftiger Besitzer, **2.** Bewerber, Interessent, Freier, Prätendent, Assessor, Aspirant, Kronprinz, Kandidat, Beitrittskandidat, Teilnehmer, Mitbewerber, designierter Nachfolger, Platzhirsch, Konkurrent, **3.** Antragsteller, Bittsteller, Ansucher, Petent. **95**

Anweisung 1. Anleitung, Belehrung, Rat, Unterweisung, Einführung, Unterrichtung, Einweisung, **2.** Angabe, Vorschrift, Gebrauchsanweisung, Gebrauchsanleitung, Instruktion, Briefing; Beipackzettel, Verpackungsbeilage, Benutzungsvorschrift, Bedienungsanleitung, Rezept, Rezeptur, Verhaltensmaßregel, Direktive, **3.** Überweisung, Zahlung, Zustellung. **96**

Anzeige 1. Inserat, Annonce, Zeitungsanzeige, Bekanntmachung, Ausschreibung, Ankündigung, **2.** Anzeigetafel, Display, **3.** Aushang, schwarzes Brett, Pinnwand, Plakat, Poster, Aufgebot, Anschlag, Website, Homepage. **97**

anziehen 1. ankleiden, bekleiden, **98**

Kleider anlegen, etwas überziehen, umhängen, überwerfen, in die Kleider schlüpfen, Toilette machen, sich fertig machen, herrichten, **2.** sich kleiden, anzuziehen wissen; seinen Stil kennen, **3.** fesseln, reizen, locken, Blicke auf sich ziehen, faszinieren, gewinnen.

99 anziehend 1. einnehmend, ansprechend, reizvoll, **2.** magnetisch, hygroskopisch.

100 appetitlich 1. appetitanregend, ansprechend, einladend, verlockend, duftend, mundwässernd, **2.** köstlich, lecker, pikant, würzig, blumig, süffig, prickelnd, schmackhaft, wohlschmeckend, fein, gut, delikat, deliziös, exquisit, exzellent, erlesen, raffiniert, superb, kulinarisch, göttlich, himmlisch, **3.** sauber, proper, zum Anbeißen.

101 Arbeit 1. Tätigkeit, Tun, Handeln, Wirken, Schaffen, Betätigung, Verrichtung, Ausübung, Leistung, Werk, **2.** Erwerbstätigkeit, Beschäftigung, Broterwerb, Beruf, Metier, Anstellung, Stellung, Profession, Position, Stelle, Job, Platz, Arbeitsverhältnis, Arbeitsplatz, Posten, Aufgabe, **3.** Handarbeit, Heimarbeit, Halbtagsarbeit, Teilzeitarbeit, Jobsharing, Akkordarbeit, Fabrikarbeit, Lohnarbeit, Facharbeit, Kopfarbeit, Schwarzarbeit, Telearbeit, Teleworking, **4.** Maloche, Fron, Joch, Knute, Tretmühle.

102 arbeiten 1. tätig sein, etwas tun / schaffen, Arbeit verrichten, sich beschäftigen mit, betätigen, widmen, befassen, abgeben; Arbeit leisten, tun, etwas betreiben, jobben, **2.** Beruf ausüben, einer Beschäftigung nachgehen, Stellung haben, erwerbstätig sein, im Dienst stehen, Amt ausüben, amtieren, fungieren als, seines Amtes walten, **3.** sich regen, rühren, tummeln; Hausarbeit verrichten, produzieren, leisten, vollbringen, malochen, buckeln, werkeln, hantieren, **4.** verfertigen, anfertigen, herstellen; spinnen, weben, wirken, flechten, zimmern, schreinern, tischlern; schmieden, schweißen; handarbeiten, stricken, häkeln, sticken, knüpfen, nähen, sticheln, heften, reihen, steppen, schneidern.

103 Arbeitnehmer Lohnabhängiger, Lohnempfänger, Arbeiter, Werktätiger; Arbeitskraft, Angestellter, Gehaltsempfänger, Bediensteter; Betriebsangehöriger, Mitarbeiter; Tarifpartner.

arbeitslos erwerbslos, ohne Arbeit / **104** Arbeitsplatz / Anstellung / Erwerb, stellungslos, ohne Job, beschäftigungslos, unbeschäftigt, brotlos, gekündigt, entlassen, abgebaut, ausgeschieden, ausgeschaltet, auf der Straße, stempelnd, auf Stütze.

Ärger 1. Gereiztheit, Verstimmung, **105** Verärgerung, Ungehaltenheit, schlechte Laune, Unwille, Unmut, Grimm, Erbostheit, Entrüstung, Erbitterung, Verdruss, Verdrossenheit, Gekränktheit, Verletztheit, Missfallen, Missvergnügen, Missbehagen, **2.** Aufwallung, Empörung, Erregung, Aufgebrachtheit, Verbiesterung, Ingrimm, Zorn, Furor, Gift und Galle, Wut, Wutanfall, Koller, Zähneknirschen, Raserei, Rage, **3.** Ärgernis, Unannehmlichkeit, Widrigkeit, Missgeschick, Geduldsprobe, Nervenprobe, Verdrießlichkeit, Unbilden, Belastung, Gefrett, Schererei, Zores, Schlamassel, Knatsch, Theater, Tanz, Krach, Schwulitäten, Plage, Misshelligkeit, Unzuträglichkeit, Spannungen, dicke Luft, Unstimmigkeiten, Unerquicklichkeiten, Ungelegenheiten, Widerwärtigkeiten, Unliebsamkeiten, Schwierigkeiten, Molesten, Schikanen, Belästigungen.

ärgern (sich) 1. Scherereien / **106** Schwierigkeiten machen, Unannehmlichkeiten bereiten, verärgern, auf den Wecker fallen, molestieren, nerven, auf den Geist gehen, ätzen, Nerv töten, enervieren, entnerven, auf die Nerven fallen, vergrätzen, irritieren, reizen, verschnupfen, verstimmen, sauer / nervös / böse / wild / zornig / rasend machen, in Harnisch bringen, erbosen, erzürnen, auf die Palme bringen, hochbringen, zur Raserei / in Rage bringen, aufbringen, verdrießen, erbittern, ergrimmen, Wände hochjagen, fuchsen, wurmen, stinken, **2.** unangenehm berühren, sauer / nervös / böse / heftig / wild / zornig werden, sich erbosen; geladen sein, auffahren, aufbrausen, rotsehen, sich alterieren; aus dem Häuschen / in Harnisch geraten, rotieren, sieden, schäumen, kochen, Wände hochgehen, zu viel kriegen, es satt haben / leid sein, genug haben, an die Decke / in die Luft gehen, **3.**

übel nehmen, krumm nehmen, einschnappen, verargen, verübeln, in den falschen Hals kriegen.

107 arm 1. bedürftig, mittellos, ohne Vermögen, vermögenslos, unbemittelt, einkommensschwach, finanzschwach, unterprivilegiert, ohne Einkommen, besitzlos, unversorgt, in Not, von der Hand in den Mund, bettelarm, arm wie eine Kirchenmaus, ohne Geld, abgebrannt, pleite, blank, Not leidend, hungernd, **2.** ärmlich, schäbig, armselig, kläglich, dürftig, elend, beklagenswert, kümmerlich, kärglich, mickrig, heruntergekommen, lumpig, abgerissen, verarmt, verelendet, zum Gotterbarmen, erbärmlich, hilfsbedürftig, jämmerlich.

108 Aroma Duft, Geruch, Wohlgeruch, Parfüm, Odeur, Blume, Bukett; Geschmack, Wohlgeschmack, Schmackhaftigkeit, Würze, Würzigkeit, Hautgout, Süße, Süßigkeit, Mief, Muff, Gestank.

109 aromatisch duftend, wohlriechend, balsamisch, blumig, wohlduftend; schmackhaft, wohlschmeckend, köstlich, appetitanregend, pikant, würzig, kräftig; miefig, muffig, stinkend.

110 Art 1. Qualität, Beschaffenheit, Zustand, Form, Gepräge, Wesen, Wesensart, Erscheinung, Ausformung, Erscheinungsform, Charakter, Aussehen, Gestalt, Kontur, **2.** Gattung, Genre, Kategorie, Rasse, Klasse, Schlag, Sorte, Geschlecht, Stamm, Familie, Spezies, Kaliber, Typus, Couleur, **3.** Methode, Manier, Weise, Art und Weise, Stil, Technik, Weg, Modalität, Modus, Duktus.

111 Artist 1. Zirkuskünstler, Varietékünstler, Jahrmarktskünstler, **2.** Akrobat, Athlet, Pantomime, Taschenspieler, Trickkünstler, Gaukler, Zauberkünstler, Eskamoteur, Schlangenmensch, Bodenakrobat, Seiltänzer, Geschicklichkeitskünstler, Clown, Hanswurst, Spaßmacher, Jongleur, Messerwerfer, Trapezkünstler, Hochseilakrobat, Feuerschlucker, Fakir, Schwertschlucker, Dompteur, Dresseur, Bauchredner, Tierbändiger, Todesfahrer, Steilwandfahrer, Kunstfahrer.

112 Arznei 1. Arzneimittel, Droge, Heilmittel, Medikament, Mittel, Medizin, Hausmittel, Pharmakon, Präparat, **2.** Pille, Tablette, Dragee, Zäpfchen, Tinktur, Salbe, Emulsion, Pulver, Tropfen, Injektion, Bestrahlung.

Arzt Mediziner, Doktor, Heilkundiger, **113** Medikus, Therapeut, Heiler.

Atelier Künstlerwerkstatt, Werkstatt, **114** Studio; Filmatelier, Filmstudio, Fotoatelier, Fotostudio.

atmen respirieren, leben; einatmen, **115** Luft einziehen, inhalieren, durchatmen, hauchen, schnauben, hecheln, japsen, Atem holen, Luft holen/schöpfen, tief atmen, schnaufen, nach Luft schnappen, keuchen, prusten, nach Atem ringen, ausatmen.

Attentat Anschlag, Mordanschlag, **116** Sprengstoffanschlag, Bombenanschlag, Giftgasanschlag, Meuchelmord, Fememord, Überfall, Bluttat.

auch 1. ferner, weiter, weiterhin, fernerhin, fürderhin, des Weiteren, ebenfalls, gleichermaßen, gleicherweise, desgleichen, genauso, ebenso, gleichfalls, dito, item, sowie, sowohl, **2.** einschließlich, mit, inklusive, samt, nebst, sogar, selbst, ohnedem, ohnedies, **3.** außerdem, dazu, zudem, zum anderen, daneben, zusätzlich, obendrein, überdies, plus, extra, noch, darüber hinaus.

auffallen abstechen, sich unterscheiden, abheben; ins Auge fallen, Aufsehen **118** erregen, aus der Reihe tanzen, Staub aufwirbeln, Schlagzeilen machen, aus dem Rahmen fallen, Extratour reiten, ausscheren, bemerkt/beachtet werden, sich einprägen; im Gedächtnis haften, Blicke anziehen, Furore machen, überraschen.

auffallend 1. auffällig, Aufsehen erregend, eklatant, frappant, ungewöhnlich, nicht alltäglich, ausgefallen, aus dem Rahmen fallend, besonders, unübersehbar, sichtlich, überraschend, erstaunlich, aufdringlich, in die Augen fallend, ins Auge stechend, **2.** eigentümlich, merkwürdig, sonderlich, absonderlich, sonderbar, abweichend, abwegig, anders, seltsam, wunderlich, befremdlich, exzentrisch, eigenbrötlerisch, verzerrt, grotesk, lachhaft, lächerlich, komisch, kurios, spleenig, verschroben, schrullig, närrisch, verstiegen, verdreht, extravagant.

Aufgabe 1. Auftrag, Beruf, Rolle, **120** Funktion, Obliegenheit, Angelegenheit, Sendung, Mission, Amt, Bestimmung,

2. Schließung, Einstellung, Stilllegung, Liquidierung, Auflassung, Niederlegung, Vergabe, Auslagerung, Outsourcing, **3.** Abbestellung, Kündigung, Aufsage, Widerruf, Annullierung, Abmeldung, Stornierung, **4.** Frage, Problem, Rätsel, Denksportaufgabe, Schwierigkeit, **5.** Übergabe, Preisgabe, Herausgabe, Auslieferung, Verzicht, **6.** Schularbeiten, Schulaufgaben, Hausaufgaben, Pensum, Lektion, Lernstoff, Lehrstoff.

121 Aufgabengebiet Aufgabenbereich, Aufgabenkreis, Aufgabenkomplex, Arbeitsgebiet, Sachgebiet, Domäne, Arbeitsbereich, Arbeitsfeld, Tätigkeitsbereich, Tätigkeitsgebiet, Sachbereich, Referat, Wirkungsbereich, Wirkungskreis, Ressort, Zuständigkeitsbereich, Kompetenzbereich.

122 aufgeben 1. schließen, einstellen, zumachen, dichtmachen, auflösen, aufheben, liquidieren, stilllegen, auflassen, **2.** abbestellen, abmelden, aufsagen, abbrechen, kündigen, aufkündigen, zurückziehen, rückgängig machen, annullieren, für ungültig/nichtig erklären, ungeschehen machen, widerrufen, zurücknehmen, stornieren, canceln, streichen, tilgen, entwerten, keinen Wert mehr legen/verzichten auf, **3.** abschreiben, ablassen von, abtun, vergessen können, über Bord werfen, fallen lassen, absehen von, beerdigen, verloren geben, zu Grabe tragen, an den Nagel hängen, sausen lassen, sich entgehen lassen, abschminken; fahren lassen, dreingeben, schwinden lassen; Segel streichen, Hoffnung aufgeben, aufstecken, Waffen strecken, Handtuch werfen, resignieren, passen, kapitulieren, Flinte ins Korn werfen, am Ende sein, aus dem letzten Loch pfeifen, sich unterwerfen; Kehle hinhalten, **4.** Aufgabe stellen, aufbrummen.

123 aufheben 1. aufbewahren, verwahren, in Verwahr nehmen, unterbringen, unterstellen, einschließen, sichern, speichern, aufsparen, aufspeichern, sammeln, horten, lagern, einlagern, erhalten, behalten, hüten, bewahren, **2.** hochheben, aufsammeln, anheben, auflesen, aufklauben, aufnehmen, aufgreifen, **3.** zurückhalten, zurückbehalten, in der Hinterhand haben, in Reserve halten, **4.** abschaffen, beheben, annullieren.

auflehnen (sich) 1. sich aufstützen, **124** auflegen, anlehnen, stützen auf, **2.** aufbegehren, sich aufbäumen, wehren, widersetzen; Widerstand leisten, Front machen, opponieren, Kontra geben, Protest erheben, protestieren, sich empören; gegen den Strom schwimmen, Widerstand entgegensetzen, Paroli bieten, sich weigern; entgegentreten, entgegenstellen, sich quer legen, etwas nicht gefallen lassen; aufstehen, sich erheben; rebellieren, meutern, auf die Barrikaden gehen, Sturm laufen gegen, in Aufruhr geraten, revoltieren.

aufmerksam 1. gesammelt, konzentriert, angespannt, intensiv, bei der Sache, vertieft, versunken, andächtig, interessiert, dabei, unablenkbar, offenen Auges, geistesgegenwärtig, auf dem Quivive, präsent, wach, mit wachen Sinnen, hellhörig, wachsam, stutzig, **2.** höflich, nett, zuvorkommend, hilfsbereit, rücksichtsvoll.

Aufnahme 1. Foto, Lichtbild, Bild, **126** Schnappschuss, Standfoto, Close-up, Take, Dreh; Bandaufnahme, Mitschnitt, Aufzeichnung, **2.** Registrierung, Erfassung, Zulassung, Einreihung, Eintragung, Immatrikulation, **3.** Empfang, Begrüßung, Willkomm, **4.** Zulass, Zutritt, Zugang, Annahme, Rezeption, Anmeldung, Anmelderaum, **5.** Einbürgerung.

aufnehmen 1. empfangen, willkommen heißen, beherbergen, unterbringen, Quartier geben, einquartieren, **2.** zulassen, annehmen, einschreiben, eintragen, einbeziehen, eingliedern, einschulen, immatrikulieren, **3.** aufsaugen, absorbieren, resorbieren, einsaugen, sich einverleiben; verdauen, verarbeiten, anverwandeln, rezipieren, **4.** aufgreifen, weiterspinnen, fortsetzen, **5.** protokollieren, niederlegen, zu Protokoll nehmen, mitschreiben, notieren, dokumentieren, fotografieren, filmen, auf Band nehmen, aufzeichnen, mitschneiden, **6.** einbürgern, naturalisieren, nostrifizieren, Staatsangehörigkeit/Staatsbürgerschaft verleihen.

aufpassen 1. Acht geben, Obacht geben, Ohren spitzen, dabei sein, horchen, lauschen, zuhören, aufmerken, aufhorchen, **2.** beobachten, beaufsichtigen, bewachen, im Auge behalten, achten/Acht geben auf, **3.** Wacht halten, wachen, Wache/Posten stehen, Wache schieben, **4.** sich vorsehen; achtsam sein, sich hüten; ängstlich sein, auf Nummer Sicher gehen, sich in Acht nehmen; Vorsicht walten lassen.

129 aufregen (sich) 1. ärgern, erregen, erbittern, aufbringen, hochbringen, **2.** ängstigen, beunruhigen, beängstigen, erschrecken, unsicher machen, verunsichern, **3.** Staub aufwirbeln, Aufregung verursachen, Aufsehen erregen, in ein Wespennest stechen, Ärgernis erregen, **4.** umtreiben, zu schaffen machen, an die Nieren gehen, mitnehmen, angreifen, **5.** in Erregung/Wallung geraten, sich ereifern, empören, erzürnen, erhitzen, entrüsten; aufbegehren, explodieren, ausrasten, ausflippen, sich Luft machen.

130 aufregend 1. erregend, ergreifend, packend, erschütternd, angreifend, bewegend, spannend, elektrisierend, aufwühlend, aufpeitschend, dramatisch, rührend, aufrüttelnd, beunruhigend, überwältigend, umwerfend **2.** ärgerlich, erbitternd, empörend, verstimmend, aufreizend, aufreibend, störend, nervenzermürbend, alterierend, nervend, entnervend, zum Verrücktwerden/Auswachsen, himmelschreiend, hanebüchen, unglaublich, bodenlos, skandalös, zu bunt, unerhört, starkes Stück, allerhand, happig, nicht zu glauben.

131 aufrichtig offen, ehrlich, grundehrlich, gerade, unverstellt, ohne Falsch/Winkelzüge/Hintergedanken, unumwunden, unverhohlen, echt, redlich, verlässlich, aufrecht, wahrhaftig, wahrheitsliebend.

132 Aufschwung Aufwärtsentwicklung, Wachstum, Auftrieb, Fortschritt, Blüte, Prosperität, Konjunktur, Wirtschaftsaufschwung, Boom, Hoch, Hausse, Take-off, Hochkonjunktur, Wirtschaftsblüte.

133 Aufsicht 1. Beobachtung, Bewachung, Beaufsichtigung, Wacht, Überwachung, Kontrolle, Zensur, **2.** Wachhabender; Kontrolleur, Gefängniswärter, Beschließer, Polizist, Politesse, **3.** Korrektor, Revisor, Prüfer, Wirtschaftsprüfer, Steuerprüfer.

134 Aufstand 1. Erhebung, Revolte, Insurrektion, Rebellion, Kämpfe, Massen-

erhebung, Volksaufstand, Umsturz, **2.** Putsch, Staatsstreich, Handstreich, Coup d'État, Sturz, Militärputsch, Palastrevolution, Theatercoup, **3.** Aufruhr, Unruhen, Wirren, Tumult, Krawalle, Randale.

Aufstieg 1. Beförderung, Rangerhöhung, Vorwärtskommen, Fortkommen, Emporkommen, Karriere, Laufbahn, Erfolg, Blitzkarriere, Steilflug, Traumkarriere, **2.** Anstieg, Besteigung, Ersteigung, Bergbesteigung, Bergfahrt, Bergwanderung; Ansteigen, Steigung. **135**

Auftrag 1. Bestellung, Buchung, Vormerkung, Abonnement, **2.** Anordnung, Anweisung, Direktive, Weisung, Geheiß, **3.** Berufung, Ruf, Bestallung, Aufgabe, Sendung, Entsendung, Mission, Beauftragung, Mandat, Befehl. **136**

Aufwand 1. Aufwendungen, Ausgaben, Unkosten, Auslagen; Nebenausgaben, Extraausgaben, Spesen, Tantiemen, Tagegeld, Diäten, **2.** Luxus, Verschwendung, Vergeudung, Ausstattung, Gepräge, Prunk, Pomp, Glanz, Staat, Überfluss, Umstände, Mühe. **137**

aufwärts nach oben, bergauf, Bergfahrt, hinauf, hinan, empor, himmelwärts, stromauf. **138**

aufziehen 1. großziehen, heranziehen, aufbringen, aufpäppeln, **2.** hochziehen, hissen, hochwinden, hieven, flaggen, beflaggen, **3.** aufmarschieren, antreten, sich aufstellen, formieren, **4.** spotten, foppen. **139**

Aufzug 1. Fahrstuhl, Paternoster, Personenaufzug, Lift, Lastenaufzug, Flaschenzug, Winde, Hebewerk, **2.** Auftritt, Szene, Bild, Akt. **140**

Augen Augapfel, Seher, Lichter, Fenster, Gucker, Seelenfenster; Glotzaugen, Glupscher, Froschaugen, Schielaugen, Silberblick, Kuhaugen, Katzenaugen, Mandelaugen; Adleraugen, Falkenaugen, Luchsaugen, Stielaugen; Blick. **141**

ausbrechen 1. losbrechen, sich entladen; hochgehen, detonieren, explodieren, bersten; aufflammen, aufflackern, entbrennen, manifest werden, zum Durchbruch kommen, **2.** losplatzen, losschreien, Nerven verlieren, **3.** türmen, ausknеifen, fliehen; ausscheren, aussteigen. **142**

Ausbruch 1. Entladung, Erguss, Explosion, Eruption, Detonation, Knall, **143**

Zündung, **2.** Wutanfall, Aufwallung, Wutausbruch, Zornausbruch, Raserei, Schimpfkanonade, Raptus, Rappel, Koller, Tobsuchtsanfall, **3.** Flucht, Entweichen, Entkommen, Stampede.

144 ausdauernd beständig, stetig, fest, gleichmäßig, geduldig, unermüdlich, konstant, beharrlich, zielstrebig, stet, insistierend, hartnäckig, zäh.

145 ausdehnen (sich) 1. entfalten, erweitern, ausweiten, expandieren, globalisieren, ausbreiten, verbreiten, vergrößern, ausbauen, aufstocken, erhöhen, **2.** zunehmen, anschwellen, sich entwickeln; ansteigen, übergreifen, sich erstrecken; anwachsen, sich häufen; breiter/stärker werden, **3.** hinziehen, in die Länge ziehen, auswalzen, breittreten, kein Ende finden, ins Detail gehen, **4.** sich ausbreiten, ausweiten; grassieren, um sich greifen, sich durchsetzen, einbürgern, Geltung verschaffen; Kreise ziehen, zur Gewohnheit werden, überhand nehmen, wuchern, überwuchern, üppig werden, ausarten, Formen annehmen, ins Kraut schießen, zur Landplage werden, wimmeln von.

146 Ausdehnung 1. Ausweitung, Ausbreitung, Zunahme, Vergrößerung, Erweiterung, Verbreiterung, Vermehrung, Anwachsen, Entfaltung, Expansion, Zuwachs, **2.** Ausmaß, Länge, Breite, Weite, Höhe, Tiefe; Dimension, Größe, Umkreis, Größenordnung, Reichweite, Spannweite, Weitläufigkeit, Unbegrenztheit, Unendlichkeit, Grenzenlosigkeit, Globalisierung.

147 Ausdruck 1. Bezeichnung, Benennung, Wortprägung, Formulierung, Formel, Wendung, Wort, Vokabel, Redewendung, Idiom, Terminus, Fachausdruck, Begriff, **2.** Miene, Gesichtsausdruck, Gesichtszüge, Physiognomie, Mienenspiel, Mimik; Gebärde, Gebärdensprache, Gebärdenspiel, Gestikulation, Gestik, **3.** Computerausdruck, Abzug, Korrekturabzug, Fahne.

148 ausgesucht 1. gewählt, erlesen, handverlesen, exquisit, superb, erste Wahl, exzellent, edel, erstklassig, **2.** erwählt, erkoren, auserwählt, berufen, auserkoren, ausersehen, **3.** assortiert, zusammengestellt, gesammelt.

149 ausgezeichnet 1. vorzüglich, vortrefflich, hervorragend, außerordent-

lich, einmalig, überragend, formidabel, überdurchschnittlich, nicht mit Gold aufzuwiegen, famos, prima, super, bestens, meisterhaft, exzellent, glänzend, brillant, virtuos, **2.** schätzenswert, trefflich, preiswürdig, preisgekrönt, prämiert, rühmlich, vorbildlich, nachahmenswert, beherzigenswert, exemplarisch, beispielgebend, beispielhaft, beispiellos, mustergültig, bewundernswert, verehrungswürdig, anbetungswürdig.

150 Ausgleich 1. Einebnung, Applanierung, Angleichung, Ausgleichung, Begradigung, Nivellierung, Egalisierung, **2.** Einlösung, Erfüllung, Begleichung, Abrechnung, Deckung, **3.** Abtragung, Abzahlung, Bezahlung, Tilgung, Verrechnung, Ablösung, Entlastung, Rückzahlung, Entschuldung, Lösegeld, Loskauf, **4.** Übereinkommen, Vergleich, Kompromiss, Schlichtung, Bereinigung, Befriedung, Entspannung, Neutralisierung, Beschwichtigung, Appeasement, **5.** Gegengewicht, Gegenpol, Gleichgewicht, Balance.

151 ausgleichen 1. einebnen, applanieren, glätten, nivellieren, egalisieren, begradigen, angleichen, **2.** löschen, tilgen, amortisieren, begleichen, ablösen, decken, bezahlen, erstatten, **3.** abtragen, abarbeiten, abdienen, abfeiern, ableisten, abwohnen, abbezahlen, abzahlen, abgelten, abstottern, **4.** anrechnen, aufrechnen, gutschreiben, verrechnen, entlasten, gutbringen, kompensieren, aufwiegen, wettmachen, bereinigen, **5.** balancieren, ausbalancieren, Waage halten, ins Gleichgewicht bringen, Gegengewicht bilden, ins Lot bringen, Gleichgewicht halten, neutralisieren.

152 auslassen 1. weglassen, fortlassen, außer Acht lassen, überschlagen, überspringen, übergehen, übersehen, nicht erwähnen / vorsehen, unterschlagen, verschweigen, aussparen, offen/frei lassen, **2.** ausnehmen, Ausnahme machen, ausschließen, ausklammern, abstrahieren / absehen von, **3.** schmelzen, zum Schmelzen bringen, zerlassen, zerfließen lassen, **4.** länger machen, verlängern.

153 ausnutzen 1. nutzen, anwenden, **2.** ausbeuten, aussaugen, auspressen, auspowern, exploitieren, auspumpen, überfordern, Raubbau treiben, überbürden, überanstrengen, überlasten, das Letzte herausholen, ausschlachten, strapazieren, schröpfen, schlauchen, bluten lassen, melken, ausquetschen, rupfen, ausplündern, ausnehmen, Schindluder/Missbrauch treiben, **3.** absahnen, abzocken, herausschlagen, schmarotzen, schinden, nassauern, ganze Hand nehmen, vor seinen Wagen/Karren spannen, instrumentalisieren, funktionalisieren, missbrauchen.

154 Ausnutzung 1. Benutzung, Nutzung, Gebrauch, Verwendung, Anwendung, Nutzen, Verwertung, Auswertung, Auslastung, Ausschöpfung, Ausschlachtung; Gewinnung, Abbau, Förderung, Nutznießung, Nießbrauch. **2.** Exploitation, Ausbeutung, Missbrauch, Abusus, Überanstrengung, Strapazierung, Überforderung, Auspowerung, Auslaugung, Raubbau, Ausplünderung, **3.** Instrumentalisierung, Funktionalisierung.

155 ausscheiden absondern, sekretieren, abscheiden, abgeben, ausdünsten, ausschwitzen, ausstoßen, auswerfen, ausströmen, ausspucken, abhusten, Notdurft verrichten, kacken, scheißen, Wasser lassen, pissen, pinkeln, urinieren.

156 Ausscheidung 1. Absonderung, Abscheidung, Aussonderung, Ausdünstung, Ausfluss, Auswurf, Expektoration, Schweiß, Sekret, Sekretion, Speichel, Spucke, Eiter, Schleim, Rotz, Sputum; Urin, Pisse, **2.** Flatulenz, Exkremente, Kot, Fäkalien, Stuhl, Stuhlgang, Dreck, Kacke, Scheiße, Losung, **3.** Dung, Dünger, Jauche, Mist, Pfuhl, Pudel, Addel, Gülle, **4.** Abgase, Abwässer, Fall-out.

157 ausschließlich einzig, allein, alleinig, eigens, nur.

158 aussehen wirken, ausschauen, anzusehen sein, Anblick bieten, sich ausnehmen; anmuten, Eindruck erwecken, Anschein haben, scheinen, riechen nach.

159 Aussehen Anblick, Äußeres, Erscheinung, Erscheinungsbild, Gestalt, Figur, Statur, Bau, Körperbau, Wuchs, Habitus, Form, Haltung, Kontur, Profil, Gepräge, Typ; Anstrich, Note, Anmutung, Air, Flair, Touch, Look; Anschein, Augenschein.

Außenseiter 1. Einzelgänger, Original, Sonderling, Exzentriker, Kauz, Einsiedler, Bücherwurm, Stubenhocker, Eigenbrötler; Mauerblümchen, graue Maus, Aschenputtel; Außenstehender, Randseiter, **2.** Outsider, Underdog, Randexistenz, Marginal Man, Outcast, Outlaw, Ausgestoßener, Unterprivilegierter, Geächteter, Entrechteter, Rechtloser, Paria, Unberührbarer. **160**

außer 1. abgesehen von, ohne, ausgenommen, exklusive, ungerechnet, abzüglich, abgerechnet, bis auf, mit Ausnahme von, vermindert um, uneingerechnet, bar, mangels, sonder, **2.** außer wenn, es sei denn, dass. **161**

äußern 1. sagen, sprechen, reden, schreiben, etwas von sich geben, erklären, kundtun, Wort nehmen, sich zu Wort melden; Wort ergreifen, zur Diskussion sprechen, bemerken, feststellen, anmerken; einwerfen, einflechten, einfügen, einfließen lassen, zwischenwerfen, zwischenrufen, am Rande bemerken, mitreden, mitsprechen, vom Stapel lassen, verzapfen, zur Sprache bringen, sich auslassen, ausbreiten, **2.** ausdrücken, in Worte fassen, verbalisieren, aussprechen, formulieren, artikulieren, bezeichnen, benennen, **3.** bezeigen, erweisen, bezeugen, bekunden, manifestieren, offenbaren, fühlen lassen, zum Ausdruck bringen, an den Tag legen, zeigen, merken lassen, zu spüren geben, sich anmerken lassen; Gesicht/Miene machen. **162**

außerordentlich 1. ungewöhnlich, außergewöhnlich, extraordinär, bemerkenswert, hervorstechend, sui generis, singulär, besonders, einmalig, ohnegleichen, unvergleichlich, sondergleichen, über alle Maßen, unnachahmlich, beispiellos, eminent, ausnehmend, unbeschreiblich, unwahrscheinlich, konkurrenzlos, spektakulär, sensationell, Aufsehen erregend, phänomenal, exorbitant, horrend, enorm, namenlos, epochal, Epoche machend, riesig, exzeptionell, unabsehbar, unendlich, immens, ungeheuer, unheimlich, fulminant, schrecklich, **2.** ungeplant, außerplanmäßig. **163**

Äußerung 1. Aussage, Feststellung, Auslassung, Erwähnung, Erklärung, Bescheid, Nachricht, Information, Stel- **164**

lungnahme, Kommentar, Beitrag, Darlegung, Ausführung, Redebeitrag, 2. Bemerkung, Anmerkung, Zwischenruf, Zwischenfrage, Einwurf, Einlassung, Einrede, Gegenrede, Einwand, Richtigstellung, Einspruch, Widerrede, Randbemerkung, Ausspruch, 3. Bekundung, Bezeigung, Erweis, Beteuerung, Demonstration, Bezeugung, Message, Botschaft.

165 Aussicht 1. Fernsicht, Fernblick, Blick, Sicht, Ausblick, Überblick, Vogelschau, Vogelperspektive, Überschau, Übersicht, Anblick, Panorama, Rundblick, Rundschau, Umschau, 2. Chance, Möglichkeit, Perspektive, Aussichten, Lichtblick.

166 aussondern 1. aussortieren, auslesen, verlesen, sieben, sichten, Auswahl treffen, beiseite legen, herausfiltern, herauspicken, herauslösen, abtrennen, Spreu vom Weizen trennen, 2. ausrangieren, ausmustern, verwerfen, nicht mehr verwenden, 3. gesondert behandeln, entsorgen, 4. ausgliedern, selektieren.

167 ausstatten 1. ausstaffieren, ausrüsten, equipieren, versehen, bestücken, versorgen mit, Mitgift geben, aussteuern, 2. inszenieren, dekorieren, ausschmücken, aufmachen, herrichten, verpacken, putzen, schmücken, garnieren, herausputzen, stylen, 3. bemannen, belegen, bewaffnen.

168 Ausstattung 1. Ausrüstung, Equipierung, Bestückung; Apparatur, Gerät, Equipment, 2. Einrichtung, Möblierung, Innenausstattung, Interieur, Mobiliar; Bühnenbild, Set, 3. Gestaltung, Verpackung, Äußeres, Hülle, Schale, Beiwerk, Drum und Dran, Einkleidung, Aufzug, Aufmachung, Ausstaffierung, Design, Dekor, Dekorum, Verzierung, Putz, Aufputz, Garnierung, Ausschmückung, Staffage, Toilette, Outfit, Styling, Aufmotzung, 4. Aussteuer, Mitgift, Heiratsgut, Morgengabe.

169 Aussteiger Zivilisationsflüchtling, Alternativer, Nonkonformist, Hippie, Beatnik, Punk, Außenseiter, Ausgeflippter, Freak.

170 Ausstellung 1. Schaufenster, Schaukasten, Vitrine, Auslage, 2. Schau, Messe, Markt; Modenschau, Modevorführung; Exposition, Accrochage, Bienna-

le, Weltausstellung, Expo, 3. Panoptikum, Lachkabinett, Wachsfigurenkabinett.

Auswahl 1. Auslese, Elite, Selektion, **171** Sonderklasse, Spitzenklasse, 2. Zusammenstellung, Sortiment, Kollektion, Portfolio, Mustersammlung, Warensortiment, 3. Elitetruppe, Nationalmannschaft, Auswahlmannschaft, 4. Almanach, Anthologie.

ausweichen 1. Platz machen, zur **172** Seite gehen, zurückweichen, aus dem Weg gehen, zurücktreten, Vortritt lassen, abbiegen, Bogen machen, herumgehen um, 2. Ausflüchte machen, sich nicht stellen, verschanzen; andere vorschieben, umgehen, hinhalten, ablenken, meiden, kneifen, sich nicht festlegen; offen lassen, sich winden, drehen und wenden, drücken, entziehen; lavieren.

ausweisen (sich) 1. ausstoßen, **173** verstoßen, verbannen, in die Verbannung schicken, ins Elend stoßen, des Landes verweisen, vertreiben, ausbürgern, abschieben, exilieren, aussiedeln, evakuieren, deportieren, abtransportieren, verbringen, verschicken; räumen lassen, ausquartieren, exkommunizieren, verfemen, brandmarken, ächten, 2. sich legitimieren; Identität beweisen, sich identifizieren; Papiere vorlegen.

auszeichnen (sich) 1. Preis verleihen, prämiieren, diplomieren, ehren, erhöhen, adeln, huldigen, Orden verleihen, dekorieren, kränzen, krönen, preiskrönen, 2. sich hervortun, profilieren, herausheben; hervortreten, auffallen, von sich reden machen, sich einen Namen machen; Aufsehen erregen, herausragen, hervorstechen, glänzen, übertreffen, Vogel abschießen, Lorbeeren ernten, 3. Preis festsetzen, beschildern, bezeichnen, auspreisen. **174**

ausziehen (sich) 1. umziehen, verziehen, Wohnung aufgeben, Wohnsitz **175** wechseln, sich verändern; fortziehen, weggehen, wegziehen, ziehen, umsiedeln, übersiedeln, räumen, auswandern; losziehen, auf die Wanderschaft gehen, 2. ausreißen, herausziehen, ziehen, extrahieren, entfernen, ausrupfen, auszupfen, entwurzeln, roden, 3. herausschreiben, Auszug machen, exzerpieren, 4. entkleiden, auskleiden, entblößen, abstreifen, abwerfen, ablegen, sich der Kleider entledigen, frei machen, entblößen; Striptease machen, strippen, **5.** in die Länge/Breite/Höhe ziehen.

176 Autobiographie Memoiren, Lebensbericht, Lebensbeschreibung, Lebenserinnerungen, Lebensgeschichte, Selbstbiographie, Selbstdarstellung, Selbstbekenntnis, Selbstzeugnis, Denkwürdigkeiten, Aufzeichnungen, Lebensrückblick, Konfessionen, Memorabilia.

avancieren aufsteigen, vorankommen, vorrücken, hochkommen, weiterkommen, sich hocharbeiten, verbessern; vorwärts kommen, aufrücken, Karriere machen, Erfolg haben, seinen Weg machen, es weit bringen, zu Ehren kommen. **177**

B

178 Bad 1. Badezimmer, Waschraum, Dusche, Nasszelle, Whirlpool, **2.** Schwimmbad, Freibad, Hallenbad, Wellenbad, **3.** Kurbad, Kurort, Badeort, Seebad, Heilbad, Luftkurort, **4.** Moorbad, Solebad, Thermalbad, Dampfbad, Luftbad, **5.** Vollbad, Baden, Säuberung.

179 bahnen 1. ebnen, glätten, glatt machen, glatt streichen, bauen, pflastern, asphaltieren, planieren, walzen, schlagen, hauen, spuren, gangbar machen, frei machen, **2.** vorbereiten, erleichtern, fördern, begünstigen, protegieren.

180 bald gleich, demnächst, alsbald, nächstens, in Bälde/Kürze, binnen kurzem, jeden Augenblick, stündlich, kurzfristig, baldigst, über ein Kleines/kurz oder lang, dieser Tage, in nächster/absehbarer Zeit, über Nacht, heute oder morgen, in Sicht, steht vor der Tür, drauf und dran, steht zu erwarten/bevor.

181 Balkon Veranda, Loggia, Terrasse, Altan, Vorbau, Erker, Söller, Chörlein, Wintergarten.

182 banal gewöhnlich, alltäglich, selbstverständlich, abgedroschen, abgenutzt, abgebraucht, billig, verbraucht, abgestanden, abgegriffen, schal, flach, platt, öde, seicht, ausgeleiert, abgelutscht, gemeinplätzig, gedankenarm, geistlos, substanzlos, einfallslos, geistesarm, witzlos, hohl, inhaltslos, unbedeutend, epigonal, epigonenhaft, oberflächlich, nichts sagend, redundant, hausbacken, spießig, poesielos, ideenlos, phantasielos, geisttötend, nüchtern, prosaisch, trivial, aus zweiter Hand, aufgewärmt, konventionell, eklektisch, redensartlich, ohne Tiefgang, floskelhaft, formelhaft, phrasenhaft, profan, stereotyp, abgeschmackt, inflationär.

183 Banalität 1. Flachheit, Plattheit, Seichtheit, Trivialität, Abgedroschenheit, Abgeschmacktheit, Alltäglichkeit, Profanität, Profanierung, Gemeinplatz, Schlagwort, Phrase, Selbstverständlichkeit, Gemeinplätzigkeit, Epigonenhaftigkeit, Eklektizismus, Gedankenarmut, Geistlosigkeit, Substanzlosigkeit, Geschwätz, Redundanz, Geistesarmut, Einfallslosigkeit, Witzlosigkeit, Plattitüde, Phantasielosigkeit, Binsenwahrheit, Binsenweisheit, **2.** Spießertum, Spießigkeit, Spießbürgerlichkeit, Engstirnigkeit.

184 Bank 1. Sitzbank, Schulbank, Eckbank, Holzbank, Gartenbank, Steinbank, **2.** Geldinstitut, Kreditanstalt, Ökobank, Kreditinstitut, Sparkasse, Darlehenskasse, Girobank, Hypothekenbank, Privatbank, Bankhaus, **3.** Datenbank, Genbank.

185 Bankrott Zahlungseinstellung, Zahlungsunfähigkeit, Illiquidität, Nonvalenz, Insolvenz, Konkurs, Liquidierung, Falliment, Liquidation, Geschäftsaufgabe, Offenbarungseid; Pleite, Fiasko, Ruin, Zusammenbruch.

186 Barbar Kulturbanause, Kunstbanause, Wüstling, Sittenverderber, Rohling, Unmensch, Gewaltmensch, Zerstörer, Vernichter, Zornnickel, Wüterich, Berserker, Verwüster, Vandale, Ungeheuer, Ungetüm, Unhold, Untier, Monstrum, Geißel, Gottesgeißel, Kujon, Quäler, Folterknecht, Mordbube, Sadist, Ausgeburt, Bluthund, Scheusal, Bestie, Biest, Tier, Vieh.

187 Bart Schnurrbart, Lippenbart, Schnauzbart, Spitzbart, Knebelbart, Kinnbart, Backenbart, Vollbart, Rauschebart; Bärtchen, Fliege, Ziegenbart, Zwirbelbart, Kaiser-Wilhelm-Bart; Stoppelbart, Dreitagebart, Stoppeln, Flaum, Milchbart.

188 basteln handwerkern, heimwerkern, selber machen, tüfteln, pusseln, fummeln, werkeln, herumpusseln, handarbeiten.

189 Bauer 1. Landwirt, Agronom, Farmer, Agrarier, Rancher, Viehzüchter, Gutsbesitzer, Gutsherr, Landmann, Landarbeiter, Siedler, Krauter, **2.** Käfig, Vogelkäfig, Vogelbauer.

190 Bauernhof Hof, Wirtschaft, Landwirtschaftsbetrieb, Gut, Gutshof, Gehöft, Landgut, Domäne, Farm, Ranch, Latifundien, Hazienda, Plantage, Pflanzung.

191 Baumeister Architekt, Erbauer,

Bauplaner, Entwerfer, Gestalter, Bauherr, Bauträger, Gründer.

192 Bauteil 1. Bauelement, Baustein, Element, Teil, Partikel, Komponente, Modul, Chip, 2. Atom, Elementarteilchen,
Teilchen, Masseteilchen, Korpuskel.

193 beachten 1. Acht haben, im Auge behalten, sich angelegen sein lassen; ernst
nehmen, 2. berücksichtigen, Rücksicht
nehmen auf, in Betracht ziehen, bedenken, mit berücksichtigen, einbeziehen,
anrechnen, einkalkulieren, einplanen,
respektieren, Beachtung schenken,
Rechnung tragen, in Rechnung stellen,
in Anschlag bringen, beherzigen, befolgen.

194 Beamter Staatsbediensteter, Amtsträger, Amtsperson, Staatsdiener, Beschäftigter im öffentlichen Dienst.

195 beanspruchen 1. Anspruch erheben, prätendieren, Ansprüche geltend
machen, einklagen, reklamieren, für
sich haben wollen, Ansprüche stellen,
verlangen, abverlangen, fordern, einfordern, abfordern, postulieren, wollen,
heischen, trachten, ersuchen, pochen
auf, sich ausbedingen, ausbitten, ausgebeten haben, anmaßen, erlauben; zumuten, sich vorbehalten; an sich reißen;
bestehen auf, zur Bedingung machen,
abhängig machen von, beanspruchen
können, Anspruch/ein Recht haben
auf, verlangen können, 2. in Anspruch
nehmen, mit Beschlag belegen, absorbieren, monopolisieren, 3. anstrengen,
anspannen, stressen, einspannen, bemühen, belasten, viel verlangen, in
Atem halten, hetzen, herumjagen, herannehmen.

196 beanstanden aussetzen, einwenden,
auszusetzen haben, nicht in Ordnung
finden, tadeln, rügen, nörgeln, kritteln,
quengeln, missbilligen, Haar in der
Suppe finden, kritisieren, Anstoß nehmen, bemängeln, bemäkeln, monieren,
anmahnen, reklamieren, ablehnen,
nicht anerkennen/zufrieden sein; sich
beschweren; Einspruch erheben, sich
beklagen; klagen, ausstellen.

197 beantragen Antrag stellen/einbrin-
gen/einreichen/unterbreiten/vorlegen/
vortragen, petitionieren, Eingabe machen, Gesuch einreichen, vorstellig werden, einkommen um.

198 bearbeiten 1. behandeln, ausarbeiten, ausführen, gestalten, abhandeln, 2.
durchackern, zurichten, durcharbeiten,
überarbeiten, feilen, schleifen, ausfeilen, abschleifen, umschreiben, komprimieren, kürzen, glätten, verbessern,
vervollkommnen, vervollständigen,
letzte Hand anlegen, korrigieren, redigieren, 3. umpflügen, beackern, bebau-
en, bepflanzen, anbauen, bewirtschaften, kultivieren, umpflanzen, umsetzen,
pikieren, versetzen, verpflanzen, 4. weiterverarbeiten, veredeln, raffinieren;
aufbereiten, wieder verwenden, einschleusen, recyceln, 5. beeinflussen,
umstimmen, zusetzen, unter Druck setzen, weich machen, bedrängen, in die
Mangel nehmen, 6. dramatisieren, in
Dramenform bringen, für die Bühne
einrichten, in Szene setzen, verfilmen,
auf die Leinwand bringen, filmisch umsetzen, Remake/Remix machen, orchestrieren.

199 bebildern Illustrieren, mit Bildern
versehen, Bilder beigeben, ausschmücken, aufmachen, auflockern, ausstatten, illuminieren, ausmalen.

200 bedecken abdecken, verdecken, umhüllen, einhüllen, verhüllen, bekleiden,
umkleiden, verhängen, zuhängen, überdecken, behängen, bewerfen, zudecken,
überlagern, überlappen, überkleben,
bepflastern, beziehen, überziehen, bespannen, tapezieren, verschalen, verblenden, verputzen, verkleiden, übertünchen, furnieren, täfeln, paneelieren,
vertäfeln, auskleiden, auslegen, Fußbo-
den/Parkett legen, überwachsen, bewachsen, zuwachsen.

201 bedeuten 1. zu bedeuten haben, Be-
deutung/Sinn haben, besagen, aussagen, meinen, heißen, ausdrücken, beinhalten, auf sich haben, sagen wollen,
darstellen, verkörpern, repräsentieren,
vorstellen, 2. ins Gewicht fallen, etwas
ausmachen, Gewicht haben, zählen,
wiegen, von Belang sein, 3. Geltung besitzen, jmd. sein, etwas darstellen/vor-
stellen, Achtung genießen, in Ansehen
stehen, Ruf/Nummer haben, wichtig
sein, geschätzt werden, Persönlichkeit/
Faktor sein, 4. gelten, gültig/in Kraft
sein.

202 Bedeutung 1. Sinn, Gedanke, Gehalt, Bewandtnis, Semantik, 2. Geltung,
Gewicht, Belang, Ansehen, Berühmt-

heit, Prominenz, **3.** Wichtigkeit, Gewichtigkeit, Interesse, Aktualität, Dringlichkeit, Relevanz, Tragweite, Bedeutsamkeit, Wert, Rang, Würde, Tiefe, Größe, Schwere, Erheblichkeit, Ernst, Stellenwert, **4.** Hintersinn, Nebensinn, Nebenbedeutung, Konnotation, Bedeutungsfeld, Sinnhorizont.

203 bedienen 1. handhaben, regulieren, betätigen, umgehen mit, hantieren, handeln, betreiben, manipulieren, schalten, steuern, führen, **2.** aufwarten, servieren, auftragen, auftischen, vorsetzen, vorlegen, bewirten; beliefern, Service leisten, abfertigen, besorgen, beschaffen.

204 Bedienung 1. Handhabung, Lenkung, Schaltung, Steuerung, Betreibung, Manipulation, Betätigung, Anwendung, Handling, Führung, Regulierung, **2.** Abfertigung, Behandlung, Betreuung, Aufwartung, Versorgung, Dienstleistung, Bewirtung, Servieren, Service, **3.** Kellnerin, Serviererin, Servierfräulein, Saaltochter, Zimmermädchen, Empfangsdame, Stewardess; Kellner, Ober, Oberkellner, Zimmerkellner, Etagenkellner, Weinkellner, Zahlkellner, Steward, **4.** Kundendienst, Service.

205 bedingt mit Vorbehalt, vorbehaltlich, nicht unbedingt, begrenzt, eingeschränkt, örtlich, lokal, partikular, regional, strukturell, unter Umständen, nicht in jedem Fall, eventuell, je nachdem, von Fall zu Fall, zweckgebunden, auf Abruf / Widerruf / Bewährung, bei Bedarf, auf Verlangen, falls; zeitbedingt, wetterbedingt, saisonbedingt.

206 Bedingtheit Relativität, Abhängigkeit, Determiniertheit, Bezüglichkeit; bedingte Geltung, Einschränkung, Eingeschränktheit.

207 Bedingung 1. Voraussetzung, Kondition, Prämisse, Annahme, Klausel, Einschränkung, Beschränkung, Vorbehalt, Vorbedingung, Eckpunkt, Grundbedingung, Conditio sine qua non, **2.** Bestimmung, Festsetzung, Auflage, Maßgabe.

208 beeinflussen Einfluss nehmen, bereden, bewegen, einreden, einflüstern, einflößen, einblasen, soufflieren, anstiften, einwirken, bearbeiten, suggerieren, manipulieren, indoktrinieren, infizieren, infiltrieren, verführen, zu bewegen suchen, empfehlen, anempfehlen, Wort einlegen, zuraten, zusetzen, zureden, überreden, aufreden, aufschwatzen, beschwatzen, einwickeln, hypnotisieren, fernlenken, fernsteuern, impfen, einimpfen, programmieren, Floh ins Ohr setzen, schmackhaft machen, antichambrieren.

Befehl 1. Bestimmung, Auftrag, Geheiß, Gebot, Anweisung, Weisung, Direktive, Erlass, Anordnung, Edikt, Dekret, Kommando, Order, Befehlsgewalt, Diktat, Machtspruch, Ukas, **2.** Einberufung, Gestellungsbefehl, Aushebung. **209**

befestigen 1. anmachen, anbringen, festmachen, fixieren, anziehen, festzurren, anstecken, anheften, aufhängen, anmontieren, binden, stecken, heften, knoten, Knoten schürzen, verknoten, zusammenknoten, kleben, ankleben, anschlagen, festkleben, pappen, nageln, kitten, leimen, kleistern, schrauben, festschrauben, anschrauben, verschrauben; schnallen, anschnallen, festschnallen, Gurt anlegen, zuschnallen; spießen, aufspießen, feststecken, anpinnen, anstecken, dübeln, eindübeln, knöpfen, löten, verschweißen, anschmieden, eingipsen, anklammern, anketten, annageln, verklammern, **2.** festigen, stärken, erhärten, konsolidieren, verfestigen, versteifen, stabilisieren, stützen, zementieren, sichern, absichern, **3.** bekräftigen, verankern, vertiefen, festlegen. **210**

Befestigung 1. Anbringung, Verbindung, Verknüpfung, Verankerung, **2.** Nagel, Stift, Schraube, Dübel, Pflock, Spund, Zapfen, Bolzen, Scharnier, Gelenk, Fuge, Angel, Pfriem, Dorn, Klammer, Spange, Öse, Schlinge, Schnalle, Haken, Sicherheitsnadel, **3.** Bindemittel, Klebstoff, Leim, Kleister, Kitt, Mörtel, Zement, **4.** Befestigungsanlage, Befestigungswerk, Bollwerk, Wehr, Verteidigungsanlage, Redoute, Schanze, Festungswall, Bastei, Bastion, Umwallung, Barrikade, Schützengraben, Unterstand, Geschützstand, Kasematte, Bunker, Schutzraum, Schutzzone, Cordon sanitaire; Feste, Festung, Burg, Kastell, Stadtfeste, Zitadelle, Fort, Wall, Mauer, Wand, Damm, Deich, Mole, Reede, Hafendamm, Staudamm. **211**

befinden, sich 1. sein, liegen, stehen, gelegen / zu suchen sein, sich erstrecken; daliegen, **2.** sich fühlen; erge- **212**

hen, gehen, stehen mit, zumute sein, 3.
sich aufhalten; zu finden sein, wohnen,
leben, stecken, verweilen.

213 befreien (sich) 1. losmachen, loslösen, loseisen, losbinden, freimachen,
loslassen; freikommen, loskommen, loswerden, vom Halse schaffen, abwälzen,
sich entledigen, entwinden, **2.** entbinden, entlasten, freistellen, freilassen, beurlauben, entpflichten, dispensieren,
entheben, freigeben, suspendieren, **3.**
entladen, entspannen, entfesseln, lösen,
enthemmen, entriegeln, erleichtern,
Herz ausschütten, sich abreagieren,
aussprechen, **4.** sich freimachen, emanzipieren; selbständig werden, sich selb-
ständig/unabhängig machen, abnabeln,
freischwimmen, auf eigene Füße stellen;
autonom / souverän werden, Joch /
Knechtschaft abschütteln, **5.** Bresche
schlagen, freikämpfen, entsatzen, heraushauen, freipressen, **6.** ausspannen,
ausschirren, abhalftern, abzäumen, absatteln, **7.** sich bloßstrampeln, aufdecken, entblößen; Decke wegstoßen,
bloßliegen.

214 befriedigen (sich) 1. genügen, erfreuen, dienen, nützen, Anforderungen
entsprechen, zufrieden stellen, genugtun, Wünschen nachkommen, es recht
machen, entschädigen; gefallen, ausfüllen, erfüllen, **2.** sich selbst befriedigen,
einen runterholen; onanieren, masturbieren, wichsen.

215 befürworten empfehlen, anempfehlen, ans Herz legen, Lanze brechen, sich
einsetzen, verwenden; sprechen/eintre-
ten für, begrüßen, willkommen heißen,
dafür sein, stimmen/votieren/plädieren
für, gutheißen, billigen.

216 begeben, sich 1. sich verfügen
nach, hinbegeben, wenden, wegbegeben; gehen / fliegen / laufen / fahren /
wandern/reisen nach, **2.** geschehen,
sich ereignen, zutragen, abspielen; erfolgen, vorfallen, passieren, zustoßen,
widerfahren, hereinbrechen, eintreten,
sich einstellen; bieten, vorkommen, unterkommen, begegnen, sich ergeben, fügen; nicht ausbleiben, unterlaufen, **3.**
stattfinden, statthaben, vor sich gehen,
abgehen, ablaufen, abrollen, vorgehen,
sich vollziehen; verlaufen, vonstatten/
über die Bühne gehen, veranstaltet werden, seinen Lauf nehmen.

begehren 1. wollen, wünschen, an- **217**
streben, erstreben, beanspruchen, fordern, verlangen, heischen, trachten
nach, ersehnen, brennen auf, zu tun
sein um, sich reißen/bewerben um;
Wert legen auf, wichtig nehmen, sich
angelegen sein lassen; Wert beimessen,
viel hermachen von, Gewicht beilegen,
Anliegen sein, **2.** haben wollen, verlan-
gen/hungern nach, Appetit/Lust haben
auf, Wasser im Mund zusammenlaufen,
Mund wässern, dürsten, lechzen,
schmachten, fiebern, gieren, gelüsten
nach, entbrennen; sich verzehren; buhlen, drängen/schmachten/jappen nach,
vergehen vor, sich sehnen nach; nachtrauern, sich zurücksehnen.

begehrlich 1. begierig, gierig, sinn- **218**
lich, wild, lüstern, dürstend, lechzend,
verlangend, unstillbar, erpicht, verrückt
nach, versessen, scharf auf, genusssüchtig, **2.** hungrig, hungernd, ausgehungert, heißhungrig, esslustig, nimmer
satt, verfressen, gefräßig; naschhaft,
schleckrig, genäschig, leckerhaft, süßer
Zahn, durstige Kehle, trinkfreudig, **3.**
lebenshungrig, erlebnishungrig, lebensgierig, **4.** konsumorientiert, kauflustig,
kaufversessen, im Konsumrausch, mediengeil, prominentenscharf.

begeistern (sich) 1. anregen, er- **219**
wärmen, befeuern, anfeuern, beflügeln,
entflammen, entzünden, mitreißen, entzücken, enthusiasmieren, erheben, hinreißen, trunken machen, elektrisieren,
packen, aufregen, berauschen, antörnen, anmachen, **2.** anbeißen, Feuer fangen, sich einlassen auf; erglühen, sich
erhitzen; mitgerissen werden, außer
sich geraten, sich mitreißen lassen; in
Fahrt kommen, Kopf verlieren, schwärmen, hingerissen / erfüllt / Feuer und
Flamme sein, abheben/abfahren auf,
ausflippen.

begleiten 1. mitgehen, Geleit geben, **220**
geleiten, heimbringen, heimgeleiten,
heimfahren, mitnehmen, eskortieren,
Straße säumen, Spalier stehen, sich anschließen, zugesellen; mitkommen, **2.**
einstimmen, mitspielen, mitsingen, untermalen, führen.

beglücken 1. beseligen, entzücken, **221**
euphorisieren, bezaubern, Freude bereiten, erfreuen, erfüllen, ausfüllen, befriedigen, **2.** durchwirken, durchwalten, er-

leuchten, erwärmen, durchwärmen, besonnen, durchstrahlen, erhellen, mit Sinn erfüllen, 3. beschenken, spenden.

222 Begriff Kategorie, Definition, gedankliche Einheit, Terminus, Term, Wort, Bezeichnung; Vorstellung, Idee, Anschauung, Bild.

223 Behälter Behältnis, Kiste, Kasten, Schachtel, Gefäß, Sack, Tonne, Tank, Kanister, Tube, Röhre, Kapsel, Büchse, Dose, Flasche, Vase, Hülle, Etui, Futteral, Scheide, Beutel, Ranzen, Koffer, Mappe, Korb, Bottich, Becken, Schale, Schüssel, Urne; Großbehälter, Sammelbehälter, Container.

224 behandeln 1. handhaben, verfahren, anpacken, umspringen/umgehen mit, 2. ärztlich versorgen, verarzten, untersuchen, diagnostizieren, therapieren, betreuen, beistehen, 3. erörtern, abhandeln, durchnehmen, zum Thema nehmen, schreiben über; thematisieren, zum Thema/Gegenstand haben, durchsprechen, handeln von, sich drehen um; handeln über, gehen um, beinhalten.

225 Behandlung 1. Handhabung, Gebrauch, Bedienung, Umgang, Thematisierung, Erörterung, Durchnahme; Ausarbeitung, 2. Bearbeitung, Überarbeitung, Redaktion, Verbesserung, Korrektur, Ausbesserung, Retusche, 3. Untersuchung, Diagnostik, ärztliche Versorgung, Betreuung, Therapie, Heilbehandlung, Heilmethode.

226 behaupten (sich) 1. versichern, hinstellen, ausgeben als, für wahr erklären, beteuern, betonen, bestehen/beharren auf, festhalten an, vertreten, bleiben bei, aufrechterhalten, nicht ablassen von, verteidigen, 2. sich durchsetzen; Feld behaupten, standhaft bleiben, standhalten, sich tapfer halten; durchhalten, durchstehen, keep smiling, Ohren/Nacken steifhalten, auf dem Posten bleiben, ausharren, aushalten, bestehen, bei der Stange bleiben, nicht lockerlassen/aufgeben, sich nicht entmutigen lassen; nicht nachlassen, hart bleiben, sich bewähren, Sporen verdienen, durchbeißen; Rückgrat zeigen, reüssieren, 3. widerstehen, sich entgegenstellen, auf die Hinterbeine stellen, zur Wehr setzen; resistieren, Widerstand leisten.

227 beheimatet 1. ansässig, wohnhaft, mit Sitz in, sesshaft, einheimisch, endemisch, heimisch, eingesessen, alteingesessen, daheim, zu Hause, 2. behaust, geborgen, geschützt, sicher.

228 beherrschen, sich zurückhalten, mäßigen, zügeln, enthalten, bezwingen, disziplinieren, selbst besiegen, überwinden, bändigen, bemeistern, Zwang antun, an sich halten; Ruhe/Fassung/Contenance bewahren, sich zusammennehmen, in der Hand/in der Gewalt haben, in die Hand bekommen, am Riemen reißen, fassen; zu sich kommen; auf dem Teppich bleiben, sich nichts anmerken lassen; Zähne zusammenbeißen, sich zusammenreißen, nicht gehen lassen; Haltung bewahren, Gesicht wahren.

229 Beherrschung 1. Beherrschtheit, Gefasstheit, Haltung, Contenance, Fassung, Gelassenheit, Selbstbeherrschung, Selbstüberwindung, Disziplin, 2. Können, Qualifikation, Fähigkeit, 3. Macht, Gewalt, Zwang.

230 Behörde Verwaltung, Administration, Beamtenschaft; Dienststelle, Amt, Bürokratie, Instanz.

231 Beifall Beifallklatschen, Beifallsbekundung, Applaus, Klatschen, Händeklatschen, Ovation, Standing Ovations, Bad in der Menge, Dakaporufe, La Ola, Beifallssturm, Jubel, tosender/nicht enden wollender Beifall; Akklamation, Lob, Echo, Anerkennung.

232 Beigeschmack Nebengeschmack, Nachgeschmack, Anflug, Spur, Unterton, Nuance, Beiklang, Nebenklang, Nebenbedeutung, Nebensinn, Hintersinn.

233 beisetzen 1. begraben, beerdigen, bestatten, zu Grabe tragen, zur letzten Ruhe betten, der Erde übergeben, letztes Geleit geben, letzte Ehre erweisen, unter die Erde bringen, einäschern, verbrennen, kremieren, seebestatten, erdbestatten, 2. liegen, begraben sein/liegen, letzte Ruhestätte haben, sein Grab finden.

234 Beisetzung 1. Begräbnis, Beerdigung, Leichenbegängnis, Einsegnung, Bestattung, Grablegung, 2. Einäscherung, Verbrennung, Feuerbestattung, Seebestattung, Erdbestattung.

235 Beispiel Exempel, Paradigma, Musterbeispiel, Paradebeispiel, Schulbei-

spiel, Präzedenzfall, Musterfall, Vorbild, Beleg.

236 bekommen 1. erhalten, erlangen,
empfangen, ergattern, kriegen, erreichen, zuteil werden, zufallen, anheim
fallen, Zuschlag bekommen, zufließen,
zufliegen, zulaufen, abkriegen, erben,
abbekommen, mitkriegen, geschenkt
bekommen, 2. gut tun, wohl tun, zu-
träglich/verträglich sein, anschlagen, 3.
davontragen, sich infizieren, einfangen,
holen, zuziehen, einhandeln.

237 belasten 1. beladen, bepacken, aufbürden, aufladen, voll laden, aufpacken,
voll packen, füllen, befrachten, 2. auferlegen, zumuten, aufhalsen, in Atem halten, ermüden, beanspruchen, stressen,
schlauchen, hernehmen, überfordern,
überanstrengen, strapazieren, 3. zur
Last fallen, auf der Tasche liegen, Mühe
und Kosten verursachen, 4. abziehen,
als Schuld buchen, debitieren, anlasten,
berechnen, anschreiben; besteuern, veranlagen, 5. bedrücken, beschweren, beengen, einengen, drücken, quälen, betrüben, kränken, beschuldigen.

238 belehrend 1. lehrreich, aufschlussreich, instruktiv, informativ, veranschaulichend, verdeutlichend, beleuchtend, bildend, erhellend, interessant,
wissenswert, 2. erzieherisch, pädagogisch, lehrhaft, didaktisch; schulmeisterlich, dozierend, krittelig, mit erhobe-
nem Zeigefinger, gouvernantenhaft,
oberlehrerhaft, professoral.

239 beleidigend 1. kränkend, verletzend, gehässig, böswillig, ausfällig, persönlich, unsachlich, anzüglich, grob,
unverschämt, ausfällig, ausfallend, 2.
ehrverletzend, ehrenrührig, beschämend, schändlich, sexistisch, schimpflich, schmählich, schandbar, diskriminierend, diffamierend, herabsetzend,
entwürdigend, demütigend, erniedrigend.

240 Beleidigung Kränkung, Verletzung,
Ausfall, Affront, Invektive, Injurie, Ver-
balinjurie, Ausfälligkeit, Beschimpfung,
Polemik, Insult, Insultation, Anfein-
dung, Missachtung, Verunglimpfung,
Ehrverletzung, Schmähung, Herabset-
zung, Diskriminierung, Diffamierung,
Verleumdung, Pöbelei, Tort, Infamie,
Verlästerung, Demütigung, Entwürdi-
gung, Erniedrigung, Sexismus.

beleuchten 1. erhellen, hell machen, **241**
illuminieren, bestrahlen, anstrahlen, bescheinen, anleuchten, anscheinen, beglänzen, belichten, erleuchten, besonnen, Licht anmachen/anknipsen/an-
drehen/anzünden/einschalten, ableuchten, ausleuchten, aufblenden, 2.
darstellen, darlegen, veranschaulichen,
auslegen, deuten, erklären, interpretieren, kommentieren, herausstellen, hervorheben, pointieren.

beliebig nach Belieben/Wahl/Gut- **242**
dünken/eigenem Ermessen, fakultativ,
arbiträr, wahlweise, freistehend, nach
Wunsch, wie es beliebt, ad libitum,
wunschgemäß, nach Wohlgefallen, je
nachdem, unbeschränkt, unbegrenzt,
uneingeschränkt, irgendwie, wie gewünscht, nach Herzenslust, wahllos,
x-beliebig, zufällig, willkürlich.

beliebt 1. geschätzt, bewundert, **243**
wohlgelitten, Stein im Brett, gut angeschrieben, gepriesen, umschwärmt, bejubelt, populär, volkstümlich, en vogue,
in, modisch, 2. gängig, gern gekauft,
viel verlangt, gut eingeführt, gesucht,
begehrt, gefragt, bekannt, 3. besucht,
frequentiert, anerkannt, gute Presse,
häufig besucht, immer ausverkauft.

bellen 1. anschlagen, melden, Laut **244**
geben, kläffen, blaffen, belfern, heulen,
jaulen, winseln, knurren, 2. schimpfen,
anfahren, giften.

bemühen (sich) 1. heranziehen, in **245**
Beschlag nehmen, zu Rate ziehen, 2.
sich interessiert zeigen; interessiert sein
an, umwerben, buhlen, werben um, Interesse zeigen, ansuchen/anhalten um,
zu bekommen trachten, sich anstrengen.

benutzen gebrauchen, brauchen, **246**
verwenden, anwenden, verwerten, sich
bedienen, zunutze machen; nutzen, begehen, befahren, nießnutzen, nutzbar
machen, auswerten, ausnutzen, Gebrauch machen von, in Gebrauch nehmen, Nutzen ziehen aus, Gelegenheit
ergreifen, beim Schopfe fassen, zu Rate
ziehen, besuchen, frequentieren.

beobachten 1. hinsehen, anschauen, **247**
zuschauen, zuhören, zusehen, betrachten; Acht geben/Acht haben/achten
auf, aufpassen, Augen offen halten, ins
Auge fassen, im Auge behalten, nicht
aus den Augen lassen, jmdm. nachse-

hen, mit Blicken verfolgen, 2. verfolgen, beschatten, überwachen, bespitzeln, observieren, kiebitzen, linsen, lugen, spähen, äugen, spitzen, luchsen, lauern, spionieren, nachspionieren, belauern, ausspähen, auf der Lauer liegen, beschnüffeln, nachschnüffeln, ausschnüffeln, belauschen, abhören, abhorchen.

248 Beobachter 1. Betrachter, Zuschauer, Augenzeuge, Zeuge, Zuhörer, Voyeur, Spanner, Schaulustiger, Gaffer, Zaungast, **2.** Aufpasser, Detektiv, Kundschafter, Späher, Spion, Undercover, Agent, Spitzel, Kiebitz, Lauscher, Horchposten, Schnüffler, Aushorcher, Informant.

249 Bequemlichkeit 1. Komfort, Annehmlichkeit, Wohnlichkeit, Behaglichkeit, Gemütlichkeit, Trautheit, Traulichkeit, Heimeligkeit, Stallwärme, **2.** Faulheit, Nachlässigkeit, Trägheit, Mundfaulheit.

250 berauscht 1. animiert, angesäuselt, angeheitert, beschwipst, beduselt, benebelt, einen in der Krone, schicker, weinselig, alkoholisiert, angetrunken, bezecht, voll des süßen Weines, voll, betrunken, im Tran/Rausch, granatenvoll, zu, sternhagelvoll, blau, schwer geladen, stockbetrunken, hackevoll, Schlagseite, besoffen, stockbesoffen, **2.** bekifft, stoned, high, psychedelisch; trunken, wonnetrunken, entrückt, in Trance, begeistert.

251 berechnen 1. rechnen, Berechnung anstellen, ausrechnen, durchrechnen, anrechnen, errechnen, bemessen, kalkulieren, veranschlagen, vorausberechnen, überschlagen, Voranschlag machen, schätzen, taxieren, fakturieren, saldieren, **2.** rechnen/spekulieren/sich spitzen auf; seinen Vorteil suchen, sich jmdn. warmhalten; Fuß in der Tür halten, erbschleichen, mit der Wurst nach der Speckseite werfen.

252 berechtigt 1. erlaubt, legal, gestattet, zugestanden, bewilligt, genehmigt, rechtens, rechtmäßig, statthaft, zulässig, unbestreitbar, unbeanstandet, unbenommen, unverwehrt, mit Fug und Recht, **2.** befugt, anerkannt, bestätigt, beglaubigt, bevollmächtigt, autorisiert, legitimiert, ausgestattet, betraut mit, verliehen, bescheinigt, beauftragt, bestellt, bevorrechtet, privilegiert.

beredt 1. wortgewandt, sprachgewandt, redegewandt, beredsam; zungenfertig, mundfertig, nicht auf den Mund gefallen, schlagfertig, eloquent, **2.** gesprächig, wortreich, redselig, plapperhaft, geschwätzig, schwatzhaft, plauderhaft, ohne Punkt und Komma, deklamatorisch, monologisch. **253**

bereit 1. gesonnen, geneigt, gewillt, bereitwillig, willig, willens, erbötig, beflissen, gern, entgegenkommend, gefällig, willfährig, **2.** zur Hand, bei der Hand, zur Verfügung, verfügbar, zur Disposition, disponibel, parat, funktionsfähig, entstört, einsatzbereit, startklar, startbereit, in Bereitschaft, standby, **3.** im Begriff, drauf und dran, dabei, auf der Stelle, sofort, auf dem Sprung. **254**

Bereitschaft Bereitwilligkeit, Beflissenheit, Willigkeit, Willfährigkeit, Erbötigkeit, Entgegenkommen; Verfügbarkeit, Disponibilität. **255**

bereuen bedauern, beklagen, Reue empfinden, reuen, gereuen, schmerzen, sich zu Herzen nehmen; Leid tun, zu schaffen machen, sich schämen; am Herzen nagen, Gewissensbisse haben, an die Brust schlagen, moralischen Kater haben, Einkehr halten, in sich gehen, sich schuldig bekennen; abschwören, ungeschehen wünschen, verfluchen, sich Asche aufs Haupt streuen; in Sack und Asche gehen. **256**

Berg 1. Anhöhe, Erhöhung, Hügel, Buckel, Kuppe, Höcker, Kegel, Erhebung, Erdrücken, Bodenfalte, Höhenrücken, Vulkankegel, Bergkegel, Inselberg, **2.** Gebirge, Mittelgebirge, Hügelland, Hochgebirge, Schneegebirge, Bergkette, Gebirgszug, Gebirgsmassiv, Höhenzug, Fels, Gipfel, Kamm; Schroffen, Zacken, **3.** Menge, Masse. **257**

Bericht 1. Berichterstattung, Report, Reportage, Meldung, Mitteilung, Bulletin, Dossier, Rapport, Kommuniqué, Referat, Schilderung, Story, Beschreibung, **2.** Rundschreiben, Umlauf, Zirkular, Enzyklika, **3.** Rechenschaftsbericht, Tätigkeitsbericht, Augenzeugenbericht, Tatsachenbericht, Dokumentation, Erlebnisbericht. **258**

berichten Bericht erstatten/abstatten, informieren, melden, referieren, vortragen, rapportieren; aussagen, mitteilen, beschreiben, erzählen. **259**

260 Berichterstatter 1. Reporter, Journalist, Zeitungsschreiber, Bildjournalist, Publizist, Zeitungsmann, Blattmacher, Zeitungsfritze, Tagesschriftsteller, Skribent, Redakteur, Schriftleiter, Glossenschreiber, Leitartikler, Kommentator, Kolumnist, Feuilletonist, Theaterkritiker, Musikkritiker, Filmkritiker, Korrespondent, Auslandskorrespondent, **2.** Erzähler, Augenzeuge, Informant, Zuschauer, Chronist, Geschichtsschreiber, Historiker, Referent, **3.** Redaktion, Schriftleitung, Redaktionsstab, Pressesprecher, Pressestelle.

261 beruhigen (sich) 1. besänftigen, beschwichtigen, gut zureden, dämpfen, mäßigen, abdämpfen, mildern, abschwächen, abmildern, abkühlen, ernüchtern, entspannen, entbittern, entgiften, entschärfen, Spitze abbrechen, klären, ausgleichen, begütigen, bereinigen, befrieden, beilegen, zur Besinnung bringen, abbiegen, abfedern, abpolstern, abfangen, auffangen, ausbügeln, Wogen glätten, normalisieren, einrenken, Frieden stiften, versöhnen, schlichten, ins Lot bringen, vermitteln, unter einen Hut bringen, aussöhnen, einigen, in Einklang bringen, harmonisieren, **2.** runterkommen, sich abregen, abkühlen, abreagieren; Dampf ablassen; sich entspannen, fassen; zur Ruhe kommen, **3.** abrüsten, entwaffnen, demobilisieren, entmilitarisieren, deeskalieren, sich versöhnen, vertragen, verständigen, vergleichen; Kriegsbeil begraben, Friedenspfeife rauchen, Frieden schließen, **4.** in den Schlaf wiegen/singen, einwiegen, einlullen, einschläfern, sedieren.

262 berühmt 1. bekannt, namhaft, populär, publik, stadtbekannt, Stadtgespräch, wohl bekannt, renommiert, umwittert, berüchtigt, in aller Munde, verbreitet, geläufig, viel besprochen, offenes Geheimnis, viel genannt, in allen Medien, auf jedem Sender, **2.** groß, bedeutend, anerkannt, gefeiert, illuster, prominent, weltbekannt.

263 berühren 1. anfassen, anlangen, in die Hand nehmen, antasten, tasten, befühlen, betasten, abtasten, tasten/fühlen nach, befingern, betupfen, beklopfen; anrühren, begrapschen, **2.** angehen, nahe gehen, betreffen, tangieren, bewegen, anrühren, rühren, umtreiben,

nicht gleichgültig/kalt lassen, erschüttern, zu Herzen gehen, ergreifen, **3.** sich berühren, überlappen, überschneiden; angrenzen, nebenliegen, anliegen, grenzen an, anrainen, anstoßen, anschließen, heranreichen an, **4.** streifen, touchieren, flüchtig berühren, antippen, anstupsen, erwähnen, andenken, anticken, anklicken.

beschädigen lädieren, in Mitleidenschaft ziehen, verschandeln, verschlimmbessern, verunstalten, verstümmeln, deformieren, verderben, verhunzen, verunzieren, entstellen, entwerten, abnutzen, abbrechen, abwetzen, verwetzen, blank wetzen, durchscheuern, durchwetzen, verschleißen, abtragen, verwahrlosen, verlottern, verludern, bös zurichten, verkommen lassen, anknacksen, anschlagen, ramponieren, demolieren, durchlöchern, zerkratzen, verschaben, verformen, verbiegen, verbilden, verkrümmen, überdrehen, verdrehen, überdehnen. **264**

beschädigt 1. schadhaft, defekt, angeschlagen, angeknackst, wurmstichig, faul, vergammelt, morsch, abgegriffen, abgestoßen, zerkratzt, abgebraucht, abgenutzt, lädiert, wacklig, ramponiert, rostig, verrostet, angerostet, verstümmelt, unvollständig, bruchstückhaft, lückenhaft, fehlerhaft, mangelhaft, mitgenommen, verschandelt, verunziert, durchlöchert, löchrig, durchlässig, undicht, leck, vermodert, fleckig, scheckig, stockfleckig, verschimmelt; verbraucht, abgewetzt, abgeliebt, verschlissen, zerschlissen, verwetzt; schäbig, zerlumpt, zerfranst, verlottert, verludert, vernachlässigt, verwahrlost, verkommen; verrottet, verwohnt, abgeschliffen, dünn gerieben, zerfasert, verwischt; gebrochen, geknickt, verbogen, verformt, verdreht, verkrümmt, deformiert, **2.** geschädigt, beeinträchtigt, behindert, entstellt, verunstaltet, verkrüppelt, verstümmelt, **3.** kaputt, entzwei, zerbrochen, zerborsten, in Scherben, zerfallen, verfallen, zertrümmert, eingefallen, eingestürzt, hin, zerbombt, unbewohnbar, ruiniert, verheert, verwüstet; geplatzt, zerrissen, zerfressen, zerlesen, zerfleddert, zerklüftet, zerfetzt; zerschmettert, zersprungen, zerstoßen, zersplittert; un- **265**

brauchbar, funktionsunfähig, irreparabel, zerstört.

266 beschäftigen (sich) 1. anstellen, einstellen, engagieren, verpflichten, unterbringen, einsetzen, anheuern, **2.** arbeiten an, sich abgeben/befassen mit, zuwenden, verlegen auf, widmen, einlassen auf; schwanger gehen mit, kauen an, mit sich herumtragen, sich hineinknien, auseinander setzen mit, **3.** im Kopf herumgehen, zu schaffen machen, zu denken geben, nachgehen, in Beschlag nehmen, nicht loslassen/aus dem Sinn wollen, besetzen, absorbieren.

267 Beschlagnahme Einzug, Pfändung, Einziehung, Sperrung, Embargo, Konfiszierung, Konfiskation, Sicherstellung, Embargo, Kaperung, Kaptur, Sequestration; Arrest.

268 beschönigen färben, frisieren, weichzeichnen, soften, retuschieren, ausschmücken, euphemisieren, schminken, verbrämen, verklären, idealisieren, schönen, vergolden, verniedlichen, idyllisieren, durch die rosa Brille sehen, schönreden, schönzeichnen, schönfärben, schönrechnen; klittern, verblümen, bemänteln, bagatellisieren, verharmlosen, herunterspielen, untertreiben.

269 Beschönigung Retuschierung, Retusche, Ausschmückung, Euphemismus, Verbrämung, Verklärung, Idealisierung, Hagiographie, Überhöhung, Verniedlichung, Idyllisierung, Schönreden, Schönzeichnen, rosa Brille, Hofberichterstattung, Schönfärberei, Schönrechnerei; Klitterung, Bemäntelung, Verharmlosung, Bagatellisierung, Untertreibung.

270 beschreiben 1. wiedergeben, darstellen, Beschreibung geben, ausführen, nachzeichnen, Bild entwerfen, schildern, charakterisieren, illustrieren, lebendig machen, verlebendigen, ausmalen, ausspinnen, ausphantasieren, **2.** erzählen, vortragen, zum Besten geben, sein Garn spinnen, dichten, fabulieren, fabeln, gestalten, **3.** bekritzeln, beschmieren.

271 Besitz 1. Eigentum, Schatz, Besitztum, Kapital, **2.** Immobilien, Hausbesitz, Grundbesitz, Liegenschaften, Habe, Haus und Hof, Hab und Gut; Mobilien, bewegliche Habe, Sachwerte, Vermögenswerte, Wertsachen, Reichtümer, Habseligkeiten, Habschaft, **3.** Barschaft, Barvermögen, Geldmittel, Aktiva, flüssiges Kapital, Kapitalien, Geldkapital, Devisen; Reserven, Ressourcen, Rücklagen, Guthaben; Vermögensanlage, Wertpapiere, Investmentpapiere, Effekten, Anleihe, Aktie, Obligationen, Schatzbrief, Pfandbrief, Sparbrief.

272 Besitzer Eigentümer, Eigner, Inhaber, Herr, Halter, Hausbesitzer, Vermieter.

273 besonders 1. extra, gesondert, separat, für sich allein, eigens, speziell, namentlich, ausdrücklich, hauptsächlich, insbesondere, in Sonderheit, in erster Linie, vorwiegend, überwiegend, vor allem, vornehmlich, vorzugsweise, vor allen Dingen, vor allem andern, in der Hauptsache, **2.** bemerkenswert, eigenartig, spezifisch, ungewöhnlich, befremdend, befremdlich, auffallend, aus dem Rahmen fallend, sehenswert, **3.** persönlich, individuell, eigenständig, selbständig, kapriziös, mit Pfiff, eigenwillig, apart, originell.

274 besorgen 1. beschaffen, herbeischaffen, beibringen, aufbringen, akquirieren, heranschaffen, heranholen, verschaffen, organisieren, auftreiben, vermitteln, verhelfen zu, zuschanzen, zuschieben, zuspielen, anschleppen, beibringen, mobilisieren, bereitstellen, flüssig machen, finanzieren, zaubern, herbeizaubern, **2.** kaufen, einholen, einkaufen, holen, abholen, anschaffen, mitbringen, Besorgung machen, **3.** tun, betreiben, bearbeiten, betreuen, verwalten, seines Amtes walten, versorgen, versehen mit, bedienen.

275 Besorgung 1. Einkauf, Kauf, Einholen, Beschaffung, Vermittlung, Übermittlung, Erledigung, **2.** Botengang, Gang, Verrichtung; Versorgung, Verwaltung, Betreuung.

276 besprechen (sich) 1. unterreden, beraten, beratschlagen, bereden, verhandeln, erwägen, hin und her wenden, von allen Seiten betrachten, wälzen, durchsprechen, ventilieren, erörtern, prüfen, untersuchen, **2.** beurteilen, begutachten, würdigen, rezensieren, kritisieren, schreiben über, ankündigen, behandeln, abhandeln, sich auslassen über; glossieren, **3.** sich beraten, auseinander setzen, austauschen, zusammensetzen, an einen Tisch setzen; Sitzung abhalten, konferieren, tagen, debattieren, disputieren, diskutieren, politisieren, palavern.

277 Besprechung 1. Erörterung, Beratung, Beredung, Beratschlagung, Verhandlung; Sitzung, Termin, Konsultation, **2.** Gespräch, Unterhaltung, Unterredung, Aussprache, Meinungsaustausch, Gedankenaustausch, Dialog, Zwiegespräch, Zwiesprache, Wechselrede, Diskurs, **3.** Wortwechsel, Diskussion, Auseinandersetzung, Kontroverse, Disput, Streitgespräch, Streit, Hin und Her, Palaver, **4.** Rezension, Kritik.

278 bestätigen 1. bescheinigen, konfirmieren, quittieren, signieren, bezeugen, testieren, attestieren, beurkunden, beglaubigen, **2.** bejahen, affirmieren, zustimmen, billigen, nicken, Hand aufheben, **3.** unterschreiben, unterzeichnen, Unterschrift geben, zeichnen, gegenzeichnen, abzeichnen, paraphieren, ratifizieren, **4.** ermutigen, gelten lassen, bestärken, unterstützen, ermuntern, **5.** bekräftigen, erhärten, festigen, sanktionieren, anerkennen, für gültig erklären, approbieren, sich verbürgen.

279 Bestätigung 1. Ausweis, Bescheinigung, Identifikationskarte, Kennkarte, Pass, Reisepass, Personalausweis, Passierschein, Visum, Passepartout, Identitätsbescheinigung; Zeugnis, Attest, Diplom, Patent, Nachweis, **2.** Bescheinigung, Quittung, Kassenzettel, Beleg, Empfangsbestätigung, Beglaubigung, Siegel, Brief und Siegel, Urkunde, **3.** Bekräftigung, Erhärtung, Sanktion, Anerkennung, **4.** Ratifizierung, Paraphierung, Paraphe, Stempel, Unterschrift, Unterzeichnung, Autogramm, **5.** Ermunterung, Ermutigung, Zuspruch, Zustimmung, Affirmation, Anerkennung, Bejahung, Bestärkung, Rückstärkung, **6.** Beweis, Erweis, Nachweis, Wahrheitsnachweis.

280 bestellen 1. auftragen, beauftragen, in Auftrag geben, Auftrag erteilen, ordern, anfordern, machen/kommen lassen, **2.** abonnieren, halten, nehmen, beziehen, abnehmen, subskribieren, vorbestellen, buchen, **3.** auffordern, ersuchen, bescheiden, laden, vorladen, beordern, zitieren, **4.** hinterlassen, sagen, ausrichten, wissen lassen, benachrichti-

gen, überbringen, übermitteln, **5.** sein Haus bestellen/besorgen.

Besuch 1. Aufwartung, Visite, Arztbesuch, Einkehr, Besichtigung, Sightseeing, **2.** Gäste, Geselligkeit, Gesellschaft, Gastspiel, Gastrolle, Stippvisite, Höflichkeitsbesuch, Antrittsbesuch, Anstandsbesuch; Überfall, Heimsuchung. **281**

besuchen 1. Besuch machen/abstatten, zu Besuch kommen, Aufwartung machen, aufsuchen, vorsprechen, beehren, anklopfen, guten Tag sagen, sich blicken lassen; einkehren, auf einen Sprung kommen, hereinschauen, vorbeikommen, hereinschneien, aufkreuzen, sich einfinden; heimsuchen, überfallen, **2.** absteigen, logieren, wohnen, übernachten, nächtigen, **3.** frequentieren, häufig besuchen, verkehren, oft hingehen, Stammgast sein. **282**

Besucher 1. Gast, Ankömmling, Geladener, Gastfreund, Tischgast, Logierbesuch, Besuch, Dauergast, Stammgast, **2.** Reisender, Durchreisender, Passagier, Fremder, Tourist, **3.** Zuschauer, Teilnehmer, Anwesender, Gasthörer, Hörer, Zuhörer, **4.** Auditorium, Publikum, Zuhörerschaft, Hörerschaft. **283**

betäuben (sich) 1. anästhesieren, narkotisieren, chloroformieren, hypnotisieren, einschläfern, in Trance versetzen, **2.** Gefühle abtöten/im Keim ersticken/unterdrücken/verdrängen, **3.** sich betrinken, einen Rausch antrinken, berauschen, bezechen, besäuseln; zu tief ins Glas schauen, sich beduseln; über den Durst trinken, saufen, sich einen ansaufen, voll laufen lassen, zusaufen; dem Alkohol frönen/Trunk verfallen, **4.** Drogen/Rauschgift nehmen, kiffen, drücken, fixen. **284**

betäubend 1. narkotisierend, berauschend, sinnverwirrend, narkotisch, schmerzstillend, schmerzmildernd, schmerzlindernd, sedierend, einschläfernd, **2.** intensiv, zu stark. **285**

betäubt narkotisiert, unter Narkose, bewusstlos, besinnungslos, in Trance, schmerzfrei, ohne Schmerzgefühl, schmerzlos, gefühllos, unempfindlich, taub, berauscht. **286**

beteiligen teilnehmen/partizipieren lassen, zum Teilhaber nehmen, am Gewinn beteiligen, gemeinsame Sache machen, zusammenarbeiten. **287**

288 beten bitten, erbitten, flehen, erflehen, fürbitten, anbeten, verehren, loben, preisen, lobpreisen, danken.

289 betreffen angehen, anbelangen, anbetreffen, sich beziehen auf; zusammenhängen mit, berühren, zu tun haben mit, teilhaben, mitbetroffen sein, gehen um, sich erstrecken auf, handeln/drehen um.

290 betreffend zu, dazu, darüber, davon, wegen, was das angeht, angehend, anlangend, bezüglich, in Bezug auf, diesbezüglich, dieserhalb, betrifft, betreffs, hinsichtlich, in puncto.

291 Betrieb 1. Geschäft, Arbeitsstätte, Werk, Fabrik, 2. Umtrieb, Hochbetrieb, Arbeitsanfall, Betriebsamkeit, Geschäftigkeit, Lauferei, Wirbel, Kommen und Gehen, Hektik, Hast, Rumor, 3. Verkehr, Treiben, Trubel, Gedränge, Gewimmel, Getümmel, Gewirr, Getriebe, Gewusel, Gewühl, Durcheinander, Hexenkessel, 4. Rummel, Lustbarkeit, Kurzweil, Vergnügen, Zirkus, Klimbim, Trara, Tamtam, Jahrmarkt, Almauftrieb.

292 Betrug Schwindel, Betrügerei, Gaunerei, Bauernfängerei, Veruntreuung, Schummelei, Nepp, Mogelei, Mogelpackung, Zechprellerei, Schmu, Beschiss, Schiebung, Hinterziehung, Steuerhinterziehung, Steuerflucht, Hintergehung, Unterschlagung, Unterschleif, krumme Tour, fauler Zauber, Schwarzarbeit, Machenschaft, Hochstapelei, Fälschung, Täuschung; Selbstbetrug, Vogel-Strauß-Politik, Augenwischerei.

293 betrügen 1. täuschen, trügen, schwindeln, beschwindeln, hintergehen, hinterziehen, veruntreuen, unterschlagen, beiseite schaffen, schmuen, verdunkeln, übervorteilen, begaunern, benachteiligen; beschummeln, bemogeln, betuppen, abkochen, behumpsen, übers Ohr hauen, über den Tisch ziehen, düpieren, übertölpeln, bescheißen; falsch spielen, hereinlegen, zinken, türken, tricksen, mogeln, mauscheln, im Trüben fischen, prellen, bluffen, hinters Licht führen, ein X für ein U vormachen; beirren, verwirren, weismachen, anführen, anschmieren, lackmeiern, zum Narren halten, foppen, hochnehmen, irreführen, austricksen, unterschieben, andrehen; neppen, überfordern, überteuern, wuchern, ablisten, abluchsen, abschwindeln, abschwatzen, betören, einseifen, einwickeln, blenden, blauen Dunst vormachen, einen Vorteil erschleichen, corriger la fortune, Sand in die Augen streuen, 2. schieben, verschieben, klüngeln, hehlen, verdunkeln, auf die falsche Fährte locken, abkarten, heimlich aushandeln, Vetternwirtschaft treiben, sich die Trümpfe zuspielen; unter einer Decke stecken, gemeinsame Sache machen, 3. ehebrechen, Seitensprung machen, untreu sein, jmdn. hintergehen, swingen, fremdgehen, Hörner aufsetzen, zum Hahnrei machen, doppeltes Spiel treiben, 4. aufs Glatteis führen/Kreuz legen, Grube graben, in den Hinterhalt locken, für dumm verkaufen, überlisten, Zeche prellen, Fell über die Ohren ziehen, veruntreuen, 5. Recht verdrehen/beugen.

294 Betrüger 1. Gauner, Schwindler, Filou, falscher Fuffziger, Falschmünzer, Fälscher, Schieber, Gangster, Erpresser, Wucherer, Halsabschneider, 2. Hochstapler, Defraudant, Falschspieler, Bauernfänger, Beutelschneider, Preller, Zechpreller, Heiratsschwindler, Bigamist, Erbschleicher, Mitgiftjäger, Blender, Bluffer, 3. Quacksalber, Kurpfuscher, Scharlatan, Rattenfänger, 4. Schmuggler, Schleichhändler, Schwarzhändler, Helfershelfer, Schlepper, Schleuser.

295 Bett Schlafstelle, Liegestatt, Bettstelle, Bettstatt; Doppelbett, französisches Bett, Ruhebett, Wandbett, Bettcouch, Liege, Ausziehbett, Klappbett, Pritsche, Feldbett, Notbett; Wiege, Kinderbett; Körbchen, Falle, Koje, Klappe, Kahn, Nest.

296 beugen 1. neigen, senken, abwinkeln, krümmen, biegen; sich vorbeugen, beugen über, vorneigen, neigen, vornüber neigen, 2. kauern, hocken, in die Hocke gehen, sich hinhocken, niederbücken, 3. konjugieren, flektieren, deklinieren, abwandeln.

297 Bevölkerung Population, Einwohnerschaft, Einwohner, Bewohnerschaft, Volk, Bewohner; Ureinwohner, Urbevölkerung, Aborigines, Autochthone, Ethnie.

298 bevorzugen 1. fördern, begünstigen, protegieren, befürworten, weiterhelfen, nachhelfen, aufbauen, gutes Wort einlegen, sich verwenden für; in den Sattel helfen, Weg ebnen, begönnern, lancieren, klüngeln, einschleusen, **2.** Vorzug geben, höher einschätzen, favorisieren, vorziehen, Priorität setzen bei, vorausstellen, obenan stellen, vorordnen, **3.** privilegieren, Vorrechte einräumen, bevorrechten.

299 bewährt erprobt, bekannt, anerkannt, eingeführt, gängig, gebräuchlich, lieb, probat, verlässlich, altgedient, altbewährt, vertraut, klassisch, empfehlenswert.

300 bewegen (sich) 1. sich regen; Lage verändern, Stellung wechseln, sich rühren; gehen, umhergehen, spazieren gehen, turnen, **2.** wogen, wellen, steigen, sinken, **3.** schieben, verschieben, befördern, transportieren, verrücken, rangieren, **4.** fahren, reisen, kutschieren, rumkommen, mit dem Schiff fahren, rudern, paddeln, gondeln, segeln, surfen, reiten, radeln, Rad fahren.

301 beweglich 1. gelenkig, geschmeidig, leichtfüßig, gewandt, geschickt, lebhaft, lebendig, anpassungsfähig, lernfähig, umstellungsfähig, wandelbar, wendig, wandlungsfähig, rasch, schnell, fix, rege, agil, mobil, elastisch, flexibel, **2.** ambulant, variabel, transportabel, zerlegbar, versetzbar, verstellbar; übertragbar, nicht an die Person gebunden.

302 Bewegung 1. Gang, Gangart, Trab, Trott, Schritt, Lauf, Galopp, **2.** Fortbewegung, Ortsveränderung, Transport, Beförderung, Fluktuation, **3.** Wirbel, Gestöber, Gestiebe, Gewoge, Strudel, Dünung, Seegang, **4.** Regung, Schwingung, Wellenbewegung, Vibration, Oszillation, Pendeln, Pendelbewegung, Schwingen, Schwung.

303 bewerben, sich sich bemühen um; Stellung suchen, vorsprechen, ansuchen, nachsuchen, einkommen um, kandidieren.

304 bezahlen 1. zahlen, begleichen, entrichten, abführen, Kosten tragen, aufkommen für, ausgeben, aufwenden, **2.** entlohnen, besolden, honorieren, Gehalt zahlen, vergüten, Lohn zahlen, auszahlen, ausbezahlen, **3.** hinlegen, blechen, bluten, berappen, hinblättern, löhnen, herhalten müssen, herausrücken, lockermachen, sich in Unkosten

stürzen, **4.** tilgen, begleichen, bereinigen, abtragen, abdecken, finanzieren, einlösen, abstatten, sich einer Schuld entledigen; erfüllen, ablösen, erstatten, zurückgeben, überweisen, anweisen, ausgleichen; versteuern.

305 bezaubern 1. entzücken, begeistern, hinreißen, bestricken, berücken, betören, behexen, bezirzen, verzaubern, verhexen, um den Verstand bringen, berauschen, bannen, in Bann schlagen, faszinieren, bezwingen, verblenden, blenden, **2.** zaubern, hexen, beschwören, verwünschen, besprechen, Hokuspokus treiben, berufen.

306 Bibliothek Bücherei, Büchersammlung, Leihbibliothek, Präsenzbibliothek, Stadtbücherei, Universitätsbibliothek; digitale Bibliothek, Infothek.

307 bieten ermöglichen, eröffnen, darbieten, verschaffen, zur Verfügung stellen, versprechen, offerieren, geben, zu bieten haben, anbieten, in Aussicht stellen, gewährleisten, zeigen, vorführen, Belohnung ausschreiben/aussetzen.

308 Bild 1. Anblick, Erscheinung, Ansicht, Panorama, Aussicht, **2.** Abbild, Abbildung, Schaubild, Diagramm, Bildnis, Wiedergabe, Darstellung, Gemälde, Zeichnung, Graphik, Holzschnitt, Aquarell, Pastell, Radierung, Gouache, Stich, Lithographie, Collage, Fresko, Relief, Ölbild; Skizze, Studie, Entwurf, Graffito, Cartoon, Comic, Faustskizze, Handskizze; Bildnis, Porträt, Konterfei, Selbstporträt, **3.** Foto, Aufnahme, Fotografie, Lichtbild, Schnappschuss, Standbild, Close-up, Momentaufnahme; Dia, Diapositiv, Abzug, Vergrößerung, Großaufnahme, Poster, Luftaufnahme, Satellitenaufnahme; Projektion, Übertragung, **4.** Bebilderung, Buchschmuck, Illustrierung, Illustration, Bildschmuck, Bildbeigaben, **5.** Sinnbild, Metapher, Allegorie, Parabel, Symbol, Gleichnis, Trope, Tropus.

309 Bildhauer Plastiker, Bildner, Skulpteur, Holzschnitzer, Steinmetz.

310 bildlich 1. bildhaft, eidetisch, ikonisch, **2.** sinnbildlich, symbolisch, gleichnishaft, allegorisch, figürlich, figurativ, figural, parabolisch, übertragen, zeichenhaft, bedeutungsvoll, hintergründig, metaphorisch, im Gleichnis, mit Verweischarakter, im Bild, verhüllt, vieldeutig, karikierend, persiflierend, 3. vergleichsweise, sozusagen, gewissermaßen, quasi.

311 Bildschirm Monitor, Screen, Bildröhre, Mattscheibe, Schirm, Display.

312 billig 1. preiswert, preisgünstig, kostengünstig, wohlfeil, nicht teuer, bezahlbar, erschwinglich, günstig, vorteilhaft, halb umsonst, fast geschenkt, für ein Butterbrot, verbilligt, herabgesetzt, reduziert, ermäßigt, zu einem Spottpreis, für einen Pappenstiel, spottbillig, nachgeworfen, **2.** angemessen, zivil, reell, entsprechend, adäquat, zumutbar, vertretbar, berechtigt, in Ordnung, gebührend, recht und billig, **3.** nichtig, nichts sagend, dünn, schwach, banal, ordinär, simpel, primitiv, trivial, inferior.

313 binden (sich) 1. anpflocken, festbinden, anbinden, fesseln, anketten, **2.** festlegen, festnageln, beim Wort nehmen, verpflichten, nötigen, **3.** sich festlegen, verpflichten; Bindung eingehen, Verpflichtung auf sich nehmen, sein Wort geben, Vertrag schließen, Handel eingehen, etwas ausmachen / festmachen, sich verschreiben; bürgen, haften, einstehen, gutsagen, sich verdingen, **4.** zusammenbinden, zusammenwinden, zusammenfügen, knüpfen, schnüren, bündeln, **5.** sich beschränken, spezialisieren, verlegen auf, vereinseitigen, **6.** eindicken, legieren, sämig machen, **7.** broschieren, einbinden, lumbecken, aufbinden.

314 bitte 1. freundlichst, gütigst, möglichst, gefälligst, tunlichst, liebenswürdigerweise, freundlicherweise, bitte schön, bitte sehr, **2.** pardon, wie meinen, wie bitte, wie belieben, wie, was.

315 bitten 1. erbitten, wünschen, Wunsch äußern, ersuchen, auffordern, angehen, fragen, ansprechen, anfragen, nachsuchen, sich ausbitten; ansuchen, nahe legen, einkommen um; bestürmen, bedrängen, beschwören, anflehen, in den Ohren liegen, zusetzen, weismachen, löchern, bohren, betteln, flehen, winseln, kniefällig bitten, **2.** abnötigen, abschmeicheln, abschwatzen, abknöpfen, abbetteln, abringen.

316 blasen 1. winden, säuseln, fächeln, flattern, rascheln, atmen, ziehen, pusten, hauchen, wehen, stürmen, wettern,

schnauben, rasen, stieben, brausen, rauschen, sausen, heulen, johlen, fauchen, toben, tosen, schrillen, **2.** trompeten, posaunen, schmettern, tuten.

317 Blickfeld Gesichtskreis, Gesichtsfeld, Sehkreis, Reichweite, Sichtweite, Radius, Ausschnitt, Gesichtswinkel; Umkreis, Umfeld, Horizont.

318 blind 1. augenlos, blicklos, erblindet, mit Blindheit geschlagen, stockblind, geblendet, mit verbundenen Augen, nachtblind, farbenblind, **2.** glanzlos, trübe, stumpf, matt, unklar, undurchsichtig, schmutzig, beschlagen, **3.** vorgetäuscht, als Attrappe, zur Verzierung, fingiert, **4.** uneinsichtig, kritiklos.

319 bloßstellen (sich) 1. sich eine Blöße geben, lächerlich machen, blamieren, desavouieren, kompromittieren, unmöglich machen, schlecht machen, diskreditieren; Gesicht verlieren, sich ein Armutszeugnis ausstellen, zum Gespött machen; keine gute Figur machen, Selbstdemontage betreiben, sich preisgeben, wegwerfen, entwürdigen, prostituieren, entpuppen; Maske fallen lassen, **2.** beschämen, verspotten, auslachen, an den Pranger stellen, zum Gespött machen, brandmarken, anprangern, schlecht / verächtlich machen, in den Dreck ziehen, herabsetzen, heruntermachen, vorführen, desavouieren, **3.** entlarven, enttarnen, demaskieren, Maske herunterreißen, enthüllen, aufdecken, entschleiern, Geheimnis lüften, aufklären, entmystifizieren, entmythologisieren.

320 Bordell Freudenhaus, Etablissement, Puff, Eroscenter, Stundenhotel, Kontakthof, Massagesalon, Sexclub, Rotlichtbezirk, öffentliches Haus.

321 borgen 1. entleihen, entlehnen, leihen, pumpen, anpumpen, um Geld angehen, anzapfen, Kredit aufnehmen, Konto überziehen, Schulden machen, beleihen, verpfänden, versetzen, Vorschuss nehmen, **2.** verleihen, ausleihen, geben, verborgen, anschreiben, verpumpen, aushelfen, vorlegen, vorhonorieren, vorfinanzieren, finanzieren, vorstrecken, auslegen, vorschießen, bevorschussen, beleihen, kreditieren, stunden.

322 böse 1. ärgerlich, gereizt, unmutig, indigniert, vergrämt, verbiestert, missmutig, missgestimmt, ingrimmig, missvergnügt, fuchsig, aufgebracht, in Fahrt, erbittert, zornig, auf hundertachtzig, furios, zähneknirschend, zürnend, erbost, siedend, wutentbrannt, wutschnaubend, wütend, fuchtig, unleidlich, affektgeladen, unwillig, unwirsch, alteriert, geladen, ungehalten, empört, entrüstet, zornentbrannt, verdrießlich, grimmig, zischend, schäumend, außer sich, grantig, grätig, vergrätzt, grollend, schmollend, rabiat, wütig, aus dem Häuschen, wild, fuchsteufelswild, stocksauer, **2.** beleidigt, säuerlich, sauer, gekränkt, verletzt, verstimmt, verärgert, getroffen, verschnupft, auf den Schlips getreten, eingeschnappt, pikiert, auf den Fuß getreten; in die falsche Kehle bekommen, verdrossen, **3.** schlecht, übel, schlimm.

323 boshaft 1. böse, bösartig, garstig, hämisch, hässlich, höhnisch, schadenfroh, gehässig, giftig, missgünstig, arg, böswillig, gallig, übel wollend, lieblos, ungut, infam, verletzend, niederträchtig, falsch, intrigant, link, schikanös, ränkesüchtig, Ränke schmiedend, diabolisch, teuflisch, verteufelt, infernalisch, satanisch, sardonisch, perfide, hundsgemein, klatschsüchtig, medisant, böses Mundwerk, scharfe Zunge, misswillig, verleumderisch, übel gesinnt, maliziös, **2.** hinterlistig, hinterhältig, hinterfotzig, tückisch, heimtückisch, hintertückisch, arglistig, meuchlings, hinterrücks, hinterrum.

324 Bosheit Lieblosigkeit, Böswilligkeit, Übelwollen, böser Wille, Gehässigkeit, Garstigkeit, Häme, Bösartigkeit, Boshaftigkeit, Gemeinheit, Schikane, Teufelei, Niederträchtigkeit, Infamie, Falschheit.

325 braten 1. anbraten, rösten, schmoren, brutzeln, bräunen, backen, garen, überbacken, gratinieren, toasten, grillen, **2.** schwitzen, in der Sonne braten.

326 Brauch 1. Brauchtum, Tradition, Überlieferung, Gebräuche, Landessitte, **2.** Gewohnheit, Gepflogenheit, Praxis, Sitte, Regel, Konvention, Konvenienz, Übereinkunft, Usus, Usance; Walze, alter Hut / Zopf, Tour, Mode, Leier, Schlendrian, **3.** Form, Förmlichkeit, Komment, Etikette, Zeremoniell, Kleiderordnung, Dresscode, Protokoll, Zeremonie, Kult, Ritus, Ritual.

brauchen nötig haben, benötigen, **327** begehren, bedürfen, Bedarf haben, haben müssen, nicht auskommen können, angewiesen sein auf, nicht entbehren / entraten / missen können, gebrauchen können; gebrauchen, im Gebrauch haben, benutzen, verwenden.

brav 1. artig, wohlerzogen, manier- **328** lich, nett, gut zu haben, lieb, gefällig, gehorsam, lammfromm, **2.** tüchtig, tapfer, wacker, ordentlich, redlich, rechtschaffen, ehrenwert, achtbar, anständig, tugendhaft, ehrbar, unbescholten, aufrecht, kreuzbrav, **3.** bieder, zahm, einfältig, simpel, spießig, hausbacken, ehrpusselig, prüde.

brechen 1. krachen, knacken, bers- **329** ten, knacksen, knicken, zerknicken, einknicken, abknicken, zerbrechen, springen, splittern, absplittern, in die Brüche gehen, durchbrechen, zerspringen, zerschellen, zerplatzen, zersplittern, auseinander brechen, entzweigehen, kaputtgehen, reißen, zerreißen, brocken, bröckeln, krümeln, zerkrümeln, in Stücke brechen, abbröckeln, **2.** abbrechen, aufgeben, abschließen mit, sich trennen von; lassen, sich zurückziehen; brechen/Schluss machen mit, Laufpass geben, jmdn. verlassen, Freundschaft aufkündigen, **3.** sich übergeben; erbrechen; speien, von sich geben, reihern, spucken, kotzen.

brennen 1. flammen, flackern, lo- **330** dern, knistern, züngeln, lohen, glühen, gluten, flackern, zucken, glosen, schwelen, glimmen, wabern, **2.** in Brand geraten, anbrennen, anglimmen, sich entzünden; aufflammen, auflodern, aufflackern; entbrennen, ausbrechen, in Flammen stehen, lichterloh brennen, verbrennen, verkohlen, **3.** schmerzen, beißen, bitzeln, beizen, prickeln, reizen, kitzeln, **4.** sengen, ansengen, flämmen, abfackeln, abbrennen, **5.** destillieren, Schnaps brennen.

Brett 1. Latte, Planke, Diele, Bohle, **331** Platte, Leiste, **2.** Regal, Bord, Bücherbrett, Büchergestell, Ständer, Etagere, Wandbrett, Fach, Stellage, Gestell, Konsole.

Brief Nachricht, Mitteilung, Benach- **332** richtigung, Zuschrift, Schreiben, Auslassung, Zeilen, Epistel, Billett, Schrieb,

Wisch, Post, offener Brief, Telebrief, E-Mail.

333 Brücke Steg, Hängebrücke, Bogenbrücke, Zugbrücke, Schiffbrücke, Seebrücke, Landungsbrücke, Landungssteg, Lände, Anlegestelle, Aquädukt, Gangway; Überbrückung, Viadukt, Überführung, Unterführung, Übergang, Überweg, Zebrastreifen, Bahnübergang.

334 brutal rücksichtslos, roh, gefühllos, gemütlos, krude, rabiat, grausam, erbarmungslos, unbarmherzig, geht über Leichen, zynisch, schonungslos, unmenschlich, inhuman, barbarisch, menschenverachtend, gewalttätig, drakonisch, mit der Knute, mit eiserner Faust, entmenscht, mörderisch, bestialisch, blutdürstig, blutgierig, mordgierig, viehisch, sadistisch, pervers.

335 Brutalität Rücksichtslosigkeit, Zynismus, Mitleidlosigkeit, Unbarmherzigkeit, Unerbittlichkeit, Unnachsichtigkeit, Schonungslosigkeit, Erbarmungslosigkeit, Gefühllosigkeit; Grausamkeit, Gewalttätigkeit, Unmenschlichkeit, Inhumanität, Barbarei, Vandalismus, Zerstörungswut, Rohheit, Verrohung, Menschenverachtung, Mordlust, Blutdurst, Mordgier, Bestialität, Sadismus, Perversität; Gräuel, Gräueltat, Scheußlichkeit, Ungeheuerlichkeit; Misshandlung, Quälerei, Marter, Peinigung, Tortur, Folterung, Folter.

336 Buch 1. Werk, Publikation, Veröffentlichung, Druckwerk, Titel, Band, Foliant, Wälzer, Schwarte, Schinken, Scharteke, Schmöker, **2.** Broschur, Broschüre, Druckschrift, Schrift, Taschenbuch, Paperback, **3.** Lektüre, Lesestoff, Literatur.

337 Buchstabe 1. Letter, Schriftzeichen, Versal, Rune, Hieroglyphe, Minuskel, Majuskel; Type, **2.** Alphabet, Abc, Bilderschrift, Keilschrift.

338 Bürge Gewährsmann, Garant, Geisel, Zeuge, Augenzeuge; Pate, Trauzeuge, Taufzeuge.

339 bürgen 1. sich verbürgen; Bürgschaft stellen, haften, garantieren, einstehen, geradestehen, dafürstehen, gewährleisten, gutsagen, gutsprechen, sich verpflichten; verantworten, dazu stehen, Hand ins Feuer legen, Brief und Siegel geben, **2.** hinterlegen, sicherstellen, si-

chern, decken, verpfänden, verschreiben, Pfand geben, Sicherheit bieten, Kaution stellen, Kopf hinhalten.

340 Bürger 1. Kleinbürger, Großbürger, Bourgeois; Citoyen, Zivilist, Bildungsbürger, **2.** Bürgertum, Mittelklasse, Mittelstand, Mittelschicht, Kleinbürgertum, Kleinbourgeoisie, Bourgeoisie, Großbürgertum, Großbourgeoisie; bürgerliche Gesellschaft, Kreise, **3.** Spießbürger, Spießer, Biedermann, Bonhomme, Schildbürger, Pfahlbürger, Hinterwäldler, Philister, Krämerseele, Michel, Kulturbanause, Kleingeist, Kirchturmpolitiker, Krähwinkler, **4.** Liberaler, Weltbürger, Kosmopolit, **5.** Staatsbürger, Einwohner, Mitbürger, Seele.

341 bürgerlich 1. solid, ordentlich, sicher, geordnet, zivil, gutbürgerlich, auskömmlich, ausreichend, **2.** kleinbürgerlich, mittelständisch, großbürgerlich, bourgeois, etabliert, **3.** bieder, kleinleutemäßig, spießig, spießerhaft, spießbürgerlich, banausenhaft, philiströs, eng, borniert, muffig, ohne Horizont, engstirnig, philisterhaft, kleinlich, konservativ, angepasst, konform, **4.** liberal, weltbürgerlich, kosmopolitisch.

342 Bürgschaft 1. Garantie, Gewähr, Obligo, Haftung, Kaution, Sicherheit, Deckung, Pfand, Unterpfand, **2.** Verpflichtung, Einstandspflicht, Sicherung, Gewährleistung, Hinterlegung, Delkredere, Gutsagung, Affidavit.

343 Busch 1. Strauch, Staude, Hecke, Gebüsch, Buschwerk, Niederwald, Gehölz, Gesträuch, Gestrüpp, Unterholz, Dickicht, Dschungel, Urwald, Wildnis, Steppe, **2.** Buschen, Strauß, Gebinde, Bukett, Bündel, Bund; Kranz, Girlande, Gewinde, Gehänge, Gesteck; Büschel, Garbe.

344 Busen Brust, Büste, Brüste, Mammae; Möpse, Titten, Äpfel, Birnen, Glocken, Dekolleté, Ausschnitt.

345 büßen abbüßen, Buße tun, wieder gutmachen, sühnen, abbitten, Abbitte/ Schadenersatz leisten, kompensieren, entgelten, abgelten, entschädigen, einstehen für, Strafe verbüßen, ausbaden, Suppe auslöffeln, Kopf/Buckel hinhalten, herhalten/geradestehen für, wettmachen, gutmachen, ausgleichen, Folgen tragen, Konsequenzen auf sich nehmen, Genugtuung geben.

C

346 Charakter Wesen, Wesensart, Eigentümlichkeit, Eigenart, Charakterbildung, Anlage, Natur, Naturell, Typ, Gemütsart, Veranlagung, Disposition, Temperament, Sinnesart, Denkweise; Persönlichkeit, Steher.

347 charakterfest 1. standhaft, charakterstark, charaktervoll, fest, unbeirrbar, unbestechlich, zuverlässig, verlässlich, unparteiisch, gerecht, **2.** verantwortungsbewusst, entschlossen, bestimmt, ernst, entschieden, von echtem Schrot und Korn, rocher de bronze, unerschütterlich.

348 charakteristisch 1. bezeichnend, signifikant, kennzeichnend, typisch, repräsentativ, echt, eigentümlich, eigenartig, unverkennbar, unverwechselbar, wesenseigen, wesensgemäß, spezifisch, symptomatisch, **2.** ausgeprägt, prägnant, ausgesprochen, markant, in Reinkultur, sprichwörtlich, echt, unverfälscht, hundertprozentig.

349 charakterlos rückgratlos, haltlos, haltungslos, charakterschwach, ohne Rückgrat, labil, willensschwach, willenlos; skrupellos, windig, erbärmlich, gesinnungslos, verkommen, niederträchtig, gemein, schurkisch, gewissenlos, ehrlos, würdelos, korrupt.

350 Chip 1. Bon, Coupon, Jeton, Token, Gutschein, Wertmarke, Plakette, **2.** Plättchen, Bauelement, Mikroprozessorchip, **3.** Kartoffelstäbchen, Kartoffelschnitzel, Kartoffelchip.

351 chronologisch nach dem Zeitablauf, in der Zeitenfolge, im historischen Ablauf, aufeinander folgend, zeitlich geordnet.

352 Computer 1. Rechner, Rechenmaschine, Rechenautomat, Elektronengehirn, Großrechner, elektronische Datenverarbeitungsanlage, EDV, Mikrocomputer, Multimedia; Betriebssystem, Hardware, Programm, Software, **2.** Personalcomputer, PC, Minicomputer, Laptop, Notebook, Homecomputer, Workstation, Netzcomputer.

D

353 Dampf 1. Rauch; Qualm, Rauchwolken, Gewölk, blauer Dunst, Schmauch, Rauchfahne, **2.** Nebel, Dunst, Wasserdampf, Schleier, Nebelschwaden, Nebelbank, Unklarheit, Brodem, Schwaden, Waschküche, Dunstglocke, Smog.

354 dampfen qualmen, dunsten, rauchen, nebeln, Rauchwolken ausstoßen, wölken, trüben, verdunsten, verdampfen.

355 dankbar 1. dankerfüllt, verbunden, erkenntlich, zu Dank verpflichtet, **2.** nützlich, lohnend, ergiebig, fruchtbar.

356 Dankbarkeit Dank, Vergeltung, Lohn, Erkenntlichkeit, Anerkennung, Gegenleistung, Schuldigkeit, Dankbarkeitsgefühl, Verpflichtung; Danksagung, Dankadresse, Dankschreiben.

357 danken 1. sich bedanken; Dank sagen / zollen / aussprechen / ausdrücken / abstatten / bekunden / bezeigen / wissen; sich erkenntlich zeigen; vergelten, sich dankbar erweisen, **2.** verdanken, Dank schulden, zu danken haben, in jmds. Schuld stehen, hoch anrechnen, dankbar sein, sich glücklich preisen.

358 Darlehen Anleihe, Kredit, Vorschuss, Vorleistung, Borg, Pump, Entleihung, Vorauszahlung, Entlehnung, Beleihung, Verpfändung, Verschreibung, Hypothek.

359 darstellen (sich) 1. beschreiben, zeichnen, plotten, malen, skizzieren, porträtieren, aquarellieren, in Öl malen, aufnehmen, Büste/Plastik anfertigen, **2.** in Ziffern darstellen, digitalisieren, **3.** repräsentieren, sich zeigen, produzieren, zur Schau stellen, exhibitionieren, **4.** spielen, mimen, Rolle spielen, interpretieren, **5.** symbolisieren, einkleiden, versinnbildlichen, zeichenhaft/bildlich/ indirekt darstellen, verfremden, verweisen, verdunkeln, verunklaren, allegorisieren, in Bildern sprechen, verrätseln, karikieren, persiflieren.

360 Darsteller Mime, Interpret, Bühnenkünstler, Schauspieler, Akteur, Komödiant, Tragöde, Filmschauspieler, Sän-

ger; Mannequin, Vorführdame, Modell, Fotomodell, Dressman, Model.

361 Darstellung 1. Beschreibung, Wiedergabe, Abbildung, Veranschaulichung, Darlegung, Entfaltung, Ausführung, Illustration, Illustrierung, Charakterisierung, Beleuchtung, Visualisierung, **2.** Deutung, Interpretation, Exegese, Auslegung, Sinndeutung, Sinngebung; Symbolisierung, Allegorisierung, Verbildlichung, Verkörperung, Personifizierung, Personifikation, Inkarnation; Verfremdung, Verschleierung, Verdunkelung, Verrätselung, Versinnbildlichung, Verbrämung, Einkleidung, Zeichenhaftigkeit.

362 Dauer 1. Weile, Frist, Zeitraum, Zeitdauer, **2.** Fortdauer, Bestand, Fortbestehen, Fortbestand, Fortgang, Permanenz, Kontinuität, kontinuierliche Entwicklung, lückenloser Fortgang, Stetigkeit, Beständigkeit, **3.** Überdauern, Durchhalten, Durchstehen, Überstehen; Wertbeständigkeit, Zeitlosigkeit, Langlebigkeit, Haltbarkeit, **4.** Dauererfolg, Evergreen, Longseller, Steadyseller, Dauerbrenner.

363 dauerhaft 1. haltbar, solid, unverwüstlich, unzerreißbar, unzerbrechlich, durabel, widerstandsfähig, unempfindlich, robust, langlebig, qualitätsvoll, wertbeständig, massiv, echt, stabil, strapazierfähig, lichtecht, kochecht, kochfest, farbecht, waschecht, lichtfest, rostfrei, wetterfest, bleibend, modeunabhängig, zeitlos, **2.** haltbar gemacht, konserviert, eingemacht, eingeweckt, sterilisiert, eingepökelt, mariniert, tiefgekühlt, eingeschweißt, unverderblich, **3.** präpariert, einbalsamiert, mumifiziert.

364 dauern 1. währen, bleiben, sich erhalten, halten; gleich bleiben, Bestand haben, **2.** weitergehen, anhalten, andauern, fortgehen, fortdauern, fortwähren, sich hinziehen; kein Ende nehmen, nicht aufhören, **3.** überdauern, überleben, weiterleben, überwinden, fortleben, fortbestehen, weiterwirken, fortwirken, **4.** Leid tun, schmerzen, betrüben, erbarmen, Mitleid erregen.

365 dauernd 1. bleibend, während, verbleibend, bestehend, beständig, überdauernd, unentwegt, anhaltend, permanent, andauernd, unaufhörlich, fortdauernd, ununterbrochen, kontinuierlich, konstant, ohne Unterbrechung, chronisch, immer, **2.** traditionell, herkömmlich, gewohnheitsmäßig, **3.** immergrün, winterfest, perennierend, überwinternd, ganzjährig.

366 Demagoge Scharfmacher, Anstifter, Aufwiegler, Einpeitscher, Populist, Hetzer, Brunnenvergifter.

367 Demagogie Aufreizung, Anstiftung, Scharfmacherei, Populismus, Aufwiegelung, Hetze, Verhetzung, Brandrede, Hetzpropaganda, Verketzerung, Hexenjagd, Kesseltreiben, Pogrom.

368 demagogisch aufwieglerisch, aufreizend, hetzerisch, populistisch.

369 demokratisch liberal, freiheitlich, mehrheitlich, basisdemokratisch, laizistisch, rechtsstaatlich, polyvalent, offen, repressionsfrei; zivil, transparent.

370 Demonstration 1. Kundgebung, Manifestation, Protestkundgebung, Protestversammlung, politische Versammlung, Umzug, Protestmarsch, Massenkundgebung, Massenversammlung, Dienst nach Vorschrift, Bummelstreik, Streik, Boykott, Protestaktion, Kampagne, Fackelzug, Mahnwache, Lichterkette, Sit-in, Go-in, Teach-in, Love-in, Loveparade, Besetzung, Häuserbesetzung, Instandbesetzung, **2.** Veranschaulichung, Darlegung, Beweisführung.

371 denken 1. Verstand gebrauchen, reflektieren, nachdenken, sich Gedanken machen; durchdenken, **2.** überlegen, bedenken, in Betracht ziehen, erwägen, sich zurechtlegen; spekulieren, drehen und wenden, von allen Seiten betrachten, nachgrübeln, kauen an, nachsinnen, knobeln, grübeln, sich zergrübeln; brüten, sinnen, sinnieren, wägen, hin und her wenden, mitbedenken, betrachten, abwägen, ermessen, kombinieren, überdenken, sich durch den Kopf gehen lassen, den Kopf zerbrechen; Probleme wälzen, philosophieren, sich fragen; Für und Wider erwägen, sich mit dem Gedanken herumschlagen; mit sich ringen, herumrätseln, berechnen, ausklügeln, vernünfteln, deuten, phantasieren, spintisieren; ausdenken, aushecken, sich einfallen lassen, beikommen lassen; in Frage ziehen, hinterfragen, Schlüsse ziehen, sich vergegenwärtigen, vorstellen; meditieren, untersuchen, prüfen,

studieren, **3.** sich besinnen, sammeln; in sich gehen, Gedanken sammeln, mit sich zu Rate gehen, zu sich kommen, Gedanken nachhängen, in Gedanken versunken sein, **4.** sich vertiefen, versenken, hineinknien, konzentrieren; versinken; ausbauen, fundieren, weitertreiben, steigern, vertiefen, intensivieren.

372 Denker Philosoph, Theoretiker, Weiser, Gelehrter, Geistesarbeiter, Forscher, Erfinder, Kopfarbeiter, Wissenschaftler, Verstandesmensch, Intellektueller, kluger Kopf; Intelligenzler, Egghead, Verkopfter, Meisterdenker.

373 Denkmal Ehrenmal, Gedächtnismal, Mahnmal, Monument, Gedenkstein, Denkstein, Obelisk, Säule, Statue, Gedenkstätte, Memorial; Grabstein, Stele, Grabmonument, Pantheon.

374 Denkspruch 1. Wahlspruch, Kernspruch, Merkspruch, goldene Regel, Sinnspruch, Leitsatz, Lebensweisheit, Sinngedicht, Kalenderweisheit, Sprichwort, Epigramm, Xenie, Volksweisheit, **2.** Devise, Schlagwort, Slogan, Sentenz, Spruch, Motto, Losung, **3.** Maxime, Aphorismus, Gedankensplitter.

375 Denkweise Denkungsart, Denkart, Weltbild, Weltanschauung, Ideologie, geistiger Standort, Grundeinstellung, Geisteshaltung, Sinnesart, Ethos, Gesinnung, Mentalität, Haltung, Anschauung, Einstellung.

376 derb 1. handfest, kräftig, stark, gesund, robust, drall, stramm, kernig, ungeschlacht, grobschlächtig, **2.** drastisch, grob, gröblich, unsanft, raubeinig, deutlich, faustdick, krass, krude, rüde, rau, harsch, barsch, ungehobelt, schroff, vulgär, saftig, deftig, **3.** bäuerlich, rustikal, ländlich, bäuerisch.

377 Deserteur Überläufer, Fahnenflüchtiger, Abtrünniger, Kollaborateur, Quisling.

378 deutlich 1. fühlbar, bemerkbar, spürbar, merklich, vernehmlich, einschneidend, unübersehbar, unüberhörbar, überdeutlich, klipp und klar, unverblümt, **2.** genau, artikuliert, scharf, klar erkennbar, leicht festzustellen, verständlich, präzis, prägnant, klar, ausdrücklich, ausgesprochen, profiliert, charakteristisch, fest umrissen, konturiert.

379 Diät 1. Fasten, Fastendiät, Heilfasten, Fastenkur, Nulldiät, Schlankheitskur, Abmagerungskur; Mastkur, **2.** Krankenkost, Schonkost, leichte Kost, Heilkost, Diätkost.

380 dicht 1. abgeschlossen, verschlossen, zu, unzugänglich; undurchdringlich, hermetisch, undurchsichtig, undurchlässig, imprägniert, waterproof, wasserdicht, abgedichtet, luftdicht, **2.** eng, gedrängt, gequetscht, gepresst, konzentriert, komprimiert, zusammengepresst, zusammengezogen, kompakt, fest gefügt, massiv, dichtmaschig; dicht bei dicht, gesteckt voll, wie in der Sardinenbüchse, wie die Heringe.

381 dick 1. stark, korpulent, stattlich, massiv, beleibt, wohlbeleibt, schmerbäuchig, rund, rundlich, dicklich, mollig, pummelig, wohlgerundet, füllig, vollschlank, gut gepolstert, stramm, drall, üppig, fett, feist, gut im Futter, fleischig, bullig, wohlgenährt, fettleibig, dickleibig, kugelrund, gemästet, prall, gewaltig, unförmig, übergewichtig, voll gefressen, **2.** angeschwollen, aufgedunsen, aufgeblasen, aufgetrieben, aufgebläht, schwammig, aufgeschwemmt, **3.** geschwollen, entzündet, wund, verdickt, **4.** schwellend, wulstig, aufgeworfen, gerundet, bauchig, vorgewölbt, gewölbt, herausstehend, vorstehend, überstehend, vorspringend, vorkragend, ausladend, kugelig.

382 dienen 1. Militärdienst leisten, einrücken, eingezogen werden, Wehrdienst leisten, **2.** dienen als, taugen zu, sich eignen zu; zu gebrauchen sein, benutzt werden, ersetzen, gute Dienste leisten, nützen.

383 Dienst 1. Amt, Amtspflicht, Funktion, Aufgabe, Obliegenheit, Arbeit, **2.** Gefallen, Gefälligkeit, Entgegenkommen, Liebesdienst, Freundschaftsdienst, Hilfeleistung, Besorgung, Verrichtung, Dienstleistung, Kundendienst, Service.

384 Dilettant 1. Liebhaber der Künste, Kunstfreund, Amateur, Laie, Nichtfachmann, Nichtkundiger, Autodidakt, **2.** Anfänger, Halbgebildeter, Ignorant, Nichtskönner, Besserwisser, Banause, Quacksalber, Kurpfuscher, Stümper, Pfuscher.

385 dilettantisch 1. kunstvernarrt, kunstverliebt, kunsteifrig, wissenschaftseifrig, **2.** amateurhaft, laienhaft, autodidaktisch, halbgebildet, banausenhaft; ungenau, stümperhaft, unfachmännisch, unzulänglich.

Dilettantismus Liebhaberei, Spielerei, Laienarbeit, Laienhaftigkeit, Amateurhaftigkeit, Halbbildung. **386**

Diplomat 1. Unterhändler, Geschäftsträger, Vertreter, Botschafter, Gesandter, Regierungsvertreter, Staatsrepräsentant, Legat, Nuntius, Konsul, Attaché, Ambassadeur, **2.** Taktiker, Politiker, Stratege, Schlaukopf, Pfiffikus, Schlauberger, Menschenkenner, Fuchs, Filou. **387**

diskriminierend herabsetzend, ausgrenzend, benachteiligend, ungerecht, rassistisch, sexistisch. **388**

Diskriminierung 1. öffentliche Herabsetzung, Benachteiligung, Ausgrenzung, Marginalisierung, Ungerechtigkeit, Diskreditierung, **2.** Rassismus, Sexismus, Überlegenheitswahn, Rassentrennung, Apartheid. **389**

doppelt zweimal, zweifach, duplex, zwiefach, zwiefältig, verdoppelt, dual, paarig, zu zweit, paarweise, gepaart; zweiteilig, zweispaltig, beidseitig, doppelseitig, zweiseitig, bilateral, zweischneidig, beidhändig; bisexuell, stereo, zweigeschlechtig, doppelgeschlechtig, androgyn, zwittrig, gekreuzt, hybrid, hybridisch, doppelköpfig, janusköpfig. **390**

drängen (sich) 1. schieben, pressen, zwängen, quetschen, schubsen, stoßen, drängeln, drücken, sich vordrängen, zwischendrängen; Ellenbogen gebrauchen, nachdrängen, zusammendrängen, pferchen, zusammenpferchen, zusammenpressen, zusammenknäueln, ballen, **2.** treiben, hetzen, scheuchen, jagen, Druck dahinter setzen, Dampf machen, nachhelfen, antreiben, anspitzen, in Bewegung bringen, aktivieren, in Schwung bringen, vorwärts treiben, auf Trab bringen, aufscheuchen, Hölle heiß machen, unter Druck setzen, auf Touren bringen, hochjagen, aufjagen, Beine machen, **3.** beschleunigen, forcieren, schneller werden, Tempo steigern/anziehen, auf die Tube drücken, Gas geben, durchstarten, Zahn zulegen, Sporen geben, das Letzte herausholen, **4.** **391**

bedrängen, drängen auf; sich drängen nach; in den Ohren liegen, nötigen, zusetzen, bestürmen, verfolgen, insistieren, löchern, bombardieren, eifern, keine Ruhe geben, bohren, nachbohren, **5.** umdrängen, umringen, auf den Leib rücken, auf jmdn. eindrängen/einstürmen, jmdn. belästigen/behelligen.

392 dranhalten, sich nicht nachlassen, hinterher sein, sich dahinter machen, ranhalten, dahinter klemmen; zumachen, unermüdlich sein, nicht müde werden, nicht ermüden, vor dem Wind segeln, Nase im Wind haben, Finger am Puls haben, auf dem Quivive sein.

393 draußen 1. im Freien, unter freiem Himmel, im Grünen, outdoors, an der Luft, in der Natur, **2.** außerhalb, anderswo, außer Landes, exterritorial, auswärts, auf Reisen, unterwegs, auf Fahrt/Wanderschaft/Achse, umherziehend, auf Walze/Tour/Tournee, **3.** unstet, unbehaust, ohne festen Wohnsitz, obdachlos, ohne Dach über dem Kopf/Unterkunft/Bleibe, wohnungslos, **4.** außen, äußerlich, auswendig, auf der Oberfläche.

394 Drehbuch Treatment, Filmmanuskript, Skript, Textbuch, Szenario, Storyboard, Continuity.

395 drehen (sich) 1. kreisen, kreiseln, wirbeln, rotieren, tanzen, schwirren, trudeln, umlaufen, zirkulieren, rollen, kugeln, kullern, umkreisen, schwenken, herumschwenken, strudeln; aufwirbeln, hochwirbeln, **2.** wickeln, aufwickeln, winden, aufwinden, drillen, zwirnen, haspeln, spulen, aufrollen, einrollen, kurbeln, zusammenrollen, **3.** aufdrehen, eindrehen, kräuseln, locken, wellen, ringeln, kringeln, sich kringeln, aufrollen; umstülpen, umklappen, **4.** krümmen, kurven, biegen, winden, schlängeln, mäandern, sich schlängeln, winden, krümmen, **5.** sich wälzen, suhlen, rollen, **6.** wenden, umwenden, umdrehen, umschwenken, abdrehen, beidrehen, zurücksetzen, zurückstoßen, umkehren, zurückfahren, kehrtmachen, zurückgehen, zurückkehren, wiederkehren, **7.** sich umdrehen, umwenden, herumdrehen, auf die andere Seite drehen, **8.** filmen, Film drehen.

396 Drehung 1. Umkehr, Rücklauf, Wende, Kurve, Umlauf, Umdrehung, Pirou-

ette, Rotation, Tour, Wirbel, Strudel, **2.** Drall, Effet.

Drogenabhängiger 1. Rauschgift- **397** abhängiger, Fixer, Junkie, User, Mainliner, Chippy, Kiffer, Alkoholiker, Trinker, **2.** Workaholic, Shopaholic.

drohen 1. ängsten, ängstigen, ver- **398** ängstigen, in Angst versetzen, Angst machen, erschrecken, schrecken, beunruhigen, Bange machen, Schrecken einjagen, **2.** bedrohen, gefährden, gefährlich werden, Gefahr bringen, ans Leben gehen, an den Leib/Kragen gehen, um Kopf und Kragen gehen, am seidenen Faden hängen, schlecht stehen, **3.** androhen, Zähne zeigen, Messer wetzen, anfunkeln, Druck ausüben, unter Druck setzen, erpressen, einheizen, Hölle heiß machen, ins Bockshorn jagen, Pistole auf die Brust setzen; mit dem Säbel rasseln, mit Krieg drohen, Schneid abkaufen, einschüchtern, verschüchtern, terrorisieren, mobben, **4.** bevorstehen, dräuen, nahen, heraufziehen, zukommen auf, kriseln; sich zusammenziehen, zusammenbrauen, zusammenballen, bewölken; in der Luft liegen.

Drohung 1. Bedrohung, Beängsti- **399** gung, Beunruhigung, Androhung, Drohgebärde, Säbelrasseln, Einschüchterung, Erpressung, Ultimatum, Nötigung, Druck, Zwang, **2.** Gefahr, Lebensgefahr, Todesgefahr, Gefährlichkeit, Gefährdung, Fährnis, Klippe, Risiko, Krise, Damoklesschwert, Ernstfall, Notstand; dicke Luft, Drohkulisse, Gewitterwolke, Zündstoff, Sprengkraft, Brisanz, heißes Eisen.

Druck 1. Expansionskraft, Stoß, Stoß- **400** kraft, Schub, Schubkraft, Spannung, Tension, **2.** Schwere, Schwerkraft, Gewicht, Wucht, Last, **3.** Clinch, Zwang, Nötigung, Stress, **4.** Hoch, Hochdruckgebiet, Schönwetterzone; Tief, Tiefdruckgebiet, Schlechtwetterzone.

Druck, im in Schwierigkeiten/Be- **401** drängnis/Zeitnot/Eile/einer Zwangslage/einer Notlage/Schwulitäten/einer Krise/der Tinte/der Zwickmühle/Nöten/Verlegenheit, unter Druck, im Termindruck/Stress.

drücken 1. lasten, schwer wiegen, **402** wuchten, niederdrücken, belasten, beschweren, **2.** Druck ausüben, pressen, stauchen, quetschen, wringen, zwängen, auspressen, ausdrücken, entpressen, entsaften, zusammendrücken, zusammenpressen, zusammenzwingen, zusammenquetschen, platt / breit drücken, schnüren, einschnüren, einzwängen, abschnüren, Luft abdrücken, beengen, engführen, verengen, zusammenschnüren, Kehle zuschnüren, würgen, ersticken, umfassen, umspannen, umklammern, clinchen, **3.** beugen, niederhalten, am Boden halten, ducken, unten halten, **4.** sich entziehen; nicht teilnehmen / mitmachen / dranwollen, mauern, kneifen.

403 dumm 1. beschränkt, unbegabt, unbedarft, unintelligent, untalentiert, talentlos, unwissend, begriffsstutzig, verständnislos, unverständig, ungelehrig, schwer von Begriff, stupid, hat das Pulver nicht erfunden, dümmlich, flachsinnig, nicht bei Trost, geistesarm, geistesschwach, seelentaub, borniert, verbohrt, uneinsichtig, vernagelt, ignorant, unbelehrbar, resistent, schwachköpfig, blöde, dämlich, doof, debil, unterbelichtet, minderbemittelt, lange Leitung, Brett vor dem Kopf, auf dem Schlauch, kann nicht bis drei zählen, strohdumm, stockdumm, belämmert, behämmert, bescheuert, saudumm, saublöd, **2.** töricht, unklug, gedankenlos, kritiklos, unüberlegt, unvernünftig, unsinnig, sinnlos, vernunftwidrig; einfältig, leichtgläubig, naiv, vertrauensselig, gimpelhaft, nimmt alles für bare Münze, **3.** albern, läppisch, fad, kindisch, flapsig, lachhaft, lächerlich.

404 Dummheit 1. Beschränktheit, Unbegabtheit, Unbedarftheit, Geistesarmut, Flachsinn, Geistesschwäche, Geistlosigkeit, Borniertheit, Ignoranz, Stupidität, Dämlichkeit, Doofheit, Gedankenarmut, Unwissenheit, Begriffsstutzigkeit, Stumpfsinn, Dumpfheit, Seelentaubheit, Unverstand, Unvernunft, Blödheit, Verbohrtheit, Sturheit, **2.** Torheit, Gedankenlosigkeit, Unklugheit, Einfältigkeit, Harmlosigkeit, Naivität, Leichtgläubigkeit, Einfalt.

405 Dummkopf 1. Kindskopf, Quatschkopf, Knallkopf, Schafskopf, Kohlkopf, Döskopp, Hohlkopf, Strohkopf, Schwachkopf, Wirrkopf, Grützkopf, Pfeifenkopf, Plattkopf, Flachkopf, Holzkopf, Gipskopf, Betonkopf, Quadratschädel, **2.** Spatzenhirn, Dummrian, Dummlack, Dummbart, Dussel, Dumpfbacke, Simpel, Trottel, Depp, Ignorant, Tropf, Nulpe, Blödmann, Dummerjan, Heini, Blödian, Mondkalb, Hirni, doofe Nuss, trübe Tasse, **3.** Stiesel, Tölpel, Trampel, Trampeltier, Gimpel, Pinsel, Tollpatsch, Elefant im Porzellanladen, **4.** Idiot, Stümper, Spinner, Kretin, Armleuchter, Arsch, Arschloch, Flachwichser, Rindvieh, Rhinozeros, Hornochse, Hornvieh, Narr, Tor, Gans, Närrin, Pute, Törin, dumme Ziege / Kuh / Gans, dummes Huhn, Schaf, Luder, Tussi, **5.** Naivling, Einfaltspinsel, Hinterwäldler, Landpomeranze, Landei, Dorftrottel.

dumpf 1. dumpfig, feucht, modrig, **406** muffig, kellerhaft, schimmelig, stockig, stickig, miefig, ungelüftet, abgestanden, schlechte Luft, vermieft, **2.** schwül, feuchtwarm, erstickend, bedrückend, beklemmend, dämpfig, föhnig, drückend, gewittrig, **3.** unbewusst, undifferenziert, unterschwellig, unartikuliert, unausgesprochen, unterbewusst, stumpf, primitiv, stumpfsinnig, **4.** betäubt, gefühllos, teilnahmslos, apathisch, lethargisch, benommen, umnebelt, **5.** heiser, hohl, belegt, gedämpft, erstickt, krächzend, klanglos, matt, blechern, scheppernd, schnarrend.

dunkel 1. dämmerig, zwielichtig, **407** abendlich, schummerig, abends, nächtig, düster, schwarz, lichtlos, finster, stockfinster, schwarze Nacht, rabenschwarz, tiefschwarz, kohlschwarz, pechschwarz, stockdunkel, zappenduster, **2.** trüb, verhangen, verhüllt, verschleiert, diesig, neblig, wolkig, regnerisch, milchig, dunstig, getrübt, verfinstert, bezogen, bedeckt, schattig, umschattet, sonnenlos, **3.** unklar, undeutlich, unscharf, verhüllt, verschleiert, lichtarm, diffus, verschwommen, nebelhaft, nebulos, undurchsichtig, unbestimmt, vage, umrisshaft, **4.** rätselhaft, unverständlich, unverstanden, unlösbar, vieldeutig, unentwirrbar, zweideutig, orakelhaft, delphisch, undurchdringlich, ungreifbar, geheimnisumwittert, ungewiss, unsicher, unerkennbar, geheimnisvoll, hintergründig, abgründig, tief, dämonisch, magisch, zaubermächtig, mystisch, okkult, obskur, mysteriös, verrätselt, kryptisch, **5.** im Dunkeln, im Finstern, nachts, nächtens, nächtlich, **6.** dunkelhaarig, braunhaarig, brünett, bräunlich, nussbraun, schwärzlich, schwarz, **7.** düster, Unheil verkündend, schaurig, unheimlich, makaber.

408 Dunkelheit 1. Dämmerung, Dämmerstunde, Schummerstunde, blaue Stunde, Abendstunde, Einbruch der Nacht, Sonnenuntergang, sinkende Nacht; Abend, Tagesende, Halbdunkel, Zwielicht, schwindendes Licht, Einfall der Dunkelheit; Nacht, Düsterkeit, Dunkel, Finsternis, ägyptische Finsternis, Lichtlosigkeit, undurchdringliches Dunkel, Grabesdunkel, **2.** Schatten, Kernschatten, Schlagschatten, Trübung, Eintrübung, Verfinsterung, Verdüsterung, Bewölkung, Verdunklung, Verschleierung, Wolkenwand, Gewitterwand, Gewitterwolken, Sturmwolken, Wolkenhimmel, **3.** Unklarheit, Unverständlichkeit, Unverstehbarkeit, Unerkennbarkeit, Transzendenz, Unerklärlichkeit, Unergründlichkeit, Unfassbarkeit, Vieldeutigkeit, Zweideutigkeit, Zwielichtigkeit, Rätselhaftigkeit, Geheimnis.

409 dunkeln 1. dämmern, schummern, dunkel / Abend / Nacht / finster werden, nachten, finstern, **2.** sich trüben, verdunkeln, verfinstern, beziehen, bewölken, mit Wolken bedecken, eintrüben, verdüstern, umnebeln, vernebeln; Schatten werfen, überschatten, beschatten, **3.** nachdunkeln, bräunen, schwärzen.

410 dünn 1. fein, filigran, hauchdünn, durchscheinend, durchsichtig, alabasterhaft, perlmuttern, diaphan, **2.** mager, schlank, gertenschlank, rank und schlank, feingliedrig, zerbrechlich, zart,

grazil, feenhaft, schmal, zierlich, knabenhaft, überschlank, hager, knochig, eckig, dürr, leibarm, klapperdürr, spindeldürr, abgemagert, abgezehrt, ausgemergelt, elend, **3.** spärlich, karg, knapp, gelichtet, schütter, dünn gesät, fipsig, fieselig, piepsig, mickrig, schmächtig, zum Umblasen, dürftig, wie eine Bohnenstange, Hering, Haut und Knochen, Strich in der Landschaft, **4.** dünnflüssig, fließend, laufend, rinnend, wässrig, ohne Konsistenz, schwach.

durchdringen 1. durchfeuchten, **411** durchnässen, durchweichen, eindringen, einsickern, infiltrieren, sich voll saugen, sättigen, durchtränken, tränken; schwängern, **2.** durchlassen, undicht sein, lecken, **3.** durchsickern, kundwerden, ans Licht kommen, ruchbar, bekannt werden, an die Öffentlichkeit dringen, herauskommen, laut werden, an den Tag kommen, aufkommen, verlaufen, publik werden, sich herumsprechen, **4.** durchwirken, durchweben, durchziehen, beseelen, beleben, innewohnen, **5.** erreichen, durchsetzen, ertrotzen, erzwingen, durchdrucken, durchpauken, durchboxen, durchfechten, durchpeitschen, durchbekommen, durchbringen, ans Ziel kommen, sich durchsetzen; Ziel erreichen, Terrain gewinnen, Feld behaupten, sich durchboxen, durchkämpfen; durchstoßen, sich nach vorn schieben

durchgreifen energisch werden, **412** Nägel mit Köpfen machen, zeigen, was eine Harke ist, auf den Tisch schlagen, Schraube anziehen, nicht lange fackeln, Exempel statuieren, kurzen Prozess machen, mit eisernem Besen kehren, kein Federlesens machen, Machtwort sprechen, Ernst machen, auf Vordermann bringen, Riegel vorschieben, Remedur schaffen.

E

413 Echo 1. Hall, Schall, Gegenhall, Widerhall, Widerklang, Resonanz, Mitschwingen, Nachhall, Nachklang, Nachklingen, Rückschall, Wiederholung, 2. Zustimmung, Anklang, Gegenliebe, Applaus.

414 echt 1. unverfälscht, unvermischt, ursprünglich, genuin, idiomatisch, natürlich, original, im Wortlaut, originalgetreu, authentisch, eigenständig, eigengesetzlich, eigenwüchsig, 2. beständig, qualitätsvoll, gediegen, solid, reell, haltbar, stabil, gut, schier, hochkarätig, rein, astrein, lupenrein, pur.

415 Ecke 1. Winkel, Schnittpunkt, Kreuzung, Biegung, Knick, 2. Vorsprung, Spitze, Schnabel, Nase, Zacke, Bug, Knie, Überhang, Kante, Eck, Sims, Gesims.

416 edel 1. fein, kostbar, erlesen, exquisit, erstklassig, ausgesucht, gewählt, subtil, de Luxe, differenziert, raffiniert, ausgeklügelt, verfeinert, sublim, erhaben, ohne Fehl, untadelig, wohl beschaffen, rein, rassig, tadellos, guter Stall, 2. geprägt, geformt, elegant, schnittig, 3. nobel, edelmütig, ritterlich, hochherzig, vornehm.

417 Egoist Ichmensch, Egozentriker, Egotist, Narziss, Selbstverliebter, Selbstbesessener, Egomane.

418 ehe bevor, früher, noch nicht, als, vorher, es war einmal, noch bevor/vor.

419 Ehre 1. Ehrgefühl, Ehrliebe, Stolz, Würde, Selbstachtung, 2. Tribut, Reverenz, Hommage, Ehrung, Auszeichnung, Ehrengabe, Orden, Titel, Ehrenzeichen, roter Teppich, großer Bahnhof, Honneurs, Salut, Ehrenbezeigung, Ovation, Huldigung, Krönung.

420 ehren 1. feiern, hochhalten, achten, beehren, auszeichnen, erhöhen, adeln, nobilitieren, würdigen, loben, preisen, besingen, bedichten, glorifizieren, dekorieren, Orden verleihen, verherrlichen, huldigen, bejubeln, zujubeln, entgegenjubeln, rühmen; heiligen, heilig sprechen, vergotten, verklären, 2. zur Ehre gereichen, Ehre machen, Lob verdienen.

ehrgeizig hochfliegend, ambitioniert, leistungsbetont, karrierebetont, leistungswillig, eifrig, strebsam, zäh, streberhaft, leistungsfixiert, karrieresüchtig, karrierefixiert, karrieristisch, karrieregeil; geltungsbedürftig, krankhaft ehrgeizig, geltungssüchtig, ehrsüchtig, profilierungssüchtig, ruhmgierig, machtgierig, machtbesessen. **421**

Eifer 1. Streben, Bestreben, Einsatz, Ehrgeiz, Regsamkeit, Betätigungsdrang, Tatendurst, Rührigkeit, Geschäftigkeit, Betriebsamkeit, Umtriebigkeit, Tatendrang, Tatenlust, Beflissenheit, Enthusiasmus, Ambitioniertheit, 2. Fleiß, Arbeitsfreude, Arbeitslust, Emsigkeit, Strebsamkeit, Arbeitseifer, Arbeitswut, Schaffenslust, Feuereifer, Bienenfleiß, Übereifer, Mordseifer, Unermüdlichkeit, Unverdrossenheit. **422**

eifrig bestrebt, bemüht, motiviert, engagiert, strebsam, rührig, geschäftig, betriebsam, umtriebig, aktiv, tätig, beflissen, erpicht, aufmerksam, versessen, unverdrossen, unermüdlich, rastlos, leidenschaftlich, hoch motiviert, hingebungsvoll, mit Hingabe, emsig, flink, behände, übereifrig. **423**

Eigenart 1. Individualität, Persönlichkeit, Stil, Profil, 2. Eigenschaft, Qualität, Wesensmerkmal, Wesenszug, Duftmarke, Zug, Charakterzug, Seite, Note, Eigenheit, Eigentümlichkeit, Originalität, Besonderheit, Ursprünglichkeit, Charakteristikum, Spezifikum, Spezialität, Merkmal, Kennzeichen, 3. Besonderheit, Sonderfall, Sonderklasse, Sonderstellung, Ausnahme, Seltenheit, Einmaligkeit, Einzigkeit, Einzigartigkeit, Spezialfall, Fall für sich, weißer Rabe, Solitär, Kuriosum, Kuriosität, Sehenswürdigkeit, Seltsamkeit, Abnormität, 4. Wunderlichkeit, Lächerlichkeit, Verdrehtheit, Schrulligkeit, Verschrobenheit, Absonderlichkeit, Exzentrizität, Abseitigkeit, Spleenigkeit; Vogel, Tick, Schrulle, Klaps, Spleen, Stich, Sparren, Fimmel, Macke, Rappel, Mucke, Meise, Marotte, Flitz, Grille, fixe Idee, 5. Eigengesetzlichkeit, Eigendynamik. **424**

eigensinnig starrsinnig, halsstarrig, **425**

querköpfig, hartköpfig, widerspenstig, bockig, bockbeinig, aufmüpfig, widerborstig, verbockt, muksch, trotzig, kapriziös, trotzköpfig, störrisch, dickköpfig, hartnäckig, kratzbürstig, starrköpfig, obstinat, stur, verbohrt, verstockt, unbelehrbar, rechthaberisch; ungehorsam, aufsässig, renitent, widersetzlich, unbotmäßig, unfolgsam.

426 eigentlich 1. genau genommen, im Grunde, ursprünglich, von Rechts wegen, an sich, an und für sich, streng genommen, bei Licht betrachtet, **2.** alias, in Wirklichkeit, auch ... genannt, gewissermaßen, sozusagen, so genannt.

427 Eile 1. Hast, Hetze, Hatz, Hetzjagd, Zeitmangel, Zeitnot, Hektik, Unrast, Jagd, Gejage, Gejagtheit, Getriebenheit, Hetzerei, Hochdruck, Gehetze, Rastlosigkeit, Friedlosigkeit, **2.** Tempo, Eiltempo, Geschwindigkeit, Flinkheit, Fixigkeit, Zügigkeit, Schnelligkeit, Rasanz, Speed, Galopp, Geschwindschritt, Fahrt, Raschheit, Raserei, Karacho, Vollgas, Topspeed, Spitzengeschwindigkeit, Gerase, **3.** Eilfertigkeit, Voreiligkeit, Übereiler, Übereilung, Verfrühung, Kopflosigkeit, Überstürzung, fliegender Wechsel, **4.** Beschleunigung, Temposteigerung, Spurt, Endspurt, Finale, Finish.

428 eilen (sich) 1. ausgreifen, ausschreiten, laufen, rennen, hasten, fliegen, sausen, stürzen, jagen, brettern, galoppieren, traben, rasen, stürmen, hetzen, flitzen, spritzen, preschen, stieben, schwirren, huschen, fegen, pesen, düsen, jetten, wieseln, **2.** sich beeilen; in Eile sein, sich sputen; keine Ruhe haben, sich keine Zeit lassen; keine Zeit verlieren, schnell/rasch machen, sich tummeln; Schritt zulegen, sprinten, spurten, Tempo steigern, beschleunigen, anziehen, **3.** brennen, drängen, keinen Aufschub dulden, auf den Nägeln brennen, eilig sein, pressieren, dringlich sein, unaufschiebbar sein, **4.** übereilen, überstürzen, überhasten, vorschnell handeln, unbedacht handeln, übers Knie brechen, sich überschlagen.

429 eilig 1. in Eile, hastig, gehetzt, gejagt, gedrängt, unruhig, rastlos, **2.** eilends, sofort, im Nu, spornstreichs, auf der Stelle, stracks, flugs; eilfertig, vorschnell, überstürzt, voreilig, übereifrig,

fluchtartig, fieberhaft, **3.** dringend, dringlich, pressant, drängend, brisant, unaufschiebbar, jetzt oder nie, vordringlich, brennend, schnellstens, so bald wie möglich, möglichst gleich/sofort, recht bald, nächstmöglich, express, schleunigst; in höchster Eile, auf den letzten Drücker, im letzten Augenblick, mit Blaulicht, in fliegender Hast, mit Hochdruck/Karacho/Vollgas/ Volldampf, Hals über Kopf, holterdiepolter.

430 einbilden, sich 1. vorschweben, imaginieren, wähnen, sich vorstellen; Eindruck haben, mutmaßen, sich erträumen, erhoffen; annehmen, glauben, meinen, vermuten, sich einreden, **2.** sich Illusionen machen, vorspiegeln; irrtümlich meinen, sich etwas vormachen, vorgaukeln, betrügen; Kopf in den Sand stecken, Luftschlösser bauen, **3.** sich etwas einbilden; eingebildet sein, von sich eingenommen sein, dicktun, angeben, sich überbewerten, überheben, erhaben dünken, überschätzen, versteigen, anmaßen, aufspielen; auf dem hohen Ross sitzen, viel von sich halten, überheblich sein, heraushängen lassen, herauschen auf, Nase hoch tragen, Rosinen im Kopf haben, sich für weiß was halten, für unwiderstehlich halten, ein Air/Ansehen geben; aufschneiden.

431 Einbürgerung Nationalisierung, Nostrifikation, Naturalisierung, Verleihung der Staatsangehörigkeit.

432 eindringen 1. einbrechen, Einbruch begehen, einsteigen, gewaltsam eindringen, Tür aufbrechen, Hausfriedensbruch begehen, Zutritt verschaffen, **2.** sich eindrängen, einschmeicheln, einschleichen, einschmuggeln, festsetzen, einnisten, **3.** unterwandern, infiltrieren, einschleusen, durchsetzen, **4.** hineindringen, gelangen in, penetrieren.

433 einfach 1. elementar, ungegliedert, einleuchtend, überschaubar, vereinfacht, verständlich, übersichtlich, begreiflich, unkompliziert, idiotensicher, unproblematisch, ohne Schwierigkeiten, volkstümlich, fasslich, eingängig, mühelos, **2.** schlicht, unprätentiös, natürlich, kunstlos, ungekünstelt, unambitioniert, offen, gradlinig; naiv, ungebrochen, kindlich, kindhaft, harmlos, arglos, leichtgläubig, weltfremd, unkritisch, nicht wählerisch, urteilslos, kritiklos, einfältig, treuherzig, unbedarft, einfach gestrickt, pflegeleicht, sozial verträglich, **3.** bescheiden, frugal, ländlich, primitiv, spartanisch, ohne Aufwand; schmucklos, prunklos, glatt, unverziert, schnörkellos.

434 Einfachheit 1. Schlichtheit, Anspruchslosigkeit, Natürlichkeit, Offenheit, Geradlinigkeit, Freimut, Aufrichtigkeit, **2.** Einfalt, Bonhomie, Arglosigkeit, Harmlosigkeit, Unschuld, Naivität, Unbedarftheit, Gutgläubigkeit, Weltfremdheit, Treuherzigkeit, Leichtgläubigkeit, **3.** Unkompliziertheit, Undifferenziertheit, Klarheit, Verständlichkeit, Übersichtlichkeit, Fasslichkeit, Eingängigkeit, Volkstümlichkeit, **4.** Naturverbundenheit, Urwüchsigkeit, Ursprünglichkeit, Frugalität, Ländlichkeit, Primitivität.

435 einfallen 1. in den Sinn/auf den Gedanken kommen, anwandeln, aufblitzen, auf die Idee kommen, durchzucken, kommen, dämmern, Licht aufgehen, beifallen, beschleichen, anwehen, anfliegen, durch den Kopf schießen, sich erinnern, entsinnen, **2.** Ideen haben, schöpferisch denken, Einfälle haben, sich etwas einfallen lassen; auf etwas verfallen, **3.** ins Wort fallen, versetzen, einwerfen, einflechten, einstreuen, einfließen lassen, einfügen, einschalten, unterbrechen, entgegnen; einsetzen, mitsingen, aufnehmen, anheben, anfangen, beginnen.

436 Einfluss 1. Beeinflussung, Einwirkung, Einflussnahme, Lenkung, Formung, Überredung, Seelenmassage, Manipulation, Willenslenkung, Indoktrination, Suggestion, Hypnose, **2.** Vergünstigung, Verführung, Bestechung, Korruption, Korrumpierung; Bestechungsgeld, Schmiergeld, Handgeld, Bakschisch, Schweigegeld, **3.** Einflussbereich, Einflusssphäre, Einflussgebiet, Wirkungsbereich, Aktionsradius, Kompetenzbereich, Dienstbereich, Zuständigkeitsbereich, Geltungsbereich, Herrschaftsbereich, Machtbereich, Machtsphäre.

437 einführen (sich) 1. verbreiten, auf den Markt bringen, kommerzialisieren, lancieren, propagieren, promoten, machen, den Weg bereiten; importieren, aus dem Ausland beziehen; gehen, gefallen, einschlagen, sich verkaufen, **2.** einleiten, Vorrede schreiben, Vorwort verfassen, präludieren; eröffnen, Anfang machen; introduzieren, Beziehung knüpfen, Verbindungen aufnehmen, **3.** einschmuggeln, schmuggeln, einschleusen, einschleppen, **4.** taufen, konfirmieren, firmen, inaugurieren, **5.** anleiten, einweisen.

Einführung 1. Einleitung, Vorrede, **438** Introduktion, Vorwort, Vorbemerkung, Präambel, Geleitwort, Editorial, Vorspruch, Intro, Vorspann, Motto; Prolog, Vorspiel, Präludium, Ouvertüre; Präliminarien, Vorverhandlungen, Anbahnung; Vorstellung, Vorführung, Debüt, Antrittsbesuch; Vorspeise, Aperitif, **2.** Einsetzung, Inauguration, Amtsübergabe, Ernennung, Einweisung, Einstellung, Bestallung, Bevollmächtigung, Inthronisation, Initiation, Weihung, Konsekration, Ordination, Investitur, Taufe, Konfirmation, Firmung, Ritterschlag.

Eingeweide Innereien, innere Orga- **439** ne; Gekröse, Geschlinge, Därme, Kaldaunen, Plauze, Gescheide.

eingreifen einschreiten, dazwi- **440** schentreten, dazwischenfahren, vorgehen gegen, zuspringen, verhindern, ausgleichen, vermitteln, sich einschalten, einklinken, ins Mittel legen, zwischenschalten, einmischen; einhaken, intervenieren.

einhalten 1. aufhören, abbrechen, **441** stoppen, verschnaufen, ausruhen, pausieren, innehalten, unterbrechen, stocken, aussetzen, stillstehen, **2.** abziehen, zurückbehalten, einbehalten, abhalten, **3.** befolgen, sich richten nach, halten an; Folge leisten, beachten, Kurs halten.

Einheit 1. Ganzes, Ganzheit, Totali- **442** tät, Einheitlichkeit, Vollständigkeit, Unität, Geschlossenheit, Formation, Gesamtheit, Ungeteiltheit, Unteilbarkeit, Zusammengehörigkeit, System, Homogenität, Integralität, Monade, **2.** Gruppe, Abteilung, Heeresverband, Truppeneinheit, Kolonne, Zug, Schar, Truppe, Geschwader, **3.** innere Einheit, Identität, Selbst, Ich.

einig 1. gleich gesinnt, gleich ge- **443** stimmt, übereinstimmend, einhellig, einmütig, konform, einvernehmlich, im Einvernehmen, einträchtig, verbunden, seelenverwandt, im Bunde, ein Herz und eine Seele, verschmolzen, unzertrennlich; einverstanden, einverständig, einer Meinung, aus der Seele gesprochen, unisono, harmonisch, friedlich, einigend, verbindend, 2. gemeinschaftlich, gemeinsam, geschlossen, solidarisch, vereint, einheitlich, Schulter an Schulter, verbündet, verschworen; einstimmig, ausnahmslos, ohne Ausnahme, mit einer Stimme.

444 Einigkeit Sympathie, Auskommen, Verträglichkeit, Einvernehmen, Übereinstimmung, Gleichgesinntheit, Einhelligkeit, Einklang, Harmonie, Chemie, Gleichklang, Seelenverwandtschaft, Gleichtakt, Friede, Eintracht; Zusammenhalt, Solidarität, Verbundenheit, Einverständnis, Konsens, Kompromiss, Schmalspurkonsens, kleinster gemeinsamer Nenner.

445 Einkehr 1. Insichgehen, Besinnung, Sammlung, Versenkung, Nachdenklichkeit, Besinnlichkeit, Beschaulichkeit, Umdenken, Selbstbesinnung, Selbstfindung, Sinnesänderung, Sinneswandlung, Bekehrung, Läuterung, Katharsis, 2. Besuch, Einquartierung.

446 einladen 1. laden, zu sich bitten, auffordern, herbitten, zu kommen bitten, bewirten, 2. spendieren, freihalten, springen lassen, Spendierhosen anhaben, tief in die Tasche greifen, einen ausgeben.

447 einprägen (sich) 1. einschärfen, einhämmern, eintrommeln, eintrichtern, beibringen, einpauken, einpeitschen, einbläuen, einprügeln, einimpfen, unermüdlich predigen, 2. eingraben, aufprägen, prägen, eindrücken, pressen, einpressen, stanzen, riefen, rillen, ätzen, gravieren, abdrücken, Spur hinterlassen, 3. leicht zu behalten sein, ins Ohr gehen, sich einschmeicheln; im Gedächtnis haften.

448 einrichten (sich) 1. ausstatten, Wohnung einrichten, Hausstand gründen, möblieren, ausschmücken, sich installieren, 2. sich behelfen, arrangieren, anpassen, schicken; zurechtkommen, sparen.

449 Einrichtung 1. Vorrichtung, Installierung, Installation, Anlagen, 2. Hausrat, Hausgerät, Einrichtungsgegenstände, Inventar, Ausstattung, Interieur,

Möblierung, Meublement, Mobiliar, Mobilien, bewegliche Habe, Wohnungseinrichtung, 3. Institution, Anstalt, Organisation.

einsam 1. allein, solo, verlassen, ab- **450** geschnitten, abgetrennt, abgeschlossen, isoliert, unverbunden, ohne Kontakt, ausgestoßen, ausgeschlossen, kontaktarm, kontaktlos, vereinsamt, freudlos, beziehungslos, desolat, mutterseelenallein, ohne Ansprache, vereinzelt, verwaist, fremd, entwurzelt, 2. eingezogen, für sich, zurückgezogen, ungesellig, kontaktscheu, einsiedlerisch, abgesondert, leutescheu, menschenscheu, weltflüchtig, solitär, klösterlich, weltverloren, 3. menschenleer, abgelegen, entlegen, abseitig, entfernt, weit weg, abgeschieden, abseits, unbewohnt, unbelebt, verödet, weltentrückt, weltfern, wie ausgestorben, gottverlassen, totenstill.

Einsamkeit 1. Verlassenheit, Allein- **451** sein, Vereinzelung, Vereinsamung, Absonderung, Isolierung, Isolation, Zurückgezogenheit, Eingezogenheit, Klausur, Abgeschlossenheit, Abschließung, Elfenbeinturm, Einsiedlerleben, Lonely Cowboy, Menschenscheu, Abkapselung, Ungeselligkeit, Ungastlichkeit, Beziehungslosigkeit, Fremdheit, Kontaktarmut, Kontaktscheu, 2. Abgelegenheit, Einöde, Entlegenheit, Verborgenheit, Abgeschiedenheit, Abseitigkeit, Erdenferne, Erdenwinkel, Weltferne.

Einsatz 1. Einlage, Anlage, Kapital- **452** anlage, Investment, Investition, Input, 2. Aufbietung, Aufwendung, Mobilisierung, Engagement, Eifer, Aufgebot, Aufwand, 3. Einschub, Keil, Zwickel.

einschließlich mit, plus, inbegrif- **453** fen, mitgerechnet, inklusive, zugehörig, samt, nebst, eingeschlossen, eingerechnet, umfassend, außerdem, alles in allem, in Bausch und Bogen, ferner, zuzüglich, implizit, impliziert.

Einschränkung 1. Begrenzung, Be- **454** schränkung, Kürzung, Drosselung, Abbau, Abstrich, Verminderung, Verringerung, Rückgang, Schmälerung, Reduktion, Reduzierung, Verkürzung, Verkleinerung, Minderung, Streichung, Einsparung, Verknappung, Restriktion, Streichkonzert, Rationalisierung, Sparmaßnahme, Kostendämpfung, **2.** Einengung, Engführung, Spezialisierung, Festlegung, Verengung, Vereinseitigung, Fachidiotie, **3.** Vorbehalt, Bedingung, Klausel, Kautel, Nebenbestimmung, Nebenbedingung, Kleingedrucktes.

455 einseitig 1. voreingenommen, parteiisch, befangen, interessengeleitet, subjektiv, tendenziös, ideologisch, entstellt, vorurteilsvoll, verzerrt, eingleisig, eindimensional, vereinseitigt, **2.** unilateral, monolateral, partiell, auf eine Seite beschränkt.

456 einsteigen 1. hineinsteigen, besteigen, aufspringen, zusteigen, an Bord gehen, sich einschiffen, **2.** mitmachen; sich beteiligen; etwas Neues anfangen.

457 einzeln 1. für sich, allein, gesondert, getrennt, apart, gespalten, geteilt, abgetrennt, abgesprengt, versprengt, verstreut, verschlagen, vertrieben, zersplittert; separat, extra, eigen, besonders; einer nach dem andern, nacheinander, tröpfelnd, **2.** frei stehend, allein stehend, einzelstehend, vereinzelt, abgesondert, ungeleitet, unbegleitet, **3.** ledig, solo, getrennt lebend, geschieden, einspännig, frei, ungebunden, **4.** Punkt für Punkt, schrittweise, punktweise, im Einzelnen, ganz genau, en détail, detailliert.

458 einziehen 1. einfordern, einklagen, einnehmen, einsammeln, eintreiben, erheben, kassieren, beitreiben, pfänden, requirieren, konfiszieren, beschlagnahmen, **2.** ausheben, einberufen, einrücken, rekrutieren, mobil machen, mobilisieren, **3.** Wohnung beziehen, sich einmieten, einrichten, niederlassen.

459 eitel 1. putzsüchtig, gefallsüchtig, kokett, affig, geziert, neckisch, kleidernärrisch, prunksüchtig, dandyhaft, geckenhaft, stutzerhaft, snobistisch, **2.** eingebildet, dünkelhaft, von sich eingenommen, selbstherrlich, selbstverliebt, narzisstisch, selbstgefällig, selbstgerecht, überheblich, anmaßend, arrogant, herablassend, hybrid, blasiert, herrisch, hochmütig, hoffärtig, verblendet, vermessen, größenwahnsinnig, großschnäuzig, großmäulig, großtuerisch, großspurig, vollmundig, dummstolz, affektiert, gespreizt, aufgeblasen, wichtigtuerisch, kraftmeierisch, angeberisch,

prahlerisch, ruhmredig, **3.** leer, nichtig, umsonst, vergeblich.

Eitelkeit 1. Putzsucht, Gefallsucht, **460** Koketterie, Staarallüren, Affigkeit, Selbstgefälligkeit, Selbstherrlichkeit, Narzissmus, Eigenruhm, Selbstlob, Eigenlob, Selbstverliebtheit, Selbstüberhebung, Selbstbeweihräucherung, Dünkel, Einbildung, falscher Stolz, Aufgeblasenheit, Höhenkoller, Hochmut, Hybris, Überheblichkeit, Hochmütigkeit, Hoffart, Herablassung, Anmaßung, Arroganz, Blasiertheit, Gespreiztheit, Snobismus, Affektiertheit, Getue, Gehabe, Tuerei, Anstellerei, Geziertheit, Gezwungenheit; Wichtigtuerei, Effekthascherei, Angabe, Namedropping, Mediengeilheit, Prahlerei, Protzerei, Geschwollenheit, Aufschneiderei, Großspurigkeit, Großmäuligkeit, Kraftmeierei, **2.** Geltungsbedürfnis, Geltungsdrang, Geltungssucht, Profilierungssucht, Profilneurose, Großmannssucht, Größenwahn, Übermut, Überhebung, Vermessenheit, Cäsarenwahn, Imponiergehabe.

ekelhaft 1. abstoßend, Ekel erre- **461** gend, eklig, widerwärtig, abscheulich, übel machend, scheußlich, grässlich, abschreckend, degoutant, widerlich, **2.** übel, übel riechend, ungenießbar, unappetitlich, faulig, stinkend, aasig, stinkig, pestilenzartig.

ekeln (sich) abstoßen, anwidern, **462** Abscheu einflößen, anekeln, degoutieren, widerstreben, widerstehen, Ekel/Übelkeit erregen, zuwider sein; Abscheu empfinden, sich schütteln, grausen; zurückschaudern, nicht sehen können, seekrank werden, den Magen umdrehen; missfallen, gegen den Strich gehen, jagen können mit.

Element 1. Urstoff, Grundstoff, Stoff, **463** Materie, Kraft, Faktor, **2.** Elemente, Naturgewalten, Urgewalten, **3.** Bestandteil, Einzelheit, Detail, Komponente, Bauteil, **4.** Fahrwasser, Lieblingsbeschäftigung, Leidenschaft, Passion, Hobby.

Eltern Vater und Mutter, Elternpaar, **464** Erziehungsberechtigte, Elternteil, Bezugspersonen, Pflegeeltern, Adoptiveltern.

Empfang 1. Erhalt, Eingang, An- **465** kunft, Eintreffen, Entgegennahme, Annahme, Übernahme, **2.** Willkomm, Aufnahme, Begrüßung, Audienz, Cour, offizieller Anlass, Staatsempfang, Gesellschaft, Festivität, **3.** Rezeption, Anmeldung.

466 empfangen 1. bekommen, erhalten, entgegennehmen, annehmen, übernehmen, **2.** vorlassen, Zutritt gewähren, begrüßen, willkommen heißen, entgegengehen, bewillkommnen, in Empfang nehmen, **3.** schwanger werden, Kind erwarten, hoffen, in Umstände kommen.

467 empfänglich 1. zugänglich, ansprechbar, aufnahmebereit, aufnahmefähig, aufnahmewillig, begeisterungsfähig, eindrucksfähig, sinnlich, **2.** wach, aufgeschlossen, interessiert, weltoffen, offen, hellwach, undogmatisch, reformorientiert, reformerisch, änderungswillig, unorthodox, querdenkerisch, **3.** beeinflussbar, bestimmbar, suggestibel, gelehrig, rezeptiv, überredbar, beeindruckbar, **4.** feinfühlig, feinsinnig, hellhörig, feinnervig, intuitionssicher, **5.** zart fühlend, einfühlsam, warmherzig, mitleidsfähig, mitleidig, weichherzig, gutmütig, nachgiebig, mild, mildtätig, mitfühlend, gemütvoll, **6.** hellseherisch, ahnungsvoll, hellsichtig, divinatorisch, medial.

468 Empfänglichkeit 1. Antenne, Witterung, Organ/Sinn für, feine Sinne/Nase, feines Ohr/Gespür, Intuition, Riecher, Feeling, Beobachtungsgabe, Fühler, Spürsinn, Instinkt, Hellhörigkeit, Unrechtsempfinden, Gerechtigkeitssinn, **2.** Zugänglichkeit, Ansprechbarkeit, Aufnahmefähigkeit, Aufnahmebereitschaft, Eindrucksfähigkeit, Sinnlichkeit, Begeisterungsfähigkeit, Aufgeschlossenheit, Aufmerksamkeit, Offenheit, Weltoffenheit, Wachheit, **3.** Delikatesse, Fingerspitzengefühl, Feingefühl, Feinsinn, Einfühlsamkeit, Empathie, Zartgefühl, Takt, Gefühl, Gemüt, Herz, Mitleidsfähigkeit, Mitgefühl, **4.** Ahnungsvermögen, prophetische Gaben, Divinationsgabe, Intuition, Medialität, Sehergabe, sechster Sinn, zweites Gesicht.

469 empfehlen (sich) 1. anbieten, anpreisen, anraten, befürworten, werben, loben, preisen, rühmen, herausstreichen, über den grünen Klee loben, einladen/auffordern zu, animieren, hin-

weisen auf, **2.** zweckmäßig/zu erwägen sein, ratsam erscheinen, **3.** sich verabschieden, beurlauben; auf Wiedersehen sagen.

Empfehlung Angebot, Vorschlag, **470** Tipp, Anerbieten, Antrag, Aufforderung, Hinweis, Anzeige, Inserat, Offerte, Ausschreibung, Bewerbung, Befähigungsnachweis; Anraten, Anpreisung, Lob, Zuspruch, Rat; Fürsprache, Fürbitte, Befürwortung, Beziehungen, Referenzen.

empfindlich 1. zart, fein, delikat, ge- **471** fährdet, zerbrechlich, heikel, verletzlich, verletzbar, verwundbar, wehrlos, fragil, dünnhäutig, hautlos, feinnervig, sensibel, sensitiv, seismographisch, **2.** prädisponiert, anfällig, schwächlich, labil, nicht abgehärtet, zimperlich, verzärtelt, ohne Abwehrkräfte, disponiert, allergisch, wetterfühlig, schmerzempfindlich, wehleidig, **3.** leicht reizbar, nervenschwach, mimosenhaft, zart besaitet, überempfindlich, gefühlig, überfeinert, überzüchtet, dekadent; leicht beleidigt, schreckhaft, hypersensibel, überreaktiv, **4.** Zärtling, zarte Seele, Mimose, Kräutlein, Rührmichnichtan, Nervenbündel, Zappelphilipp, Prinzessin auf der Erbse.

Empfindlichkeit 1. Schmerzemp- **472** findlichkeit, Wehleidigkeit, Schwächlichkeit, Mangel an Abwehrkraft, Immunschwäche, Überempfindlichkeit, Überfeinerung, Überzüchtung, Dekadenz; Anfälligkeit, Disposition, Prädisposition, **2.** Sensibilität, Feinnervigkeit, Nervenschwäche, Reizbarkeit, Erregbarkeit, Animosität, Empfindelei, Zärtelei, **3.** Zartheit, Feinheit, Zerbrechlichkeit, Wehrlosigkeit, Verletzlichkeit, Verletzbarkeit, Verwundbarkeit, Dünnhäutigkeit, Weichheit, Weichherzigkeit, Gutmütigkeit, Mitgefühl, Milde.

empfindsam zartsinnig, gefühlsbe- **473** tont, gefühlsbestimmt, emotional, emotionell, irrational, affektiv, sensibel, gefühlvoll, gemütvoll, gefühlsreich, gefühlig, nostalgisch, leicht gerührt, überschwänglich, seelenvoll, schwärmerisch, lyrisch, romantisch, empfindungsreich, überströmend, gefühlsselig, rührselig, tränenselig, sentimental, überspannt, melodramatisch.

Empfindsamkeit Sensitivität, Zart- **474**

sinnigkeit, Gemütstiefe, Gefühlstiefe, Sensibilität, Emotionalität, Gefühligkeit, Gefühlsseligkeit, Fühligkeit, Innerlichkeit, Nostalgie, Tränenseligkeit, Überschwang, Überschwänglichkeit, Sentimentalität, Gefühlsduselei, Tremolo, Rührseligkeit, Überspanntheit, Gefühlsbetontheit, Irrationalität.

475 enden 1. aufhören, beenden, beendigen, einstellen, abbrechen, abblasen, abpfeifen, unterbrechen, Halt machen, beiseite legen, zusammenpacken, zur Seite legen, einpacken, innehalten, abschließen, auflösen, heimschicken, nach Hause gehen, weglegen, aufgeben, aufstecken, an den Nagel hängen, Punkt/ Feierabend machen, Zelte abbrechen, schließen; hinlegen, niederlegen, Ende machen, Schlusspunkt setzen, Schlussstrich ziehen, Schluss machen, Kram hinwerfen, ad acta legen, erledigen, **2.** ablaufen, auslaufen, münden, ausmünden, ausströmen, sich ergießen; einmünden, zu Ende sein, endigen, Ende haben, verrinnen, erlöschen, ausklingen, verebben, verhallen, erkalten, sterben, aussterben, ausgehen, versiegen, versickern, abreißen, zur Neige gehen, einschlafen, sich zerschlagen; in die Brüche gehen, nichts werden, abreißen, aufhören, stillstehen, ausgehen, zu Ende gehen, Ende nehmen, zusammenbrechen, zum Erliegen/Stillstand kommen, sich neigen; abklingen, verklingen, auslaufen, auspendeln, zur Ruhe kommen.

476 endgültig unumstößlich, definitiv, beschlossen, besiegelt, entschieden, unabänderlich, unwiderruflich, ein für alle Mal, Punktum, basta, nichts zu machen.

477 endlich 1. abschließend, zusammenfassend, zum Abschluss/guten Schluss, als letzten Punkt, zuletzt, schließlich, letztlich, schließlich und endlich, mit einem Wort, kurz, zu guter Letzt, letzterdings, schlussendlich, **2.** erst, erst jetzt, in elfter Stunde/letzter Minute, kurz vor Toresschluss, mit letzter Kraft/Mühe und Not, im letzten Augenblick, **3.** hinten, zuhinterst, am Schluss/Ende/ Schwanz, achtern.

478 Energie 1. Aktivität, Vitalität, Élan vital, Dampf, Dynamik, Agilität, Kraft, Spannkraft, Tatkraft, Unternehmungslust, Unternehmungsgeist, Tatendrang,

Tatendurst, Erlebnishunger, Abenteuerlust, Entschlusskraft, Entschlossenheit, Resolutheit, Tüchtigkeit, Entschiedenheit, Wille, Willenskraft, Willensstärke, Initiative, Spontaneität, Durchsetzungsvermögen, Freiwilligkeit, Impulsivität, Feuer, Schwung, Schneid, Zunder, Emphase, Elan, Power, Fahrt, Vehemenz, Temperament, **2.** Treibstoff, Sprit, Kraftstoff, Benzin, Gas, Wasser, Öl, Strom, Atomenergie, Sonnenenergie, pflanzliche Energien, **3.** Motor, Maschine, treibende Kraft, Kraftquelle, Triebkraft, Sprengkraft, Explosivkraft, Brisanz, Schubkraft.

energisch tatkräftig, aktiv, vital, agil, **479** handlungsorientiert, energiegeladen, resolut; entschieden, entschlossen, zielbewusst, zielsicher, zielstrebig, unbeirrbar, konsequent, willensstark, willenskräftig, entscheidungsstark, kraftvoll, unternehmend, geschäftstüchtig, tätig, beweglich, rührig, tüchtig, mitreißend, zupackend, betriebsam, schwungvoll, dynamisch, expansiv, tatenlustig, tatendurstig, forsch, stramm, draufgängerisch, fest, bündig, schneidig, dezidiert, bestimmt, ultimativ, vehement, strikt, befehlend, im Befehlston.

eng 1. beengt, knapp, schmal, be- **480** grenzt, winklig, verwinkelt, bescheiden, klein, eingeengt, eingeschränkt, zusammengedrängt, zusammengepresst, zusammengepfercht, eingepfercht, bedrängt, klaustrophobisch, beklommen, beklemmend, drangvoll, eingeklemmt, eingekeilt, dicht gedrängt, **2.** engherzig, kleinlich, engstirnig, illiberal, humorlos, kurzsichtig, beschränkt, provinziell, kleinkariert, ohne Horizont, distanzlos, begrenzt, borniert, unbelehrbar, philiströs, bigott, muckerisch, frömmlerisch, voreingenommen, unduldsam, intolerant, moralsauer, moralisierend, **3.** eng anliegend, hauteng, knapp, knapp sitzend, stramm, knalleng.

Enge 1. Einengung, Beengtheit, Be- **481** drängnis, Gedrängtheit, Knappheit, Raummangel, Raumnot, Platzmangel, Raumknappheit, **2.** Kurzatmigkeit, Atemnot, Beengung, Beklommenheit, Beklemmung, Platzangst, Klaustrophobie, **3.** Gedränge, Gewoge, Gewühl, Menschenansammlung, Übervölkerung, **4.** Engpass, hohle Gasse, Hohlweg, Klamm, Schlucht, schmale Stelle, Landenge, Einschnürung, Verengung, Hals, Kehle, Isthmus, **5.** Engherzigkeit, Kleinlichkeit, Humorlosigkeit, Engstirnigkeit, Beschränktheit, Scheuklappen, Provinzialität, Distanzlosigkeit, Borniertheit, Sturheit, Froschperspektive, Voreingenommenheit, Vorurteile, Einseitigkeit, Intoleranz, Unduldsamkeit, Bigotterie, Muckertum, Frömmelei; Fanatismus, Unbelehrbarkeit, Sturheit, Verblendung, Befangenheit, Verbohrtheit, Verranntheit.

482 entbehren ermangeln, entraten, nicht haben, vermissen; nichts haben, elend/in Armut leben, Mangel/Not leiden, von der Hand in den Mund leben, vegetieren, Leben fristen, keinen roten Heller besitzen, am Hungertuch nagen, auf dem Trocknen sitzen; hungern, dürsten, darben.

483 Enteignung Sozialisierung, Nationalisierung, Verstaatlichung, Kollektivierung, Expropriation, Säkularisation.

484 entfernen 1. beseitigen, eliminieren, wegnehmen, wegtun, wegggehen, wegmachen, entsorgen, wegstoßen, wegschieben, fortschleppen; abbeizen, ablaugen, absaugen, abrasieren, enthaaren, abkratzen, abtupfen, abschaben, wegwischen, abwischen, abreiben, abstreifen; abhauen, abreißen, herunterreißen, wegreißen, entblättern, entlauben, abschütteln, **2.** weglegen, wegstellen, wegräumen, wegbringen, fortschaffen, wegschaffen, wegwerfen, fortwerfen, sich entledigen; Ordnung machen, Platz schaffen, aufräumen, entrümpeln, zusammenpacken, **3.** abräumen, abtragen, abdecken, freilegen, frei machen, wegziehen, **4.** einziehen, entwerten, aufheben, außer Kraft setzen; aus der Welt schaffen, ausräumen, aufräumen mit, beheben, abschaffen, in Ordnung bringen.

485 entfernen, sich 1. fortgehen, weggehen, gehen, aufbrechen, sich in Bewegung setzen; das Haus verlassen, ausgehen; losgehen, davongehen, von dannen gehen, enteilen, abhauen, abschwirren, abstieben, sich wegscheren, verziehen, fortmachen, trollen, verkrümeln, dünnmachen, verdrücken, abseilen, vom Acker/aus dem Staube machen; verschwinden, sich auf die Socken ma-

chen; Leine ziehen, Kurve kratzen, sich umdrehen, abkehren; wegtreten, kehrtmachen, zurücktreten, rückwärts schreiten, zurückweichen, weichen, sich zurückziehen, abwenden, **2.** verlassen, scheiden, sich verabschieden; Abschied nehmen, auf Wiedersehen/Lebewohl sagen, abrücken, abziehen, sich auf den Weg machen; aufbrechen, sich in Marsch setzen; ausrücken, abmarschieren, Zelte abbrechen, Feld räumen, sich aufmachen, zerstreuen, verteilen, verlaufen, **3.** abfahren, abreisen, verreisen, losziehen, wegfahren, auf Reisen gehen, Reise antreten, auslaufen, ausfahren, abfliegen, abfahren, **4.** auswandern, emigrieren, Land aufgeben, übersiedeln, umsiedeln, **5.** sich entfremden; einander fremd werden, Distanz setzen, auf Distanz gehen, sich distanzieren, auseinander leben, losmachen, ablösen, zurückziehen, nichts mehr zu sagen haben; von jmdm. abrücken, sich voneinander entfernen; einander aufgeben/lassen, sich trennen; auseinander gehen.

Entfernung 1. Abstand, Zwischenraum, Kluft, Distanz, Weite, Ferne, Strecke, **2.** Beseitigung, Tilgung, Eliminierung, Räumung, Reinigung, Säuberung, Leerung, Entrümpelung, Müllabfuhr; Annullierung, Streichung, Auflassung, Aufhebung, Löschung, Abschaffung, Extraktion, **3.** Abreise, Abschied, Scheiden, Lebewohl, Verabschiedung, Abfahrt, Aufbruch, Abzug, Start, Trennung, Ausfahrt, Auszug, Exodus, Abgang, Fortgehen, Weggang, Abmarsch, Ausreise, Einschiffung, Abflug, **4.** Abzug, Rückzug, Aufgabe, **5.** Auszug, Wegzug, Umzug, Wohnungswechsel, Übersiedlung, Ortswechsel, Ortsveränderung. **486**

entführen kidnappen, verschleppen, hijacken. **487**

Entführung Kidnapping, Kindesraub, Kindesentführung, Menschenraub, Verschleppung, Freiheitsberaubung, Flugzeugentführung, Hijacking. **488**

entgegenkommen 1. sich bequemen, herbeilassen; mit sich reden lassen, gelten lassen, anbieten, begünstigen, zuvorkommen, Gefälligkeit erweisen, gefällig sein, gern tun, beispringen, bereit/höflich/hilfsbereit sein, Güte ha- **489**

ben, so freundlich sein; sich bereit finden; es möglich machen, Gefallen tun, goldene Brücken bauen, willens sein, sich anheischig machen, überschlagen, **2.** nachgeben, willfahren, erfüllen, klein beigeben, sich breitschlagen lassen; weich werden.

490 Entgegenkommen 1. Zuvorkommenheit, Goodwill, Gefälligkeit, Gefallen, Eifer, Kulanz, Gewogenheit, Konzilianz, Zugeständnis, Konzession, **2.** Liebenswürdigkeit, Verbindlichkeit, Freundlichkeit, Artigkeit, Gunstbezeigung, Wohlwollen, Aufmerksamkeit, Höflichkeit, Nettigkeit, Galanterie, Ritterlichkeit.

491 entgegenkommend zuvorkommend, hilfsbereit, gefällig, verbindlich, kulant, zu Diensten, bereitwillig, geneigt, nett, wohlwollend, liebenswürdig, freundlich, konziliant, beflissen, erbötig, willfährig.

492 entgehen 1. übersehen, nicht bemerken/beachten, ignorieren, überhören, verfehlen, **2.** entkommen, entwischen, durchwitschen, entschlüpfen, auskommen, entrinnen, durch die Lappen gehen; ausweichen, vermeiden, aus dem Wege gehen, sich ersparen; verschont bleiben, noch einmal Glück haben, **3.** entbehren müssen, versagt bleiben, abgehen, fehlen, **4.** sich retten; durchkommen, der Gefahr entgehen, Gefahr bannen, dem Tod entrinnen, Kopf aus der Schlinge ziehen, davonkommen.

493 enthalten fassen, bergen, beinhalten, innewohnen, einschließen, implizieren, einbegreifen, umfassen, einbeziehen, umschließen, umspannen, ausmachen, mitrechnen, mitzählen; bestehen aus, sich zusammensetzen aus.

494 entlasten (sich) 1. Arbeit abnehmen, beispringen, unter die Arme greifen, helfen, unterstützen; Ballast abwerfen, sich erleichtern; Dampf ablassen, sich Luft machen, **2.** billigen, zustimmen, bestätigen, gutheißen, gutschreiben, anerkennen, **3.** sich rechtfertigen; Unschuld beweisen, sich reinwaschen, salvieren, rehabilitieren, verantworten, **4.** abrechnen, Rechnung legen, Rechenschaft ablegen.

495 Entlastung 1. Erleichterung, Unterstützung, Hilfe, **2.** Verteidigung, Pardon, Entschuldigung, Unschuldsbeweis, Rechtfertigung, Apologie, Rehabilitierung, Rehabilitation, Ehrenrettung, **3.** Bestätigung, Gutschrift, Abrechnung.

entmutigen verleiden, ausreden, **496** Wasser in den Wein gießen, Wind aus den Segeln nehmen, dämpfen, Dämpfer aufsetzen, lähmen, lahm legen, vermiesen, verekeln, demotivieren, abtörnen, decouragieren, madig/mies machen, schwarz malen, Freude vergällen, runterbringen, runterreißen, Hoffnung trüben/rauben, Spaß verderben, unken, schwarz sehen, Suppe versalzen, kalte Dusche verpassen, Lust nehmen, beeinträchtigen, bedrücken, verstimmen, niederdrücken, knicken, abwiegeln, niederschlagen, niederstimmen, niederschmettern, demoralisieren, einschüchtern, Moral untergraben, deprimieren, zermürben, zerschmettern, verdunkeln, verdüstern, trüben.

entschädigen 1. belohnen, danken, **497** vergelten, sich revanchieren; ersetzen, Scharte auswetzen, vergüten, zurückgeben, wiedergeben, rückerstatten, wiedererstatten, zurückzahlen, zurückbringen, wiederbringen, aufwiegen, wettmachen, **2.** wieder gutmachen, abfinden, abgelten, ablösen, kompensieren, rückvergüten, rekompensieren, Reparationen zahlen, Schadenersatz leisten, **3.** entschädigt werden, wiederbekommen, wiedererlangen, zurückerhalten, zurückerlangen, Entschädigung bekommen.

Entschädigung 1. Belohnung, **498** Lohn, Dank, Vergeltung, Entgeltung, Vergütung, Abgeltung, Ausgleich, Kompensation, Gegenleistung, Gegengabe, Revanche, **2.** Ersatz, Rückgabe, Erstattung, Rückerstattung, Wiedergutmachung, Wiedervergeltung, Rückzahlung, Rückvergütung, Satisfaktion, Genugtuung, **3.** Abfindung, Abstand, Schadenersatz, Lastenausgleich, Reparationen, Aufwandsentschädigung, Spesen, Diäten, Tagegeld, Sitzungsgeld, Schmerzensgeld, Trostpreis, Trostpflaster, Finderlohn.

entscheiden (sich) 1. Entscheidung treffen, beschließen, bestimmen, losen, Los werfen/ziehen, abstimmen, anordnen, abmachen, festlegen, besiegeln, verfügen, **2.** sich entschließen; **499**

Entschluss fassen, sich schlüssig werden; Wahl treffen, auswählen, wählen, sich durchringen; zum Entschluss kommen, sich aufraffen, hochrappeln, aufrappeln, ermannen, einen Ruck geben, aufschwingen; mit sich ins Reine kommen, sich ein Herz fassen; Mut schöpfen, tief Luft holen, Anlauf nehmen, sich zusammenraffen, zusammenreißen, straffen.

500 Entschluss 1. Entscheidung, Dezision, Entschließung, Beschluss, Wille, Willenserklärung, Option, Votum, Wahl, Willensbekundung, Willensakt, Festlegung, Ratschluss, **2.** Urteil, Schiedsspruch, Resolution.

501 entschuldigen (sich) 1. um Verzeihung bitten, abbitten, Abbitte leisten, bedauern, **2.** verzeihen, vergeben, nachsehen, freisprechen, exkulpieren, begnadigen, amnestieren, Strafe erlassen, **3.** rechtfertigen, verteidigen, verantworten, entlasten, salvieren, klären, motivieren, erklären, begründen, verständlich machen, Gründe ins Feld führen, in Schutz nehmen, sich einsetzen; plädieren, fürsprechen, verfechten, Lanze brechen, argumentieren, aufklären, **4.** Nachsicht üben, Gnade vor Recht ergehen lassen, Auge zudrücken, durchgehen/fünf gerade sein lassen, durch die Finger sehen, zugute halten.

502 Entschuldigung 1. Abbitte, Bitte um Vergebung, Verzeihung, Erklärung, Motivierung, Begründung, Rechtfertigung, **2.** Ausflucht, Ausrede, Vorwand, Notlüge, Scheingrund, Vorspiegelung.

503 entsprechen 1. gleichen, gleichkommen, gleichwertig/gleichartig/gemäß/angemessen sein, genügen, behagen, gefallen, belieben, konvenieren, **2.** willfahren, nachkommen, sich anpassen; entgegenkommen, gehorchen, stattgeben, bewilligen, genehmigen, zusagen, **3.** passen, fitten, geeignet sein, reimen, stimmen, übereinstimmen, hingehören, korrespondieren, korrelieren.

504 entsprechend 1. angemessen, gemäß, getreu, genau wie, ähnlich, gleich, ungefähr gleich, geeignet, wie gemacht/auf den Leib geschrieben, konform, kongruent, korrespondierend, übereinstimmend, passend, kompatibel, zusammengehörig, adäquat, maßstäblich,

proportional, parallel, analog; gebührend, geziemend, würdig, zustehend, angebracht, zukommend, gerechtfertigt, gehörig, geboten; anstandshalber, nach Gebühr, der Form wegen, rechtmäßig, billig, verdientermaßen, im richtigen Verhältnis, **2.** wunschgemäß, wie gewünscht, zufrieden stellend, zugeschnitten auf, **3.** diesbezüglich, in dieser Beziehung, in diesem Punkt, in puncto, dementsprechend, hierin, **4.** laut, nach, zu, betreffend.

Entsprechung 1. Gegenstück, Pendant, Korrelat, Parallele, **2.** Spiegelbild, Ebenbild, Gegenbild, Ähnlichkeit.   **505**

entstehen 1. werden, anfangen, beginnen, anheben, aufkommen, geschaffen/verursacht/kreiert werden, erstehen, sich bilden, formen; ins Dasein treten, **2.** keimen, sprießen, sprossen, knospen, ausschlagen, treiben, blühen, wachsen, erscheinen, zum Vorschein kommen, hervorkommen, herauskommen, hervorbrechen, ausbrechen, aufgehen, aufbrechen, aufkeimen, entsprießen, **3.** entspringen, entquellen, heraussprudeln, hervorsprudeln, seinen Ursprung haben, entfliehen, entströmen, ans Licht kommen, auftauchen, sichtbar werden, austreten, hervortreten, erscheinen, **4.** hervorgehen, erwachsen, sich entwickeln, ergeben, formen; Form/Gestalt annehmen, sich herauskristallisieren, herausbilden; zustande kommen, **5.** laut werden, verlauten, bekannt werden, aufkommen.   **506**

enttäuschen versagen, verwehren, verweigern, vereiteln, Hoffnung zunichte machen, frustrieren, ernüchtern, entmutigen, abkühlen, desillusionieren, entzaubern.   **507**

Enttäuschung Fehlschlag, gescheiterte Hoffnung, Nachsehen, Schlag ins Wasser, Strich durch die Rechnung, Pleite, Reinfall; Ernüchterung, Desillusionierung, Dusche, Dämpfer, Entzauberung, bittere Pille; Vereitelung, Durchkreuzung, Versagung, Verweigerung, Frustrierung, Frustration, Frust.   **508**

entwerten 1. lochen, abstempeln, stempeln, knipsen, abreißen, ungültig machen, aufheben, außer Kraft setzen, kassieren, einziehen, aus dem Verkehr ziehen, außer Kurs setzen, **2.** herabsetzen, herabmindern, abwerten, abstufen,   **509**

im Wert mindern, verkleinern, abqualifizieren, Ansehen mindern, schlecht machen, unterbelichten, niederziehen; verschlechtern, verschlimmern, Niveau senken, drücken, **3.** banalisieren, verflachen, breittreten, verballhornen, verkitschen, inflationieren, profanieren, **4.** schänden, entehren, entweihen, entwürdigen, verlästern, verspotten, verhöhnen.

510 entwickeln (sich) 1. werden, aufwachsen, schlüpfen, ausschlüpfen, auskriechen, Eierschalen abstreifen, den Kinderschuhen entwachsen, sich machen, mausern; geraten, heranwachsen, gedeihen, **2.** anwachsen, angehen, einwurzeln, wachsen, **3.** ausarbeiten, ausbauen, aufbauen, vergrößern, entfalten, weiterentwickeln, vervollständigen, vervollkommnen, **4.** fortkommen, vorwärts kommen, prosperieren, boomen, brummen, florieren, gut gehen, **5.** sich weiterentwickeln, weiterbilden, fortbilden; dazulernen, leben lernen, an sich arbeiten, reifen, sich verbessern.

511 Entwicklung 1. Veränderung, Prozess, Werden, Wachsen, Entfaltung, Gedeihen, Wachstum, Wuchs, Reifen, Fortgang, Zunahme, Aufstieg, Zuwachs, Steigerung, Fortschritt, **2.** Aufbau, Ausbau, Erweiterung, Vergrößerung, Verbesserung, Vervollständigung, Bereicherung, Vollendung, **3.** Entwicklungsprozess, Entwicklungsgang, Ontogenese; Entwicklungsstufe, Entwicklungsphase, Entwicklungsstand, **4.** Entwicklungsgeschichte, Evolution, Genese, Phylogenese.

512 Entzug 1. Entziehung, Entwöhnung, Abgewöhnung, Fading-out, **2.** Drogenentzug, Alkoholentzug, Nikotinentzug, Liebesentzug.

513 Erbe 1. Erbschaft, Nachlass, Hinterlassenschaft, Erbteil, Pflichtteil, ererbter Besitz, Altlasten, **2.** Nachfolge, Übernahme, Weiterführung, Fortführung; Überlieferung, Weitergabe, Vererbung, **3.** Nachkomme, Hinterbliebener, Überlebender, Nachfolger, Anwärter; Erbberechtigter, Haupterbe, Alleinerbe, Universalerbe, Miterbe, **4.** Testament, letzter Wille, Schenkung, Vermächtnis, Legat, Verfügung.

514 erben beerben, überkommen, Erbe antreten, Erbschaft machen, Erbe übernehmen, nachfolgen, nachrücken, Hinterlassenschaft antreten.

erfahren 1. erleben, Erfahrungen machen, sich aneignen; kennen lernen, durchleben, Zeitzeuge / Zeitgenosse sein, selbst sehen, mit ansehen, mitmachen, dabei sein, miterleben, Augenzeuge sein, **2.** zu spüren bekommen, Lehrgeld zahlen, sich die Hörner abstoßen; erleiden, zustoßen, abkriegen, auszustehen haben, am eigenen Leibe erfahren, **3.** hören, vernehmen, in Erfahrung bringen, Kenntnis erhalten, entnehmen, erkennen, aufschnappen, mitkriegen, mitbekommen, herausbekommen, läuten hören, zu Ohren kommen, dahinter kommen, entdecken. **515**

erfahren (sein) 1. bewandert, beschlagen, weit gereist, herumgekommen, umgetan, weltläufig, gewandt, versiert, gewitzt, gewieft, gewitzigt, ausgebufft, mit allen Wassern gewaschen, in allen Sätteln gerecht, abgebrüht, sachkundig, sattelfest, firm, kundig, sachverständig, vom Fach/Bau, geschult, geübt, vorbereitet, gut unterrichtet, auf der Höhe, erprobt, gelernt, routiniert, bewährt, fit, sicher, qualifiziert, fähig, geeignet, im Bilde, ausgebildet, eingearbeitet; souverän, überlegen, lebensklug, lebenserfahren, welterfahren, weltklug, gereift, reif, **2.** sich zu helfen wissen; nicht zu verblüffen sein, Menschenkenntnis haben, die Menschen kennen/zu nehmen wissen, sich auskennen. **516**

Erfahrung 1. Experiment, Beobachtung, eigene Anschauung, Empirie, Erkenntnis, Einsicht, Überzeugung, Verständnis, Begegnung, Erlebnis; Augenzeugenschaft, Zeitzeugenschaft, **2.** Übung, Schulung, Praxis, Erfahrungswert, Training, Routine, Beschlagenheit, Gewieftheit, Gewitztheit, Kundigkeit, Sicherheit, Background, Überlegenheit, Weitblick, Souveränität; Lebenspraxis, Lebenserfahrung, Welterfahrung, Weltläufigkeit, Weltgewandtheit, Weltklugheit, Weitweite, Weltkenntnis, Menschenkenntnis, Lebensklugheit, Weltwissen. **517**

Erfolg 1. Aufstieg, Anerkennung, Fortuna, Fortune, Glück, Gelingen, Gedeihen, Erfüllung, Bewältigung, Durchstoß, Durchbruch, Erdrutsch, **2.** Coup, **518**

Meisterstück, Meisterstreich, Husarenstück, Überraschungserfolg, Griff,
Schnapp, Schnitt; Glücksfall, Erfolgsstory, **3.** Zulauf, Zustrom, Zuspruch,
Run, Beifall, Bombenerfolg, Meilenstein, Triumph, Ruhm, **4.** Treffer, Volltreffer, Einschlag, Trumpf, Hit, Bestseller, Verkaufsschlager, Selbstläufer,
Heimspiel, Running Gag, Evergreen, **5.**
Verwirklichung, Realisierung, Frucht,
Ertrag, Produkt, Effekt, Trophäe, Ausbeute, Siegespreis, Fang, Beute.

519 ergänzen (sich) 1. vervollständigen, vervollkommnen, ausbauen, ausgestalten, abrunden, runden, anbauen,
aufstocken, nachtragen, zufügen, hinzusetzen, auffüllen, nachfüllen, zugießen, nachgießen, hinzutun, hinzufügen,
zugeben, voll machen, komplettieren,
nachbessern, integrieren, **2.** beilegen,
beifügen, beigeben, anfügen, beipacken, mitschicken, anfügen, beischließen, anheften, anlegen, nachliefern,
nachschicken, nachsenden, nachzahlen,
zuzahlen, zulegen, draufzahlen, aufrunden, **3.** nachwachsen, sich erneuern, regenerieren, **4.** zusammenpassen, harmonieren, **5.** beiliegen, anliegen, dazugehören, **6.** einfügen, einbauen, einarbeiten, implementieren, anpassen, einlassen, einweben, einschieben, zwischenschieben, einbetten, einflicken,
hineinstellen, einblenden, einpassen,
einschalten, einordnen, einrangieren,
einreihen, einstufen, hineinstellen, **7.**
zuleiten, zuführen, einströmen lassen;
zulaufen, zuströmen, einströmen, zufließen, **8.** stückeln, anstückeln, zusammenstückeln, ansetzen, verlängern, einsetzen.

520 Ergänzung 1. Erweiterung, Vergrößerung, Vervollkommnung, Vervollständigung, Komplettierung, Perfektionierung, Hinzufügung, Ausbau, Zusatz,
Abrundung, **2.** Nachtrag, Nachwort,
Nachsatz, Anhang, Fußnote, Randnote,
Anmerkung, Klausel, Novelle, Begleitwort, Erläuterung, Randbemerkung,
Marginalie, Glosse, Nachschrift, Füllsel, Anhängsel, Postskriptum, **3.** Zugabe, Beifügung, Anlage, Beipack, Einschluss, Einlage, Zubehör, Supplement,
Extras, Nachlieferung, Folge, Fortsetzung, Nachsendung; Nachzahlung, Zuzahlung, Zuschuss, Zulage, Beihilfe,

Nebenverdienst, Nebeneinnahme, Zusatzverdienst, zusätzliche Einnahme,
Nebeneinkünfte, Überstunden, **4.** Einbau, Anbau, Exkurs, Einschub, Einsprengsel, Parenthese, Einschiebsel,
Einblendung, Einwurf, Zwischenruf, **5.**
Zuleitung, Zufluss, Zustrom, Nebenfluss, Zuführung, Zulauf, Flussarm, Nebenarm, Seitenarm, **6.** Begleiterscheinung, Nebenwirkung, Randerscheinung, Randfigur, Epiphänomen, **7.** Zufuhr, Auffüllung, Zugang, Nachschub,
Nachschlag, **8.** Zuleitung, Zufahrt, Auffahrt, Zufahrtstraße, Zubringer, **9.** Appendix, Blinddarm, Wurmfortsatz.

Ergebnis Resümee, Fazit, Resultat, **521**
Summe, Endsumme, Endbetrag, Bilanz,
Ausgang, Lösung, Auflösung, Gesamt-
ergebnis, Heerschau, Endergebnis,
Endstand.

erhalten (sich) 1. bekommen, emp- **522**
fangen, kriegen, zuteil werden, geschenkt bekommen, abbekommen, mitbekommen, abkriegen, erlangen; zugehen, geschickt bekommen, **2.** haltbar
machen, konservieren, tiefkühlen, einfrieren, frosten, einkochen, eindunsten,
einmachen, einschweißen, sterilisieren,
einwecken, keimfrei machen, pasteurisieren, evaporieren, verdampfen, entwässern, Wasser entziehen, kondensieren, verdichten; einlegen, beizen, einsalzen, einpökeln, selchen, marinieren,
räuchern, verzuckern, präparieren, dauerhaft machen, abkochen,
auskochen, vor dem Verfall bewahren,
3. sich ernähren, durchbringen, durchschlagen; Lebensunterhalt verdienen/
bestreiten, durchkommen, leben von,
sich durchs Leben schlagen; Leben fristen; durchhelfen, durchfüttern, am Leben halten, versorgen, versehen, unterhalten, aushalten, finanzieren, hineinpumpen, **4.** einbalsamieren, mumifizieren; konservieren, ausstopfen.

erheben (sich) 1. sich aufrichten, **523**
aufsetzen, hinstellen, auf die Füße stellen; aufstehen, **2.** sich heben, aufschwingen; aufgehen, aufsteigen, hochschnellen, aufschießen, hochschießen,
steigen, abstieben, aufstieben, abheben,
3. hochkommen, auftauchen, an die
Oberfläche kommen; in Sicht kommen,
sichtbar werden, sich über den Horizont erheben, **4.** erigieren, Ständer krie-

gen; sich versteifen, **5.** revoltieren, sich auflehnen.

524 erholen, sich 1. entspannen, ausspannen, ruhen, feiern, ausruhen, abhängen, ausschlafen, liegen / im Bett bleiben, Ferien machen, aussetzen, Urlaub nehmen, verschnaufen, erquicken, verpusten, rasten, Rast / Pause machen, pausieren, sich laben, kräftigen, stärken; abschalten, Atem schöpfen, Luft schnappen, aufatmen, **2.** gesund werden, gesunden, genesen, aufleben, aufkommen, erstarken, sich kräftigen; ausheilen, vernarben; sich machen; wieder aufstehen, geheilt werden, sich regenerieren, berappeln, **3.** sich aalen, sielen, rekeln; lotteln, relaxen, alle viere von sich strecken, auf der faulen Haut liegen, nichts tun, faul sein, neue Kräfte sammeln, auftanken; herumlungern, fläzen, flegeln, lümmeln, sich gehen lassen.

525 Erholung 1. Entspannung, Ausspannung, Atempause, Pause, Break, Siesta, Auszeit, Rast, Ruhepause, Mittagsschlaf, Mittagsruhe, Verschnaufpause, Mußestunde, Nichtstun, Erquickung, Erfrischung, Belebung, Regeneration, Freizeit, Urlaub, Ferien, Ruhe, Muße, Luftwechsel, Luftveränderung, Tapetenwechsel, Kur, Sommerfrische, **2.** Genesung, Besserung, Linderung, Rekonvaleszenz, Aufkommen, Gesundung, Wiederherstellung, Rehabilitation, Kräftigung, Heilung, Stärkung, Neubelebung, Jungborn, Aufschwung, Neugeburt, Jungbrunnen, Gesundbrunnen, **3.** Schlaf, Schlummer, Schläfchen, Nickerchen, Nachtruhe.

526 erinnern (sich) 1. sich entsinnen, besinnen; wieder einfallen, wieder erkennen, rekonstruieren, zurückdenken, zurückblicken, zurückschauen, sich zurückrufen, zurückversetzen; Revue passieren lassen, nacherleben, Vergangenheit lebendig machen, wieder auftauchen, wiederkommen, wieder erwachen, sich wieder einstellen; aktivieren, auffrischen, **2.** behalten, sich merken, einprägen; memorieren, ins Gedächtnis schreiben, aufnehmen, sich zu Eigen machen, hinter die Ohren schreiben; denken an, **3.** gedenken, Andenken bewahren, eingedenk sein, **4.** anklingen, gemahnen, heraufrufen, erinnern an, **5.** erinnerlich sein, im Kopf haben, auswendig wissen, im Gedächtnis haben, gegenwärtig / lebendig / präsent / unvergessen / unverwischbar / unvergesslich sein, gegenwärtig haben, nachklingen, nachhallen.

Erinnerung 1. Gedächtnis, Mneme, **527** Erinnerungsvermögen, Gedächtniskraft, Merkfähigkeit, Angedenken, Gedenken, Rückschau, Rückblick, Rückblende, Reminiszenz, **2.** Gedenkrede, Nachruf, Nekrolog, Würdigung, Gedächtnisrede, Gedenkfeier, **3.** Denkzeichen, Merkzeichen, Merkzettel, Lesezeichen, Notizzettel, Terminkalender, Tagebuch, Diarium, Kalender, Chronik, Annalen; Andenken, Souvenir, Erinnerungsstück, **4.** Abglanz, Nachklang, Nachruhm, Nachglanz.

erklären 1. erläutern, auseinander legen, entfalten, auseinander setzen, entwickeln, darlegen, darstellen, klarmachen, kommunizieren, verklaren, explizieren, exemplifizieren, dolmetschen, verdeutschen, klarlegen, rekonstruieren, zeigen, ausführen, aufzeigen, vorführen, demonstrieren, **2.** definieren, bestimmen, Begriff bilden, abgrenzen, festlegen, eingrenzen, determinieren, **3.** illustrieren, verdeutlichen, veranschaulichen, verlebendigen, beleuchten, greifbar / sichtbar machen, ausmalen, vor Augen führen, visualisieren, konkretisieren, anschaulich machen, bildlich darstellen, vergegenständlichen, verbildlichen, verdinglichen, interpretieren, deuten, ausdeuten, auslegen, herausarbeiten, kommentieren, **4.** aufklären, orientieren, unterrichten, einweihen, einführen, ins Bild setzen, Licht aufstecken, begründen, motivieren, erhellen, Streiflicht werfen auf, vertraut machen, nahe bringen, Verständnis wecken, **5.** deklarieren, beschriften, Bildunterschriften machen, texten, etikettieren, ausschildern.

Erklärung 1. Erläuterung, Darlegung, Explikation, Entfaltung, Auseinanderlegung, Ausführung, Aufschluss, Klärung, Demonstration, Vorführung, Einführung, Unterrichtung, Aufklärung, Information, Statement, **2.** Verdeutlichung, Illustrierung, Illustration, Konkretisierung, Veranschaulichung, Vergegenständlichung, Darstellung,

Verbildlichung, Visualisierung, Interpretation, Deutung, Ausdeutung, Auslegung, Kommentierung, 3. Definition, Begriffsbildung, Abgrenzung, Eingrenzung, Bestimmung, Festlegung, Determination, 4. Unterschrift, Bildunterschrift, erklärender Text, Spruchband, Banderole, Beschriftung, Bezeichnung, Inschrift, Legende, 5. Deklaration, Programm, Manifest; Grundsatzerklärung, Regierungserklärung, Parteiprogramm.

530 erkranken krank werden, kränkeln, etwas ausbrüten, unpässlich sein, sich anstecken; etwas fangen/erwischen/abkriegen/aufschnappen, sich erkälten, verkühlen; angefallen werden, sich etwas zuziehen; befallen, anfallen, anfliegen.

531 erlauben (sich) 1. gestatten, bewilligen, Einverständnis geben, anheim geben, sich einverstanden erklären; genehmigen, stattgeben, zuerkennen, erhören, Entschen haben, freien Lauf/hingehen lassen, tolerieren, geschehen/fünf gerade sein/gelten lassen; einwilligen, gutheißen, zustimmen, zulassen, dulden, hinnehmen, sich gefallen lassen; durchgehen lassen, nachsehen, zubilligen, anheim stellen, freistellen, gönnen, vergönnen, zugeben, freie Hand lassen, einräumen, zugestehen, 2. befugen, bevollmächtigen, ermächtigen, autorisieren, berechtigen, beglaubigen, privilegieren, konzedieren, sanktionieren, approbieren, Approbation erteilen, zulassen, Vollmacht/Prokura erteilen, Lizenz vergeben, lizenzieren, legitimieren, 3. sich gestatten, die Freiheit nehmen, nicht scheuen/entblöden, unterfangen, herausnehmen; Lippe riskieren, 4. sich herablassen; gnädig/huldreich sein, schmelzen; bereit/geneigt sein, sich bereitfinden, bequemen, herbeilassen; geruhen.

532 Erlaubnis 1. Einwilligung, Zustimmung, Zusage, Zuschlag, Jawort, Bewilligung, Billigung, Duldung, Stillschweigen, Wohlverhalten, Hinnahme, Freigabe, Freistellung, Dispensierung, Dispens, Zugeständnis, Plazet, Einverständnis, Einvernehmen, Beifall, Anerkennung, 2. Ermächtigung, Vollmacht, Prokura, Blankovollmacht, Bevollmächtigung, Befugnis, Berechtigung, Genehmigung, Permission, Lizenzierung, Lizenz, Recht, Autorisierung, Einräumung, Konzession, Zulassung, Approbation, Bewilligung, Privileg, 3. Freibrief, Freiheit, Befreiung; Erhörung, Gewährung, Bestätigung, Anerkennung, Sanktionierung; Sondergenehmigung, Sonderrecht.

erledigen 1. tun, machen, besorgen, **533** verrichten, vollführen, ausführen, durchführen, bewerkstelligen, daran arbeiten, in der Mache haben, abwickeln, abarbeiten, verwirklichen, vollziehen, vollstrecken, in die Tat umsetzen, tätigen, vollenden, erfüllen, abschließen, absolvieren, beendigen, fertig machen, beseitigen, abtun, zu Ende bringen, fertig werden mit, vollbringen, fertig stellen, ablegen, abheften, zu den Akten legen, hinter sich bringen, durchziehen, loswerden, sich entledigen, 2. ausfertigen, unterschreiben, abzeichnen, abhaken, abfertigen, ausstellen, ausfüllen, ausschreiben, 3. abschießen, liefern, stürzen; töten.

erledigt 1. ausgemacht, abgemacht, **534** fertig, fest, fix, abgeschlossen, getan, abgetan, gebongt, ausgeführt, erfüllt, spruchreif, geregelt, perfekt, vollzogen, unter Dach, vom Tisch, entschieden, besiegelt, beschlossene Sache, angenommen, akzeptiert, bezahlt, quitt, unwiderruflich, gebilligt, handelseinig, abgeliefert, ausgefertigt, unterschrieben, Brief und Siegel, zu den Akten, Schluss, in Ordnung, ad acta, Schwamm drüber, nichts mehr zu machen, 2. bankrott, zahlungsunfähig, überschuldet, verschuldet, illiquide, insolvent, geplatzt, verkracht, gescheitert, gestrandet, geliefert, ruiniert, verloren, aufgeschmissen, im Eimer, zappenduster, zerrüttet, am Ende, ganz unten, fertig, vernichtet, zuschanden, gebrochen, geschlagen, unrettbar, verzweifelt, 3. unten durch, in Misskredit/Ungnade, gesellschaftlich unmöglich, geschnitten, verfemt, verpönt, ausgeschlossen, ausgestoßen, verworfen, geächtet, bloßgestellt, unsterblich blamiert, stigmatisiert, gebrandmarkt, degradiert, gezeichnet, verachtet, kompromittiert, unmöglich gemacht, boykottiert, disqualifiziert, gerichtet, verurteilt, verdammt; am Boden, knock-out, k. o., schachmatt, ausgepunktet, ausgezählt, kampfunfähig, geschlagen, besiegt, vernichtend geschlagen, **4.** abgeblasen, abgebrochen, abgemeldet, gestrichen, gelöscht, annulliert, gestorben.

535 Erledigung 1. Ausführung, Durchführung, Abfertigung, Verrichtung, Bewerkstelligung, Tätigung, Besorgung, Beendigung, Absolvierung, Abwicklung, **2.** Abschluss, Bewenden, Erfüllung, Vollendung, Ablieferung, Ausfertigung, Unterschrift, Ablage.

536 ermitteln recherchieren, Ermittlungen/Nachforschungen anstellen, nachforschen, fahnden, ausfindig machen, erkunden, Informationen beschaffen, untersuchen, nachspüren, auskundschaften, Erkundigungen einziehen, ausforschen, in Erfahrung bringen, auf den Grund gehen, aufklären, ergründen.

537 Ermittlung Recherche, Nachforschung, Ausforschung, Erkundigung, Erkundung, Erforschung, Sondierung, Fahndung, Aufklärung.

538 ermöglichen 1. möglich machen, einrichten, Gelegenheit suchen, sehen, was man tun kann, zulassen, **2.** befähigen, Gelegenheit bieten, Weg ebnen, instand/in die Lage versetzen, vorbereiten, vorarbeiten, ausrüsten, ertüchtigen, Voraussetzung schaffen, präparieren, schulen, unterstützen, protegieren, unter die Fittiche nehmen.

539 ermüden 1. müde machen, anstrengen, erschöpfen, aufreiben, aushöhlen, entkräften, schwächen, überfordern, überanstrengen, hetzen, zermürben; krank machen, plagen, schlauchen; schwer fallen, Mühe machen, Schweiß kosten, aushöhlen, verzehren, **2.** müde werden, nachlassen, nicht mehr können, abfallen, erschlaffen, ermatten, erlahmen; sich überanstrengen, überfordern, übernehmen, schwer tun, zu viel zumuten, verausgaben, überarbeiten, abhetzen, abjagen, abrackern, abschinden, abarbeiten, fronen, placken; mutlos werden, Mut verlieren, blass/kraftlos werden, der Erschöpfung nahe sein, schlappmachen.

540 Ermüdung 1. Müdigkeit, Schläfrigkeit, Schlafbedürfnis, Übermüdung, Mattigkeit, Schwächung, Schwunglosigkeit, Schlaffheit, Abspannung, Erschöpfung, Entkräftung, Ermattung,

Erschlaffung, Erschöpfung, **2.** Überarbeitung, Überanstrengung, Überlastung, Überbürdung, Überforderung, Überspannung, Kräfteverfall, Zermürbung, Zusammenbruch.

541 ermuntern 1. aufmuntern, zureden, zusprechen, anspornen, bereden, zu bewegen suchen, drängen, überreden, beeinflussen, antreiben, anstoßen, gut zureden, anraten, anempfehlen, **2.** ermutigen, Mut machen, anregen, animieren, Kick geben, Stoß versetzen, stimulieren, aufrütteln, aufrichten, beleben, stärken, aktivieren; bestärken, aufmöbeln, bestätigen, Nacken steifen, unterstützen, Rücken stärken.

542 Ernährung 1. Verköstigung, Verpflegung, Atzung, Fütterung; Nahrung, Essen und Trinken, Kost, Speis(e) und Trank, Proviant, Mundvorrat, Wegzehrung, **2.** Nahrungsmittel, Lebensmittel, Naturalien, Viktualien, Fressalien, Esswaren.

543 erneuern (sich) 1. ausbessern, auffrischen, aufarbeiten, instand setzen, reparieren, Schäden beheben, umbauen, überholen, umarbeiten, renovieren, verändern, wenden, restaurieren, rekonstruieren, wiederherstellen, instand mogeln, wieder aufbauen, aufforsten, aufpolieren, tapezieren, neu gestalten, wieder herrichten, flottmachen, **2.** plombieren, füllen, kitten, leimen, löten, dicht machen, abdichten, zustopfen, gipsen, ausfüllen, sohlen, riestern, flicken, stopfen, Stücke einsetzen, **3.** reformieren, umorganisieren, umstrukturieren, reorganisieren, umgestalten, verbessern, revolutionieren, modernisieren, umwälzen, umwandeln, aktualisieren, **4.** wiederholen, bekräftigen, neu beleben, aktivieren, auffrischen, **5.** erfrischen, erquicken, sich verjüngen; aufblühen, aufleben; wieder aufflackern, auferstehen, wieder erstehen, wieder aufleben, Urständ feiern, wieder beleben, wieder auferstehen lassen, revitalisieren.

544 Erneuerung 1. Ausbesserung, Auffrischung, Instandsetzung, Renovierung, Restaurierung, Wiederherstellung, Reparatur, Änderung, Umarbeitung, Umbau, Aufarbeitung, Neugestaltung, Modernisierung, Rekonstruktion, Wiederaufbau, Aufforstung, **2.**

Auferstehung, Wiedererstehung, Neuwerdung; Verjüngung, Regeneration, Wiedergeburt, Reinkarnation, Neugeburt, Wiedererweckung, Neubelebung, Wiederaufleben, Wiedererblühen, Wiederbelebung, Revival, Wiederaufnahme, **3.** Neufassung, Remake, Neuverfilmung.

545 ernst 1. ernsthaft, streng, entschieden, seriös, gesetzt, würdevoll, nüchtern, sachlich, aufrichtig, **2.** steif, humorlos, trocken, todernst, **3.** im Ernst, ernst gemeint, ohne Spaß, kein Scherz, allen Ernstes, **4.** bedenklich, bedrohlich, nicht ungefährlich, bitterernst, gravierend, ernstlich, Besorgnis erregend, kritisch.

546 ernten pflücken, abmachen, ablösen, abbrechen, abpflücken, zupfen, abzupfen, schütteln, herunterholen, herunternehmen, abnehmen, schneiden, lesen, mähen, einbringen, einfahren, in die Scheuer bringen, aufklauben, auflesen, einsammeln, nachlesen; hereinbringen, speichern, gewinnen, erzielen, einheimsen.

547 eröffnen 1. anfangen, beginnen, auf machen, grunden, Grundstein legen, einrichten, etablieren, sich niederlassen; anlegen, **2.** weihen, einweihen, taufen, enthüllen, der Öffentlichkeit übergeben, **3.** erschließen, urbar/nutzbar/ zugänglich machen, wirtschaftlich erschließen.

548 erregt 1. aufgeregt, beunruhigt, besorgt, unruhig, ruhelos, zappelig, vibrierend, mit Herzklopfen, kribbelig, bebend, zitternd, nervös, verstört, angespannt, hektisch, übererregt, atemlos, fiebrig, aufgeladen, übernervös, alteriert, outriert, überreizt, **2.** berührt, beeinflusst, beeindruckt, gerührt, ergriffen, emotionalisiert, affektiv, bewegt, gepackt, erschüttert, aufgewühlt, **3.** begeistert, gehoben, aufgekratzt, erfüllt, weg, entzückt, fasziniert, gebannt, feurig, glühend, in Fahrt, leidenschaftlich, passioniert, rauschhaft, verzückt, im siebten Himmel, entrückt, Feuer und Flamme, hochgestimmt, euphorisch, hymnisch, trunken, erhitzt, hingerissen, außer sich, exaltiert, ekstatisch, schwärmerisch, bezaubert, verzaubert, verklärt, betört, gebannt, aufgelöst, berauscht, dionysisch, dithyrambisch, or-

giastisch, überspannt, frenetisch, rasend, enthusiastisch, enthusiasmiert, mit fliegenden Fahnen.

Erregung 1. Aufregung, Erregtheit, **549** Beunruhigung, Aufgeregtheit, Gemütsbewegung, Gemütserregung, Affekt, Gefühlsspannung, Wallung, Paroxysmus, Verstörtheit, Nervosität, Unruhe, Ungeduld, Schlaflosigkeit, Ruhelosigkeit, Hochspannung, Anspannung, Zappeligkeit, Herzklopfen, Herzflimmern, Lampenfieber, **2.** Ergriffenheit, Erschütterung, Bewegtheit, Emotion, Rührung, **3.** Begeisterung, Enthusiasmus, Entzücken, Entzückung, Rausch, Entrückung, Verzückung, Erhobenheit, Exaltiertheit, Hochgefühl, Trance, Entrücktheit, Besessenheit, Faszination, Bezauberung, **4.** Leidenschaft, Passion, Affekt, Feuer, Glut, Brand, Fieber, innerer Aufruhr, Überschwang, Höhenflug, Aufwallung, Hochstimmung, Ekstase, Taumel, Trunkenheit, Trip, **5.** Kurzschlusshandlung, Affekthandlung, Verzweiflungstat.

Ersatz 1. Behelf, Notbehelf, Provisori- **550** um, Zwischenlösung, Interimslösung, Notlösung, Flickwerk, Notvorrat, eiserne Ration, **2.** Ersatzstoff, Surrogat, Substitut, Äquivalent, Ersatzmittel, Austauschstoff, Hilfsmittel, **3.** Prothese, künstliches Glied, Spenderorgan, Transplantat, Zahnersatz, Zahnprothese, Brille, Kontaktlinsen, Perücke, **4.** Ersatzmann, Reservemann, Stellvertreter, Auswechselspieler, Zweitbesetzung; Double, Stuntman, Stunt, Vertreter.

erstarren (lassen) 1. fest werden, **551** sich verfestigen; gelieren, steif werden, gerinnen, eindicken, **2.** erkalten, auskühlen, frieren, gefrieren, zu Eis werden, vereisen, **3.** klumpen, flocken, sich zusammenballen; kristallisieren, verhärten, verkalken, verknöchern, zu Stein werden, petrifizieren, **4.** sich verkrampfen, versteifen, verspannen, verhärten; versteinern.

Erstaunen Verwunderung, Staunen, **552** Aufsehen, Befremden, Befremdung, Irritation, Überraschung, Überrumpelung, Erstarrung, Betäubung, Verwirrung, Verblüffung, Bestürzung, Betroffenheit, Sprachlosigkeit, Fassungslosigkeit, Frappiertheit, Schreck, Schock; Eklat, Skandal, Sensation, Bombe;

Blind Date, Überraschungsei, Wundertüte, Glückskarte.

553 erstaunlich verwunderlich, merkwürdig, auffallend, bemerkenswert, wunderbar, überraschend, verwirrend, verblüffend, bestürzend, erschreckend, schockierend, frappant, Aufsehen erregend, ausgefallen, wundersam, sonderbar, seltsam, befremdend, befremdlich, irritierend, staunenswert, phänomenal, bewundernswert, stupend, bewunderungswürdig.

554 erstklassig erstrangig, unübertroffen, uneinholbar, unerreicht, unnachahmlich, non plus ultra, prima, das Beste, optimal, eins a, super, vom Besten/Feinsten, allerfeinst, führend, allen überlegen, überragend, ausnehmend, sondergleichen; Spitzenleistung, Meisterstück, Spitze, Klasse, erste Sahne, Meisterleistung, Meisterwerk, Höchstleistung, Krone, Gipfel, erste Qualität, große Klasse, Spitzenklasse; obenan, ganz vorn, nicht zu schlagen, konkurrenzlos.

555 erwarten 1. annehmen, gewärtigen, entgegensehen, für sicher halten, nicht zweifeln, sicher sein, rechnen mit, spannen/setzen/zählen/bauen/vertrauen/gespannt sein/rechnen/Aussicht haben auf, sich verlassen, spitzen, freuen auf, etwas versprechen von; reflektieren, spekulieren auf, **2.** erhoffen, erträumen, erharren, Ausschau halten nach, den Mut nicht sinken lassen, hoffen auf, **3.** fürchten, befürchten, kommen sehen, vorhersehen, nichts Gutes ahnen, sich gefasst machen auf; voraussehen, vorausahnen, schwanen.

556 Erwartung 1. Annahme, Hoffnung, Glaube, Zuversicht, Traum, Ahnung, Vorgefühl, Vorfreude, Vorgeschmack, Kostprobe, Spannung, Ungeduld, **2.** Berechnung, Kombination, Spekulation, **3.** Aussicht, Chance, Möglichkeit, Gelegenheit, Silberstreifen, Lichtblick, Hoffnungsanker.

557 erwidern 1. antworten, beantworten, bescheiden, zurückschreiben, zurückrufen, Aufschluss geben, Rede stehen, eingehen auf, bestätigen, zusagen, absagen, Bescheid geben, **2.** entgegnen, Gegenteil behaupten, widersprechen, einwenden, dagegenhalten, widerlegen, entkräften, zurückweisen, ad absurdum

führen, dawiderreden, Widerworte geben, bekämpfen, Lügen strafen, Veto einlegen, Kontra geben, Bescheid stoßen, kontern, entgegenhalten, entgegensetzen, Angriff abfangen, Ball zurückspielen, einhaken, entgegenstellen, gegenüberstellen, versetzen, austeilen, replizieren, zurückgeben, nichts schuldig bleiben, sich verwahren gegen; Einspruch erheben, Einwände vorbringen, protestieren, bestreiten, widerstreiten.

558 Erwiderung 1. Antwort, Rückäußerung, Beantwortung, Bescheid, **2.** Entgegnung, Replik, Retourkutsche, Widerspruch, Einrede, Einwand, Einwurf, Einspruch, Entkräftung, Gegenrede, Widerrede, Gegenäußerung, Anfechtung, Gegenargument, Gegenstimme, Gegenbeweis, Gegenvorschlag, Entgegenstellung, Gegenbehauptung, Antithese, Widerlegung.

559 Erzählung 1. Schilderung, Darstellung, **2.** Geschichte, Story, Short Story, Kurzgeschichte, Novelle, Roman, Verserzählung, Versroman, Epos, Heldenepos, Epopöe, Legende, Sage, Fabel, Mythos, Märchen, Comic, Anekdote, Parabel.

560 erzeugen 1. schaffen, erschaffen, hervorrufen, ans Licht rufen, hervorbringen, verursachen, entstehen lassen, generieren, kreieren, **2.** zeugen, bestäuben, besamen, befruchten, begatten, decken, **3.** herstellen, bereiten, machen, fertigen, anfertigen, verfertigen, produzieren, fabrizieren, erstellen, erarbeiten, **4.** bauen, erbauen, errichten, aufführen, hinstellen, aufrichten, konstruieren, **5.** säen, aussäen, besäen, setzen, pflanzen, anbauen, anpflanzen, bebauen, bestellen, bewirtschaften, kultivieren, pflegen, ziehen, züchten, **6.** erfinden, ersinnen, erdenken, erdichten, formen, bilden, gestalten, aushecken, ausbrüten.

561 Erzeuger Urheber, Gründer, Initiator, Hersteller, Fertiger, Produzent, Verleger, Konstrukteur, Entwerfer, Designer, Modeschöpfer.

562 Erzeugnis Ergebnis, Produkt, Präparat, Fabrikat, Ware, Konsumgut, Gebrauchsgut, Serienprodukt.

563 Erzeugung 1. Zeugung, Erschaffung, Schöpfung, Urheberschaft, Vaterschaft, **2.** Produktion, Herstellung, Fabrikation, Fertigung, Anfertigung, Verfertigung, Serienproduktion, industrielle Herstellung, **3.** Aufbau, Aufrichtung, Errichtung, Erstellung, Bau, Konstruktion; Erfindung, Erdichtung, Kreation, **4.** Anbau, Anpflanzung, Bepflanzung, Saat, Aussaat, Bestellung, Bebauung.

564 erziehen formen, bilden, heranbilden, sozialisieren, einwirken, pädagogisch anleiten, fördern, mündig werden lassen.

565 Erziehung Edukation, Sozialisation, Sozialisierung, Persönlichkeitsentwicklung, Bildung, Förderung, Mündigkeitshilfe; Formung, Zucht, Schliff, Kinderstube.

566 essen 1. sich ernähren; Nahrung zu sich nehmen, Hunger stillen, sich sättigen; verzehren, verspeisen, löffeln, sich einverleiben; über das Essen herfallen, verdrücken, sich zuführen, stärken; vertilgen, mit vollen Backen kauen, sich voll stopfen; Bauch voll schlagen, futtern, mampfen, essen wie ein Scheunendrescher, sich hermachen über; verschlingen, hinunterschlingen, verspachteln; zu viel essen, sich den Magen verderben, überessen, **2.** speisen, tafeln, frühstücken, brunchen, lunchen, dinieren, vespern, soupieren, **3.** naschen,

knabbern, leckern, picken, schnabulieren, sich laben, gütlich tun; schleckern, knuspern, schmausen, **4.** kauen, zerkleinern, zermalmen, abbeißen, hineinbeißen, in den Mund stecken / schieben, schlucken, hinunterschlucken, schnell essen, schlingen; nagen, abnagen, abessen, **5.** schmatzen, schlürfen, geräuschvoll essen, **6.** fressen, äsen, weiden, grasen, abweiden, abgrasen, kahl fressen.

567 Essenz 1. Wesen, Kern, das Wesentliche, Sosein, Mark, Quintessenz, Substanz, Inbegriff, Grundgedanke, springender Punkt, **2.** Extrakt, Konzentrat, Seim, Sirup, Auszug, Absud, Aufguss, Tinktur, Balsam, Elixier.

568 Europa 1. Abendland, Okzident, Alte Welt, Westeuropa, Mitteleuropa, Osteuropa, Südeuropa, Nordeuropa, **2.** europäisch, abendländisch, okzidental, westeuropäisch, mitteleuropäisch, osteuropäisch, südeuropäisch, nordeuropäisch.

569 Exemplar Einzelstück, Stück, Nummer, Ausfertigung, Muster, Probe, Band.

570 Existenz Dasein, Sein, Leben, Vorhandensein, Vorkommen, Anwesenheit, Bestehen.

F

571 Fach 1. Schubfach, Schubkasten, Gefach, Schublade, Lade, **2.** Disziplin, Wissensgebiet, Fachgebiet, Sachgebiet, Sparte; Unterrichtsfach, Arbeitsgebiet, Ressort, Zweig, Spezialgebiet.

572 fachlich 1. beruflich, einschlägig, speziell, spezialistisch, wissenschaftlich, fachgemäß, fachmännisch, fachgerecht, zunftgerecht, zunftgemäß, waidmännisch, sachkundig, sachgemäß, zünftig, fachkundig, gekonnt, gelernt, meisterhaft, materialgerecht, werkgerecht, kunstgerecht, richtig, **2.** kennerhaft, sachverständig, vom Bau / Fach, von Berufs wegen, professionell, qualifiziert, routiniert, ausgebufft, maßgebend, autoritativ, erfahren.

573 Fachmann Kenner, Sachverständiger, Sachkenner, Fachkraft, alter Hase, Profi, Insider, Routinier, Praktiker, Experte, Autorität, Kapazität, Spezialist, Fachgröße, Koryphäe, Größe, Kanone, große Nummer, Meister, Könner, Künstler, Virtuose, Leuchte, großes Licht.

574 fad 1. würzlos, ungewürzt, salzlos, ungesalzen, geschmacklos, unschmackhaft, gehaltlos, saftlos, matt, flau, schal, wässerig, abgestanden, labberig, nach nichts, leer, öde, duftlos, geruchlos, unaromatisch, **2.** langweilig, charakterlos, ausdruckslos, unanschaulich, gesichtslos, dröge, abgezogen, unplastisch, reizlos, unansehnlich, unscheinbar, blutarm, unattraktiv, unerotisch, keimfrei, aseptisch, asexuell.

575 Faden 1. Bindfaden, Schnur, Kordel, Strick, Strippe, Leine, Seil, Strang, Tau, Trosse, **2.** Garn, Nähfaden, Zwirn, Zwirnsfaden, Seidenfaden, Wollfaden, Strickgarn, Stickgarn, Häkelgarn, **3.** Faser, Fiber, Fussel, Fluse.

576 fähig 1. geeignet, qualifiziert, tauglich, befähigt, vermögend, imstande, geartet, veranlagt, begabt, geschaffen / geboren zu, prädestiniert für, begnadet, talentiert, geschickt, gewandt, anstellig,

tüchtig, brauchbar, patent, famos, praktisch, lebenstüchtig, leistungsfähig, verwendbar, einfallsreich, ideenreich, findig, experimentierfreudig, **2.** aufgelegt, disponiert, gestimmt, gelaunt, zumute, gesonnen, in der Lage, **3.** vorbereitet, vorgesehen, geschult, geübt, gewappnet, gerüstet, stark, schlagkräftig.

577 Fähigkeit Begabung, Talent, Befähigung, Vermögen, Können, Potential, Eignung, Tauglichkeit, Gabe, starke Seite, Anlage, Veranlagung, Zeug dazu, Ader, Qualifikation, Kraft, Potenz, Vielseitigkeit, Tüchtigkeit, die Voraussetzungen.

578 Fahrt 1. Reise, Tour, Flug, Rutsch, Trip, Streifzug, Ausflug, Abstecher, Partie, Landpartie, Törn, Spazierfahrt, Fahrt ins Blaue, Gesellschaftsreise, Kaffeefahrt, Vergnügungsfahrt, Butterfahrt, **2.** Expedition, Entdeckungsreise, Exkursion, Forschungsreise, Bildungsreise, Dienstreise, Geschäftsreise, Safari, Weltreise, Tournee, **3.** Überfahrt, Passage, Überquerung, **4.** Raumfahrt, Weltraumfahrt, Astronautik.

579 Fahrzeug 1. Verkehrsmittel, Gefährt, Wagen, Kalesche, Karosse, Droschke, Kutsche, Fiaker, Vehikel, Karre, **2.** Kraftfahrzeug, Auto, Automobil, PKW, Personenwagen, Straßenkreuzer, Kleinwagen, Kleinstwagen, Limousine, Jeep, Caravan, Van, Coupé, Spider, Roadster, Kabrio, Schlitten, Flitzer, Benziner, Diesel, Elektroauto, Solarauto, Geländewagen, Sportwagen, Rennwagen, Oldtimer; Taxe, Taxi, Mietwagen; Motorrad, Kraftrad, Motorroller, Moped, Mofa; Rad, Fahrrad, Bike, Rennrad, Drahtesel, Stahlross, Tandem, **3.** Lastwagen, Laster, LKW, Fernlaster, Brummer, Brummi, Truck, Lieferwagen, **4.** öffentliches Verkehrsmittel, Bus, Omnibus, Autobus, Obus, Postbus, Bahnbus, Kleinbus; Straßenbahn, Elektrische, Tram, Untergrundbahn, U-Bahn, Metro, Schwebebahn, Hochbahn, Luftkissenbahn, Seilbahn, Zahnradbahn, Bergbahn, Sesselbahn, Sessellift, Schilift; Eisenbahn, Zug, Dampfross, Kleinbahn, Lokalbahn, Triebwagen, Zubringer; Personenzug, Eilzug, D-Zug, IC = Intercity-Zug, ICE = Intercity-Express; TEE = Trans-Europa-Express, Magnetbahn, Transrapid, **5.** Traktor, Schleppfahrzeug, Tieflader, Raupenfahrzeug, Kran, Gleitkettenfahrzeug, Baumaschinen, **6.** Schiff, Dampfer, Passagierschiff, Ozeandampfer, Luxusliner, Ozeanriese; Frachter, Kutter, Schoner, Unterseeboot; Galeere, Segelschiff, Klipper, Jolle, Jacht, Schnellsegler; Flotte, Flottille, Flottenverband, Schiffsverband, Konvoi, Geleitzug; Schlepper, Schleppzug; Fähre, Fährboot, Trajekt, Vaporetto, Barkasse, Hovercraft, Eisenbahnfähre; Gondel, Boot, Nachen, Kahn, Barke, Schaluppe, Beiboot, Motorboot, Ruderboot, Faltboot, Kanu, Kajak, Einbaum, Floß, **7.** Flugzeug, Flieger, Maschine, Verkehrsflugzeug, Passagierflugzeug, Jet, Düsenklipper, Düsenjäger, Senkrechtstarter, Airbus, Jumbo-Jet, Linienflugzeug, Chartermaschine, Shuttle, Hubschrauber, Helikopter, Zeppelin, Luftschiff, Ballon, Sportflugzeug, Segelflugzeug, **8.** Sänfte, Tragesessel, Tragstuhl, Riksha, Pedicab, **9.** Aufzug, Lift, Elevator, Fahrstuhl, Paternoster, **10.** Raumfahrzeug, Raumkapsel, Raumstation, Skylab, Raumschiff, Raumlaboratorium, Raumsonde, Orbitalstation, Raumfähre

580 Fall 1. Sturz, Absturz, Sturz in die Tiefe, Rutsch, Plumps, freier Fall, **2.** Angelegenheit, Sache, Frage, Umstand, Kasus, Rechtsfall, Rechtssache, Problem, Belange, Vorfall, Interessen, Konstellation, Tatsache, Ereignis, Begebnis, Begebenheit, Tatbestand, Affäre, Gegebenheit, Causa, Nummer.

581 fallen 1. stürzen, zu Fall kommen, hinfallen, zu Boden fallen, auf die Nase fallen, hinschlagen, lang / der Länge nach hinschlagen, hinfliegen, hinknallen, plumpsen; rutschen, ins Schleudern geraten, ausrutschen, abrutschen, Halt verlieren, ausgleiten, glitschen, stolpern, kippen, kentern, umkippen, hintenüberfallen, umstürzen, straucheln, Balance / Gleichgewicht verlieren, purzeln, hinpurzeln; niederstürzen, herabfallen, abstürzen, in die Tiefe stürzen, **2.** absinken, absacken, an Höhe verlieren, abschmieren, trudeln, ins Trudeln geraten, niedersinken, hinabsinken, wegsacken, sich senken; einsacken, einsinken, einfallen, sich durchbiegen; durchhängen, **3.** sterben.

582 falls wenn, für den Fall, im Falle, gesetzt den Fall, vorausgesetzt, dass, angenommen, sofern, insofern, wofern, sobald, notfalls, nötigenfalls, gegebenenfalls.

falsch 1. verkehrt, unrichtig, unkorrekt, inkorrekt, schief, fehlerhaft, verfehlt, danebengegangen, schief gelaufen, grundfalsch, völlig verkehrt, verfahren, nicht getroffen, unzutreffend, unrecht, mit den Tatsachen nicht übereinstimmend, unverwendbar, unbrauchbar, verpfuscht, **2.** unwahr, gelogen, erlogen, aus der Luft gegriffen, entstellt, erfunden, irrtümlich, trügerisch, lügenhaft, lügnerisch, geflunkert, unaufrichtig, **3.** gefälscht, unecht, nachgemacht, nachgeahmt, irreführend, imitiert, fingiert, missbräuchlich, illusorisch, vorgetäuscht, trügerisch, eingebildet, Simili, täuschend echt, simuliert, **4.** unehrlich, heuchlerisch, scheinheilig, scheinfromm, frömmlerisch, bigott, schmeichlerisch, zuckersüß, scheiß freundlich, pharisäisch, geheuchelt, gleisnerisch, verlogen, verstellt, glatt, aalglatt, doppelzüngig, süß, süßlich; arglistig, hinterhältig, intrigant, denunziatorisch, **5.** unhaltbar, widersinnig, unsinnig, irrig, sinnwidrig, folgewidrig, inkonsequent, unlogisch. **583**

Falschheit 1. Falsch, Perfidie, Hinterlist, Verschlagenheit, Schadenfreude, Gehässigkeit, Arglist, Arg, Heuchelei, Hinterhältigkeit, Heimtücke, Tücke, Hinterfotzigkeit, Intriganz, Infamie, Doppelstrategie, Doppelspiel, doppeltes Spiel, Gleisnerei, Doppelzüngigkeit, Lippenbekenntnis, Unaufrichtigkeit, **2.** Scheinheiligkeit, Pharisäertum, Bigotterie, Frömmelei, Doppelmoral. **584**

Falte 1. Falbel, Plissee, Krause, Rüsche, Volant, Bruch, Kniff, Kante, Knick, Eselsohr, Falz, Einschlag, Umschlag, Bügelfalte, Faltenwurf, **2.** Runzel, Krähenfüße, Rune, Knitter, Kerbe, Riefe, Rinne, Rille, Vertiefung, Furche; Lachfalte, Sorgenfalte, strenge Falte. **585**

falten 1. zusammenlegen, ineinander legen, zusammenfalten, zusammenklappen, zusammenschlagen, verschränken, **2.** umbiegen, einbiegen, falzen, knicken, kniffen, umschlagen, fälteln, plissieren, kräuseln, einreihen, einhalten, raffen, reihen, **3.** runzeln, rümpfen, zusammenziehen, furchen, zerknit- **586**

tern, zerkrumpeln, zerdrücken, zerknüllen, zusammenknüllen, zusammenballen; knautschen, knüllen, knittern,
krumpeln.

587 faltig 1. gefaltet, in Falten gelegt, plissiert, gefältelt, gekräuselt, eingekraust,
faltenreich, eingehalten, kraus, bauschig, weit, schwingend, pluderig, 2.
runzlig, knittrig, alt, 3. zerknittert, zerknautscht, verkrumpelt, ungebügelt.

588 fangen 1. greifen, fassen, packen,
schnappen, haschen, kriegen, grapschen, auffangen, aufschnappen, 2. einholen, einfangen, kaschen, erhaschen,
abfassen, abfangen, abschnappen, zu
fassen kriegen, erfassen, aufgreifen, zugreifen, zupacken, halten, finden, erwischen, 3. erjagen, erbeuten, erlegen, angeln, fischen, Fische fangen, zur Strecke
bringen, ködern.

589 Farbe 1. Färbung, Farbgebung, Bemalung, Kolorierung, Kolorit, Buntheit,
Farbenpracht, Farbenspiel, Vielfarbigkeit, Couleur; Pigmentierung, Teint,
Ton, Gesichtsfarbe, 2. Farbigkeit, Anschaulichkeit, Frische, Lebendigkeit,
Lebensnähe, Bildhaftigkeit, Wirklichkeitsnähe, Realismus, Plastizität, Körperlichkeit, 3. Farbstoff, Färbemittel,
Naturfarbe, künstliche Farbe.

590 färben 1. einfärben, umfärben, Farbe verändern / erneuern / geben / auffrischen, andere Farbe auftragen, röten,
bräunen, schwärzen, bläuen, 2. malen,
pinseln, anmalen, anpinseln, tuschen,
antuschen, kolorieren, illuminieren,
schattieren, tönen, beizen, lackieren, 3.
anstreichen, tünchen, streichen, überstreichen, übertünchen, bemalen, ausmalen, 4. braun werden, bräunen, anbräunen, 5. klittern, beschönigen.

591 farbig 1. bunt, buntfarbig, farbenprächtig, mehrfarbig, vielfarbig, farbenreich, polychrom, farbenfreudig, farbenfroh, farbenprangend, schillernd,
frisch, buntscheckig, kunterbunt, leuchtend, satt, grell, knallig, poppig, knallbunt, schreiend, 2. bemalt, getüncht,
gestrichen, koloriert, getönt, gemalt;
illustriert, bebildert, 3. nicht weiß, coloured, andersfarbig, dunkelhäutig,
schwarz.

592 farblos 1. weiß, schneeweiß, weißlich, gebrochenes Weiß, Eierschale, alabasterfarben, ungefärbt, matt, blass,

schneeig, bleich, fahl, falb, verblichen,
ausgeblichen, verschossen, vergilbt,
verblasst, verwaschen, entfärbt, grau in
grau, unfarbig, wächsern, käsig, kreidebleich, käseweiß, schneebleich, blutlos,
blutleer, geisterhaft, totenblass, leichenblass, 2. fad, reizlos, langweilig.

593 Farblosigkeit Blässe, Bleichheit,
Entfärbung; Ausdruckslosigkeit, Un-
entschiedenheit, Neutrum, Fadheit,
Langweiligkeit, Reizlosigkeit.

594 faulenzen feiern, müßig gehen,
nichts tun, Hände in den Schoß legen,
Zeit totschlagen, sich einen schönen
Tag machen / die Zeit vertreiben; es sich
gut gehen lassen, untätig / faul / müßig
sein, bummeln, sich auf die faule Haut
legen; den lieben Gott einen guten
Mann sein lassen, Däumchen drehen,
dem lieben Gott die Zeit stehlen, sich
einen Lenz machen; ruhige Kugel schieben, gammeln, rumhängen, in den Tag
leben.

595 Faulenzer Nichtstuer, Müßiggänger,
Flaneur, Bummler, Faulpelz, Bummel-
lant, Langschläfer, Drückeberger, Drohne, Eckensteher, Nachtwächter, Schlafmütze, Faultier, Bärenhäuter, fauler
Strick / Hund / Sack, Taugenichts.

596 Fäulnis Gärung, Verwesung, Moder,
Schimmel, Zerfall, Fäule.

597 federn 1. zurückschnellen, abprallen,
zurückprallen, zurückspringen, hochspringen; wippen, schnellen, springen,
schwingen, vibrieren, beben, prallen, 2.
hüpfen, hopsen, hupfen, Sprünge machen, kobolzen, 3. abfedern, polstern.

598 fehlen 1. nicht da sein, ausbleiben,
fortbleiben, wegbleiben, fernbleiben,
durch Abwesenheit glänzen, sich fern
halten; nicht kommen, vermisst werden, Lücke hinterlassen, nicht anwesend / zugegen sein, absent sein, 2. mangeln, abgehen, gebrechen, hapern,
knapp sein, brauchen, vermissen, benötigen, Not tun, nötig sein, 3. unterbleiben, nicht geschehen, ausfallen, wegfallen, abgesagt werden, fortfallen, nicht
stattfinden, ins Wasser fallen, 4. verfehlen, nicht treffen, danebenschießen,
Ziel / Weg verfehlen, vom Weg abkommen, sich verirren, verlaufen, 5. fehltreten, danebentreten, sich den Fuß vertreten / verstauchen.

599 Fehler 1. Versehen, Verstoß, Unrich-

tigkeit, Bock, Schnitzer, Patzer, Rechenfehler, Verschreiben, Schreibfehler,
Rechtschreibfehler, Tippfehler, Druckfehler, Hörfehler, Versprecher, Sprachschnitzer, Denkfehler, **2.** Lücke, Auslassung, Unvollständigkeit, Unvollkommenheit, Unstimmigkeit, Unzulänglichkeit, Defekt, Schwäche, Achillesferse,
schwache Stelle, wunder Punkt, wunde
Stelle, Schönheitsfehler, Manko, Minus,
Macke, Schattenseite, Pferdefuß, Haken, Kehrseite, **3.** Irrtum, Missverständnis, Missgriff, Fehlgriff, Verwechslung,
Fehlpass, Vermengung, Verkennung,
Missdeutung, Zirkelschluss, Unterschätzung, Überschätzung, Fehlleistung, Fehlschluss, Trugschluss, Holzweg, Irrweg, Irrfahrt, Odyssee, falsche
Fährte; Fehlurteil, Justizirrtum, Kunstfehler, Fehlspekulation, Milchmädchenrechnung, Reinfall; Fehlzündung, Fehlstart, **4.** Entgleisung, Ausrutscher,
Formfehler, Ungeschicklichkeit, Fauxpas, Lapsus, Taktfehler, Taktlosigkeit,
Ungeschick, Plumpheit, **5.** Mangel, Untugend, Schwäche, Makel, Odium, Blöße, Armutszeugnis.

600 feierlich 1. getragen, gemessen, gehoben, erhaben, gewichtig, nachdrücklich, bedeutsam, würdevoll, **2.** festlich,
festtäglich, sonntäglich, galamäßig,
weihevoll, erhebend, bewegend, solenn,
stimmungsvoll, herzbewegend, packend, herzerhebend, olympisch, **3.**
pastoral, pathetisch, majestätisch, gravitätisch, zeremoniell, salbungsvoll.

601 Feierlichkeit 1. Festlichkeit, Solennität, Erbauung, Erhebung, Ergriffenheit, Andacht, Ernst, Stille, Gemessenheit, Getragenheit, Erhabenheit, Würde, Weihe, **2.** Feierstunde, Festakt, Festversammlung, Zeremonie, Zeremoniell,
Zelebration, Kulthandlung.

602 feiern 1. Fest geben, Feier veranstalten, festen, Fete machen, feten, **2.** sich
vergnügen, belustigen, ergötzen; bummeln, schwärmen, durchmachen, einen
draufmachen, durchschwärmen,
schwiemeln, durchfeiern, versacken, **3.**
blaumachen, krankfeiern, schwänzen,
faulenzen.

603 Feigling Angsthase, Hasenfuß, Hasenherz, Memme, Drückeberger, Pantoffelheld, Schwächling, Waschlappen,
Hampelmann, Weichling, Muttersöhn-

chen, Jammerlappen, Kümmerling, Hosenscheißer, Schisser.

Feind 1. Gegner, Widersacher, Wider-   **604**
part, Angreifer, Aggressor, Erzfeind,
Erbfeind, Todfeind, **2.** Menschenfeind,
Misanthrop, Menschenverächter, Menschenhasser.

feindlich feindselig, gegnerisch, ver-   **605**
feindet, animos, aggressiv, überworfen,
zerstritten, verzürnt, unversöhnbar,
unversöhnlich, spinnefeind, nicht kompromissbereit / verhandlungsbereit,
hasserfüllt, zwieträchtig, auf Kriegsfuß,
im feindlichen Lager; menschenfeindlich, fremdenfeindlich, xenophob.

Feindseligkeit Feindschaft, Feind-   **606**
lichkeit, Gegnerschaft, Fronstellung;
Unfriede, Hader, Zank, Streit, Zwist,
Fehde; Groll, Hass, Neid, Animosität,
Missgunst, Ressentiment, Bitterkeit,
Rachsucht, Vergeltungsdrang, Rach-
gier, Unversöhnlichkeit, Verbitterung,
Ranküne.

Feinheit 1. Zartheit, Subtilität, Fein-   **607**
sinn, Anmut, Grazie, Erlesenheit, Gewähltheit, Distinktion, Vornehmheit,
Noblesse, Exklusivität, **2.** Verfeinerung,
Differenziertheit, Nuanciertheit, Dezenz, Raffinesse, Raffinement, Finesse,
Überfeinerung, Ästhetizismus, Dekadenz.

Feminismus Frauenbewegung,   **608**
Frauenrechtsbewegung, Frauenpolitik,
feministische Bewegung / Politik,
Gleichberechtigungskampf, Gleichstellungskampf, Frauenbefreiung, Frauenautonomie, Women's Lib.

Fernsehen 1. Fernsehapparat, Appa-   **609**
rat, TV-Gerät, TV, Fernseher, Fernsehempfänger, Empfangsgerät; Schwarzweißgerät, Farbfernseher, Portable,
Flachfernseher; Flimmerkiste, Heimkino, Pantoffelkino, Glotze, Mattscheibe,
2. Fernsehanstalt, öffentlich-rechtliches
Fernsehen, privates Fernsehen, öffentlicher Sender, Privatsender, Kabelfernsehen, Pay-TV, digitales Fernsehen, **3.**
Fernsehprogramm, Sendefolge.

fertig 1. erledigt, beendet, abge-   **610**
schlossen, vollendet, ausgeführt, zu
Ende, unter Dach und Fach, im Kasten,
durch, geschafft, getan, ausgestanden,
durchgestanden, in Ordnung, nichts
einzuwenden, einverstanden, **2.** bereit,
gerichtet, gerüstet, angezogen, gestie-

felt und gespornt, fix und fertig, reisefertig, abfahrbereit, abmarschbereit,
auf dem Sprung, startklar, **3.** zur Disposition, in Bereitschaft, disponibel, zur
Verfügung, verfügbar, parat, zur Hand,
griffbereit, **4.** gar, essbar, genießbar,
tischfertig, durchgebacken, gekocht,
zubereitet, angerichtet, serviert, aufgetragen, mundgerecht, **5.** fertig gekauft,
von der Stange.

611 Fertigkeit Geschicklichkeit, Gewandtheit, Wendigkeit, Geschick, Fingerfertigkeit, Kunstfertigkeit, Können,
Beherrschung, Routine, Übung, Technik, Praxis, Fähigkeit.

612 fest unbeweglich, starr, statisch, stabil, unlösbar, fest verankert, unverrückbar, fixiert, fix, stramm, straff.

613 Festigkeit 1. Dichte, Härte, Stabilität, Stärke, Robustheit, Zähheit, Zähe,
Haltbarkeit, Solidität, Widerstandsfä-
higkeit, Resistenz, Unverwüstlichkeit,
Unempfindlichkeit, Strapazierfähigkeit,
Wertbeständigkeit, **2.** Unangreifbarkeit,
Uneinnehmbarkeit, Unverwundbarkeit,
Wehrhaftigkeit, Standfestigkeit, Wider-
standskraft, Unbesiegbarkeit, **3.** Bestän-
digkeit, Beharrlichkeit, Konsequenz,
Charakterfestigkeit, Rückgrat, Charak-
terstärke, Stehvermögen, Beharrungs-
vermögen, Hartnäckigkeit, Zielstrebig-
keit, **4.** Gleichmaß, Regelmäßigkeit,
Stete, Stetigkeit, Ausdauer, Zähigkeit,
Standfestigkeit, **5.** Treue, Zuverlässig-
keit, Verlässlichkeit, Unverführbarkeit,
Unbestechlichkeit, Standhaftigkeit,
Unerschütterlichkeit, Unbeirrbarkeit,
Loyalität, Nibelungentreue, Integrität,
6. Fels, Pfeiler, Turm, Eiche.

614 feststellen 1. arretieren, fixieren,
blockieren, **2.** konstatieren, festhalten,
vermerken, notieren, auflisten, registrieren, belegen, diagnostizieren, identifizieren, sich überzeugen; klären, präzisieren, konkretisieren, festlegen, bestimmen, definieren, festsetzen, **3.** messen, ausmessen, abmessen, dosieren,
vermessen, ausschreiten, abschreiten,
bemessen, eichen, normen, lokalisieren,
orten, kartografieren, loten, ausloten,
wiegen, abwiegen, auswiegen.

615 Feststellung 1. Befund, Ergebnis,
Resultat, Diagnose, Nachweis, Aussage,
Angabe, Erklärung, Statement, Darle-
gung, Konstatierung, Beweisführung, **2.**

Messung, Ausmessung, Vermessung,
Auslotung, Lotung, Ortung, Kartografie.

feuchten 1. nässen, nass machen, **616**
netzen, befeuchten, anfeuchten, einsprengen, einspritzen, benetzen; gießen, schütten, begießen, übergießen,
überschütten, durchtränken, sprengen,
besprengen, spritzen, bespritzen, besprühen, berieseln, überrieseln, betau-
en, tränken, wässern, beträufeln, vernebeln, zerstäuben, versprengen, verspritzen, versprühen, sprühen, sprayen, **2.**
einweichen, durchtränken, durchfeuchten, bewässern, durchströmen, durchfließen, **3.** anlaufen, beschlagen, sich
überziehen; nass/feucht werden.

Feuer 1. Flamme, Funke, Lohe, Glut, **617**
Licht, Leuchten, Glimmen, Wabern,
Lohen, **2.** Brand, Feuersbrunst, Flam-
menmeer, Flächenbrand, Großbrand, **3.**
Salve, Feuerstoß, Kugelfeuer, Trommel-
feuer, Feuergarbe.

Film 1. Überzug, Schutzschicht, **618**
Schutzfilm, Emulsionsschicht; Belag,
Ölfilm, Schmierfilm, **2.** Filmmaterial,
Zelluloid, Streifen, Filmstreifen, Bild-
streifen, Bildfolge, Filmrolle, Filmband,
Videoband, Negativ, Positiv, Diapositiv,
3. Kinofilm, Spielfilm, Movie, Doku-
mentarfilm, Experimentalfilm, Anima-
tionsfilm, Autorenfilm, Stummfilm,
Tonfilm, Fernsehfilm; Kultfilm.

finden (sich) 1. entdecken, auffin- **619**
den, gewahren, erblicken, sichten, ausfindig machen, stoßen auf, auftun, freilegen, ausgraben, auftreiben, aufstöbern, auflesen, aufspüren, ausbaldowern, ausmachen, eruieren, ergründen,
erforschen, herausfinden, erkunden,
sich durchfinden; wieder finden; fündig
werden, Neuland entdecken, **2.** ertappen, erwischen, aufgabeln, abfassen,
auf die Spur/Schliche kommen, enttarnen, **3.** sich ergeben, zeigen, herausstellen; vorfinden, sich gegenübersehen.

Fläche 1. Ebene, Tafel, Plattform, Pla- **620**
teau, Tafelland, Flachland, Tiefland,
Niederung, Tiefebene, Unterland, Aue,
Wiesengrund, Flussaue; Hochebene,
Hochplateau, **2.** Flächigkeit, Flachheit,
Gestrecktheit, Plattheit, Weite, Ausdeh-
nung.

fleißig tätig, emsig, arbeitsam, ar- **621**
beitsfreudig, lerneifrig, unermüdlich,

rastlos, schaffig, strebsam, unverdrossen, rührig, geschäftig, regsam, nimmermüde, immer im Dienst, bienenfleißig.

622 flexibel 1. dehnbar, elastisch, federnd, biegsam, schwank; knetbar, modellierbar, formbar, 2. auffassungsschnell, wendig, helle, wandlungsfähig, gelenkig, geschmeidig.

623 Flexibilität 1. Dehnbarkeit, Elastizität, Nachgiebigkeit, Federkraft, Spannkraft, Plastizität, 2. Gelenkigkeit, Schmiegsamkeit, Wendigkeit, Anpassungsfähigkeit, Wandlungsfähigkeit, Beweglichkeit, Geschmeidigkeit, Auffassungsgabe, Formbarkeit, Aufnahmefähigkeit, Frische, Schwung, Schnellkraft.

624 fliehen 1. entfliehen, flüchten, sich absetzen, abseilen; ausbrechen, entlaufen, sich absentieren; abhauen, weglaufen, davonlaufen, entwischen, ausreißen, wegrennen, fortlaufen, davongehen, verschwinden, sich aus dem Staube machen; auskneifen, wegschleichen, sich wegstehlen, in die Büsche schlagen; davonschleichen, sich verdrücken; entrinnen, durchbrennen, auskommen, ausbüxen, Fersengeld geben, sich dünnmachen, vordünnisieren; auf und davon gehen, verduften, sich davonmachen; türmen, abhauen, auskratzen, Flucht ergreifen, stiften gehen, das Weite suchen, sich fortstehlen, verflüchtigen; Reißaus nehmen; entschlüpfen, entfliegen, wegfliegen, 2. meiden, umgehen, ausweichen, aus dem Wege gehen, scheuen, sich entziehen, fern halten; abrücken von, zurückweichen, zurückschrecken, fürchten, Manschetten haben vor.

625 fließen strömen, fluten, rinnen, triefen, rauschen, laufen, wogen, wallen, rieseln, sich ergießen; sprudeln, quellen, glucksen, plätschern, gurgeln, tröpfeln, tropfen, drippeln, träufeln, lenken, sickern, perlen, kullern, tränen, nässen.

626 flott schick, fesch, schmuck, adrett, alert, smart, schnittig, schnieke, geschniegelt, gestylt, durchgestylt; schnell.

627 Fluch Verwünschung, Verdammung, Verfluchung, Gottesstrafe, Lästerung, Schmähung, Gotteslästerung, Blasphemie; Kraftausdruck, Kraftwort, Drohwort, Schimpfwort.

628 fluchen verfluchen, lästern, verwünschen, verdammen, vermaledeien, zum Kuckuck/Teufel wünschen, etwas an den Hals wünschen, schimpfen, wettern.

flüstern leise sprechen, Stimme **629** dämpfen, ins Ohr sagen, tuscheln, murmeln, zischen, zischeln, lispeln, brummeln, wispern, raunen, hauchen, flispern, fispeln, säuseln, flöten, piepsen, rascheln.

Folge 1. Reihenfolge, Aufeinanderfol- **630** ge, Turnus, Sequenz, Ablauf, Abfolge, Verlauf, Hergang, Fortgang, Nacheinander, Gang, Lauf, Fluss, 2. Fortsetzung, Serie, Reihe, Verkettung, Kettenreaktion, 3. Konsequenz, Ergebnis, Resultat, Auswirkung, Frucht, Wirkung, Nachwirkung, Reaktion, Folgewirkung, Nachwehen, Spätfolgen, Spätschäden, Weiterungen, Nachspiel, Rattenschwanz, Bescherung, Salat, Ende vom Lied.

folgen 1. nachgehen, mitgehen, sich **631** anschließen, anhängen, zugesellen, beigesellen; mitkommen, nachkommen, hinterherkommen, hinterhertrotten, hinterherzockeln, 2. ergeben, erfolgen, sich auswirken; nach sich ziehen, im Gefolge haben, zur Folge haben, führen zu, 3. nachfolgen, nacheifern, nachstreben, nachtun, nachleben, gleichtun, sich anzugleichen suchen, orientieren an, richten nach; in die Fußstapfen treten, 4. drankommen, an die Reihe kommen, folgen auf, nachrücken, ablösen, übernehmen.

Form 1. Bau, Beschaffenheit, Gestalt, **632** Art, Gepräge, Gefüge, Struktur, Aufbau, Formation, Anordnung, Organisation, Bauweise, Textur, Konstruktion, 2. Gestaltung, Prägung, Stil, Charakter, Eigenart, Manier, Ausdruck, Formgebung, Formung, Ausprägung, 3. Modell, Fasson, Matrize, Schnitt, Machart, Umriss, Kontur, 4. Format, Zuschnitt, Proportion, Maß, Größe, Figur.

formlos 1. amorph, gestaltlos, unge- **633** formt, ungestaltet, unstrukturiert, roh, im Naturzustand, unbehauen, ungefüge, 2. stillos, stilwidrig, geschmacklos, unkünstlerisch, kitschig, 3. nachlässig, bequem, nonchalant, lässig, hemdsärmelig, leger, salopp, ungezwungen, zwanglos, unförmlich, ohne Vordruck/Formular.

634 Formsache 1. Formalität, Formalie, Förmlichkeit, Äußerlichkeit, Formkram, Instanzenweg, Dienstweg, Amtsschimmel, Papierkrieg, Papierkram, Routineangelegenheit, **2.** Formular, Fragebogen, Formblatt, Vordruck.

635 forschen experimentieren, untersuchen, erforschen, explorieren, durchforschen, erkunden, erheben, ergründen, nachforschen, sezieren, graben, wühlen, ausforschen, nachbohren, nachgraben, durchleuchten, ausloten, austüfteln, herausbringen; hinterfragen, nachspüren, nachgehen, rekognoszieren, unter die Lupe nehmen, auf den Grund gehen, Untersuchungen anstellen.

636 Forschung 1. Wissenschaft, Wissenschaftler, Science-Community, **2.** Experiment, Erhebung, empirische Forschung, wissenschaftliches Arbeiten, Analyse, Untersuchung, Theoriebildung, Spekulation, Problemlösung, **3.** Grundlagenforschung, freie Forschung, Industrieforschung, Meinungsforschung, Projektforschung.

637 Fortschritt Entwicklung, Fortgang, Fortentwicklung, Aufwärtsentwicklung, Progress, Progression.

638 Frage 1. Anfrage, Nachfrage, Erkundigung, Befragung, Anamnese; Fragerei, Ausfragerei, **2.** Zwischenfrage, Rückfrage, Gegenfrage, rhetorische Frage, Pseudofrage, Scheinfrage, Fangfrage, Gretchenfrage, Journalistenfrage, Scherzfrage, Entscheidungsfrage, Streitfrage, Zweifelsfrage, brennende Frage, **3.** Verhör, Vernehmung, Kreuzverhör, Kreuzfeuer, Inquisition, **4.** Problem, Problemstellung, Aufgabe, Thema, Kernfrage, Kernproblem, strittiger/kritischer Punkt, Fragestellung, Forschungsgegenstand, Knackpunkt.

639 fragen 1. Frage stellen, nachfragen, sich erkundigen; anfragen, erfragen, antippen, um den Busch klopfen, ventilieren, sondieren, vorfühlen, sich umtun, umhören; herumfragen, um Aufschluss bitten, sich informieren; um Rat fragen, konsultieren, **2.** befragen, verhören, vernehmen, ausfragen, ausholen, herausholen, abfragen, ins Kreuzverhör nehmen, aushorchen, ausquetschen, auspressen, aus der Nase ziehen, examinieren, prüfen, entlocken, ins Gebet nehmen, zur Rede stellen, interviewen, Löcher in den Bauch fragen, löchern.

640 Frau weibliche Person, Dame, Madame, Lady, Grande Dame; Frauenzimmer, Weib, Weibsbild, Weibsperson, Weibsstück; Junggesellin, Witwe, allein stehende Frau, Single, Hausfrau, Matrone, Karrierefrau.

641 Frauenbilder Xanthippe, Megäre, Hyäne, Furie, Sirene, Lolita, Domina, Vamp, Venus, Sphinx, Blaustrumpf, Juno, Diana, schwaches Geschlecht, Hure, Heilige, Madonna, Muse, Engel, Göttin.

642 frech 1. kess, burschikos, draufgängerisch, keck, verwegen, unbescheiden, aufmüpfig, respektlos, ungebührlich, **2.** vorlaut, vorwitzig, naseweis, übermütig, flapsig, neunmalklug, siebengescheit, schnippisch, **3.** unartig, ungezogen, unerzogen, verzogen, patzig, pampig, ungeraten, flegelhaft, lümmelhaft, rüde, krude, ungehobelt, schnodderig, rüpelhaft, ausfällig, dreist, dummdreist, nassforsch, unverfroren, unverschämt, impertinent, rotzig, rotzfrech.

643 Frechheit 1. Keckheit, Naseweisheit, Vorwitz, Vorwitzigkeit, Flapsigkeit, Respektlosigkeit, **2.** Dreistigkeit, Ungezogenheit, Unverschämtheit, Unverfrorenheit, Impertinenz, Anmaßung, Präpotenz, Derbheit, Grobheit, Raubeinigkeit, Rüpelei, Krudität, Unerzogenheit, Hemdsärmeligkeit, schlechte Manieren, **3.** Unhöflichkeit, Taktlosigkeit, Unzartheit, Unliebenswürdigkeit, Kaltschnäuzigkeit, Unfreundlichkeit, Schroffheit, Ungebührlichkeit, Barschheit, Bissigkeit, Schärfe, Unbescheidenheit, Flegelei, Unart, Ungeheuerlichkeit, starkes Stück, Hammer, Bodenlosigkeit.

644 frei 1. selbständig, emanzipiert, geistig unabhängig, mündig; ungebunden, souverän, eigenstaatlich, unabhängig, autonom, eigener Herr, selbstverantwortlich, unbehindert, unbeschränkt, unbehelligt, unbelastet, ungestört, ungehindert, unbegrenzt, unangefochten, unverwehrt, unbeaufsichtigt, auf eigene Faust, unkontrolliert, **2.** frank, zwanglos, ungezwungen, gelockert, aufgelockert, gelöst, unverkrampft, cool, angstfrei, entspannt; aufgetaut, ungeniert, ungehemmt, ohne Förmlichkeit, unzeremoniell, formlos; offen, freimütig, unbefangen, ohne Scheu, frei von der Leber weg, **3.** aufgeklärt, liberal, frei denkend, freidenkerisch, freigeistig, libertär, offen, tolerant, weltaufgeschlossen, **4.** vakant, offen, unbesetzt; leer, unbenützt, zu haben, verfügbar, **5.** erlöst, befreit, entlastet, enthoben, erleichtert, entbunden, aller Bande ledig, los und ledig, freie Bahn, freigestellt, dispensiert, suspendiert, **6.** freiberuflich, freelance, freier Mitarbeiter.

645 Freiheit 1. Unabhängigkeit, Selbständigkeit, Selbstbestimmung, Liberalität, Willensfreiheit, geistige Selbständigkeit, Eigenverantwortlichkeit, Entscheidungsfreiheit, freie Wahl, Ungebundenheit, Handlungsfreiheit, Bewegungsfreiheit, Autonomie, Souveränität; Pressefreiheit, Meinungsfreiheit, Gedankenfreiheit, künstlerische Freiheit, **2.** Befreiung, Emanzipation, Freiheitsverlangen, Freiheitsliebe, Freiheitsdurst, Selbstbefreiung, Gleichberechtigung, **3.** Unbefangenheit, Natürlichkeit, Selbstverständlichkeit, Unbedenklichkeit, Ungeniertheit, Freimut, Freimütigkeit, Ungezwungenheit, Zwanglosigkeit, Leichtigkeit, Beweglichkeit, Unbekümmertheit, Narrenfreiheit, Blankoscheck.

646 freiwillig ungezwungen, ungeheißen, spontan, unaufgefordert, aus eigenem Willen, gewollt, selbst gewählt, ohne Zwang/Druck, aus eigenem Antrieb, von selbst, aus freien Stücken, ohne Zutun, aus sich heraus, gern, aus eigener Initiative, auf eigene Faust/Verantwortung, unverlangt, ungefragt, ungebeten.

647 Freizeit freie Zeit, Erholungszeit; Arbeitspause, Ruhetag, Feiertag, Sonntag, Festtag, Wochenende, Feierabend; Ferienzeit, Urlaubszeit, Muße.

648 fremd 1. unbekannt, ungewohnt, unvertraut, anders, heterogen, verschieden, befremdlich, fremdartig, exotisch, wildfremd, **2.** ortsfremd, neu, nicht eingeführt, unkundig, uneingeweiht, **3.** in der Fremde, im Ausland, in der Emigration, in einer anderen Kultur.

649 Fremde 1. Ausland, Ferne, ferne Länder, weite Welt, unbekannte Länder, andere Kulturen; Exotik, Wildnis, **2.** Reisende, Touristen, Fremdlinge.

650 Freude 1. Fröhlichkeit, Heiterkeit, Freudigkeit, Frohsinn, Humor, Aufge-

räumtheit, Fidelität, gute Laune, Frohmut, Munterkeit, Lustigkeit, Vergnüglichkeit, Vergnügen, Stimmung, Laune, Belustigung, Erheiterung, Spaß, Fun, **2.** Gefallen, Behagen, Pläsier, Genuss, Ergötzen, Wohlgefallen, Herzensfreude, Beglückung, Zufriedenheit, Entzücken, Lust, Wonne, Lebenslust, Lebensgenuss, Lebensfreude, **3.** Jubel, Jubelruf, Freudenschrei, Jauchzen, Jauchzer, Freudengeheul, Lache, Lachen, Lächeln, Schmunzeln, Lachlust, Lachsalve, Gelächter, Hochstimmung, Freudentaumel, Frohlocken, Gejauchze, **4.** Übermut, Mutwille, Ausgelassenheit, Tollheit, Jux, Jokus, Gaudi.

freuen (sich) 1. erfreuen, erheitern, **651** Freude machen, gefallen, erbauen, erheben, beglücken, entzücken, froh machen, sich weiden an; Spaß machen, ergötzen, erquicken, behagen, glücklich machen, beseligen, genießen, sich delektieren, vergnügen, amüsieren, belustigen; lächern, zum Lachen bringen, **2.** lachen, lächeln, schmunzeln, grinsen, jubeln, frohlocken, jauchzen, jubilieren, sich freuen wie ein Schneekönig; aus dem Häuschen geraten, fröhlich/heiter/guter Dinge sein, scherzen, spaßen, strahlen, leuchten, glühen, glücklich sein.

Freund Kamerad, guter Freund, Ge- **652** nosse, Gefährte, Vertrauter, Getreuer, Blutsbruder, Lebenstrabant, Weggenosse, Stecken und Stab, Herzensfreund, Begleiter, Gespiele, Bundesgenosse, Leidensgenosse, Verbündeter; Kumpan, Kumpel, Geschäftsfreund, Parteifreund, Intimus, Amigo, Spezi, Jugendfreund, Spielgefährte, Schulfreund.

Freundin Gefährtin, Kameradin, Ge- **653** nossin, Vertraute, Gespielin, Lebenstrabantin, Begleiterin, Herzensfreundin, Busenfreundin, Verbündete, Jugendfreundin, Spielgefährtin, Schulfreundin.

freundlich 1. liebenswürdig, entge- **654** genkommend, zuvorkommend, herzlich, kordial, gewinnend, warm, höflich, aufmerksam, gefällig, nett, reizend, hilfsbereit, bereitwillig, verbindlich, konziliant, jovial, **2.** ansprechend, einnehmend, lieb, zutunlich, vertraulich, wohlmeinend, wohlwollend, wohlgesinnt, nachbarlich, gut gesinnt, gut ge-

meint, wohlgewogen, **3.** freundschaftlich, amikal, kameradschaftlich,
schwesterlich, brüderlich, väterlich,
mütterlich, kollegial, kumpelhaft, zum
Pferdestehlen; befreundet, verbunden,
gleich gesinnt, **4.** lachend, lächelnd,
schmunzelnd, grinsend, strahlend.

655 Freundschaft 1. Kameradschaft,
Gefährtenschaft, Busenfreundschaft,
Brüderschaft, Blutsbrüderschaft,
Freundschaftsbande, Partnerschaft; Kameraderie, Kumpanei, Männerbünde-
lei, **2.** Vertrautheit, Verbundenheit, Eintracht, Brüderlichkeit, Sympathie, Kameradschaftlichkeit, Zusammengehörigkeit, Kollegialität.

656 Frieden 1. Vergleich, Ausgleich, Entspannung, Befriedung, Kompromiss, diplomatische Lösung, Gewaltverzicht,
Verständigung, Versöhnung, Aussöhnung, Harmonie, Ruhe, Eintracht, **2.**
Friedfertigkeit, Friedlichkeit, Gewaltlosigkeit, Friedensliebe, Pazifismus.

657 Friedhof Kirchhof, Gottesacker, Begräbnisstätte, Gräberfeld, Gruft, Mausoleum, Katakombe, Krypta, Totenstadt, Nekropole, Pantheon; Grab,
Grabstätte, Ruhestätte, letzte Ruhestätte.

658 friedlich 1. ausgleichend, versöhnlich, kompromissbereit, kompromissfähig, friedfertig, friedsam, friedvoll,
friedliebend, pazifistisch, **2.** kampflos,
defensiv, mit friedlichen Mitteln, gewaltlos, unblutig, gütlich, ohne Kampf,
schiedlich.

659 frieren 1. frösteln, schaudern, erschauern, schuckern, vor Kälte zittern,
schlottern, bibbern, Gänsehaut bekommen, mit den Zähnen klappern, **2.** gefrieren, überfrieren, erstarren, vereisen,
sich mit Eis beziehen; zufrieren, Eisblu-
men/Eisdecke/Eisschollen bilden.

660 frisch 1. gesund, blühend, rosig, jugendlich, lebendig, jung, unverdorben,
heiter, lebhaft, munter, **2.** neu, ungebraucht, unangebrochen, erntefrisch,
röstfrisch, taufrisch.

661 Frisör(in) Friseuse, Coiffeur, Haarschneider, Haircutter, Haarkünstler,
Haarstylist; Figaro, Barbier, Bartscherer, Bader.

662 Frivolität 1. Unschicklichkeit, Anspielung, Anzüglichkeit, Anstößigkeit,
Unanständigkeit, Zweideutigkeit, Ein-

deutigkeit, Pikanterie, Schlüpfrigkeit,
2. sexuelle Freizügigkeit, Ungeniertheit,
Laszivität, Obszönität, Schamlosigkeit,
Pornographie, **3.** Geschmacklosigkeit,
Unflätigkeit, Zote, Zotigkeit, Vul-
garität, Pöbelhaftigkeit, Perversität,
Schweinerei, Sauerei.

fromm gottgläubig, gläubig, religiös, **663**
gottgefällig, gottesfürchtig, glaubenssicher, glaubensüberzeugt, heilsgewiss,
bekennend, bibelfest, orthodox, rechtgläubig, strenggläubig.

fruchtbar fruchtbringend, ergiebig, **664**
ertragreich, produktiv, ersprießlich,
lohnend, fett, gedeihlich, dankbar, einbringlich, einträglich, fertil, zeugungsfähig, fortpflanzungsfähig.

früh zeitig, morgens, in aller Frühe, im **665**
Morgengrauen, vor Tau und Tag, bei
Tagesanbruch / Sonnenaufgang, früh-
morgens, frühzeitig, bald.

früher 1. ehedem, vordem, vorher, zu- **666**
vor, einmal, damals, derzeit, ehemals,
einst, dereinst, einstig, seinerzeit, einstmals, vor Jahr und Tag, vorzeiten, lange
her, es war einmal, weiland, vormals,
anno dazumal, lange gewesen, **2.** bisher,
bislang, bis dato, bis jetzt.

Frühjahr Frühling, Lenz, Maienzeit, **667**
frisches/erstes Grün.

fühlen 1. empfinden, spüren, tasten, **668**
wahrnehmen, bemerken, merken, wit-
tern, ahnen, Eindruck haben, Braten
riechen, gewahr werden, innewerden,
erfühlen, erspüren, Gefühle haben, Gefühl hegen, verspüren, sich bewusst
werden; erleben, im Gefühl/Urin haben, **2.** sich vorkommen; das Gefühl haben, zumute sein.

führen 1. leiten, lenken, vorstehen, **669**
vorsitzen, Vorsitz führen, präsidieren,
2. Zügel ergreifen, Sache in die Hand
nehmen, steuern, lotsen, einweisen,
bugsieren, anführen, vorangehen, vorausgehen, an der Spitze gehen, Weg
weisen, neue Wege zeigen, vorherrschen, überragen, dominieren, Oberhand / Vorhand / Übergewicht haben,
überwiegen, Hauptrolle spielen, an erster Stelle stehen, dirigieren, Ton angeben, erste Geige/Meister spielen, Hosen
anhaben, Heft in der Hand haben, das
große Wort führen, an die Wand spielen, Zügel in der Hand halten, Führung
innehaben, an der Spitze stehen, Spitze

halten, **3.** vorstoßen, vorrücken, vortreiben, vorantreiben, nach vorn treiben, vorwärts treiben.

670 führend 1. leitend, lenkend, herrschend, dirigierend, dominant, **2.** bahnbrechend, fortschrittlich, progressiv, avantgardistisch, neutönerisch, progressistisch, wegweisend, richtungweisend, maßgebend, revolutionär, vorstoßend, initiativ, tonangebend, überragend, überlegen, beherrschend.

671 Führer 1. Kopf, Oberhaupt, Leader, **2.** Anführer, Bandenführer, Bandenchef, Rädelsführer, Stammesführer, Häuptling, Heerführer, Kriegsführer, Warlord, **3.** Fahrzeugführer, Fahrzeuglenker, Flugkapitän, Schiffskapitän, Zugführer, Lokführer, **4.** Reiseleiter, Reiseführer, Fremdenführer, Cicerone, **5.** Wegweiser, Ratgeber, Anleitung, Plan, Handbuch, Guide, Vademecum, Baedeker, **6.** Guru, Identifikationsfigur, Sektenführer; Lichtgestalt, Erwecker, Oberguru, Charismatiker, Ikone, Hohepriester, Messias, Erlöser; Doyen, Prinzipal, Macher, Architekt, Lotse, Drahtzieher, Wortführer, Meinungsführer, Meinungsmacher, Trendsetter, Strippenzieher, Marktführer, Vorturner.

672 Führungskraft Kader, Stab, Führungsstab, Management; Spitzenkraft, leitender Angestellter, Entscheider, Planer, Manager, Spitzenmanager, Topmanager, Leitung.

673 Fülle 1. Menge, Masse, Reichtum, Segen, Üppigkeit, Flut, Vielfalt, Überfluss, Übermaß, Luxus, Opulenz, Fruchtbarkeit, Volumen, **2.** Fülligkeit, Körperfülle, Korpulenz, Leibesfülle, Massigkeit, Beleibtheit, Fettleibigkeit, Übergewicht, Dicke, Wohlgenährtheit, Embonpoint, Bauch, Wanst, Fettwanst, Bierbauch, Ranzen, Wamme, Wampe, Schmerbauch, Unförmigkeit.

füllen 1. eingießen, einschütten, einfüllen, einschenken, anfüllen, abfüllen, voll gießen, voll schütten, nachfüllen, nachgießen, auffüllen, schöpfen, tanken, auftanken, voll tanken/machen, plombieren; beschicken, chargieren, **2.** laden, packen, aufladen, bepacken, befrachten, voll stopfen, hineinpressen, voll packen, voll pfropfen, ausstopfen, ausfüllen, spicken, **3.** sich füllen; voll/eng werden. **674**

Fund 1. Entdeckung, Ausgrabung, Auffindung, Freilegung, Enthüllung; Trouvaille, Glücksfund, Fundsache, gefundener Gegenstand, **2.** Lösung, Auflösung, Schlüssel. **675**

füttern 1. nähren, stillen, tränken, säugen, anlegen, Brust geben, zu trinken geben, Flasche geben, einflößen, eintrichtern, abfüttern; zu essen geben, päppeln, aufpäppeln; Futter/zu fressen geben, Futter vorwerfen, sättigen, atzen, eingeben, einlöffeln, stopfen, nudeln, mästen, voll stopfen, überfüttern, übersättigen, **2.** polstern, auslegen, abfüttern, auskleiden, unterlegen, wattieren, bekleiden, täfeln, paneelieren, kacheln. **676**

G

677 Gabe 1. Almosen, milde Gabe, Liebesgabe, Opfergabe, Scherflein, Obolus, Bakschisch, Trinkgeld, Tip, Botenlohn, Douceur; Gnadenbrot, Freitisch, Brosamen, 2. Geschenk, Präsent, Mitbringsel, Aufmerksamkeit, Bescherung, Gabenverteilung, Belohnung, Prämie, Preis, Gratifikation; Spende, Stiftung, Zuwendung, Dotation, 3. Widmung, Dedikation, Zueignung, 4. Begabung, Talent, Gnade.

678 gängig 1. gebräuchlich, geläufig, alltäglich, allgemein, gewöhnlich, kommun, hergebracht, einfach, schlicht, simpel, gewohnheitsmäßig, gemein, natürlich, selbstverständlich, vertraut, bekannt, eingefahren, konventionell, eingespielt, gewohnt, üblich, im Schwang, überliefert, überkommen, landesüblich, vorherrschend, landläufig, herkömmlich, traditionell, althergebracht, eingebürgert, normal, gang und gäbe, regulär, im Rahmen, durchschnittlich, stinknormal, 2. marktgängig, gangbar, gut zu verkaufen, verkäuflich, gesucht, gefragt, begehrt, gern gekauft, beliebt, eingeführt, viel verlangt, 3. stehend, formelhaft, stereotyp, nullachtfünfzehn, inflationär, 4. im Umlauf, umlaufend, gültig, kurant.

679 ganz 1. heil, unversehrt, wohlbehalten, unbeschädigt, vollständig, unangebrochen, einwandfrei, perfekt, intakt, unberührt, fehlerlos, komplett, lückenlos, umfassend, ganzheitlich, total, spurlos, rund, geschlossen, aus einem Guss, nahtlos, unfallfrei, 2. ganz und gar, gänzlich, mit Leib und Seele, völlig, vollständig, überhaupt, unbegrenzt, uneingeschränkt, unverkürzt, ungeteilt, samt und sonders, unvermindert; hundertprozentig, auf Gedeih und Verderb, durch und durch, von Grund auf, radikal, von oben bis unten, von Kopf bis Fuß, in Reinkultur, mit Haut und Haar, von A bis Z, mit Stumpf und Stiel, in Bausch und Bogen, von Anfang bis Ende, vollkommen, in jeder Hinsicht, in vollem Umfang, 3. einstimmig, vollzählig; alles zusammen, pauschal, alles in allem, ohne Ausnahme, vollends, alles, insgesamt, restlos, total, absolut, alles eingerechnet; in vollen Zügen, bis zur Neige, bis zum letzten Tropfen.

680 Garten Vorgarten, Hausgarten, Nutzgarten, Gemüsegarten, Obstgarten, Schrebergarten, Ziergarten, Lustgarten, Duftgarten, Baumgarten, Rondell; Anpflanzung, Pflanzung, Baumschule, Schonung; Anlage, Park, englischer/botanischer Garten, Grünanlage, Parkanlage, Stadtpark, Volkspark, grüne Lunge, Biotop.

681 Gasthaus 1. Gasthof, Gaststätte, Wirtshaus, Wirtschaft, Bierlokal, Ausschank, Schankstube, Trinkstube, Wirtsstube, Lokal, Eckkneipe, Kneipe, Destille, Schenke, Pinte, Kaschemme, Spelunke, Schwemme; Trattoria, Bistro, Pizzeria, Speisehaus, Restaurant, Restauration, Speisegaststätte, Speiserestaurant, Resto, Edelschuppen, Fresstempel, Weinhaus, Weinstube, Krug, Taverne; Gartenwirtschaft, Biergarten, Besenwirtschaft; Etablissement, Vergnügungsstätte, Amüsierlokal, Nightclub, Bar, Nachtlokal, Striptealokal, Bumslokal; Kaffeehaus, Café, Eiscafé; Kantine, Mensa, Messe, 2. Disko, Tanzschuppen, Tanzlokal; Spielbank, Kasino, Spielkasino, Spielhölle; Hotel, Motel, Herberge, Pension, Hospiz, Gästehaus, Raststätte, Rotel, Rasthaus.

682 gebären 1. niederkommen, entbinden, entbunden werden, ins Kindbett kommen, kreißen, Kind bekommen/zur Welt bringen, Leben schenken, in die Welt setzen, Mutter werden, in Wehen liegen, 2. brüten, ausbrüten, werfen, jungen, kalben, frischen, Junge bekommen.

683 geben 1. reichen, hinreichen, zureichen, darreichen, hinstrecken, entgegenstrecken, hinhalten, bieten, hinschieben, zuschieben, anreichen; anbieten, verabfolgen, einhändigen, aushändigen, verabreichen, 2. schenken, mitbringen, bedenken/beglücken mit, beschenken, bescheren, spenden, wohl tun, mitteilen, stiften, zeichnen, dotieren, zuwenden, aussetzen, zukommen lassen, angedeihen lassen, gönnen, überlassen, zur Verfügung stellen, übertragen, zedieren; austeilen, zuteilen, zustecken, in die Hand drücken, beisteuern, beigeben, mitgeben, **3.** widmen, verehren, darbringen, dedizieren, zueignen, weihen, übereignen, darbieten, zollen, **4.** verschenken, abgeben, überlassen, weggeben, hergeben, herausrücken.

684 Gebet Bitten, Flehen, Anrufung, Fürbitte; Andacht, Versenkung; Bittgebet, Dankgebet, Tischgebet, Morgengebet, Abendgebet, Nachtgebet, Stoßgebet.

685 Gebiet 1. Bezirk, Bereich, Revier, Distrikt, Raum, Sphäre, Platz, Stelle, Kreis, Reichweite, Umkreis, Ghetto, Bannkreis, Einzugsgebiet, Hoheitsgebiet, **2.** Areal, Fläche, Feld, Zone, Terrain, Territorium; Gemarkung, Breiten, Gelände, Landschaft, Gegend, Region, Landesteil, Landstrich, Gefilde, Himmelsstrich, Ecke, Kante, Winkel, **3.** Platz, Feld, Sportplatz, Spielplatz, Spielfeld, Spielfläche, Übungsgelände; Stadion, Manege, Ring, Kampfbahn, Aschenbahn, Fußballplatz, Rasen, Tennisplatz, Centrecourt.

686 geboren 1. gebürtig, von Geburt / Herkunft, **2.** neugeboren, auf der Welt, zur Welt gekommen, geworfen, geschlüpft, ausgekrochen, ausgebrütet.

687 Geburt Entbindung, Niederkunft, Kindbett, Wochenbett, Partus; schwere Stunde, freudiges Ereignis.

688 Geduld 1. Nachsicht, Langmut, Gelassenheit, Gleichmut, Ausdauer, **2.** Ergebung, Sichfügen, Fügsamkeit, Lammsgeduld, Engelsgeduld, Eselsgeduld, Resignation, Indolenz.

689 geduldig 1. nachsichtig, langmütig, zuwartend, friedfertig, versöhnlich, verträglich, gelassen, gelinde, gemach, **2.** ergeben, fügsam, gottergeben, klaglos, demütig, lammfromm, stoisch, resigniert, indolent.

690 gefährlich 1. gefahrvoll, bedrohlich, drohend, beängstigend, beunruhigend, kafkaesk, unheilvoll, nicht geheuer, unheildrohend, Unheil verkündend, unheilschwanger, spannungsgeladen, zugespitzt, kritisch, krisenhaft, heikel, brenzlig, auf der Kippe, auf Messers Schneide, am Rande des Abgrunds, drohend; explosiv, feuergefährlich, entzündlich, geladen, entsichert, **2.** aben-

teuerlich, gewagt, waghalsig, verwegen, riskant, zweischneidig, halsbrecherisch, Schwindel erregend, selbstmörderisch, **3.** brisant, heiß, Pulverfass, Zeitbombe, hochexplosiv, heißes Eisen, Wespennest, **4.** gefährdet, bedroht, in Gefahr, exponiert, fragwürdig, mulmig, dicke Luft; Gratwanderung, Zitterpartie, Hängepartie, **5.** ansteckend, infektiös, virulent, bösartig, epidemisch, übertragbar, schlimm, ernst, bedenklich, heimtückisch, übel, tödlich, todbringend, lebensgefährlich; bissig, angriffslustig, aggressiv, unberechenbar, gemeingefährlich; giftig, hochgiftig, **6.** unbewacht, ungesichert, unbeschrankt, unbeaufsichtigt.

gefallen 1. zusagen, entsprechen, **691** passen, konvenieren, behagen, belieben, mögen, schmecken, munden, goutieren, Geschmack finden, recht sein, genehm sein, angenehm sein, gelegen kommen, zupass kommen, gern hören, begrüßen, Gefallen finden, Geschmack abgewinnen; nach jmds. Geschmack, nach jmds. Herzen, jmds. Typ sein, auf jmdn. stehen, es jmdm. angetan haben, **2.** freuen, erfreuen, entzücken, Beifall erwecken, ansprechen, anheimeln, Anklang finden; Eindruck machen, faszinieren, betören, bezaubern, hinreißen, einschlagen, Erfolg haben, wirken.

Gefangenschaft 1. Verhaftung, **692** Festnahme, Inhaftierung, Gefangennahme, Untersuchungshaft, Freiheitsberaubung, Freiheitsentzug, Freiheitsstrafe, Arrest, Haft, Gewahrsam, Hausarrest, Abschiebehaft, **2.** Gefängnis, Strafanstalt, Strafvollzugsanstalt, Zuchthaus, Kittchen, Loch, Nummer Sicher, schwedische Gardinen, Käfig, Zwinger, Verlies, Knast, Kerker, Bau, Bunker; Kriegsgefangenschaft, Gefangenenlager.

Gefühl 1. Empfindungsvermögen, **693** Empfindungsfähigkeit, Sensualität, Empfinden, Empfindung, Emotion, Sentiment, Sensibilität, Affektivität, Emotionalität, Herz, Gemüt, Wärme, Empathie, Einfühlungsvermögen, **2.** Ahnung, Vorgefühl, Vorahnung, Eindruck, Impression, Wahrnehmung, **3.** Gespür, Empfindlichkeit, feine Nase, Spürsinn, Spürnase, Riecher, Instinkt, Witterung, Sensorium, Feeling, **4.** Innenwelt, Innenleben, Seelenleben, Psyche, Seele, Unterbewusstsein, das Unbewusste.

694 Gegensatz 1. Gegenläufigkeit, Gegenteil, Opposition, Gegensätzlichkeit, Polarität, Widersprüchlichkeit, Widerstreit, Widerspruch, Widerspiel, Kehrseite, Umkehrung, **2.** Unvereinbarkeit, Unüberbrückbarkeit, Unversöhnlichkeit, Inkompatibilität, Kontraproduktivität, Kontraindikation, Kontradiktion, Antagonismus, Dualismus, Dichotomie, Manichäismus.

695 gegensätzlich 1. uneins, uneinig, disharmonisch, unharmonisch, unstimmig, auf gespanntem Fuß, wie Hund und Katze, in Fehde, auf der Gegenseite, getrennt, überworfen, entzweit, zerstritten, verkracht, verfeindet, **2.** gegenüber, am anderen Ufer, auf der anderen Seite, jenseits, drüben, vis-à-vis, face to face, Auge in Auge, **3.** zweierlei, gegenläufig, gegenteilig, völlig anders, oppositionell, konträr, komplementär, polar, polarisiert, adversativ, antithetisch, widersprüchlich, widerstreitend, widerspruchsvoll, sich widersprechend, **4.** entgegengesetzt, unvereinbar, unüberbrückbar, unversöhnlich, inkompatibel, kontraproduktiv, kontraindikativ, wie Tag und Nacht, einander ausschließend, kontradiktorisch, diametral, wie Feuer und Wasser, disjunktiv, antagonistisch, entweder ... oder, das eine oder das andere, schwarz-weiß, so oder so, alles oder nichts, digital, binär, dualistisch, dichotomisch, dezisionistisch, manichäisch.

696 gegenseitig mutuell, reziprok, wechselseitig, wechselweise, abwechselnd, umschichtig, beiderseits, alternierend, im Turnus, einer für den andern, einander, untereinander, einer den anderen.

697 Gegenstand 1. Ding, Körper, Gebilde, Objekt, Sache, Etwas, Phänomen, **2.** Thema, Stoff, Motiv, Sujet, Angelegenheit, Gebiet, Frage, Punkt, Stoffgebiet, Faktum, Problem, Untersuchungsobjekt, Problemstellung; Gesprächsthema, Gesprächsstoff, Unterhaltungsstoff, Gesprächsgegenstand, Tagesordnungspunkt, **3.** Inhalt, Handlung, Fabel, Story, Plot.

698 Gegenwart 1. Jetztzeit, Jetzt, Heute, unsere Zeit, **2.** Anwesenheit, Teilnahme, Dabeisein, Mitwirkung, Beteiligung, Präsenz, Zugegensein.

699 gegenwärtig 1. augenblicklich, derzeit, derzeitig, im Moment, momentan, zurzeit, eben jetzt, heute, im Augenblick, zur Stunde, heutzutage, neuerdings, neuerlich, nun, nunmehr, jetzt noch, nicht mehr lange, **2.** jetzt, jetzig, heutig, heutzutage, gleichzeitig; aktuell, gegenwartsnah, akut, zeitgenössisch, mitlebend, zeitgemäß, modern, kontemporär, **3.** anwesend, zugegen, hier, bei uns, dabei, zur Stelle, am Platze, greifbar, zu erreichen, zur Hand, da, präsent, an Bord; im Beisein, in Gegenwart/Anwesenheit von.

700 Gegner 1. Gegenspieler, Counterpart, Kontrahent, Gegenpart, Widerpart, Opponent, Antipode, **2.** Regimekritiker, Oppositioneller, Dissident, **3.** Rivale, Konkurrent, Gegenkandidat, Wettbewerber, Nebenbuhler, Duellant, Feind.

701 Geheimlehre Geheimwissenschaft, Magie, Kabbala, Okkultismus, Esoterik, Spiritismus; Geheimkult, Voodoo, Mystagogie, mystische/magische Praktiken.

702 Geheimnis 1. Mysterium, Arkanum, Rätsel, Palimpsest, Wunder, Mirakel, Übersinnliches, unerklärliches Phänomen, Dunkel, Nachtseite, **2.** Amtsgeheimnis, Betriebsgeheimnis, Geschäftsgeheimnis, Verschlusssache, Postgeheimnis.

703 gehen 1. einen Fuß vor den andern setzen, sich fortbewegen, begeben, wenden, verfügen nach; Weg einschlagen/zurücklegen, hinter sich bringen, betreten, begehen, beschreiten, abschreiten, hin und her gehen, umhergehen, sich die Füße vertreten; zu Fuß gehen, **2.** schreiten, wandeln, ausschreiten, spazieren, spazieren gehen, Spaziergang machen, ins Freie gehen, promenieren, sich ergehen; lustwandeln, schlendern, streifen, bummeln, herumstreifen, flanieren; wandern, eilen, rennen, laufen, marschieren, stapfen, stiefeln, trotten, traben, schweifen, trippeln, dappeln, tänzeln, stelzen, stöckeln, gleiten, tappen, tasten, zotteln, zuckeln, schleichen, staksen, trödeln, trampeln, treten, stampfen, trappeln, schlurfen, tapsen, zockeln, latschen, tappeln, watscheln, hinken, **3.** fahren, verkehren, funktionieren.

704 gehorchen 1. folgen, hören, willfahren, sich fügen; parieren, Erwartungen nachkommen, Folge leisten, befolgen, spuren, sich unterstellen, unterordnen, nachordnen; Gehorsam leisten, Befehl ausführen, kuschen, nach der Pfeife tanzen, strammstehen, Haltung annehmen, Schwanz einziehen, duckmäusern, **2.** nachgeben, einknicken, hinnehmen, sich gefallen lassen; einlenken, Konzessionen machen, sich herbeilassen, ergeben, ducken, schicken; klein beigeben, Segel streichen, Nacken beugen, zu Kreuze kriechen, Rückzieher machen, **3.** sich unterwerfen, erniedrigen, demütigen; Kniefall machen, nach Canossa gehen.

705 gehorsam folgsam, fügsam, gefügig, lenksam, lenkbar, brav, beflissen, demütig, ergeben, dienstwillig, untertan, botmäßig, unterwürfig, willfährig, befehlsgewohnt, zahm, gezähmt, abgerichtet, domestiziert.

706 Gehorsam 1. Folgsamkeit, Fügsamkeit, Lenkbarkeit, Bravheit, Botmäßigkeit, Gefügigkeit, Untertänigkeit, Ergebenheit, **2.** Ergebung, Demut, Unterwürfigkeit, Willfährigkeit, Unterordnung, Unterwerfung, Devotion, Servilität, Subordination, Kadavergehorsam, blinder Gehorsam, Hörigkeit.

707 Geist 1. Spiritus, Logos, Denken, Vernunft, Bewusstsein, Intelligenz, Verstand, Denkvermögen, Reflexionskraft, Seele, **2.** Genius, Genie, Esprit, Einfallsreichtum, Köpfchen, Grips, Scharfsinn, Klugheit, Witz, Schlagfertigkeit, Geistesgegenwart, **3.** Geister, Gespenst, Golem, Dämon, Spuk, Phantom, Kobold, Erscheinung, Schemen, Alb, Mahr, Schreckgespenst, Nachtgespenst, Lemuren, Schimäre, **4.** Nixe, Undine, Wasserjungfrau, Seejungfer, Meerweib, Nymphe, Fee, Melusine, Najade; Gnom, Wichtelmann, Heinzelmann, Puck, Troll; Vampir, Werwolf, Zombie.

708 geisteskrank geistesgestört, schizophren, bewusstseinsgestört, bewusstseinsgespalten, paranoid, paranoisch, halluzinierend, zwanghaft, ichgestört, persönlichkeitsgestört; idiotisch, verrückt, umnachtet, irrsinnig, wahnsinnig.

Geisteskrankheit Geistesgestört- **709** heit, Geistesstörung, Demenz, Idiotie; Bewusstseinsstörung, Schizophrenie, Bewusstseinsspaltung; Paranoia, Wahnidee, Halluzination, Zwangsvorstellung, Zwanghaftigkeit, Ichstörung, Persönlichkeitsstörung, Borderline; Knacks, Dachschaden, Verrücktheit, Umnachtung, Irrsinn, Wahnsinn, Phrenesie.

Geizhals Geizkragen, Geizdrache, **710** Filz, Knauser, Pfennigfuchser, Knicker, Harpagon, Kümmelspalter, Spänbrenner; Neidhammel, Krämerseele.

Gelage Schwelgerei, Orgie; Fressgela- **711** ge, Fresserei, Völlerei, Prasserei, Zechgelage, Zecherei, Saufgelage, Sauferei, Besäufnis, Kommers, Trinkgelage, Bacchanal.

Geld 1. Zahlungsmittel, Währung, **712** Banknote, Bargeld, Papiergeld, Geldschein, Münzen, Kleingeld, Silbergeld, Hartgeld, Plastikgeld, Eurogeld, **2.** Wirtschaftsgeld, Taschengeld, Haushaltsgeld, **3.** Moneten, Groschen, Kies, Moos, Mäuse, Zaster, Knete, Kröten, Lappen, Eier, Kohle, Piepen, Koks, Taler, Schotter, Asche, Pulver, Rubel, Mücken, Heu, Peseten, Penunze, Zechinen, Flocken, **4.** Falschgeld, Blüten.

Geliebte Bekannte, Freundin, Favori- **713** tin, ständige Begleiterin, Herzensdame, Buhle, Angebetete, Flamme, Girlfriend, Dulzinea, Feinsliebchen, Liebste, Liebhaberin, Auserwählte, Mätresse, Gespielin; Lover, Schatz, Herzblatt, Bettschatz, Bettgenossin, Gspusi, Darling, Augapfel, Liebling.

Geliebter Bekannter, Freund, Vereh- **714** rer, Kavalier, ständiger Begleiter, Liebhaber, Günstling, Galan, Seladon, Cicisbeo, Boyfriend, Amant, Hausfreund, Liebster, Auserwählter, Einziger, Gespiele, Lover, Bettgenosse, Kerl, Macker, Scheich.

gelingen 1. glücken, geraten, gut **715** ausgehen/ausfallen, fertig werden, von der Hand gehen, flutschen, funken; funktionieren, klappen, laufen, gut gehen; fertig bringen, schaffen, zustande bringen, zuwege bringen, auf die Beine stellen, hinkriegen, schultern, wuppen, schmeißen, schaukeln, zurande kommen, bewältigen, bewerkstelligen, deichseln, drehen, glatt gehen, hinhauen, 2. Glück/Erfolg haben, erfolgreich sein, Dusel/Schwein haben, zu Geld kommen, gewinnen, reich werden, zu etwas kommen, vorwärts kommen, es zu etwas bringen, es sich richten, es weit bringen, reüssieren, es schaffen, ans Ziel gelangen, obenauf schwimmen, zwei Fliegen mit einer Klappe schlagen.

716 Geltung 1. Einfluss, Gewicht, Autorität, Bedeutung, Maßgeblichkeit, Stellung, Rang, 2. Reputation, Leumund, Image, Renommee, Ruf, Ansehen, Prestige, Name, Bonität, Kredit, Wertschätzung, Goodwill, Standing, Credit, Performance, 3. Bekanntheit, Beliebtheit, Popularität, Volkstümlichkeit, Achtung, Hochachtung, Verehrung, Nimbus, Ruhm, Glanz, Glorie, Charisma, Weltruhm, Vergötterung, 4. Gültigkeit, Kurs, Wirksamkeit, Verbindlichkeit, Wirkungsdauer.

717 Gemeinschaft 1. Miteinander, Zusammenleben, Zusammenwirken, Zusammenschluss, Verbindung; Kommunität, Sozietät, Kollektiv, Kollektivität, Gruppe, 2. Zweckgemeinschaft, Hausgemeinschaft, Wohngemeinschaft, Interessengemeinschaft.

718 gemustert 1. gestreift, kariert, getupft, getüpfelt, gepunktet, gepünktelt, geflammt, flamboyant, gefleckt, getigert, gescheckt, genoppt, geblümt, floral, gemasert, geädert, gewürfelt, genarbt, narbig, gestromt, gesprenkelt, meliert, marmoriert, scheckig, 2. schillernd, irisierend, changierend, opalisierend, moiriert, gewässert, stonewashed.

719 gemütlich behaglich, zwanglos, salopp, ungezwungen, familiär; bequem, komfortabel, kommod, wohnlich, anheimelnd, lauschig, heimelig, traulich, wohlig, pudelwohl, mollig, traut, urgemütlich, stallwarm.

720 gemütskrank seelenkrank, psychisch/seelisch gestört, nervenkrank; psychopathisch, neurotisch, psychotisch, depressiv, manisch, manisch-depressiv, melancholisch, zwangsneurotisch, hysterisch.

721 Gemütskrankheit Seelenkrankheit, Psychopathie, psychische/seelische Störung, Nervenkrankheit; Neurose, Zwangsneurose, Angstneurose, Melancholie, Depression, Manie, manische Depression.

genau 1. ordentlich, sorgsam, sorgfältig, gewissenhaft, korrekt, akkurat, exakt, fehlerlos; peinlich, penibel, pingelig, übergenau, minuziös, haarklein, haargenau, perfektionistisch, akribisch; pünktlich, auf die Minute, genau gehend, 2. präzis, prägnant, treffend, wohl gezielt, ins Zentrum, treffsicher, zielgenau, chirurgisch, punktgenau, haarscharf, aufs Haar, auf den Punkt, messerscharf, ins Schwarze, den Nagel auf den Kopf, schlagend, 3. gründlich, tief schürfend, umfassend, grundlegend, von der Pike/von Grund auf, reiflich, fundiert, vollständig, profund, tief, auf Herz und Nieren, intensiv, tiefenscharf, 4. ausführlich, episch, umschweifig, langatmig, weitschweifig, überdehnt, umständlich, weitläufig, breit, eingehend, einlässlich; wörtlich, detailliert, mit allen Einzelheiten, erschöpfend, wortgetreu, wortwörtlich, buchstäblich, buchstabengetreu, Wort für Wort, 5. genau genommen, dem Buchstaben nach, zahlenmäßig, ziffernmäßig, der Zahl nach, gezählt, in Zahlen/Ziffern, im Grunde, aus der Nähe betrachtet, bei Licht besehen, im strengen Sinne, buchmäßig, rechnerisch, arithmetisch, auf dem Papier, unter die Lupe genommen, 6. genau passend, fest sitzend, wie angegossen, faltenlos, wie Hand und Handschuh. **722**

genesen 1. gesunden, gesund werden, rekonvaleszieren, auf die Beine kommen, geheilt werden, wiederhergestellt sein, aufkommen, sich erholen; auskurieren, wieder auf den Beinen/genesen/wieder gesund sein, 2. heilen, abklingen, besser werden, nachlassen, zurückgehen, sich bessern; abheilen, verheilen, vernarben, sich verwachsen; ausheilen, 3. sich kräftigen; Kur machen, kuren, rehabilitiert werden. **723**

Genie 1. Genius, Schöpfergeist, schöpferische Persönlichkeit, Universalgenie, Liebling der Götter, Geistesgröße, Phänomen, Wunderkind, 2. Genialität, Erfindungsgabe, schöpferische Kraft, Ingenium, Begnadung, Berufung, Götterfunke, Dämon. **724**

genießen sich erfreuen, ergötzen, delektieren, erbauen, begeistern; schlem- **725**

men, schwelgen, es sich schmecken lassen, frönen, in die Vollen gehen, sich etwas gönnen, gütlich tun, nichts abgehen lassen; zu leben wissen, etwas vom Leben haben, sich ausleben; es sich wohl sein lassen, Leben genießen, voll auskosten.

726 Genießer 1. Lebenskünstler, Genussmensch, Epikureer, Hedonist, Weltkind; Kenner, Connaisseur, Schöngeist, Ästhet, Sybarit, Phäake, Genüssling, Schwelger, Schlaraffe, **2.** Feinschmecker, Gourmet, Weinkenner, Schlemmer, Lukull, kein Kostverächter, feiner Gaumen, feine Zunge, Kochkünstler, Leckermaul, Naschkatze, **3.** Gourmand, Vielfraß, Lüstling, Fresser, Prasser, Zecher, Nimmersatt.

727 genießerisch feinschmeckerisch, kulinarisch, genussfähig, genüsslich, kennerhaft, wählerisch, kundig, lukullisch, schlemmerhaft, schwelgerisch, schlaraffisch, epikureisch, sybaritisch, üppig, schleckig, genäschig, verschwenderisch, prasserisch, lustvoll, sinnlich, bacchantisch, trinkfest, trinkfreudig, weinselig, sauflustig, ausschweifend.

728 genug genügend, ausreichend, zureichend, hinreichend, zulänglich, hinlänglich, auskömmlich, zufrieden stellend, befriedigend, zur Zufriedenheit, es geht, besser als nichts; satt, sattsam, genugsam, vollauf, zur Genüge, es reicht, mehr als genug, basta, Sense.

729 genügen 1. reichen, langen, hinreichen, Bedarf decken, ausreichen, befriedigen, zureichen, tun, gehen, angehen, auslangen, ausreichen, **2.** genug haben, auskommen, hinkommen, herumkommen, fertig werden, Auskommen haben, zufrieden sein, sich zufrieden geben; genug sein lassen.

730 Genuss 1. Behagen, Lust, Vergnügen, Wohlgefühl, Annehmlichkeit, Labsal, Wonne, Ergötzen, Entzücken, Augenweide, Augenschmaus, Ohrenschmaus, Gaumenkitzel, Sinnenfreude, Sinnenreiz, **2.** Schwelgerei, Prasserei, Völlerei, Schlemmerei, Tafelfreuden, Hochgenuss, Festessen, Schmaus, **3.** Kochkunst, feine Küche, Schlemmerküche, Gastronomie, Esskultur, Feinschmeckerei, Gastrosophie.

731 geordnet 1. geregelt, in Ordnung, im Lot, aufgeräumt, gesäubert, gestopft, geflickt, ausgebessert, instand, repariert, gerichtet, beziehbar; gefaltet, gestapelt, zusammengelegt, eingeräumt; gepackt, eingepackt, abgepackt, verpackt, abgewogen, **2.** ordnungsmäßig, ordentlich, legitim, legal, rechtmäßig, vorschriftsmäßig, ordnungsgemäß, wie es sich gehört, bürgerlich, **3.** organisiert, gegliedert, untergliedert, strukturiert, systematisiert, systematisch, differenziert, klassifiziert, unterteilt, aufgeteilt, gestaffelt, methodisch, planmäßig, durchdacht, wohl gegliedert, wohl überlegt, wohlerwogen, organisch, sinnvoll, übersichtlich.

732 gerade 1. aufrecht, gerade gewachsen, kerzengerade, wie eine Eins, aufgerichtet, stehend, hoch aufgerichtet, rank, strack, schlank, straff, gestrafft, **2.** senkrecht, lotrecht, fallrecht, vertikal, steil, ragend, rechtwinklig, waagerecht, eben, schnurgerade, linear, geradlinig.

733 Gerät Apparat, Apparatur, Gerätschaft, Utensil, Material, Vorrichtung, Instrument, Automat, Arbeitsgerät, Werkzeug, Ausrüstung; Recorder, Kassettenrecorder, Videorecorder, Aufnahmegerät.

734 Geräusch 1. Laut, Ton, Hall, Schall, Klang, **2.** Klingeln, Läuten, Schellen, Bimmeln, Gebimmel; Klirren, Geklirr, Poltern, Gepolter, Gerumpel, Geklapper, Klappern, Geknatter, Geriesel, Geplätscher, Glucksen, Klatschen, Dröhnen, Gedröhn, Rasseln, Gerassel, Prasseln, Geprassel, Rauschen, Gerausche, Brausen, Gebrause, Sausen, Heulen, Donnern, Getöse, Tosen, Krachen, Grollen, Wettern, Brummen, Gebrumm, Summen, Gesumm, Surren, Tropfen, Tröpfeln, Rieseln, Klopfen, Pochen, Ticken, Ticktack, Zirpen, Piepsen, Fiepen, Zischen, Zischeln, Flüstern, Geflüster, Lispeln, Gelispel, Wispern, Getuschel, Tuscheln; Knirschen, Knistern, Rascheln, Geraschel, Geraune, Murmeln, Gemurmel, Geplapper, Gequietsche, Quietschen, Lachen, Gelächter, Gezeter, **3.** Lärm, Getöse, Dröhnen, Radau, Krach, Spektakel, Krawall, Rumor, Krakeel, Geschrei, Gebrüll, Brüllen, Zetergeschrei, Johlen, Stimmengewirr, Wortschwall, Donnergepolter; Explosion, Detonation, Knall, Schlag, Bums, Schuss, Kanonenschuss,

Donnerschlag, Einschlag; Straßenlärm, Verkehrslärm, Maschinenlärm, Höllenlärm, **4.** Bellen, Gebell, Kläffen, Gekläffe, **5.** Zwitschern, Gezwitscher, Schlagen, Tirilieren, Singen, Gesang, Schmettern, Jubilieren, Flöten, Quinquilieren, Ziepen.

735 gerecht (sein) 1. sachlich, objektiv, repräsentativ, unbeeinflusst, unparteiisch, überparteilich, neutral, ausgewogen, ohne Ansehen der Person, unvoreingenommen, vorurteilslos, fair, gerechtigkeitsliebend, unbestechlich, **2.** wohlverdient, verdientermaßen, verdient, angemessen, gebührend, gerechtfertigt, **3.** jmdm. gerecht werden, richtig beurteilen, Gerechtigkeit widerfahren lassen, mit gleicher Elle messen.

736 Gerechtigkeit Sachlichkeit, Unbestechlichkeit, Unparteilichkeit, Objektivität, Überparteilichkeit, Vorurteilslosigkeit, Fairness, Unvoreingenommenheit, Unbefangenheit, Neutralität.

737 Gerede 1. Gerücht, Rederei, Geflüster, Tuscheln, Zischeln, Getuschel, Raunen, Geraune, Fama, Gemunkel, Klatsch, Klatscherei, Tratsch, Quatscherei, Stadtgespräch, Klatschgeschichte, offenes Geheimnis, Lästerei, Ondit, Zuträgerei, **2.** Geplauder, Geschwätz, Altweibergeschwätz, Geplapper, Schnack, Gebabbel, Geplätscher, Gelaber, Geschnatter, Geschwafel, Gequassel, Gewäsch, Blabla, Palaver, Wischiwaschi, heiße Luft, leeres Stroh, Schaumschlägerei, Phrasendrescherei, Gerüchtemacherei, Gerüchteküche, Giftküche, Kolportage, Latrinenparole, Gefasel, Schmarren, Faselei, Larifari, Schmus, Sermon, Schwadronade, Gesülze, Unsinn.

738 gern 1. bereitwillig, ohne weiteres, anstandslos, willig, geneigt, freudig, **2.** natürlich, selbstverständlich, allemal, freilich, selbstredend, versteht sich, gewiss, schön, gut, gemacht, einverstanden, erwünscht, willkommen, ein Fest, mit Vergnügen / Kusshand / Freude, von Herzen, mit Interesse, liebend gern.

739 Gesang 1. Singen, Summen, Singsang, Schmettern, Trillern, Tönen, Gedudel, Dudelei, Tirilieren, Zwitschern, Pfeifen, Jubilieren, **2.** Vokalstück, Vokalkomposition, Gesangsstück, Canto, Cantus, Lied, Sang, Weise, Melodie,

Strophenlied, Arie, Volkslied, Kunstlied, Lieddichtung, Rhapsodie, Kanon, Kanzone, Kantilene, Bänkelsang, Brettl-Lied, Countrysong, Moritat, Chanson; Schlager, Gassenhauer, Song, Hit, Ohrwurm, Evergreen; Kirchenlied, Choral, Madrigal, Spiritual, Gospel, Kantate, Hymne, Psalm, Nänie.

Geschäft 1. Betrieb, Firma, Haus, **740** Unternehmen, Handelsgesellschaft, Gesellschaft, **2.** Laden, Kaufladen, Shop, Magazin, Detailgeschäft, Gemischtwarenladen, Krämerladen, Tante-Emma-Laden, Dritte-Welt-Laden, Fachgeschäft, Boutique, Secondhandladen, Trödler, **3.** Geschäftslokal, gewerblicher Raum, Geschäftsstelle, Büro, Kontor, Kanzlei, Werkstatt, Werkstätte, Ordination, Praxis, Labor, Laboratorium, **4.** Verkaufsstelle, Kiosk, Bude, Verkaufshäuschen, Büdchen, Verkaufsstand, Stand, Pavillon, **5.** Kaufhaus, Kaufhalle, Warenhaus, Selbstbedienungsladen, Supermarkt, Discountladen, Einkaufszentrum, Ladenstraße, Passage, Shopping-Center, Pall-Mall, Erlebniscenter, **6.** Deal, Handel.

Geschäftsmann Kaufmann, Händ- **741** ler, Einzelhändler, Ladenbesitzer, Ladeninhaber, Gewerbetreibender, Großhändler, Grossist, Zwischenhändler, Großkaufmann, Importeur, Exporteur, Vermieter, Immobilienhändler, Makler, Banker, Börsianer, Unternehmer, Businessman, Geschäftemacher.

Geschehen 1. Ereignis, Begebenheit, **742** Begebnis, Geschehnis, Vorgang, Handlung, Vorkommen, Vorfall, Vorkommnis, **2.** Ablauf, Lauf, Verlauf, Entwicklung, Fortgang, Hergang, Abfolge, Chronologie, Zeitenfolge, Zeitlauf, Zeitläufe, Weltlauf, **3.** großes Ereignis, Politikum, Meilenstein, Haupt- und Staatsaktion, Knüller, Sensation, Spektakel, Tagesgespräch, Medienereignis, Event.

Geschicklichkeit 1. Wendigkeit, **743** Vielfältigkeit, Anstelligkeit, Geschick, Gewandtheit, Fingerfertigkeit, technische Begabung, Geschicktheit, Treffsicherheit, sichere Hand, Geläufigkeit, Geübtheit, **2.** Diplomatie, Verhandlungsgeschick, Cleverness, Schlauheit, Pfiffigkeit, Taktik, Strategie, Berechnung, Findigkeit, Gerissenheit, Gewitztheit, Raffinesse; Glätte, Schläue, Listigkeit, Abgebrühtheit, Durchtriebenheit, Verschlagenheit.

744 geschickt 1. praktisch, handfertig, fingerfertig, treffsicher, anstellig, verwendbar, vielseitig, kunstfertig, routiniert, Axt im Haus, weiß sich zu helfen, **2.** gewandt, wendig, agil, beweglich, trainiert, geübt, geschmeidig, glatt, diplomatisch, taktisch, strategisch, eloquent, geschliffen, anpassungsfähig, findig, flexibel, parkettsicher, aalglatt, smart, mit allen Wassern gewaschen, clever, stromlinienförmig.

745 geschlossen 1. zu, versperrt, zugesperrt, abgeschlossen, unzugänglich, verschlossen, unbetretbar, verriegelt, vernagelt, verrammelt, verbarrikadiert, außer Betrieb, **2.** ungeöffnet, unangebrochen, neu, verpackt, versiegelt, plombiert, eingeschweißt, **3.** nicht öffentlich, privat, exklusiv, **4.** einheitlich, einig.

746 Geschmack 1. Formgefühl, Formsinn, Kunstsinn, Kunstverstand, Kunstverständnis, Qualitätsgefühl, Schönheitssinn, ästhetisches Empfinden, Farbensinn, Kennerschaft, Fingerspitzengefühl, Kultur, Stil, Stilgefühl, Lebensart, Eleganz, Schick, Sinn für Harmonie, Proportionen, **2.** Geschmackssinn, Gaumen, Gusto, Zunge, Nase, **3.** Aroma, Schmackhaftigkeit.

747 Geschöpf 1. Kreatur, Lebewesen, Wesen, Tier, **2.** Schachfigur, Puppe, Marionette, Kreatur, Figur, Wachsfigur.

748 gesellig 1. umgänglich, zugänglich, aufgeschlossen, ansprechbar, unterhaltsam, unterhaltend, amüsant, ungezwungen, zwanglos, fidel, vergnügt, **2.** leutselig, sozial, soziabel, kontaktfähig, kontaktfreudig, interessiert, extrovertiert, extravertiert, **3.** gastlich, gastfrei, gastfreundlich, freigebig, spendabel, generös, großzügig.

749 Geselligkeit 1. Kontaktfähigkeit, Kontaktfreude, Leutseligkeit, Aufgeschlossenheit, Extrovertiertheit, Extravertiertheit, Soziabilität, **2.** Gesellschaft, Festlichkeit, Einladung, Empfang, Beisammensein, Festivität, Ball, Tanz, Tanzerei, Tanzvergnügen, Veranstaltung, Essen, Geburtstagsfest, Freudenfest, Party, Cocktailparty, Fest, Fete, Feier, Sause, Budenzauber, Grillparty,

Gartenfest, Straßenfest, Volksfest, **3.** Umgang, Verkehr, gesellschaftlicher Umgang, offenes Haus, Gastlichkeit, Gastfreiheit, Gastfreundlichkeit, Gastfreundschaft.

750 Gesetz 1. Recht, Verfassung, Lex, Satzung, Vorschrift, Verfügung, Verordnung, Sollbestimmung, Erlass, Gebot, Dekalog, Bestimmung, Statut, Paragraph, Weisung, Diktat, Order, Edikt, Maßnahme, Richtlinie, **2.** Gesetzmäßigkeit, Regelmäßigkeit, Regel, Norm, Grundsatz, Prinzip, Dogma, Dekalog.

751 gesetzmäßig 1. gesetzlich, rechtlich, richterlich, behördlich, amtlich, staatlich, **2.** rechtsgültig, rechtskräftig, rechtsverbindlich, legal, dem Gesetz entsprechend, **3.** juristisch, nach dem Gesetz, de jure, nach den Paragraphen; rechtskundig, rechtswissenschaftlich, **4.** rechtmäßig, legitim, gesetzlich anerkannt, zulässig, vorschriftsmäßig, kanonisch, ordnungsgemäß, regelgerecht, erlaubt, gestattet, berechtigt, nach Recht und Gesetz, von Rechts wegen, mit Fug und Recht, rechtens, zu Recht, mit Recht, **5.** vorgeschrieben, angeordnet, verordnet, obligatorisch, verpflichtend, bindend, gültig, verbindlich.

752 Gesicht 1. Angesicht, Antlitz, Physiognomie, Züge, Gesichtszüge, Zifferblatt, Visage, Fratze, Fresse, **2.** Aussehen, Ausdruck, Miene, Anblick, Ansicht, Ansehen, Anmutung.

753 Gesindel Gelichter, Brut, Gezücht, Bagage, Plebs, Mob, Pack, Pöbel, Kroppzeug, Gesindel, Geschmeiß, Gelump; Schlangenbrut, Otterngezücht, Teufelsbrut, Satansgelichter, Gesocks, Abschaum, Lumpenpack, Lumpengesindel, Kanaille.

754 gesinnungslos käuflich, bestechlich, feil, korrupt, gewissenlos, verräterisch, hinterhältig, heimtückisch; rückgratlos, prinzipienlos, charakterlos, haltlos, opportunistisch.

755 Gesinnungslosigkeit Käuflichkeit, Bestechlichkeit, Korruptheit, Gewissenlosigkeit, Hinterhältigkeit, Heimtücke; Rückgratlosigkeit, Prinzipienlosigkeit, Charakterlosigkeit, Treulosigkeit, Verrat, Haltlosigkeit, Opportunismus.

756 gestalten formen, bilden, schaffen, kreieren, Form geben, erschaffen, entwerfen, konstruieren, konzipieren, skizzieren, modeln, prägen, strukturieren, kneten, modellieren, meißeln, bildhauern, aushauen, aus dem Stein hauen, herausmeißeln, behauen, schnitzen; fassonieren, ausarbeiten, durcharbeiten, durchbilden, durchformen, stilisieren, ausformen, ausgestalten, arrangieren, einrichten, verdichten; in Form bringen, formieren, layouten, umbrechen; zurechtformen, zurechtstutzen, zustutzen, drechseln.

757 gesund 1. wohl, wohlauf, frisch, gut, auf dem Damm, bei guter Gesundheit, munter, fit, in Form, abgehärtet, auf der Höhe / dem Posten, blühend, strotzend, gut beieinander / ernährt / dran, kerngesund, pudelwohl, normal, wohlbehalten, rüstig, 2. heil, geheilt, genesen, wiederhergestellt, gesundet, erholt, bei Kräften, 3. gesundheitsförderlich, bekömmlich, nahrhaft, gedeihlich, leicht verdaulich, leicht, nicht belastend, schonend, aufbauend, kräftigend, zuträglich, gut verträglich, abhärtend, biologisch, 4. heilsam, nützlich, wohltätig, wohltuend, heilend, kurierend, heilkräftig, kühlend, lindernd, durstlöschend, durststillend, mildernd, lösend, abführend, schweißtreibend, befreiend, helfend, rettend, wirksam, Kraft spendend; pflegend, kosmetisch, verjüngend, 5. erwerbsfähig, arbeitsfähig, beruflich integrationsfähig.

758 Gesundheit Frische, Wohlbefinden, Wohlergehen, Wohl, Wohlsein, Vollkraft, Erwerbsfähigkeit, gute Verfassung, guter Zustand, Rüstigkeit, Fitness, gutes Allgemeinbefinden.

759 Getränk 1. Trank, Trunk, Drink, Glas, Gläschen, Schluck, Tropfen, Flüssigkeit; Stoff, Gesöff, Gebräu, Plörre, 2. Alkoholika, Spirituosen, scharfe Sachen, harte Getränke, 3. Erfrischungsgetränk, Saft, Limonade, Sprudel, Heilwasser; Kaffee, Tee, Schokolade, Kakao, Milch.

760 Gewässer 1. Bach, Rinnsal, Wässerchen, Quelle, Wasserlauf, Wasserader, Fluss, Strom, Wasserstraße, Kanal, Wasserweg, 2. Lache, Pfütze, Wasserloch, Tümpel, Teich, See, Weiher, Stausee, Baggersee, Binnengewässer, 3. Wasserstelle, Tränke, Becken, Bassin, 4. Meer, See, Ozean, Weltmeere.

gewinnen 1. Gewinn erzielen, Profit **761** machen, profitieren, verdienen, einnehmen, herausholen, herausbekommen, herausschlagen, einheimsen, einsacken, einstreichen, Geld machen / scheffeln, Schnitt machen, sich bereichern, 2. erlangen, erzielen, erreichen, erwischen, erhaschen, erjagen, sich beschaffen; erwerben, erkaufen, erarbeiten, erwirken, zufallen, zuteil werden, zukommen, erobern, erkämpfen, erstreiten, erstürmen, erbeuten, erringen, abringen, erzwingen, abzwingen, abgewinnen, wegschnappen, ergattern, angeln, kapern, entern, aufbringen, abnehmen, erraffen, an sich bringen; einstecken, ernten, sich einverleiben; Rahm abschöpfen, Vogel abschießen, trumpfen, Trumpf ausspielen, Oberwasser haben, im Vorteil sein, Rückenwind haben, 3. an Wert gewinnen, besser / schöner werden, sich entwickeln, machen.

Gewissen innere Stimme, Überich, **762** besseres Ich, kategorischer Imperativ, inneres Gebot, Unrechtsbewusstsein, Unrechtsempfinden, moralische Instanz, Ethos, Moral; gutes / reines / schlechtes Gewissen, Gewissensbisse.

gewöhnen (sich) 1. Gewohnheit **763** werden, sich einbürgern; einführen, zur Selbstverständlichkeit werden, sich einfahren; einreißen; sich einspielen; vertraut werden, sich aneinander gewöhnen, zusammenraufen, 2. sich angewöhnen; Gewohnheit annehmen, zur Gewohnheit machen, zu tun pflegen, sich anverwandeln; sich zu Eigen machen, einarbeiten, eingrooven, hineinfuchsen; auf den Geschmack kommen, Gefallen finden an.

Gewöhnung Eingewöhnung, Habi- **764** tualisierung, Einarbeitung, Anpassung.

Gezeiten Tiden, Ebbe, Flut, Hoch- **765** flut, Springflut, Sturmflut, Brandung.

geziert maniert, gespreizt, gestelzt, **766** unnatürlich, affig, zickig, puppig, gezwungen, krampfig, erkünstelt, unecht, gesucht, gekünstelt, affektiert, gemacht, gewunden, überfrachtet, geschraubt, hochgestochen, prätentiös, überambitioniert.

Gipfel 1. Kuppe, Spitze, Höhe, Schei- **767** tel, Kamm, Pik, Zinken, Zacke, Zacken, Grat, Wipfel, Krone, Giebel, First, Mauerkrone, Zinne, 2. Höhepunkt, Zenit, Gipfelpunkt, Kulminationspunkt, Kulmination, Klimax, Orgasmus, Siedepunkt, Scheitelpunkt, Wendepunkt, Umkehrpunkt, **3.** Optimum, Höchstmaß, Höchststand, Höchstwert, Höchststufe, Maximum, Höchstleistung, Rekord, Glanzleistung, Meisterleistung, Spitzenleistung, Spitze, Bombenerfolg, Bestleistung, Bestseller, Welterfolg, **4.** Blütezeit, Glanzzeit, Hauptgeschäftszeit, Hauptverkehrszeit, Stoßzeit, Stoßverkehr, Rushhour, **5.** Clou, Attraktion, Glanzpunkt, Glanzstück, Highlight, Knalleffekt, Glanznummer, Krönung, Hauptattraktion, Galanummer, Zugnummer, Zugstück, Kassenmagnet, Aushängeschild, **6.** Gipfeltreffen, Gipfelkonferenz, Treffen auf höchster Ebene, **7.** Vollendung, Vollkommenheit, Perfektion, Virtuosität, Bravour, Meisterschaft, Finish, letzter Schliff, i-Punkt, Tüpfelchen auf dem i, Sahnehäubchen, Nonplusultra, Superlativ.

768 glatt 1. flach, eben, plan, gerade, wasserpass, horizontal, flach verlaufend, flächig, tellereben, platt, gebahnt, gewalzt, **2.** blank, blinkend, strahlend, schimmernd, poliert, gewachst, gewichst, gebohnert, spiegelnd, glänzend, spiegelblank, lackiert, lasiert, geschliffen, geglänzt, satiniert, **3.** haarlos, unbehaart; strähnig, ungewellt, ungelockt, **4.** quitt, wett, ausgeglichen, erledigt, abgerechnet, paletti, bezahlt, getilgt, schuldenfrei, gestrichen, gelöscht, abgetan, los und ledig, **5.** angenehm, ohne Zwischenfälle / Komplikationen, reibungslos, ungestört, störungsfrei, wie am Schnürchen, zügig, wie geschmiert, folgenlos, ungehindert, unbehindert, **6.** glitschig, schleimig, schlüpfrig, ölig, fettig, schmierig, speckig, seifig, glibbrig, geschmiert, geölt, gefettet; vereist, spiegelglatt, rutschig, Aquaplaning, **7.** gebügelt, gemangelt, knitterarm, knitterfrei.

769 glätten 1. ebnen, nivellieren, walzen, pflastern, asphaltieren, bahnen, **2.** plätten, bügeln, glatt streichen, ausbügeln, gerade biegen, ausstreichen, straffen, steifen, stärken, glatt ziehen, spannen, heißmangeln, dämpfen, entrunzeln, mangeln, **3.** polieren, wachsen, bohnern, wichsen, firnissen, laminieren, lacken, lackieren, satinieren, Glanz ge-

ben, lasieren, glasieren, abschleifen, schleifen, abhobeln, abfeilen, glatt hobeln, schmirgeln, runden, abrunden, feilen, hobeln, peelen, rasieren, **4.** schmieren, einschmieren, ölen, fetten, einölen, einpinseln, einreiben, salben, einfetten.

glauben 1. gläubig/überzeugt sein, **770** wähnen, vermeinen, finden, meinen, denken, **2.** Glauben schenken, für bare Münze nehmen, für wahr/richtig halten, annehmen, abkaufen.

gleich 1. übereinstimmend, konform, **771** ebenso, genauso, dasselbe, nicht zu unterscheiden, deckungsgleich, austauschbar, ununterscheidbar, geklont, kein Unterschied, identisch, einer wie der andere, zum Verwechseln, wie ein Ei dem andern/aus dem Gesicht geschnitten/er leibt und lebt, aufs Haar gleich, gleichnamig, gleich lautend, gleichaltrig, derselbe Jahrgang, **2.** gleichförmig, einförmig, eintönig, monoton, im selben Tonfall, ohne Abwechslung; uniform, uniformiert, livriert, gleich gekleidet, Partnerlook, Unisex, einheitlich; im selben Trott, schematisch, nach Schema F, zwei rechts, zwei links, schablonenhaft, stereotyp, formelhaft, über einen Leisten geschlagen, feststehend, immer gleich, ständig wiederkehrend; gleichmacherisch, nivellierend, **3.** sofort, auf der Stelle, unverzüglich, augenblicklich, umgehend, ad hoc, sogleich, unverweilt, ohne Verzug, postwendend, kurzerhand, stehenden Fußes, frischweg, wie er geht und steht, ohne weiteres, stracks, brühwarm, gesagt – getan, auf den ersten Blick, von Anfang an, von vornherein, **4.** gleichartig, ähnlich, artverwandt, affin, verwandt, vergleichbar, kommensurabel, analog, sinngemäß, entsprechend, erinnernd, anklingend an, sich berührend mit, kongenial, wesensgleich, geistesverwandt, sinnverwandt; sinngleich, synonym, gleichsinnig, gleichbedeutend, bedeutungsgleich.

gleichgültig 1. neutral, leiden- **772** schaftslos, über den Dingen, unparteiisch, uninteressiert, interesselos, unbetroffen, unbeteiligt, unbewegt, kühl, indifferent, teilnahmslos, ungerührt, unberührt, unerschüttert, **2.** passiv, nicht betroffen, abwartend, unentschieden, **3.** apathisch, unbeeindruckt, lethargisch, phlegmatisch, indolent, träge, untätig, inaktiv, leidend, duldend, widerstandslos, nachgiebig, ergeben, **4.** blasiert, gelangweilt, lasch, stumpf, lax, lässig, lauwarm, nicht Fisch noch Fleisch, mattherzig, achselzuckend, nicht aus der Ruhe zu bringen, gefühllos, unempfindlich, desinteressiert, froschblütig, fischblütig, wurstig, **5.** egal, kein Beinbruch, kein Hahn kräht danach, gehüpft wie gesprungen, Jacke wie Hose, schnuppe, schnurz, piepe, alles eins, scheißegal.

773 gleichgültig lassen nicht berühren, kalt lassen, kalt bleiben, über den Dingen stehen, sich nicht anfechten lassen; Abstand wahren, auf sich beruhen lassen, Achseln zucken, sich nicht scheren; den Teufel scheren, gern haben können.

774 gleichsam gewissermaßen, sozusagen, quasi, als ob, wie, etwa, entsprechend, vergleichbar, ähnlich, sich nähernd; anklingend, erinnernd, gemahnend, wie wenn.

775 gleichwertig ebenbürtig, äquivalent, ebenso gut, gleich, in Augenhöhe, vollwertig, gemäß, entsprechend, gleichstehend, gleichrangig, ranggleich, satisfaktionsfähig, passend, auf gleicher Höhe, wert, würdig, auf gleicher Stufe, konkurrenzfähig, konvertierbar, wettbewerbsfähig, gleichberechtigt, gleichgestellt, paritätisch.

776 gleichzeitig zur selben Zeit, im selben Augenblick / Atemzug, auf einen Schlag, zu gleicher Zeit, zeitgleich, zugleich, simultan, koinzident, synchron, gleich laufend, zeitlich übereinstimmend, gemeinsam, zusammenfallend; während, indem, inzwischen, mittlerweile, dieweil, solange.

777 gleiten 1. rutschen, ausrutschen, abrutschen, abwärts gleiten, glitschen, flutschen, schliddern, schleifen, sich lautlos bewegen; schleichen, geistern, sachte tun, leise machen, auf leisen Sohlen gehen, huschen, schlüpfen, **2.** kriechen, krauchen, krabbeln, robben, **3.** schweben, fliegen, segeln.

778 Glied 1. Körperteil, Extremität, Arm, Bein, Hand, Finger; Pfote, Tatze, Klaue, Pranke, Huf, Kralle, **2.** Penis, Phallus, männliches Glied, Geschlechtsteil, Lingam, Geschlecht, Gemächt; Zipfel, Rute, Schwanz, Rohr.

Gliederung Aufbau, Bau, Struktur, **779** Einteilung, Unterteilung, Ordnung, Aufteilung, Staffelung, Aufgliederung, Untergliederung, Differenzierung, Hierarchie; Anordnung, Gefüge, Zuordnung, Zusammenstellung, Arrangement, Koordinierung, Gruppierung, Aufstellung, Choreographie, Disposition, Bauplan, Plan, Komponierung, Konzertierung, Komposition, Konfiguration.

Glück 1. Gunst der Verhältnisse, Güte **780** des Geschicks, günstige Fügung, Bonheur, Füllhorn, guter Stern, Glücksstern, Fortuna; Erfolg, Gedeihen, Gelingen, Segen, Dusel, Schwein, Lottogewinn, Jackpot, Geschenk des Himmels, Massel, Glückssträhne, Sternstunde, Glücksfall, Glückssache, Glücksgriff, **2.** Beglückung, Beglücktheit, innere Befriedigung, Erfüllung, Hochstimmung, Freude, Seligkeit, Beseligung, Entzücken, Wonne, Euphorie, Tage der Rosen, goldene Zeit, Honigmond, Flitterwochen, Sonnenseite, Butterseite.

glücklich (sein) 1. glückselig, beglückt, erfüllt, beseligt, beflügelt, beschwingt, hingerissen, freudig, selig, freudevoll, wunschlos, zufrieden, überglücklich, glückstrahlend, wonnetrunken, verklärt, im siebten Himmel, hochgestimmt, euphorisch, high, happy, **2.** begünstigt, erfolgreich, arriviert, gemacht, anerkannt, vorwärts gekommen, vom Glück begünstigt, lucky, wohlbestallt, fruchtbar, gedeihlich, erstrebenswert, gesegnet, beneidenswert, dornenlos, wolkenlos, ungetrübt, sorgenlos, sorgenfrei, schattenlos, auf der Sonnenseite, aussichtsreich, zukunftsfreudig, hell, besonnt, segensreich, Segen bringend, gnädig, **3.** angenehm, erfreulich, hocherfreulich, beglückend, beseligend, befriedigend, ausfüllend, erfüllend, schön, paradiesisch, himmlisch, elysisch, herzerfreuend, wonnevoll, wonnesam, wonnig, **4.** glücklicherweise, zum Glück, durch einen glücklichen Zufall, erfreulicherweise, gottlob, Gott sei Dank, **5.** sich glücklich fühlen/schätzen/preisen; auf Wolken gehen, nichts zu wünschen haben.

Glückskind Hans im Glück, Gold- **782**

marie, Sonntagskind, Liebling der Götter, Günstling des Glücks, Hahn im Korb, Liebling, Glückspilz, Erfolgsmensch, Senkrechtstarter, Shootingstar, Gewinner, Nutznießer, Begünstigter, Favorit, Günstling.

783 Glücksspiel Lotto, Lotterie, Vabanquespiel, Toto, Verlosung, Wette, Wettspiel, Tombola; Bingo, Bakkarat, Roulette, Poker, Würfelspiel, Zufallsspiel, Hasardspiel.

784 Gnade . **1.** Erbarmen, Milde, Nachsicht, Schonung, Vergebung, Verzeihung, Barmherzigkeit, Begnadigung, Absolution, Ablass; Pardon, Amnestie, Straferlass, Nachlass, Dispens, **2.** Begnadung, Segen, Gottesgabe, Begabung, **3.** Gunst, Huld, Güte; Gnädigkeit, Jovialität, Gönnerhaftigkeit.

785 Gott 1. Allmächtiger, Schöpfer, Demiurg, Weltenlenker, Höchster, Herrgott, Herr, Gottvater, himmlischer Vater, Vater im Himmel, Allwissender, Allgütiger, lieber Gott, Allerbarmer; Gottheit, Halbgott, göttliches Wesen, Numen, **2.** Herr Zebaoth, Jahwe, Jehova, Allah, Brahma, Buddha, Schiwa, Wischnu, Zeus, Wotan, Manitu, **3.** Magna Mater, Große Mutter, Demeter, Isis, Shakti

786 Götzenverehrung Götzendienst, Götzendienerei, Idolatrie, Abgötterei, Bilderanbetung, Fetischismus, Teufelsdienst, Dämonenkult, Baalsdienst.

787 graben 1. höhlen, aushöhlen, ausheben, ausschachten, ausbaggern, wühlen, buddeln, schippen, baggern, schaufeln; umgraben, ackern, furchen, pflügen, umpflügen, umbrechen, schanzen, bohren, schürfen, unterminieren, untertunneln, unterhöhlen, aufgraben, anbohren, ausbohren, **2.** ausgraben, exhumieren, ausbuddeln, zutage fördern.

788 Grad Intensität, Ausmaß, Stufe, Stärke, Rang, Ausbreitung; Temperatur, Wärmegrad, Kältegrad.

789 gravieren eingraben, einritzen, einschneiden, rillen, riefen, einritzen, ritzen, stechen, ätzen, ziselieren, eingravieren.

790 Grenze Staatsgrenze, Landesgrenze, Zollgrenze, Grenzlinie, Demarkationslinie, Trennlinie, Rubikon, Schlagbaum, grüne Grenze, Abgrenzung, Schranke, Rand, Scheide.

791 groß 1. hoch gewachsen, hochwüch-

sig, stattlich, hoch, lang, aufgeschossen, übergroß, überlang, übermannsgroß, übermannshoch, überlebensgroß, überdimensional, hünenhaft, riesig, haushoch, gigantisch, ungeheuer, überragend, kolossal, grandios, turmhoch, mächtig, titanisch, stark, gewaltig, **2.** bedeutend, ansehnlich, ausgedehnt, erheblich, beträchtlich; geräumig, voluminös, unendlich, unermesslich, astronomisch, unabsehbar, unvorstellbar, weit, immens, **3.** erhaben, hehr, Achtung gebietend, majestätisch, feierlich, ehrwürdig, imposant, imponierend, großmächtig, **4.** hervorragend, prominent, ausgezeichnet, bedeutend, hoch stehend, überlegen, berühmt, **5.** hochgespannt, weit reichend.

Größe 1. Vektor, Faktor, Variable, Kaliber, Dimension, Konstante, Parameter, Format, Körpermaß, Ausdehnung, Weite, Geräumigkeit, Weiträumigkeit, Großflächigkeit, **2.** Bedeutung, Erhabenheit, Großartigkeit, Monumentalität, Majestät, Hoheit, Grandezza; Geistesgröße, Seelengröße, Seelenstärke, **3.** Großmacht, Hypermacht, Supermacht, Reich, Großreich, Imperium, Weltmacht **792**

großzügig 1. nobel, nicht kleinlich, neidlos, generös, freigebig, offene Hand, spendabel, spendierfreudig, kulant, verschwenderisch, splendid, gebefreudig, **2.** großmütig, nachsichtig, verständnisvoll, tolerant, großdenkend, human, weitherzig, nicht nachtragend. **793**

Grund 1. Ursache, Anlass, Veranlassung, Triebfeder, Ansporn, Antrieb, Anstoß, Anreiz, Stachel, Beweggrund, Movens, Agens, tiefster Grund, entscheidender Anlass, Wurzel, Warum, Motor, treibende Kraft, **2.** Begründung, Motivierung, Motivation, Motiv, Argument, Beweisführung, Argumentation, Fundierung, Untermauerung, **3.** Boden, Acker, Land, Erdreich, Erde, Krume, Erdboden, Ackerland, Feld, Flur. **794**

Grundbesitz Grundstück, Gelände, Stück Land, Terrain, Areal, Parzelle, Länderei, Bauplatz, Baugrund, Bauland; Immobilie, Liegenschaft, Landbesitz, Grund und Boden, Grundeigentum. **795**

Grundlage 1. Untergrund, Unterlage, Fundament, Boden, Grundstein, Ba- **796**

sis, Plattform, Unterbau, Sockel, Fuß, Postament, Piedestal, **2.** Voraussetzung, Basis, Ausgangspunkt, Ausgangsbasis, Ansatzpunkt, Ansatz, Nährboden, **3.** Grundstock, Fundus, Fonds, Bestand, Reserve, Rücklage, Stock, **4.** Grundbegriffe, Elementarbegriffe, Allgemeinbegriffe, Elementarkenntnisse, Vorkenntnisse, Grundlagenwissen, Anfangsgründe, Elementartechniken, Kulturtechniken, **5.** Diskussionsgrundlage, Paper, Hand-out.

797 grundlos unbegründet, ohne Grund, ohne Anhaltspunkt, aus der Luft gegriffen, frei erfunden, erfunden, eingebildet, unmotiviert, zufällig, ungerechtfertigt.

798 Grundsatz 1. Richtlinie, Richtsatz, Richtschnur, Richtmaß, Maßstab, Maxime, Generalbass, Leitlinie, Leitgedanke, Grundprinzip, Grundidee, Grundvorstellung, Hauptgedanke, Grundgedanke, Grundmotiv, Leitmotiv, roter Faden, Tenor, Leitsatz, Grundregel, Vorsatz, Motto, goldene Regel, **2.** Behauptung, Axiom, Prinzip, Apriori, Theorem, Lehrsatz, These, Glaubenssatz, Dogma, Lehrmeinung, Doktrin, Postulat.

799 grundsätzlich grundlegend, fundamental, prinzipiell, a priori, theoretisch, in der Regel, eigentlich.

800 Gruppe 1. Abteilung, Fraktion, Sezession, Block, Kreis, Zirkel, Klub, Gesellschaft, Runde, Ring, **2.** Arbeitsgemeinschaft, Ausschuss, Team, Arbeitsgruppe, Projektgruppe, Kollektiv, Gesprächsgruppe, Gesprächsrunde, Kollegium; Beraterstab, Expertengruppe, Brain-Trust, Think-Tank, **3.** Ensemble, Truppe, Orchester, Kapelle, Chor, Balletttruppe, Compagnie, **4.** Band, Musikgruppe, Combo, Rockband, Popgruppe, Jazzband, **5.** Bande, Schar, Trupp, Horde, Blase, Gang, Schwarm, Pulk, Volk, Traube, Haufen, Meute, Rotte, Korona, **6.** Lager, Sippe, Sippschaft, Clique, Klüngel, Seilschaft, Clan, Sekte, **7.** Initiativgruppe, Bürgerinitiative, Selbstinitiative, Ini, Aktionsgruppe, **8.** Tafelrunde, Stammtisch, Kegelklub, Kränzchen, Damenkränzchen, **9.** Mannschaft, Be-

satzung, Bemannung, Crew, Cast, Staffel, Equipe, Stab, Riege.

Gruß 1. Begrüßung, Grußformel, **801** Empfang, Willkomm; Lebewohl, Abschied, Verabschiedung, Empfehlung, **2.** Händedruck, Handschlag, Handkuss, Kuss, Umarmung, Verneigung, Verbeugung, Bückling, Diener, Knicks, Reverenz, Kratzfuß, Kotau, Fußfall, Kniefall, **3.** Ehrenbezeigung, Honneurs, Salut, Vivat, Hochruf, Hoch, großes Hallo, Ständchen, Tusch, Ansprache, Trinkspruch, Toast, **4.** Grußadresse, Grußbotschaft, Glückwunsch, Glückwunschadresse, Glückwunschkarte, Gratulationsbrief, Gratulation.

grüßen 1. begrüßen, willkommen **802** heißen, hallo sagen, winken, zuwinken, zunicken, nicken, sich verbeugen, verneigen; Bückling/Diener machen, dienern, knicksen, Hut abnehmen/ziehen/lüften, Hand schütteln/geben/reichen/bieten/drücken, Grüße übermitteln/überbringen/senden, **2.** strammstehen, salutieren, präsentieren, Spalier stehen.

günstig 1. vorteilhaft, gedeihlich, **803** aussichtsreich, viel versprechend, rosig, Glück verheißend, verheißungsvoll, hoffnungsvoll, Erfolg versprechend, zukunftsträchtig; opportun, empfehlenswert, angezeigt, ratsam, rätlich, geraten, klug, zupass, richtig, gelegen, **2.** positiv, lobend, anerkennend, bejahend, wohlwollend, wohlmeinend, wohlgesinnt, **3.** kleidsam, tragbar; geeignet, passend, preiswert, billig.

gut 1. gutartig, gutherzig, gutmütig, **804** ohne Falsch, herzensgut, seelengut, **2.** geglückt, gelungen, gut geworden/gemacht/getroffen/geraten/ausgefallen, wohlgetan, ins Schwarze getroffen, in Ordnung, o. k., okay, bestens, sehr zufrieden, vorzüglich, prima, vortrefflich, top, nicht ohne/schlecht/von schlechten Eltern/übel/uneben, **3.** gütig, anständig.

Güte Gütigkeit, Liebenswürdigkeit, **805** Herzenswärme, Herzensgüte, Grundgüte, Warmherzigkeit, Hilfsbereitschaft, Gutmütigkeit, Zuwendung, Zuneigung, Selbstlosigkeit.

H

806 Haar 1. Haupthaar, Kopfhaar, Haarschopf, Tolle, Wuschelkopf, Mähne, Wolle, Zotteln, Pelz, Borsten, Schopf, Strähnen, Wellen, Locken, Dauerwellen, 2. Frisur, Haartracht, Haarschnitt, Schnitt, Fassonschnitt, Styling, Look, 3. Haarteil, Perücke, Toupet, Haarersatz, Kunsthaar, transplantiertes Haar.

807 haben (sich) 1. besitzen, sein Eigen nennen, innehaben, zu Eigen/in Händen haben, eignen, gehören, genießen, sich freuen an; verfügen über, zu Gebote stehen, vorrätig/auf Lager haben, aufweisen; angehören, zugehören, 2. es gut haben, gut dran sein, nichts zu klagen haben, nicht klagen können, im Fett/in der Wolle sitzen, aus dem Vollen schöpfen, im Geld schwimmen, Geld wie Heu haben, gut/in guten Verhältnissen leben, 3. sich zieren, gerieren, anstellen; Geschichten machen, sich nötigen lassen, genieren, sträuben; Sperenzien machen.

808 habgierig habsüchtig, raffgierig, berechnend, erpicht, filzig, geldgierig, gewinnsüchtig, besitzgierig, besitzsüchtig, materialistisch, unersättlich, vom Stamme Nimm, konsumorientiert, konsumgeil, konsumversessen.

809 halb zur Hälfte, halb und halb, hälftig, halbiert, zweigeteilt, halbseitig, halbpart, fifty-fifty, zu gleichen Teilen, brüderlich; halbwegs, in der Mitte, auf halbem Wege, zwischenliegend, dazwischen, zwischen, gleich weit entfernt, inmitten, auf halber Strecke.

810 Halt 1. Belastbarkeit, Festigkeit, Bindekraft, 2. Anhalt, Stütze, Anker, Stecken und Stab, Hoffnung, Eckstein, Rückhalt, Basis, Fundament, Stützpunkt, Standbein, 3. Balken, Träger, Säule, Pfeiler, Grundpfeiler, Eckpfeiler, Tragstütze, Pilaster, Pflock, Pfahl, Pfosten, Stange, Schiene, Sparren, Mast, 4. Spalier, Gerüst, Balkenwerk, Stützwerk; Gerippe, Skelett, Knochengerüst, Rückgrat, Wirbelsäule, 5. Lehne, Armlehne, Fußstütze, 6. Haltestelle, Stoppstelle, Haltepunkt, Station, Bahnhof; Aufenthalt, Zwischenstopp, Fahrtunterbrechung, Zwischenlandung, Stopp, Pause, Stillstand.

811 halten 1. anhalten, stehen bleiben, ausbremsen, innehalten, Halt machen, stoppen, landen, anlegen, zum Stehen kommen, stocken, abbrechen, unterbrechen, einhalten, aussetzen, Station/Zwischenstopp machen, 2. festhalten, zurückhalten, nicht loslassen, behalten, nicht hergeben, besetzt halten, 3. lesen, abonnieren, beziehen.

812 Halter 1. Griff, Handgriff, Heft, Schaft, Kolben, Stiel, Henkel, Türgriff, Klinke, Schnalle, Drücker, Knauf, Knopf, Anfasser, Greifer, Klipp, Klips, Klemme, Klammer, Pinzette, Zange, Greifwerkzeug; Hebel, Taste, Kurbel, 2. Träger, Hosenträger, Gurt, Gürtel, Hüfthalter, Straps; Schlaufe, Riemen.

813 Handarbeit 1. Handwerk, Manufaktur, Kunsthandwerk, Kunstgewerbe; Einzelarbeit, Einzelstück, Entwurf, Modell, Maßarbeit, 2. Heimarbeit, Bastelarbeit, Nadelarbeit, Knüpfarbeit, Webarbeit.

814 Handel 1. Warenverkehr, Warenaustausch, Güterverkehr, Güteraustausch, Handelsverkehr, Warenzirkulation, Geschäftsverkehr, Geschäftsleben, Warenvertrieb, Umsatz, Umschlag, Markt, Kommerz; Handelsbeziehungen, Wirtschaftsbeziehungen, 2. Geschäft, Tausch, Tauschhandel, Tauschgeschäft, Abschluss, Transaktion, Deal, 3. Einzelhandel, Großhandel, Engroshandel; Import, Einfuhr; Export, Ausfuhr, Außenhandel, Transithandel, Effektenhandel.

815 handeln 1. tun, machen, operieren, vorgehen, verfahren, agieren, tätig sein, wirken, arbeiten, zu Werke gehen, 2. Handel treiben, Geschäfte machen, kaufen und verkaufen, einführen, importieren, ausführen, exportieren, zwischenhandeln, dealen, 3. feilschen, schachern, Preis drücken, abhandeln, herunterhandeln, wuchern, übervorteilen.

816 Händler 1. Verkäufer, Trödler, Kaufmann, Krämer, Handeltreibender, Höker, Straßenhändler, 2. Broker, Börsianer, Börsenmakler, Jobber, Trader, Börsenspekulant, Fixer, Aktienhändler, 3.

Vertreter, Handelsvertreter, Agent, Werber.

817 handwerklich 1. handwerksmäßig, fachgerecht, zunftgerecht, kunstgerecht, sachgerecht, werkgerecht, materialgerecht, **2.** handgemacht, handgearbeitet, handgefertigt, manuell, hausgemacht.

818 Harmonie 1. Wohlklang, Wohllaut, Zusammenklang, Akkord, Stimmigkeit, Einklang, Zusammenspiel, Orchestrierung, **2.** Ausgeglichenheit, Ausgewogenheit, Gleichgewicht, Gleichmaß, Ebenmaß, Abgewogenheit, Abgestimmtheit, Ebenmäßigkeit, gute Proportion.

819 harmonisch 1. wohllautend, wohlklingend, wohltönend, stimmig, zusammenstimmend, abgestimmt, konzertiert, harmonisiert, gleich gestimmt; vielstimmig, mehrstimmig, polyphon; übereinstimmend, abgewogen, im Gleichgewicht, gleichgewichtig, **2.** zusammenpassend, einander entsprechend, geistesverwandt, **3.** ausgewogen, ausgeglichen, ausbalanciert; gleichmäßig, ebenmäßig, wohlgeformt, wohlgegliedert, wohlproportioniert, im richtigen Verhältnis, abgewogen.

820 hart 1. fest, steif, starr, unelastisch, spröde; hölzern, erzen, ehern, metallen, felsenhart, steinern, steinhart; eckig, kantig; trocken, ausgetrocknet, ausgedörrt, verhärtet, verknöchert, versteinert, stählern, marmorn, stahlhart, steinhart, knüppelhart, **2.** herzlos, hartherzig, hartleibig, mitleidslos, kalt, gefühllos, eisig, eiskalt, ungerührt, lieblos, gefühlskalt, unzugänglich, unnachgiebig, nicht ansprechbar, nicht zu erweichen, keinen Bitten zugänglich, **3.** streng, unnachsichtig, schonungslos, rücksichtslos, rau, kategorisch, eisern, beinhart, rigoros, unerbittlich, unbarmherzig, unversöhnlich, kompromisslos, gnadenlos, erbarmungslos, exemplarisch, abschreckend, drakonisch.

821 hassen 1. ablehnen, nicht mögen, unsympathisch finden, Abneigung empfinden, Dorn im Auge sein, Aversion hegen, nicht gewogen/grün sein, missliebig sein, missfallen, verabscheuen, nicht sehen/riechen/ausstehen können, rotes Tuch/zuwider sein, gefressen haben, **2.** anfeinden, Hass/Feindschaft/ Feindseligkeit / Groll / Ressentiment / Rachsucht empfinden, blind ablehnen, mit Hass verfolgen.

822 hässlich 1. unschön, unansehnlich, unästhetisch, unvorteilhaft, plump, garstig, abscheulich, gräulich, scheußlich, fratzenhaft, grimassenhaft, verzerrt, entsetzlich, furchtbar, schlecht gebaut, verunstaltet, schief, schauerlich, schaurig, abstoßend, abschreckend, widerlich, widerwärtig, ekelhaft, monströs, potthässlich, **2.** dissonant, misstönig, falsch klingend, kakophonisch.

823 Hauptsache Angelpunkt, Pol, Drehpunkt, Mittelpunkt, Zentrum, Epizentrum, Kardinalpunkt, Schwerpunkt, Kern, Kernpunkt, A und O, Kernstück, Mark, Herzstück, Quintessenz, Inbegriff, springender Punkt, Pudels Kern, Gehalt, Pointe, das Wesentliche/Wichtigste/Entscheidende/Ausschlaggebende, Zünglein an der Waage, Nerv, Nervus Rerum, Lebensader, Lebensfaden, Leitfaden, Leitgedanke, roter Faden, Dreh- und Angelpunkt.

824 Haus 1. Gebäude, Bau, Bauwerk, Baulichkeit, Wohnhaus, Mietshaus, Mietskaserne, Einfamilienhaus, Fertighaus, Häuschen, Reihenhaus; Hochhaus, Wolkenkratzer; Hütte, Kate, Baracke, Baude, Datscha, Ferienhaus, Sommerhaus, Bungalow, Landhaus, Chalet, Villa, Palais, Palast, Schloss, Burg, **2.** Heim, Daheim, Eigenheim, vier Wände, Heimstätte, Domizil, Dach, Nest, Privatsphäre, persönlicher Bereich, Zuhause.

825 Haushalt 1. Hausstand, Hauswesen, Haushaltung, Haushaltsführung, **2.** Budget, Etat, Finanzplan, Haushaltsplan, Finanzen, Staatshaushalt, Wirtschaftsführung.

826 Hauspersonal 1. Dienerschaft, Dienstpersonal, Hausangestellte, Bedienstete, Dienstboten, Domestiken, Gesinde, Hausgesinde, **2.** Mädchen, Hausmädchen, Kraft, Housekeeper, Dienstmädchen, Dienstmagd, Haushaltshilfe, Haushaltsgehilfin, Stubenmädchen, Zimmermädchen; Hilfe, Stütze, Perle; Haushälterin, Wirtschafterin, Gesellschafterin, Hausdame, Gouvernante; Köchin, Küchenhilfe, Zugehfrau, Putzfrau, Putzhilfe, Auf-

wartefrau, Stundenfrau, Reinemachfrau, **3.** Kinderfräulein, Kindermädchen, Kinderfrau, Kinderbetreuer, Babysitter, Au-pair-Mädchen, **4.** Hausdiener, Hausgehilfe, Hausbursche, Page,
Boy, Dienstbote, Diener, Butler, **5.** Portier, Concierge, Pförtner, Hauswart,
Hausmeister, Hausmaier.

827 heben 1. aufheben, lupfen, liften, anheben, aufnehmen, hochnehmen, hochheben, stemmen, wuchten, schultern,
buckeln; raffen, schürzen, aufstecken,
hochbinden, **2.** Augen erheben, Blick
heben, aufschauen, aufsehen, aufblicken, hochblicken, Augen aufschlagen,
Blick gen Himmel richten, Lider heben.

828 Heft 1. Schulheft, Notizheft, Schreib-
heft, Kladde, Schmierheft, Sudelbuch,
Kollegbuch, **2.** Büchlein, Broschüre,
Faszikel, Heftchen.

829 heftig 1. intensiv, stark, kräftig, wuchtig, massiv, gewaltig, kraftvoll, mit aller
Macht/Kraft, **2.** feurig, leidenschaftlich,
hitzig, heißblütig, vulkanisch, mitreißend, schwungvoll, unbändig, ungestüm, impulsiv, stürmisch, enthemmt,
turbulent, vehement, frenetisch, wild,
hemmungslos, tumultuarisch; fanatisch, besessen, abgöttisch, passioniert,
gewaltsam, forciert, eifernd, eifervoll, **3.**
hitzköpfig, explosiv, cholerisch, reizbar,
erregbar, aufbrausend, auffahrend, jähzornig, violent, zornmütig, wütend, rasend, von Sinnen, überschäumend, toll.

830 Heftigkeit Vehemenz, Wucht, Kraft,
Intensität, Eifer, Temperament, Heißblütigkeit, Wildheit, Hemmungslosigkeit, Raserei, Besessenheit, Tollheit,
Verbissenheit, Unbändigkeit, Ungebärdigkeit, Unbeherrschtheit, Turbulenz,
Ungestüm, Leidenschaft, Leidenschaftlichkeit, Feuer, Glut, Jähzorn, Zornmütigkeit, Reizbarkeit, Erregbarkeit, Hitzköpfigkeit, Radikalität, Streitbarkeit,
Militanz, Streitlust, Aggressivität, Angriffslust, Streitsucht, Händelsucht,
Zanksucht, Gewaltsamkeit, Gewalttätigkeit, Violenz.

831 heilen 1. abheilen, verheilen, heil werden, aushcilen, gesund werden, **2.** verarzten, therapieren, kurieren, gesund
machen, wiederherstellen, rehabilitieren.

832 Heiligenschein Gloriole, Aureole,
Nimbus, Strahlenkranz, Mandorla.

Heim 1. Herberge, Hort, Obdach, Zu-   **833**
hause, Reich, Wohnung, Haus, **2.** Anstalt, Wohnheim, Blindenheim, Obdachlosenheim, Studentenwohnheim,
Altersheim, Altenheim, Seniorenheim;
Kinderheim, Schullandheim, Internat,
Erziehungsanstalt; Frauenhaus.

heimlich 1. insgeheim, im Verborge-   **834**
nen/Stillen, unbemerkt, unbeobachtet,
unter der Hand, hinter den Kulissen,
unter Ausschluss der Öffentlichkeit,
hinter verschlossenen Türen, stiekum,
inoffiziell, ohne Aufsehen/Zeugen, verstohlen, still und leise, klammheimlich,
klandestin, bei Nacht und Nebel, auf
Schleichwegen, schwarz, abgekartet,
hintenherum, hinterrücks, meuchlings,
2. inkognito, pseudonym, anonym; geheim, geheimdienstlich, topsecret.

heiter 1. froh, frohmütig, frohgemut,   **835**
freudig, erfreut, munter, optimistisch,
daseinsfreudig, lebenslustig, unbeschwert, lebensfroh, sonnig, fröhlich,
zufrieden, ungetrübt, beschwingt, angeregt, beflügelt; freudestrahlend, lachend, lächelnd, schmunzelnd, grinsend, **2.** lustig, amusant, ergötzlich,
zum Lachen, humoristisch, humorig,
humorvoll, spaßig, spaßhaft, kurzweilig, unterhaltend, unterhaltsam, pläsierlich, vergnüglich, köstlich, belustigend,
erheiternd, zerstreuend, **3.** vergnügt,
munter, obenauf, auf der Höhe, guter
Dinge, guten Mutes, seelenvergnügt,
stillvergnügt, belustigt, erheitert, wohlgemut, gut gelaunt, aufgeräumt, gut
aufgelegt, übermütig, mutwillig, spitzbübisch, schalkhaft, schelmisch, verschmitzt, pfiffig, neckisch, drollig, fidel,
launig; aufgedreht, aufgekratzt, kregel,
feuchtfröhlich, närrisch, ausgelassen,
außer Rand und Band, **4.** komisch, gelungen, witzig, ulkig, köstlich, gottvoll,
possierlich, grotesk, burlesk, possenhaft, schwankhaft, lächerlich, putzig,
schnurrig, urkomisch, zwerchfellerschütternd, zum Schießen, unbezahlbar, **5.** idyllisch, arkadisch, bukolisch,
anakreontisch, ländlich, malerisch.

Heizung Heizanlage, Feuerung, Bren-   **836**
ner, Heizkessel; Zentralheizung, Fernheizung, Etagenheizung, Gasheizung,
Kohleheizung, Ölheizung, Ofenheizung, Solarheizung, Nachtspeicherheizung, Heizkörper, Strahler, Radiator.

837 helfen (sich) 1. Hilfe leisten, unterstützen, beistehen, beispringen, mit anfassen, zur Hand gehen, zufassen, zuspringen, einspringen, aushelfen, überbrücken, sich nützlich machen, zur Verfügung stellen/halten; in die Bresche springen, Beistand leisten, sich erbarmen; Hilfestellung geben, stützen, zur Seite stehen, unter die Arme greifen, bereitstehen, zur Verfügung stehen, Rücken stärken, Steine aus dem Weg räumen, 2. mitarbeiten, mithelfen, mitwirken, mitmachen, behilflich sein, beraten, informieren, entlasten, assistieren, zuarbeiten, sekundieren, Hand anlegen, 3. zuschießen, beisteuern, zusteuern, subventionieren, beihelfen, sponsern, beitragen, dazutun, nachhelfen, hineinpumpen, 4. abhelfen, befreien, retten, Abhilfe schaffen, tragen, sanieren, Karre aus dem Dreck ziehen, 5. einsagen, einhelfen, soufflieren, in die Feder diktieren, vorsagen, 6. sich selbst helfen, zu helfen wissen; zurückgreifen auf, seine Zuflucht nehmen zu.

838 Helfer 1. Retter, Nothelfer, Sozialarbeiter, Samariter, Beistand, Stütze, Begleiter, Berater, Beschützer, Beschirmer, guter Engel / Geist, Schutzengel, Schutzgeist, Deus ex Machina; Geber, Finanzier, Sponsor, 2. Gehilfe, rechte Hand, Assistent, Famulus, Mesner, Küster; Mädchen für alles, Faktotum; Aushilfe, Diener, Hilfe, Handlanger, Hilfsarbeiter, Tagelöhner, Zeitarbeiter, Vertretung, 3. Souffleur, Einsager, Einhelfer.

839 hell 1. licht, lichtvoll, luzide, lichterfüllt; taghell, bei Tag/Tageslicht, 2. strahlend, glänzend, funkelnd, schimmernd, scheinend, gleißend, glitzernd, blitzend, blendend, leuchtend, blank, schneeig, blütenweiß, silbrig, 3. rein, klar, freundlich, sonnig, besonnt, wolkenlos, unbewölkt, ungetrübt, 4. erleuchtet, beleuchtet, erhellt, angestrahlt, bestrahlt, illuminiert, 5. hell klingend, hell tönend, silberhell, glockenhell, glockenrein, glockenklar, 6. blond, hellblond, strohblond, goldblond, platinblond.

840 herablassend gnädig, leutselig, jovial, wohlwollend, huldvoll, hoheitsvoll, gönnerhaft, von oben herab, süffisant, selbstgefällig, dünkelhaft, onkelhaft.

841 herabsetzen (sich) 1. diffamieren, diskreditieren, demontieren, abqualifizieren, degradieren, entwerten, herabwürdigen, erniedrigen, demütigen, entwürdigen, beschämen, niederziehen, beugen, ducken, beleidigen, kränken, schmähen, ins Herz/Mark treffen, verletzen, anpöbeln, 2. sich etwas geben, gemein machen, kompromittieren, klein machen; Understatement betreiben, Licht unter den Scheffel stellen, sich unter Wert verkaufen, 3. verkleinern, senken, verringern, vermindern, abmildern, abschwächen, bagatellisieren, reduzieren, untertreiben, unterbewerten.

842 herausfordernd provokant, provokativ, provokatorisch, ketzerisch, rebellisch, querdenkerisch, kämpferisch, streitbar, konfliktfreudig; demonstrativ, ostentativ.

843 Herausforderung 1. Provokation, Brüskierung, Affront, Anrempelung, Behelligung, Belästigung, Anmache, Androhung, Drohung, Kampfansage, Fehdehandschuh, Kriegserklärung, 2. Zündstoff, Reizthema, Drachensaat, vermintes Gelände, hochsensibler Punkt.

844 herb 1. sauer, säuerlich, ungesüßt, trocken, zusammenziehend, angegoren, stichig, angesäuert, gegoren, vergoren, übergegangen, essigsauer, gekippt, 2. scharf, salzig, gepökelt, gewürzt, rezent, pikant, süßsauer, würzig, gepfeffert, ätzend, beißend, brennend, prickelnd, bitter, gallig, gallebitter, kratzig.

845 Herd Feuerstelle, Ofen, Kohleherd, Gasherd, Ölofen, Elektroherd; Kochgelegenheit, Kochherd, Küchenherd, Platte, Kocher, Mikrowellenherd, Mikrowelle; Heim, Mitte, Zentrum.

846 Herkunft 1. Abkunft, Herkommen, Ursprung, Deszendenz, Stammbaum, Geburt, Familie, Wurzeln, Hintergrund, Stall, 2. Nationalität, Volkszugehörigkeit, Staatsangehörigkeit, ethnische Zugehörigkeit.

847 Herrschaft 1. Macht, Gewalt; Herrschaftsgewalt, Hoheitsgewalt, Regierungsgewalt; Regentschaft, Regime, Exekutive, Herrschaftsapparat, Nomenklatura, Herrschaftssystem, 2. Vorherrschaft, Vormachtstellung, Vorrangstellung, führende Rolle, Regiment, Regie,

Dominanz, Hegemonie, **3.** Alleinherrschaft, Absolutismus, Autokratie; Willkürherrschaft, Gewaltherrschaft, Despotie, Tyrannei, totalitäres System, Diktatur, Despotismus, Zwangsregiment, Terrorregime, Schreckensherrschaft, Terrorherrschaft, Schreckensregiment.

848 herrschen 1. beherrschen, gebieten, regieren, befehlen, befehligen, kommandieren, politische Führung haben, Herrschaft/Macht ausüben/besitzen/innehaben, Steuer / Heft / Zügel in der Hand haben, Sagen haben, **2.** vorherrschen, dominieren, bestimmen, walten.

849 Herrscher Souverän, Gebieter, Hegemon, Herr, Landesherr, Regent, Präsident, Machthaber, Potentat, Imperator, Kaiser, König, Monarch, Dynast, Fürst, Zar, Sultan, Scheich, Kalif, Emir, Mogul, Großmogul, Tenno, Negus, Cäsar, Duce, Führer, Caudillo; Alleinherrscher, Autokrat, absoluter Herrscher, Diktator, Despot, Tyrann, Politgangster.

850 heruntergekommen 1. verarmt, abgestiegen, deklassiert, aus der Bahn geworfen, elend, auf den Hund gekommen, abgerissen, auf Trebe, obdachlos, depraviert, **2.** seelisch verwahrlost, verödet, verwildert, verroht, verkommen, ausgebrannt, gebrochen, ausgeblutet; verbummelt, verlottert, versackt, verlumpt, verludert, **3.** geschwächt, entnervt, abgezehrt, abgemagert, ausgemergelt, Schatten seiner selbst, Wrack, verwüstet, verfett, **4.** abgetakelt, verbraucht, erneuerungsbedürftig, reparaturbedürftig, verrottet.

851 hetzen 1. jagen, pirschen, verfolgen, nachsetzen, nachjagen, wegjagen, treiben, bedrängen, scheuchen, **2.** eilen, hasten, rennen, sich abhetzen, abjagen; immer auf Touren sein, keine Ruhe finden, immer im Druck sein, **3.** stänkern, wühlen, aufbringen, anstiften, stacheln, anstacheln, aufstacheln, aufwiegeln, schüren, Unfrieden stiften, unterminieren, untergraben, aufreizen, aufrühren, agitieren, aufpeitschen, verhetzen, verketzern, fanatisieren, scharfmachen, aufputschen, böses Blut machen, Hass säen, Öl ins Feuer gießen, anblasen, anfachen, aufhetzen.

852 Heuchler Gleisner, Mucker, Frömmler, Pharisäer, Leisetreter, Schneeschleicher, Duckmäuser, Tartüff, Schlitzohr,

Schleicher, Wolf im Schafspelz, Lügner, Lügenmaul, Lügenbeutel, Schwindelhuber, Erbschleicher, Simulant.

hier da, an dieser Stelle, an diesem   **853** Ort, hierzulande, daselbst, anwesend.

Hilfe 1. Beistand, Unterstützung, Ge-   **854** fälligkeit, Erleichterung, Entlastung, Aushilfe, Mithilfe, Hilfeleistung, Beratung, Information, Service, Dienstleistung, Hilfestellung, Zutun, Handreichung, Mitwirkung, Assistenz, Beihilfe, Beitrag, Zuschuss, Subvention, Fundraising, Sponsoring, Überbrückung, Förderung, Begünstigung, Vorschub, Beschaffungsnetz, Beschaffungssystem, **2.** Rettung, Bergung, Abhilfe, Entsatz; Feuerwehr, Notbremse, **3.** Denkhilfe, Eselsbrücke, Gedächtnisstütze, Merkhilfe, Merkspruch.

Hilferuf Notruf, Notschrei, Notsi-   **855** gnal, Alarm, Sirene, SOS-Ruf, Aufruf, Appell, Signal.

hilflos 1. schwach, krank, leidend,   **856** kraftlos, hilfsbedürftig, pflegebedürftig, schutzbedürftig; unselbständig, auf andere angewiesen; dem Leben nicht gewachsen, ichschwach, unsicher, abhängig, anlehnungsbedürftig, hilfebedürftig, wehrlos, ohnmächtig, **2.** ratlos, unschlüssig, verzweifelt, hoffnungslos, aufgeschmissen, festgefahren, verrannt, in einer Sackgasse, desperat, in Not/Nöten, im Druck, in Bedrängnis/Verlegenheit, in der Klemme/Patsche, auf dem Trocknen, mit dem Latein/der Weisheit am Ende. **3.** ausgeliefert, preisgegeben, rechtlos, **4.** unversorgt, herrenlos, verlassen, unbeschützt, unbehütet, ausgesetzt.

hindern 1. hemmen, zurückhalten,   **857** fern halten, aufhalten, abhalten, abschrecken, zurückschrecken, eindämmen, ersticken, beschränken, unterdrücken, lahm legen, sperren, bremsen, zügeln, mäßigen, knebeln, steuern, wehren, drosseln, dämpfen, abgrenzen, engführen, eingrenzen, lokalisieren, begrenzen, beruhigen, im Zaume halten, Zügel anlegen, an die Kandare nehmen, bekämpfen, angehen gegen, ankämpfen gegen, **2.** Halt gebieten, in den Weg treten, sich in den Weg stellen; entgegentreten, Weg verlegen/versperren, Steine in den Weg legen, in den Arm fallen, Knüppel zwischen die Beine werfen, entgegenarbeiten, inhibieren, behindern, beengen, Hände binden, Grenzen setzen, zurückpfeifen, **3.** verhindern, hintertreiben, abwiegeln, verbauen, fesseln, auflaufen lassen, konterkarieren, sabotieren, boykottieren, torpedieren, verhageln, versalzen, durchkreuzen, vereiteln, Punkt machen, Ende setzen, Gegenmaßnahmen ergreifen, unterbinden, zuvorkommen, abblocken, abschmettern, in die Pfanne hauen, platt machen, handicapen, abwehren, Einhalt gebieten, entgegenwirken, erschweren, Handwerk legen, Riegel vorschieben, dazwischentreten, unschädlich/Strich durch die Rechnung/zunichte/zuschanden machen, außer Gefecht setzen, aushebeln, abbügeln, Wasser abgraben, kippen, Spiel verderben, zu Fall bringen, **4.** belagern, blockieren, einkreisen, umzingeln, umstellen, einschließen, einkesseln, abschneiden, abschnüren, absperren, abriegeln.

858 Hindernis 1. Hemmklotz, Hemmschuh, Bremse; Fessel, Kette, **2.** Einengung, Einschränkung, Erschwerung, Vereitelung, Hintertreibung, Durchkreuzung, Verhinderung, Erschwernis, Hemmnis, Unterbindung, Lähmung, Drosselung, Knebelung, Stau, Stauung, Stockung, Verstopfung, **3.** Belagerung, Einkreisung, Umzingelung, Einkesselung, Absperrung, Abschnürung, Umklammerung, **4.** Hürde, Wall, Drahtverhau, Barriere, Schranke, Blockade, Sperre, Absperrung, Kordon; Graben, Kluft, Abgrund, **5.** Handicap, Nachteil, Behinderung, Benachteiligung, Beeinträchtigung.

859 Hintergrund 1. Grund, Folie, Rahmen, Fond, Tiefe, Background, graue Eminenz, Kulisse, Prospekt, Geräuschkulisse, Untermalung, Hintergrundmusik, **2.** Hintergedanke, Nebenabsicht, Nebenzweck, unbewusste Absicht, **3.** Voraussetzung, Prämisse, Bedingung.

860 Hinweis 1. Ankündigung, Mitteilung, Bekanntmachung, Anschlag, Wegweiser, Verweis, **2.** Anspielung, Andeutung, Bemerkung, Wink, Fingerzeig, Tipp, Geheimtipp; Gebärde, Geste, Zeichen, Handzeichen, Handbewegung.

861 hinweisen 1. zeigen, deuten, hindeuten, verweisen, mit dem Finger zeigen, aufmerksam machen, auf die Spur/

Fährte bringen, Hinweis geben, auf die Sprünge helfen, mit der Nase darauf stoßen, zu verstehen geben, andeuten, anspielen, durchlassen, erwähnen, streifen, rühren an, nicht näher eingehen auf, durchblicken lassen, beibringen, stecken, einflüstern, einblasen, warnen, nahe legen, durch die Blume sprechen, umschreiben, abheben/abzielen auf, Wort fallen lassen, bedeuten, sticheln, Anspielung machen, mit dem Zaunpfahl winken, Wink geben, **2.** sich profilieren, in den Vordergrund schieben; auf sich aufmerksam machen.

hoch 1. oben, droben, in der Höhe, **862** hoch in der Luft, auf, über, oberhalb, zu Häupten, von oben, aus der Luft/Vogelperspektive, **2.** hoch stehend, hoch gestellt, übergeordnet, hochrangig, in leitender Stellung, höher gestellt, **3.** hoch ragend, aufragend, vielstöckig, himmelhoch, alles überragend, haushoch, turmhoch, **4.** obenauf, zuoberst, ganz oben; auf dem Gipfel, auf höchster Ebene, **5.** happig, horrend, gepfeffert, gesalzen, unverschämt, sündhaft.

hoffentlich 1. wahrscheinlich, vermutlich, wohl, voraussichtlich, denkbar, anzunehmen, zu erwarten, sicherlich, kaum anzuzweifeln, mutmaßlich, aller Voraussicht/Wahrscheinlichkeit nach, **2.** wünschenswert, erwünscht, zu wünschen. **863**

höflich zuvorkommend, aufmerksam, rücksichtsvoll, wohlerzogen, verbindlich, liebenswürdig, gewandt, freundlich; ritterlich, galant, ladylike, gentlemanlike, chevaleresk, artig. **864**

Homosexualität Homophilie, Homoerotik, gleichgeschlechtliche Liebe, Amour bleu. **865**

homosexuell gleichgeschlechtlich, homophil, homoerotisch, schwul, gay, lesbisch. **866**

Homosexuelle(r) Homo, Schwuler, Fag, Gay; Lesbe, Schwester, kesser Vater, KV, Dyke. **867**

hören 1. lauschen, horchen, aufhorchen, vernehmen, wahrnehmen, verstehen, erfahren, entnehmen, mitkriegen, aufschnappen, erlauschen, zu Ohren kommen, sich sagen lassen; erzählt bekommen, **2.** anhören, zuhören, hinhören, Gehör schenken, Ohren spitzen, belauschen. **868**

869 hübsch nett, reizend, gefällig, genrehaft, ansprechend, angenehm, erfreulich, bildhübsch, frisch, knusprig, sauber, adrett, allerliebst, goldig, süß, niedlich, herzig, schmuck, proper, flott, fesch, alert, nett anzusehen.

870 Hülle 1. Umhüllung, Verpackung, Packmaterial, Packpapier; Papier, Bogen, Pappe, Pappdeckel, Wellpappe, **2.** Schale, Rinde, Pelle, Haut, Fell, Pelz, Kruste, Schwarte, Borke, Panzer, Kokon, Balg, **3.** Verputz, Bewurf, Tünche, Tapete, Wandbekleidung, Wandbespannung, Verkleidung, Umkleidung, Mantel, Verschalung, Täfelung, Paneel, Getäfel, Furnier, Behang, Wandbehang, Wandteppich, Gobelin; Auskleidung, Futter, Fütterung, Wattierung, Polsterung, **4.** Einband, Cover, Schuber, Deckel, Umschlag, Buchhülle; Briefumschlag, Kuvert, **5.** Tuch, Halstuch, Schultertuch, Umschlagtuch, **6.** Gardine, Store, Rollo, Vorhang, Portiere; Blende, Markise, Laden, Klappladen, Rollladen, Jalousie, Fensterladen, **7.** Wandschirm, Ofenschirm, spanische Wand, Paravent, **8.** Tasche, Mappe, Aktenmappe, Kollegmappe; Handtasche, Beutel; Koffer, Handkoffer, Reisekoffer, Boardcase, Sack, Bündel, Matchsack, Kulturbeutel; Etui, Futteral, Hülse, Köcher, **9.** Decke, Zudecke, Steppdecke, Wolldecke, Tagesdecke; Deckbett, Plumeau; Bettbezug, Überzug, **10.** Tüte, Papiersack, Plastikbeutel, Plastiktüte; Schlauch, Wassersack.

871 Hund Rüde, Vierbeiner; Haushund, Hofhund, Jagdhund, Leithund, Wachhund, Kettenhund, Polizeihund; Rassehund, Mischling, Bastard, Promenadenmischung; Kläffer, Töle, Köter, Fiffi, Bello, Wauwau, Schoßhund.

872 hungern 1. Hunger haben, nichts zu essen / beißen haben, Appetit haben, darben, entbehren, Not leiden, am Hungertuch nagen, **2.** verlangen, schmachten, gieren, **3.** fasten, sich enthalten; Diät halten, Hungerkur machen, im Hungerstreik sein.

873 hüten schützen, warten, hegen, pflegen, aufpassen, betreuen, bewachen, achten auf, beaufsichtigen, beschirmen, beschützen, versorgen, sorgen für, sich kümmern um; weiden/grasen lassen.

I

874 Ideal 1. Beispiel, Muster, Hoffnungsträger, Leitstern, Leitbild, Ichideal, Übervater, Vorbild, Inbegriff, Maßstab, **2.** Idol, Götze, Fetisch, Abgott, Schwarm, Kultfigur, Ikone, **3.** Wunschbild, Wunschziel, Wunschtraum, Traumbild, Idealbild.

875 Idealismus 1. Glaube an Ideale, Enthusiasmus, Opferbereitschaft, **2.** Romantik, Schwärmerei, Verstiegenheit, Überspanntheit, Purismus, Weltfremdheit, Donquichotterie.

876 Idealist 1. Optimist, Enthusiast, Himmelstürmer, Schwarmgeist, Traumtänzer, Bekenner, Träumer, Visionär, **2.** Romantiker, schöne Seele, Schwärmer, Phantast, Illusionist, Utopist, Zukunftsträumer, Zukunftsgläubiger, Ideologe, Weltverbesserer, Eiferer, Purist, Fanatiker, Zelot.

877 idealistisch 1. schwärmerisch, begeistert, enthusiastisch, hochfliegend, voller Ideale, **2.** träumerisch, romantisch, unwirklich, phantastisch, verstiegen, unrealistisch, irreal, verschwärmt, wirklichkeitsfremd, utopisch, lebensfremd, in höheren Sphären, weltfremd, wirklichkeitsblind, ohne Boden unter den Füßen, ideologisch.

878 Idee 1. Erscheinung, Gestalt, Eidos, Bild, Form, Begriff, Gedanke, Abstraktion, Denkmöglichkeit, Denkmodell, Idealvorstellung, **2.** Einfall, Impuls, Überlegung, Eingebung, Erleuchtung, Gedankenblitz, Geistesblitz, Intuition, Inspiration, Funke.

879 ideell gedanklich, gedacht, geistig, auf einer Idee beruhend, kategorial, begrifflich, vorgestellt, spekulativ, abgezogen, abstrakt, Kopfgeburt, am grünen Tisch, theoretisch, ideologisch, ungegenständlich, unkörperlich, immateriell, metaempirisch, metaphysisch, unwirklich, imaginär.

880 Illusion 1. Einbildung, Wahn, Wahnvorstellung, fixe Idee, Zwangsvorstellung, Wahnwelt, Halluzination, Imagination, Fieberwahn, Phantomschmerz, Hirngespinst, Phantasma, Phantasmagorie, Phantasiegebilde, Fiebertraum, Traumwelt, Traumbild, Traumgesicht, **2.** Sinnestäuschung, Gaukelspiel, Vision, Erscheinung, Gesicht, Fata Morgana, Luftspiegelung, Vexierbild, Trugbild, Blendwerk, **3.** Wunschtraum, Glückstraum, Traum, Träumerei, Luftschloss, Wolkenkuckucksheim, Herzenswunsch, Wunschbild, Wunschvorstellung, Zukunftsmusik, Utopie, Zukunftstraum, frommer Wunsch, Selbsttäuschung, Selbstbetrug, Augenwischerei, **4.** Fiktion, Scheinwelt, virtuelle Welten, Bildschirmwelt, Simulation, Virtual Vision, Cyberspace.

881 imitieren 1. nachahmen, nachbilden, nachmachen, nachformen, kopieren, abgucken, nachäffen, nachbeten, nachplappern, nachschwätzen, nachtun, lernen von, **2.** abschreiben, abkupfern, abklatschen, spicken, entlehnen, sich anlehnen, mit fremden Federn schmücken, **3.** nachdrucken, fälschen, plagiieren.

882 immer 1. ständig, stets, stets und ständig, dauernd, beständig, unaufhörlich, immer während, immerfort, immerzu, permanent, allewege, alle Mal, ewig, anhaltend, fortwährend, fortlaufend, ununterbrochen, andauernd, fortgesetzt, unablässig, ohne Ende/Unterlass, pausenlos, ständig, ewig und drei Tage, laufend, ohne Punkt und Komma, fortdauernd, Tag für Tag, tagtäglich, jeden Tag, alle Tage, täglich, den ganzen Tag, von früh bis spät, vom Morgen bis zum Abend, Sommer wie Winter, unausgesetzt, in einem fort, in einer Tour; immerdar, zeitlebens, ein Leben lang, lebenslänglich, auf lange Sicht, in alle Ewigkeit, kein Ende abzusehen, endlos, unendlich, nonstop, Open End, **2.** für immer, auf Dauer, für und für, fort und fort, allezeit, jederzeit, jahrein, jahraus, das ganze Jahr, jedes Jahr, alljährlich; stündlich, alle Stunden, jede Stunde; jedes Mal, bei jedem Wetter, **3.** regelmäßig, gleichmäßig, konstant, unentwegt, immer wieder, wieder und wieder, **4.** schon immer, von jeher, von Anfang/von der Wiege an, seit Adam und Eva, seit eh und je, von Kindesbeinen an, von klein auf, mein Lebtag.

883 immun 1. geschützt, gefeit, ungefährdet, widerstandsfähig, abwehrfähig, resistent, unempfänglich, unbedroht, geimpft, **2.** unangreifbar, unantastbar, Immunität genießend, immunisiert, tabuisiert.

884 imponieren beeindrucken, Eindruck machen, Achtung einflößen, Staunen erregen, auffallen, einschüchtern, faszinieren, Bewunderung erwecken, blenden, Aufsehen erregen, gute Figur machen.

885 imponierend imposant, eindrucksvoll, beeindruckend, repräsentativ, majestätisch, erhaben, Achtung gebietend, einschüchternd, stattlich, enorm, großartig, monumental.

886 individuell 1. subjektiv, persönlich, unverwechselbar, unvergleichbar, einzig, singulär, sui generis, besonders, **2.** verschieden, jedes Mal anders, personenbezogen, personabhängig.

887 Inhalt 1. Gehalt, Kern, Wesen, Thema, Sachinhalt, Forminhalt, **2.** Fülle, Füllung, Inneres, Füllsel, Füllmasse.

888 innen 1. im Innern, intern, drinnen, binnen, innerhalb, darin, drin, im Haus/Raum, **2.** inwendig, innerlich, innewohnend, im Herzen, in der Brust, Seele, zuinnerst, zutiefst, im tiefsten Innern, im Gemüt, seelisch, psychisch, gefühlsmäßig, emotional, endogen.

889 Insel Eiland, Atoll, Werder, Hallig, Schäre, Holm, Flussinsel; Inselkette, Inselgruppe, Archipel; Bohrinsel, Rettungsinsel; Refugium.

890 intelligent 1. vernunftbegabt, klug, begabt, gescheit, geweckt, aufgeweckt, lernfähig, hell, wach, scharfsinnig, das Wesentliche erfassend, blitzgescheit, nicht auf den Kopf gefallen, auffassungsschnell, befähigt, fix, findig, behänd, gewitzt, mit Köpfchen, **2.** besonnen, überlegt, klar blickend, klarsichtig, umsichtig, bedacht, weit schauend, weit blickend, scharfsichtig, weitsichtig, verständig, herzensklug, vorausschauend.

891 intensiv 1. penetrant, durchdringend, stechend, beißend, streng, scharf, stark, **2.** angespannt, angestrengt, konzentriert, gesammelt, gründlich, aufmerksam, mit aller Kraft, **3.** kräftig, leuchtkräftig, ausdrucksvoll, ausdrucksstark, **4.** nachhaltig, tief, eindringlich, nachdrücklich, unvergesslich,

unverwischbar, unauslöschlich, **5.** gesättigt, angereichert, hochprozentig, konzentriert.

interessant 1. fesselnd, packend, **892** anregend, reizvoll, spannend, aufregend, spannungsreich, atemberaubend, mitreißend, unwiderstehlich, faszinierend, nicht loslassend, unterhaltend, unterhaltsam, kurzweilig, **2.** bemerkenswert, beachtlich, besonders, sehenswert, erzählenswert, wissenswert, gibt zu denken, erwähnenswert, lesenswert, lehrreich, instruktiv, innovativ, informativ, bedeutungsvoll, beachtenswert, merkwürdig, seltsam, wunderbar, bedeutsam, eigenartig, ungewöhnlich, aufschlussreich, Fundgrube, Steinbruch.

Interesse Aufmerksamkeit, Augen-   **893** merk, Anteilnahme, Gespanntheit, Beteiligung, Wissensdrang, Wissbegierde, Forschungstrieb, Forschergeist, Lernbegierde, Lerneifer, Wissensdurst, Neugier; Nachfrage, Vorteil, Nutzen, Reiz, Attraktivität.

interessieren (sich) 1. fesseln, an-   **894** regen, Interesse erwecken, Anteilnahme erregen, spannen, gefangen nehmen, packen, unterhalten, bannen, Beachtung verdienen, **2.** aufhorchen, aufmerksam werden, Lust bekommen, neugierig werden; Beachtung schenken, bei der Sache sein, Interesse haben für, interessiert sein an, an jmds. Lippen hängen, sich erwärmen, begeistern, **3.** neugierig/indiskret sein, seine Nase in alles stecken, Augenmerk richten auf, **4.** spekulieren / reflektieren auf, haben wollen.

interessiert 1. gefesselt, gespannt, **895** dabei, gebannt, fasziniert, im Bann, konzentriert, aufmerksam, erwartungsvoll, wissbegierig, lernbegierig, aufgeschlossen, forschend, fragend, beteiligt, **2.** neugierig, schaulustig, sensationslüstern, indiskret, wunderfitzig, vorwitzig.

international überstaatlich, multi-   **896** national, multiethnisch, transnational, zwischenstaatlich, staatenübergreifend, grenzüberschreitend, weltumspannend, weltpolitisch, weltweit, global, universal, allgemein.

Intrigant Zuträger, Einflüsterer, Rän-   **897** keschmied, Giftmischer, Heimtücker, Filou, Drahtzieher, Unheilstifter, Verleumder, böse Zunge, Hintermann, Anstifter, Spin Doctor.

898 Intrige List, Ränke, Kabale, Intrigenspiel, Ränkespiel, Schliche, Machenschaft, Arglist, Machination, Manöver, Ranküne, abgekartetes Spiel, Einflüsterung, Ohrenbläserei; Komplott, Verschwörung, Konspiration.

899 intuitiv gefühlsmäßig, emotionell, instinktiv, eingegeben, einfühlend, divinatorisch, unbewusst, nachtwandlerisch, schlafwandlerisch.

900 Inventar 1. Einrichtung, Ausstattung, Möbel, Mobiliar, Bestand, Vorrat, Lager, Lagerbestand, Fundus, Bestandsmasse, **2.** Inhaltsverzeichnis, Bestandsverzeichnis, Bestandsliste, Register, Verzeichnis.

901 irren (sich) 1. abirren, fehlgehen, irregehen, Weg verfehlen, sich verirren, verlaufen; vom Weg abkommen, sich verfahren, versteigen, verfranzen, **2.** danebentreten, fehltreten, abknappen, **3.** Fehler machen, verfehlen, danebenhauen, sich verhauen, verrechnen, verzählen, verschreiben, vertippen, verlesen, vergreifen; verwechseln, sich versehen, verhören; falsch verstehen, fehlgreifen, verpatzen, verbocken, versieben, Bock schießen, danebenschießen, Ziel verfehlen; hereinfallen, in die Falle gehen, auf den Leim kriechen, ins Netz gehen, Rechnung ohne den Wirt machen, Pferd am Schwanz aufzäumen, sich dumm anstellen, **4.** sich täuschen; missdeuten, falsch auslegen, missverstehen, verkennen; sich missverstehen; aneinander vorbeireden, auslegen, **5.** sich verkaufen; fehlspekulieren, sich verspekulieren, verkalkulieren; schief liegen, Katze im Sack kaufen, Bock zum Gärtner machen, auf der falschen Fährte / dem Holzweg sein, schief gewickelt sein, sich in Sicherheit wiegen; Eigentor schießen, auf einen selbst zurückfallen, sich schneiden, betrügen, **6.** verkennen, unterschätzen, unterbewerten, überschätzen, **7.** sich versprechen, verplappern, verschnappen, im Ausdruck vergreifen, den Mund / die Zunge verbrennen.

Irrtum 1. Fehler, Versehen, Fehlschluss, Fehlleistung, Fehlgriff, Verwechslung, falsche Fährte, Lapsus, Missgriff, Missverständnis, Trugschluss, Täuschung, Holzweg, Sackgasse, Zirkelschluss, **2.** Eigentor, Scheinsieg, Pyrrhussieg, Bumerang, Bärendienst. **902**

irrtümlich irrig, fälschlich, versehentlich, aus Versehen, zu Unrecht, irrigerweise, fälschlicherweise, in der irrigen Annahme. **903**

J

904 Jagd Jägerei, Weidwerk, Hatz, Hetzjagd, Treibjagd, Hetze, Pirsch, Großwildjagd.

905 Jäger 1. Weidmann, Nimrod, Jägersmann, Förster, Heger, Wildhüter, Jagdaufseher, Trapper, Hunter, Fallensteller, Pelzjäger, Großwildjäger, **2.** Wilddieb, Wilderer, Wildschütz.

906 Jubiläum Gedenktag, Gedenkfeier, Jahresfest, Jahrestag, Ehrentag, Erinnerungstag, Gründungstag, Eröffnungstag.

907 jucken 1. beißen, ätzen, brennen, kitzeln, kribbeln, bitzeln, prickeln, stechen, reizen, irritieren, stören, **2.** kratzen, scharren, reiben.

908 Jugend 1. Kindheit, Kindertage, Kinderzeit, Kindesalter, Kinderjahre, Lebensmorgen, Adoleszenz, Jugendjahre, Jugendzeit, Jugendalter, Entwicklungsjahre, Wachstumsjahre, Übergangsalter, Pubertät; Flegeljahre, Sturm-und-Drang-Zeit, Lenz, Lebensfrühling, **2.** junge Generation/Leute, junges Volk/Gemüse, Nachwuchs, Jugend von heute, Popgeneration, Hipgeneration, Generation X, **3.** Kids, Jugendliche, Heranwachsende, Halbwüchsige, Youngsters, Teenager, Teenies, Teens, Twens.

jung 1. klein, kindlich, jung an Jahren, **909** blutjung, kindhaft, halbwüchsig, heranwachsend, jugendlich, adoleszent, juvenil, **2.** unreif, grün, kindisch, infantil, unausgewachsen, unvergoren, pubertär, unerfahren, **3.** frisch, blühend, knackig, unverbraucht.

Junge 1. Sohn, Filius, Junior, Sohne- **910** mann, Ältester, Stammhalter, Jüngster, Benjamin, **2.** Kind, Knabe, Bub, Bengel, Range, Kleiner, Kerlchen, Zwerg, Jungchen, Knirps, Dreikäsehoch, Wicht, Steppke; Hüpfer, Heranwachsender, junger Dachs, Bursche, Jüngling, Bubi, Milchbart, Milchgesicht, Füllen, Grünschnabel, junger Mann.

Jury 1. Preisrichterkollegium, Preisge- **911** richt, Schiedsgericht, Kampfgericht, Prüfungsausschuss, Prüfungskollegium, Komitee, Gremium, Rat, Kommission, Beirat, Ausschuss, Kuratorium, Geschworenengericht, **2.** Prüfer, Begutachter, Preisrichter, Schiedsmann, Ombudsmann, Schiedsrichter, Kampfrichter, Unparteiischer; Geschworene, Laienrichter.

Justiz 1. Rechtspflege, Rechtswesen, **912** Gerichtswesen, Gericht, Gerichtsbarkeit, Kadi, Rechtsbehörde, Rechtsprechung, Jurisdiktion, **2.** Jurist, Rechtsgelehrter; Justitiar, Rechtsbeistand, Notar, Anwalt, Rechtsanwalt, Rechtsvertreter, Rechtspfleger, Rechtsberater, Konsulent, Advokat, Verteidiger; Richter, Staatsanwalt, Ankläger, **3.** Jura, Jurisprudenz, Rechtswissenschaft, Rechtslehre, Rechtskunde, Jus, Juristerei.

K

913 kahl 1. haarlos, unbehaart, glatzköpfig, kahlköpfig, **2.** entlaubt, entblättert, baumlos, vegetationslos, nackt.

914 kalt 1. frisch, kühl, fröstelig, frostig, schuckrig, klamm, feuchtkalt, bitterkalt, eisig, starr, gefroren, erstarrt, winterlich, schneebedeckt, vereist, eiskalt, polar, bereift, frostklirrend, lausig kalt, eiskalt, **2.** fröstelnd, frierend, zitternd, bibbernd, schaudernd, zähneklappernd, schlotternd, durchfroren, unterkühlt, **3.** fischblütig, froschblütig, gefühllos, kaltherzig, gemütskalt, kühl, leidenschaftslos, cool, gefühlskalt, gefühlsarm, gemütsarm, frigid, temperamentlos, dürftig, unzärtlich, ohne Zärtlichkeit/Wärme, wärmelos, liebeleer, lieblos, undankbar, unempfindlich, unempfänglich, unnahbar, **4.** kalt lächelnd, unbewegt, herzlos, abgebrüht, kaltschnäuzig, schnöde.

915 Kälte 1. Kühle, Frische, Frost, Eis, tiefe Temperatur, Winter, Winterkälte, kalte Jahreszeit, Erstarrung, Todesstarre, Hundekälte, Lausekälte, **2.** Gefühlskälte, Kaltherzigkeit, Unempfindlichkeit.

916 Kamera 1. Fotoapparat; Polaroidkamera, Kompaktkamera, Pocketkamera, Spiegelreflexkamera, Sucherkamera, Systemkamera; Großbildkamera, Kleinbildkamera, **2.** Filmkamera, Filmapparat, Super-8-Kamera, Schmalfilmkamera, Videokamera, Camcorder, Fernsehkamera; Handkamera, Studiokamera, Camkamera, **3.** Fotokopierer, Kopierer, Scanner.

917 Kampf 1. Anstrengung, Tour de Force, Kraftakt, Gewalttour, Gewaltmarsch; Ringen, Tauziehen, Rivalität, Konflikt, Wettstreit, **2.** Fehde, Strauß, Streit, Konfrontation, Auseinandersetzung, Handgemenge, Zweikampf, Kugelwechsel, Showdown, Duell, **3.** Wettkampf, Fight, Ringkampf, Clinch, Boxkampf, **4.** Freiheitskampf, Untergrundkampf, Widerstandskampf, **5.** Todeskampf, Agonie.

918 kämpfen 1. sich einsetzen; ringen um, fighten, sich engagieren, stark machen; eintreten/einstehen für, **2.** konkurrieren, rivalisieren, wetteifern, es mit jmdm. aufnehmen, sich mit jmdm. messen; Wettkampf austragen, wettkämpfen, wettstreiten, ringen, boxen, **3.** anfeinden, befeinden, angehen, ankämpfen gegen, zu bezwingen suchen, bekämpfen, befehden, bekriegen, zu Felde ziehen, mit Krieg überziehen; Einspruch erheben, anfechten, bestreiten; Widerstand leisten, sich zur Wehr setzen; abwehren, verjagen, vertreiben, hinschlachten, hinmorden, niedermachen, **4.** schießen, abziehen, abdrücken, feuern, **5.** Krieg führen, zu den Waffen greifen, ins Feld ziehen, angreifen, kriegen, dreinschlagen, dreinhauen, **6.** sich schießen, duellieren; fechten, sich schlagen.

919 Kämpfer 1. Streiter, Krieger, Soldat, Schütze, **2.** Draufgänger, Heißsporn, Kämpfernatur, Satanskerl, Haudegen, **3.** Streetfighter, Streetgang, Stadtguerilla, **4.** Gladiator, Stierkämpfer, Torero, Toreador, Matador, **5.** Rebell, Empörer, Bilderstürmer, Meuterer, Revolutionär, Widerstandskämpfer, Untergrundkämpfer, Partisan, Guerillero, Terrorist, Putschist.

920 kämpferisch engagiert, eifernd, kühn, unverzagt, stark, heldenmütig, beherzt, wagemutig, couragiert, mutig, hitzig, draufgängerisch, auseinandersetzungsfreudig, auseinandersetzungsstark, konfliktfähig, streitbar, kombattant, kampfesmutig, kampfesfreudig.

921 Kasse 1. Ladenkasse, Registrierkasse, Geldladen, Geldkasten, Geldbehälter, Geldschrank, Panzerschrank, Tresor, Schließfach, Safe, Sparbüchse, Strumpf, schwarze Kasse, **2.** Zahlstelle, Zahlschalter, Bankomat, Kassenautomat, Kassenschalter, Bankschalter, **3.** Portemonnaie, Geldbeutel, Beutel, Börse, Tasche, Brieftasche, **4.** Krankenkasse, Krankenversicherung.

922 Kassette 1. Schatulle, Kästchen, Schmuckschatulle, Schmuckkästchen; Geldkassette, **2.** Tonbandkassette, Videokassette, Musikkassette, Audiokassette, Tape, Tonträger.

923 Kauf Ankauf, Erwerb, Bezug, Abnahme, Übernahme; Kaufabschluss, Einkauf, Erwerbung, Erstehung, Anschaffung; Gelegenheitskauf, Schnapp,

Schnäppchen; Shopping, Teleshopping, Versandkauf, Leasing, Ratenkauf.

924 kaufen 1. einkaufen, Einkaufsbummel machen, Shopping gehen, sich eindecken, versorgen mit; anschaffen, erstehen, erwerben, beschaffen, sich zulegen, **2.** beziehen, abnehmen, nehmen, übernehmen, abkaufen, ankaufen, leasen, aufkaufen, ersteigern, erhandeln; schnappen, ramschen, zugreifen, zuschlagen, schießen, **3.** bestechen, schmieren, korrumpieren.

925 Käufer Konsument, Verbraucher, Abnehmer, Kunde, Endabnehmer, Interessent, Besteller, Bezieher, Abonnent; Kaufbesessener, Dauerkäufer, Zwangskonsument, Shopaholic.

926 kaum 1. selten, schwerlich, wenig, unmerklich, unmessbar, fast gar nichts, vereinzelt, nur, ab und zu, alle Jubeljahre, so gut wie nie, gelegentlich, kommt vor, im Ausnahmefall, manchmal, knapp, **2.** nicht anzunehmen, unwahrscheinlich, kaum denkbar, schwer vorstellbar.

927 Kavalier Gentleman, Ehrenmann, Ritter, Weltmann, Grandseigneur, Gesellschaftslöwe, Salonlöwe, Galan, Kümmerer, Courmacher, Charmeur, Plauderer, Causeur, Unterhalter.

928 kennen 1. Bekanntschaft gemacht haben, bekannt / begegnet / befreundet / vertraut sein mit, **2.** sich auskennen, wissen.

929 kenntnisreich gelehrt, kundig, studiert, unterrichtet, geschult, fundiert, belesen, gescheit, klug, gebildet, beschlagen, versiert, bewandert, informiert, firm, sicher, sattelfest, sachkundig, wohl unterrichtet; wissend, vertraut, eingeweiht.

930 Kennzeichen 1. Merkmal, Spezifikum, Charakteristikum, Attribut, Zug, Eigentümlichkeit, Besonderheit, Wesenszug; Zeichen, Kriterium, Symptom, Anzeichen, Prüfstein, Indikator, **2.** Kennzeichnung, Charakterisierung, Charakteristik; Steckbrief, Täterprofil, Suchmeldung; Benennung, Namensgebung, Betitelung, Adresse, Anschrift, Personalien, Daten, Angaben zur Person; Unterschrift, Signatur, Namenszug, Namenszeichen, Monogramm, Insignien, Nummernschild, Autokennzeichen, **3.** Aufdruck, Stempel, Siegel, Fa-

brikmarke, Label, Logo, Gütezeichen, Wasserzeichen, Etikett, Schutzmarke, Markenzeichen, Gütesiegel, Handelszeichen, Warenzeichen; Schild, Aushängeschild, Wappen, Wappenschild, Emblem, Kokarde, Signum, Signet, Plakette, Abzeichen, Token, Vignette, Aufkleber, Medaille, Plombe; Zeichen, Pfeil, Piktogramm, Marke, Wegweiser, Wegemarke, Richtungsanzeiger, Markierung, Boje, **4.** Name, Anrede, Titel, Titulatur; Vorname, Rufname, Taufname, Eigenname, Zuname, Familienname, Nachname, Spitzname, **5.** Kennwort, Kennziffer, Kennzahl, Codeziffer, Codewort, Passwort, PIN, Geheimzahl, Wählwort, Stichwort, Schlagwort, Chiffre, Erkennungszeichen, Fingerabdruck, Daktylogramm, Genabdruck, Muttermal, Tätowierung, Brandmal; Losungswort, Geheimzeichen, Erkennungswort, Schibboleth, **6.** Zahl, Ziffer, Zahlzeichen, Nummer, Zahlwort, Seitenzahl, **7.** Überschrift, Titel, Titelzeile, Schlagzeile, Scoop, Headline.

kennzeichnen 1. bezeichnen, be-   **931** schreiben, schildern, charakterisieren, darstellen, illustrieren, definieren, qualifizieren, **2.** beschriften, adressieren, etikettieren, beschildern, datieren, **3.** prägen, stempeln, abstempeln; ausschildern, beschildern; markieren, einkringeln, umkringeln, unterschlängeln, einklammern, ankreuzen, unterstreichen, anstreichen, anzeichnen; punktieren, knipsen, lochen, nummerieren, paginieren, beziffern, signieren, unterschreiben, zeichnen, unterzeichnen, firmieren, beurkunden, siegeln, **4.** tätowieren, einmeißeln, gravieren, aufdrucken, bedrucken, aufprägen, Stempel aufdrücken, **5.** benennen, benamsen, betiteln, titulieren, heißen, nennen, taufen; umbenennen, anderen Namen geben.

Ketzer Andersgläubiger, Apostat, Abtrünniger, Abweichler, Dissident, Bekenner, Rebell, Nonkonformist.   **932**

ketzerisch andersgläubig, apostatisch, abtrünnig, abweichend, undogmatisch, antidogmatisch, dissidentisch, rebellisch, nonkonformistisch.   **933**

keusch enthaltsam, zölibatär, entsagend, platonisch, jungfräulich, züchtig.   **934**

Keuschheit Enthaltsamkeit, Entsagung, Zölibat, Jungfräulichkeit.   **935**

936 Kind 1. Neugeborenes, Säugling, Baby, Wickelkind, Frühchen, Wurm, Wiegenkind, Kleines, Nesthäkchen, Kleinkind, Hemdenmatz, Hosenmatz, Abc-Schütze, Schulkind, **2.** Nachwuchs, Nachkommenschaft, Nachfahren, Kindersegen, Fleisch und Blut, Abkömmling, Nachkomme, Erbe, Spross, Stammhalter, Deszendent, Sprössling, uneheliches / außereheliches Kind, Stiefkind, Pflegekind, Waisenkind, Findelkind, Adoptivkind, Mündel.

937 Kino Filmtheater, Lichtspiele, Lichtspieltheater, Lichtspielhaus, Filmbühne, Filmpalast, Autokino, Drive-in-Kino, Cinemax; Kintopp.

938 Kirche 1. Glaubensgemeinschaft, Religionsgemeinschaft, **2.** Gotteshaus, Kultstätte, Betsaal, Tempel, Moschee, Synagoge, Kapelle, Kathedrale, Dom, Münster, **3.** Gottesdienst, Kult, Kulthandlung, Kultus, Ritus, Ritual, **4.** Klerus, Priesterschaft, Priesterstand, Kleriker, **5.** Kirchengemeinde, Kirchspiel, Parochie, Gemeinde, Sprengel.

939 Kirchenmann 1. Pfarrer, Priester, Geistlicher, Seelenhirte, Prediger, Kanzelredner, Pastor, Pfarrherr, Kleriker, Seelsorger, Pfaffe; Pope, Rabbi; Rabbiner, Vorbeter, Mullah, Allma, **2.** Mönch, Klosterbruder, Ordensmann, Kuttenträger, Bettelmönch; Einsiedler, Klausner, **3.** Küster, Mesner, Sakristan.

940 Kitsch 1. Geschmacklosigkeit, Geschmacksverirrung, klischierter Stil, Stillosigkeit, Stilwidrigkeit, Schwulst, Plattheit; Hausgräuel, Tand, Nippes, Firlefanz, Kinkerlitzchen, wertloses Zeug, Talmi, Ramsch, Schund, Andenkenkitsch, Edelkitsch, Disneyland, **2.** Schmarren, Schmachtfetzen, Schnulze, Elaborat, Rührstück, **3.** Sentimentalität, Gefühlsverlogenheit, Sacharin, Süßlichkeit, Rührseligkeit, Tränenseligkeit, Betroffenheitskitsch.

941 kitschig unecht, verblasen, verlogen, abgeschmackt, anempfunden, schmalzig, süßlich, schwülstig, platt, schnulzig, banal, sentimental, falsche Töne, rührselig, verkitscht, unkünstlerisch, niveaulos, klischiert, klischeehaft, pseudo, allzu schön, gefühlsverlogen.

942 Kitzler Klitoris, Genital, weibliches Geschlechtsteil, Clito.

943 Klage 1. Anklage, Anzeige, Beschwer-

de, Bezichtigung, Anschuldigung, Meldung, Beschuldigung, Strafantrag, **2.** Schrei, Jammer, Seufzer, Stoßseufzer, Stoßgebet, Stöhnen, Weh und Ach, Wimmern, Wehklagen, Lamentieren, Gewimmer, Jammern, Gejammer, Gequengel, Quengelei, Jammergeschrei, Zetergeschrei, Geheul; Schmerzensschrei, Tränen, Zähren, Tränenströme, Geschrei, Wehgeschrei, Lamento, Wehklage, Totenklage, Beweinung, Kaddisch, Klagelied, Klagegesang.

klagen 1. anzeigen, melden, verkla- **944** gen, angeben, sich beschweren; Anzeige erstatten, Klage einreichen, anschuldigen, beschuldigen, zur Last legen, verantwortlich machen, zeihen, bezichtigen, verdächtigen, belangen, zur Rechenschaft ziehen, beklagen, anklagen, **2.** Klage / Beschwerde führen, haftbar machen, einklagen, Prozess machen / anstrengen, Rechtsweg beschreiten, Gesetz anrufen, prozessieren, **3.** sein Leid klagen, sich beklagen über; Herz ausschütten, jammern, weinen, in Tränen ausbrechen, Träne zerdrücken / vergießen, in Tränen schwimmen, schluchzen; wimmern, winseln, jaulen, greinen, Ohren volljammern, quengeln, seufzen, stöhnen, krächzen, ächzen, wehklagen, lamentieren, knatschen, heulen, schreien, plärren, quäken, maunzen, **4.** trauern, beweinen, betrauern, bejammern, nachtrauern, nachweinen.

klar 1. hell, durchsichtig, einfach, sau- **945** ber, ungetrübt, unbewölkt, wolkenlos, heiter, transparent, glashell, gläsern, kristallen, lauter, geklärt, geläutert, gereinigt, **2.** klipp und klar, eindeutig, deutlich, präzis, artikuliert, unmissverständlich, unverblümt, unbemäntelt, unzweideutig, ungeschminkt, phrasenlos, ohne Umschweife, **3.** sichtbar, augenfällig, evident, unverkennbar, unverhüllt, handgreiflich, manifest, unübersehbar, offenbar, offensichtlich, offenkundig, einsichtig, eklatant, einleuchtend, auf der Hand liegend, untrüglich, flagrant, sonnenklar, glasklar, verräterisch, mit Händen zu greifen, zweifellos, schlüssig, logisch, folgerichtig, sinnfällig, **4.** erkennbar, berechenbar, ersichtlich, vorauszusehen, zu erwarten; lesbar, leserlich, entzifferbar; übersichtlich, abgegrenzt, umrissen.

946 klären (sich) 1. regeln, ordnen, entwirren, bereinigen, einrenken, reinen Tisch machen, klare Bahn schaffen, richtig stellen, klarlegen, klarstellen, ausbügeln, geradebiegen, zurechtbiegen, zurechtrücken, ins Reine bringen, klarkriegen, aus der Welt schaffen, aufklären, abklären, ausdiskutieren, durchdiskutieren, erhellen, erleuchten, **2.** entziffern, dechiffrieren, decodieren, lösen, enträtseln, Lösung finden, entsiegeln, **3.** läutern, raffinieren, reinigen, sublimieren, abschäumen, ablagern, sichten, sieben, sintern, seihen, filtern, filtrieren, klarspülen, ausschwemmen, spülen, **4.** aufheitern, aufklären, entwölken, aufhellen, sich lichten; aufklaren, **5.** berichtigen, belehren, korrigieren, verbessern, dementieren, rehabilitieren, eines Besseren belehren, revidieren.

947 Klarheit 1. Deutlichkeit, Durchsichtigkeit, Sauberkeit, Transparenz, Luzidität, Sicht, Schärfe; Anschaulichkeit, Evidenz, Augenschein, Eindeutigkeit, Gewissheit, Verständlichkeit, Fassbarkeit, Übersichtlichkeit, **2.** Ordnung, Logik, Schlagkraft, Beweiskraft, Schlüssigkeit, Prägnanz, Folgerichtigkeit, Einsichtigkeit, **3.** Geistesschärfe, Urteilskraft, Nüchternheit, **4.** Klärung, Klarstellung, Richtigstellung, Dementi.

948 klatschen 1. tratschen, sich die Mäuler zerreißen; Gerücht verbreiten, raunen, verraten, zutragen, schwatzen, wiedersagen, weitersagen, weitererzählen, weitertragen, nicht dichthalten, hinterbringen, zuflüstern, tuscheln, munkeln, ausplaudern, ausstreuen, aussprengen, ausposaunen, herumtragen, an die große Glocke hängen, verbreiten; sich herumsprechen; herumkommen, in aller Munde sein, sich wie ein Lauffeuer verbreiten; Staub aufwirbeln, **2.** applaudieren, Beifall spenden, ehren, bejubeln, beklatschen, zujubeln, Beifall klatschen, Ovationen bereiten, feiern, herausrufen, herausklatschen, vor den Vorhang rufen.

949 Kleidung 1. Bekleidung, Garderobe, Textilie, Kleidungsstücke, Kleider, Gewandung, Dress; Klamotten, Fummel, Zeug, Hülle, Schale, Aufzug, Putz, Staat, Montur, **2.** Amtstracht, Tracht, Uniform, Ornat, Robe, Kluft, Kutte.

klein 1. winzig, zwergenhaft, kurz geraten, putzig, zollhoch, verschwindend, klitzeklein, minimal, mikroskopisch, submikroskopisch, **2.** gering, minder, nichtig, nebensächlich, unbedeutend, untergeordnet, nachgeordnet, inferior, zweiter Ordnung, unwichtig, unerheblich, belanglos, geringfügig, **3.** niedrig, nieder, flach, seicht, handhoch, zentimeterhoch.   **950**

Kleinigkeit 1. Geringfügigkeit, Bedeutungslosigkeit, Marginalität, Bagatelle, Lappalie, Läpperei, Nichtigkeit, Kleinkram, Quisquilien, Nebensache, Nebensächlichkeit, Petitesse, Beiläufigkeit, Beiwerk, Unwichtigkeit, Belanglosigkeit, Lächerlichkeit, Lachnummer, Pappenstiel, Wehwehchen, Quark, Dreck, Batzen, Heller, Pfifferling, Jota, Deut, kleiner Fisch, **2.** Bissen, Brocken, Happen, Häppchen, Eckchen, Stückchen, Bisschen, Splitter, Span, Bruchteil, Wenigkeit, Klacks, Klecks, Kleckschen; Minimum, fast nichts, Quäntchen, Prise; Kostprobe, Mund voll, Schluck, Hand voll, Schuss, Spritzer, Messerspitze; Idee, Andeutung, Hauch, Fingerhut, Stäubchen, Korn, Körnchen, Gran, Anflug, Spur, homöopathische Dosis, **3.** Augenblick, Sekunde, Minute, Moment, **4.** Wenigkeit, Kleinkram, Spielerei, Kinderspiel, leichtes Spiel, Krimskrams, Kram, Siebensachen.   **951**

Kloster Abtei, Stift, Konvent, Einsiedelei, Zelle, Gehäuse, Monasterium, Kartause.   **952**

Klüngel Clique, Kamarilla, Cliquenwirtschaft, Vetternwirtschaft, Männerbündelei, Nepotismus, Günstlingswirtschaft, Filzokratie, Filz, Sumpf, Verfilzung, Ämterhäufung, Parteiklüngel, Seilschaft, Sippschaft, Mischpoke, Blase, Mafia, Clan.   **953**

knapp 1. spärlich, karg, dünn, schütter, licht, gelichtet, ausgelichtet, dünn gesät, **2.** kärglich, mager, wenig, schmalbrüstig, ärmlich, dürftig, kümmerlich, beengt, beschränkt, eingeengt, eng, notdürftig, kaum genug, nur eben; eben noch, nur eine Nasenlänge, Spitz auf Knopf, mit Hängen und Würgen, Kopf an Kopf, mit Mühe/knapper Not, um Haaresbreite, Zitterpartie, Hängepartie.   **954**

955 Knüppel Stock, Prügel, Knüttel, Keule, Knute, Klopfer, Rute, Gerte, Peitsche.

956 kochen 1. sieden, brodeln, dampfen, aufwallen, **2.** brauen, aufgießen, aufbrühen, brühen, überbrühen, dünsten, dämpfen, abbrühen, blanchieren, garen, gar kochen/werden lassen, **3.** Essen machen/zubereiten.

957 Köder 1. Lockspeise, Kadaver, Aas, Luder, Anreiz, Reizmittel, Zugmittel, Lockmittel; Lockvogel, Lockspitzel, Undercover, **2.** Magnet, Blickfang, Aufmachung; Attraktion, Attraktivität, Zugstück, Appeal.

958 kommen 1. herkommen, herbeikommen, herannahen, nahen, bevorstehen, sich nähern; im Anzug sein, sich ankündigen, abzeichnen; auf jmdn. zukommen, sich bemerkbar machen; zu erwarten/gewärtigen sein, ausstehen, Schatten vorauswerfen, sich vorbereiten; geschehen, eintreten, zutage treten, Wirklichkeit werden, zum Vorschein kommen, aufkommen, **2.** erscheinen, Ziel erreichen, anfangen, ankommen, eintreffen, in Erscheinung treten, auftreten, sich zeigen, einfinden, einstellen; auftauchen, antreten, sich melden; zufliegen, zulaufen, einfallen, **3.** herauskommen, erscheinen, veröffentlicht/gebracht/gedruckt/verlegt werden, an die Öffentlichkeit treten, bekannt werden, hervortreten.

959 kommerziell geschäftlich, wirtschaftlich, ökonomisch, merkantil, kaufmännisch, gewerblich, gewerbsmäßig, professionell; gewinnorientiert, profitorientiert, auf Gewinn bedacht, commercial.

960 Komödie Lustspiel, Schwank, Klamotte, Boulevardkomödie, Comedy, Soap-Opera, Seifenoper, Burleske, Posse, Possenspiel, Farce, Travestie, komische Oper, Operette, Tragikomödie.

961 Komplize Mittäter, Mitwisser, Mitschuldiger, Helfershelfer, Mitläufer, Informant, Gehilfe, Handlanger, Verbündeter, Mitbeteiligter, Spießgeselle, Kumpan, Konsorte, Hehler.

962 Konkurrenz 1. Rivalität, Kampf, Gegnerschaft, Nebenbuhlerschaft, Wettbewerb, Wettstreit, Wetteifer, Wettkampf, **2.** Wettspiel, Wettsport, Wettlauf, Wettrennen, Wettfahrt, Rallye, Regatta, Race; Grand Prix, Cup, Match, Turnier, Olympiade, **3.** Wirtschaftskampf, Konkurrenzkampf, Kampf um Märkte/Marktanteile.

können 1. vermögen, imstande/in der **963** Lage/fähig sein, verstehen, wissen, beschlagen/sattelfest sein, beherrschen, meistern, bemeistern, weghaben, loshaben, draufhaben, Handwerk verstehen, einer Sache mächtig sein, im Griff haben, gerecht werden, gewachsen sein, sich verstehen auf; Bescheid wissen, Dreh heraushaben, wissen, wie es gemacht wird, seine Sache verstehen, **2.** dürfen, berechtigt/befugt sein, Macht/Erlaubnis haben, freistehen, **3.** sich leicht tun; aus dem Ärmel schütteln, leicht fallen, zufliegen; sich zu helfen wissen; findig sein.

konstruieren 1. zusammensetzen, **964** zusammenfügen, zusammenbauen, montieren; planen, entwerfen, aufbauen, errichten, formen, **2.** annehmen, unterstellen, voraussetzen, Fall setzen, erfinden, zusammenspinnen, Gespenster sehen.

Konstruktion 1. Aufbau, Gerüst; **965** Zusammensetzung, Zusammenbau, Montage, Verfertigung, Bau, **2.** Entwurf, Erfindung, Konzept, Plan, **3.** Annahme, Hypothese, Fiktion, Unterstellung, Konstrukt.

Kontakt 1. Berührung, Verbindung, **966** Anschluss, Konnex, Zusammenhang, Gedankenübertragung, **2.** Annäherung, Anschluss, Fühlungnahme, Kontaktaufnahme, Flirt, Flitterwochen, Kennenlernen, Näherkommen, Kommunikation, Umgang, **3.** Briefkontakt, Schriftkontakt, Korrespondenz, Briefwechsel, Schriftwechsel, elektronische Post, Internet.

kontrastieren 1. entgegenstellen, **967** gegenüberstellen, in Gegensatz stellen, **2.** abstechen, sich abheben; Gegensatz bilden, im Gegensatz stehen, Kontrast bilden, entgegenstehen, sich unterscheiden; differieren, auseinander gehen, divergieren, abweichen, sich widersprechen.

konventionell 1. üblich, herkömmlich, hergebracht, redensartlich, formelhaft, klischeehaft, unoriginell, altgewohnt, anerkannt, wohl bekannt, eingefahren, vorschriftsmäßig, gebräuchlich, **968**

alltäglich, allgemein, gang und gäbe, 2. unpersönlich, förmlich, korrekt, kühl, nichts sagend, steif, formell, offiziell.

969 Konzentrationslager Internierungslager, Deportationslager, Arbeitslager, Vernichtungslager, Massenvernichtungslager, KZ, Todeslager.

970 Kopf 1. Haupt, Schädel, Dach, Dez, Birne, Hirnkasten, Hirnschädel, Oberstübchen, Rübe, Kürbis, Melone, Ballon, 2. Vorstand, Leitung.

971 Kopfbedeckung Hut, Hütchen, Mütze, Kappe, Käppchen, Barett, Baskenmütze, Birett, Haube, Kapuze, Schute, Kopftuch, Turban, Fes; Filzhut, Homburg, Melone, Zylinder, Strohhut, Panama, Kreissäge; Helm, Sturzhelm.

972 Kopie Vervielfältigung, Fotokopie, Farbkopie, Xeroskopie, Fax, Fernkopie, Telefax, Telekopie, Mikrokopie, Mikrofiche, Raubkopie.

973 Körper 1. Korpus, Leib, Body, Organismus, Soma, Physis, Anatomie, Körperbau, Knochengerüst, Skelett, Wuchs, Statur, Gestalt, Körperlichkeit, Leiblichkeit, 2. Toter, sterbliche Hülle, toter Körper, Leichnam, Leiche, Mumie, Gebeine, sterbliche Überreste; totes Tier, Kadaver, Aas

974 korrespondieren 1. Briefe austauschen, schriftlich verkehren, in Briefkontakt / Schriftwechsel / Briefwechsel stehen, mailen, 2. übereinstimmen, zusammenstimmen, konvergieren.

975 kostbar wertvoll, edel, erlesen, selten, unbezahlbar, rar, unersetzlich, unschätzbar, nicht mit Gold aufzuwiegen, von hohem Wert, hochwertig, lieb und teuer, heilig.

976 Kostbarkeit 1. Wertgegenstand, Wertobjekt, Wertsachen; Schatz, Kleinod, Wertstück, Prachtstück, Schaustück, Prunkstück, Erinnerungsstück, Zierstück, antikes Stück, Reliquie, Devotionalie, Altertum, Antiquität, Rarität, Seltenheit, Unikum, Einzelstück, Unikat, Rarissima, seltene Stücke; Inkunabel, 2. Juwelen, Edelsteine, Diamanten, Brillanten, Perlen, Gold, Silber, Platin, Edelmetall; Schmuckstücke, Schmuck, Pretiosen, Geschmeide, Schmuckwaren, Schmuckgegenstände, Zierrat, Putz, 3. Augapfel, Heiligtum, größter Schatz, Gral, Kultgegenstand, Kultobjekt.

kosten 1. betragen, ausmachen, ergeben, sich belaufen auf; machen, beziffern auf; Preis haben, wert sein, erfordern, 2. probieren, versuchen, verkosten, schmecken, durchprobieren, abschmecken, begutachten; nippen, naschen, Kostprobe nehmen, auf der Zunge zergehen lassen. **977**

Kosten 1. Auslagen, Unkosten, Ausgaben, Aufwendungen, Kostenpunkt; Nebenkosten, Nebenausgaben, Belastungen, Lebenshaltungskosten, 2. Herstellungskosten, Produktionskosten, Selbstkosten, Fixkosten, Fertigungskosten, Vertriebskosten, Werbungskosten, Folgekosten. **978**

Köstlichkeit Delikatesse, Spezialität, Leckerbissen, Leckerei, Feinkost, Gaumenfreude, Süßigkeit, Schleckerei, Naschwerk, Göttermahl, Schmankerl, Hochgenuss, Pikanterie, Gaumenkitzel, lukullische/kulinarische Genüsse, Ambrosia, Manna, Erfrischung, Labe, guter Tropfen, Göttertrank. **979**

Kraft 1. Stärke, Körperkraft, Muskelkraft, Mumm, Arbeitskraft, Leistungsvermögen, Arbeitsvermögen, Arbeitsleistung, Tatkraft, Fähigkeit, Potenz, Potential, Können, 2. Schubkraft, Stoßkraft, Zugkraft, Schwerkraft, Gravitation, Anziehung, Anziehungskraft, Gewicht, Tension, Wirkung. **980**

kräftig 1. stark, kraftvoll, kraftstrotzend, kernig, herzhaft, markig, muskulös, sehnig, drahtig, blutvoll, abgehärtet, wetterhart, wetterfest, leistungsfähig, belastbar, tragfähig, athletisch, baumstark, stählern, stahlhart, stabil, hart im Nehmen; durchschlagskräftig, lebensfähig, widerstandsfähig, resistent, zählebig, überlebensfähig; mannhaft, standfest, handfest, Mumm in den Knochen, kampffähig, fit, durchtrainiert, in Form, trainiert, tauglich, qualifiziert, schlagkräftig, 2. rüstig, unzerbrochen, zäh, vital, lebensvoll, vollblütig, 3. untersetzt, gedrungen, breit, breitschultrig, stämmig, kompakt, bullig, 4. lebhaft, saftig, farbig, leuchtend, intensiv, satt, voll, warm, 5. konfliktfähig, auseinandersetzungsfähig, psychisch stabil, ichstark. **981**

Kraftmensch Muskelprotz, Athlet, Bulle, Stier, Bombenkerl, Bodybuilder, Herkules, Samson, Kraftmeier, Rambo. **982**

983 Krankenhaus Hospital, Klinik, Heilstätte, Spital, Lazarett, Klinikum, Ambulatorium, Charité, Poliklinik, Heilanstalt, Psychiatrie, Sanatorium, Kurklinik, Rehabilitationsstätte.

984 Krankheit 1. Erkrankung, Infekt, Ansteckung, Übertragung; Übel, Leiden, Beschwerden, Siechtum, Bettlägerigkeit, Schwäche, Gebrechen, chronisches Leiden, Gebrechlichkeit, Hinfälligkeit, **2.** Seuche, Epidemie.

985 Krankheitserreger Bazillen, Erreger, Bakterien, Mikroben, Mikroorganismen, Spaltpilze, Viren, Keime, Schmarotzer, Kleinlebewesen, Umweltfaktoren.

986 Kredit Anleihe, Darlehen, Hypothek, Beleihung, Belehnung, Verschreibung, Vorschuss, Vorleistung, Vorauszahlung, Überziehungskredit, Pump.

987 Krieg 1. bewaffnete Auseinandersetzung, bewaffneter Konflikt, kriegerische Handlung, militärische Auseinandersetzung, Kampfhandlung, Kampfgetümmel, Gefecht, Feuergefecht, Schießerei, Scharmützel, Waffengang, Schlacht, Feldschlacht, Feldzug, Kriegszug, Kriegshandlung, Bodenkrieg, Luftkrieg, Militärschlag, Erstschlag, Orlog, Blutvergießen, Schlacht, Gemetzel, **2.** Bürgerkrieg, Guerillakrieg, Partisanenkrieg, Sezessionskrieg, Revolutionskrieg; Weltkrieg, Atomkrieg, Krieg der Sterne.

988 Krise 1. Zuspitzung, Ruhe vor dem Sturm, Eskalation, Krisis, Höhepunkt, Gefahr, Tanz auf dem Vulkan, Tiefpunkt, Wendung, Wende, Volte, Wendepunkt, Umschlag, Umschwung, Erdrutsch, Peripetie, **2.** Störung, Schwierigkeit, Engpass, Zwangslage, Zwickmühle, Klemme, Dilemma, Verunsicherung, Midlifekrise, **3.** Wirtschaftskrise, Depression, Rezession, Stagnation, Abschwung, Tief, Baisse.

989 Kritik 1. Prüfung, Wertung, Beurteilung, Urteil, Würdigung, Gutachten, Auslassung, Stellungnahme, Besprechung, Rezension, **2.** Beanstandung, Anstände, Bemängelung, Reklamation, Einwand, Missbilligung, Einwendung, Einspruch, Ablehnung, **3.** Lob, Anerkennung, Beifall, lobende Erwähnung, gute Kritik, Bombenkritik; Verriss, Polemik, Medienschelte, Pamphlet, Prü-

gel, Schmährede, Brandrede, vernichtendes Urteil, Zensur, Schmähung, Rufmord, **4.** Krittelei, Nörgelei, Genörgel, Gemecker, Meckerei, Mäkelei, Beckmesserei, Besserwisserei, Kritikastertum.

Kritiker 1. Beurteiler, Rezensent, **990** Kunstkritiker, Literaturkritiker, Musikkritiker, Theaterkritiker, Filmkritiker, Zensor, Kunstrichter, **2.** Krittler, Deutler, Nörgler, Querulant, Meckerer, Mäkler, Kritikaster, Beckmesser, Spötter, Zyniker, Satiriker, Ironiker, Lästerer, Lästerzunge, Lästermaul, Verächter, Schmähredner, Spottvogel.

Kritiklosigkeit Blindgläubigkeit, **991** Urteilslosigkeit, Wahllosigkeit, Bedenkenlosigkeit, Beliebigkeit, Gläubigkeit, Gutgläubigkeit, Leichtgläubigkeit, Blauäugigkeit, Naivität, Autoritätsgläubigkeit, Denkfaulheit; Blindheit, Realitätsverlust.

krumm 1. gebogen, konkav, konvex, **992** gewunden, gekrümmt, geschweift, verzogen, verschnörkelt, schnörkelig, verbogen, verdreht, gewölbt, barock, schwellend, geschwungen, üppig; kurvenreich, kurvig, **2.** schief, verwachsen, bucklig, gebeugt, **3.** windschief, baufällig, wackelig, **4.** lockig, gelockt, gekräuselt, wellig, kraus, gewellt, spiralig, **5.** krummbeinig, O-beinig, dackelbeinig, **6.** verästelt, gegabelt, verzweigt, geästelt, vielarmig.

Küche Kochnische, Kochgelegenheit, **993** Kombüse; Vorratskeller, Vorratskammer, Speisekammer; Kochkunst, Gastronomie, Feinschmeckerei.

Kugel 1. Ball, Knäuel; Globus, Erdball, Erdkugel, Himmelskugel, **2.** Geschoss, Patrone, Pistolenkugel, blaue Bohne, Gewehrkugel, Projektil, Kanonenkugel, Granate.

kühlen 1. abkühlen, auskühlen, erkalten lassen, kalt stellen, auf Eis legen; abschrecken, frappieren, **2.** fächeln, fächern, wedeln, blasen, pusten, Ventilator anstellen.

kultiviert 1. erschlossen, urbar gemacht, entwickelt, **2.** kulturvoll, urban, zivilisiert, verfeinert, gebildet, gehoben, niveauvoll, feinsinnig, sublim, geschmackvoll, ästhetisch, kunstsinnig, kunstempfänglich, kunstverständig, urteilsfähig, urteilssicher, künstlerisch, **994** **995** **996**

musisch, belesen, schöngeistig, **3.** stilvoll, wählerisch, gewählt, erlesen, elegant, vornehm, dezent, distinguiert, exklusiv, weltmännisch, differenziert, mit Esprit, mondän.

997 Kultur 1. Kulturkreis, Kulturkomplex, Zivilisation; kulturelle Eigenart, kulturelles Muster, Deutungsmuster, Erbe, **2.** Zeitgeist, Zeitstil, Zeitgepräge, Lebensform, Lebensstil, Lifestyle, **3.** Kulturproduktion, Bewusstseinsindustrie, Meinungsindustrie, Medienkultur, Konsumkultur, **4.** Umweltgestaltung, Umweltpflege, Umweltschutz.

998 kündigen 1. abgehen, austreten, weggehen, ausscheiden, aufkündigen, gehen, hinwerfen, Stellung aufgeben, wechseln, sich verändern; abdanken, zurücktreten, demissionieren, abtreten, Dienst quittieren, Rücktritt erklären, Abschied nehmen, Amt/Posten niederlegen, aus dem Amt scheiden, seinen Hut nehmen; sich pensionieren lassen; in Pension gehen, in den Ruhestand treten, aus dem Dienst ausscheiden, in Rente gehen, **2.** abbauen, entlassen, freistellen, abheuern, abmustern, fortschicken, wegschicken, fortjagen, schassen, feuern, hinauswerfen, vor die Tür/an die Luft/auf die Straße setzen; der Ämter entheben, abservieren, auf ein totes Gleis schieben, ausmanövrieren, absetzen, entthronen, abberufen, verabschieden, stürzen, absägen, abschießen, Abschied geben, kassieren, Laufpass geben, Stuhl vor die Tür setzen, abhalftern, ausbooten, abtakeln, ausschalten, kaltstellen, abhängen, abwickeln, hinausekeln, wegloben, zum alten Eisen werfen, ausmustern, **3.** ausschließen, aussperren, ausstoßen, entfernen, disqualifizieren, rote Karte zeigen, **4.** pensionieren, in den Ruhestand versetzen, suspendieren, emeritieren.

999 Kündigung 1. Ausscheiden, Rücktritt, Austritt, Abgang, Weggang, Abschied, Verzicht, Abdankung, Pensionierung, Emeritierung, Demissionierung, Suspendierung, Freistellung, Zwangsfreistellung, **2.** Entlassung, Abbau, Absetzung, Abberufung, Ausschaltung, Entthronung, Verabschiedung, **3.** Ausschluss, Enthebung, Rausschmiss.

1000 Kundschaft 1. Auftraggeber, Besteller, Abnehmer, Käufer, Kunde, Kunden-

kreis, Stammkunden, **2.** Klienten, Klientel, Mandanten, Patienten, **3.** Abonnenten, Bezieher, Dauermieter, Platzmieter, Dauerbezieher; Gäste, Besucher, Stammgäste.

kunstgerecht künstlerisch, kunstfertig, zünftig, schulgerecht, nach allen Regeln der Kunst, werkgerecht, fachmännisch, gekonnt, gelernt, geschult, akademisch, schulmäßig.   **1001**

künstlich synthetisch, unecht, chemisch, naturidentisch, unnatürlich, aus der Retorte, aus dem Labor, artifiziell.   **1002**

Kunstliebhaber 1. Kunstkenner, Kunstfreund, Kunstexperte, Ästhet; Mäzen, Gönner, Förderer, Sammler, Sponsor, Bewunderer, Verehrer, Anhänger, **2.** Liebhaber, Dilettant, Amateur, **3.** Bücherfreund, Bücherliebhaber, Büchernarr, Bücherwurm, Bibliophile, Büchersammler, Bibliomane.   **1003**

Kurve Bogen, Biegung, Abbiegung, Kehre, Schwenkung, Wendung, Wende, Drehung, Richtungsänderung, Windung, Krümmung, Knick, Knickung, Beugung, Haken, Schleife, Schlinge, Spirale, Serpentine, Schlangenlinie, Haarnadelkurve, Schraubenwindung, Gewinde; Wellenlinie, Slalom; Verästelung, Gabelung, Verzweigung.   **1004**

kurz 1. klein, gestutzt, abgeschnitten, verkürzt, gekürzt, abgehackt, beschnitten, verschnitten, kupiert, gekappt, **2.** kurz angebunden, wortkarg, bündig, barsch, knapp, schroff, mufflig, bärbeißig, brüsk, mundfaul, lakonisch, karg, abweisend, stoßweise, abrupt, **3.** mit drei Worten, im Telegrammstil, kurz und bündig, lapidar, in aller Kürze, kurzweg, mit einem Federstrich, summarisch, zusammengefasst, verallgemeinert, abgekürzt, gedrängt, in gedrängter Form, präzis, prägnant, gerafft, gestrafft, verdichtet, komprimiert, verknappt, **4.** kurzlebig, vergänglich, flüchtig, zwischen Tür und Angel, kurzzeitig, kurzfristig, auf einen Sprung/Augenblick, **5.** anekdotisch, skizzenhaft, aphoristisch, epigrammatisch.   **1005**

Kürze 1. Gedrängtheit, Verknapptheit, Verdichtung, Präzision, Prägnanz, **2.** Flüchtigkeit, Vergänglichkeit, Kurzlebigkeit.   **1006**

kürzen 1. abschneiden, verkürzen, zurechtstutzen, wegschneiden, abtren-   **1007**

nen, abhacken, abzwicken, abschlagen, abhauen, beschneiden, stutzen, kupieren, kappen, abkürzen, **2.** verkleinern, minimieren, minimalisieren, vermindern, verringern, schmälern, Abstriche machen, abstreichen, dezimieren; lichten, auslichten, ausdünnen, ausholzen, reduzieren; subtrahieren, abziehen, zurückbehalten, **3.** einschränken, beschränken, einengen, abbauen, kleiner setzen, abzwacken, beschneiden, drosseln, zurückschrauben, verknappen, wegstreichen, zusammenstreichen, einsparen, **4.** verdichten, komprimieren, straffen, konzentrieren, kondensieren.

kürzlich vor kurzem, jüngst, neulich, unlängst, dieser Tage, in letzter Zeit, neuerlich, neuerdings, letzthin, letztens, seit kurzem, noch nicht lange her, eben, gerade, jetzt, just, vorhin, soeben. **1008**

L

1009 lachen 1. lächeln, in sich hineinlachen, schmunzeln, in den Bart lachen; strahlen, anstrahlen, anlächeln; grinsen, grienen, feixen, **2.** kichern, gickeln, gibbeln, gicksen, prusten, losprusten, in Gelächter ausbrechen, Gelächter anstimmen, Lache anschlagen, loslachen, herausplatzen, losplatzen, losprusten, das Lachen nicht halten können, sich das Lachen verbeißen; hell auflachen, aus vollem Halse lachen, sich ausschütten vor Lachen, kringeln; schallend lachen, wiehern, brüllen vor Lachen, sich kugeln, die Seiten halten, biegen vor Lachen; Tränen lachen, sich nicht zu lassen wissen, kaputtlachen, schieflachen, totlachen, kranklachen, krummlachen, scheckig lachen.

1010 Lage 1. Ort, Punkt, Position, Standort, Stellung, **2.** Situation, Sachlage, Sachstand, Sachverhalt, Tatbestand, Ausgangslage, Stand der Dinge, augenblicklicher Zustand, Umstand, aktueller Stand, **3.** Verhältnisse, Lebenslage, Drum und Dran, Stand, Status, Stellung, Zusammenhänge, Gegebenheiten, Konstellation, Umstände, Bedingungen, Großwetterlage.

1011 Lager 1. Camp, Feldlager, Biwak, Zeltlager, Ferienlager, Lagerplatz, **2.** Vorrat, Stock, Bestand, Rücklage, eiserne Ration, Reserve, Speicher, **3.** Bett.

1012 Lampe 1. Lichtquelle, Beleuchtungskörper, Leuchte, Licht, Neonlicht; Deckenlicht, Hängelampe, Stehlampe, Arbeitslampe, Schreibtischlampe, Nachttischlampe; Scheinwerfer, Strahler, Taschenlampe, Punktstrahler, Spot, Spotlight, Discokugel, Flutlicht, Laterne, Glühbirne, Gaslampe, Gasstrumpf, Tranlampe, Öllampe, Lampion, Ampel, **2.** Leuchter, Kandelaber, Armleuchter, Kronleuchter, Kristallleuchter, Lüster, Kerzenleuchter.

1013 lang 1. gedehnt, ausgedehnt, gestreckt, lang gestreckt / gezogen, länglich, extensiv, **2.** meterlang, meilenlang,

ellenlang, endlos, unendlich, nicht abzusehen, unabsehbar; lange, langfristig, unaufhörlich, geraume Weile, Wochen, Monate, Jahre, langjährig, tagelang, jahrelang, wochenlang, stundenlang, lebenslang, lebenslänglich, auf immer, ewig, eine Ewigkeit, auf lange Zeit; lang dauernd, langwierig, verlängert, sich hinziehend; abendfüllend.

1014 Langeweile Gleichförmigkeit, Eintönigkeit, Ereignislosigkeit, Öde, Alltag, Tretmühle, Trott, Leerlauf, Fadheit, Stumpfheit, Monotonie, Stumpfsinn, Alltäglichkeit, Wiederkäuen, Einförmigkeit, alte Leier, olle Kamellen, Einerlei, Überdruss, Übersättigung, Sattheit, Ekel, innere Leere, Ennui.

1015 langsam 1. gemach, gemächlich, sachte, lento, gemütlich, bedächtig; schleppend, stockend, zögernd, zaudernd, kriechend, schleichend, im Schneckentempo / Schritttempo, in Zeitlupe; pomadig, träge, betulich, **2.** nach und nach, en suite, allmählich, allgemach, schrittweise, Schritt für Schritt, stufenweise; graduell, gradweise, in Etappen, in Abschnitten; nacheinander, einer nach dem andern, im Gänsemarsch, nach der Reihe, einzeln, grüppchenweise, sukzessiv, stückweise, portionenweise, truppweise, ratenweise, in Raten, peu à peu, abschnittsweise, scheibchenweise, kleckerweise, tropfenweise, tröpfelnd.

1016 langweilen (sich) 1. ermüden, anöden, alte Geschichten aufwärmen, einschläfern, monologisieren, ennuyieren, **2.** nichts zu tun haben, unbeschäftigt sein, erschlaffen, sich öden, mopsen; Zeit totschlagen, Däumchen drehen, nichts anzufangen wissen, sich für nichts interessieren; unausgefüllt sein, vor Langeweile umkommen.

1017 langweilig 1. eintönig, monoton, ereignislos, ermüdend, geisttötend, steril, spannungslos, akademisch, staubtrocken, einschläfernd, nervtötend, ledern, bleiern, stieselig, langatmig, weitschweifig, umständlich, pedantisch, steifleinen, witzlos, zum Auswachsen / Einschlafen, fad, nüchtern, unergiebig, sterbenslangweilig, stinklangweilig, **2.** ausdruckslos, reizlos, öde, dröge, farblos, trist, desolat, uninteressant, ohne Spannung / Stimmung / Abwechslung,

schläfrig, lahm, nichts sagend, stumpfsinnig, belanglos, leer, redundant, kalter
Kaffee, Schnee von gestern, alte Leier,
tote Hose.

1018 lärmen 1. laut sprechen, schreien,
brüllen, johlen, kreischen, gellen,
schmettern, Schreie ausstoßen; poltern,
Radau, Krach machen, krakeelen, spektakeln, Lärm machen, rumoren, Nachtruhe stören, Geschrei machen, randalieren, Allotria veranstalten, **2.** rütteln,
knattern, rappeln, tuckern, klopfen, pochen, krachen, klirren, scheppern,
dröhnen, donnern, grollen, rollen, gewittern, rattern, rumpeln, rasseln, klappern, tönen, schallen, hallen, trommeln,
hämmern, hupen, **3.** ballern, feuern,
knallen, schießen, böllern, bullern, detonieren.

1019 lassen 1. loslassen, in Ruhe/unge-
schoren lassen, freigeben, freilassen,
fortlassen, gehen lassen, nicht halten/
binden, lockerlassen, gewähren/freien
Lauf/geschehen/laufen lassen, **2.** nicht
tun, bleiben/sein lassen, unterlassen,
weglassen, belassen, aufgeben, Abstand
nehmen/absehen/abstehen von, bewenden lassen, abkommen von, ablas-
sen/abgehen von, Finger davonlassen,
sich nicht einlassen; auf sich beruhen
lassen, **3.** frei/offen/unbesetzt/unbe-
baut lassen, aussparen.

1020 Last 1. Belastung, Bürde, Gewicht,
Druck, Ballast, Gepäck, Ladung, Packen, Zentnerlast, Schwere, Fracht, Beschwerung, Wucht, **2.** Beschwer, Beschwerlichkeit, Unbequemlichkeit, Umstände; Mühe, Qual, Druck, Mühsal,
Hypothek, Sorge, Alp, Alpdruck, Joch,
Mühlstein, Elend, Fron, Plackerei, Bedrückung, Kreuz, Crux, Schinderei,
Strapaze, Plage, Anstrengung, Schufterei, Schwerstarbeit, Herkulesarbeit,
Maloche, Stress, Schraube ohne Ende,
Geacker, Schlauch, Überforderung, Anspannung, Überanstrengung, Überlastung, Vereinnahmung.

1021 lästig 1. hinderlich, hemmend, belastend, beschwerlich, unangenehm, ärgerlich, unerfreulich, anstrengend, ermüdend, strapaziös, drückend, unbequem, mühevoll, mühsam, mühselig, **2.**
ungelegen, verquer, widrig, misslich,
störend, Ärgernis erregend, ungebeten,
ungeladen, sekkant, **3.** aufdringlich, zu-

dringlich, penetrant, zu bunt, zeitraubend, langwierig.

laut hörbar, vernehmbar, vernehmlich,   **1022**
deutlich, weithin hörbar, lautstark, lauthals, unüberhörbar, durchdringend,
überlaut, lärmend, geräuschvoll, dröhnend, polternd, ohrenbetäubend,
schreiend, markerschütternd, mit voller
Lautstärke, aus voller Kehle, marktschreierisch, schrill, spitz, hoch, scharf,
grell, gellend, hallend, schallend, fortissimo.

lavieren 1. manövrieren, jonglieren,   **1023**
taktieren, seiltanzen, Eiertanz vollführen, sich durchschlängeln, durchwinden, durchzwängeln, durchstehlen, hindurchwinden, durchschleichen, durchlavieren, durchmanövrieren, durchmogeln, nicht festlegen, den Rücken freihalten, **2.** drumherum reden, sich drehen und wenden, winden; Ausflüchte
machen, sich herausreden, herausschwindeln, herausmogeln, herauswinden, herauslügen, rein waschen, weißwaschen.

leben 1. sein, da sein, atmen, vorhan-   **1024**
den/lebendig sein, existieren, bestehen,
am Leben sein, Leben führen/verbrin-
gen/hinbringen, dahinleben, überleben,
sich durchschlagen; vegetieren, **2.** wohnen, weilen, sich aufhalten; sitzen, ansässig sein, stecken, hingekommen sein,
verschlagen worden sein, verbringen,
verleben, zubringen, hausen, nisten,
heimisch sein; residieren, logieren,
Wohnsitz haben.

Leben 1. Dasein, Existenz, Sein; Er-   **1025**
denleben, Erdentage, Erdendasein, Lebenszeit, Lebensdauer, **2.** Lebensreise,
Lebensbahn, Lebenslauf, Lebensweg,
Werdegang, Lebensgeschichte, Vita, **3.**
Atem, Lebenslicht, Beseelung, Lebenssaft, Lebensfaden, Herzblut, **4.** Lebensbedingungen, Lebenslage, Lebensform,
Lebensweise, Existenzform, Lebensgestaltung, Lebensplan, Lebensentwurf,
Selbstentwurf, Lebensstandard, Existenzniveau, Lebensführung, Lebenszuschnitt, Lebenswandel, Lebensstil, Lebensgewohnheit, Tun und Lassen, Lebenshaltung, Lebensgefühl, Einstellung
zum Leben, **5.** Existenzkampf, Daseinskampf, Lebensdrang, Selbsterhaltungstrieb, **6.** Lebendigkeit, Lebensenergie,
Lebensfunke, Beseeltheit, Lebensgeis-

ter, Vitalität, Schwung, Elan, Élan vital, Lebensnerv, Lebenskraft, Lebensfülle.

1026 lebendig 1. lebend, am Leben, auf der Welt, leibhaftig, belebt, beseelt, fassbar, zum Anfassen, körperlich, greifbar, wirklich, real, **2.** lebhaft, lebensvoll, beweglich, mobil, rege, munter, geschäftig, aufgeweckt, betriebsam, unternehmend, unternehmungslustig, ausgeschlafen, reiselustig, tatenlustig, tatendurstig, aufgeschlossen, interessiert, eifrig, dabei, elektrisiert, rührig, regsam, agil, wach, in Fahrt/Schwung, auf Touren/vollen Touren, **3.** temperamentvoll, quicklebendig, übersprudelnd, schwungvoll, flott, dynamisch, impulsiv, wach, fit, auf Draht, quick, auf der Höhe, up to date, vif, alert, kregel; quecksilbrig, quirlig, vital, schmissig, **4.** farbig, bunt, nuanciert, prall, lebensecht, ausdrucksvoll, natürlich, saftig, spritzig, funkelnd, quellend, sprudelnd, frisch, **5.** flammend, lodernd, wabernd, lohend; fliegend, wiegend, tanzend, kreiselnd, schwebend, flatternd, wehend, wallend, wogend.

1027 Lebensunterhalt 1. Existenz, Auskommen, Lebenshaltungskosten, Unterhaltskosten, Haushaltungskosten, **2.** Unterhalt, Arbeit, Beruf, tägliches Brot, Erwerbsmittel, Subsistenzmittel, Einkommensquelle, Lebensgrundlage.

1028 leer 1. ausgetrunken, geleert, entleert, ausgegossen, ausgeschüttet, verbraucht, konsumiert, aufgebraucht, aus, alle, ausverkauft, kahl, geräumt, **2.** ausgeflogen, verlassen, menschenleer, leer gefegt, unbemannt, **3.** eitel, müßig, nichtig, windig, gehaltlos, dünn, nichts dahinter, hohl, wertlos, Schall und Rauch, inhaltslos, banal, substanzlos, bedeutungslos, nichts sagend, ohne Sinn, sinnlos, geistiges Fastfood, **4.** leer stehend, unbewohnt, frei, unbesetzt, zu vermieten/haben, vakant; unbeschrieben, unbedruckt, unausgefüllt, **5.** verausgabt, ausgesogen, ausgelutscht, ausgesaugt, ausgepowert, ausgepumpt, ausgebrannt, burned out.

1029 leer ausgehen in den Mond/die Luft gucken, in den Kamin/Wind schreiben, verlieren, einbüßen, Nachsehen haben, zubuttern, zuzahlen, in die Röhre gucken, der Dumme sein, den Letzten beißen die Hunde.

leeren (sich) 1. abladen, auspacken, **1030** entladen, löschen, ausschiffen, ausladen, räumen, ausräumen, Kehraus machen, ausverkaufen, Raum schaffen, Platz machen, **2.** ausschütten, ausleeren, ausgießen, abgießen, abschütten, wegschütten, entleeren, ablassen, ausschöpfen, **3.** trinken, austrinken, kippen, hinunterstürzen, auslöffeln, ausessen, auskratzen, vertilgen, aufessen, auf ex trinken, **4.** zapfen, abzapfen, leer pumpen, abziehen, abfüllen, umgießen, umfüllen; melken, ausquetschen, auspumpen, **5.** auslaufen, ausrinnen, leer werden, ausströmen, entweichen, aussickern, sich entleeren; entströmen, ausfließen, herauslaufen, leer laufen, sich ergießen; wegfließen, austreten, abfließen, bluten, ausbluten, verbluten.

Leerung Entleerung, Abfüllung, Ausräumung, Ausladung, Ausschiffung, **1031** Löschung.

Lehrbuch Lehrwerk, Schulbuch, Fibel, Fachbuch, Sachbuch, Vademecum, **1032** Abriss, Handreichung, Repetitorium, Katechismus, Glossar, Leitfaden, Handbuch, Unterrichtswerk, Übungsbuch, Kompendium, Lexikon, Ratgeber, Lehrkassetten, Wörterbuch, Enzyklopädie, Nachschlagewerk, Thesaurus, Konversationslexikon.

Lehre 1. Anleitung, Einführung, Anweisung, Belehrung, Schulung, Unterweisung, Instruktion, Unterricht, Training, Coaching, **2.** Lehrzeit, Lehrjahre, Ausbildung, Bildungsgang, Wanderjahre, Praktikum, Volontariat, Fachausbildung, Studium, Telekolleg, Fernstudium; Lehrgang, Seminar, Kurs, Kursus, Workshop, Vorlesung, Projektstudium, Crashkurs, **3.** Lektion, Denkzettel, Mahnung, Erfahrung, Richtschnur, Regel, Ratschlag, **4.** These, Theorem, Hypothese, Lehrsatz, Lehrmeinung, Theorie, Richtung, Schule, Schulmeinung, Lehrgebäude, Doktrin.

lehren 1. unterrichten, belehren, beibringen, durchnehmen, geben, lesen, **1034** Wissen vermitteln, erschließen, orientieren; eintrichtern, pauken, einpauken, dozieren, **2.** anleiten, anlernen, einarbeiten, einführen, anweisen, unterweisen, einweisen, schulen, ausbilden, instruieren, trainieren, coachen, zeigen, vorbereiten, erklären.

1035 Lehrer 1. Schullehrer, Lehrkraft, Magister, Assessor, Studienrat, Hochschullehrer, Universitätsprofessor, Professor, Tutor, Dozent; Pädagoge, Schulmeister, Präzeptor, Erzieher, Pauker; Hauslehrer, Hofmeister, Mentor, Erzieherin, **2.** Instrukteur, Ausbilder, Coach, Trainer; Bändiger, Züchter, Zähmer, Dompteur, **3.** Weisheitslehrer, Wanderprediger, Guru, Meister, Lehrmeister, Eingeweihter.

1036 leicht 1. gewichtlos, federleicht, hopfenleicht, schwerelos; Leichtgewicht, Federgewicht, Fliegengewicht, **2.** einfach, mühelos, unschwer, spielend, bequem, im Schlaf, ohne Schwierigkeit; kinderleicht, Kinderspiel, kein Kunststück, unkompliziert, leicht zu verstehen, **3.** bekömmlich, leicht verdaulich, gut zu vertragen, zuträglich; locker, flaumig, flockig, schaumig, duftig, luftig, flüchtig, ätherisch, beschwingt, aufgelockert, **4.** leichtherzig, unbeschwert, sorglos, fröhlich, unbesorgt, unbekümmert, unbedenklich, ungezwungen, einfach, lebensfroh, lebensbejahend, zwanglos, kein Kind von Traurigkeit, positiv, optimistisch, weltfreudig, **5.** leichtfüßig, schnell, behände, federleicht, wie eine Gazelle/Antilope/Feder/Flaumfeder/Flocke.

1037 leichtfertig 1. oberflächlich, gedankenlos, obenhin, schnellfertig, ungenau, unzuverlässig, nachlässig, fahrlässig, flatterhaft, blindlings, übereilt, unachtsam, unbedacht, überstürzt, unüberlegt, von ungefähr, unvorsichtig, unbesonnen, sprunghaft, vorschnell, bedenkenlos, verantwortungslos, unbedenklich, **2.** leichtsinnig, leichtblütig, sorglos, lebenslustig, genussfreudig, frivol, leichtlebig, sinnenfroh, verspielt, spielerisch, unernst, unbesorgt, unbekümmert, leichte Ader, leichte Schulter, locker, lose, lax; unsolide, verschwenderisch, vergnügungssüchtig, unseriös.

1038 Leichtsinn 1. Leichtlebigkeit, leichtes Blut, Sorglosigkeit, Unbesorgtheit, Unbeschwertheit, Unverkrampftheit, Leichtigkeit, Flatterhaftigkeit, **2.** Unvorsichtigkeit, Fahrigkeit, Unaufmerksamkeit, Unachtsamkeit, Flüchtigkeit, Achtlosigkeit, Fahrlässigkeit, Nachlässigkeit, Unbesonnenheit, Unbedachtsamkeit, Leichtfertigkeit.

leid sein 1. sich verleiden/vermiesen **1039** lassen; leid werden, satt bekommen, **2.** genug haben, überhaben, überdrüssig/übersättigt sein, nicht mehr mögen/sehen/hören können, müde sein, es satt/dick haben, die Nase/Schnauze voll haben, zum Halse heraushängen, lästig fallen, überkriegen, lebensmüde sein.

leiden 1. Schmerzen haben/fühlen, **1040** zu klagen haben, dulden, erdulden, ertragen, erleiden, ausstehen, tragen, durchmachen, aushalten, durchstehen, **2.** schlucken, hinnehmen, über sich ergehen lassen, sich beugen; hinunterschlucken, einstecken, wegstecken, sich fügen; resignieren, sich schicken, ducken, gefallen lassen, abfinden; Folgen tragen/auf sich nehmen, Konsequenzen tragen, Brei auslöffeln, Suppe aufessen, **3.** krank sein, kränkeln, kranken, schlecht gehen, darniederliegen, liegen müssen, auf der Nase liegen, klagen über, leiden an, befallen sein von, behaftet sein mit, herumlaborieren, siechen, fiebern, phantasieren, in Lebensgefahr schweben, mit dem Tode ringen, **4.** sich grämen, quälen, verzehren; schwer haben/nehmen, trauern, sich härmen, abhärmen; in sich hineinfressen, nicht hinwegkommen über, Schmerzliches erleben, zu leiden haben, viel ausstehen, drinstecken, im Dreck stecken, heimgesucht werden, verzweifeln, zerbrechen an.

Leiden 1. Übel, Unbehagen, Missbehagen, Übelbefinden, Krankheit, Unpässlichkeit, Unwohlsein, Beschwerde, Störung, Schmerzen, Qualen, Pein, Plage, Marter, Leidensweg, Heimsuchung, Leidenskelch, Martyrium, **2.** Masochismus, Leidenslust, süßes/vergnügtes Leiden. **1041**

leidend 1. krank, erkrankt, befallen **1042** von, behaftet mit, infiziert, indisponiert, nicht aufgelegt, in schlechter Verfassung, nicht auf dem Damm, arbeitsunfähig, marode, angegriffen, angekränkelt, angekratzt, malade, kränklich, fiebrig, erbarmungswürdig, mitgenommen, angeschlagen, angezählt, kodderig, verkatert, schlecht, übel, flau, mau, mies; ungesund, anfällig, elend, hundeelend, hundsmiserabel, miserabel, durchsichtig, bleich, eingefallen, hohlwangig, abgezehrt, sterbenskrank, todkrank, in Lebensgefahr, schwer/lebensgefährlich erkrankt, chronisch/unheilbar/unrettbar krank, todgeweiht, **2.** gebrechlich, gelähmt, hinfällig, bettlägerig, siech, hilflos, pflegebedürftig, altersschwach, **3.** verletzt, verwundet, versehrt, gepeinigt, gequält, **4.** gemütskrank, nervenleidend, psychisch/psychosomatisch krank, **5.** auf Entzug, turkey.

1043 leider schade, jammerschade, bedauerlich, unglücklicherweise, bedauerlicherweise, unerfreulicherweise, zu jmds. Bedauern/Leidwesen.

1044 leise gedämpft, lautlos, unhörbar, tonlos, geräuschlos, ruhig, still, piano, pianissimo, auf leisen Sohlen/Samtpfoten/Katzenpfoten / Zehen / Fußspitzen, mäuschenstill, schweigend, stumm, wortlos, schweigsam, schleichend; halblaut, flüsternd, mit gedämpfter Stimme, schwach, getragen, verhalten, erstickt.

1045 leisten (sich) 1. tun, schaffen, wirken, vollbringen, erfüllen, bringen, fertig bringen, vollführen, bewerkstelligen, bewirken, funktionieren, arbeiten; Leistungen vorweisen, sich verdient machen; Verdienste erwerben, **2.** sich gönnen, erlauben, genehmigen, gestatten, kaufen.

1046 Leistung 1. Tat, Verdienst, Werk, Œuvre, Opus, Gesamtwerk, Schöpfung, Wurf, Großtat, Arbeitsleistung, Ergebnis, Ausstoß, Output, Produkt, Erfolg, Rekord, **2.** Kunstwerk, Kunstgegenstand, Artefakt, Meisterwerk, Meisterstück, Opus magnum, Meisterleistung, Meilenstein.

1047 Leiter 1. Stehleiter, Trittleiter, Tritt, Treppchen, Strickleiter, Fallreep, **2.** Betriebsleiter, Direktor, Chef, Patron, Generaldirektor, Prokurist, Geschäftsführer, Bevollmächtigter, Abteilungsleiter; Versammlungsleiter, Diskussionsleiter, Gruppenleiter; Dienststellenleiter, Vorstcher, Schulleiter, Rektor, Polier, Ressortleiter, Chefarzt, Oberin; Intendant, Spielleiter, Konzertmeister, Kapellmeister, Dirigent, Orchesterleiter, Chorleiter, Kantor, Generalmusikdirektor, Bandleader.

1048 Leitung 1. Führung, Lenkung, Planung, Steuerung, Kontrolle; Kopf, Spitze, Zentrale, Schlüsselstellung, Direktion, Geschäftsleitung, Geschäftsführung, Stab, Direktorium, Vorstand, Chefetage, Management, Projektmanagement; Intendanz, Regie, Aufnahmeleitung, **2.** Bevormundung, Entmündigung, Gängelei, Gängelband, Leine, Gängelung, Kuratel, Aufsicht, Oberaufsicht, **3.** Schlauchleitung, Rohrleitung, Pipeline; Verbindungsschnur, Draht, Kabel.

1049 lernen 1. sich aneignen; erlernen, Kenntnisse erwerben, sich qualifizieren, informieren, schlau machen; studieren, sich präparieren, vorbereiten, schulen; memorieren, sich einprägen, plagen; büffeln, ochsen, pauken, bimsen, sich auf den Hosenboden setzen, eintrichtern; Schule besuchen, Schulbank drücken, **2.** hören, belegen bei, sich bilden, unterrichten, fortbilden, ausbilden, weiterbilden; dazulernen, Kenntnisse erweitern, **3.** learning by doing, Superlearning, computergestütztes Lernen, **4.** beherzigen, zur Einsicht kommen, Vernunft annehmen, sich gesagt sein lassen; Lehre ziehen.

1050 lesen 1. buchstabieren, entziffern, flüchtig durchsehen, durchblättern, blättern, stöbern, anlesen, hineinschauen, überfliegen, querlesen, schmökern, diagonal lesen, durchgehen, durchlesen, durcharbeiten, studieren, verschlingen, fressen, sich in Bücher vergraben, **2.** Vorlesung halten, Lesung abhalten, vorlesen, vortragen.

1051 leugnen 1. abstreiten, verneinen, ableugnen, bestreiten, in Abrede stellen, anfechten, Einspruch erheben, von sich weisen, zurückweisen, **2.** widerrufen, zurücknehmen, zurückziehen, verleugnen, dementieren, revozieren, Rückzieher machen, **3.** übersehen, wegsehen, nicht sehen/wahrhaben wollen, Augen verschließen, Auge zudrücken, Kopf in den Sand stecken, Scheuklappen tragen.

1052 Licht 1. Helligkeit, helle Beleuchtung, Erleuchtung, Tageslicht, Tageshelle, Sonne, Sonnenlicht, Sonnenschein, **2.** Schein, Lichtschein, Lichtreflex, Lichteffekt, Lichtkegel, Strahl, Glanz, Schimmer, Flimmer, Gefunkel, Glast, Geflimmer, Leuchten, Strahlung, Funke, Glut, Kerzenlicht, Kerzenschein, Strahlen, Feuer, Strahlkraft, Illumination, Festbeleuchtung, Lichtermeer, Rampenlicht, Flutlicht.

1053 Lichtung Schneise, Blöße, Kahlschlag, Rodung, Flurbereinigung, Durchtrieb, Waldlichtung.

1054 lieb 1. angenehm, erwünscht, erfreulich, recht, willkommen, **2.** teuer, wert, unentbehrlich, wichtig, bedeutungsvoll, geschätzt, hoch geschätzt, vergöttert, angebetet, verhätschelt, verwöhnt, geliebt; sympathisch, ans Herz gewachsen, lieb geworden, nah, vertraut, hold, gewogen, zugetan, geneigt, gut gesinnt, eingenommen, **3.** zutraulich, anschmiegend, anschmiegsam, weich, **4.** liebevoll, zärtlich, liebesfähig, herzlich, herzenswarm, gefühlswarm, warmherzig, gemütvoll, wärmend, warm, innig, gütig, hilfsbereit, mitfühlend.

1055 Liebe 1. Neigung, Zuneigung, Geneigtheit, Zuwendung, Hang, Vorliebe, Anhänglichkeit, Sympathie, Faible, Zugetanheit, Verbundenheit, Gewogenheit, Gunst, Wohlgefallen, Vertraulichkeit, Intimität, Liebe auf den ersten Blick, Liebesbande, **2.** Eros, Erotik, Liebeskunst, Ars amandi, Minne, Leidenschaft, Verliebtheit, Besessenheit, Vergötterung, Anbetung, Verlangen, Begehren, Passion, Ekstase, Liebesglut, Verzückung, Rausch, **3.** Zärtlichkeit, Liebkosung, körperliche Liebe, Kosen, Vorspiel, Petting, Kuss, Umarmung, Beischlaf, Geschlechtsverkehr, Geschlechtsakt, Akt, Liebesvereinigung, Intimverkehr, Beilager, Liebesvollzug, Sex, Vereinigung, Koitus, Quickie, Nummer, Vögeln, Fick, **4.** Liebschaft, Flirt, Schwärmerei, Spielerei, Liebelei, Techtelmechtel, Plänkelei, Gepläkel, Schäkerei, Getändel, Tête-à-tête, Liaison, Bettgeschichte, Affäre, Eskapade, Eroberung, Abenteuer, Amouren, Romanze, Liebesgeschichte, Lovestory, Liebesbeziehung, Liebesbund, Verhältnis, Beziehung, Beziehungskiste, Episode, Seitensprung, Amour fou, Schäferstündchen, One-Night-Stand.

1056 lieben 1. angetan/zugetan/eingenommen sein, Schwäche haben für, Sympathien hegen, jmdn. mögen/sympathisch finden/leiden mögen/gern haben, Neigung haben, sich hingezogen fühlen; schätzen, gewogen sein, lieb gewinnen/haben, verbunden sein, aneinander hängen, ins Herz schließen, **2.** tändeln, sich verlieben, vergucken, verknallen, verschießen, vernarren; entbrennen, erglühen, Feuer fangen, in Flammen stehen, sich an jmdn. verlieren; vergehen vor Liebe, jmdm. verfallen/hörig sein, anbeten, bewundern, verehren, vergöttern, auf Händen tragen, zu Füßen liegen, anhimmeln, anschwärmen, anschmachten, glühen, entbrannt sein für, huldigen, **3.** hätscheln, schnäbeln, turteln, liebkosen, küssen, streicheln, aneinander schmiegen, herzen, kosen, schmusen, umarmen, umfangen, umhalsen, umfassen, umschlingen, umschließen, beischlafen, sich lieben; Liebe machen, Sex haben, intim sein, ins Bett gehen, miteinander schlafen, bumsen, vögeln, ficken.

Liebeskummer Liebesschmerz, Liebespein, Liebesleid, Liebesnöte, Herzeleid, Herzweh, Herzschmerz, Trennungsangst, Verlustangst, Trennungsschmerz; Beziehungsknatsch, Beziehungskrise, Ehetragödie. **1057**

Linie 1. Strich, Gerade, Zeile, Verbindungslinie, Durchmesser, Radius, Kreismesser, Tangente, Diagonale, **2.** Kontur, Umriss, Silhouette, Schattenriss, Profil, Umrisslinie; Skyline, Horizontlinie, Grenzlinie, **3.** Verkehrsstrecke, Buslinie, Bahnlinie, Metrolinie, Straßenbahnlinie, **4.** Abstammungsreihe, Ahnenreihe, Geschlechterfolge, Dynastie, **5.** schlanke Linie, Schlankheit, gute Figur. **1058**

links 1. zur Linken, linker Hand, linksseitig, backbord, auf der linken Seite, auf der Herzseite, linkshändig, **2.** innen, Abseite, Rückseite, **3.** im linken Spektrum, gesellschaftskritisch, sozialkritisch, sozialistisch, kommunistisch, rot. **1059**

List 1. Schachzug, Winkelzug, Trick, Tücke, Angel, Falle, Fallgrube, Fallstrick, Grube, Fußangel, Schlinge, Garn, Netz, Finte, Haken, Köder, Hinterhalt, **2.** Machenschaften, Kabale, Ränke, Manöver, Intrige, Machination, abgekartetes Spiel, Komplott, Verschwörung, Konspiration. **1060**

Literatur Lesestoff, Lektüre, Schrifttum, Schriftgut, Buch; Sprachkunstwerk, Dichtkunst, Belletristik, schöne Literatur, Kunstdichtung, Dichtung, **1061**

Poesie, Lyrik, Epos, Drama, Unterhaltungsliteratur, Trivialliteratur.

1062 Lob 1. Anerkennung, Billigung, Zustimmung, Bewunderung, Vorschusslorbeeren, Streicheleinheit, Beifall, Anklang, **2.** Belobigung, Auszeichnung, Preis, Ehrung, Lorbeeren, Huldigung, Würdigung, Anpreisung, Empfehlung, **3.** Loblied, Lobgesang, Lobrede, Laudatio, Hymne, Verherrlichung, Glorifizierung, Erhöhung, Überhöhung, Hagiographierung, Verklärung, **4.** Schmeichelei, Flatterie, Schmus, Augendienerei, Süßholz, Gesülze, Lobhudelei.

1063 loben 1. anerkennen, belobigen, lobend erwähnen, rühmen, preisen, herausstreichen, herauskehren, empfehlen, anpreisen, werben für, lobpreisen, lobsingen, würdigen, nachrühmen, Gutes nachsagen, Loblied singen, über den grünen Klee loben, Kult treiben mit, **2.** Verdienste anerkennen/würdigen, Orden verleihen, auszeichnen, dekorieren.

1064 löschen 1. auslöschen, ausmachen, abschalten, ausdrehen, auskülpsen; ausblasen, auspusten, ausdrücken, ersticken, **2.** tilgen, ausgleichen, erlassen, schenken, aufheben, **3.** streichen, auswischen, wegwischen, durchstreichen, ausradieren, Daten löschen.

1065 lose 1. locker, gelockert, wackelig, wackelnd, brüchig, lottelig, schlotterig, **2.** faserig, saugfähig, porös, weitmaschig, durchlässig, grobfädig, **3.** unverpackt, einzeln, offen, nicht abgepackt, nach Gewicht; abnehmbar, beweglich, **4.** hangend, hängend, baumelnd, schlackend, schlaff, schlotternd, **5.** frech, kess.

1066 lösen (sich) 1. loslösen, herauslösen, ablösen, losmachen, losbinden, abtrennen, aufschrauben, abschrauben, entfernen, **2.** zerlassen, verflüssigen, weich machen, schmelzen, aufweichen, einweichen, tauen, zergehen, zerfließen, zerrinnen, zerlaufen, auseinander laufen, auseinander fallen, zerfallen; abtauen, entfrosten, auftauen, **3.** raten, erraten, enträtseln, herausbringen, auflösen, entsiegeln, herausfinden, herausbekommen, Lösung finden, lösen können, knacken, entziffern, dechiffrieren, entschlüsseln, dekodieren, dahinter kommen, aufdröseln, **4.** aufmachen, aufhaken, lockern, frei machen, **5.** sich trennen, loslösen, selbständig machen, abnabeln, emanzipieren; eigene Wege gehen, **6.** lockern, erleichtern, entkrampfen, abführen; auflockern, aufschütteln, **7.** abreißen, abgehen, abplatzen, abspringen, losgehen, abbröckeln, bröckeln, zerbröckeln, abschilfern, morsch werden, vermorschen, **8.** fasern, fusseln, dünn/schäbig werden, **9.** entsichern, schussbereit machen, **10.** schälen, abschälen, häuten, schuppen, pellen, palen, abbalgen, entgräten, enthülsen, abblättern, abhäuten.

Lücke 1. Spalt, Ritze, Spalte, Lakune, **1067** Leerstelle, Space, Bresche, Hohlraum, Zwischenraum, Durchschuss, **2.** unbesetzter Platz, Parklücke, unbesetzte/offene Stelle, Vakanz, Verlust, **3.** Forschungslücke, Desiderat, Defizit, blinder Fleck, Gap.

Luft 1. Atmosphäre, Lufthülle, Äther, **1068 2.** Luftströmung, Luftstrom, Luftzug, Ventilation, Lüftung, Belüftung, Luftzufuhr, Ventilator, Klimaanlage, Aircondition, **3.** Frischluft, Meeresluft, Abendluft, Nachtluft, Morgenluft, Frühlingslüftchen.

lüften entlüften, auslüften, Luft hereinlassen, durchlüften, Durchzug machen, belüften.   **1069**

luftig 1. windig, stürmisch, böig, auffrischend, zugig, bewegt, frisch, **2.** fluchtig, ätherisch, gasförmig, duftig, **3.** gelüftet, lüftbar; hoch gelegen, dem Wind ausgesetzt.   **1070**

Lüge 1. Unwahrheit, Entstellung, Verdrehung, Verzerrung, Verfälschung, Falschinformation, Desinformation, **2.** Schwindel, Schwindelei, Geflunker, Ausflucht, Vorwand, Scheingrund, Trug, blauer Dunst, Unrichtigkeit, Lügengewebe, Hochstapelei, Amtsanmaßung, **3.** Meineid, Wortbruch, Vertrauensbruch, Eidbruch, Falschaussage, **4.** Erfindung, Erdichtung, Fabelei, Ente, Falschmeldung, Lügenmärchen, Hirngespinst, Räuberpistole, Flausen, Jägerlatein, Seemannsgarn, Ammenmärchen, fromme Lüge, Lug und Trug, **5.** Geschichtsklitterung, Mythenbildung, Legendenbildung.   **1071**

lügen Unwahrheit sagen, schwindeln, verkohlen, beschwindeln, anlügen, kohlen, flunkern, täuschen, Bären aufbinden, belügen, weismachen, aus der Luft   **1072**

greifen, es mit der Wahrheit nicht genau nehmen, entstellen, verdrehen, desinformieren, verfälschen, beschönigen, übertreiben, verzerren, falsch darstellen, falsches Bild geben, vortäuschen, erfinden, erdichten, fingieren, vorgeben, simulieren, sich in Widersprüche verwickeln, widersprechen; mit zwei Zungen reden, sich ausgeben als; fabeln, fabulieren; heucheln, sich verstellen; Gefühle vortäuschen, Krokodilstränen vergießen, erschleichen, erbschleichen, hochstapeln; falsch schwören, Meineid schwören.

1073 Lust 1. Regung, Hang, Stimmung, Bock, Laune, Neigung, Appetit, Verlangen, Gelüst, Begehrlichkeit, **2.** Genuss, Genussfreude, Sinnenfreude, Lustgefühl, Sinnenlust, Sinnenrausch, Sinnentaumel, **3.** Begehren, Begierde, Gier, Sinnlichkeit, Lüsternheit, Fleischeslust, Libido, Erregtheit, Stimuliertheit, Geilheit, Laszivität, Wollust, Brunst, Leidenschaft, Fieber, Kupidität, Liebestollheit, Liebeswut, Erotomanie, Pornophilie, Sexbesessenheit.

lüstern begehrlich, begierig, gierig, **1074** gieprig, libidinös, sinnlich, leidenschaftlich, erregt, stimuliert, erotisiert, sexualisiert, wollüstig, brünstig, lasziv, voluptuös, buhlerisch, faunisch, geil, scharf, heiß, spitz, erotoman, mannstoll, weibstoll, liebeshungrig, liebestoll, sexhungrig, pornophil, sexbesessen.

M

1075 Macho Chauvinist, Chauvi, Machist, Sexist, Macker, Pascha, Haustyrann, Männlichkeitsprotz, Männlichkeitsfanatiker, Latin Lover, Papagallo.

1076 Macht 1. Machtstellung, Dominanz, Potenz, Machtbefugnis, Entscheidungsmacht, Sanktionsgewalt, Allgewalt, Allmacht, Omnipotenz, **2.** Machtstreben, Machtdrang, Machthunger, Machtgier, Machtbesessenheit, Machtwahn, Megalomanie, **3.** Einfluss, Herrschaft, Hegemonie.

1077 mächtig 1. machtvoll, stark, kräftig, kraftvoll, durchsetzungsfähig, beherrschend, hegemonial, dominant, **2.** einflussreich, angesehen, vermögend, viel vermögend, potent, wichtig, gewichtig, maßgebend, tonangebend, autoritativ, **3.** allmächtig, allgewaltig, omnipotent, uneingeschränkt, absolut, schrankenlos.

1078 Mädchen 1. Tochter, Filia, Jüngste, Älteste, Nesthäkchen, **2.** Kind, Kleine, Küken, Göre, Dirn, Mädel, junges Ding, Biene, Käfer, Puppe, Fratz, Krabbe; Heranwachsende, Jugendliche, Backfisch, Teenager, Teenie, Girl, Girlie, junge Dame.

1079 Magnet Anziehungspunkt, Blickfang, Attraktion; Zugstück, Zugnummer, Galanummer, Glanznummer, Glanzpunkt, Hauptattraktion, Sensationsnummer, Sensation, Kassenmagnet; Reißer, Schlager, Hit, Knüller, Hammer, Bombe, Mekka, Faszinosum, Hype.

1080 Mahlzeiten 1. Essen, Speise, Gericht, Schmaus; Fraß, Fressen, Schlangenfraß, **2.** Frühstück, Morgenimbiss, Morgenkaffee, Brotzeit, Gabelfrühstück, Frühschoppen, Brunch, **3.** Vorgericht, Vorspeise, Horsd'œuvre, Entree, Appetithappen, **4.** Mittagessen, Mittagsmahl, Mittagsbrot, Lunch, Diner, **5.** Dessert, Nachtisch, Nachspeise, Süßspeise, **6.** Nachmittagskaffee, Tee, Fünfuhrtee, Jause, Vesper, **7.** Abendbrot, Abendessen, Nachtessen, Nachtmahl, Souper, Dinner, **8.** Zwischenmahlzeit, Imbiss, Bissen, Happen, Fastfood, Snack, Stärkung, Erfrischung, Picknick, **9.** Menü, Speisefolge, Gänge, **10.** Tafel, Esstisch, Speisetisch, Table d'hôte, Mahl, Gastmahl, Festmahl, Festessen, Bankett.

1081 mahnen 1. ermahnen, zu bewegen suchen, anraten, zusetzen, zureden, beschwören, ins Gewissen reden, betroffen machen, bedrängen, **2.** anhalten, anspornen, einschärfen, drängen, treiben, auf die Seele binden, ans Herz legen, ins Stammbuch schreiben, Vorhaltungen machen, **3.** erinnern, anmahnen, abmahnen, monieren, reklamieren, appellieren, vorknöpfen, ins Gedächtnis rufen, Rippenstoß geben, zur Ordnung rufen, bei der Ehre packen, am Portepee fassen, zur Räson bringen, zurechtstauchen, schütteln, zur Besinnung bringen, zurechtstoßen, zurechtweisen, Kopf waschen, predigen, moralisieren, zu bo kehren suchen, missionieren.

1082 Mahnung 1. Reklamation, wiederholte Aufforderung, Erinnerung, Monitum, Mahnbrief, Mahnverfahren; Wink, Rippenstoß, Ermahnung, Anmahnung, Abmahnung, Zureden, Beschwörung, **2.** Memento, Menetekel, Vorwarnung, **3.** Appell, Anruf, Zuruf, Aufruf, Ordnungsruf, **4.** Predigt, Sermon, Moralpredigt, Strafpredigt, Gardinenpredigt, Rüge, Tadel, Schelte.

1083 Maler 1. Kunstmaler, Porträtist, Aquarellist, Freskenmaler, **2.** Anstreicher, Malermeister, Tüncher, Weißbinder, Lackierer, Tapezierer; Pinsler, Kleckser.

1084 Mann männliche Person, Mannsperson, Mannsbild, Kerl; Mann von Welt, Gentleman, Herr; Junggeselle, allein stehender Mann, Single, Witwer, Hausmann.

1085 männlich männlichen Geschlechts, maskulin, viril, male.

1086 Markt 1. Messe, Umschlagplatz, Börse, Basar, Wochenmarkt, Flohmarkt, Jahrmarkt, Marktplatz, Forum, Handelsplatz, **2.** Absatzgebiet, Absatzmarkt, Binnenmarkt, Inlandsmarkt, Auslandsmarkt, Finanzmarkt, internationaler Markt, Weltmarkt, Schwarzmarkt, Arbeitsmarkt, Heiratsmarkt.

1087 Marktforschung Marktbeobachtung, Marktanalyse, Research, Fieldresearch, Fieldwork, Bedarfsforschung, Bedarfsanalyse, Käuferanalyse, Produktanalyse, Absatzforschung, Käuferbefragung, Verbraucherbefragung.

1088 Maschine Apparat, Aggregat, Motor, Maschinerie.

1089 Maß 1. Mäßigkeit, Beherrschung, Zurückhaltung, **2.** Ausmaß, Abmessung, Ausdehnung, Dimension, Längenmaß, Flächenmaß, Hohlmaß, **3.** Maßstab, Skala, Norm, Standard, Grundsatz, Richtmaß, Richtschnur, Wertmesser, Wertskala, Gradmesser, Maßeinheit, Zeitmaß, Takt, Rhythmus, Tempo, **4.** Verhältnis, Beziehung, Proportion, Größenverhältnis, **5.** Größe, Stärke, Nummer; Klasse, Gewichtsklasse, Lautstärke, Schallpegel.

1090 Massaker Blutbad, Gemetzel, Metzelei, Amoklauf, Gewaltorgie, Abschlachtung, Schlächterei, Schlacht, Vernichtung, Massenmord, Massenvernichtung, Holocaust, Völkervernichtung.

1091 mäßig 1. maßvoll, mit Maßen, gemäßigt, moderat, gemessen, gebändigt, beherrscht, gezügelt, **2.** mittelmäßig, mittel, nicht besonders, durchschnittlich, alltäglich, bescheiden, ausreichend, nicht berauschend, gerade eben, erträglich, genügend, hinlänglich, passabel, ziemlich, leidlich, medioker, einigermaßen, durchwachsen, mit Mühe und Not, mit Ach und Krach, nichts Halbes und nichts Ganzes, nicht überwältigend, ganz nett, nicht übel, mittelprächtig, genießbar, halbwegs, soso, nicht aufregend, geht an, so lala, schlecht und recht, treu und brav, **3.** lau, lauwarm, handwarm, mild, temperiert, überschlagen.

1092 Mäßigung 1. Maßhalten, Beherrschung, Zurückhaltung, Selbstbeherrschung, Selbstdisziplin, Askese, **2.** Beruhigung, Begütigung, Beschwichtigung, Besänftigung, Dämpfung, Befriedung, Milderung, Linderung, Abschwächung, Begrenzung, Schadensbegrenzung, Abmilderung, Herabminderung, Senkung; Dusche, Ernüchterung, Dämpfer, Desillusionierung, Abkühlung, Entdramatisierung.

1093 maßlos 1. unmäßig, ohne Maß, schrankenlos, **2.** unbeherrscht, unkontrolliert, undiszipliniert, unberechenbar, disziplinlos, regellos, ungezügelt, ungezähmt, zügellos, **3.** hemmungslos, haltlos, enthemmt, besessen, getrieben, süchtig, manisch, ausschweifend, orgiastisch, schwelgerisch, prasserisch, unersättlich, exzessiv, extremistisch, ohne Maß und Ziel, exaltiert, outriert, übertrieben.

1094 Maßnahme Maßregel, Bestimmung, Anordnung, Richtlinie, Aktion, Regelung, Vorgehen, Unternehmung, Tat, Handlung, Entscheidung, Zugriff, Handlungsweise.

1095 Mäzen Förderer, Gönner, Fürsprecher, Stifter, Spender, Wohltäter, Schirmherr, Protektor, Sponsor, Geldgeber, Sammler, Kunstliebhaber.

1096 mechanisch 1. automatisch, maschinell, fabrikmäßig, industriell, serienmäßig, seriell, mechanisiert, maschinenmäßig, technisch, **2.** gedankenlos, gewohnheitsmäßig, unbewusst, unwillkürlich, wie von selbst, zwangsläufig, **3.** unbeseelt, seelenlos, unbelebt, leblos, fühllos, tot.

1097 Medien Massenmedien, Kommunikationsmedien, Printmedien, Fernsehen, Rundfunk, Film, Multimedia, neue Medien, Online.

1098 Medizin 1. Heilkunde, Heilkunst, Humanmedizin, Veterinärmedizin, **2.** Heilmittel, Arznei, Medikament, Präparat, Pharmazeutikum, Remedium, Arzneimittel, Droge, Tablette, Pharmakon, Therapeutikum.

1099 meinen wähnen, denken, finden, für richtig halten, dafürhalten, vermuten, vermeinen, glauben, auf dem Standpunkt stehen, Standpunkt vertreten, annehmen, erachten, mutmaßen, rechnen mit, für möglich halten.

1100 Meinung 1. Ansicht, Auffassung, Anschauung, Dafürhalten, Erachten, Ermessen, Gutdünken; Überzeugung, Weltanschauung, Kredo, Glaube, Gewissheit, Bewusstsein, Einstellung, **2.** Gesichtspunkt, Standort, Blickpunkt, Blickwinkel, Aspekt, Perspektive, Warte, Standpunkt, **3.** Vorstellung, Vermutung, Gedanke, Mutmaßung, Annahme, **4.** Behauptung, Bekräftigung, Beteuerung, Aussage, Stellungnahme, Äußerung, Meinungsäußerung, Stimme, Votum.

1101 meistens größtenteils, meist, fast immer, meistenteils, zumeist, in der Mehrzahl der Fälle, zum überwiegenden Teil, weitaus am meisten.

1102 Menge 1. Anzahl, Anteil, Zahl, Ausmaß, Posten, Häufung, Cluster, Quantität, Quantum, Schnittmenge, **2.** Fülle, Masse, Haufen, Berg, Brocken, Klumpen, Klotz, **3.** Menschenmenge, Menschenansammlung, Volksmenge, Menschenlawine, Menschengewimmel, Auflauf, Gewühl, Gewimmel, Getümmel, Rudel, Schwarm, Schwall, Heerscharen, Legionen, Armee, Pulk, Herde, Scharen, Unzählige, Riesenmenge, Myriaden, **4.** Vielzahl, Unzahl, Unsumme, Unmenge, **5.** Mehrzahl, Mehrheit, Majorität, größere Zahl, größerer Teil, Löwenanteil, das Gros; Minorität, Minderheit, Minderzahl, Unterzahl, **6.** Mann auf der Straße, Leute, breite Masse, jedermann, gewöhnlicher Sterblicher, kleiner Mann, Otto Normalverbraucher, schweigende Mehrheit.

1103 Mensch 1. Geschöpf, menschliches Wesen, Homo sapiens, Sterblicher, Erdenbürger, Erdbewohner, Zweibeiner, Erdengast; Menschengeschlecht, Menschheit, **2.** Subjekt, Person, Individuum, der Einzelne, Selbst, Persönlichkeit, Individualität.

1104 menschlich 1. human, allgemein menschlich, humanitär, menschenwürdig, menschengerecht, menschenliebend, philanthropisch, menschenfreundlich, **2.** sterblich, irdisch, unvollkommen, allzu menschlich.

1105 Menschlichkeit Humanität, Humanitas, Menschenwürde, menschliches Maß, Humanismus, Menschenliebe.

1106 Messer Klinge, Schneide, Tafelmesser, Küchenmesser, Buttermesser, Brotmesser, Klappmesser, Taschenmesser, Stilett, Dolch.

1107 Migrant Emigrant, Auswanderer, Flüchtling, Vertriebener, Ausgebürgerter, Ausgewiesener, Heimatvertriebener, Exilant, Heimatloser, Aussiedler, Umsiedler; Immigrant, Einwanderer, Asylsuchender, Asylant.

1108 Migration Wanderung, Auswanderung, Einwanderung, Umsiedlung, Abwanderung, Wohnsitzwechsel.

1109 mild 1. gelinde, lind, weich, sanft, lau, sacht, behutsam, sorgsam, schonungsvoll, unmerklich, **2.** harmlos, unschäd-

lich, schonend, umweltfreundlich, gefahrlos, ungefährlich, **3.** nicht scharf, ungesalzen, bekömmlich, **4.** nachsichtig, verständnisvoll, gütig, nicht streng, verwöhnend, benigne, sanftmütig, duldsam, mildherzig, gnädig.

1110 Milde Sanftmut, Güte, Weichheit, Zartheit, Nachgiebigkeit, Sachtheit, Sanftmütigkeit, Sanftheit, Schonung, Gnädigkeit, Duldsamkeit, Weitherzigkeit, Versöhnlichkeit, Verträglichkeit.

1111 Militär 1. Soldat, Rekrut, Wehrpflichtiger, Berufssoldat, Offizier, Legionär, Kommisskopf, Landsknecht, Landser, **2.** Streitkraft, Streitmacht, Atomstreitkraft, bewaffnete Macht, Heeresverband, Armee, Heer, Truppe, Volksarmee, Volksheer, Berufsheer, Bürgerwehr; Reichswehr, Bundesheer, Wehrmacht, Miliz; Soldateska, Soldatenhauf, paramilitärische Einheit, Kommiss, Barras, Bund.

1112 mischen 1. mengen, vermengen, rühren, verrühren, unterrühren, verquirlen, schlagen, vermischen, unterarbeiten, kneten, verkneten, unterkneten, untermengen, durcheinander wirken, durchkneten; zusammengießen, zusammenbrauen, mixen, schütteln; versetzen mit, manschen, **2.** verbinden, legieren, verquicken, beimischen, zusetzen, beimengen, beifügen, beigeben, zugeben, melieren, **3.** kreuzen, bastardieren.

1113 Mischung 1. Gemisch, Gemenge, Konglomerat, Promenadenmischung, Melange, Mixtum, Mixtur, Mixgetränk, Cocktail, Gebräu, Mischmasch, Panscherei, Gepansche, **2.** Verdünnung, Verwässerung, Verfälschung, Verschnitt; Legierung; Beimischung, Zusatz, Beigabe, **3.** Sammelsurium, Mosaik, Puzzle, Ragout, Potpourri, Quodlibet, Mixtum compositum, Vermischtes, Vielerlei, buntes Allerlei, dies und das, Charivari, Pelemele, Tuttifrutti, **4.** Verbindung, Dispersion, Vermischung, Vermengung, Klitterung, Stilmischung, Cross-over, Gemengelage, Streulage, Eklektizismus, Verschmelzung, Vereinigung, Synkretismus, **5.** Mittelding, Zwischending, Zwitterding, Zwitter, Hermaphrodit, Hybride, Intersex.

1114 missachten 1. verachten, nicht achten, gering achten, gering schätzen, diskriminieren, verschmähen, ungerecht behandeln, beeinträchtigen, jmdm. unrecht tun, herabblicken, für wertlos halten, verfemen, verpönen, Nase rümpfen, nicht für voll/nicht ernst nehmen, verkennen, von oben herab behandeln, zurücksetzen, ausgrenzen, unberücksichtigt lassen, hintansetzen, hintanstellen, vom Tisch wischen, übergehen, überfahren, benachteiligen, vernachlässigen, übervorteilen, prellen, **2.** sich nichts daraus machen; pfeifen/nicht hören auf, auf die leichte Schulter nehmen, in den Wind schlagen, Achseln zucken; schändlich behandeln, mit Füßen treten, Schindluder treiben, mit Verachtung strafen.

1115 Missachtung Benachteiligung, Zurücksetzung, Ausgrenzung, Nichtbeachtung, Vernachlässigung, Beeinträchtigung, Abschätzigkeit, Hintansetzung, Brüskierung, Diskriminierung, Geringschätzung, Herabsetzung, Nichtachtung, Verachtung; Achselzucken, Naserümpfen.

1116 Misserfolg Verlust, Schlappe, Pech, Fehlschlag, Rückschlag, Rohrkrepierer, Totgeburt, Durchfall, Niete, Fiasko, Panne, Reinfall, Schlag ins Wasser/Kontor, Schiffbruch, Kalamität, Blamage, Korb, Abfuhr, Auspfiff, Absage, Ablehnung, Konkurs, Bankrott, Flop, Pleite, Debakel, Desaster, Waterloo, Niederlage.

1117 missmutig lustlos, unlustig, null Bock, griesgrämig, sauertöpfisch, übellaunig, miesepetrig, mies, verdrossen, misslaunig, verdrießlich, missgelaunt, missgestimmt, schlecht gelaunt, schwarzgallig, knurrig, mürrisch, überdrüssig, grämlich, missvergnügt, zerknittert, verstimmt, verkehrt, mit dem linken Fuß zuerst aufgestanden, quengelig, ungenießbar, verquer.

1118 Missstimmung Unbehagen, Missbehagen, Missmut, Unmut, Lustlosigkeit, Bedrücktheit, Beklommenheit, Beklemmung; schlechte Laune, dicke Luft, Tief, Misslaune, Verdrießlichkeit, Unzufriedenheit, Verdrossenheit, Verstimmtheit, Verstimmung, Morosität, Verdruss, Ärger, Übellaunigkeit, Unlust, Unwille, Groll, Bitterkeit, Bitternis, Missvergnügen, Trübsinn, Überdruss, Ekel; Katzenjammer, moralischer Kater, Nachwehen, Hang-over.

Mitte 1. Herz, Seele, Herzstück, das **1119** Innerste, **2.** Zentrum, Piazza, Marktplatz, Plaza, **3.** Zentrale, Hauptgeschäftsstelle, Sammelpunkt, Sammelbecken, Sammelstelle, Center, Hochburg, **4.** Hälfte, halbe Strecke, halber Weg, Mitte des Weges, Wegmitte, Mittelstreifen; Halbzeit, Spielwechsel; Mittag, Zenit, Lebenshöhe, Lebensmitte, **5.** inmitten, mitteninne, zentral, im Zentrum/Mittelpunkt/Kern, mittendrin, mittenmang, **6.** Mittelpunkt, Fokus, Schnittpunkt, Knotenpunkt, Kern, Nukleus, Herd, Sitz, Scheitel, Nabel, Achse, Rückgrat, Angelpunkt, Zentralpunkt, Schwerpunkt, Brennpunkt; goldene Mitte, Mittelweg.

mitteilen 1. melden, bestellen, sa- **1120** gen, ausrichten, benachrichtigen, informieren, unterrichten, verständigen, wissen/vernehmen lassen, Nachricht/Bescheid/Auskunft geben, vermelden, berichten, referieren, in Kenntnis/ins Bild setzen, aufklären, vertraut machen mit, heranbringen an, hinweisen, **2.** anmelden, ankündigen, signalisieren, annoncieren, anzeigen, ansagen, eröffnen, angeben, bekunden, dartun, aussagen, zeugen, bezeugen, enthüllen, **3.** weitersagen, weitergeben, weiterleiten, hinterbringen, durchsagen, durchgeben, übermitteln, veröffentlichen, publizieren, bekannt geben/machen, kundtun, kundmachen, verlautbaren, in Umlauf setzen, verbreiten, kundgeben, publik machen, verkünden, unter die Leute bringen, kolportieren, **4.** ausrufen, ausschellen, aushängen, ausschreiben, verkündigen, proklamieren, hinterlegen, hinterlassen, mailen.

mitteilsam kommunikativ, kontakt- **1121** freudig, aufgeschlossen, äußerungswillig, gesprächig, rückhaltlos, mitteilungsbedürftig, offen, ohne Hemmungen, freimütig, offenherzig, unverhohlen, redefreudig, redselig, wortreich, sprudelnd, schwatzhaft, geschwätzig, plauderhaft, quasselig, plapprig.

Mitteilung Benachrichtigung, Be- **1122** scheid, Auskunft, Information, Info, Berichterstattung, Bericht, Meldung, Unterrichtung, Eröffnung, Verlautbarung, Verkündung, Ankündigung, Durchsage, Durchgabe, Bekanntgabe, Kundgabe, Veröffentlichung, Publizierung,

Publikation, Verkündigung, Proklamation.

1123 Mittel 1. Hilfsmittel, Hilfsquelle, Geldmittel, Material, Werkzeug, Gerät, 2. Möglichkeit, Handhabe, Methode, Wege, Mittel und Wege, 3. Machtmittel, Druckmittel, Zwangsmittel.

1124 mittelbar 1. indirekt, vermittelt, abgeleitet, 2. auf Umwegen, gerüchteweise, andeutungsweise, aus zweiter Hand, zwischen den Zeilen, verschleiert, verstohlen, hinter vorgehaltener Hand, verhohlen, verkappt, verbrämt, verblümt, durch die Blume, verhüllt, verklausuliert, hintenherum, auf Schleichwegen, über die Bande, 3. mittels, vermittels, vermöge, anhand von, kraft, mit Hilfe von, dank, durch, über, durch Vermittlung/auf Veranlassung von, per, seitens, vonseiten, mit, von, hierdurch, dadurch, 4. brieflich, schriftlich, bargeldlos, durch Überweisung, per Scheck, 5. vom Hörensagen, dem Namen nach, nicht persönlich.

1125 Mode 1. Zeitgeschmack, Zeitstil, Zeitgeist, Zeitströmung, Zug der Zeit, Strömung, Tendenz, Trend, Welle, Hauptströmung, Mainstream, Fashion, Allerweltsgeschmack, Massengeschmack, Zeiterscheinung, Tagesgeschmack, das Allerneuste, letzter Schrei, Dernier Cri, neuester Look, 2. Modeschöpfung, Haute Couture, Kreation, Kollektion, Prêt-à-porter.

1126 modern 1. neu, modisch, nach der Mode, der Mode entsprechend, modebewusst, modesüchtig, fashionable, trendy, hip, 2. trendsetting, auf der Höhe der Zeit/dem neuesten Stand, neuzeitlich, von heute, hochmodern, in, zeitgemäß, aktuell, up to date, im Schwang; zeitgebunden, der Mode unterworfen, betont modern, modernistisch, neumodisch.

1127 mögen 1. etwas abgewinnen, etwas übrig haben für, nicht abgeneigt sein, angetan sein, Gefallen/Geschmack finden an, Lust haben auf, sich etwas machen aus; gefallen, Geschmack abgewinnen, gewogen sein, gern haben, schätzen, lieben, billigen, bevorzugen, 2. neigen, tendieren, sich hingezogen fühlen; hinneigen zu, sympathisieren.

1128 möglich 1. potentiell, virtuell, virtual, hypothetisch, denkbar, annehmbar,

erwägenswert, diskutabel, erdenklich, zu erwägen, nicht ausgeschlossen, vorstellbar, angängig, ausführbar, gangbar, durchführbar, erzielbar, menschenmöglich, machbar, praktikabel, lösbar, anwendbar, vereinbar, zumutbar, zuzumuten, vertretbar, akzeptabel, 2. erträglich, auszuhalten, tragbar, überwindbar, bezwingbar, besiegbar, erreichbar, erfüllbar, bezahlbar, reparabel, heilbar, wieder gutzumachen, 3. möglicherweise, allenfalls, vielleicht, unter Umständen, eventuell, nicht auszuschließen, vermutlich, wohl, kann sein, im Bereich des Möglichen, womöglich, gegebenenfalls, wer weiß, je nachdem.

1129 Möglichkeit Potentialität, Eventualität, Durchführbarkeit, Machbarkeit, gangbarer Weg; Opportunität, Gelegenheit, Aussicht, Chance.

1130 müde 1. ermüdet, schläfrig, ruhebedürftig, schlafbedürftig, gähnend, dösig, übernächtig, übermüdet, halb tot, schlapp, matt, bleiern, bettreif, bettschwer, hundemüde, sterbensmüde, todmüde, im Stehen, mit offenen Augen schlafend, verschlafen, schlaftrunken, 2. abgekämpft, abgespannt, abgemattet, entnervt, abgeschlagen, abgeschlafft, abgearbeitet, abgehetzt, überlastet, überanstrengt, überbürdet, überfordert, überarbeitet, stressgeplagt, am Rande, übernommen, durchgedreht, marode, urlaubsreif, reif für die Insel, geschafft, entkräftet, verbraucht, mitgenommen, erschöpft, ab, erschlagen, k. o., zerschlagen, erschossen, groggy, am Ende, aufgerieben, entkräftet, zermürbt, schachmatt, fertig, erledigt.

1131 Mund Lippen, Lippenpaar, Schnabel, Schnäuzchen, Schnute, Mäulchen, Kussmund, Schmollmund; Klappe, Rand, Flappe, Mundwerk, Maul, Schnauze, Gosche, Fresse.

1132 mürbe 1. morsch, brüchig, rissig, wackelig, zerfallend, verwittert, abbruchreif, 2. zart, fein, morbid, weich, locker, bröselig, krümelig.

1133 Musik 1. Klang, Ton, Tonfolge, Tonrelation, Intervall, Melodie, 2. Tonkunst, Komposition, Tondichtung, Tonschöpfung, Musikwerk, Musikstück, Arrangement, 3. klassische Musik, ernste Musik, E-Musik, Unterhaltungsmusik, U-Musik, Tanzmusik, Discomusik, Jazzmusik, Jazz, Popmusik, Volksmusik, Filmmusik, Soundtrack, Hintergrundmusik, Funktionsmusik; Instrumentalmusik, Vokalmusik, elektronische Musik, Scratching, Soundsystem.

1134 Musiker 1. Komponist, Tonsetzer, Tondichter, Tonschöpfer, Tonkünstler, Arrangeur, **2.** Interpret, Musikant, Spieler, Virtuose, Solist, Barmusiker, Orchestermusiker, Klavierspieler, Pianist, Geiger, Violinist, Streicher, Cellist, Bassist, Blasmusiker, Klarinettist, Flötist, Posaunist, Saxophonist, Trompeter, Schlagzeuger, Trommler, Drummer, Gitarrist, Percussionist, Keyboarder.

1135 müssen sollen, obliegen; sich verantwortlich/verpflichtet/bemüßigt fühlen, genötigt/gezwungen sehen; für nötig/erforderlich/unabdingbar halten, gehalten/gezwungen/genötigt/verpflichtet/verantwortlich sein, unter Druck stehen, nicht anders können, nicht umhinkönnen, keine Wahl/Alternative haben, in den sauren Apfel beißen, dran glauben müssen.

1136 Muster 1. Verzierung, Dekor, Dessin, Musterung, Ornament, Arabeske, Schmuckform, Aufdruck, Zeichnung, **2.** Beispiel, Probe, Warenprobe, Sample, Versuchsstück, Musterstück, Vorführstück, Mustersendung, **3.** Modell, Entwurf, Riss, Plan, Vorlage, Schnitt, Schnittmuster, Schnittbogen, Schnittvorlage, Strickmuster, **4.** Form, Mater, Model, Schablone, Urbild, Phänotyp,

Archetyp, **5.** Streifen, Punkte, Pünktchen, Sprenkel, Tupfen, Tüpfchen, Kringel, Karo, Blumen, Blüten, Maserung, Moiré.

mustern 1. bemustern, bedrucken, **1137** bemalen, tüpfeln, sprenkeln, übersäen, blümen, streifen, ringeln, karieren, **2.** studieren, abschätzen, prüfen, kritisch betrachten, taxieren.

Mut Kühnheit, Tapferkeit, Schneid, **1138** Bravour, Courage, Zivilcourage, Unerschrockenheit, Mumm, Beherztheit, Traute, Herz, Furchtlosigkeit, Unverzagtheit, Heldenmut, Heroismus, Löwenmut, Wagemut, Verwegenheit, Tollkühnheit, Waghalsigkeit.

mutig 1. kühn, beherzt, furchtlos, wacker, tapfer, heldenhaft, starkherzig, **1139** forsch, heroisch, bravourös, unerschrocken, löwenherzig, unverzagt, couragiert, **2.** verwegen, unbedenklich, wagemutig, waghalsig, risikofreudig, freihändig, ohne Netz, ungesichert, draufgängerisch, tollkühn, unbesonnen, todesmutig, vor nichts zurückschreckend.

Mutter 1. Elternteil, Erziehungsbe- **1140** rechtigte, leibliche Mutter, Adoptivmutter, Ziehmutter, Amme, Pflegemutter, Stiefmutter, Bezugsperson, allein erziehende Mutter, Leihmutter, **2.** Mama, Mutti, Mami, Mom, Muttchen, Mütterchen, Mütterlein, alte Dame, Großmutter, Oma, **3.** Initiatorin, Begründerin, Stifterin, Oberin, Alma Mater, Nährmutter.

N

1141 Nachahmer Imitator, Kopist, Abschreiber, Plagiator, Epigone, Nachbeter, Papagei, Eklektiker, Fälscher.

1142 Nachahmung 1. Nachdruck, Faksimile, Rekonstruktion, Nachbildung, Reproduktion, Entlehnung, Remake, Anleihe, Imitation, Ersatz, Aufguss, Surrogat, Attrappe, Abziehbild, Nachmacherei, Plagiat, geistiger Diebstahl, Nachäfferei, Mimikry, Parallelaktion, Abklatsch, Kopie, Simili, Talmi, **2.** Fälschung, Falsifikat, Falschgeld, Falschmünzerei.

1143 Nachbar 1. Mitmensch, Nächster, der andere, Mitbürger, **2.** Mitbewohner, Zimmernachbar, Wohnungsnachbar, Hausgenosse, Mitmieter, Untermieter, Anrainer, Anlieger, Anwohner, Umgebung, Nachbarschaft, Umfeld, **3.** Gegenüber, Visavis, Nebenmann, Tischnachbar, Vordermann, Hintermann.

1144 Nachdruck Betonung, Ton, Akzent, Aplomb, Unterstreichung, Hervorhebung; Ernst, Gewicht, Bedeutsamkeit, Emphase, Nachdrücklichkeit, Eindringlichkeit, Intensität, Inständigkeit, Inbrunst, Pathos, Schwung, Wucht, Vehemenz, Schärfe, Bündigkeit, Entschiedenheit, Bestimmtheit, Festigkeit, Strenge, Stimmaufwand, Massivität.

1145 nachdrücklich 1. betont, mit Nachdruck, akzentuiert, pointiert, zugespitzt, gewichtig, bedeutsam, ostentativ, demonstrativ, dezidiert, bestimmt, pronounciert, unüberhörbar, deutlich, unmissverständlich, ultimativ, energisch, geharnischt, vehement, massiv, **2.** angelegentlich, eifrig, eindringlich, kniefällig, flehentlich, aus tiefster Seele, inständig, bittend, flehend, innig; ausdrücklich, beschwörend, dringlich, ernstlich, sehnlich, inbrünstig, stürmisch, ausdrucksvoll, eindrücklich, intensiv, pathetisch, emphatisch, bedeutungsvoll, groß geschrieben.

1146 nachfolgend nachstehend, im Folgenden, weiter unten.

1147 Nachfrage Bedarf, Bedürfnis, Interesse, Zuspruch, Kaufinteresse, Käuferinteresse, Demand, Absatz.

1148 nachholen 1. nachlernen, nacharbeiten, aufarbeiten, aufholen, nachziehen, einholen, gleichkommen, gleichziehen, **2.** zurückgreifen auf, ausholen, Vorgeschichte berichten, rückblenden, zurückkommen auf.

1149 nachlassen 1. zurückgehen, absinken, abklingen, abebben, abflauen, abschwellen, abschwächen, abnehmen, erlahmen, erschlaffen, ermatten, bergab gehen mit, sich verbrauchen, abnutzen, **2.** abkühlen, auskühlen, erkalten, **3.** bleichen, entfärben, aufhellen, gilben, falben, Farbe verlieren, abblassen, auslaufen, ausgehen, ausbleichen, verblassen, verschießen; eingehen, einlaufen, schrumpfen, **4.** altern, älteln, ergrauen, vergreisen, verkalken, einrosten, kümmern, verfallen, vertrotteln, nicht mehr mitkönnen, nicht mehr Schritt halten, zurückbleiben, abbauen, abspinnen, abwirtschaften, hinfällig/kraftlos werden, erlöschen, **5.** ermäßigen, heruntergehen, herabsetzen, senken, zurücksetzen, verbilligen.

1150 nachlässig 1. leichthin, obenhin, ungenau, flüchtig, inakkurat, unkorrekt, fahrig, flusig, fluderig, schludrig, **2.** faul, bequem, träge, säumig, unaufmerksam, **3.** lax, leger, nonchalant, salopp, lässig, **4.** schlampig, unordentlich, schlunzig, ungepflegt, vernachlässigt, lotterig, zerknittert, zerknautscht, krumpelig, zerknüllt, derangiert, zerzaust, ungekämmt, strubbelig, unfrisiert, unangezogen.

1151 Nachlässigkeit Achtlosigkeit, Schludrigkeit, Oberflächlichkeit, Flüchtigkeit, Unachtsamkeit, Unordentlichkeit, Ungenauigkeit, Säumigkeit, Lieblosigkeit, Lässigkeit, Vergesslichkeit, Bequemlichkeit, Unaufmerksamkeit, Laxheit.

1152 nachtragend grollend, schmollend, verbiestert, bitter, übelnehmerisch, ressentimentgeladen, rachsüchtig, unversöhnlich, rachedurstig, rachegierig.

1153 nachträglich rückwirkend, im Nachhinein, hintennach, retrospektiv, rückblendend, rückblickend, hinterher.

1154 nackt 1. unbekleidet, unbedeckt, bloß, ohne, ausgezogen, entkleidet, hüllenlos, entblößt, textilfrei, im Adamskostüm/Evakostüm, entblättert, splitternackt, pudelnackt, splitterfasernackt, **2.** unbeschuht, ohne Schuhe und Strümpfe, nacktbeinig, barfuß, barfüßig; barbusig, busenfrei, oben ohne, topless, rückenfrei, bauchfrei.

1155 nah 1. neben, daneben, zuseiten, nebeneinander, seitlich, seitwärts, längs, entlang, **2.** nebenan, nebenliegend, nahebei, juxta, in der Nähe, unweit, dicht dabei, benachbart, umliegend, in nächster Umgebung, ganz nah, nebenan, nächste Tür, anliegend, angrenzend, eng beieinander, hart dabei, in Hörweite, um die Ecke, zum Greifen, vor der Nase, in Rufweite, Katzensprung, auf Tuchfühlung, **3.** im Anzug, kommend, anrollend, sich nähernd, im Anmarsch, bevorstehend, in nächster Zeit, **4.** nahe stehend, nachbarschaftlich, vertraut, verbunden.

1156 Nähe 1. Erreichbarkeit, Hörweite, Reichweite, Rufweite, Armeslänge; Umgebung, Umgegend, Umkreis, Umfeld, **2.** Vertrautheit, Verbundenheit, Familiarität, Nachbarschaft.

1157 nähern, sich 1. nahen, herankommen, näher kommen, kommen, zukommen/zulaufen auf, anmarschieren, im Anmarsch sein, herannahen, sich heranpirschen; näher treten, herantreten, entgegengehen, herangehen, auf jmdn. zugehen/zutreten/lossteuern; herbeieilen, anreisen, zu erwarten sein, anrücken, anrollen, **2.** aufziehen, heraufziehen, bevorstehen, sich anzeigen, abzeichnen, anmelden, **3.** ansteuern, antreiben, anspülen, anschwemmen, **4.** sich näher kommen; auf Tuchfühlung gehen, Kontakt aufnehmen, Bekanntschaft schließen, in Beziehung treten, Beziehung aufnehmen/knüpfen, sich kennen lernen, nahe kommen; in Berührung kommen, Fühlung nehmen, annähern, näher bringen/rücken, warm werden, sich einlassen mit; zusammenrücken, sich anfreunden, befreunden; Freundschaft schließen, sich lieb gewinnen; vertraut werden, zueinander finden, sich zusammenfinden; Brüderschaft trinken.

1158 nahrhaft sättigend, füllend, nährstoffreich, kalorienreich, Kraft spendend, kräftigend, deftig, herzhaft, nach

haltig, kräftig, gehaltvoll, handfest, fett, schwer, mächtig.

1159 naiv arglos, ohne Arg, vertrauensselig, gutgläubig, treuherzig, offen, unbedarft, blauäugig, aus dem Mustopf, ahnungslos, unerfahren, ursprünglich, natürlich, kindlich, ungebrochen, einfältig, treudoof.

1160 nämlich denn, das heißt, sozusagen, gewissermaßen, genau gesagt, wie man weiß, folgendermaßen, mit anderen Worten, und zwar.

1161 Nase Geruchsorgan, Riechorgan, Zinken, Kolben, Gurke, Knollennase, Adlernase, Hakennase, Kartoffel, Stupsnase, Himmelfahrtsnase, Römernase; klassische Nase, Riecher, Rüssel, Riechkolben, Gesichtserker, Triefnase, Rotznase.

1162 nass 1. vollgesogen, durchweicht, durchtränkt, triefend, durchnässt, pudelnass, klatschnass, patschnass, tropfnass, zum Auswringen, nass bis auf die Haut, **2.** schwimmend, überschwemmt, überflutet, unter Wasser, sumpfig, moorig, **3.** feucht, regnerisch, dämpfig, modrig, regenreich, verregnet, feuchtkalt, nasskalt, **4.** benetzt, betaut, tauig, beträufelt, bewässert, begossen, **5.** getaut, aufgetaut, geschmolzen, zerronnen, aufgelöst, verflüssigt, flüssig, zerflossen, dünnflüssig, wässerig.

1163 Nationalismus 1. Patriotismus, Nationalgefühl, Nationalstolz, Nationalpatriotismus, Hurrapatriotismus, Lokalpatriotismus, Volkstümelei, Ethnozentrismus, **2.** Chauvinismus, Rechtsextremismus, Rassismus, Fremdenphobie.

1164 Natur 1. Stoff, Substanz, Materie; natürlicher Zustand, natürliche Beschaffenheit, **2.** Naturreich, Mutter Natur, Flora, Fauna, Tierwelt, Pflanzenwelt, Gewässer, Gesteine, Vegetation, unberührte Landschaft, Wald, Feld, Flur.

1165 Naturkatastrophe 1. Erdbeben, Beben, Seebeben, Meeresbeben, Erdstoß, Bergrutsch, **2.** Hochwasser, Überschwemmung, Überflutung, Springflut, Land unter, **3.** Vulkanausbruch, Eruption.

1166 natürlich 1. ursprünglich, genuin, authentisch, original, echt; biologisch, naturgemäß, organisch, unverfälscht, naturrein, naturbelassen, ohne Konservierungsstoffe, **2.** unverbildet, unverbo gen, urwüchsig, urtümlich, urig, elementar, ungekünstelt, ungeziert, selbstverständlich, **3.** naturnah, naturliebend, naturverbunden, **4.** naturgetreu, nach der Natur, naturalistisch.

1167 nebenbei 1. beiläufig, am Rande, übrigens, nebenbei bemerkt, apropos, was ich sagen wollte, bei dieser Gelegenheit, nicht zu vergessen, ohnehin, im Übrigen/Vorbeigehen, en passant, **2.** leichthin, obenhin, unbetont, parenthetisch, in Parenthese.

1168 nehmen 1. an sich nehmen, greifen, packen, fassen, zur Hand nehmen, erfassen, festhalten, zugreifen, in die Hand nehmen, ergreifen, Besitz ergreifen, schnappen, **2.** wegnehmen, stehlen, entwenden, rauben, abnehmen, davontragen, abjagen, entreißen, beiseite bringen, sich vergreifen an; einstecken, mitnehmen, wegholen, wegschleppen, wegstehlen, wegtragen, entfülnen, an sich bringen; bestehlen, gripsen, mopsen, mausen, klauen, klemmen, stibitzen, wegfinden, einstreichen, einsacken, mitgehen lassen, abstauben, organisieren, besorgen, filzen, lange Finger machen, verschwinden lassen, **3.** entziehen, entreißen, expropriieren, enteignen, aberkennen, verstaatlichen, annektieren, requirieren, konfiszieren, ausspannen, entwinden, sich bemächtigen; aneignen, berauben, plündern, wildern, rupfen, schröpfen, ausrauben, **4.** annehmen, entgegennehmen, sich schenken lassen, nicht zweimal sagen lassen, **5.** entnehmen, herausnehmen, einnehmen, zu sich nehmen, **6.** adoptieren, als Kind annehmen.

1169 Neid Missgunst, Abgunst, Scheelsucht, Futterneid, Brotneid, Eifersucht, Konkurrenzneid.

1170 neiden missgönnen, beneiden, nicht gönnen, eifersüchtig/missgünstig sein, schielen nach, vor Neid erblassen/platzen.

1171 neidisch missgünstig, neidig, abgünstig, scheelsüchtig, eifersüchtig, neiderfüllt, neidzerfressen, futterneidisch.

1172 Neigung 1. Lust, Hang, Sinn, Sympathie, Regung, Wunsch, Geneigtheit, Interesse, **2.** Anlage, Vorliebe, Zug, Tendenz, Schwäche, Faible, Steckenpferd, Hobby, **3.** Hang, Inklination, Senke.

1173 nein keineswegs, keinesfalls, nicht im Mindesten, durchaus/überhaupt/ganz und gar nicht, in keiner Weise, nicht im Geringsten, auf keinen Fall, keine Spur, kein Gedanke daran, mitnichten, weit entfernt, auch nicht, ebenso wenig, weder ... noch, ausgerechnet, auch das noch, umgekehrt, im Gegenteil, nicht, nicht doch.

1174 nennen 1. bezeichnen, heißen, taufen, benennen, benamsen, rufen, betiteln, anreden, ansprechen, titulieren, apostrophieren, **2.** erwähnen, angeben, vorschlagen, bestimmen, nominieren, zitieren, anführen, aufführen, aufzählen, **3.** heißen, Namen führen, genannt werden, lauten.

1175 nett 1. freundlich, liebenswürdig, gefällig, höflich, aufmerksam, angenehm, sympathisch, einnehmend, ansprechend, **2.** artig, brav, wohlerzogen.

1176 Netz 1. Maschenwerk, Maschennetz, Geflecht, Gewebe, Flechtwerk, Fangnetz, Fischernetz, Haarnetz, **2.** Vernetzung, Netzwerk, Verbund, Verbundnetz, Bahnnetz, Verkehrsnetz, Streckennetz, Schienennetz; Fernschreibnetz, Leitungsnetz, Teletex, Telex, **3.** Network, multimediales Netz, Computernetz, Internet, Datenhighway, Worldwide Web, **4.** Absicherung, soziales Netz, Sozialfürsorge, Wohlfahrt.

1177 neu 1. nagelneu, ungebraucht, unbenutzt, unberührt, unbeschrieben, frisch, brandneu, funkelnagelneu, neu gebacken, frisch gebacken, neugeboren, ungetragen, fabrikneu, neuwertig, neu erbaut, **2.** ungewohnt, unbekannt, noch nie gesehen, da gewesen, erstmalig, gewöhnungsbedürftig, **3.** neuartig, originell, apart, eigenartig, unvergleichlich, ungewöhnlich, **4.** erneuert, neu belebt, erfrischt, wie neugeboren, wiederhergestellt, restauriert, verändert, verwandelt, hergerichtet, gerichtet, aufgefrischt, aufpoliert, renoviert, geflickt, instand gemogelt, runderneuert, wie neu, **5.** neu zu entdecken, unerforscht, unbetreten, unerschlossen, jungfräulich, Terra incognita.

1178 Neugierde Neugier, Interesse, Wissbegier, Erkenntnisinteresse, Wissbegierde, Wissensdrang, Wissensdurst, Erkenntnisdrang, Forschertrieb, Fragelust; Ungeduld, Gespanntheit, Sensationslust, Schaulust, Klatschlust, Naseweisheit, Vorwitz, Schnüffelei, Ausfragerei, Schlüssellochguckerei, Voyeurismus.

1179 **Neuheit** 1. Novität, Aktualität, Novum, Errungenschaft, Neubildung, Neues, Neuartiges, Innovation, Neuerung, Neuerwerbung, Nouveauté, Dernier Cri, 2. Neuerscheinung, Erstveröffentlichung, Erstdruck, Neudruck.

1180 **nichts** 1. gar nichts, nicht das Mindeste, kein bisschen, null, kein Stäubchen, nicht die Spur/Bohne, keinen Deut, kein Sterbenswörtchen/Hauch, keine Silbe, nicht das Geringste, keinerlei, 2. nirgends, nirgendwo, an keinem Ort, weder nah noch fern.

1181 **Nichts** 1. Leere, Vakuum, luftleerer Raum, Nullpunkt, Stillstand, Auflösung, 2. Null, Niemand, unbekannte Größe, Anonymus, Mr. Nobody.

1182 **niedergeschlagen** 1. bedrückt, mutlos, gedrückt, deprimiert, verletzt, gehemmt, down, belastet, beladen, beschwert, bepackt, entmutigt, depressiv, trübselig, trübsinnig, verzagt, lebensmüde, mit sich und der Welt zerfallen, Häufchen Elend, niedergeschmettert, unglücklich, trübsinnig, freudlos, weltschmerzlich, zerschmettert, enttäuscht, verbittert, bitter, getroffen, geknickt, niedergedrückt, 2. kleinmütig, flügellahm, weinerlich, klagend, larmoyant.

1183 **Niederlage** 1. Aufgabe, Ergebung, Übergabe, Entwaffnung, Zusammenbruch, Kapitulation, 2. Misserfolg, Scheitern.

1184 **niederlassen (sich)** 1. siedeln, ansiedeln, Fuß fassen, Zelte aufschlagen, Wurzeln schlagen; vor Anker gehen, landen, einwurzeln, Wohnsitz nehmen, nisten, sich einnisten, festsetzen; verwachsen mit, Wohnung nehmen, unterkommen, unterschlüpfen, einziehen, einwandern, zuwandern, zuziehen, 2. sich setzen, hinsetzen; Platz nehmen, es sich bequem machen, bleiben, verweilen, sich häuslich niederlassen, 3. Geschäft gründen/eröffnen, Praxis eröffnen, sich etablieren; setteln, 4. niedergehen, niedergleiten, anfliegen, einfliegen, einschweben, aufsetzen; einlaufen, anlegen, ankern, 5. senken, hinunterlassen, hinablassen, eintauchen, einsenken, versenken, tauchen, untertauchen, abseilen, zu Tal bringen, hinablassen, 6.

ablagern, sich absetzen, niederschlagen; Schicht/Bodensatz bilden, sedimentieren.

Niederlassung 1. Siedlung, Ansiedlung, Gründung, Settlement, 2. Zweigstelle, Filiale, Dependance, Außenstelle, Nebenstelle, Geschäftsstelle, Agentur. **1185**

Niederschlag 1. Tau, Dampf, Nebel, Dunst, Nässe, Feuchtigkeit, Regen, Sprühregen, Nieselregen, Landregen, Platzregen, Gewitterregen, Wolkenbruch, Regenfälle, Guss, Schutt, Dusche, Schauer, Strichregen, Schnürlregen, Wetter, Gewitter, Unwetter, Ungewitter, 2. Reif, Raureif, Hagel, Graupeln, Schnee, Schlackerschnee, Schneefall, Schneegestöber, Schneesturm, Pulverschnee, Harsch, 3. Ablagerung, Sediment, Bodensatz, Patina, Edelrost, Kalk, Kalkschicht, Kesselstein, Sinter, Fall-out. **1186**

Niederschrift 1. Aufzeichnung, Notizen, Notat, Manuskript, Konzept, Druckvorlage, Satzvorlage, 2. Protokoll, Mitschrift, Stenogramm, Bandaufnahme, Mitschnitt. **1187**

niemand keiner, kein Mensch/Einziger, nicht einer, keine Seele, nicht ein Schatten, kein Bein/Schwanz/Aas. **1188**

Nonne Ordensschwester, Ordensfrau, Klosterfrau, Laienschwester, Begine, Eremitin, Klausnerin. **1189**

Not 1. Mangel, Bedürftigkeit, gedrückte Verhältnisse, missliche Umstände, Dürftigkeit, Mittellosigkeit, Misere, Elend, Armut, Verarmung, Verelendung, Ärmlichkeit, Armseligkeit, Entbehrung, Knappheit, Geldverlegenheit, Zahlungsschwierigkeit, Zwangslage, Geldsorgen, Geldklemme, Ebbe in der Kasse, 2. Missstand, Notstand, Notzeit, Übelstand, Notlage, Notfall, Härtefall, Misslichkeit, Malaise, Beschwer, Mühsal, Drangsal, Ungemach, Bedrängnis, Wohnungsnot, Hungersnot. **1190**

notwendig 1. nötig, erforderlich, unentbehrlich, unabkömmlich, obligat, zwingend, unbedingt, geboten, unerlässlich, vonnöten, dringend, dringlich, wichtig, wesentlich, lebenswichtig, lebensnotwendig, 2. notwendigerweise, zwangsläufig, gesetzmäßig, unvermeidlich, unumgänglich, unausweichlich, unentrinnbar, unabwendbar, unabänderlich, unausbleiblich. **1191**

1192 Notwendigkeit 1. Erfordernis, Bedingung, Unentbehrlichkeit, Unerlässlichkeit, Unumgänglichkeit, notwendiges Übel, **2.** Selbstverständlichkeit, Pflicht, Gebot, Muss, Zwang, Gebot der Stunde, **3.** Zwangsläufigkeit, Unabwendbarkeit, Gesetzmäßigkeit, Unausweichlichkeit, Unabänderlichkeit, Schicksal.

1193 Nuance Zwischenton, Einschlag, Schattierung, Ton, Schatten, Touch, Hauch, Spur, Anflug, Stich, Schuss, Schimmer, Einschuss.

1194 nur nichts als, niemand als, ausschließlich, just, höchstens, allein, lediglich, niemand sonst, kein anderer, nichts anderes.

1195 Nutzen 1. Gewinn, Ertrag, Profit, Vorteil, Ausbeute, Rentabilität, **2.** Rendite, Reingewinn, Nettogewinn, Nettoertrag, Gewinnspanne, Schnitt, Marge, Überschuss, Verdienst, Plus, Surplus, **3.** Effekt, Leistung, Arbeitsleistung, Wirkung, **4.** Nützlichkeit, Nutzbarkeit, Brauchbarkeit, Verwendbarkeit, Verwendungsmöglichkeit, Verwertbarkeit, Zweckmäßigkeit, Zweckdienlichkeit.

1196 nützen 1. sich lohnen, rechnen, auszahlen; Gewinn bringen, einbringen, abwerfen, eintragen, fruchten, tragen, ergeben, erbringen, Frucht tragen; Nutzen/Ertrag bringen, frommen, dienen, helfen, von Nutzen sein, sich bezahlt machen; gute Dienste leisten, zugute / zustatten kommen, sich verlohnen, verzinsen, rentieren, amortisieren; herausspringen, dienlich / verwendbar sein, Zweck erfüllen, Vorteil / Zinsen bringen, nützlich / nütze / brauchbar / wertvoll / der Mühe wert sein, Mühe lohnen, **2.** nutzen, Chance ergreifen / beim Schopfe packen, Gelegenheit nutzen, Vorteil wahrnehmen / ziehen aus, Eisen schmieden, im Kielwasser / Windschatten segeln, sich zunutze machen; Nutzen ziehen, sich schadlos halten; Schäfchen ins Trockene bringen, Vorteil wahren; profitieren, investieren, anlegen, **3.** ausbeuten, abbauen, auswerten, verwenden, auswerten, ausnutzen.

nützlich 1. brauchbar, verwendbar, **1197** zu gebrauchen, verwertbar, geeignet, zweckmäßig, sinnvoll, hilfreich, dankenswert, segensreich, wohltuend, tauglich, nutze, förderlich, dienlich, sachdienlich, konstruktiv, zielführend, **2.** lohnend, vorteilhaft, einbringlich, einträglich, ertragreich, ergiebig, nutzbringend, ersprießlich, Gewinn bringend, wirtschaftlich, dankbar, rentabel, ökonomisch, rationell, lukrativ, **3.** angezeigt, ratsam, heilsam, geraten, klug, richtig, geboten, empfehlenswert, or strebenswert, der Mühe wert.

O

1198 Oberfläche 1. Außenseite, Hülle, Schale, Überzug, Haut, Kleid, Decke, 2. Äußeres, Erscheinung, Exterieur, Außenansicht, Gesicht, Vorderseite, Fassade, 3. Schein, Anschein, Tünche, 4. Wasserspiegel, Wasseroberfläche, Meeresspiegel, Erdoberfläche.

1199 oberflächlich 1. äußerlich, außen, peripher, nebensächlich, 2. gedankenlos, ohne Tiefe, uninteressiert, unbeteiligt, vordergründig, ohne Tiefgang, seicht, nichts dahinter/sagend, flach, leichthin, 3. diagonal, quer, flüchtig, skizzenhaft, skizziert, hingeworfen, angedeutet, umrisshaft, obenhin, in großen Zügen, in Umrissen, ungründlich, ungenau, kaum, 4. spielerisch, unernst, halb.

1200 Oberflächlichkeit Vordergründigkeit, Äußerlichkeit, Spielerei, Banalität.

1201 Oberschicht 1. herrschende/politische/besitzende Klasse, Upperclass, 2. feine Gesellschaft, die reichen Leute, Geldadel, Reiche, Creme, Highsociety, Hautevolee, die oberen zehntausend, Upperten, die große Welt, Spitzen der Gesellschaft, die gute Gesellschaft, die ersten Familien, Establishment, Ortsgrößen, Notabeln, Honoratioren, die Arrivierten, die vornehme Gesellschaft, Mandarine, 3. Highsnobiety, Jetset, Happy Few, Schickeria, Schickimicki, Jeunesse dorée, Kaschmirkinder, Yuppies; Prominenz, Proms, Promis, VIPs.

1202 obgleich obwohl, obschon, obzwar, zumal, zwar, wenngleich, selbst wenn, wiewohl, wenn auch, ob auch immer, sei es, dass, was auch immer, dennoch, gleichwohl, trotzdem, ungeachtet, unbeschadet.

1203 Obrigkeit Staat, Regierung, Staatsgewalt, Administration, Apparat, Verwaltung, Nomenklatura.

1204 öde 1. leer, wüst, kahl, steinig, felsig, zerrissen, zerklüftet, zerschrundet, wild, karg, brach, unbebaut, ungenutzt, unergiebig, trist, unwirtlich, traurig, trostlos, einsam, verlassen, eintönig, monoton, desolat, 2. verödet, versteppt, verwildert.

1205 Öde 1. Kahlheit, Kargheit, Rauheit, Trockenheit, Dürre, Unfruchtbarkeit, Unergiebigkeit, Sterilität, 2. Einförmigkeit, Eintönigkeit, Monotonie, Fadheit, Mattheit, Farblosigkeit, Stumpfheit, Glanzlosigkeit, Unwirtlichkeit, 3. Verödung, Versteppung, Erosion, 4. Wüste, Steppe, Wüstenei, Einöde, Ödland, Brachland, Karst, Tundra.

1206 oder beziehungsweise, respektive, entweder ... oder, so oder so, andernfalls, oder aber, oder auch.

1207 offen 1. unverschlossen, unversperrt, auf, gähnend, klaffend, sperrangelweit; geöffnet, eröffnet, zugänglich, freigegeben, begehbar, betretbar, befahrbar, unbeaufsichtigt, unbewacht, unüberwacht, unkontrolliert, 2. offenherzig, freimütig, geradezu, freiheraus, rundheraus, rundweg, ohne Umschweife, auf Deutsch, ungeschminkt, unverblümt, unbeschönigt, unbemäntelt, klipp und klar, frank und frei, direkt, 3. schwebend, ungeklärt, dahingestellt, ungewiss, unentschieden, fraglich, strittig, ungelöst, anhängig, anstehend, steht aus, unerledigt, zweifelhaft, in der Schwebe, im Raum stehend, ausstehend, im Fluss, ungetan, unbeantwortet, unbewältigt, unaufgearbeitet, ungesühnt, unerfüllt, 4. fällig, zahlbar, zu zahlen, leisten, unausgeglichen, offen stehend, 5. unausgefüllt, blanko, unbeschrieben, frei, leer, 6. unverbindlich, ohne Gewähr, nach Möglichkeit, wenn möglich, 7. irgendwann, früher oder später, eines Tages.

1208 offenbaren (sich) 1. bloßlegen, enthüllen, aufdecken, entblößen, entschleiern, klarlegen, dekuvrieren, entlarven, outen, an den Tag/ans Licht bringen, offen legen, entdecken, sichtbar machen, Dunkel lichten, 2. kundtun, zeigen, Zeichen geben, aufklären, eröffnen, unterrichten, in Kenntnis setzen, stecken, Augen öffnen, aufhellen, orientieren, ins Bild setzen, aufmerksam machen, beibringen, beibiegen, zutage fördern, Licht bringen in, zutage treten, ans Licht/zum Vorschein kommen, offenbar werden, sich zeigen; offen liegen, offen zutage liegen, sich manifestieren, **3.** bekennen, sich entdecken; gestehen, kein Hehl machen, sich outen; Geständnis ablegen, geständig sein, Schweigen brechen, mit der Wahrheit herausrücken, Katze aus dem Sack lassen, zugeben, Flagge zeigen, der Wahrheit die Ehre geben, Ross und Reiter nennen, Karten aufdecken, beichten, Geheimnis anvertrauen, einweihen, aus dem Herzen keine Mördergrube machen, Kummer abladen, alle Schleusen öffnen, seinen Gefühlen freien Lauf lassen, nichts zurückhalten, reinen Wein einschenken, eingestehen, einbekennen, sich aussprechen; Herz ausschütten.

1209 Offenbarung 1. Eröffnung, Mitteilung, Kundgabe, Manifestation, Aufdeckung, Offenlegung, Coming-out, Outing, Entdeckung, Enthüllung, Demaskierung, Entschleierung, Entlarvung, **2.** Bekenntnis, Geständnis, Beichte, Generalbeichte, Eingeständnis, Herzensergießung, Selbstbekenntnis, Schuldbekenntnis, Beichtscriptease

1210 Offenheit 1. Ehrlichkeit, Aufrichtigkeit, Wahrhaftigkeit, Wahrheitsliebe, Offenherzigkeit, Freimütigkeit, Geradheit, Freimut, Rückhaltlosigkeit, **2.** Mitteilsamkeit, Gesprächigkeit, Plauderhaftigkeit, Redseligkeit, Schwatzhaftigkeit, Schwatzsucht, Logorrhöe, Geschwätzigkeit, Zungendrescherei.

1211 öffentlich 1. allen/jedermann zugänglich, für die Öffentlichkeit bestimmt; für jedermann sichtbar, vor aller Augen/Welt, coram publico, auf offener Straße, in aller Öffentlichkeit, im Rampenlicht, in den Medien, veröffentlicht, publik, **2.** transparent, durchschaubar, nachvollziehbar, überprüfbar, kontrollierbar, demokratisch.

1212 Öffentlichkeit 1. Allgemeinheit, Gesamtheit, die Leute, alle Welt, die Gesellschaft, öffentliche Sphäre, öffentliche Meinung, veröffentlichte Meinung, öffentliches Leben, öffentlicher Diskurs, Forum, Plattform, Publikum, **2.** Transparenz, Glasnost, Durchschaubarkeit, Einsehbarkeit, Zugänglichkeit, Überprüfbarkeit, Kontrollierbarkeit, **3.** Bekanntheit, Berühmtheit, Publicity, Publizität; Rampenlicht, **4.** Meinungsträger, Meinungsmacher, Opinionleader, Meinungsführer, Meinungslen-

ker, Meinungsbildner; Massenmedien, Kommunikationsmedien.

offiziell 1. amtlich, behördlich, staatlich, dienstlich, gültig, beeidet, beschworen, maßgebend, maßgeblich, verbindlich, offiziös, halbamtlich, aus gut unterrichteten Kreisen, **2.** förmlich, feierlich, gesellschaftlich, formal, formell, zeremoniell, zeremoniös, unpersönlich, in aller Form, **3.** vertraglich, vertragsgemäß, notariell, protokollarisch, unterschrieben, besiegelt, gestempelt. **1213**

öffnen (sich) 1. aufmachen, aufschließen, auftun, aufsperren, einlassen, hereinlassen; hinauslassen, herauslassen, ins Freie lassen, aufstoßen, aufhalten, offen halten/lassen, aufreißen, aufbrechen, erbrechen, eindrücken, einreißen, niederreißen, einschlagen, sprengen, stürmen, knacken, gewaltsam öffnen, aufbrechen; durchstoßen, aufstechen, durchstechen, durchbohren, durchdringen, lochen, durchlöchern, perforieren, **2.** entfalten, entrollen, aufrollen, auspacken, auswickeln, entkorken, anbrechen, anschneiden, anstechen, anzapfen, anreißen, aufklappen, aufdrücken, aufklinken, aufknacken, aufknöpfen, aufknoten, entknoten, aufkriegen, aufmeißeln, aufschlitzen, auf schnüren, aufschrauben, aufschneiden, **3.** aufgehen, aufblühen, sich entfalten, erschließen, auftun; bersten, springen, platzen, aufspringen, **4.** gähnen, klaffen, offen stehen. **1214**

Öffnung 1. Tür, Tor, Pforte, Portal, Eingang, Einfahrt, Einstieg, Zugang, Ausgang, Auslass, Ausfahrt, Notausgang, Ausstieg, Hintertür, Hinterausgang, Schlupfloch, **2.** Einlass, Eintritt, Zutritt, Zufahrt, Zulass, **3.** Loch, Riss, Ritz, Öhr, Öse, Nadelöhr, Lücke, Schlitz, Luke, Düse, Pore; Guckloch, Sprung, Fuge, Bresche, Leck, **4.** Passage, Durchfahrt, Durchlass, Durchgang, Verbindungsweg, Pass, Übergang; Durchreiche, Schalter; Schleuse, Furt, **5.** Fenster, Oberlicht, Lichtschacht, Luftloch, **6.** Ventil, Klappe, Auspuff, Ablauf, Abfluss, Ausfluss, Ablass, Ausguss, Gulli; Überlauf, **7.** Rinne, Traufe, Ausguss, Tülle, Spundloch, **8.** Tunnel, Durchstich, Kanal. **1215**

oft öfter, öfters, des Öfteren, oftmals, **1216**

oftmalig, häufig, alle naslang, wiederholt, immer wieder, vielfach, mehrmals, viele Male, vielmals, x-mal, verschiedentlich, nicht selten, einige/unzählige Mal, zuweilen, mehrfach, gehäuft, tausendfach.

1217 Ohr Hörorgan, Ohrwaschel, Lauscher, Löffel, Schlappohren, Segelohren.

1218 operieren Eingriff vornehmen, unters Messer nehmen, schneiden, entfernen, amputieren, abtrennen, Glied abnehmen, ektomieren, resezieren; transplantieren, verpflanzen, überpflanzen, übertragen, implantieren, cyborgen.

1219 Opfer 1. Tribut, Gabe; Verzicht, Bauernopfer, Guttat, Liebestat, 2. Betroffener, Geschädigter, Leidtragender, Verfolgter, Benachteiligter, Pechvogel, Unglücksrabe, Unglückswurm, Geisel, Versuchskaninchen, Hinterbliebener, Verkehrsopfer, Unfallopfer, Märtyrer, Blutzeuge, 3. Opferhandlung, Sakrifizium, Opferung, Opferdienst, Schlachtopfer, Brandopfer, Sühneopfer, Gabenopfer, Messopfer.

1220 opfern (sich) 1. teilen, hingeben, darangeben, preisgeben, aufopfern, Opfer bringen, Verzicht leisten, verzichten, sich absparen; verteilen, abtreten, verausgaben, verschenken, weggeben; sich hingeben, verschenken, entäußern, verschwenden, verausgaben, aufopfern; das Letzte hergeben, sich verschreiben; aufgehen in, 2. Kastanien aus dem Feuer holen, Drecksarbeit erledigen, Reste essen, 3. preisgeben, rücksichtslos/sinnlos einsetzen, verheizen.

1221 Opportunist unsicherer Kantonist, Konjunkturritter, Wendehals, Windfahne, Wetterfahne, Rohr im Wind, schwankendes Rohr, Spielball, Chamäleon, Kopfnicker, Jasager, Mitläufer, Claqueur, Schatten, Unterling, Nachbeter, Trittbrettfahrer, Radfahrer, Hofschranze, Marionette, Lakai, Kriecher, Arschkriecher, Schleimscheißer, Speichellecker, Steigbügelhalter, Gesinnungslump.

1222 Optimismus Hoffnung, Hoffnungsfreude, Zuversicht, Zuversichtlichkeit, Lebensbejahung, Lebenszuversicht, Lebensvertrauen, Urvertrauen, Urbehagen, Lebensfreude, Unbeschwertheit, Lebenslust, Lebensmut, Glaube an das Gute, Zukunftsglaube, Fortschrittsglaube, Fortschrittsgläubigkeit, Ungebrochenheit, rosa Brille, Sonne im Herzen, positives Denken.

Optimist Fortschrittler, Zukunftsgläubiger, Pragmatiker, Frohnatur, Stehaufmännchen, Strahlemann. **1223**

optimistisch zukunftsgläubig, zuversichtlich, positiv, bejahend, unverzagt, guten Mutes, lebensfroh, fortschrittsgläubig, lebensbejahend, positiv denkend. **1224**

ordentlich 1. penibel, tadellos, aufgeräumt, in Ordnung, im Lot, geordnet, alles am rechten Platz, an Ort und Stelle, übersichtlich, klar, 2. auf Ordnung haltend, ordnungsliebend, genau, 3. feste, viel, tüchtig, anständig, gründlich, nach Strich und Faden, gehörig, richtig, herzhaft, kräftig, nicht zu knapp, nach Herzenslust. **1225**

ordnen 1. regeln, organisieren, richten, in Ordnung bringen, klären, gerade richten/rücken, zurechtrücken, zurechtsetzen, zurechtlegen, aufräumen, beiseite räumen, wegräumen, sauber machen, ausmisten, Ordnung, Remedur schaffen, in Schuss bringen, 2. gliedern, phrasieren, gruppieren, sortieren, einteilen, rubrizieren, aufteilen, unterteilen, untergliedern, periodisieren, strukturieren, staffeln, klassifizieren, katalogisieren, systematisieren, assortieren, zusammenstellen, fächern, einordnen, abstimmen, koordinieren, zuordnen, formatieren, anordnen, unterordnen, nachordnen, hineinstellen, einreihen, eingliedern, nummerieren, einrangieren; kodifizieren, verzeichnen, zusammenfassen, schematisieren, reglementieren, 3. arrangieren, disponieren, einrichten, deichseln, schmeißen, hinkriegen, einstellen, justieren, aussteuern, regulieren, kanalisieren, begradigen, ausrichten, formieren, ausstellen, postieren, 4. legalisieren, legitimieren, rechtmäßig machen, verrechtlichen. **1226**

Organisation 1. Aufbau, Anordnung, Gliederung, Anlage, Gefüge, Komplex, System, Einteilung, Disposition, 2. Einrichtung, öffentliche Einrichtung, Organ, Institution, Vereinigung, Verband, Gesellschaft, Verein, Klub, Körperschaft, Korporation, Genossenschaft, Gewerkschaft, Partei, **1227**

Gilde, Innung, Zunft, Interessenvertretung, Lobby.

1228 organisch 1. belebt, körperlich, leiblich, physisch, anatomisch, somatisch, **2.** Einheit bildend, zusammenhängend, zusammenwirkend.

1229 organisieren (sich) 1. einrichten, installieren, aufbauen, ausbauen, gliedern, ausgestalten, koordinieren, vorbereiten, planen, anordnen, managen, planmäßig durchführen, veranstalten, **2.** beschaffen, deichseln, besorgen, **3.** sich assoziieren, vereinigen, zusammenschließen; kooperieren, Organisation bilden, sich anschließen; beitreten, Mitglied werden, eintreten.

1230 Original 1. Handschrift, Manuskript, Urschrift, Erstschrift, Urfassung, Urtext; Originaltext, Originalton; Originalausgabe, Erstausgabe, erste Ausgabe, erster Druck, Erstdruck; Inkunabel, Wiegendruck, **2.** Type, Kauz, Sonderling.

1231 originell 1. eigenartig, eigen, besonders, eigengeprägt, unverwechselbar, eigentümlich, spezifisch, ursprünglich, schöpferisch, erfinderisch, einfallsreich, ideenreich, phantasievoll, phantasiebegabt, **2.** apart, neu, nicht alltäglich, bizarr, ungewöhnlich, einmalig, **3.** witzig, komisch, geistreich, treffend.

1232 Ort 1. Ortschaft, Örtlichkeit, Dorf, Stadt, **2.** Platz, Stelle, Lokalität, Punkt, Sitz, Stätte, Statt, Standort, Drehort, Location, Ecke, Winkel, Fleck, **3.** Standpunkt, Position, Plattform, Forum, Ebene, Basis.

P

1233 packen 1. bewegen, begeistern, berühren, aufregen, aufrühren, aufwühlen, aufrütteln, nachgehen, rühren, fesseln, erschüttern, zu Herzen gehen, ergreifen, ans Herz greifen, übermannen, überwältigen, überkommen, mitnehmen, zu Tränen rühren, Mitleid erregen, durch Mark und Bein gehen, angreifen, Eindruck machen, umwerfen, umschmeißen, wachrütteln, **2.** einpacken, einhüllen, umhüllen, einwickeln, einschlagen, verpacken, bündeln, zusammenpacken, verschnüren, zuschnüren, zubinden, zusammenbinden, zusammenschnüren, umschnüren, umwickeln, transportfähig/versandfähig machen, Koffer packen, verstauen, unterbringen, **3.** nehmen, greifen, anpacken, zugreifen, zupacken, zufassen, festhalten, sich bemächtigen; umklammern, an sich reißen, grapschen, beim Wickel nehmen, beim Kragen packen, beim Schlafittchen nehmen, **4.** kuvertieren, in den Umschlag stecken, frankieren, freimachen.

1234 Paradies Eden, Garten Eden, Garten Gottes, Elysium, Gefilde der Seligen, Arkadien, Schlaraffenland, Gelobtes Land, Land, wo Milch und Honig fließt, Traumland, Zauberland, Märchenland, Dorado, Olymp, Orplid, Utopia, Wunderwelt, Märchenwelt, Idyll, goldenes Zeitalter, Himmelreich, Jenseits, himmlisches Jerusalem.

1235 Partner 1. Teilhaber, Geschäftspartner, Mitinhaber, Kompagnon, Sozius, Kommanditist, Gesellschafter, Komplementär, **2.** Mitspieler, Spielpartner, Gesprächspartner, Kollege, **3.** Liebespartner, Lebenspartner, Lebensgefährte, Lebensabschnittspartner, **4.** Ehepartner, Eheleute, Ehepaar, Paar, Mann und Frau, Gespann, Vermählte, Verheiratete; Verlobte, Braut, Ehefrau, Frau, Weib, Gattin, Gemahlin, Angetraute, Eheliebste, Ehegespons, bessere Hälfte, Hausfrau, Hausherrin; Verlobter, Bräutigam, Ehemann, Mann, Gatte, Gemahl, Angetrauter, Ehehälfte, Hausherr, Göttergatte.

passieren 1. vorbeigehen, vorüber- **1236** gehen, vorbeifahren, vorbeiziehen, defilieren, **2.** sich durchschlängeln, vorbeidrücken; durchschlüpfen, durchwitschen, durchkommen, nicht auffallen/bemerkt werden, übersehen werden, unbemerkt bleiben, **3.** passieren lassen, Auge zudrücken, es nicht genau nehmen, nicht hinsehen, durch die Finger sehen.

pathologisch krankhaft, abnorm, **1237** anormal, deviant, denaturiert, unnatürlich, abartig, pervertiert.

Patient Klient, Kranker, Behand- **1238** lungsbedürftiger, Pflegebedürftiger, Hilfsbedürftiger, Leidender, Schmerzgeplagter, Bettlägeriger, Pflegefall; Verwundeter, Verletzter, Verunglückter.

Pedant 1. Kleinigkeitskrämer, Haar- **1239** spalter, Paragraphenreiter, Prinzipienreiter, Krämerseele, Umstandskrämer, Schulmeister, Besserwisser, Beckmesser, Kritikaster, Krittler, Meckerer, Deutler, Nörgler, Quengler, Silbenstecher, Splitterrichter, Korinthenkacker, Erbsenzähler, Kümmelspalter, Wortklauber, Tüftler, Disputierer, Rechthaber, Rabulist, Wortverdreher, Bürokrat, Amtsschimmel, Schulfuchs; Langweiler, Wiederkäuer, Klugschwätzer, Schlaumeier, Federfuchser, **2.** Moralist, Moralprediger, Sittenrichter, Tugendbold, Tugendwächter, Sittenwächter, Philister, Moralapostel, Bußprediger.

Pedanterie 1. Ordnungsliebe, Peni- **1240** bilität, Ordnungsversessenheit, Kleinlichkeitskrämerei, Umstandskrämerei, Ordnungsfanatismus, **2.** Wortklauberei, Haarspalterei, Spitzfindigkeit, Rabulistik, Sophistik, Sophisterei, Silbenstecherei, Besserwissertum, Rechthaberei, Tadelsucht, **3.** Spießbürgerlichkeit, Philistertum, Tugendwächterei.

pedantisch 1. kleinlich, übergenau, **1241** hyperkorrekt, pinselig, pingelig, penibel, betulich, umständlich, bürokratisch, pinnig, spinös, tippelig, tüftelig, peinlich genau, schulmeisterlich, silbenstecherisch, haarspalterisch, **2.** überspitzt, spitzfindig, sophistisch, jesuitisch, kasuistisch, begriffsklauberisch, rabulistisch, wortklauberisch, besserwisserisch, tadelsüchtig, rechthaberisch, Paragraphen reitend, übergescheit, Weisheit mit Löffeln gefressen, **3.** philisterhaft, philiströs, spießbürgerlich, moralsauer, kleinkariert, kleinlich, kleinkrämerisch, engherzig, engstirnig.

1242 peinigen (sich) 1. plagen, placken, malträtieren, piesacken, kujonieren, sekkieren, triezen, schurigeln, mobben, drangsalieren, tyrannisieren, zwiebeln, schikanieren, übel mitspielen; zusetzen, Leben verbittern/versauern/zur Hölle machen, keine Ruhe geben, belästigen, bedrängen, schlecht behandeln, vergrämen, **2.** beleidigen, kränken, ärgern, Wunden schlagen, wehtun, Leid zufügen, bekümmern, heimsuchen, verwunden, verletzen, **3.** bohren, zerren, beißen, nagen, zehren, wurmen, alte Wunden aufreißen, **4.** kitzeln, kneifen, zwicken, zwacken, **5.** warten, zappeln lassen, auf die Folter spannen, **6.** zu nahe treten, in Verlegenheit bringen, beschämen, wunden Punkt berühren, Finger auf die Wunde legen, **7.** misshandeln, foltern, martern, quälen, schinden, treten, schlagen, peitschen, auspeitschen, psychisch foltern.

1243 peinlich 1. unangenehm, genierlich, ärgerlich, lästig, verdrießlich, unerfreulich, unerquicklich, misslich, widerwärtig, widrig, beschämend, blamabel, fatal, zum In-den Boden-Sinken, hochnotpeinlich, **2.** heikel, bedenklich, kritisch, mulmig, prekär, diffizil.

1244 persönlich 1. menschlich, individuell, subjektiv, **2.** selbst, selber, leibhaftig, in Person, in eigener Person, personaliter, höchstpersönlich, in natura, eigenhändig, direkt, mündlich, gesprächsweise, von Mensch zu Mensch, unmittelbar, von Angesicht zu Angesicht, **3.** privat, außerdienstlich, nicht amtlich, öffentlich, vertraulich, vertrauensvoll, privatim, unter vier Augen, im engsten Kreise, **4.** an die Person gebunden, nicht übertragbar, **5.** unsachlich, unangenehm, taktlos, ausfallend, anzüglich, beleidigend.

1245 Pessimist Verächter, Miesmacher, Defätist, Schwarzseher, Unheilsprophet, Unkenrufer, Neinsager, Weltverneiner, Geist, der stets verneint, Griesgram, Kopfhänger, Spielverderber, Schwarzmaler, Menschenverächter, Muffel, Hypochonder.

1246 pessimistisch düster, schwarzseherisch, trübe, trübsinnig, lebensunfroh, melancholisch, trostlos, hoffnungslos, kopfhängerisch, weltverneinend, defätistisch, negativ, negativ denkend, abwertend, absprechend, Unheil verkündend.

1247 Pferd Gaul, Ross, Mähre, Klepper, Rosinante, Schindmähre, Ackergaul, Stute, Hengst, Wallach, Füllen, Fohlen, Schimmel, Rappe, Fuchs, Brauner, Schecke, Falbe, Vollblut, Halbblut, Kaltblut, Pony; Reitpferd, Rennpferd.

1248 Pflege 1. Fürsorge, Sorge, Betreuung, Schutz, Hut, Obhut, Umhegung, Hege, Wartung, Versorgung, **2.** Erhaltung, Bewahrung, Konservierung, Unterhaltung, Instandhaltung, **3.** Sauberkeit, Hygiene, Körperpflege, Gesundheitspflege, Schönheitspflege, Kosmetik.

1249 pflegen (sich) 1. sauber/in Ordnung halten, hüten, schonen, warten, hegen, pfleglich behandeln, umsorgen, umhegen, betreuen, bemuttern, **2.** zu tun pflegen, gewohnt sein, meistens/im Allgemeinen tun, die Gewohnheit haben, **3.** konservieren, bewahren, instand halten, schützen, **4.** trockenlegen, baden, pudern, salben, windeln, wickeln, **5.** sich zurechtmachen; verschönern, richten, herrichten, schminken, frisieren, maniküren, pediküren, zur Kosmetikerin gehen; rasieren, barbieren.

1250 Pflicht Auflage, Verpflichtung, Gebot, Schuldigkeit, Verbindlichkeit, Notwendigkeit, Gewissenssache, Ehrensache, Haftung, Belastung, Last, Zwang.

1251 Pfusch Flickwerk, Halbheit, Stümperei, Murks, Pfuscharbeit, Flickschusterei, Patzer, Sudelei, Kleckserei, Hudelei, Schluderei, Pfuscherei, Stückwerk, Fehlkonstruktion, Ausschuss.

1252 pfuschen schummeln, falsch spielen, hudeln, stümpern, huscheln, klimpern, dilettieren, murksen, schustern, doktern, patzen, quacksalbern, schludern, schlampen, sudeln, klecksen, schmieren, zusammenhauen, zusammenschustern, zusammenstoppeln, schlecht arbeiten, verpfuschen, verpatzen.

1253 Phantasie Vorstellungsvermögen,

Vorstellungskraft, Einbildungskraft, Erfindungsgabe, Anschauungsvermögen, Einfühlungsgabe, Schöpferkraft, schöpferisches Denken, Einfälle, Einfallsreichtum, Ideenreichtum, schöpferisches Gestalten, Imagination, Originalität, künstlerische Ader, Kreativität, Experimentierfreude.

1254 phantastisch 1. fabelhaft, märchenhaft, nicht zu glauben, unvorstellbar, unbeschreiblich, blendend, brillant, Schwindel erregend, unwahrscheinlich, unglaublich, sagenhaft, wunderbar, toll, super, geil, oberaffengeil, ultimativ, 2. unwirklich, surreal, surrealistisch, traumhaft, phantasmagorisch, Science-Fiction, Sci-Fi, 3. grotesk, kurios, schnurrig, närrisch, barock, überspannt, verstiegen, bizarr, seltsam, wunderlich, kauzig, skurril, schrullig.

1255 Phlegmatiker Gemütsmensch, Stoiker, die Ruhe selbst, Langweiler, Phlegma, Fischblut, Froschblut, Schlafmütze, Schlaftablette, Schnarchhuhn, Nachtwächter, Transuse, Trantüte, Schnecke, Tranfunzel, träger Mensch.

1256 Phrase 1. Redensart, feste Wendung, Idiom, Floskel, Formel, Mantra, Redewendung, Zitat, geflügeltes Wort, Schlagwort, Slogan, Binsenwahrheit, Binsenweisheit, Gemeinplatz, Klischee, Plattitüde, Banalität, 2. Schwulst, Bombast, Wortgeklingel, Wortemacherei, Redeblume, Gerede, Schnack, Geschwätz, Sprüche, Schmus, Sums, Tiraden, hohles Pathos, Deklamation, Wortgeklapper, Worthülse, Sprechblase, leeres Stroh, Geflunker, Flausen, 3. Figur, Passage, Kantilene, Motiv.

1257 Pionier 1. Aufklärer, Freidenker, Freigeist, Reformer, Neuerer, Fortschrittler, Reformator, Umgestalter, 2. Anreger, Initiator, Initiant, Wegbereiter, Bahnbrecher, Schrittmacher, Trendsetter, Trendscout, Frühadapter, Scout, Talentsucher, Headhunter, Entdecker, Kolumbus, Vorreiter, Vorbereiter, Vorläufer, Vorkämpfer, Avantgardist, Vordenker, Spiritus Rector, Querdenker, Grenzgänger.

1258 Plan 1. Vorhaben, Absicht, Intention, Hintergedanke, Projekt, Agenda, Vorsatz, Vorgabe, Programm, Zielsetzung, Ziel, Masterplan, 2. Aufriss, Entwurf, Skizze, Gedankenaufriss, Gedanken-

spiel, Faustskizze, Exposé, Konzept, Konzeption, Konzipierung, Überblick, Übersicht, Riss, Grundriss, Bauplan, Studie, Planspiel, Versuchsanordnung, Szenario, Simulation, 3. Voranschlag, Budget, Haushaltsplan, Kalkulation, Kostenaufstellung, Etat, Kostenvoranschlag, Kostenplan, Zeitplan, Kalkül, Finanzierungsplan, 4. Überlegung, Vorbedacht, Voraussicht, Planung, Strategie, Taktik, Planen, Plänemachen, 5. Programm, Strategie, Taktik, Logistik.

planen 1. beabsichtigen, wollen, in- **1259** tendieren, sich vornehmen; vorhaben, ins Auge fassen, projektieren, im Sinn haben, beschließen, zu tun gedenken, erwägen, vorsehen, Vorsatz fassen, in Aussicht nehmen, zum Ziel setzen, Plan machen, Pläne schmieden, avisieren, anlegen, sich mit dem Gedanken tragen; mit dem Gedanken spielen, im Schilde führen, in Aussicht stellen, 2. anstreben, bezwecken, abzielen, hinzielen, erstreben, trachten nach, hinsteuern, 3. entwerfen, konzipieren, aufsetzen, skizzieren, umreißen, aufreißen, Konzept machen, ins Unreine schreiben, organisieren, inszenieren, simulieren.

planmäßig 1. planvoll, methodisch, **1260** überlegt, bewusst, systematisch, klug, bedacht, durchdacht, nach Plan, programmmäßig, berechnet, gezielt, gelenkt, vorbereitet, wohlerwogen, durchorganisiert, wohlbewusst, sinnvoll, zielbewusst, taktisch, strategisch, wissenschaftlich, rational, 2. plangemäß, programmgemäß, erwartungsgemäß, wie geplant.

plastisch hervortretend, erhaben, re- **1261** liefartig, abgehoben, heraustretend, räumlich, perspektivisch, modelliert, körperhaft, getrieben, geprägt, bildhauerisch; knetbar, formbar.

platzen 1. bersten, krachen, zerspringen, zerplatzen, explodieren, hochge- **1262** hen, zerkrachen, losgehen, knallen, verpuffen, springen, splittern, knacken, 2. wild werden, Wände hochgehen, zu viel kriegen, 3. auffliegen, publik werden, sich zerschlagen; misslingen.

plötzlich auf einmal, mit einem **1263** Male, mit eins, unvermittelt, unversehens, mit einem Schlag, schlagartig, blitzartig, wie aus der Pistole geschossen, aus heiterem Himmel, Knall auf

Fall, ohne Vorwissen, von heute auf morgen, fristlos, ruckartig, Hals über Kopf, unerwartet, unvorhergesehen, unvorhersehbar, über Nacht, von einem Augenblick zum andern, ohne Übergang, übergangslos, abrupt, urplötzlich, angeflogen, unvermutet, mir nichts, dir nichts, ungeahnt, überrascht, überraschend, unverhofft, jäh, spontan, unangemeldet, in flagranti, auf frischer Tat.

1264 plump 1. schwerfällig, unförmig, vierschrötig, ungeschlacht, grobgliedrig, ungefüge, massig, ungeschmeidig, schwer beweglich, grobschlächtig, derb, bollig, klobig, klotzig, ungelenk, ungewandt, olber, Elefant im Porzellanladen, steif, eckig, ungraziös, anmutlos, hölzern, unschick, unelegant, ohne Stilgefühl, unkultiviert, unzivilisiert, 2. taktlos, ungeschliffen, unzart, unfein, unhöflich, grob, unkultiviert, unmanierlich, ungehobelt, massiv, unbehauen, 3. undiplomatisch, untaktisch, unpolitisch, plump vertraulich.

1265 poetisch 1. dichterisch, schöpferisch, gestaltet, geformt, geprägt, literarisch, metaphorisch, symbolisch, allegorisch, verfremdet, verdichtet, dicht, formvollendet, anschaulich, lyrisch, episch, dramatisch, bilderreich, stilisiert, 2. idyllisch, gefühlvoll, künstlerisch, musisch, romantisch, träumerisch, unwirklich, ideal, dichterisch frei, fiktiv.

1266 Polizei 1. Polizist, Polizeibeamter, Polyp, Cop, Bulle, Flic, Bobby, 2. Polizeibehörde, Kommissariat, Polizeikräfte, Polente; Polizeiwache, Wache, Polizeirevier, Revier.

1267 Post 1. Postamt, Poststelle, Postdienststelle, 2. Posteingang, Eingang, Einlauf, Zugang; Sendung, Postsendung, Postgut, Briefsendung, 3. Brief, Drucksache, Einschreiben, Nachnahme, Paket, Päckchen, Warensendung, Wertbrief, 4. elektronische Post, E-Mail.

1268 prächtig glänzend, prachtvoll, glanzvoll, herrlich, wirkungsvoll, triumphal, glorreich, glorios, pompös, prunkvoll, prunkend, prangend, prunkhaft, aufwendig, üppig, protzig.

1269 prahlen 1. angeben, protzen, paradieren, stolzieren, brillieren, glänzen, auftreten, großtun, wichtig tun, sich wichtig machen; posieren, sich in Szene/Positur setzen; zur Schau stellen, inszenieren, Show abziehen, sich ein Air geben; dicktun, sich aufblasen, aufplustern, aufblähen, aufspielen, spreizen, vordrängen, brüsten, herausstreichen, rühmen; Wind machen, sich überheben; auf die Pauke hauen, aufschneiden, übertreiben, renommieren, 2. den Mund voll nehmen, kannegießern, bramarbasieren, salbadern, tönen, große Töne reden, schwafeln, leeres Stroh/Phrasen dreschen, für die Galerie sprechen.

Preis 1. Betrag, Summe, Gegenwert, **1270** Geldwert, Marktwert, Handelswert, Entgelt, 2. Taxe, Tarif, Gebühr, 3. Verkaufspreis, Kaufpreis, Marktpreis, Ladenpreis, Engrospreis, Einkaufspreis, Selbstkostenpreis, Nettopreis, Listenpreis, Richtpreis, Preisempfehlung, Endpreis, 4. Gewinn, Hauptgewinn, Haupttreffer, Losgewinn, Siegespreis, Trophäe, Pokal, Cup, Auszeichnung, Medaille, Trostpreis.

Presse 1. Pressewesen, Zeitungswesen, **1271** Journalismus, Journaille; Sensationsjournalismus, 2. Printmedien, Medien, Zeitungen, Zeitschriften, Periodika; Blätterwald, Fachpresse, Boulevardpresse, Regenbogenpresse, Yellowpress, Sensationspresse, 3. Kritik, Rezension, Beurteilung, Presseecho, Presserummel, Medienhype.

Primitivling 1. Raubein, Grobian, **1272** Murrkopf, Klotz, Kloben, Bauer, Mollenkopf, ungehobelter Kerl, Stoffel; Flegel, Lümmel, Bengel, Rotznase, Rotzlöffel, Rüpel, Prolo, Proll, Gassenjunge, Straßenjunge, Rowdy, Hooligan, 2. Raufbold, Schläger, Rabauke, Zänker, Krakeeler, Krachmacher, Stänker, Polterer, Kampfhahn, Streitsucher, Haudegen, Streitmichel, Streithammel, Prozesshansel, 3. Hitzkopf, Brausekopf, Querkopf, Dickschädel, Starrkopf, Choleriker, Zornnickel, Wüterich, Unhold, Fanatiker, Eiferer, Aufwiegler.

problematisch 1. fragwürdig, un- **1273** entschieden, kritisch, schwierig, zweifelhaft, strittig, umstritten, ungeklärt, ungelöst, anfechtbar, 2. dubios, undurchschaubar, unverständlich, verdächtig, nicht geheuer, beunruhigend, mulmig.

1274 Produktivität 1. Schöpferkraft, Schöpfertum, Gestaltungskraft, Gestaltungsfreude, Gestaltungstrieb, Gestaltungsvermögen, Schaffensdrang, Schaffenslust, Schaffenskraft, Schaffensfreude, Schöpferlust, Genie, Erfindungsgabe, Spielfreude, Darstellungskraft, Originalität, schöpferische Eigenart, Phantasie, **2.** Fruchtbarkeit, Potenz, Fertilität; Ertragsfähigkeit, Ertragskraft, Ergiebigkeit, Leistungsfähigkeit, Potential, Produktivkraft, Arbeitsvermögen, Leistungsvermögen, Manpower, Synergie.

1275 Profitgeier Wucherer, Beutelschneider, Halsabschneider, Abzocker, Schacherer, Spekulant, Schieber, Absahner, Ausbeuter, Blutsauger, Vampir, Aasgeier, Finanzhyäne, Währungsspekulant, Immobilienhai, Wohnungsspekulant, Miethai, Kredithai, Kriegsgewinnler.

1276 Prophet Warner, Mahner, Rufer, Deuter, Seher, Künder, Unheilverkünder, Unheilprophet, Kassandra, Verkündiger, Weissager, Verkünder, Wahrsager, Wahrschauer, Hellseher, Spökenkieker, Gedankenleser, Zauberer, Medizinmann, Haruspex, Schwarzkünstler, Magier, Hexer, Gespensterseher, Zeichendeuter, Geisterseher, Astrologe, Handleserin, Kartenlegerin, Schicksalskünderin, Augur, Schicksalsgöttin, Norne, Sibylle, weise Frau.

1277 prophetisch hellseherisch, ahnungsvoll, vorausschauend, vorhersehend, vorausahnend, hellsichtig, divinatorisch, orakelhaft, visionär, seherisch, verkündend, weissagend.

1278 prophezeien ahnen, hellsehen, orakeln, wahrsagen, vorausschauen, voraussehen, weissagen, verkünden, voraussagen, vorhersagen, vorhersehen, vorausahnen.

1279 prostituieren, sich als Prostituierte(r) arbeiten, sich verkaufen, anbieten; auf den Strich gehen, anschaffen, Prostitution betreiben, huren.

1280 Prostituierte Dirne, Hure, Nutte, Freudenmädchen, Straßenmädchen, Callgirl, Strichmädchen, Stricherin, Flittchen; Kokotte, Hetäre, Domina, Odaliske.

1281 Prostituierter Stricher, Strichjunge, Lustknabe, Callboy.

Prostitution ältestes Gewerbe der **1282** Welt, horizontales Gewerbe, käuflicher Sex, Telefonsex, Hurerei, Dirnenwesen, gewerbsmäßiger Sex, Strich, Straßenstrich, Straßenprostitution, Autostrich, Beschaffungsstrich, Drogenstrich.

Prozess 1. Gerichtsverfahren, Ge- **1283** richtssache, Verhandlung, Gerichtsverhandlung, Rechtshandel, Rechtsfall, Rechtsangelegenheit, Rechtsfrage, Rechtssache, juristisches Problem, Klagesache, Streitsache, Strafprozess, Strafsache, Strafverfahren, Rechtsstreit, Rechtsvorgang, Rechtsverfahren, Rechtsweg, Klageweg, **2.** Vorgang, Entwicklung, Verlauf, Ablauf, Hergang, Fortgang, Prozedur, Verfahren, Gang, Lauf, Vorgehen, Geschehen, **3.** Entwicklungsprozess, Lernprozess, Produktionsprozess.

prüfen 1. examinieren, befragen, ab- **1284** prüfen, abhören, wiederholen, aufsagen lassen, abfragen, unter die Lupe nehmen, auf Herz und Nieren prüfen, nachsehen, durchgehen, durchsehen, kontrollieren, inspizieren, zensieren, Note geben, ins Auge fassen, untersuchen, abwägen, auf Tauglichkeit prüfen, sondieren, revidieren, durchrechnen, sich vergewissern; nachprüfen, überprüfen, nachfassen, nachmessen, nachzählen, nachlesen, gegenlesen, checken, nachrechnen, nachwiegen, ausmitteln, **2.** anprobieren, anpassen, ausprobieren, probieren, **3.** auf die Probe stellen, testen, austesten, erproben, auf den Zahn fühlen, ins Röhrchen blasen lassen, ins Kreuzverhör nehmen.

Prüfung 1. Befragung, Test, Klausur; **1285** Abschlussprüfung, Examen, Rigorosum, Reifeprüfung, Abitur, **2.** Untersuchung, Feststellung, Kontrolle, Überprüfung, Durchgang, Durchsicht; Musterung, Tauglichkeitsprüfung, Begutachtung, Überwachung, Supervision, Durchsuchung, Erforschung, Visitation, Inspektion, Revision, Nachprüfung; Patrouille, Streife, Rundgang; Besichtigung, Beschau, Beschauung, Sondierung, Check, **3.** Erprobung, Probe, Stichprobe, Geduldsprobe, Feuerprobe, Nervenprobe, Nagelprobe, Machtprobe, Zerreißprobe, Belastungsprobe, **4.** Nachbereitung, Evaluation, Auswertung, Manöverkritik.

1286 Prunk 1. Gepränge, Pomp, Prachtentfaltung, Aufwand, Üppigkeit, Luxus, Schaustellung, Parade, Tamtam, Staat, Gala, Wichs, große Aufmachung, Kleiderpracht, Putz, **2.** Pracht, Glanz, Schönheit, Schmuck, Reichtum, Fülle, Blüte.

1287 prunken 1. Pracht entfalten, Staat machen, Aufwand treiben, im Luxus leben, Luxus zeigen, auf großem Fuß leben, Reichtum zur Schau stellen, paradieren, stolzieren, brillieren, glänzen, **2.** prangen, strotzen, blühen, in Blüte stehen, leuchten, strahlen, Blicke auf sich ziehen.

1288 Pseudonym Deckname, Künstlername, Nom de Guerre/de Plume, Wahlname, Tarnname, falscher/angenommener Name.

1289 Pulver Staub, Mehl, Puder, Talkum, Sand, Krümel; Schießpulver, Schrot.

1290 pünktlich 1. rechtzeitig, beizeiten, zeitig, zurecht, zur rechten/vereinbarten Zeit, frühzeitig, auf die Minute, zur Zeit, termingemäß, fristgemäß, wie vereinbart, fahrplanmäßig, ohne Verspätung, mit dem Glockenschlag; exakt, genau, **2.** prompt, sofort, umgehend, gleich, postwendend, ungesäumt, unverzüglich, unverweilt, flugs, stehenden Fußes, stracks, schnell, rasch.

1291 Putz 1. Schmuck, Geschmeide, Schmucksachen, Juwelen, Pretiosen, Kostbarkeiten, Bijouterie, Klunker, **2.** Verzierung, Ausputz, Ausschmückung, Dekoration, Ornament, Schmuckform, Zier, Zierwerk, Zierde, Schnörkel, Beschlag, Zierrat, Garnitur, Garnierung, Zutat, Besatz, Verschönerung, Aufmachung, Ausstattung, Aufputz, Accessoires, Drum und Dran, Zubehör, **3.** Flitter, Firlefanz, Kinkerlitzchen, Klimbim, Krimskrams, Brimborium; Spielsachen, Spielwerk, Spielzeug, **4.** Tresse, Litze, Borte, Bordüre, Klunker, Bommel, Troddel, Quaste, **5.** Schmucknadel, Brosche, Agraffe, Ziernadel, Spange, Schmuckspange, Fibel, Schnalle, **6.** Band, Haarband, Haarschleife, Zierband, Bindeband, Samtband, Seidenband, Bändchen, Schleife, Masche, **7.** Krawatte, Binder, Schlips, Fliege, Lavallière, Halstuch, Schal, Cachenez, Brusttuch, Busentuch, **8.** Spitze, Einsatz, Zwischensatz, Stickerei, **9.** Aufschlag, Revers, Spiegel; Ärmelaufschlag, Stulpe, Manschette.

putzen (sich) 1. schmücken, zieren, **1292** verzieren, ausputzen, dekorieren, ausschmücken, verschönern, betressen, verbrämen, beschlagen; garnieren, bekränzen, beflaggen, illuminieren, **2.** sich fein machen, schön machen, in Gala werfen, herausputzen; Toilette machen, Staat anlegen, sich schniegeln, in Schale schmeißen, auftakeln, **3.** striegeln, kardätschen, trimmen, scheren, strählen, **4.** sauber machen, säubern.

Q

1293 quälend 1. nagend, beißend, bohrend, peinigend, brennend, ziehend, stechend, zehrend, folternd, marternd, schmerzhaft, schmerzend, höllisch, **2.** betrüblich, traurig, kränkend, verletzend, grausam, verzehrend, herb, bitter, herzbrechend, herzzerreißend, schlimm, leidvoll, peinvoll, gramvoll, kummervoll, **3.** beklemmend, belastend, bedrückend, bedrohlich, bedrohend, ängstigend, kräftezehrend.

1294 Qualität 1. Eigenschaft, Beschaffenheit, **2.** Güte, Echtheit, Wert, Niveau, Art, Marke, Klasse, Rang, Sorte, Güteklasse, Preislage, Wertstufe; Kreszenz, Lage, Jahrgang, Wachstum, **3.** Qualitätsware, Feinarbeit, Präzisionsarbeit, Wertarbeit, Qualitätsarbeit, Maßarbeit.

1295 Quantum 1. Menge, Maß, Pack, Partie, Posten, Packen, Stoß, Schicht, Lage, Haufen, Stapel, Beuge, Bündel, Paket, Packung, Runde, Ballen, Batterie, Scheffel, Schock, Block, Schlag, Schub, Strang, Strähne, Lieferung, Fuhre, Fuder, Wagenladung, **2.** Portion, Ration, Dosis, Gabe, Zuteilung, Anteil, Pensum, Teil, Kontingent, Quote, Deputat, Rate, Teilbetrag, Anzahl, Zahl, Anfall, Zuweisung, Bemessung, Quantität.

Quelle 1. Quell, Bronn, Born, Brunnen, Bach, **2.** Ursprung, Anfang, Wiege, Nest, Wurzel, Ausgangspunkt, **3.** Fundgrube, Fundort, Fundstelle, Beleg, Original, Bezugsquelle. **1296**

quellen aufgehen, aufquellen, sich voll saugen; schwellen, anschwellen. **1297**

queren 1. überqueren, überschreiten, durchschreiten, durchreisen, durchschweifen, durchziehen, durchwandern, durchstreifen, durchmarschieren, überfliegen; kreuzen, traversieren, durchqueren, **2.** übersetzen, überfahren, hinübergelangen, durchschiffen, durchfahren, **3.** überbrücken, überspannen, sich spannen; schwingen, hinüberführen. **1298**

Querschnitt 1. Durchschnitt, Durchschnittswert, Mittel, Schnitt, Mittelmaß, Mittelwert, **2.** Übersicht, Überblick, Zusammenschau, Zusammenfassung, Kompendium, Auszug, Abriss, Thesen, Extrakt, Quintessenz, Resümee, Inhaltsangabe, Kürzung, Komprimierung, Abstract. **1299**

R

1300 radikal konsequent, bis zum Äußersten, bis in die Wurzel, mit der Wurzel, wurzeltief, tiefgreifend, von Grund auf, kompromisslos, auf Biegen oder Brechen/Gedeih und Verderb, extrem, zugespitzt, rücksichtslos, fanatisch, fundamentalistisch, unerweichbar, bedingungslos, unbedingt, starr, extremistisch.

1301 Rahmen 1. Umrahmung, Einrahmung, Umrandung, Fassung, Einfassung, Leiste; Fahrgestell, Chassis, **2.** Sphäre, Szene, Lebenssphäre, Lebensbereich, Umgebung, Umkreis, Umwelt, Milieu, Atmosphäre, Klima, Hintergrund, Folie, Plattform, Forum, Basis, Ebene.

1302 Rang 1. Rangstufe, Listenplatz, Dienstrang, Dienstgrad, Grad, Stand, Stufe, Charge, Stellung, Position, Platz, Platzierung, Wertung, Titel, Niveau, Profil, Klasse, Format, Höhenlage, **2.** Galerie, Empore, Balkon, Tribüne, Olymp.

1303 Rangfolge Rangordnung, Stufenfolge, Rangtabelle, Chart, Hierarchie, Hackordnung.

1304 Rat 1. Ratschlag, Vorschlag, Hinweis, Tipp, Empfehlung, Ermunterung, Ermutigung, Mahnung, Belehrung, **2.** Ratsversammlung, Gremium, Ausschuss, Komitee, Kommission, Beirat, Kuratorium, **3.** Beratung, Kundenberatung, Firmenberatung, Konsultation, Consulting.

1305 raten 1. anraten, anempfehlen, empfehlen, beraten, Rat geben, hinweisen, vorschlagen, bestärken, ermuntern, anregen, zuraten, nahe legen, **2.** rätseln, sich den Kopf zerbrechen; grübeln, knobeln, herumraten, vor einem Rätsel stehen, herumrätseln, im Dunkeln tappen, **3.** erraten, lösen, finden, ausfindig machen, ergründen, ausklamüsern, enträtseln, durchschauen, auflösen, herausbringen, herausfinden, aufdecken, entschlüsseln, herausbekommen, herauskriegen, dahinter kommen.

1306 rationalisieren mechanisieren, technisieren, automatisieren, computerisieren.

1307 rau 1. uneben, holperig, steinig; hügelig, wellig, **2.** haarig, behaart, borstig, bärtig, zottig, zottelig, ruppig, struppig, stoppelig, stachelig; narbig, schuppig, räudig, schrundig, spröde, schorfig; ausgefranst, fransig, fusselig, **3.** heiser, krächzend, belegt, kratzig, quäkend, knarrend, **4.** verarbeitet, verschafft, schwielig, rissig, aufgesprungen, **5.** frisch, kalt, scharf, windig, stürmisch, wüst, öde, unfreundlich, schneidend.

1308 rauchen qualmen, dunsten, nebeln, dampfen, wölken, Dampfwolken ausstoßen, räuchern, einräuchern, Rauchfahne entwickeln, blaken, glimmen, schwelen; paffen, schmauchen, kiffen, Raucher/Kettenraucher/Gelegenheitsraucher sein.

1309 Raum 1. Räumlichkeit, Zimmer, Stube, Gemach, Gelass, Wohnraum, Kammer, Mansarde, Dachkammer, Bude, Gehäuse, Klause, Kabuff, Bruchbude, Kabinett, Komnate, Salon, Boudoir, Saal, **2.** Platz, Weite, Luft, Auslauf, freies Feld, freie Bahn, Bewegungsfreiheit, Tummelplatz, Spielraum, Erfahrungsraum.

1310 Rausch 1. Betrunkenheit, Berauschtheit, Trunkenheit, Weinlaune, Schwips, Zacken, Affe, Dusel, Tran, Suff, Vollrausch, Delirium; Konsumrausch, Konsumtrip, **2.** Drogenrausch, Trip, Kick, Run, Flash, Horrortrip, Freak-out.

1311 Rauschgift Rauschmittel, Droge, Suchtmittel, Dope, Halluzinogen, Opiat, Amphetamin, Stoff; Haschisch, Hasch, Joint, Gras, Shit, Marihuana, Kokain, Koks, Schnee, Heroin, LSD, Crack, Speed, Ecstasy, Poppers, Designerdroge, Psychedelikum, Dröhnung.

1312 Rauschgifthändler Drogenhändler, Dealer, Pusher.

1313 reagieren Reaktion zeigen, antworten, erwidern, Zeichen geben, schalten, zurückgeben, zurückschlagen, kontern, anspringen auf; Wirkung zeigen, wirken, ansprechen.

1314 Reaktion 1. Antwort, Folge, Erwiderung, Gegenwirkung, Rückwirkung, Feedback, Gegenstoß, Gegenzug, Rückstoß, Reflex, Wirkung, Effekt, Gegenschlag, Gegendruck, Rückprall, Gegenströmung, Gegenverhalten, **2.** Gegenrevolution, Konterrevolution, Restauration, Rollback, Gegenbewegung, Rückschrittlichkeit.

1315 Realist Pragmatiker, Verstandesmensch, kühler Kopf, Rationalist, Materialist.

1316 Rechenschaft 1. Bilanz, Abrechnung, Kassensturz, Kasse, Rechnungslegung, Schlussabrechnung, Schlussrechnung, Jahresabschluss, Saldierung, **2.** Begründung, Rechtfertigung, Entlastung, Tätigkeitsbericht, Rechenschaftsbericht.

1317 recht 1. gut, schön, in Ordnung, fehlerlos, einwandfrei, zufrieden stellend, tadellos, vortrefflich, gut gemacht, goldrichtig, **2.** richtig, wahr, zutreffend, logisch, klar, regelrecht, folgerichtig, ordnungsgemäß, sachgemäß, reell, solide, **3.** rechtmäßig, rechtens, angemessen, recht und billig, mit Recht, rechtlich, regulär, legal, legitim.

1318 Recht 1. Anrecht, Anspruch, Claim, Berechtigung, Befugnis, Lizenz, Copyright, Urheberrecht, **2.** Gerechtigkeit, Rechtmäßigkeit, Gesetzmäßigkeit, Legalität, Legitimität, **3.** Naturrecht, positives Recht, Grundrecht, Menschenrecht, Selbstbestimmungsrecht, Völkerrecht, Bürgerrecht, Stimmrecht, Wahlrecht, **4.** Privileg, Sonderrecht, Vergünstigung, Freibrief, Vorrecht, Alleinrecht, Monopol.

1319 rechtlos entrechtet, ausgeliefert, vogelfrei, verfemt, schutzlos, geächtet, ausgestoßen, ausgeschlossen, verbannt, exiliert, unterdrückt, versklavt, unterjocht, leibeigen, unterworfen, hörig.

1320 rechts 1. zur Rechten, rechter Hand, rechtsseitig, steuerbord, auf der rechten Seite, rechtshändig, **2.** im rechten Spektrum, konservativ, traditionalistisch, restaurativ, schwarz, rechtslastig.

1321 Reflexion Überlegung, Berechnung, Erwägung, Abwägung, Betrachtung, Spekulation, Assoziation, Nachdenken, Denken, Nachsinnen, Sinnen, Grübeln, Grübelei, Kopfzerbrechen; Gedanke, Gedankenarbeit, Denkarbeit, Gedankenfolge, Gedankengang, Gedankenfülle, Gedankentiefe, Gedankenverknüpfung, Denkprozess.

1322 Regel 1. Norm, Maß, Ordnung, Grundsatz, Richtschnur, Maßstab, Vorschrift, Bestimmung, Richtlinie, Prinzip, **2.** Gepflogenheit, Gewohnheit, Sitte, Brauch, Usus, Konvention, das Normale, Normalfall, Standard, Stereotyp, Normalität, Übereinkunft, Spielregel, Faustregel, Reglement, Verhaltenskodex, Verhaltensregel, Verhaltensnorm, **3.** Durchschnitt, Mittelmaß, Mittelmäßigkeit, Schema, Dutzendware, **4.** Regelblutung, Menstruation, Zyklus, Monatsregel, Periode, Tage.

1323 regelmäßig 1. gleichmäßig, in gleichen Abständen, periodisch, zyklisch, rhythmisch, taktmäßig, im Takt, in steter Folge, immer zur selben Zeit, nach der Uhr, wiederkehrend, turnusgemäß, turnusmäßig, **2.** gleichförmig, gewohnheitsmäßig, **3.** symmetrisch, spiegelbildlich, spiegelgleich, gleichseitig.

1324 Regelmäßigkeit 1. Gleichmaß, Gleichmäßigkeit, Wiederholung, Wiederkehr, Turnus, Gleichtakt, Rhythmus, Takt, Periodizität, Zyklus, Symmetrie, Intervall, **2.** Gleichförmigkeit, Uniformität, Einförmigkeit, Eintönigkeit, Einerlei, Öde, Monotonie.

1325 regnen tröpfeln, nässen, feuchten, nieseln, spritzen, sprühen, drippeln, fisseln, schauern, rieseln, rinnen, träufen, plätschern, gießen, pladdern, schütten, strömen, prasseln, schiffen, seichen, planschen, triefen; schneien, hageln.

1326 reiben 1. frottieren, rubbeln, bürsten, schrubben, scheuern, kratzen, scharren, **2.** raspeln, hobeln, schaben, schrappen, raffeln, feilen, **3.** abreiben, trockenreiben, massieren, durchkneten, durchwalken, **4.** schrammen, rauen, aufrauen, aufreiben, wund reiben, aufschrammen, aufschürfen.

1327 reich 1. vermögend, begütert, besitzend, wohlhabend, wohl/gut situiert, wohlbestallt, betucht, zahlungskräftig, flüssig, bei Kasse, solvent, kaufkräftig, kapitalkräftig, finanzkräftig, finanzstark, einkommensstark, bemittelt, mit Glücksgütern gesegnet, sorgenfrei, neureich, in guten Verhältnissen, mehr als genug, übergenug, steinreich, Geld wie Heu; Goldfisch, gute Partie, **2.** reichhaltig, vielfältig, mannigfaltig, ansehnlich, bildgewaltig, beträchtlich, enorm, umfangreich, gewaltig, umfassend, wohl assortiert, große Auswahl, wohlversehen, **3.** gehaltvoll, inhaltreich, ergiebig, lohnend, ertragreich, **4.** reichlich, üppig, quellend, strömend, strotzend, herrlich und in Freuden, vollauf, opulent, ausgiebig, sattsam, feudal, überladen, in Hülle und Fülle, jede Menge, tonnenweise, scheffelweise.

1328 reif 1. vollreif, erntereif, gereift, überreif, abgelagert, **2.** erwachsen, herangewachsen, ausgewachsen, groß, flügge, aus den Kinderschuhen, kein Kind mehr, volljährig, großjährig, mündig, entwickelt, geschlechtsreif, voll entwickelt, **3.** gereift, ausgereift, fertig, ausgearbeitet, durchdacht, ausgefeilt, ausgeklügelt, **4.** gesetzt, lebensklug, lebenskundig, erfahren, geformt, geprägt, gefestigt, abgeklärt, weise.

1329 Reihe 1. Folge, Abfolge, Sequenz, Reihung, Aufeinanderfolge, Aneinanderreihung, Kette, Schnur, Zeile, Linie; Anzahl, Zahl, **2.** Serie, Satz, Sammlung, Set, Service, Garnitur, Kombination, **3.** Aufmarsch, Front, Spalier, Gänsemarsch, Schlange, Zug, Phalanx, Riege, Kolonne, Trupp, Prozession, Korso.

1330 Reinigung 1. Kleiderreinigung, Wäscherei, **2.** Klärung, Läuterung, Raffinierung, **3.** Säuberung, Wäsche, Waschung, Dusche, Bad; Hausputz, Reinemachen, Großreinemachen, Frühjahrsputz, **4.** Entleerung, Entschlackung, Blutreinigungskur, Purgierung, Blutwäsche, Dialyse.

1331 reisen 1. verreisen, Reise machen, auf die Reise gehen, unterwegs sein, umherreisen, ausfliegen, umherziehen, sich die Welt ansehen; herumfahren, herumgondeln, Tour/Trip/Rutsch/Tournee machen, touren, herumkommen, auf große Fahrt gehen, herumkutschieren, pilgern, **2.** abenteuern, vagabundieren, stromern, walzen, streunen, strolchen, trampen, hitchhiken, slacken, trekken.

1332 Reisender 1. Passagier, Besucher, Fremder, Durchreisender, Reisegenosse, Reisegefährte, Reisebekanntschaft, Mitreisender, Tourist, Urlauber, Ausflügler, Sommerfrischler, Sommergast, Kurgast, Feriengast, Zugvogel, Traveller, Pilger, Vagant, blinder Passagier, Zeitreisender, Forschungsreisender, Globetrotter, Weltenbummler, Abenteurer, Weltreisender, Abenteuertourist, Entdeckungsreisender, **2.** Hobo, Landstreicher, Vagabund, Stromer, Streuner,

Herumtreiber, Tramp, Tippelbruder, Stadtstreicher; Nichtsesshafter, Obdachloser, Wohnungsloser.

1333 Reiz Anregung, Anreiz, Stimulus, Kitzel, Sinnesreiz, Anziehung, Anziehungskraft, Charme, Flair, Fluidum, Appeal, Aura, Bezauberung, Betörung, Berückung, Verlockung, Verführung, Verzauberung, Zauber, Verführungszauber, Bann, Bindungskraft, Magnetismus, Unwiderstehlichkeit.

1334 reizen 1. aufreizen, anreizen, anfachen, anblasen, erregen, stimulieren, entflammen, anziehen, aufregen, begeistern, **2.** ärgern, herausfordern, anrempeln, Streit vom Zaun brechen, anspitzen, wider den Stachel löcken, stacheln, aufstacheln, anstacheln, hetzen, Fehdehandschuh hinwerfen, provozieren, brüskieren, fordern, **3.** belästigen, anmachen, fixieren, anstarren, durchbohren, zu nahe treten, ansprechen, anquatschen, anquasseln, anbaggern, nachsteigen, **4.** anlocken, ködern.

1335 reizvoll anziehend, attraktiv, gewinnend, einnehmend, ansprechend, reizend, entzückend, bezaubernd, betörend, herzbetörend, faszinierend, magnetisch, elektrisierend, berückend, bannend, berauschend, entflammend, lockend, verlockend, sexy, begehrenswert, blendend, hinreißend, bestechend, entwaffnend, bezwingend, unwiderstehlich, verführerisch, verwirrend, bestrickend.

1336 relativ verhältnismäßig, vergleichsweise, verglichen mit, im Vergleich/Verhältnis zu, mehr oder minder, ziemlich, leidlich, bedingt, entsprechend, bezüglich.

1337 Religion 1. Konfession, Bekenntnis, Glaubensbekenntnis, Glaubenslehre, Weltanschauung, Glaubensrichtung, **2.** Glaube, Gläubigkeit, Religiosität, Gottesfürchtigkeit, Gottvertrauen, Frommheit.

1338 Rente 1. Einkommen, Anteil, Ertrag, Zinsen, Gewinn, Dividende, Tantieme, arbeitsloses Einkommen, Pfründe, Sinekure, Apanage, **2.** Pension, Ruhegehalt, Ruhegeld, Vorruhegeld, Altersversorgung, Alterssicherung.

1339 reservieren vormerken, buchen, sicherstellen, zurücklegen, zurückstellen, vorbehalten, offen halten, vormerken, belegen, freihalten, anzahlen, vorbestellen, die Hand legen auf.

1340 Rest 1. Überbleibsel, Überrest, Brosamen, Krümel, Brotkrumen, Schlacke, Asche, Schnitzel, Stückchen, Stummel, Stumpf, Stümpfchen, Fetzen, Lappen, Stück, Neige, Schlückchen, **2.** Unerledigtes, Restbetrag, Fehlbetrag, Schuld; Restbestand, Restposten; Restrisiko, **3.** Relikt, Restform, Fossil, Bruchstück, Rudiment, Rückstand, Kaffeesatz, Bodensatz, Residuum, **4.** Spreu, Hülsen, Spelze, Abfall, **5.** Zipfel, Ende, Endstück.

1341 Reue Bedauern, Schmerz, Gram, Reumütigkeit, Reuegefühl, Bußbereitschaft, Zerknirschung, Zerknirschtheit, Gewissensbisse, Selbstanklage, Selbstvorwurf, Selbstverurteilung, Selbstverdammung, Einkehr, Scham; Besserungswille, tätige Reue, Wiedergutmachungswille, Sühne.

1342 reumütig einsichtig, reuig, reuevoll, zerknirscht, beschämt, bußfertig, schuldbewusst, gefügig, guten Willens, windelweich.

1343 Revolution 1. Umwälzung, Umsturz, Umbruch, Umwertung, Umschwung, Wende, Neubeginn, Stunde null, Erneuerung, Neuordnung, Neugestaltung, Umgestaltung, **2.** Kulturrevolution, industrielle / technische / wissenschaftliche / sexuelle / digitale / samtene Revolution.

1344 riechen 1. duften, Wohlgeruch, Duft ausströmen, Duftwolken verbreiten, **2.** stinken, Luft verpesten, muffeln, miefen, Gestank verbreiten, Umwelt verschmutzen, **3.** schnuppern, schnüffeln, beschnüffeln, beriechen, beschnuppern, beschnobern, schnobern, wittern.

1345 Riese Hüne, Goliath, Gigant, Koloss, Titan, Zyklop; langer Lulatsch, Riesenkerl, Kaventsmann, Ungeheuer.

1346 Ring Reif, Gürtel, Kreis, Kringel, Zirkel, Rund, Runde, Rundung, Peripherie.

1347 Rolle 1. Besetzung, Casting; Figur, Partie, Part, Hauptrolle, Titelrolle, Titelpartie, Titelpart, Hauptfigur, Hauptdarsteller, Hauptperson, Protagonist, tragende / zentrale Rolle, Nebenrolle, Charge, Gastrolle, Statist, Kleindarsteller, stumme Rolle, **2.** Spule, Walze, Röllchen, Trommel, **3.** Überschlag, Purzelbaum, Looping.

Rückgang 1. Niedergang, Abstieg, **1348** Abnahme, Rückschritt, Rückschlag, Nachlassen, Schwund, Verschlechterung, Abbau, Einbuße, Verlust, Verschlimmerung, rückläufige Entwicklung, Krebsgang, Verfall, Rückfall, Atavismus, Rückbildung, **2.** Entartung, Dekadenz, Degeneration, Verfall, Verkümmerung, **3.** Verminderung, Verringerung, Minderung, Reduzierung, Reduktion, Dämpfung, Herabminderung, Prestigeverlust, Demontage, Selbstdemontage, Schmälerung, Aderlass, Fortfall, **4.** Abnahme, Gewichtsabnahme, Gewichtsverlust, Abmagerung, Abhagerung, Entfettung, Auszehrung, Kräfteverfall, **5.** Abschwung, Krise, Baisse, Depression, Geldentwertung, Entwertung, Inflation, Deflation, Kurssturz, Börsensturz, Börsenkrach, Börsencrash, **6.** Sittenverfall, Entmenschlichung, Enthumanisierung, Verrohung, Barbarisierung, **7.** Abkühlung, Temperaturrückgang, Wettersturz, Wärmeverlust, Klimasturz, Eiszeit, Kälteperiode, Vereisung, Vergletscherung, Klimakatastrophe, **8.** Ebbe, fallendes Wasser, Niederwasser, Niedrigwasser, **9.** Verkleinerung, Bonsai, Taschenformat, Miniformat, **10.** Abrüstung, Demilitarisierung.

Rückkehr 1. Rückweg, Heimweg, **1349** Weg zurück, Heimreise, Rückreise, Nachhauseweg, Umkehr, Heimkehr, Rückkunft, **2.** Wiederkehr, Wiederkunft, Wiedererscheinen, Wiederauftreten, Rückfall, Rezidiv, Comeback, Wiederaufnahme, Reprise.

Rückseite Kehrseite, Abseite, Hin- **1350** terseite, Schattenseite, Rücken, Revers, Innenseite, Nachtseite; Hinterteil, Gesäß, Steiß, Po, Popo, Arsch, Hintern.

Rücksicht Rücksichtnahme, Auf- **1351** merksamkeit, Behutsamkeit, Schonung, Vorsicht, Berücksichtigung, Achtsamkeit.

rückwärts entgegengesetzt, gegen- **1352** läufig, nach hinten, hintenüber, rücklings, retour, zurück, back, umgekehrt, umgedreht, spiegelverkehrt.

Ruf 1. Berufung, Beauftragung, Lehr- **1353** auftrag, Auftrag, Einsetzung, Ernennung, **2.** Aufruf, Appell, Anruf, Weckruf, Zuruf, Telefonanruf, Fernruf, Rückruf, Warnruf, **3.** Leumund, Ruch, Ansehen.

1354　rufen 1. ausrufen, mit lauter Stimme sprechen, anrufen, aufrufen, zurufen, rufen nach, um Hilfe rufen, alarmieren, **2.** zusammenrufen, herbeirufen, heranrufen, herbeizitieren, zusammentrommeln, ausrufen lassen, **3.** berufen, Amt/ Stellung antragen/übertragen, einsetzen.

1355　Ruhe 1. Stille, Lautlosigkeit, Schweigen, Stillschweigen, Stummheit, **2.** Gelassenheit, Beschaulichkeit, Muße, Besinnlichkeit, Ausgeglichenheit, Gleichmaß, Gleichgewicht, Seelenfriede, Gleichmut, Gefasstheit, Besonnenheit, Seelenruhe, Kontemplation, Gemütsruhe, Stoizismus, **3.** Unerschütterlichkeit, Sitzfleisch, Trägheit, Passivität, Inaktivität, Phlegma, Fatalismus, **4.** Windstille, Flaute, Reglosigkeit, Unbewegtheit, Bewegungslosigkeit, Stillstand.

1356　ruhen 1. rasten, pausieren, Siesta halten, innehalten, einhalten, verweilen, ausruhen, abschlaffen, entspannen, Seele baumeln lassen, sich verschnaufen, zurückziehen, hinlegen, ausstrecken, langlegen, langmachen, niederlegen, es sich bequem machen; liegen, sich Ruhe gönnen; Hände in den Schoß legen, zur Ruhe kommen, abschalten, stillhalten, sich nicht regen; nichts tun.

2. in sich ruhen, sich Zeit lassen; Zeit nehmen, nichts übereilen/überstürzen, kühlen Kopf / Ruhe / Nerven bewahren, etwas überschlafen, **3.** unterbrechen, aussetzen, auf Eis liegen, lahm liegen, brachliegen.

ruhig 1. still, lautlos, leise, unhörbar, **1357** mäuschenstill, schweigend, ruhend, schlafend, bewegungslos, friedlich, klösterlich, **2.** geruhsam, bedächtig, bedachtsam, behutsam, gemach, nachdenklich, besinnlich, überlegt, abwägend, abwartend, geduldig, **3.** beherrscht, gelassen, entspannt, beruhigt, gefasst, gemessen, gesetzt, fatalistisch, klaglos, ausgeglichen, gleichmäßig, phlegmatisch, würdevoll, ohne Eile/ Hast, zurückhaltend, seelenruhig, ungerührt, unerschütterlich, stoisch, gleichmütig, **4.** kontemplativ, beschaulich, innerlich, versonnen, versunken, vertieft, träumerisch, verträumt, versponnen, selbstvergessen, in Gedanken versunken, introvertiert, nach innen gerichtet, besinnlich, **5.** geistesgegenwärtig, kaltblütig, **6.** ruhend, latent verborgen, nicht in Erscheinung tretend, **7.** windstill, im Windschatten, reglos, regungslos, ohne Bewegung/einen Hauch, totenstill.

S

1358 sachlich 1. objektiv, unparteiisch, neutral, vorurteilslos, vorurteilsfrei, unvoreingenommen, unbeeinflusst, unbefangen, unverblendet, uninteressiert, leidenschaftslos, emotionsfrei, **2.** klar, real, nüchtern, logisch, rational, verstandesmäßig, realistisch, prosaisch, poesielos, unpersönlich, unpoetisch, trocken, pragmatisch, sachbezogen, praktisch orientiert.

1359 saftig 1. fruchtig, fleischig, feucht, saftstrotzend, safttriefend, erfrischend, prall, voll, üppig, strotzend, satt, **2.** stark, unanständig, deftig, derb, **3.** hoch, übersteigert, unverschämt, gepfeffert.

1360 Saison Jahreszeit, Hauptbetriebszeit, Erntezeit, Reisezeit, Hauptreisezeit, Hochkonjunktur, Hauptgeschäftszeit, Konzertsaison, Theatersaison, Ballsaison, Veranstaltungssaison.

1361 sammeln (sich) 1. einsammeln, zusammenlesen, aufsammeln, aufheben, aufklauben, zusammenbringen, zusammentragen, Sammlung anlegen, kompilieren, **2.** scheffeln, anhäufen, zusammenraffen, zusammenkratzen, zusammenscharren, zusammenschleppen; stapeln, aufstapeln, stauen, lagern, einlagern, häufen, türmen, massieren, horten, schichten, aufschichten, akkumulieren, aufeinander schichten, aufeinander setzen, bündeln, schachteln, **3.** zentralisieren, konzentrieren, zusammenfassen, zusammenziehen, **4.** speichern, erfassen, aufnehmen, magazinieren, katalogisieren, bibliographieren, mikrofotografieren, auf Band nehmen, auf Festplatte/Diskette speichern, **5.** zu sich kommen, sich fassen; zur Ruhe kommen, sich konzentrieren; Gedanken sammeln/zusammenhalten.

1362 Sammlung 1. Ernte, Lese, Anhäufung, Ansammlung, Hortung, Vorrat, Schatz, **2.** Bildersammlung, Gemäldesammlung, Kuriositätensammlung, Raritätensammlung, Kunstsammlung, Privatsammlung, Büchersammlung, Bibliothek, Plattensammlung, Museum, Kunsthalle, Pinakothek, Galerie, Glyptothek, Videothek, **3.** Sammelwerk, Anthologie, Blütenlese, Brevier, Kodex, Almanach, Album, Auswahlband, Digest, Sammelband, Sampler, CD-ROM, **4.** Aufnahme, Erfassung, Datenerfassung, Speicherung, Archivierung, Datensammlung, Datenbank, **5.** Konzentration, innere Sammlung/Vorbereitung.

1363 Sänger(in) 1. Bass, Bariton, Tenor, Kammertenor, Kastrat, Countertenor; Opernsänger, Operettensänger, Kammersänger, Konzertsänger, Chorsänger, Schlagersänger, Röhre, Rocksänger, Bluessänger, Popsänger; Chansonnier, Barde, Liedermacher, Balladensänger, Moritatensänger, Bänkelsänger, Troubadour; Vokalkünstler, Vokalist, **2.** Alt, Sopran, Mezzosopran, Opernsängerin, Operettensängerin, Kammersängerin, Konzertsängerin, Chorsängerin, Chansonnette, Troubadourin, Soubrette, Liedermacherin, Bluessängerin.

1364 satt 1. gesättigt, pappsatt, genudelt, voll gegessen, voll gestopft, voll gefressen, überfressen, **2.** befriedigt, zufrieden, saturiert, zufrieden gestellt, wunschlos, **3.** tief, voll, warm, kräftig, intensiv, leuchtend, **4.** leid, über, verleidet, vermiest, überdrüssig, angewidert, angeekelt, angeödet, gelangweilt, müde.

1365 sauber 1. gewaschen, blank, gereinigt, geputzt, gesäubert, gescheuert, frisch gewaschen, fleckenlos, blitzblank, peinlich sauber, hygienisch, keimfrei, steril, pieksauber, wie geleckt, schmuck, proper, tipptopp, wie aus dem Ei gepellt, picobello, **2.** rein, unvermischt, rückstandsfrei, naturrein, schier, unversetzt, pur, klar, lauter, ungetrübt, unverfälscht, geklärt, destilliert, geläutert, raffiniert, schlackenlos, bar, hochkarätig, lupenrein; stubenrein, **3.** drogenfrei, clean.

1366 Sauberkeit 1. Fleckenlosigkeit, Reinheit, Reinlichkeit, Gepflegtheit, Frische, Hygiene, **2.** Naturreinheit, Unverfälschtheit, Ungetrübtheit, Echtheit.

1367 säubern (sich) 1. rein machen, reinigen, putzen, sauber machen, stöbern, Hausputz halten, fegen, kehren, abfegen, abkehren, scheuern, schrubben, aufwaschen, aufwischen, aufnehmen, wischen, abstauben, Staub wischen, staubsaugen, entstauben, **2.** bürsten, ausbürsten, abbürsten, reiben, wegwischen, abwischen, abwaschen, entflecken; ausschütteln, ausschwenken, ausklopfen, klopfen; wichsen, bohnern, blank reiben, **3.** waschen, einseifen, abseifen, baden, Bad nehmen, duschen, brausen, abbrausen; abwaschen, Geschirr spülen, spülen, abspülen, Wäsche waschen/machen, **4.** jäten, roden, Unkraut entfernen, auszupfen, ausziehen, **5.** desinfizieren, entkeimen, keimfrei machen; entschlacken, purgieren, entseuchen, entgiften, dekontaminieren.

1368 Schaden 1. Nachteil, Verlust, Einbuße, Schwund, Abbruch, Abgang, Ausfall, Wegfall, Panne, Unfall, Defekt, Pech, Bruch, Sachschaden, Schädigung, Beschädigung, Gesundheitsschädigung; Pleite, Misserfolg, **2.** Benachteiligung, Diskriminierung, Zurücksetzung, Missachtung.

1369 schaden (sich) 1. Schaden zufügen, Unheil anrichten, schädigen, beeinträchtigen, benachteiligen, diskriminieren, zurücksetzen, in den Schatten stellen, hemmen, überrumpeln, sabotieren, Verluste beibringen, Wasser abgraben, etwas antun, Böses/Arges zufügen, sich in den Weg stellen; eins auswischen, bösen Streich spielen, Strick drehen, ins Unglück/in Misskredit bringen, Ruf schädigen, Suppe versalzen, Bein stellen, zu Fall bringen, austricksen, ausbooten, **2.** bekümmern, betrüben, Schmerz bereiten, Sorgen machen, Leid zufügen/antun, Herz brechen, verletzen, verwunden, **3.** sich verletzen; zu Schaden kommen, sich schädigen, **4.** Schaden erleiden, Pech haben, ins offene Messer laufen, Zeche bezahlen, den Kürzeren ziehen, zu kurz kommen, Nachsehen haben, schlecht wegkommen, zurückgesetzt/benachteiligt/beeinträchtigt werden, nicht zum Zuge kommen, vom Regen in die Traufe kommen, sich in die Nesseln setzen, den Mund verbrennen, ins eigene Fleisch schneiden; ins Fettnäpfchen treten, Porzellan zerschlagen, in Misskredit/ein schiefes Licht geraten, guten Ruf verlieren/verspielen, sich im Licht stehen, eine Suppe einbrocken; in ein Wespennest stechen, gegen sich einnehmen,

sich unbeliebt/unmöglich machen; in Ungnade fallen, es verderben, sich sein eigenes Grab schaufeln; alles aufs Spiel setzen, **5.** zum Schaden gereichen, sich ungünstig/nachteilig/negativ auswirken; nachteilig/schädlich sein, krank machen, in Mitleidenschaft ziehen.

Scham 1. Schamgefühl, Schamhaftigkeit, Scheu, Schüchternheit; Schamesröte, Reue, **2.** Schamhügel, Venushügel. **1370**

schämen, sich 1. Scham empfinden, in Verlegenheit geraten, Augen niederschlagen, sich genieren; erröten, rot werden, erglühen; verlegen/schüchtern sein; sich zieren; fremdeln, sich winden, nötigen lassen, anstellen, haben; Geschichten machen, **2.** zu schüchtern sein, sich scheuen; nicht den Mut/die Stirn haben, sich nicht trauen. **1371**

Schande 1. Schmach, Makel, Unehre, Schimpf, Blamage, Gesichtsverlust, Beschämung, Bloßstellung, Desavouierung, Skandal, Misskredit, übler Leumund, üble Nachrede, Verruf, Kompromittierung, Missachtung, Demütigung, dunkler Punkt, **2.** Schändung, Entweihung, Entwürdigung, Frevel, Schandfleck, Schandmal. **1372**

scharf 1. schneidend, geschliffen, gewetzt, geschärft, spitz, spitzig, gezackt, gezähnt, schartig, dornig, stachelig, eckig, kantig, scharfkantig, **2.** rau, kalt, durchdringend, harsch, grimmig, **3.** zugespitzt, überscharf, überspitzt, penetrant, ätzend, bissig, beißend, schonungslos, **4.** schrill, spitz, befehlend, schneidend, barsch, kategorisch; durchbohrend, stechend, **5.** klar, deutlich, gut zu erkennen, tiefenscharf. **1373**

schärfen 1. wetzen, abziehen, schleifen, dengeln, spitzen, anspitzen, feilen, **2.** sich verschärfen, verschlimmern, verschlechtern, zuspitzen; zu einer Entscheidung drängen, ernst werden, eskalieren, **3.** Blick schärfen/üben/schulen/verbessern. **1374**

schätzen 1. achten, ehren, anerkennen, bewundern, verehren, hochhalten, hoch achten, zu würdigen wissen, hohen Begriff haben, große Stücke auf jmdn. halten, für wertvoll halten, **2.** bewerten, werten, prüfen, begutachten, beurteilen, einschätzen, taxieren, abschätzen, überschlagen, abwägen, wägen, veranschlagen, ermessen, erach- **1375**

ten, ansetzen, auswerten, kalkulieren, über den Daumen peilen, durchspielen, vermuten, annehmen.

1376 schäumen 1. gären, brausen, kochen, sieden, wallen, sprudeln, zischen, rauschen, gischten, branden, perlen, moussieren, prickeln, Schaum bilden, Gischt aufwerfen, **2.** aufbrausen, wüten, sich aufregen.

1377 Schauplatz Bühne, Forum, Szenerie, Arena, Stadion, Manege, Podium, Kampfplatz, Tatort, Ring, Rennbahn, Ort der Handlung/des Geschehens.

1378 Schauspiel 1. Bühnenstück, Bühnenwerk, Spiel, Theaterstück, Stück, Lehrstück, Festspiel, Mysterienspiel, Passionsspiel, Drama, Komödie, Tragödie, **2.** Anblick, Vorgang, Ereignis, Spektakel, Vorfall.

1379 Scheide 1. Vagina, Vulva; Muschi, Pussi, Möse, **2.** Wasserscheide, Scheidewand, Scheidemünze, Schwertscheide, **3.** Etui, Futteral, Behälter.

1380 scheinbar angeblich, vorgeblich, fiktiv, fingiert, pro forma, zum Schein, vorgetäuscht, trügerisch, täuschend, fragwürdig, fälschlich, vorgegeben, vermeintlich, irrtümlich.

1381 scheinen 1. aussehen, vorkommen, Anschein haben, erscheinen, dünken, wirken, anmuten, sich anfühlen; blenden, täuschen, Anschein erwecken, Schein/Dekorum wahren, so tun als ob, **2.** leuchten, strahlen, brennen, flackern, lodern, glühen, gluten, blinken, aufblitzen, blitzen, wetterleuchten, aufscheinen, flimmern, glitzern, funkeln, glänzen, gleißen, schimmern, schillern, glimmen, flirren, flittern, spielen, spiegeln, erglänzen, aufleuchten, aufzucken, erstrahlen, erglühen, ausstrahlen, aussenden, ausströmen, abstrahlen, verbreiten, **3.** durchscheinen, durchschimmern, Licht durchlassen, **4.** phosphoreszieren, fluoreszieren, changieren, glimmern, schillern, moirieren, flammen.

1382 Scheinwelt Simulation, Bildschirmwelt, virtuelle/fiktionale Realität, digitale Welt, Virtual Vision, Cyberspace.

1383 scheitern 1. fehlschlagen, misslingen, missglücken, danebengehen, schief gehen, auffliegen, zuschanden werden, in die Brüche/Binsen gehen, zunichte machen, sich zerschlagen; zusammen-krachen, verunglücken, missraten, platzen, missfallen, durchfallen, **2.** Pech haben, Ziel verfehlen, versagen, Fiasko erleiden, zu nichts/auf keinen grünen Zweig kommen, straucheln, stolpern, Vermögen verlieren, zu Fall kommen, baden gehen, ins Unglück rennen, stranden, Schiffbruch erleiden, zerbrechen an, untergehen, abstürzen, **3.** unterliegen, erliegen, zu Boden gehen, kapitulieren, Handtuch werfen, auf verlorenem Posten kämpfen, weiße Flagge aufziehen, **4.** hereinfallen, auf den Leim/ins Garn/in die Schlinge gehen, **5.** abblitzen, abfahren, Korb bekommen, sich eine Abfuhr holen; sitzen gelassen / versetzt / abgewiesen werden, aufsitzen, auflaufen, **6.** in den Wind reden, tauben Ohren predigen, auf Granit beißen, sich die Zähne ausbeißen; verkannt/nicht verstanden werden, auf Unständnis stoßen.

1384 Schelm 1. Schalk, Schäker, Spaßmacher, Spaßvogel, Witzbold, Type, Possenreißer, Faxenmacher, lustiger Kauz, Eulenspiegel, Münchhausen, Komiker, Clown, Buffo, Hanswurst, Kasperle, Harlekin, Bajazzo, Wurstel, **2.** Schlingel, Racker, Strolch, Strick, Frechdachs, Lausejunge, Lausebengel, Lausbub.

1385 Schelte 1. Schimpfe, Zornausbruch, Donnerwetter, Anschnauzer, Abreibung, Anpfiff, Ungewitter, Scheltworte, Schimpfworte, Zigarre, Krach, Gebelfer, Gebell, Gekeife, Schimpferei, Schimpfkanonaden, Anschiss, Gardinenpredigt, Kapuzinerpredigt, Moralpredigt, Sermon, Standpauke, Philippika, Epistel, Lektion, Strafpredigt, **2.** Anwurf, Vorwurf, Anschuldigung, Vorhaltung, Rüge, Rüffel, Maßregelung, Zurechtweisung, Tadel, Ordnungsruf, Monitum, Verweis, Mahnung.

1386 Scheusal Vogelscheuche, Monstrum, Monstrosität, Popanz, Schreckgespenst, Ungetüm, Untier, Ungeheuer, Ausgeburt, Spottgeburt, Ekel, Gräuel, Widerling, Biest, Kotzbrocken, Brechmittel, Miststück.

1387 Schicht 1. Überzug, Belag, Film, **2.** Arbeitsschicht, Nachtschicht, Tagesschicht, Teilschicht, Doppelschicht, **3.** Gesellschaftsschicht, soziale Schicht, Bevölkerungsschicht; Unterschicht, Mittelschicht, Oberschicht.

1388 schicken 1. senden, entsenden, delegieren, abordnen, **2.** befördern, spedieren, transportieren, verfrachten, verladen, verschiffen, umschlagen, **3.** liefern, zuführen, überführen, zustellen, zuschicken, zusenden, ausfahren, bringen, zugehen lassen, zuleiten, abliefern, ausliefern, übermitteln, beliefern, **4.** einstecken, einwerfen, expedieren, abschicken, wegschicken, aufgeben, zur Post geben, absenden, versenden, verschicken, zustellen.

1389 Schicksal 1. Geschick, Fatum, Los, Bestimmung, Fügung, Schickung, Verhängnis, Kismet, Moira, Tyche, Parzen, **2.** Providenz, Vorsehung, Prädestination, Vorherbestimmtheit, höhere Gewalt, Notwendigkeit, Sterne, Zufall, Zusammentreffen von Umständen, Koinzidenz der Fälle, Gunst/Ungunst der Verhältnisse, Tücke des Geschicks, Self-fulfilling Prophecy.

1390 schicksalhaft vorbestimmt, vorherbestimmt, prädestiniert, schicksalsbedingt, verfügt, zubestimmt, unwiderruflich, unentrinnbar.

1391 schimpfen 1. schelten, tadeln, zanken, brummen, knottern, raunzen, motzen, knurren, murren, kollern; anschnauzen, anfahren, ausschelten, aus schimpfen, auszanken, aufs Dach steigen, Abreibung erteilen, beschimpfen, unsachlich werden, an den Karren fahren, grob kommen, anfauchen, anzischen, anpfeifen, anranzen, verdonnern, eins draufgeben, Marsch blasen, ins Gebet nehmen, Kopf waschen, Hühnchen rupfen, anblasen, anherrschen, eins auf die Nase geben, vom Leder ziehen, Theater/Szene machen, den Text lesen, **2.** toben, explodieren, platzen, bersten, schreien, fauchen, schnauben, poltern, schnauzen, giften, zischen, donnern, wettern, wüten, bellen, kläffen, keifen, geifern, zetern, rasen, donnerwettern, fluchen, lästern.

1392 schlafen 1. schlafen/ins Bett gehen, sich ins Bett legen; zu Bett gehen, sich zur Ruhe begeben, **2.** einschlafen, einnicken, entschlummern, in Schlaf fallen/ sinken, dämmern, duseln, nicken, dösen, schlummern, pennen, pofen, ratzen, schnarchen, sägen, im Schlaf liegen, fest/tief schlafen, **3.** nicht aufpassen, mit den Gedanken woanders sein,

träumen; unaufmerksam/nicht bei der Sache sein, **4.** schlafen legen, zu Bett bringen, ins Bett legen, hinlegen, betten.

1393 Schlag 1. Ohrfeige, Nasenstüber, Backenstreich, Backpfeife, Maulschelle, Watsche, Dachtel, Kopfnuss, Katzenkopf; Streich, Hieb, Klaps; Hiebe, Kloppe, Prügel, Haue, Senge, Tracht Prügel, Abreibung, Dresche, Keile, Schläge; Treffer, Schwinger, Boxhieb, Kinnhaken, **2.** Schlägerei, Balgerei, Boxerei, Handgemenge, Keilerei, Holzerei, Prügelei, Rauferei, Handgreiflichkeit, Tätlichkeit, **3.** Blitzschlag, Blitz aus heiterem Himmel, Donnerschlag, Schicksalsschlag, **4.** Gehirnschlag, Schlaganfall, Schlagfluss, Apoplexie.

1394 schlagen (sich) 1. hauen, prügeln, verwalken, durchhauen, durchwichsen, verhauen, Tracht Prügel verabreichen, durchbläuen, Fell gerben, zausen, verbimsen, bimsen, beuteln, übers Knie legen, Hosen stramm ziehen, verwamsen, versohlen, verdreschen; Klaps geben, patschen, eins hintendrauf geben, eins verpassen, ohrfeigen, eine langen/herunterhauen/knallen, **2.** handgreiflich/ handgemein/tätlich werden, zu Leibe gehen, Schlägerei beginnen, sich raufen; holzen, keilen, boxen, zusammenschlagen, niederschlagen, zu Boden schlagen, unterkriegen, überwältigen, zur Strecke bringen, niederwerfen, niederzwingen, bezwingen, zu Boden strecken, kleinkriegen, ausknocken, knockout schlagen, durch Knock-out besiegen, obsiegen, auspunkten, besiegen, **3.** überrunden, ausstechen, überbieten, übertreffen, toppen, überflügeln, Rang ablaufen, überholen, überragen, übertrumpfen, hinter sich lassen, zurücklassen, abhängen, in den Schatten stellen, in die Tasche stecken, an die Wand drücken/spielen, besser/überlegen sein, **4.** fällen, schlagen, umschlagen, umhauen, abholzen, abschlagen.

1395 schlagend drastisch, erdrückend, unwiderleglich, frappant, verblüffend, überraschend, beweiskräftig, evident, handgreiflich, stichhaltig, triftig, schlagkräftig, durchschlagend, schlüssig, logisch, zwingend, unabweislich, wohl begründet, unbezweifelbar, überzeugend, suggestiv, eindringlich, hieb- und stichfest, wasserdicht.

1396 schlau 1. gerissen, gerieben, gewieft, clever, gewitzigt, durchtrieben, mit allen Wassern gewaschen, füchsisch, vigilant, verschlagen, listig, pfiffig, verschmitzt, findig, bauernschlau, raffiniert, schlitzohrig, smart, mit allen Hunden gehetzt, trickreich, ausgepicht, fintenreich, ausgekocht, gewitzt, **2.** siebengescheit, oberschlau, überschlau, neunmalklug, obergescheit, superklug, superschlau.

1397 schlecht 1. wertlos, nichts wert, minderwertig, nichts dran, unbrauchbar, unverwendbar, nutzlos, drittklassig, letztklassig, spottschlecht, unter aller Kritik / Kanone, gering, nichtig, zu nichts zu brauchen; miserabel, lausig, keinen roten Heller / Pfifferling wert, spottet jeder Beschreibung, beschissen, saumäßig, grottenschlecht, verheerend, mies, flau, mau, mäßig, dürftig, **2.** misslungen, missraten, verfehlt, verpatzt, missglückt, verkorkst, ungeraten, schief gegangen, schief gelaufen; schlecht sitzend, nicht passend, schlecht gearbeitet, zu eng, zu weit, vermurkst, vergeigt, **3.** schlecht geworden, verdorben, gammelig, angefault, verschimmelt, schimmelig, ranzig, stichig, gekippt, vergoren, angesäuert, sauer geworden, wurmstichig, wurmig, madig, faul, faulig, angebrannt, verkohlt, verbrannt, ungenießbar, **4.** schlimm, übel, arg, unheilvoll, bedenklich, gefährlich; infiziert, verseucht, vergiftet, verstrahlt, kontaminiert, **5.** gemein, niedrig, nichtswürdig, verwerflich, ehrlos, schimpflich, schofel, würdelos, perfide, schandbar, abscheulich, ruchlos, miserabel, jämmerlich, verächtlich, schurkig, schuftig, kriminell, verbrecherisch, niederträchtig, hundsgemein, böse, schändlich, verächtlich, verabscheuenswert, verderbt, erbärmlich, verdammenswert, ungeheuerlich, unerhört, schreit zum Himmel; fragwürdig, nicht einwandfrei, ehrenrührig, charakterlos, **6.** ungültig, entwertet, verfallen, abgewertet, außer Kurs, abgelaufen, ausgelaufen, gegenstandslos, hinfällig, verjährt, null und nichtig.

1398 Schlechtigkeit Gemeinheit, Verderbtheit, Verdorbenheit, Verworfenheit, Perfidie, Gewissenlosigkeit, Niedertracht, Nichtswürdigkeit, Verrucht-heit, Verderbnis, Verkommenheit, Schuftigkeit, Schurkerei, Verächtlichkeit, Nichtsnutzigkeit, Schändlichkeit, Schandbarkeit, Sittenlosigkeit, Würdelosigkeit, Unmoral.

schließen 1. zumachen, zuziehen, **1399** zuschlagen, zuklappen, zuknallen, zuwerfen, ins Schloss werfen, zuhalten, den Schlüssel umdrehen, abschließen, zuschließen, verschließen, zusperren, absperren, versperren, verstellen, blockieren, zuriegeln, abriegeln, verriegeln, verrammeln, vergittern, verbarrikadieren, **2.** verkorken, stöpseln, zustöpseln, verkapseln, zudrücken, Deckel schließen, verschrauben, zuschrauben, zubinden, zukleben, verkleben, zudrehen, abdrehen, zuknöpfen, zuhaken, verstopfen, versiegeln, plombieren, **3.** folgern, Schluss ziehen, zu dem Schluss kommen, zusammenfassen, Folgerung / Fazit ziehen, zurückführen auf, erklären mit, erkennen, entwickeln, ableiten, urteilen, entnehmen, ersehen, herleiten, deduzieren, nachweisen, feststellen, finden, argumentieren, kombinieren, verknüpfen, in Beziehung bringen, resümieren, rekapitulieren, **4.** abblenden, abdunkeln, Vorhang schließen / zuziehen, Fenster verhängen / zuhängen, verdunkeln, die Läden schließen, finster machen, **5.** sich schließen; zufallen, ins Schloss fallen, einschnappen, zuschnappen, zuschlagen, einrasten.

Schluss 1. Ende, Abschluss, Voll- **1400** endung, Schließung, Beendigung, Abbruch, Ausgang, Auslauf, Mündung, Delta; Ausläufer, letzter Teil, Schwanz, Schwanzende, Schlussteil, Endstück, **2.** Nachwort, Schlusswort, Zusammenfassung, Rückblick, Abgesang, Epilog, Ausklang, Schlussakkord, Schwanengesang, Nachspiel; Kehraus, guter Ausgang, Happyend; Schlusspunkt, Nullpunkt, Endpunkt, Schlussakt, Torschluss, Endstation, Matthäi am Letzten; Nachhut, Rüste, Neige, Finale, Schlusssatz, Koda, Endstadium, Exitus, Totentanz, Danse macabre, **3.** Folgerung, Schlussfolgerung, Denkergebnis, Konsequenz, Ableitung, Deduktion, Konklusion, Analogieschluss, Syllogismus, **4.** Quintessenz, Nutzanwendung, Ergebnis, Fazit, Moral, **5.** Endkampf,

Spurt, Endspurt, Finish, Endspiel, Endrunde, Schlussrunde.

1401 schmeicheln schönreden, süßreden, Süßholz raspeln, flattieren, beweihräuchern, Weihrauch streuen, hofieren, einwickeln, einseifen, lobhudeln, um den Bart gehen, bauchpinseln, Schleppe tragen, zu Gefallen reden, scharwenzeln, nachlaufen, schöntun, liebedienern, katzbuckeln, sich einschmeicheln; umwerben, umschmeicheln, umbuhlen, sich lieb Kind machen; kriechen, Kotau machen, heucheln.

1402 Schmeichler 1. Augendiener, Lobredner, Schönredner, Schöntuer, Hofmacher, Claque, Claqueur, Courschneider, Heuchler, Bauchpinsler, Gleisner, Leisetreter, Schranze, Wasserträger, Kofferträger, Kriecher, Sklavenseele, Liebediener, Süßholzraspler, Nachbeter, Ohrenbläser, Zuträger, Kreatur; Schmeichlerin, Schmeichelkatze, **2.** Schmarotzer, Parasit, Schädling, Nutznießer, Nassauer, Schnorrer, Abstauber, Vasall, Satellit.

1403 Schmerz 1. Leid, Kummer, Gram, Weh, Seelenschmerz, Jammer, Herzeleid, Herzweh, **2.** Schmerzen, Schmerzempfinden, Schmerzgefühl, Leiden, Beschwerden, Pein, Pfahl im Fleisch, Qual, Marter, Folter, Plage, Tortur, Peinigung, Quälerei, Nervenprobe, Höllenpein, Höllenqualen, Martyrium, Tantalusqualen, Hölle, Inferno, Weltuntergang.

1404 schmerzen 1. wehtun, Schmerzen verursachen, brennen, bohren, beißen, stechen, pochen, ziehen, schneiden, durch Mark und Bein gehen, quälen, martern, **2.** Leid tun, Kummer machen, bereuen, reuen, bedrücken, zu schaffen machen, Gewissensbisse verursachen.

1405 schmückend verschönernd, hebend, putzend, zierend, ziervoll, dekorativ, malerisch, wirkungsvoll.

1406 Schmutz 1. Dreck, Unrat, Unflat, Staub, Matsch, Schlamm, Morast, Sumpf, Schmutzlache, Pfuhl, Schmiere, Schlieren, Schmutzstreifen, **2.** Verunreinigung, Verschmutzung, Schweinerei, Sauerei, Flecken, Verfleckung, Verdreckung, Kleckse, Gesudel, Sudelei, **3.** Schund, Schundliteratur, Regenbogenpresse.

1407 Schmutzfink Schmierfink, Dreckspatz, Ferkel, Schweinigel, Schwein, Sau, Saubär, Säunickel, Wutz, Drecksau, Schlunze, Schlamper, Schlampe.

1408 schmutzig unsauber, ungewaschen, dreckig, schmuddelig, ungepflegt, liederlich, schweißig, verschwitzt, durchgeschwitzt; verunreinigt, befleckt, besudelt, beschmutzt, verschmutzt, verdreckt, verfleckt, fleckig, schmierig, versifft, verstaubt, staubig, staubüberzogen, rußig, verrußt, rußbedeckt; sandig, erdig; speckig, fettig, voll Fettflecken; schlammig, kotig, matschig, lehmig, morastig, glitschig, sudelig, sumpfig, grundlos.

1409 schneiden (sich) 1. zerkleinern, zerschneiden, in Stücke schneiden, tranchieren, aufschneiden, zerteilen, teilen, abschneiden, abtrennen, absäbeln, herunterschneiden, schnippeln, schnipseln, absägen, **2.** kürzen, Teile entfernen, auf die richtige Länge/in die richtige Form bringen, cutten, **3.** schnitzen, schnitzeln, fitzen, spänen; kerben, einkerben, einschneiden, zacken, auszacken, **4.** verletzen, beschneiden, verwunden, pieken, stechen, **5.** verleugnen, meiden, aus dem Weg gehen, übersehen, hindurchschauen, nicht sehen wollen, wegsehen, übergehen, überhören, nicht hinhören/zuhören, ignorieren, boykottieren, keine Notiz nehmen, links liegen lassen, verpönen, verfemen, umgehen, abrücken, wie Luft behandeln, keines Wortes würdigen, brüskieren, kalte Schulter zeigen, nicht beachten, nicht zur Kenntnis nehmen, missachten, totschweigen, nicht mehr kennen, sich abwenden; Rücken zuwenden, **6.** sich kreuzen, treffen; zusammentreffen, sich begegnen, **7.** sich schaden, ins eigene Fleisch schneiden.

1410 schnell 1. rasch, geschwind, flink, wieselig, behände, hurtig, eilig, rapid, blitzschnell, blitzartig, fix, affenartig, flott, zügig, schwungvoll, mit Schwung, im Geschwindschritt / Galopp / Schweinsgalopp, fluchtartig, mit einem Sprung, Tempo, rasant, stürmisch, flugs, prompt, wie der Wind/aus der Pistole geschossen, mit Volldampf, holterdiepolter, im Laufschritt, wie ein Wiesel / Lauffeuer, in Windeseile, schnellstens, auf dem schnellsten Weg, ehestens, schleunigst, **2.** augenblicklich, gleich, eilends, sofort, unverweilt, ungesäumt, im selben Augenblick, stehenden Fußes, so bald wie möglich, recht bald, möglichst umgehend, überstürzt, im Nu, stracks, spornstreichs, auf der Stelle, eilfertig, im Handumdrehen.

1411 **schon** bereits, längst, früher als erwartet/gedacht, schon lange, seit langem.

1412 **schön** 1. entzückend, reizend, klassisch, formvollendet, ebenmäßig, harmonisch, wunderschön, stilvoll, geschmackvoll, bildschön, herrlich, vollendet, makellos, unvergleichlich, strahlend, blendend, traumhaft, wunderbar, zauberhaft, wundervoll, märchenhaft, göttlich, göttergleich, reizvoll, 2. gut gewachsen, wohlgestaltet, wohlbeschaffen, wohlproportioniert, gut gebaut, stattlich, wohlgeformt, blendende Figur.

1413 **schonen (sich)** 1. sorgsam behandeln, hüten, hegen, nicht strapazieren, pfleglich behandeln, 2. verschonen, bewahren/behüten vor, ersparen, mit Samthandschuhen anfassen, 3. Milde walten lassen, Auge zudrücken, durch die Finger sehen, fünf gerade sein lassen, Nachsicht üben, nicht entgelten lassen, 4. sich pflegen; langsam/kurz/kürzer treten, auf seine Gesundheit achten, Anstrengungen vermeiden.

1414 **Schönheit** 1. Liebreiz, Wohlgestalt, Harmonie, Vollendung, Anmut, Formvollendung, Ebenmaß; Köstlichkeit, Erlesenheit, Pracht, Herrlichkeit, 2. Schöne, Beautée, Schaufrau, Covergirl, Werbeschönheit; Beau, Adonis, Model.

1415 **schöpferisch** schaffend, genial, gestaltend, bildend, produktiv, gestaltungskräftig, geistesmächtig, erfinderisch, einfallsreich, ideenreich, originell, eigenwüchsig, ingeniös, dichterisch, poetisch, musisch, gestalterisch, fruchtbar, kreativ, phantasievoll.

1416 **Schöpfung** 1. Genesis, Erschaffung der Welt, Schöpfungsakt, 2. Werk, Kunstwerk, Opus, Œuvre, Kreation.

1417 **schräg** 1. quer, diagonal, transversal, kursiv, überquer, übereck, 2. geneigt, abfallend, abschüssig, abgedacht, sich senkend/neigend; abböschend, abgeschrägt, 3. steigend, ansteigend, steil, aufsteigend, abfallend, 4. querbeet, mittendurch, querfeldein, 5. schräge, ausgefallen, befremdlich, misstönend.

1418 **Schrank** Kasten, Kleiderschrank, Wohnzimmerschrank, Schrankwand, Büffet, Sideboard, Glasschrank, Vitrine, Hängeschrank, Geschirrschrank, Anrichte; Küchenschrank, Küchenbüffet, Vorratsschrank, Spind; Eisschrank, Kühlschrank, Tiefkühlschrank, Bücherschrank, Kommode, Truhe.

1419 **Schranke** Sperre, Barriere, Absperrung, Hürde, Zaun, Gitter, Gatter, Geländer, Reling, Brüstung; Bahnschranke, Verkehrsschranke, Grenze.

1420 **schrecklich** 1. grässlich, fürchterlich, katastrophal, desaströs, furchtbar, entsetzlich, grauenhaft, alptraumartig, grauenvoll, verheerend, vernichtend, schauderhaft, schreckensvoll, abschreckend, drohend, dräuend, ängstigend, beängstigend, schaudervoll, Schauder erregend, Grauen erregend, Furcht erregend, Horror, horribel, 2. schauerlich, schaurig, geisterhaft, gespenstig, grausig, unheimlich, gothic, haarsträubend, zum Fürchten, gruselig, spukhaft, nicht geheuer, finster, düster, ein Graus, angstbesetzt, Angst erregend.

1421 **schreiben** 1. zu Papier bringen, aufschreiben, niederschreiben, niederlegen, schriftlich fixieren, zur Feder greifen; notieren, aufzeichnen, festhalten, vermerken, Notiz machen, eintragen, einschreiben, verzeichnen, 2. aufsetzen, konzipieren, Skript schreiben, ins Unreine schreiben, 3. formulieren, verfassen, abfassen, ausarbeiten, texten, 4. pinseln, malen, kritzeln, schmieren, klecksen, sudeln, krakeln; tippen, Maschine schreiben.

1422 **Schrift** 1. Schreibschrift, Druckschrift, Blockschrift, Schrifttypen, Schriftzeichen; Handschrift, Schriftzüge, Klaue, Pfote, Gekrakel, Gekritzel, Geschmiere, 2. Zeichensystem, Bilderschrift, Gegenstandsschrift, Wortschrift, Silbenschrift, Buchstabenschrift, Alphabet, Lautschrift, Umschrift, Transkription; Schönschrift, Kalligraphie.

1423 **Schriftsteller** Autor, Verfasser, Dichter, Poet, Literat, Homme de Lettre, Mann der Feder, Prosaschriftsteller, Prosaist, Erzähler, Epiker, Romancier, Romanschriftsteller, Novellist, Essayist, Lyriker, Dramatiker, Stückeschreiber, Dramendichter, Theaterdichter, Thea-

terautor; Drehbuchautor, Drehbuch-
schreiber, Skriptautor, Skriptschreiber,
Scripter; Tagesschriftsteller, Texter,
Glossenschreiber, Feuilletonist, Schrei-
berling, Vielschreiber, Verseklopfer,
Verseschmied.

1424 Schuld 1. Makel, Fehler, Verschulden,
Schuldigkeit, Kerbholz, Sündenregister,
2. Verpflichtung, Schulden, Verbind-
lichkeit, Rückstand, Passiva, Belastung,
Verschuldung, Schuldenlast, Restanten,
Überschuldung, **3.** Schuldgefühle,
Schuldbewusstsein, Skrupel, schlechtes
Gewissen, Gewissensangst, Gewissens-
not, Gewissensbisse, Gewissenspein,
Gewissensqual, Schuldkomplex, Selbst-
anklage, Selbstvorwurf, Selbstekel.

1425 schulden 1. in der Schuld stehen, zu
zahlen haben, im Rückstand/schuldig
sein, in Verzug geraten, in der Kreide
stehen, Schulden haben, in den roten
Zahlen/verschuldet sein, auf Pump leben; Schuldner/Debitor/Kreditnehmer
sein, **2.** verdanken, verpflichtet sein, zu
danken haben, **3.** sich schuldig/verant-
wortlich fühlen, schuldig bekennen, etwas zuschulden kommen lassen, schuldig machen; Schuld auf sich laden,
Schuld haben, schuld sein, verschuldet
haben, verantwortlich sein, zu verantworten haben, geradestehen müssen, es
gewesen sein/getan haben, auf dem
Kerbholz haben.

1426 schuldig 1. rückständig, in der Kreide, im Verzug, zahlungspflichtig, im
Rückstand, restant, verschuldet, überschuldet, mit Schulden überlastet, **2.**
schuld, schuldbeladen, Dreck am Stecken, Leiche im Keller, in Schuld verstrickt, schuldhaft, mitschuldig, belastet, straffällig, schuldig gesprochen, verurteilt, schuldbewusst.

1427 Schule 1. Lehranstalt, Erziehungsstätte, Bildungsstätte, Bildungsanstalt;
Volksschule, Hauptschule, Gesamtschule, Realschule, Gymnasium, College, Ganztagsschule, Schulversuch;
Penne, Quetsche, **2.** Schulgebäude,
Schulhaus, Schulkomplex.

1428 Schüler 1. Pennäler, Schulkind, Abc-
Schütze, Schulanfänger, Erstklässler,
Hauptschüler, Oberschüler, Gymnasi-
ast, Abiturient, **2.** Hörer, Student, Stu-
dierender, Hochschüler, **3.** Jünger,
Nachfolger, Adept, Anhänger, **4.** Lehr-

ling, Stift, Auszubildender (Azubi), Volontär, Praktikant, Anlernling, Hospitant, Debütant, Trainee.

Schurke 1. Schuft, Bösewicht, Lump,   **1429**
Schelm, Schlitzohr, Bube, Spitzbube,
Haderlump, Halunke, Gauner, Filou,
Schubiack, Subjekt, Windbeutel, Finsterling, Mordbube, Mordbrenner, Aufwiegler, Galgenvogel, fieser Finger, Bandit, Ganove, Falschspieler, Betrüger, **2.**
Heckenschütze, Meuchelmörder, Verräter, Judas, Denunziant, Spitzel, Blockwart.

schützen (sich) 1. decken, be-   **1430**
decken, zudecken, einhüllen, einmummeln, umhüllen, einpacken, abdecken,
überdecken, überdachen, einwickeln,
schirmen, wahren, bewahren, sichern,
unter Dach/in Sicherheit bringen, bergen; decken gegen, abwenden von, breiten über, ausbreiten, beschirmen, behüten, bewachen, wachen über, beschützen, bewahren vor, fern halten, **2.** feien,
sichern, flankieren, unter die Fittiche
nehmen, Hand halten über, gutes Wort
einlegen, protegieren, **3.** verteidigen,
Partei ergreifen, entlasten, Lanze brechen, beispringen, parieren, auffangen,
Rücken decken, **4.** sich unterstellen, decken; in Deckung gehen, Deckung nehmen, **5.** vorbauen, vorbeugen, Prophylaxe betreiben, impfen, verhüten, imprägnieren.

Schützling Schutzbefohlener, Protе-   **1431**
gé, Liebling, Günstling, Favorit, Klient,
Mündel, Schoßkind, Kronprinz, Mandant, Pflegling, Pflegekind.

schwach 1. kraftlos, marklos, saftlos,   **1432**
blutarm, blutlos, blutleer, anämisch,
zittrig, schwachnervig, schwächlich,
schlapp, lahm, lendenlahm, pflaumenweich, knochenlos, matt, schlaff, verzärtelt, verweichlicht, wehleidig, kläglich,
weichlich, weichmütig, **2.** labil, auffällig, kränklich, hinfällig, entkräftet,
schwach auf den Beinen, klapprig, gebrechlich, erschöpft, **3.** charakterlos,
willenlos, haltlos, rückgratlos, weich,
lasch, energielos, entscheidungsschwach, willensschwach, widerstandslos, unselbständig, wankelmütig, willfährig, nachgiebig, gefügig, verführbar,
4. unterernährt, abgezehrt, ausgehungert, **5.** machtlos, entmachtet, ohnmächtig, beraubt, unterlegen, drittklassig.

1433 Schwäche 1. Schwachheit, Marklosigkeit, Kraftlosigkeit, Widerstandslosigkeit, Verführbarkeit, Labilität, innerer Schweinehund, Willensschwäche, Entscheidungsschwäche, Entschlusslosigkeit, Energielosigkeit, Willenlosigkeit, Willfährigkeit, Rückgratlosigkeit, Wankelmut, Unentschlossenheit, Unentschiedenheit, Weichheit, **2.** Blutleere, Blutarmut, Bleichsucht, Blutlosigkeit, **3.** Ohnmacht, Autoritätsverlust, Machtlosigkeit, Einflusslosigkeit, Führungsschwäche.

1434 schwächen beeinträchtigen, entkräften, erschöpfen, ermüden, zehren, lähmen, lahm legen, paralysieren, aufreiben, entwaffnen, entmutigen, demotivieren, demoralisieren, untergraben, verweichlichen, verzärteln, verhätscheln.

1435 schwanken 1. wanken, wackeln, taumeln, torkeln, kippeln, Schlagseite haben, unsicher auf den Beinen sein; rollen, schlingern, dümpeln, wogen, schaukeln, tanzen, **2.** unschlüssig sein, sich nicht entschließen können; zaudern, zweifeln, mit sich ringen, wankend, schwankend werden, ins Schwimmen geraten.

1436 Schwätzer Schwadroneur, Wichtigtuer, Neuigkeitskrämer, Zungendrescher, Alleswisser, Klugschwätzer, Quasselstrippe, Kannegießer, Biertischpolitiker, Fabulant, Gernegroß, Angeber, Aufschneider, Renommist, Großtuer, Prahlhans, Bramarbas, Großmaul, Papiertiger, Möchtegern, Radikalinski, Revoluzzer, Dauerredner, Wortemacher, Phrasendrescher, Blender, Maulheld, Schreihals, Schaumschläger, Windbeutel, Bildungsprotz, Klatschbase, Klatschweib, Waschweib, Schwatzbase, Klatschmaul, Plaudertasche, böse Zunge, Tratschtüte.

1437 schweben 1. fliegen, sich tragen lassen; segeln, gleiten, treiben, getragen werden, kreisen, sich wiegen; rütteln, flattern, streichen, schaukeln, wirbeln, schwirren, umherschwirren, **2.** schwimmen, treiben, flottieren, driften, obenauf schwimmen, dahintreiben.

1438 schweigen 1. nicht sprechen, stumm bleiben, nichts entgegnen / erwidern, verstummen, sich ausschweigen; Mund halten, keinen Ton herausbringen, **2.** Schweigen bewahren, dichthalten, für sich behalten, geheim halten, nichts sagen, seine Zunge im Zaum halten, stillschweigen, sich in Schweigen hüllen; keinen Laut von sich geben, nichts verraten, kein Wort verlieren, schweigen wie eine Auster/ein Grab.

schweigsam 1. schweigend, stumm, **1439** still, wortlos, sprachlos, wortkarg, wortarm, nicht gesprächig, mundfaul, wortfaul, einsilbig, verschlossen, zurückhaltend, zugeknöpft, reserviert, nicht mitteilsam, verschwiegen, diskret, **2.** ohne Worte, unausgesprochen, stillschweigend, ungesagt, mimisch, pantomimisch.

schwer 1. erdrückend, lastend, **1440** schwer wiegend, gewichtig, massig, bleiern, bleischwer, wuchtig, gewaltig, kaum zu heben/bewegen, **2.** beschwerlich, anstrengend, ermattend, aufreibend, ermüdend, mühevoll, mühsam, erschöpfend, betäubend, niederschmetternd, schwer erträglich; erschwerend, gravierend, schwerwiegend, belastend.

schwierig 1. kompliziert, verwickelt, **1441** verzwickt, verzwackt, kraus, vertrackt, verworren, verteufelt, umständlich, unübersichtlich, unklar, verwirrend, **2.** tiefsinnig, schwer zugänglich, kaum zu begreifen, schwer, komplex, verflochten, verschlungen, beziehungsreich, verzweigt, schwer verständlich, problematisch, schwer zu entziffern, diffizil, heikel, knifflig, subtil, dornig, **3.** schwer zu behandeln, unzugänglich, unansprechbar, nicht pflegeleicht.

schwimmen 1. baden, tauchen, **1442** kraulen, planschen, **2.** ins Schwimmen geraten, zögern.

schwingen 1. werfen, schleudern, **1443** schmeißen, pfeffern, schmettern, zuwerfen; schwenken, ausschwenken, ausschütteln, **2.** pendeln, hin und her schwingen, baumeln, hängen, sich wiegen; bammeln, schlenkern, flattern, schaukeln, wogen, **3.** schwänzeln, wackeln, wedeln, fächeln, **4.** vibrieren, mitschwingen, pulsieren, oszillieren, fluktuieren, hin und her bewegen.

Schwingung Pendelbewegung, **1444** Schwingen, Oszillieren, Schwankung, Fluktuation, Wellenbewegung, Vibration; Swing, Schwingungen, Vibrations.

schwitzen 1. in Schweiß/ins Schwit- **1445**

zen geraten, schmoren, braten, dampfen, sieden, kochen, transpirieren, ausdünsten, fließen, **2.** beschlagen, anlaufen.

1446 Schwung 1. Drall, Stoß, Stups, Schub, Anlauf, Wucht, Schuss, Fahrt, **2.** Brio, Elan, Schmiss, Feuer, Biss, Begeisterung, Dynamik, Drive, Antrieb, Verve, Pep, Leben, Impuls, Impetus, Temperament, Lebhaftigkeit, Beweglichkeit, Initiative, Unternehmungsgeist.

1447 Seele 1. Psyche, Innenleben, Inneres, Unterbewusstsein, das Unbewusste, **2.** Seelenleben, Gefühlswelten, **2.** Spiritus Rector, Seele der Organisation/des Betriebs, gute Seele.

1448 Seemann Matrose, Maat, Lotse, Janmaat, Schiffsjunge, Smutje, Seefahrer, Schiffer; Seebär.

1449 Segen 1. Segnung, Benediktion, Segensspruch, Segenswunsch, **2.** Gnade, Gunst, Heil, Fülle, Lohn, Glück, Wohl, Seelenheil, **3.** Absegnung, Zustimmung, Erlaubnis, Einverständnis.

1450 segnen 1. Segen spenden/sprechen, dem Himmel empfehlen, weihen, **2.** begnaden, auszeichnen, begaben, beglücken, beschenken.

1451 sehen bemerken, erblicken, erschauen, schauen, blicken, gewahren, wahrnehmen, ansichtig werden, erspähen, erkennen, sichten, entdecken, finden, gewahr werden, ausmachen, innewerden, spitzen, äugen, lugen, spähen, gucken, ansehen, beobachten; den Dingen ins Gesicht sehen.

1452 sehr 1. gewaltig, heftig, happig, mächtig, enorm, äußerst, in hohem Maß, erdrutschartig, eminent, zutiefst, hochgradig, weitgehend, mordsmäßig, mörderisch, höllisch, horrend, teuflisch, tierisch, wahnsinnig, bis über die Ohren/zur Halskrause, bass, stark, höchst, höchlich, beachtlich, überaus, extra, erstaunlich, weidlich, erheblich, ganz besonders, ausnehmend, überaus, richtiggehend, ungeheuer, ungemein, unsäglich; diebisch, schrecklich, sündhaft, verteufelt, verflucht, namenlos, unsagbar, mega, ultra, hyper, unbeschreiblich, unendlich, unaussprechlich, empfindlich, fühlbar, schmerzlich, arg, **2.** höchstens, längstens, größtmöglich, optimal, maximal.

selbstbewusst sicher, selbstsicher, **1453** von sich überzeugt, seines Wertes sicher, stolz, selbstgewiss, selbstkritisch.

Selbstbewusstsein 1. Selbstver- **1454** gewisserung, Selbsterkenntnis, Selbstkritik, **2.** Selbstvertrauen, Selbstsicherheit, Selbstwertgefühl, Selbstachtung, Stolz, Selbständigkeit.

Selbstsucht Egoismus, Eigennüt- **1455** zigkeit, Eigennutz, Ichsucht, Eigensucht, Ichbezogenheit, Egotrip, Selbstbesessenheit, Selbstherrlichkeit, Selbstverliebtheit, Selbstvergötterung, Narzissmus, Egozentrik, Nabelschau, Egotismus, Eigenlob, Selbstbeweihräucherung, Selbstinszenierung.

selbstsüchtig selbstisch, egois- **1456** tisch, ichsüchtig, eigennützig, eigensüchtig, vorteilsüchtig, rücksichtslos, kaltschnäuzig, mit Ellbogen, durchsetzerisch, unsozial, unkollegial, berechnend, nur auf den eigenen Vorteil bedacht, geht über Leichen; ichbezogen, selbstbezogen, egozentrisch, selbstherrlich, solipsistisch, autistisch, monoman, egoman, selbstbesessen, narzisstisch, selbstverliebt.

selten 1. rar, dünn gesät, kostbar, ge- **1457** sucht, ungewöhnlich, unalltäglich, ungebräuchlich, unüblich, kaum vorkommend, vereinzelt, sporadisch, ausgefallen, außergewöhnlich, besonders, **2.** im Ausnahmefall, ausnahmsweise, kaum, nur manchmal, fast gar nicht, ab und zu, spärlich, nur gelegentlich, hie und da, alle Jubeljahre.

Sexualdelikt geschlechtliche Unter- **1458** drückung, sexuelle Belästigung, Zudringlichkeit, sexuelles Vergehen, sexuelle Nötigung, Misshandlung, Ausbeutung, sexueller Missbrauch, Kindesmissbrauch, Unzucht mit Abhängigen, Vergewaltigung, Stuprum, Zwangsprostitution, Kinderprostitution, Mädchenhandel, Frauenhandel.

Show Varieté, Tingeltangel, Revue, **1459** Striptease, Unterhaltungsshow, Spieleshow, Gameshow, Actionspielshow, Quizshow, Gewinnshow, Talkshow, Lateshow, Rockshow, Peepshow, Erotikshow.

sicher 1. zutreffend, ganz sicher, tod- **1460** sicher, bombensicher, zweifelsfrei, gewiss, höchstwahrscheinlich, vorprogrammiert, wie das Amen in der Kirche, stimmt, nicht daran zu zweifeln, nicht zu leugnen, unleugbar, **2.** gefahrlos, ungefährlich, gesichert, ungefährdet, risikolos, unbedenklich; etabliert, unkündbar, in sicherer Stellung, in Lebensstellung, krisenfest, **3.** geborgen, geschützt, behütet, beschützt, betreut, bewacht, bewahrt, unbedroht, gefeit, gut aufgehoben; in Sicherheit, gerettet, außer Gefahr, **4.** beglaubigt, beurkundet, urkundlich, besiegelt, verbrieft, schwarz auf weiß, beweisbar, beweiskräftig, garantiert, eidesstattlich, beschworen, amtlich, offiziell; unanfechtbar, unanzweifelbar, unwiderleglich, unstreitig, unbestreitbar, unbestritten, beweiskräftig, begründet, bewiesen, stichhaltig, nachgewiesen, gesichert, erwiesen, verlässlich, aus sicherer Quelle/gut unterrichteten Kreisen, unwidersprochen, unwidersprechlich, unangefochten, nachweislich, hieb- und stichfest, niet- und nagelfest, bekanntlich, offenkundig, erfahrungsgemäß, erprobt, empirisch, experimentell bewiesen, wie jeder weiß, **5.** feststehend, unverrückbar, unwiderruflich, unabänderlich, vertraglich, vertragsgemäß, paktiert, beschlossen, abgemacht, **6.** unangreifbar, unverwundbar, unverletzlich, kugelsicher; unerschütterlich, unerschüttert, unbeirrbar, unbeirrt, entschieden, entschlossen, **7.** gesichert, gespeichert, unverlierbar, unlöschbar, **8.** taktfest, taktsicher, auftrittsicher, sicher auf dem Parkett.

1461 Sicherheit 1. Gewissheit, Bestimmtheit, Überzeugung, **2.** Sicherung, Protektion, Schutz, Beschützung, Beschirmung, Abschirmung, Deckung, Bedeckung; Obhut, Patronage, Zuflucht, Hut, Hort, Hafen, Asyl; Gesichertsein, Geborgenheit, Geborgenheitsgefühl, **3.** Garantie, Immunität, Prophylaxe, Verhütung.

1462 sichern (sich) 1. fundieren, fundamentieren, untermauern, konsolidieren, unterbauen, stützen, abstützen, unterlegen, unterstellen, tragen, halten, **2.** sicherstellen, garantieren, patentieren, zusichern, decken, **3.** sich schützen, absichern; Deckung/Unterstützung verschaffen; sich anschnallen, festschnallen, anseilen, **4.** absperren, abriegeln, beschranken, **5.** einschließen, unter Verschluss bringen, wegsperren, wegschließen.

siegen 1. Nase vorn haben, Sieg davontragen/erringen, durchs Ziel gehen, gewinnen, Spiel/Rennen machen/gewinnen, ans Ruder kommen, triumphieren, **2.** überrennen, niederringen, übermannen, überwältigen, Oberhand gewinnen, zur Strecke bringen, in die Knie zwingen, niederwerfen, besiegen, obsiegen, matt setzen.   **1463**

Sieger 1. Bezwinger, Eroberer, Triumphator; Gewinner, Erster, Finalist, Preisträger, Preisgekrönter; Olympiasieger, Champion, Nummer eins, Held, Recke, Heros, **2.** Besatzung, Besatzungsmacht, Besatzer, Siegermacht.   **1464**

singen 1. summen, trällern, dudeln, leiern, Lied anstimmen, vortragen, erschallen lassen, intonieren, psalmodieren, tremolieren; einstimmen, einfallen, mitsingen, **2.** schmettern, schreien, grölen, plärren, jubilieren, trillern, jodeln, **3.** pfeifen, zwitschern, tirilieren, tschilpen, flöten, schlagen, zirpen, piepen, quinkelieren, ziepen, **4.** ausplaudern, verraten.   **1465**

sinnlich 1. mit den Sinnen erfahrbar, sensualistisch, wahrnehmbar, spürbar, fühlbar, sichtbar, hörbar, **2.** genussfreudig, genussfähig, sinnenhaft, lustbetont, genießerisch, schwelgerisch, sinnenfreudig, hedonistisch, **3.** erotisch, leidenschaftlich, lüstern.   **1466**

Sinnlichkeit Sinnenlust, Sinnenfreude, Eros, Genussfähigkeit, Genussfreudigkeit, Hedonismus; Erotik, Fleischeslust, Fleischlichkeit, Sexualität, Lüsternheit, Lust.   **1467**

sinnvoll 1. angebracht, angemessen, vernünftig, ratsam, anzuraten, geraten, **2.** bedeutsam, inhaltsreich, inhaltsschwer, erfüllt, tief, viel sagend, sinnreich, beziehungsvoll, beziehungsreich, **3.** systematisch, planmäßig, planvoll, geplant, überlegt, organisch, folgerichtig, geordnet, methodisch, einheitlich, zielführend, vorbedacht, wohl überlegt, durchdacht.   **1468**

sitzen 1. sich setzen, hinsetzen, niederlassen; Platz nehmen, auf einen Stuhl fallen, **2.** im Gefängnis sein, einsitzen, brummen, absitzen, festsitzen, hinter Gittern/Stacheldraht/gefangen sein, **3.** dasitzen, hängen, kleben, da-   **1469**

hocken, kauern, hocken, **4.** passen, keine Falten werfen, stimmen, guten Sitz/gute Passform haben, wie angegossen sitzen.

1470 Sitzmöbel 1. Sitzgelegenheit, Stuhl, Küchenstuhl, Polsterstuhl, Gartenstuhl, Armstuhl, Klappstuhl, Drehstuhl, Hocker, Schemel, **2.** Sessel, Ohrensessel, Schaukelstuhl, Polstermöbel, Garnitur, Sofa, Couch, Kanapee, Chaiselongue, Ottomane, Diwan; Bank, Sitzbank, Eckbank.

1471 Skulptur Bildwerk, Statue, Plastik, Figur, Standbild, Bildsäule, Büste, Torso, Herme, Statuette, Figurine.

1472 so derart, derartig, solchermaßen, dergestalt, dermaßen, ebenso, genauso, in diesem Ausmaß/Umfang, in dieser Form/Weise, mit diesen Worten, gleichermaßen, folgendermaßen, wie folgt; gleichwie, also, nun, denn, so oder so, wie auch immer.

1473 Sorge Kummer, Bürde, schlaflose Nächte, Sorgenlast, Kümmernisse, Bekümmernis, Besorgtheit, Besorgnis, Bedenken, Beklemmung, Beklommenheit, Ungewissheit, Unsicherheit, Angst, Befürchtung, Beunruhigung, Zweifel.

1474 Sorgfalt 1. Sorgfältigkeit, Sorgsamkeit, Genauigkeit, Gründlichkeit, Präzision, Schärfe, Exaktheit, Akkuratesse, Akribie, Gewissenhaftigkeit, Abbildungstreue, **2.** Achtsamkeit, Behutsamkeit, Obacht, Besonnenheit, Bedachtsamkeit, Bedacht, Umsicht.

1475 sorgsam 1. behutsam, schonungsvoll, schonend, sorgfältig, achtsam, bedachtsam, wohl überlegt, sorglich, fürsorglich, besorgt, pfleglich, mit Bedacht, wachsam, aufmerksam, zuverlässig, peinlich, akkurat, genau, exakt, gründlich, akribisch, **2.** umsichtig, überlegt, vorsorglich, mit Vorbedacht, wohl vorbereitet, von langer Hand, bedacht, gewissenhaft, weislich, wohlerwogen, vorausschauend, beschützend, bergend, beschützerisch, overprotecting.

1476 Soße Lake, Beize, Marinade, Tunke, Brühe; Salatsoße, Mayonnaise, Dressing, Stippe, Dip, Bratensaft, Fond.

1477 Spannung 1. Erwartung, Gespanntheit, Interesse, Neugier, Erregung, Gespanntsein, Lampenfieber, Vorfreude, Ungeduld, gespannte Erwartung, Aufregung, Hochspannung, Nervenkitzel, Dramatik, Action, Suspense, **2.** Spannungen, Knatsch, gespanntes Verhältnis, Anspannung, Druck, Verstimmung, Ärger.

sparen 1. beiseite/auf die hohe Kante **1478** legen, ersparen, erübrigen, ansparen, zurücklegen, zusammenbringen, zusammenscharren, zusammenraffen, aufsparen, anhäufen, hamstern, horten, **2.** knausern, geizen, filzen, knapsen, abknapsen, sich vom Munde absparen; Daumen draufhalten, knapp halten, kurz halten, kargen, zwacken, knickern, **3.** haushalten, zusammenhalten, rechnen, wirtschaften, einteilen, rationieren, zirkeln, **4.** sich einschränken, bescheiden, beschränken; kürzer treten, kurz treten, einsparen, schrumpfen, runterfahren, tiefer hängen, absparen, abzwacken, sich begnügen, zufrieden geben, behelfen; Brotkorb höher hängen, Gürtel/Riemen enger schnallen, Plöcke zurückstecken, vorlieb nehmen, verschlanken, abspecken.

sparsam 1. haushälterisch, mäßig; **1479** kleinlich, filzig, knauserig, geizig, knickrig, schäbig, schofel, **2.** verbrauchsgünstig, wirtschaftlich, ökonomisch, rationell, lean, Energie sparend, umweltfreundlich.

Sparsamkeit Wirtschaftlichkeit, **1480** Ökonomie, genaues Rechnen, Einteilen, Kleinlichkeit, Knauserei, Pfennigfuchserei, Knickerigkeit, Knauserigkeit, Geiz.

spät 1. verspätet, unpünktlich, säumig, saumselig, im Rückstand/Verzug, **1481** überfällig, zu spät, fünf nach zwölf, **2.** höchste Zeit, keine Zeit zu verlieren, in letzter Minute, kurz vor Toresschluss, fünf vor zwölf, im letzten Augenblick, höchste Eisenbahn, **3.** nach Jahren/langer Zeit/Jahr und Tag, postum, nach dem Tod, **4.** zu später/vorgerückter Stunde, ziemlich spät, am späten Abend, spätabends, zu nachtschlafender Zeit, nachts.

später 1. danach, darauf, nachmalig, **1482** nachmals, hinterher, hernach, nach, hierauf, nachher, dann, hiernach, noch nicht, von ... ab, seit, seitdem, seither, **2.** künftig, in Zukunft, späterhin, fernerhin, zu einem späteren Zeitpunkt, fortan, dereinst, eines Tages, ein andermal, über kurz oder lang, früher oder später, fortab, zukünftig, hinfort, von jetzt an, **3.** angehend, zukünftig, kommend, in spe.

1483 Speicher 1. Dachboden, Dachkammer, Abstellraum, Rumpelkammer, **2.** Depot, Lagerhaus, Magazin, Warenlager, Stapelplatz, Arsenal, Zeughaus; Schober, Stadel, Silo, Schuppen, Scheuer, Scheune, Schatzkammer, Hamsterkiste, **3.** Archiv, Bildarchiv, Tonarchiv, Filmarchiv, Kinemathek, **4.** Computerspeicher, Festplatte, Diskette, Sampler, CD-ROM.

1484 Spezialität 1. Interessengebiet, Domäne, Sondergebiet, Spezialgebiet, Fachgebiet, Fachrichtung, Fachbereich, Fachgeschäft, Fachhandel, Sparte, **2.** Steckenpferd, Liebhaberei, Hobby, Faible, Flitz, Lieblingsbeschäftigung, Stärke, **3.** Leibgericht, Leibspeise, Hausgericht, Hausmachergericht, Leib- und Magengericht, Leckerbissen, **4.** Eigentümlichkeit, Kuriosität, Besonderheit, Eigenart, Spezifikum.

1485 spiegeln (sich) 1. in den Spiegel sehen, sich betrachten, ansehen, prüfen, **2.** wiedergeben, reflektieren, zurückwerfen, widerspiegeln, zeigen, **3.** glänzen, gleißen, blenden, **4.** widerhallen, nachhallen, nachklingen, echoen.

1486 spielen 1. Theater spielen, schauspielen, auftreten, Rolle spielen, kreieren, Partie singen; erscheinen als, personifizieren, Leben verleihen, lebendig machen, figurieren, abgeben, verkörpern, mimen, darstellen, agieren, doubeln, **2.** aufführen, vorführen, inszenieren, einstudieren, Regie führen, auf die Bühne bringen, geben, zeigen, herausbringen, in Szene setzen, über die Bretter gehen lassen, **3.** musizieren, aufspielen, klimpern, begleiten, blasen, pfeifen, flöten, trompeten, posaunen, geigen, harfen, trommeln, pauken, Klavier spielen, konzertieren, Konzert geben, **4.** liebäugeln mit, denken an, kokettieren mit, **5.** losen, Los ziehen, werfen, tippen, wetten, würfeln, zocken, Karten spielen, karteln, Glücksspiele machen, hasardieren, vom Spielteufel besessen sein, **6.** improvisieren, extemporieren, aus dem Stegreif spielen, **7.** abspielen, laufen lassen.

1487 Sport Gymnastik, Körperübung, Lei-

besübung, Körpererziehung, Körperertüchtigung, Körperkultur; Leistungssport, Profisport, Massensport, Modesport.

Sportler Wettkämpfer, Sporttreiben- **1488** der, Athlet, Leichtathlet, Turner, Schwerathlet, Amateursportler, Sportsmann, Amateur, Berufssportler, Berufsspieler, Profi, Spitzensportler, Meistersportler, Sportskanone, Olympiateilnehmer, Champion, Crack, Youngster.

sportlich 1. sportiv, kräftig, gewandt, **1489** trainiert, fit, in Form/Hochform, athletisch, durchtrainiert, olympiaverdächtig, drahtig, sehnig, muskulös, **2.** zweckmäßig, bequem, leger, wetterfest.

Spott 1. Neckerei, Ulk, Spaß, Scha- **1490** bernack, **2.** Stichelei, Gestichel, Spitze, Anspielung, Uzerei, Hänselei, Frotzelei, Hechelei, **3.** Schadenfreude, Hohn, Hohngelächter, Ironie, Galgenhumor, Süffisanz, Sarkasmus, Zynismus, beißender Spott, Malice, Bissigkeit, Bosheit, boshafte Anspielung, Bemerkung, Hieb, Nadelstich, Seitenhieb, Sottise, Verspottung, Verhöhnung, **4.** Karikatur, Spottbild, Scherzzeichnung, Persiflage, Satire, Parodie, Travestie, Groteske, Pasquill, **5.** Spitzname, Spottname, Scherzname, Neckname.

spotten 1. aufziehen, hochnehmen, **1491** anspielen, sticheln, uzen, anpflaumen, verulken, necken, auf den Arm nehmen, frotzeln, foppen, hänseln, flachsen, narren, zum Besten halten, Streich spielen, an der Nase herumführen, spötteln, sich mokieren; witzeln, sich lustig machen; spaßen, Scherz/Spott treiben, sich belustigen über; zum Narren halten, auf die Schippe nehmen, belächeln, bespötteln, am Narrenseil führen, nasführen, veralbern, veräppeln, verarschen, **2.** höhnen, verhöhnen, verspotten, verlachen, Schnippchen schlagen, sich ins Fäustchen lachen; auslachen, lächerlich machen, der Lächerlichkeit preisgeben, hohnlachen, **3.** karikieren, verzerren, verzeichnen, persiflieren, ins Lächerliche ziehen, ironisieren, parodieren, travestieren.

spöttisch 1. anzüglich, ironisch, sar- **1492** kastisch, sardonisch, zynisch, beißend, satirisch, bissig, spitz, maliziös, mokant, höhnisch, ätzend, scharf, verletzend, schneidend, mit spitzer Zunge, scharfzüngig, spitzzüngig, süffisant, spottsüchtig, **2.** neckend, schmunzelnd, frotzelnd, im Scherz, scherzhaft, im Spaß, spaßeshalber, parodistisch, satirisch, komisch, kabarettistisch, grotesk, **3.** ironisierend, als Zitat, campy.

1493 Sprache 1. Sprachvermögen, Sprachkompetenz, sprachliches Handeln, Sprachbewusstsein, Sprechhandlung, Sprechakt, sprachliche Kommunikation; Sprechfähigkeit, Stimme, Laut, Zunge, **2.** Wortschatz, Sprachschatz, Vokabular, Zeichensystem, Terminologie; Diktion, Redeweise, Vortragsweise, Sprechweise, Ausdrucksweise, Stilistik, Sprechstil, Sprachgebrauch, Sprachverwendung, Darstellungsweise, Sprachgefühl, Sprachfeeling, Sprachintuition; Aussprache, Tonfall, Timbre, Artikulierung, Artikulation, Intonation, Klang, Betonung, **3.** Sprachgewandtheit, Rednergabe, Redegabe, Zungenfertigkeit, Suada, Redekunst, Redefluss, Dialektik, Rhetorik, Beredsamkeit, Beredtheit, Eloquenz, Sprechbegabung, Formulierungsgeschick; Sprachspiel, **4.** Schriftsprache, Hochsprache, Literatursprache, Bühnensprache, Kanzleistil; Alltagssprache, Umgangssprache, Volkssprache, Idiom; Landessprache, Muttersprache, Fremdsprache, Esperanto, Lingua franca; Dialekt, Mundart, Platt, Jargon, Slang, Soziolekt, Idiolekt, Sexlekt, Gossensprache, Vulgärsprache, Fäkalsprache, Koprolalie, Rotwelsch, Kauderwelsch, Gaunersprache, Szenesprache, Milieusprache, Insidersprache, **5.** Fachsprache, Funktiolekt, Nomenklatur, mathematische/künstliche Sprache, Codiersprache, Programmiersprache, Computersprache, Maschinensprache, synthetische Sprache, Welthilfssprachen.

1494 sprechen 1. reden, sagen, äußern, verbalisieren, artikulieren, zum Ausdruck bringen, Ausdruck geben, bezeichnen, nennen, aussprechen, erwähnen, **2.** Sprache handhaben, Worte setzen/wählen, Schweigen brechen, anheben, laut werden/verlauten lassen, vortragen, meinen, sagen wollen, kommunizieren, **3.** schwatzen, schwätzen, Herz auf der Zunge tragen, plaudern, schnattern, plappern, labern, sülzen, palavern, besoffen reden, durcheinander reden,

daherreden, leiern, Blech / dummes Zeug reden, faseln, schwafeln; klug reden / schwätzen, gackern, babbeln, quasseln, ohne Punkt und Komma reden, monologisieren, tratschen, quatschen, sprudeln, sprühen, heraussprudeln, ausstoßen, herausstoßen; kauderwelschen, radebrechen, näseln, brabbeln, lallen, blubbern, nuscheln.

spröde 1. mürbe, krachig, knusprig, **1495** kross, knackig, ofenfrisch, rösch, krosch, bissfest, **2.** bröckelig, brüchig, gläsern, unelastisch, zerbrechlich, splitterig, trocken, fettarm, rissig, rau, aufgesprungen, schilfrig, schrundig, strohig, altbacken, krümelig, bröckelig, bröselig, **3.** abweisend, zurückhaltend, unzugänglich, prüde, süßsauer, herb, zickig, zimperlich, geziert, genant, tuntig, altjüngferlich.

Sprung 1. Riss, Spalt, Bruchstelle, **1496** Knick, Knacks, Haarriss, Einriss, Ritz, Hautriss, Kratzer, Schrunde, Schramme, **2.** Satz, Absprung, Hopser, Hüpfer, Luftsprung, Hechtsprung, Kopfsprung, Salto, Salto mortale, Todessprung,

Spur 1. Fährte, Fußspur, Fußstapfen, **1497** Tritt, Geläuf, Abdruck, Fingerabdruck; Reifenspur, Furche, Kielwasser, Rauchfahne, **2.** Zeichen, Indiz, Anflug, Beweis, Beleg, Anhaltspunkt, **3.** Schienen, Schienenstrang, Geleise; Trasse, Trassierung, Linie, Linienführung, Loipe.

spürbar merklich, einschneidend, tief **1498** gehend, gravierend, fühlbar, ernstlich, schmerzlich, empfindlich, bemerkbar, wahrnehmbar, sichtbar, hörbar, erkennbar, greifbar, sichtlich, deutlich, nachhaltig, erheblich, beträchtlich, beachtlich.

Stadt 1. Ort, Ortschaft, Gemeinde; **1499** Städtchen, Kleinstadt, Landstadt, Provinzstadt, Kreisstadt, Residenzstadt, Residenz, Universitätsstadt, Stadtstaat, Großstadt, Hauptstadt, Kapitale, Metropole, Weltstadt, Megacity, **2.** Dorf, Kaff; Moloch, Asphaltschluchten, Steinschluchten, Pflaster, **3.** Stadtgebiet, Stadtteil, Stadtviertel, Viertel, Siedlung, Gegend, Wohngegend, Quartier, Kiez, City, Zentrum, Altstadt, Fußgängerzone, Innenstadt, Wohnblock, Block, Häuserviertel, Straßenzug; Kunstmeile, Museumsinsel, Kulturmeile, **4.** Randgebiet, Vorstadt, Stadtrand,

Peripherie, Suburb, Trabantenstadt, Wohnstadt, Bürostadt, Schlafstadt; Slum, Favela, Zeltstadt, Elendsviertel; Villenviertel, Speckgürtel, Ballungsraum.

1500 Star 1. Sternchen, Starlet, Diva, Primaballerina, Primadonna, Göttin, Filmstar, Filmheld, Rockstar, Popstar, Rockheroe, Topmodel, Schaufrau, Medienstar, Megastar, Champion, Matador, Crack, Ass, Kultfigur, Ikone, Topstar, Superstar, **2.** Berühmtheit, Mittelpunkt, Prominente(r); Größe, Koryphäe, Meister, Kapazität.

1501 Stärke 1. Können, Vermögen, Kraft, Macht, **2.** Widerstandskraft, Resistenz, Widerstandsfähigkeit, Belastbarkeit, Tragfähigkeit, Zähigkeit, Zählebigkeit, **3.** Umfang, Durchmesser, Dicke, Grad, Kaliber, Intensität, Konzentration, **4.** Kapazität, Fassungsvermögen, Aufnahmefähigkeit, Speichervermögen, Speicherkapazität, Byte, **5.** starke Seite, besondere Begabung, Talent, Spezialität, **6.** Stärkemittel, Imprägnierung.

1502 stärken (sich) 1. sich kräftigen; etwas zu sich nehmen, sich wappnen, stählen, ertüchtigen, abhärten; trainieren, **2.** aufrichten, ermuntern, ermutigen, Rücken stärken; erquicken, laben, ergötzen, erfrischen, **3.** härten, festigen, steifen, verdichten, erhärten, verstärken, versteifen.

1503 Stärkung 1. Erfrischung, Imbiss, Erquickung, Belebung, Labung, **2.** Trost, Zuspruch, Aufrichtung, Ermunterung, Ermutigung, Erbauung, **3.** Festigung, Bekräftigung, Konsolidierung, Stabilisierung, Verstärkung, **4.** Kräftigung, Erholung, Erstarkung, Abhärtung.

1504 starr 1. steif, reglos, bewegungslos, unbeweglich, unveränderlich, tot, leblos, vereist, gefroren, hart, unempfindlich, herzlos, unduldsam, kalt, eisig, stumpf, taub, ungerührt, unbewegt, wächsern, stier, versteinert, maskenhaft, marmorn, stocksteif, **2.** stur, unflexibel, unnachgiebig, uneinsichtig, verbohrt, verrannt, eisern, gepanzert, autoritär, intransigent, rigide, unbelehrbar, borniert, starrsinnig, verknöchert, altersstarr, sklerotisch, hartköpfig, monomanisch, obsessiv, **3.** erstaunt, verwundert, perplex, bass erstaunt, verdutzt, sprachlos, überrumpelt, verdonnert, be-

fremdet, staunend, platt, verblüfft, fassungslos, wie vom Blitz getroffen, wie eine Salzsäule / angewurzelt, schreckensstarr, erstarrt, stier, überrascht, vom Donner gerührt, regungslos, erschreckt, erschrocken, entsetzt, bestürzt, betroffen, betreten, verwirrt, verstört, wie vor den Kopf geschlagen, durcheinander, ganz stumm, entgeistert, erschlagen, geschmissen, baff, stutzig, konsterniert, geschockt, verdattert, unverwandt, **4.** fanatisch, unbeeinflussbar, einseitig, verbissen, uneinsichtig, verblendet, blind, von Vorurteilen besessen, ideologisch, dogmatisch, doktrinär, fundamentalistisch.

statt anstatt, an die Stelle von, für, stellvertretend, gegen, Ersatz für, als, an ... Statt, pro loco. **1505**

stattlich 1. ansehnlich, imposant, kräftig, gewichtig, imponierend, repräsentabel, herrschaftlich, Achtung gebietend, eindrucksvoll, pompös, stolz, kapital, **2.** füllig, korpulent, vollschlank, rundlich, üppig, umfänglich, junonisch, **3.** erklecklich, erheblich, beträchtlich. **1506**

stehen 1. dastehen, aufrecht/auf den Beinen stehen, sich befinden; basieren, fußen; stehen müssen, **2.** sich erheben; ragen, aufragen, sich auftürmen; hochragen, **3.** anhalten, halten, stoppen, verharren, stocken, stillstehen, **4.** anstehen, kleiden, passen zu, geeignet sein für, zu Gesicht stehen, schmeicheln, verschönern, **5.** stehen zu, vertreten, verteidigen, Farbe bekennen, dazu stehen. **1507**

steigen 1. ansteigen, bergauf führen; hochsteigen, schäumen, überschäumen, überlaufen, **2.** bergauf gehen, aufsteigen, aufwärts gehen, besteigen, klettern, erklettern, erklimmen, klimmen, kraxeln, hochsteigen, **3.** aufsteigen, abheben, sich hochschrauben, in die Luft schwingen, emporheben, **4.** anziehen, sich erhöhen, verteuern; hochgehen, hinaufgehen, hinaufschnellen, sich heben; eskalieren, explodieren. **1508**

steigern (sich) 1. sich zuspitzen, verschärfen, verschlimmern, verschlechtern, erhöhen; eskalieren, **2.** mehr leisten, zulegen, sich verbessern, **3.** sich mehren, summieren, ansammeln, anhäufen, vervielfältigen, potenzieren, vervielfachen, verdoppeln, ver- **1509**

dreifachen; anschwellen, sich läppern, häufen, anstauen, auftürmen, zusammenläppern; zunehmen, anwachsen, auflaufen, wuchern, eins zum anderen kommen.

1510 Steigerung 1. Erhöhung, Hebung, Anhebung, Aufbesserung, Aufschwung, Aufstieg, Zulage, Zuschlag, 2. Aufschlag, Verteuerung, Teuerung, Preiserhöhung, Preissteigerung, Inflation, Überteuerung, Preistreiberei, Kostenexplosion, 3. Ausbreitung, Vergrößerung, Erweiterung, Vermehrung, Hinzugewinn, Wachstum, Zunahme, Zuwachs, Anwachsen, Anschwellen, Potenzierung, Crescendo, Vervielfältigung, Vervielfachung, 4. Förderung, Besserung, Verbesserung, Intensivierung, Verstärkung, Entwicklung, Weiterentwicklung, Entfaltung, Fortschritt, Progression, 5. Zuspitzung, Verschlechterung, Verschlimmerung, Verschärfung, Eskalation.

1511 stellen (sich) 1. hinstellen, abstellen, niederstellen, zu Boden lassen, absetzen, hinsetzen; aufstellen, platzieren, postieren, stationieren, 2. in die Enge treiben, sich vorknöpfen; zum Geständnis bringen, auf den Kopf zusagen, zur Rechenschaft ziehen, Aufklärung verlangen, in den Weg treten, 3. antreten, parieren, standhalten; kandidieren, sich aufstellen lassen, zur Wahl stellen, bewerben, mitbewerben; konkurrieren, rivalisieren, sich messen, einlassen; bereit sein, 4. Geständnis ablegen, zugeben, sich bezichtigen, melden, ausliefern, 5. sich aufstellen, aufrichten; zu Berge stehen, sich sträuben, aufplustern.

1512 sterben 1. entschlafen, verlöschen, erlöschen, verscheiden, heimgehen, hinübergehen, ausatmen, aushauchen, Geist aufgeben, aus dem Leben scheiden, Welt verlassen, Augen schließen, das Zeitliche segnen, zu Staub werden, abscheiden, hinscheiden, einschlafen, erblassen, versterben, ableben, abberufen werden, 2. ins Gras beißen, zu Tode kommen, Löffel abgeben, in die ewige Jagdgründe eingehen, sich zu seinen Vätern versammeln; dahingehen, vergehen, enden, verröcheln, 3. dran glauben müssen, über die Klinge springen, eingehen, krepieren, verenden, absterben, zugrunde gehen, verrecken, abkratzen,

hopsgehen, verderben, verhungern, verdursten, verschmachten, ersticken, verbluten, erfrieren, ertrinken, 4. fallen, bleiben, dahinraffen, verunglücken, umkommen, nicht wiederkommen, draufgehen, Hals/Genick brechen, etwas zustoßen/passieren, 5. hingerichtet/ermordet/umgebracht werden.

Stern Planet, Fixstern, Himmelskörper, Erdtrabant, Mond, Sonne, Himmelslicht, Gestirn, Sternenhimmel, Sternenzelt, Firmament, Milchstraße, Galaxis, Galaxie, Sternsystem, Sternbilder, Sternschnuppe, Meteor, Nordlicht, Polarlicht. **1513**

Steuer 1. Steuerrad, Lenker, Lenkrad, Volant, Lenkstange, Steuerknüppel, Steuerrad, Ruder, Leitwerk, 2. Besteuerung, Abgabe, Taxe, Kontribution, Akzise; Lohnsteuer, Gewerbesteuer, Mehrwertsteuer, Umsatzsteuer; Zehnt, Zoll; Versteuerung, Veranlagung. **1514**

steuern 1. führen, fahren, lenken, lotsen, 2. zielen, tendieren, anpeilen, richten, 3. gegensteuern, entgegenwirken, unterbinden, verhindern **1515**

Stiel 1. Stängel, Schaft, Halm, Stamm, Rohr, 2. Griff, Handgriff, 3. Strunk, Stubben, Stumpen, Stumpf, Stummel. **1516**

Stil 1. Art, Ausdrucksweise, Ausdrucksform, Gepräge, Duktus, Diktion, Schreibweise, Schreibe, Technik, Arbeitsweise, Linienführung, Pinselstrich, 2. Kunstform, Kunstrichtung, Bauart, Baustil, Zeitstil, Epochenstil, Individualstil, 3. Lebensweise, Lebensstil, Lebensform, Existenzform, Lebenszuschnitt, 4. Selbstdarstellung, Verhalten, Habitus, Haltung, Look, Outfit, Styling. **1517**

Stillstand Stockung, Halt, Unterbrechung, Stau, stop and go, Stauung, Pause, Einhalt, Ende, Stopp, Baisse, Nullpunkt, toter Punkt, Gefrierpunkt, Stagnation; Saveregurkenzeit. **1518**

Stimmung 1. Laune, Verfassung, Gemütszustand, Gefühlslage, Gemütsbeschaffenheit, Seelenlage, Seelenverfassung, Gemütsverfassung, Gemütsstimmung, Grundgefühl, Gestimmtheit, Disposition, Tagesform, Disponiertheit, Aufgelegtsein, Mood, 2. Lust, Neigung, Anwandlung, Regung, Wallung, Einfall, Kaprice, Affekt, Grille, Laune, Exzentrizität, Marotte, Kateridee. **1519**

stocken 1. innehalten, sich unterbre- **1520**

chen; aussetzen, streiken, abbrechen, anhalten, stehen bleiben, nicht weiterkommen, hängen bleiben, nicht vorwärts kommen, eingekeilt sein, aufgehalten werden, nicht vom Fleck kommen; haften, kleben, festkleben, festhängen, festsitzen, nicht loskommen, sich nicht lösen können; sitzen bleiben, kleben bleiben, hocken, kein Ende finden, 2. stottern, stammeln, drucksen, nicht weiterwissen, Faden verlieren, ins Stocken geraten, schwimmen, verstummen, erlahmen, 3. an die Substanz/ans Eingemachte gehen, Substanz angreifen, von der Substanz zehren, sich nicht weiterentwickeln; zurückbleiben, keine Fortschritte machen, auf der Strecke bleiben, Ziel nicht erreichen, sich festfahren; aufgeschmissen/ratlos sein, 4. stehen, stagnieren, versiegen, versanden, versumpfen, versickern.

1521 Stoff 1. Materie, Masse, Substanz, Ding, Element, 2. Material, Stofflichkeit, Mittel, Baustoff, Baumaterial, Rohstoff, Grundstoff, Rohmaterial, Werkstoff, Bodenschätze, 3. Gewebe, Gewirk, Geflecht, Gespinst, Tuch, Flor, Baumwolle, Textil, Leinwand, Leinen, Seide, Wolle, Samt, Tüll, Filz, 4. Sujet, Thema, Fabel, 5. Droge, Rauschgift.

1522 stören 1. ablenken, zerstreuen, unterbrechen, behelligen, lästig fallen, aufhalten, inkommodieren, genieren; zuwiderlaufen, unpassend sein, verquer kommen, hinderlich sein, ungelegen kommen, belästigen; im Weg stehen, ins Gehege/in die Quere kommen; sich breitmachen; bedrängen, sich aufdrängen; Tür einrennen, hereinplatzen, bombardieren, löchern, 2. durchkreuzen, zwischenfunken, quer schießen, quer treiben, dazwischenreden, ins Wort fallen, reinreden, nicht ausreden lassen; sich einmengen, einmischen; seine Nase in alles stecken, 3. sabotieren, lahm legen, blockieren, hindern.

1523 Störenfried Eindringling, Ruhestörer, Unruhestifter, Quälgeist, Plagegeist, Landplage, Nervensäge, Nervtüte, Labertante.

1524 Störung Unterbrechung, Aufenthalt, Zwischenfall, Ablenkung, Belästigung, Behelligung, Abhaltung, Behinderung, Verhinderung, Verzögerung, Erschwerung, Einmischung, Intervention.

Stoß Ruck, Rucker, Erschütterung, **1525** Beben, Anprall, Aufprall, Aufschlag, Einschlag, Anstoß, Schub, Stupser, Stups, Stips, Schlag, Tritt, Fußtritt, Puff, Rippenstoß, Rempelei.

stoßen schubsen, puffen, knuffen, **1526** Puff versetzen, anstoßen, stupsen, anrempeln, rucken, rütteln, rappeln, erschüttern, schütteln, ins Wanken bringen, umschmeißen, umstoßen, umwerfen, zu Boden werfen, über den Haufen rennen, zusammenstoßen, zusammenprallen; treten, vor sich her stoßen, dribbeln, kicken.

Straße Gasse, Allee, Promenade, **1527** Boulevard, Ringstraße, Prachtstraße, Damm, Einbahnstraße, Sackgasse, Nebenstraße, Seitenstraße; Hauptstraße, Geschäftsstraße, Verkehrsader; Bürgersteig, Trottoir, Gehweg, Fahrweg, Fahrbahn, Fahrstraße, Fahrdamm; Landstraße, Chaussee, Heerstraße, Bundesstraße, Schnellstraße, Autobahn, Zubringerstraße, Auffahrt, Ausfahrt.

streben 1. anstreben, ausgehen/reflektieren/aus sein/abzielen auf, erstreben, wollen, eifern, sich angelegen sein lassen; zu erreichen suchen, sich zum Ziel setzen; drängen nach, tendieren, trachten, fahnden, angeln, gieren, lechzen, süchteln, alles dransetzen, sich reißen um, 2. aufstreben, vorwärts streben; hoch hinauswollen, nach den Sternen greifen. **1528**

Streber Musterknabe, Klassenprimus, Ehrgeizling, Perfektionist, Primus, Radfahrer, Karrierist, Stellenjäger, Postenjäger. **1529**

strecken (sich) 1. wachsen, größer **1530** werden, aufschießen, 2. dehnen, ausdehnen, vergrößern, weiten, verlängern, ausweiten, weiter/länger machen, längen, Saum herauslassen, lang ziehen, straffen, recken, spannen, zerren, reißen, 3. sich erstrecken, ausbreiten, dehnen, hinziehen, 4. entspannen, abspannen, sich recken, dehnen, rekeln; stretchen.

Streik Arbeitsniederlegung, Arbeitseinstellung, Ausstand, Arbeitskampf, Warnstreik, Bummelstreik, Solidaritätsstreik, Generalstreik. **1531**

streiken 1. Arbeit niederlegen/verweigern/einstellen, in Streik/Ausstand treten, 2. versagen, stocken. **1532**

1533 Streit 1. Auseinandersetzung, Unstimmigkeit, Kontroverse, Entzweiung, Meinungsverschiedenheit, Zwietracht, Unfriede, Uneinigkeit, Zwiespalt, böses Blut, Disharmonie, Reiberei, Reibung, Missklang, Dissonanz, Stunk, Zoff, Gezerre, Verzwistung, Konflikt, Spannungen, Zerwürfnis, Differenzen, Zwistigkeit, Zwist, Querele, Knatsch, Hader, Zänkerei, Misshelligkeit, **2.** Krach, Szene, Disput, Wortstreit, Zank, Kabbelei, Reibungen, Krakeel, Wortwechsel, Reiberei, Streiterei, Streitgespräch, Scharmützel, Renkontre, Zusammenstoß, Zusammenprall, Konfrontation, Auftritt, Strauß, Händel, Streitigkeit, Gefecht, Kampf; Streit um Worte, Streit um des Kaisers Bart, Gezänk, Polemik, Federkrieg, Hin und Her, Tauziehen, zähes Ringen, Nervenkrieg, Schlammschlacht, **3.** Ehekrach, Ehekrieg, Geschlechterkrieg, Rosenkrieg.

1534 streiten (sich) 1. entzweien, verzwisten, überwerfen, verfeinden, auseinander kommen, aneinander geraten, in den Haaren liegen, zanken, hadern, erzürnen, befehden, bekriegen; kabbeln, flachsen, anbinden, sich anlegen mit; über Kreuz kommen, sich reiben; schimpfen, **2.** sich auseinander setzen; polemisieren, rechten, Streit anfangen, sich in die Haare kriegen, in die Wolle geraten; Strauß ausfechten, zusammenstoßen, zusammenprallen, krachen, sich verzanken, fetzen, verkrachen, beknirschen, überwerfen; debattieren, disputieren, erörtern, prozessieren.

1535 streng 1. fest, konsequent, straff, entschieden, bündig, strikt, bestimmt, barsch, schroff, eisern, unwidersprechlich, hart, gestreng, rigoros, autoritativ, scharf, kompromisslos, unnachgiebig, unerbittlich, **2.** asketisch, enthaltsam, puritanisch, sittenstreng, sittenrichterlich, **3.** autoritär, inquisitorisch, apodiktisch, gebieterisch, herrisch, diktatorisch, drakonisch, spartanisch, strenggläubig, despotisch, tyrannisch, disziplinarisch.

1536 Strenge 1. Festigkeit, Konsequenz, Entschiedenheit, Ernst, Energie, Bestimmtheit, Nachdruck, Unnachgiebigkeit; Härte, Unnachsichtigkeit, Schonungslosigkeit, Rigorismus, Rigidität, Unerbittlichkeit, Kompromisslosigkeit,

2. Schärfe, Schroffheit, Barschheit, Herbheit, Kühle, Unzugänglichkeit, Unnahbarkeit, Verschlossenheit, **3.** Steifheit, Prüderie, Zimperlichkeit, **4.** Sittenstrenge, Verständnislosigkeit, Humorlosigkeit.

1537 Strömung 1. Richtung, Neigung, Bewegung, Trend, Tenor, Tendenz, Kurs, Welle, Mode, Schule, Stil, **2.** Dünung, Zug, Sog, Flut, Schwall, Brandung, Gischt, Brecher, Sturzwelle, Woge, Welle, Drift, Trift, Strudel, Wirbel.

1538 Struktur Bau, Gefüge, Aufbau, Gliederung, Konstruktion, Beschaffenheit, Zusammensetzung, Lagerung, Schichtung, Organisation, Bauweise, Gestaltung; Textur, Gewebe, Maserung, Faserung, Raster.

1539 Stück 1. Ende, Strecke, Endchen, Ecke, Teil, Bahn, **2.** Fetzen, Lappen, Zipfel, Schnipsel, Flicken, Stückchen, Fetzchen, Eckchen, Streifen, Abschnitt, Rest, Bruchstück, Coupon, **3.** Schnitte, Scheibe, Tranche, Fladen, Brocken, Bissen, Happen, **4.** Exemplar, Ausfertigung, **5.** Theaterstück, Bühnenwerk, **6.** Scheit, Klotz, Trumm, Oschi, Brocken, Kaventsmann, Kloben, Splitter, Span, Spreißel, **7.** Zettel, Blatt, Bogen, Seite, Wisch; Buchseite, Papierbogen, Briefbogen, Pagina.

1540 stumpf 1. unscharf, abgestumpft, abgenutzt, schartig, **2.** glanzlos, matt, mattiert, beschlagen, gebrochen, **3.** unempfindlich, unempfänglich, phantasielos, phlegmatisch, lethargisch, schlafmützig, indolent, dumpf, taub, abgestumpft, reduziert, **4.** teilnahmslos, ungerührt, gleichgültig, herzlos, unlebendig, unansprechbar, unzugänglich, verständnislos, **5.** abgebrüht, stoisch, wurstig, unerschütterlich.

1541 stunden aufschieben, anstehen lassen, befristen, terminieren, Zahlungsaufschub gewähren, Frist verlängern, prolongieren.

1542 Sturm 1. Windsbraut, Sturmwind, Orkan, Taifun, Tornado, Hurrikan, Wirbelsturm, Windhose, Trombe, Zyklon, Schneesturm, Blizzard, Sandsturm, **2.** Andrang, Ansturm, Run.

1543 stützen (sich) 1. Halt geben, unterfahren, stabilisieren, unterfangen, untermauern, verstreben, fundieren, festigen, abstützen, **2.** helfen, aufhelfen, unterstützen, auf die Beine stellen; sich gegenlehnen, abstützen, anlehnen; Arm nehmen, sich aufstützen; bauen auf, sich verlassen auf, halten an, beziehen/ berufen auf.

1544 Stutzer Elegant, Dandy, Gent, Geck, Lackel, Fant, Modenarr, Gigerl, Affe, Laffe, Zierbengel, Modepuppe, Lackaffe, Schönling, Schnösel, Promenadenhengst.

1545 Subkultur 1. Sonderkultur, Nebenkultur, zweite Kultur, schichtspezifische/altersspezifische Kultur, Gruppenkultur, Szenekultur, Szene, Soziotop, Nische, Meile, Alternativkultur, Alternativszene, Gegenkultur, Protestbewegung, **2.** Beatniks, Beatgeneration, Gammler, Hippies, Flower-Power, Popgeneration, Autonome, Punk, Raver, Slacker, Poppers, Mods, Computerfreaks, Netsurfer, Technologiemönche.

1546 Sublimation Vergeistigung, Verinnerlichung, Überhöhung, Sublimierung; Kompensation, Verdrängung, Verschiebung, Übertragung.

1547 sublimieren 1. vergeistigen, verfeinern, veredeln, entmaterialisieren, spiritualisieren, hochstilisieren, ins Erhabene steigern, **2.** kompensieren, unterdrücken, verdrängen.

1548 Substanz Wesen, Materie, Stoff; Kern, Gehalt, Sinn, Bedeutung, Inhalt, Mark, Hauptsache, Inbegriff, das Wesentliche/Bleibende, Essenz.

1549 suchen 1. forschen, fahnden, Ausschau halten, sich umsehen/umschauen nach; um sich blicken, hinter sich schauen, sich umdrehen; in alle Richtungen schauen, ausschauen, spähen, sich umtun; ermitteln, recherchieren, nachforschen, einer Sache nachgehen; nachgraben, graben, wühlen, kramen, das Unterste zuoberst kehren, herumsuchen, nesteln, stöbern, durchsuchen, durchkämmen, absuchen, durchstöbern, Haussuchung machen, Razzia veranstalten, filzen, visitieren, **2.** auf der Suche sein, nachjagen, verfolgen, hinterher sein, angeln, fischen nach, Netze auswerfen, tauchen, gründeln, **3.** spüren, tasten, tappen, Fühler ausstrecken, Witterung nehmen, **4.** nachschlagen, durchsuchen, surfen, heraussuchen, aufsuchen.

Sucht 1. Gewöhnung, Abhängigkeit, Süchtigkeit, Verfallensein, Hörigkeit, Trieb, Manie, Besessenheit, **2.** Suchtmittelabhängigkeit, Drogenabhängigkeit, Tablettenabhängigkeit, Alkoholabhängigkeit, **3.** Alkoholismus, Trunksucht, Alkoholsucht, Nikotinsucht, Drogensucht, Schlafmittelabhängigkeit, Abhängigkeit von Stimulantien, **4.** Arbeitssucht, Konsumsucht, Wettsucht, Spielsucht, Fresssucht, Magersucht, Bulimie. **1550**

Sumpf 1. Moor, Morast, Ried, Bruch, Marsch, Fenn, Rohr; Modder, Schlamm, Matsch, Lehm, Pfuhl, Schmutz, Gosse, Dreck, Siff, Schlick, Brühe. **1551**

System 1. strukturiertes Ganzes, Zusammenhang, Regelhaftigkeit, Einheit, **2.** Systematik, Vorgehensweise, Methode, Methodik, Planmäßigkeit, Programm, Ordnungsprinzip, **3.** Lehrgebäude, Denkmodell, Gedankengebäude, **4.** Wirtschaftsform, Regierungsform, Gesellschaftsform. **1552**

T

1553 tadeln 1. aussetzen, beanstanden, einwenden, reklamieren, ausstellen, monieren, bemängeln, mäkeln, missbilligen, nörgeln, meckern, kritteln, ankreiden, **2.** rügen, rüffeln, schulmeistern, schurigeln, Vorhaltungen machen, räsonieren, verweisen, abkanzeln, runterputzen, zurechtweisen, zusammenstauchen, herunterputzen, Zigarre erteilen, vorwerfen, maßregeln, zur Ordnung rufen, Rüge/ Tadel erteilen, Leviten lesen, ins Gericht gehen, Mores lehren, Gardinenpredigt halten.

1554 taktisch 1. planvoll, überlegt, klug, berechnet, wohl vorbereitet, vorbedacht, zweckhaft, zweckvoll, strategisch, logistisch, **2.** diplomatisch, geschickt, schlau, gerissen, raffiniert, gewieft, glatt, aalglatt, glattzüngig, doppelzüngig.

1555 taktlos indiskret, aufdringlich, indezent, neugierig, instinktlos, unhöflich, pietätlos, rücksichtslos, unangebracht, deplatziert, ungehörig, unpassend, geschmacklos, plump.

1556 tätig 1. fleißig, emsig, schafflg, unermüdlich, rastlos, unverdrossen, umtriebig, immer auf dem Posten, **2.** aktiv, in Aktion, rege, agil, unternehmend, unternehmungslustig, energisch, betriebsam, rührig, geschäftig, tüchtig, regsam, tatkräftig, **3.** arbeitend, berufstätig, erwerbstätig, werktätig, **4.** beschäftigt, viel beschäftigt, voll beschäftigt, in Anspruch genommen, beansprucht, ausgelastet, ausgebucht.

1557 Tatsache 1. Faktum, Fakt, Tatbestand, Sachlage, Gegebenheit, Gewissheit, Sachverhalt, Umstand, vollendete Tatsache, Fait accompli, **2.** Tatsächlichkeit, Faktizität, Wirklichkeit, Realität.

1558 Täuschung 1. Irreführung, Täuschungsmanöver, Verwirrspiel, Spiegelfechterei, Deckmantel, Tarnung, Lug, Trug, Bluff, Farce, Fake, Übertölpelung, Ablenkungsmanöver, Überlistung, Vorwand, Ausrede, Verstellung, Scharlatanerie, Katz-und-Maus-Spiel, Schwindel, List, Trick, Betrug; Lippenbekenntnis, Krokodilstränen, Nebenschauplatz, Briefkastenfirma, Etikettenschwindel, **2.** Schein, Anschein, Mogelpackung, Vorspiegelung, Vortäuschung, Ghostwriting, Playback, Fiktion, Mystifikation; Kulisse, Attrappe, Fassade, Dekorum, Augentäuschung, Trompe-l'Œil, Sinnestäuschung, potemkinsches Dorf, Staffage, Camouflage, Maske, Maskierung, Larve, Larvierung, Verhüllung, Verlarvung, Kostümierung, Verkleidung, Maskerade, Narrenkleid, Mummenschanz, Schminke, Tünche, Verstellung, Verstellungskunst, **3.** Fastnacht, Fasnacht, Fasching, Karneval, Mardi gras, **4.** Verheimlichung, Verdunkelung, Verfälschung, Verzeichnung, Verdrehung, Verzerrung, Entstellung, Verschleierung, Beschönigung, Übertreibung, Überzeichnung, Desinformation.

1559 Tausendsassa Allroundtalent, Multitalent, Joker, Hansdampf, Hansdampf in allen Gassen, Allerweltskerl, Teufelskerl, Allroundman, Superman, Meister des Universums.

1560 Teil 1. Bruchteil, Portion, Brocken, Teilgebiet, Parzelle, Strecke, Teilstrecke, Etappe, Segment, Sektor; Abschnitt, Kapitel, Absatz, Passage, Passus, Ausschnitt, Auszug, Exzerpt, Partie, Stelle, Vers, Strophe, **2.** Bruchstück, Stück, Teilstück, Torso, Fragment, Trakt, Flügel, Seitenteil, Rudiment, **3.** Bestandteil, Komponente, Ingredienz, Detail, Einzelheit, Element, Teilchen, Partikel, Molekül, Atom, **4.** Wange, Backe, Flanke.

1561 teilen (sich) 1. in Stücke schneiden, zerteilen, zerschneiden, zersägen, durchsägen, zerhauen, zerlegen, zerstückeln, tranchieren, splittern, auseinander nehmen, zergliedern, sezieren, abschneiden, abtrennen, spalten; unterteilen, gliedern, fächern, auffächern, rubrizieren; zerschnipseln, atomisieren, **2.** zuteilen, zumessen, bemessen, zusprechen, einteilen, aufteilen, verteilen, austeilen, ausgeben, parzellieren, abteilen, abzweigen, dosieren, abwiegen, rationieren, kontingentieren, **3.** Kräfte teilen, sich in Stücke reißen; zersplittern, zwei Herren dienen, allen gerecht werden wollen, sich verzetteln; auf zwei

Hochzeiten tanzen, **4.** halbieren, hälften, zweiteilen, brüderlich teilen, **5.** sich gabeln, verästeln, verzweigen.

1562 Teilnahme 1. Anteilnahme, Beistand, Interesse, Sinn für, innere Beteiligung, Rührung, Ergriffenheit, Mitgefühl, Mitempfinden, Mitleid, Mitfreude, **2.** Anwesenheit, Beteiligung, Mitwirkung, Mitarbeit, Partizipation, Teilhaberschaft, Mitgliedschaft.

1563 teilnehmen 1. sich beteiligen; beteiligt sein, partizipieren, einsteigen, teilhaben, mitbenutzen, Hand im Spiel haben, mitmischen, mitbestimmen, vertreten sein, Anteil haben, dazugehören, Stimme haben, mitreden können, **2.** dabei/anwesend sein, miterleben, mitmachen, mittun, mitwirken, mitziehen, mitarbeiten, mithalten, mithören, dabeistehen, beiwohnen, zugegen sein, **3.** mitfühlen, nachfühlen, nachempfinden, interessiert sein, mitempfinden, bemitleiden, mitleiden, mittrauern, Anteil nehmen; Beileid aussprechen, Mitgefühl bekunden, kondolieren, **4.** beglückwünschen, gratulieren, sich mitfreuen.

1564 teilnehmend 1. anteilnehmend, mitfühlend, mitempfindend, teilnahmsvoll, mitleidend, mitleidig, gerührt, ergriffen, **2.** teilhaftig, beteiligt, interessiert, engagiert, betroffen, mitbetroffen, einbezogen, mitbeteiligt, hineinverwickelt, involviert.

1565 Teilnehmer 1. Anwesende, Besucher, Zuschauer, Zuhörer, Publikum, Hörer, Zuhörerschaft, Hörerschaft, Auditorium, **2.** Beteiligte, Interessenten, Mitwirkende, Mitglieder, Mitspieler, Gesprächsteilnehmer, Diskussionsteilnehmer, Kursteilnehmer, Mitfahrer.

1566 teils teilweise, zum Teil, partiell, einerseits, einesteils, auf der einen Seite, halb und halb, teils … teils, nicht unbedingt, auszugsweise, strichweise, streckenweise, durchwachsen.

1567 Telefon Fernsprecher, Apparat, Handy, Mobile, Bildtelefon, Kartentelefon.

1568 telefonieren anrufen, anklingeln, durchklingeln, anläuten, fernsprechen, an der Strippe hängen.

1569 Tendenz 1. Neigung, Disposition, Hang, Richtung, Strömung, Zug, Zeitgeist, Trend, **2.** Einschlag, Ausrichtung, Orientierung.

1570 tendenziös einseitig, gefärbt, voreingenommen, parteilich, parteiisch, befangen, unsachlich, zweckbestimmt, entstellt, verdreht.

1571 Teppich Läufer, Brücke, Matte, Perser, Vorleger; Bodenbelag, Auslegeware, Teppichboden; Wandteppich, Bildteppich, Gobelin, Wandbehang.

1572 Termin Zeitpunkt, Stichtag, Fälligkeitstag, Deadline, Zahlungstag, Liefertag, Gerichtstermin.

1573 teuer kostspielig, aufwendig, gepfeffert, gesalzen, unerschwinglich, geht ins Geld, kommt teuer, unbezahlbar; lieb und teuer, wichtig.

1574 Teufel Satan, Höllenfürst, Luzifer, Beelzebub, Urian, Mephisto, Versucher, Verderber, Widersacher, Verführer, böser Geist, Gottseibeiuns, der Leibhaftige, die alte Schlange, Dämon, Inkubus, Sukkubus, Diabolus, Fürst der Finsternis, Antichrist, Scheitan, gefallener Engel, Behemoth, Leviathan; Deibel, Deubel.

1575 Text Wortlaut, Korpus, Zeichensystem; Schriftwerk, literarischer Text, Sachtext, Gebrauchstext, Werbetext, Liedtext, Rollentext, Bildtext, Fließtext.

1576 Theater 1. Bühne, Schaubühne, Wanderbühne, Spielstätte, Schmiere, Straßentheater, Kleinkunstbühne, Kabarett; Theateraufführung, Stück, Vorstellung, Spiel, Performance, Körpertheater, Sprechtheater, Tanztheater, **2.** Schauspielhaus, Festspielhaus, Opernhaus, Skala; Musentempel, **3.** Gehabe, Verstellung, Heuchelei.

1577 Ticket Fahrschein, Fahrausweis, Fahrkarte, Bahncard, Bordkarte, Flugschein; Eintrittskarte, Billett, Entree, Eintrittspreis, Eintrittsgeld, Karte.

1578 tief 1. tief liegend, in der Tiefe, tief/ weit unten, **2.** grundlos, bodenlos, klaftertief, abgründig, abgrundtief.

1579 tiefgründig tief schürfend, tiefsinnig, faustisch, grüblerisch, selbstquälerisch, skrupulös; gedankenreich, viel sagend, feinsinnig, differenziert, profund, spekulativ, hintersinnig, hintergründig, unergründlich.

1580 Tisch Küchentisch, Esstisch, Speisetisch, Tafel, Schreibtisch, Arbeitstisch, Sekretär, Pult, Tischchen, Beistelltisch, Toilettentisch, Frisiertisch.

1581 Tod 1. Ende, Sterben, Exitus, ewiger

Schlaf, Todesschlaf, Hingang, Heimgang, Hinscheiden, Ableben, Verscheiden, Erblassen, Entschlafen, Erlöschen, Lebensende, Abberufung, **2.** Todesfall, Verlust, Trauerfall, Sterbefall, **3.** Gevatter Tod, Todesengel, Schnitter Tod, Knochenmann, Sensenmann.

1582 Toilette 1. Klosett, Klo, WC, Lokus, Abort, Abtritt, Örtchen, Null-Null, Kabinett, Häuschen, Pissoir, Latrine, Donnerbalken, Scheißhaus, **2.** Sichankleiden, Sichfrisieren, Sichzurechtmachen.

1583 Ton 1. Laut, Klang, Schall, Sound, **2.** Klangfarbe, Klangart, Timbre, Betonung, Intonation, Modulation, Tonart, Färbung, Kolorit, **3.** Umgangston, Umgangsform, Ton, der die Musik macht, **4.** Tonfall, Stimmlage, Stimmfärbung, **5.** Klangwirkung, Klangverhältnisse, Akustik, Schallwirkung, Resonanz, **6.** Mergel, Kaolit, Lehm

1584 tönen 1. ertönen, erklingen, schwingen, lauten, schallen, hallen, erschallen, ans Ohr dringen, sich vernehmen lassen, **2.** läuten, klingeln, schellen, bimmeln, anschlagen, scheppern, klirren, schrillen; klappern, klötern, brummen, summen, surren, sirren, schwirren, schnarren, quietschen, piepsen, schreien, kreischen, grillen; ticken, tacken; klatschen, knistern, rascheln, prasseln, zischen, brutzeln, **3.** blöken, hähen, mähen, muhen, wiehern, quaken, quarren, quieken, quieksen, rohren, schnurren, krähen, knirschen, zischen, fauchen, schnalzen, schnippen, gackern, schnattern, gurren, kollern, **4.** rauschen, tosen, gischten, branden, brodeln, sieden, gurgeln, gluckern, glucksen, murmeln, blubbern, schwappen, strudeln, quirlen, **5.** klingen, sich anhören; vorkommen wie, den Eindruck erwecken.

1585 tot 1. gestorben, verstorben, dahin, abgeschieden, heimgegangen, hinüber, dahingegangen, verschieden, entseelt, verblichen, gefallen, geblieben, mausetot, hin, **2.** unbelebt, anorganisch, unbeseelt, leblos, ausgestorben, leer, öde; ausgebrannt, erloschen, aus, ausgegangen; empfindungslos, fühllos, abgestorben.

1586 töten (sich) 1. umbringen, ermorden, morden; erschlagen, totschlagen, keulen, umlegen, zusammenschießen, niederschießen, abknallen, abstechen,

erdolchen, erstechen, erdrosseln, erwürgen, ertränken, ersäufen, vergiften, überfahren, steinigen, lynchen, niedermetzeln, abschlachten; kaltmachen, meucheln, unter die Erde bringen, über die Klinge springen lassen, Lebenslicht ausblasen, Garaus machen, zur Strecke/um die Ecke bringen, aus dem Weg schaffen, Rest geben, abmurksen, killen, liquidieren, beseitigen, massakrieren, vernichten, **2.** hinrichten, erschießen, an die Wand stellen, exekutieren, füsilieren, standrechtlich erschießen, enthaupten, guillotinieren, hängen, erhängen, aufknüpfen, vergasen, **3.** schlachten, erlegen, schießen, abschießen, **4.** abtöten, sterilisieren, keimfrei machen, ausrotten, austilgen, **5.** sich umbringen; Selbstmord/Suizid begehen, seinem Leben ein Ende/Schluss machen, von eigener Hand sterben, Hand an sich legen, sich entleiben, das Leben nehmen, etwas antun; Freitod wählen.

Tötung 1. Ermordung, Mord, Tötungsdelikt, Bluttat, Mordtat, Meuchelmord, Attentat, **2.** Todesstrafe, Hinrichtung, Exekution, Erschießung; Schlachten, Schächten, **3.** Freitod, Selbstmord, Suizid, Selbsttötung. **1587**

tragen 1. befördern, transportieren, mit sich führen, mitführen, bei sich haben; schleppen, sich aufladen; auf dem Rücken/huckepack tragen, auf die Schulter nehmen, **2.** anhaben, aufhaben, umhaben, am Leibe/auf dem Kopf haben, spazieren führen, sich bewegen in, kleiden mit, **3.** ertragen, aushalten, leiden, durchstehen, erdulden, schwer tragen an, zu tragen/Päckchen zu tragen haben, **4.** Frucht bringen, ergeben, einbringen, nützen, bringen, **5.** schwanger/in Umständen sein, hoffen, erwarten, guter Hoffnung sein. **1588**

Transport 1. Beförderung, Verschickung, Verfrachtung, Verladung, Umladung, Versand, Spedition, Versendung, Verschiffung, Zustellung, Lieferung, Ablieferung, Auslieferung, Übermittlung, Überführung, Zuleitung, Weiterleitung, Expedierung, Expedition, **2.** Fracht, Fuhre, Ladung, Last, Tracht, Sendung, Schub, Fahrt, Lieferung. **1589**

träumen 1. Traum/Traumgesichte haben, **2.** phantasieren, in den Wolken schweben, sich wünschen, ausmalen; **1590**

Luftschlösser bauen, hoffen, sich Illusionen machen, **3.** nicht bei der Sache/abwesend/in Gedanken versunken sein, mit halbem Ohr zuhören.

1591 Traurigkeit Freudlosigkeit, Mutlosigkeit, Niedergeschlagenheit, Tief, Trübsinnigkeit, Trübseligkeit, Bekümmertheit, Kümmernis, Betrübnis, Betrübtheit, Wehmut, Wehmütigkeit, Weltschmerz, Tristesse, Verdüsterung, Depression, Düsterkeit, Trübsal, Schmerz, Kummer, Gram, Leid, Trauer, Blues, Melancholie, Schwermut, Trostlosigkeit, Ungetrostheit, Verzweiflung, Lebensüberdruss, Weltekel, Untergangsstimmung.

1592 treffen (sich) 1. begegnen, wieder sehen, sich sehen; zusammenkommen, sich versammeln; zusammentreffen, zusammentreten, tagen, konferieren, **2.** aufeinander treffen, zusammenstoßen, zusammenprallen, kollidieren, aufeinander stoßen, **3.** ins Schwarze/Nagel auf den Kopf treffen, richtig liegen; zutreffen, stimmen, sich als richtig erweisen, **4.** antreffen, zu Hause finden, nicht verfehlen, Glück haben, **5.** einmünden, einströmen, zufließen, zusammenströmen, zusammenlaufen, zusammenfließen, sich vereinigen, **6.** kränken, verletzen, **7.** sich fügen; passen, zupass/gelegen kommen, hinhauen.

1593 Treffen 1. Begegnung, Zusammenkunft, Wiedersehen, Beisammensein, Verabredung, Rendezvous, Date, Besprechung, Termin, **2.** Sitzung, Tagung, Versammlung, Zusammentritt, Meeting, Konferenz, Kongress, Kolloquium, Symposium, Workshop, Synode, Konklave, Konzil; Parteitag, Delegiertenkonferenz, Ideenkonferenz, Brainstorming, **3.** Treffpunkt, Schnittpunkt, Knotenpunkt, Überschneidung, Kreuzung, Zusammenfluss, Einmündung, Mündung, **4.** Telefonkonferenz, Telekonferenz, Computerkonferenz.

1594 trennen (sich) 1. scheiden, auseinander gehen, Abschied nehmen, sich verabschieden; weggehen, auseinander laufen, absplittern; sich loslösen, losmachen, lösen, lossagen, überwerfen; Brücken hinter sich abbrechen, voneinander gehen, Tischtuch zerschneiden, sich scheiden lassen; Ehe auflösen, sich losreißen; aufgeben, verlassen, brechen,

abbrechen, Schluss machen, Schlussstrich ziehen, **2.** entzweien, auseinander dividieren, auseinander bringen, abspalten, absondern, sondern, spalten, zersetzen, separieren, aufspalten, sprengen, Keil treiben zwischen, voneinander/auseinander reißen, Zwietracht säen, Verbindung unterbrechen, stören; unterbrechen, abschalten, abbrechen, abkoppeln, entflechten, dezentralisieren, aufteilen, aufgliedern, **3.** entmischen, aussortieren, verlesen, Spreu vom Weizen trennen, Auswahl treffen; entfernen, wegnehmen, **4.** auftrennen, zertrennen, aufschneiden, abbinden, abschnüren, Nabelschnur durchtrennen, abnabeln, durchschneiden, durchschlagen, zerhauen, durchhauen, **5.** aufdröseln, spleißen, spalten.

Trennung 1. Abschied, Scheiden, **1595** Auseinandergehen, Lösung, Lockerung, Entzweiung, Entfremdung, Distanzierung, Loslösung, Zwiespalt, Bruch, Uneinigkeit, Streit, Spaltung, Schisma, Schlussstrich, Scheidung, Abbruch, **2.** Sonderung, Aufspaltung, Dezentralisation, Separierung, Separation, Aufgliederung, Auffächerung, Unterteilung, Halbierung, Zweiteilung, **3.** Teilung, Zerteilung, Zerlegung, Tranchieren; Abtrennung, Abnabelung, Abspaltung, Sezession, Zersplitterung, Zerstückelung, Durchtrennung, **4.** Timesharing, Jobsharing.

Treppe Aufgang, Stiege, Stufen, Frei- **1596** treppe, Wendeltreppe, Stiegenhaus, Treppenhaus.

Trick Kunstgriff, Kunststück, Kniff, **1597** Masche, Pfiff, Dreh, Finesse.

Trieb 1. Instinkt, Naturtrieb, Naturan- **1598** trieb, Triebhaftigkeit, Geschlechtstrieb, **2.** Reis, Spross, Schössling.

triebhaft 1. triebmäßig, triebgemäß, **1599** instinktbedingt, animalisch, instinktiv, **2.** gejagt, gehetzt, rastlos, fiebernd.

trinken 1. schlucken, Durst löschen, **1600** Glas leeren, Durst stillen, sich erquicken, laben, erfrischen; die Kehle anfeuchten, **2.** schlürfen, kippen, nippen, hinunterstürzen, zu sich nehmen, anstoßen, genehmigen, heben, kümmeln, picheln, zechen, bechern, schnapsen, hinter die Binde gießen, einen schmettern/heben, süffeln, tanken, saufen, sich betrinken.

1601 Trinker Zecher, Schnapsdrossel, Schluckspecht, Zechbruder, Saufbruder, Saufkumpan, Trunkenbold, Säufer, Quartalssäufer, Gewohnheitstrinker, Alkoholiker, Alkoholkranker.

1602 trocken 1. entwässert, durstig, altbacken, ausgetrocknet, ausgedörrt, dehydriert, pelzig, verdorrt, dürr, welk, verwelkt, staubtrocken, pulvertrocken, knochentrocken, verschmachtet, vertrocknet, zusammengeschrumpft, eingeschrumpft, eingeschnurrt, verhutzelt, hutzelig, verholzt, holzig; sandig, staubig, staubbedeckt; gedörrt, getrocknet, **2.** ungeschmiert, unbelegt, ohne Getränk, alkoholfrei, **3.** langweilig, nüchtern, ledern, akademisch, lebensfern, praxisfern, steril, saftlos, kopflastig, **4.** regenlos, regenarm, niederschlagsarm, wasserarm.

1603 trocknen 1. abwischen, abreiben, abtrocknen, trockenreiben, frottieren, föhnen, **2.** absorbieren, einsaugen, aufsaugen, versickern, ablaufen, verdunsten trocken werden; erhärten, hart/fest werden, austrocknen, abtropfen lassen, Wasser entziehen, dehydrieren, entwässern, **3.** dörren, darren, konservieren, rösten, **4.** trockenlegen, entsumpfen, entwässern, drainieren, ableiten, **5.** vertrocknen, eintrocknen, verschmachten, vergehen, eingehen, verdorren, veröden, versteppen, versanden, ausdörren, **6.** welken, gilben, verwelken, abblühen, verblühen, kümmern, verkümmern, eintrocknen, schrumpfen, verschrumpeln, verhutzeln, zusammenschrumpfen, zusammengehen, zusammenfallen, absterben.

1604 Trost Ermutigung, Ermunterung, Zuspruch, Aufrichtung, Tröstung, Trostworte, Linderung, Stärkung, Aufmunterung, Erheiterung, Hilfe, Lichtblick, Balsam, Labsal, Beruhigung.

1605 trösten (sich) 1. ermuntern, ermutigen, aufmuntern, aufheitern, aufhellen, Mut zusprechen, Trost spenden, zureden, aufrichten, aufbauen, lindern, beschwichtigen, mäßigen, stillen, helfen, Tränen trocknen, Balsam auf die Wunde träufeln, besänftigen, beruhigen, **2.** sich ablenken; wieder aufleben, Mut schöpfen.

1606 tröstlich lindernd, besänftigend, mildernd, erleichternd, befreiend, erlösend, ermutigend, ermunternd, erquickend, belebend, stärkend, entspannend, hilfreich, trostreich, trostvoll, Trost bringend, aufrichtend, wärmend.

1607 trotz 1. obwohl, obgleich, obschon, wenngleich, wiewohl, wenn auch, ungeachtet, unbeschadet, **2.** trotzdem, dennoch, doch, gleichwohl, trotz allem, dessen ungeachtet, nichtsdestoweniger, nichtsdestotrotz.

1608 Trotz Trotzreaktion, Widerspenstigkeit, Widerborstigkeit, Bockigkeit, Bockbeinigkeit.

1609 Turm 1. Ausguck, Auslug, Warte, Aussichtsturm, Kirchturm, Glockenturm, Campanile, Minarett, Wachturm, Funkturm, Fernsehturm, **2.** Kompaktanlage, Hi-Fi-Turm.

U

1610 üben wiederholen, memorieren, pauken, sich einprägen; auswendig lernen, proben, durchproben, probieren, einstudieren, einüben, bimsen, schulen, trainieren, trimmen, dressieren, drillen, exerzieren, abrichten, schleifen.

1611 überall 1. allerorten, allerwege, allerenden, allenthalben, allerwärts, nah und fern, weit und breit, im ganzen Land, kreuz und quer, an allen Enden, landauf, landab, wo auch immer, auf der ganzen Welt/Schritt und Tritt, wo man hinguckt, generell, allgegenwärtig, omnipräsent, **2.** rundum, ringsum, ringsumher, rundherum, rings.

1612 Überblick 1. Übersicht, Rundschau, Zusammenschau, Zusammenfassung, Aufriss, Querschnitt, Abriss, Synopse, Inhaltsangabe, **2.** Rückblick, Rückschau, Rekapitulation, **3.** hohe Warte, Beherrschung, Verständnis.

1613 Überbringer 1. Bote, Dienstmann, Laufbursche, Austräger, Postbote, Briefträger, Zusteller, Lieferant, **2.** Abgesandter, Emissär, Geschäftsträger, Kurier, Melder, Läufer, **3.** Unglücksbote, Unheilbringer, Hiobsbote.

1614 übereinstimmen 1. sich decken; zusammenfallen, zusammengehen, zusammentreffen, auf denselben Tag fallen, zusammenpassen, kongruieren, zusammenstimmen, sich entsprechen; korrespondieren, parallel laufen, **2.** einig sein, einig/konform gehen, gleichliegen, gleicher Meinung sein, Auffassung teilen, dasselbe meinen, harmonieren, konvergieren, **3.** ähneln, gleichen, gleichsehen, sich ähnlich sehen; aussehen wie, erinnern/gemahnen an, nachschlagen, nachgeraten, arten nach.

1615 übereinstimmend 1. zusammenfallend, konvergierend, kongruent, korrespondierend, kompatibel, **2.** konform, entsprechend, stimmig, gleichgeordnet, harmonisch, einhellig, einmütig.

1616 Übereinstimmung 1. Gleichheit, Identität, Deckungsgleichheit, Deckung, Tautologie, Kongruenz, Kompatibilität, Gleichartigkeit, Parallelismus, Parallelität, Gleichlauf, **2.** Zusammenfall, Koinzidenz, Zusammentreffen, Zwillingsgeschehen, Duplizität, Doppelereignis, Gleichzeitigkeit, **3.** Gleichwertigkeit, Gleichrangigkeit, Ebenbürtigkeit, Parität, Konkurrenzfähigkeit, Wettbewerbsfähigkeit, Gleichrang, Gleichstand, Patt, Remis; Gleichberechtigung, Gleichstellung, Vollwertigkeit, Konvertierbarkeit, Austauschbarkeit, Auswechselbarkeit, **4.** Gleichklang, Gleichtakt, Gleichmaß, Harmonie, Entsprechung, Korrespondenz, Stimmigkeit, Kongenialität, **5.** Konsens, Konvergenz, Identifikation, Ausrichtung, Normierung, Nivellierung, Uniformierung, Konformität, Gleichschritt, Gleichschaltung, Sprachregelung, Political Correctness, **6.** Sinngleichheit, Pleonasmus; Sinnähnlichkeit, Synonym, Sinnverwandtschaft.

1617 übergeben verabfolgen, aushändigen, geben, abgeben, abliefern, zustellen, überreichen, ausliefern, überbringen, übermitteln, übertragen; weiterleiten, weitergeben.

1618 überlaufen 1. überquellen, überfließen, überschäumen, überborden, über die Ufer treten, überfluten, überströmen, ausufern, voll Wasser laufen, hereinbrechen über, überschwemmen, unter Wasser setzen, wegschwemmen, mitreißen, ertränken, ersäufen, **2.** überwechseln, übergeben, übertreten, konvertieren, desertieren, abfallen.

1619 Übermaß 1. Zuviel, Überfülle, Unmenge, Unmaß, Überhang, Überschuss, Redundanz, Überreife, Überproduktion, Überangebot, Überfluss, Übersteigerung, Überhitzung, Reizüberflutung, Überwucherung, Gigantismus, Ausuferung, Auswuchs, **2.** Zügellosigkeit, Maßlosigkeit, Haltlosigkeit, Hemmungslosigkeit, Ungehemmtheit, Übertreibung, Unmäßigkeit, Ausschweifung, Unersättlichkeit, Orgie, Exzess.

1620 überraschen 1. verblüffen, in Erstaunen setzen, Freude bereiten, frappieren, bestürzen, konsternieren, Sprache verschlagen, befremden, aus der Fassung bringen, vom Hocker/vom Stuhl hauen, verwirren, verdutzen, erstaunen, verwundern, auffallen, **2.** ertappen, erwischen, abfassen, überrumpeln, auf den Kopf zusagen, in flagranti erwischen, stellen, überführen, auf frischer Tat erwischen, **3.** unerwartet kommen, ins Haus fallen, hereinplatzen, hereinschneien, vor der Tür stehen, unangemeldet erscheinen, auftauchen, dastehen, überfallen.

1621 **übertragen 1.** überantworten, delegieren, beauftragen, vergeben, auslagern, outsourcen, zuweisen, zuschreiben, anvertrauen; überliefern, weiterreichen, weitergeben, **2.** vererben, hinterlassen, vermachen, abtreten, übereignen, zum Erben einsetzen, überschreiben, überlassen, **3.** infizieren, anstecken, **4.** senden, ausstrahlen, über den Sender geben, bringen, aussenden, **5.** projizieren, transponieren, transkribieren, **6.** telegraphieren, kabeln, funken, drahten, fernschreiben, tickern, morsen, telefonieren, faxen, telefaxen, Daten übertragen/fernübertragen, mailen, **7.** übersetzen, chiffrieren, kodieren, verschlüsseln, kryptieren, **8.** umspulen, überspielen, kopieren, scannen.

1622 **übertreiben 1.** überspannen, übersteigen, überspitzen, überbetonen, zu viel Gewicht beilegen, zu wichtig nehmen; überladen, überorganisieren, aufblähen, aufplustern, überdrehen, überreagieren, zum Äußersten kommen lassen, auf die Spitze treiben, **2.** überschätzen, überhöhen, zu hoch veranschlagen, falsch einschätzen, idealisieren, **3.** überhäufen, überschütten, des Guten zu viel tun, sich überschlagen; das Maß überschreiten, zu weit treiben, zu weit gehen, **4.** dramatisieren, hochspielen, aus einer Mücke einen Elefanten machen, aufbauschen, ausschmücken, dick auftragen, große Worte/Aufhebens machen; chargieren, dem Affen Zucker geben, überdeutlich machen, übertrieben darstellen, **5.** aufdonnern, aufputzen, überladen, behängen, auftakeln, protzen.

1623 **Übertreibung 1.** Übersteigerung, Überspanntheit, Exaltiertheit, Outriertheit, Schwulst, Bombast, Pathetik, Melodramatik, Überschwang, Überschwänglichkeit; Geschnörkel, Schnörkelei, Theatralik, Getue, Tuerei, Overstatement, **2.** Windmacherei, Sensa-

tionsmache, Dramatisierung, Panikmache.

übertrieben 1. übermäßig, unmäßig, zu viel, maßlos, ausschweifend, unersättlich, exzessiv, nimmersatt, verschwenderisch, extravagant, aufgebläht, allzu viel, exorbitant, unverhältnismäßig, über Gebühr, unnötig, uferlos, übermenschlich, extrem, too much, allzu sehr, over, **2.** überbetont, überspitzt, krass, übersteigert, überspannt, exaltiert, verstiegen, outriert, manieriert, manieristisch, überhitzt, überhöht, überzogen, hypertroph, **3.** aufgedonnert, aufgeputzt, überladen, aufgetakelt, stutzerhaft, geckenhaft, dandyhaft, gigerlhaft, affektiert, aufgemotzt, aufgebrezelt, overdressed, overstyled, **4.** krankhaft, krampfig, verbissen, gewaltsam, angestrengt, überanstrengt, **5.** überschwänglich, deklamatorisch, hochtönend, bombastisch, geschraubt, ziseliert, gedrechselt, gewollt, überkandidelt, superlativistisch, theatralisch, **6.** überschätzt, verklärt, überhöht, zu hoch gegriffen. **1624**

überwiegend vorwiegend, vorherrschend, hervorstechend, hauptsächlich, vornehmlich, in erster Linie, größtenteils, mehr als die Hälfte, in der Mehrzahl, in hohem Maße, mehrheitlich. **1625**

überzeugen (sich) 1. bekehren, bereden, bewegen, bestimmen, überreden, einsichtig machen, eines Besseren belehren, umstimmen, herumkriegen, gewinnen, zur Einsicht bringen, erweichen, bearbeiten, bequatschen, voll quatschen, zuballern, beschwatzen, einwickeln, breitschlagen, erweichen, weich machen, einnehmen für, missionieren, **2.** sich vergewissern; überprüfen, sich versichern; nachsehen, kontrollieren, **3.** sich bewähren; keinen Zweifel zulassen, durchschlagen, sich durchsetzen; Erfolg haben; glaubwürdig/stichhaltig/überzeugend sein, Vertrauen genießen, Anklang/Glauben finden. **1626**

übrig 1. verbleibend, übrig geblieben, verblieben, überzählig, zurückbleibend, restlich, unverkauft, unverkäuflich, Ladenhüter, unverwendet, unverwendbar, lästig, zu viel, überflüssig, redundant, überschüssig, über, übrig gelassen, **2.** mehr als genug, sattsam, reichlich, üp- **1627**

pig, vollauf, entbehrlich, **3.** übrig lassen, übrig haben, stehen lassen, dalassen, zurücklassen.

1628 Übung Einübung, Schulung, Fingerübung, Denkübung, Patterndrill, Training, Drill, Schliff, Dressur, Abrichtung; Manöver, Probe.

1629 Ufer Saum, Gestade, Küste, Kante, Rand, Strand, Uferstreifen, Kai, befestigtes Ufer, Anlegestelle.

1630 Umfang Stärke, Dicke, Größe, Ausmaß, Volumen, Körperumfang.

1631 Umfrage Befragung, Erhebung, Interview, Survey, Enquete; Meinungsumfrage, Publikumsumfrage, Teleskopie, Leserumfrage, Hörerumfrage, Zuschauerumfrage, Wählerumfrage, Politbarometer.

1632 umgeben 1. umziehen, einfassen, rahmen, säumen, rändern, umranden, umspannen, bekränzen, **2.** umranken, umrahmen, umwinden, einrahmen, **3.** Umgebung bilden, umliegen, nah liegen; umringen, umdrängen, **4.** einzäunen, einfrieden, einfriedigen, umgrenzen, eingrenzen, einhegen, abstecken, umreißen, begrenzen, abgrenzen, umzäunen, umziehen, abzäunen, absperren, **5.** umkreisen, einkreisen, umzingeln, einschließen.

1633 umgehen 1. sich drücken; meiden, vermeiden, ausweichen, nicht dranwollen, sich entziehen; aus dem Wege gehen, sich verleugnen lassen, 2. umgehen mit, Umgang haben/pflegen, verkehren, in Verbindung stehen, Beziehungen unterhalten, sich beschäftigen mit, **3.** spuken, geistern, gespenstern, nicht mit rechten Dingen zugehen/geheuer sein, rumoren, erscheinen, **4.** umlaufen, kursieren, in Umlauf/in aller Munde/Tagesgespräch sein, Runde machen.

1634 umsonst 1. gratis, franko, unberechnet, unentgeltlich, kostenlos, zum Nulltarif; unverdient, ohne eigenes Verdienst, zugefallen, geschenkt, gebührenfrei, zollfrei, steuerfrei, um Gotteslohn, unbezahlt, ehrenhalber, ehrenamtlich, freiwillig, **2.** vergeblich, nutzlos.

1635 Umwelt 1. Außenwelt, Umgebung, Peristase, natürlicher Lebensraum, **2.** Lebenssphäre, soziales Umfeld, Umfeld, Milieu, kultureller Lebensraum, Lebensbereich, Lebenskreis, Mitwelt,

3. Umweltfaktoren, ökologische Faktoren.

1636 umweltfreundlich 1. umweltgerecht, umweltverträglich, umweltschonend, ökologisch, abbaubar, Energie sparend, **2.** abgasarm, schadstoffarm, schadstoffreduziert, schadstofffrei.

1637 unangenehm 1. misslich, peinlich, schwierig, ärgerlich, fatal, dumm, betrüblich, haarig, blöde, ungelegen, verdrießlich, lästig, leidig, beschwerlich, beschämend, blamabel, unbequem, unbehaglich, ungemütlich, unwohnlich, **2.** unerträglich, unzumutbar, untragbar, unmöglich, unerfreulich, unerquicklich, unerwünscht, unlieb, unliebsam, unwillkommen, **3.** unsympathisch, unleidlich, unausstehlich, zuwider, widrig, odiös, missliebig, antipathisch, ätzend, verhasst, widerwärtig, abstoßend, missfällig, Dorn im Auge, Stein des Anstoßes, Pfahl im Fleisch, unbeliebt, ungenießbar.

1638 unaufmerksam 1. zerstreut, unkonzentriert, abgelenkt, nicht bei der Sache, abwesend, geistesabwesend, entrückt, verträumt, träumerisch, in den Wolken, verdöst, gedankenverloren, vertieft, versunken, verspielt, schläfrig, verschlafen, im Tran, unbeteiligt, uninteressiert, nachlässig, konfus, vergesslich, fahrig, zerfahren, schusselig, kopflos, **2.** gedankenlos, unüberlegt, unbesonnen, unvorsichtig, unbedacht, unachtsam, achtlos, gleichgültig, blind, rücksichtslos.

1639 unbedeutend belanglos, untergeordnet, nachgeordnet, zweitrangig, sekundär, unmaßgeblich, nichtig, minder, geringfügig, minimal, kaum, nebensächlich, beiläufig, unbeträchtlich, unwichtig, peripher, unerheblich, bedeutungslos, nicht der Rede wert, abseitig, fern liegend, nicht entscheidend/ausschlaggebend, irrelevant, klein, Peanuts, gleichgültig, unwesentlich, gegenstandslos, nichts sagend, dürftig, ausdruckslos, farblos, fade, leer, Schall und Rauch, unbedarft, unscheinbar, unansehnlich, mickrig.

1640 unbedingt 1. bedingungslos, unabdingbar, auf jeden Fall, auf alle Fälle, koste es, was es wolle, unter allen Umständen, auf Biegen oder Brechen, schlechterdings, allerdings, durchaus, absolut, partout, um jeden Preis, komme, was da wolle, notfalls mit Gewalt, schlechthin, ohne weiteres, wie auch immer, vorbehaltlos, uneingeschränkt, ohne Vorbehalt, Einschränkung, voraussetzungslos, unabhängig von, unweigerlich, fraglos, unbesehen, unumschränkt, **2.** ausgemacht, eingefleischt, ausgesprochen, unbekehrbar, konsequent, bis zum bitteren Ende.

1641 unbekannt 1. namenlos, anonym, No-Name, ungenannt, unentdeckt, unerkannt, inkognito, übersehen, unbeachtet, verkannt, unbeschriebenes Blatt, unbedeutend, ungedruckt, unveröffentlicht, übergangen, **2.** fremd, nie gesehen/gehört/begegnet.

1642 uneben 1. hügelig, gebirgig, wellig, bergig, höckrig, bucklig, felsig, zerklüftet, **2.** holperig, hubbelig, schotterig; grobkörnig, narbig, borkig, schorfig, grindig, gerieft, gefurcht, gerillt, gekerbt, rissig, schrundig, zackig, gezackt, gezähnt, **3.** knollig, klumpig, bollig, knorrig, **4.** unegal, ungleich lang, zipfelig.

1643 uneigennützig mitmenschlich, altruistisch, unegoistisch, hilfsbereit, karitativ, sozial, sozial engagiert, idealistisch, selbstlos, wohltätig, mildtätig, gütig, barmherzig, hochherzig, gebefreudig, großmütig, erbarmend, mitleidig, mitfühlend, opferbereit, opferwillig, aufopferungsvoll.

1644 Uneigennützigkeit Nächstenliebe, Mitmenschlichkeit, Altruismus, Hilfsbereitschaft, Fürsorglichkeit, Fürsorge, Selbstlosigkeit, Großzügigkeit, Freigebigkeit, Großmut, Edelmut, Gemeinsinn, Edelsinn, Hochherzigkeit, Wohltätigkeit, Mildtätigkeit, Opferbereitschaft, Opfermut, Aufopferungsfähigkeit, Selbstaufopferung.

1645 unempfindlich 1. gefühllos, stumpf, passiv, abgestumpft, apathisch, unempfänglich, herzensträge, gleichgültig, dickfellig, **2.** empfindungslos, abgestorben, fühllos, eingeschlafen, betäubt, narkotisiert, bewusstlos, ohnmächtig, besinnungslos, somnambul, in Trance, hypnotisiert, gedopt.

1646 Unempfindlichkeit 1. Gefühllosigkeit, Stumpfheit, Sturheit, Dickfelligkeit, Unempfänglichkeit, Unbeeindruckbarkeit, **2.** Gleichgültigkeit, Neu-

tralität, Uninteressiertheit, Teilnahmslosigkeit, Ungerührtheit, Kühle, Kälte, Phlegma, Passivität, Indolenz, Indifferenz, Indifferentismus, Kaltschnäuzigkeit, Leidenschaftslosigkeit, Coolness, Unerschütterlichkeit, Hartherzigkeit, Wurstigkeit, Undank, Desinteresse, **3.** Betäubung, Narkose, Rausch, Schlaf, Ohnmacht, Bewusstlosigkeit, Trance, Entrückung, Hypnose, Somnambulismus, **4.** Lethargie, Apathie, Gefühlskälte, Frigidität, Froschblut, Frostigkeit, Gefühlsarmut, Seelenblindheit, Unbewusstheit, Dumpfheit, Stumpfheit, Primitivität, **5.** Starrheit, Starre, Steifheit, Erstarrung.

unendlich 1. unbegrenzt, unermesslich, unzählbar, zahllos, unerschöpflich, unerschöpft, grenzenlos, schrankenlos, unbeschränkt, ohne Grenze, unlimitiert, **2.** endlos, ohne Ende, Open End, unaufhörlich, ewig, nicht endend, bis ins Unendliche, und so fort, bis ins Aschgraue, nicht enden wollend, auf immer, bis in alle Ewigkeit, unabsehbar, bis zum Abwinken. **1647**

Unendlichkeit Unbegrenztheit, Unbeschränktheit, Endlosigkeit, Unerschöpflichkeit, Unermesslichkeit, Zeitlosigkeit, Unvergänglichkeit, Unveränderlichkeit, Unzerstorbarkeit, Unsterblichkeit, Grenzenlosigkeit, Ewigkeit, Endlosschleife. **1648**

unentschieden 1. unentschlossen, unschlüssig, von Zweifeln geplagt, hin und her gerissen, zweifelnd, schwankend, inkonsequent, wankend, zaudernd, im Zweifel, mit gemischten Gefühlen, am Scheideweg, ausweichend, hinhaltend, zögernd, verschleppend, dilatorisch, zuwartend, halb und halb, heute so, morgen so, zwiespältig, ambivalent, variabel, veränderlich, labil, entschlusslos, **2.** punktgleich, patt, remis, ausgeglichen, **3.** fließend, ineinander übergehend, gleitend, transitorisch, im Übergang, an der Schwelle, offen, nicht festgelegt, eindeutig, schwebend, über sich hinausweisend, **4.** nichts Halbes und nichts Ganzes, nicht Fisch noch Fleisch. **1649**

Unfall Unglücksfall, Unglück, Verkehrsunfall, Verkehrsunglück, Bruchlandung, Karambolage, Kollision, Massenkarambolage, Zusammenstoß, Zu- **1650**

sammenprall, Frontalzusammenstoß; Schiffbruch, Havarie, Entgleisung, Störfall, GAU.

1651 unfrei 1. willenlos, getrieben, hörig, zwanghaft, fixiert auf, abhängig, unselbständig, süchtig, verfallen, **2.** gefangen, hinter Gittern, verhaftet, der Freiheit beraubt, im Kerker, in Gewahrsam, gefangen genommen, eingesperrt, hinter schwedischen Gardinen / Schloss und Riegel, auf Nummer Sicher, interniert, festgesetzt, eingelocht, eingebuchtet, **3.** gehandicapt, festgenagelt, verstrickt, an der Leine, unter der Fuchtel / dem Pantoffel, gefesselt, geknebelt, in Banden, unter der Knute, leibeigen, versklavt.

1652 unfreiwillig 1. unbeabsichtigt, unabsichtlich, versehentlich, reflexhaft, unbewusst, ungewollt, unwillkürlich, von selbst, irgendwie, **2.** ungern, der Not gehorchend, wider Willen, widerwillig, unwillig, nolens volens, notgedrungen, gezwungenermaßen, pflichtschuldigst, zwangsweise, wohl oder übel, widerstrebend, im Schlepptau, gegen die Überzeugung, unter Druck, zähneknirschend, lustlos, mit Todesverachtung.

1653 unfruchtbar 1. unergiebig, brachliegend, ungenutzt, öde, karg, dürr, trocken, brach, unrentabel, nutzlos, nicht lohnend, kümmerlich, dürftig, ohne Ertrag, bringt nichts, ertragsunfähig, **2.** unschöpferisch, unproduktiv, ohne Einfälle, einfallslos, phantasielos, unkreativ, ideenlos, schematisch, ohne Phantasie, nach Schema F, unoriginell, aus zweiter Hand, nachschaffend, nachgestaltend, nachahmend, nachschöpferisch, reproduktiv, epigonenhaft, epigonal, plagiatorisch, **3.** zeugungsunfähig, impotent, steril, infertil.

1654 ungefähr 1. fast, beinahe, nahezu, annähernd, nach Augenmaß, abgerundet, bald, gegen, zirka, rund, etwa, praktisch, sagen wir, vielleicht, aufgerundet, stark, gut, gar, schier, um ein Haar, um Haaresbreite/Fadensbreite, **2.** etwa, dem Sinne nach, sinngemäß, nicht wörtlich, sinnentsprechend, analog, **3.** ungenau, allgemein, verschwommen, dehnbar, schwammig, diffus, unpräzise, verwaschen.

1655 ungenügend 1. mangelhaft, unbe-friedigend, unvollständig, unzulänglich, lückenhaft, unzureichend, knapp, kaum ausreichend, Tropfen auf einem heißen Stein, notdürftig, unvollkommen, nicht zufrieden stellend, defizitär, schwach, ungeeignet, unbrauchbar, insuffizient, dürftig, spärlich, **2.** unfähig, unvermögend, außerstande, untüchtig, beschränkt, begrenzt.

1656 ungerecht parteiisch, mutwillig, voreingenommen, stiefmütterlich, einseitig, befangen, unobjektiv, unsachlich, unbillig, undankbar, mit zweierlei Maß, unfair, unsportlich, unkameradschaftlich; unredlich, unreell, unsauber.

1657 ungeschickt (sein) 1. linkisch, unbeholfen, zwei linke Hände, unpraktisch, umständlich, stoffelig, tollpatschig, tapsig, täppisch, **2.** Pferd am Schwanz aufzäumen, mit der Tür ins Haus fallen, zweiten Schritt vor dem ersten tun, es dumm anfangen, sich dumm anstellen.

1658 Unglück Unheil, Verhängnis, Verderb, Unsegen, Unstern, Geißel, Kreuz, Plage, Prüfung, Last, Bürde, Ungemach, Unbilden, Widrigkeit, Missgeschick, Fatum, Fatalität, Debakel, Desaster; Hiobsbotschaft, Schrecknis, Schreckensbotschaft, Schreckensnachricht; Schicksalsschlag, harter Schlag, Fluch; Krankheit, Siechtum, Misere, Krebs, Krebsgeschwür, Elend, Übel, Seuche, Landplage, Verderben, Vernichtung, Absturz, Untergang; Pech, unglückliche Fügung, Missgriff, Malheur; Drama, Tragödie, Trauerspiel, Tragik.

1659 unglücklich 1. traurig, leidend, leidtragend, leidvoll, betrübt, deprimiert, schmerzerfüllt, ungetrost, trostlos, todunglücklich, todtraurig, kreuzunglücklich, untröstlich, hoffnungslos, in Sack und Asche, schmerzbewegt, wehmütig, fassungslos, geschlagen, desolat, verzweifelt, gebrochen, verzagt, elend, melancholisch, schwermütig, depressiv, elegisch, überdrüssig, lustlos, freudlos, bedrückt, bekümmert, nicht gut drauf, geknickt, enttäuscht, heimgesucht, gebeutelt, getroffen, mutlos, entmutigt, down, im Keller, gebeugt, schwer geprüft, niedergebeugt, kummervoll, gramgebeugt, geschlagen, zerrissen, selbstzerstörerisch, zerquält, gramerfüllt, vergrämt, verhärmt, sorgenvoll, **2.**

weinend, schluchzend, tränenüberströmt, in Tränen, mit Tränen in den Augen, tränenden Auges, händeringend, mit Leichenbittermiene. **3.** bedauernswert, bedauerlich, bejammernswert, bemitleidenswert, liebebedürftig, anlehnungsbedürftig, beklagenswert, Mitleid erregend, kläglich, erbärmlich, erbarmungswürdig, leidvoll, freudeleer, freudearm, umschattet, unfroh, **4.** schmerzlich, hart, betrüblich, erschütternd, arg, qualvoll, verhängnisvoll, fatal, schicksalhaft, tragisch, katastrophal, schlimm, unglückselig, unselig, **5.** entmutigend, enttäuschend, schade, jammerschade, niederdrückend, niederschmetternd, hoffnungslos, niederziehend, aussichtslos, ausweglos, schwarz, dunkel, düster, verdüstert, sinister, **6.** betrogen, getäuscht, hintergangen, hereingelegt; gehörnt, sitzen gelassen, im Stich gelassen.

1660 ungünstig 1. ungelegen, lästig, störend, widrig, entgegen, unzeitig, zur Unzeit, im falschen Augenblick, **2.** unpassend, unratsam, unangebracht, ungeeignet, undienlich, unhandlich, unzweckmäßig, ungeschickt, unbrauchbar, unverwendbar, sperrig, platzraubend, unpraktisch, unvorteilhaft, unbequem, unangemessen, **3.** nachteilig, abträglich, untunlich, misslich; schädlich, hinderlich, hemmend, ungesund, gesundheitswidrig, unbekömmlich, unverdaulich, unzuträglich, **4.** aufwendig, unrationell, unwirtschaftlich, unökonomisch, unrentabel, unökologisch.

1661 unhöflich 1. unfreundlich, unaufmerksam, ungefällig, unliebenswürdig, kurz angebunden, unwirsch, muffig, schroff, abweisend, ungastlich, barsch, harsch, brüsk, unzart, rücksichtslos, **2.** flegelhaft, ungezogen, schnippisch, grob, lümmelhaft, unmanierlich, ungehobelt, ungeschliffen, rüde, krude, unverschämt, patzig, pampig, ruppig, respektlos, unflätig, **3.** unpassend, ungehörig, unmöglich, taktlos, ungebührlich, unangebracht, unangemessen, unschicklich, verfehlt, deplatziert, fehl am Platz, ungalant, unritterlich, kein Gentleman.

1662 Unkenntnis Unwissenheit, Ahnungslosigkeit, Unbelehrtheit, Bildungslücke, Nichtbegreifen, Unverständnis, Erfahrungsmangel, Wissensmangel, Unvertrautheit, Unerfahrenheit, Ungeübtheit, Ungeschultheit, Unbelesenheit, böhmische Dörfer, Unverstand, Ignoranz, Borniertheit, Banausenhaftigkeit, Unaufgeklärtheit, Aberglaube.

unmittelbar 1. direkt, aus erster **1663** Hand/Quelle, **2.** geradeaus, der Nase nach, ohne Umweg, in Luftlinie, umweglos, geradlinig, straight, stracks, schnurstracks, querfeldein, quer durch; durchgehend, ohne Unterbrechung/Aufenthalt/Verzögerung/Zwischenstation, ohne weiteres/Zögern/Zaudern, spornstreichs, **3.** bar, in barer Münze, cash, auf die Hand, **4.** mündlich, wörtlich, verbal, in direkter Rede, persönlich, original, **5.** live, direkt übertragen, keine Konserve.

unmöglich undenkbar, unausführ- **1664** bar, undurchführbar, unerreichbar, aussichtslos, hoffnungslos, ausgeschlossen, undiskutabel, unerfüllbar, nicht durchführbar/machbar/praktikabel/drin, unrealisierbar, nicht zu machen, wie verhext, geht/will nicht, nicht daran zu denken, kommt nicht in Frage, unter keinen Umständen, nie und nimmer, bestimmt nicht, keinesfalls, zu keiner Zeit, weder jetzt noch später, am Nimmerleinstag; unannehmbar, nicht zu ändern, unüberwindlich, ausweglos.

Unmöglichkeit Undenkbarkeit, **1665** Unüberwindlichkeit, Undurchführbarkeit, Unlösbarkeit, Hoffnungslosigkeit, Nadel im Heuhaufen, Ausweglosigkeit, Aporie, Quadratur des Kreises, Perpetuum mobile.

unnötig entbehrlich, überflüssig, **1666** überzählig, abkömmlich, ersetzbar, ersetzlich; hinfällig, nicht mehr nötig, wertlos, Eulen nach Athen, vergeblich.

unordentlich 1. ungeordnet, unaufge- **1667** räumt, durcheinander, wirr, verworren, verheddert, verwurstet, das Unterste zuoberst, chaotisch, nichts zu finden, wüst, **2.** unsystematisch, unorganisiert, unmethodisch, regellos, systemlos, wie es kommt, ziellos, planlos, ungeplant, aufs Geratewohl, auf gut Glück, ins Blaue, **3.** turbulent, tumultuarisch, drunter und drüber.

Unordnung 1. Chaos, Labyrinth, Irr- **1668** garten, Wirrwarr, Gewirr, Tohuwabohu,

Achterbahn, Hin und Her, Wust, Konfusion, Desorganisation, Zickzackkurs, Planlosigkeit, Systemlosigkeit, Ziellosigkeit, **2.** Durcheinander, Schlamperei, Unordentlichkeit, Kuddelmuddel, Lotterwirtschaft, Saustall, Gehudel, Nachlässigkeit, Vernachlässigung, Liederlichkeit, Lotterleben, **3.** Verwirrung, Verfilzung, Verwicklung, Verwerfung, Schieflage, Verworrenheit, **4.** Tumult, Getümmel, Ausschreitung, Panik, Massenhysterie, Hexenkessel.

1669 Unrecht 1. Unterlassung, Versäumnis, Gerechtigkeitslücke, Unbill, Verfehlung, Kavaliersdelikt, Ungerechtigkeit, Fehltritt, Versündigung, Entgleisung, Übergriff, Willkür, Gemeinheit, **2.** Vergehen, Delikt, Rechtsbeugung, Rechtsverdrehung, Rechtsbruch, Unrechtmäßigkeit, Rechtswidrigkeit, Rechtsverletzung, Gesetzwidrigkeit, Ungesetzlichkeit, Gesetzesübertretung, kriminelle Handlung, Illegalität, Illegitimität.

1670 unreif 1. unausgereift, noch nicht reif, sauer, halb reif, unausgegoren, verfrüht, **2.** grün, nicht trocken hinter den Ohren, halb gar, kindhaft, kindisch, bübchenhaft, infantil, pubertär, halbwüchsig, unmündig, unausgewachsen, unfertig, unentwickelt, unerwachsen.

1671 unruhig 1. rastlos, ruhelos, schlaflos, ohne Schlaf, ungeduldig, nervös, zappelig, friedlos, quecksilbrig, wuselig, wirbelig, kein Sitzfleisch, Hummeln im Hintern, auf Nadeln, auf glühenden Kohlen, hektisch, fieberhaft, auf dem Sprung, in Eile, eilig, unstet, umgetrieben, dynamisch, **2.** flackernd, flackrig, zuckend, hin und her springend, Discolicht, **3.** Quirl, Quecksilber, Wirbelwind, Zappelphilipp, Flippie.

1672 unschuldig 1. schuldlos, nicht schuldig, ohne Schuld, schuldfrei, unverschuldet, ohne eigenes Verschulden, frei von Schuld, **2.** straflos, straffrei, freigesprochen, amnestiert.

1673 unsicher 1. unverbürgt, unbestätigt, nicht belegt, dahingestellt, offen, unerwiesen, bestreitbar, fraglich, widerlegbar, umstritten, strittig, **2.** unabgesichert, unversorgt, von der Hand in den Mund, ohne festes Einkommen/Rückhalt, freischwebend, **3.** sagenumwoben, legendenumwoben, legendär, sagenhaft,

mythisch, **4.** unsicher auf den Beinen, haltlos, schwankend, wankend, torkelnd, wackelig, taumelnd, taumelig, mit Schlagseite, **5.** gehemmt, unfrei, verklemmt, scheu, schüchtern, ohne Selbstbewusstsein, verunsichert, **6.** gefährlich, nicht geheuer.

Unsinn 1. Unfug, Nonsens, Quatsch, **1674** Blech, Schmarren, Stuss, Senf, Zinnober, Humbug, Makulatur, Kohl, Kauderwelsch, Schmonzes, Krampf, Mist, Bockmist, Kokolores, Fisimatenten, Albernheit, Faxen, Faselei, Farce, Getue, Narretei, dummes Zeug, Flausen, Possen, Mumpitz, Narrheit, Verrücktheit, Unsinnigkeit, Widersinn, Ungereimtheit, Tollheit, Kinderei, Unklugheit, **2.** Schwank, Streich, Schelmenstück, Schabernack, Ulk, Spaß, Klamauk, Eulenspiegelei, Jux, Allotria, Lausbüberei, Dummejungenstreich, Donquichotterie, Schwabenstreich, Schelmenstreich, Schildbürgerstreich, **3.** dummer Streich, Dummheit, Torheit, Eselei, Eskapade, Jugendsünde, Verrücktheit, Affentheater, Blödsinn, Kateridee, Schnapsidee, Kapriolen, Wahnsinn, Wahnwitz, Aberwitz, Irrenanstalt, Irrenhaus, Klapsmühle, Narrenhaus, Tollhaus.

untätig 1. müßig, träge, bequem, **1675** faul, schläfrig, unlustig, kein/null Bock, tatenlos, bummelig, saumselig, trödelig, denkfaul, gedankenträge, schlafmützig, **2.** inaktiv, passiv, phlegmatisch, abwartend, zuwartend, meditativ, mußevoll, entspannt.

Untätigkeit 1. Müßiggang, Nichts- **1676** tun, Lotterleben, Zeitvergeudung, Zeitverschwendung, Drohnendasein, Tagedieberei, Drückebergerei, Bummelei, Trödelei, Faulheit, Trägheit, Bequemlichkeit, **2.** Muße, Meditation, Kontemplation, Otium, Dolcefarniente, Inaktivität, Passivität, Tatenlosigkeit, Phlegma, Lethargie.

unten 1. in der Tiefe, drunten, am **1677** Grunde, zuunterst, untendrunter, auf dem Boden/der Erde, **2.** parterre, ebenerdig, zu ebener Erde, im Erdgeschoss/Souterrain/Keller, **3.** unterprivilegiert, marginalisiert, am unteren Ende der Pyramide, **4.** unter, unterhalb, darunter, unter der Oberfläche, gesunken, versunken, untergegangen.

1678 Unterbrechung 1. Abbruch, Aussetzen, Störung, Interruption, Einschnitt, Zäsur, Absatz, Hiatus, Lücke, Pause, Halbzeit, Denkpause, Ruhepause; Halt, Station, Zwischenlandung, **2.** Episode, Zwischenspiel, Intermezzo, Intermedium, Intervall, Zwischenzeit, Interim, Interimszustand, Provisorium, **3.** Zwischenfrage, Interpellation, Zwischenruf, Zwischenbemerkung, Einwurf, Zwischenfall.

1679 unterdrücken 1. klein halten, niederhalten, unten/am Boden halten, nicht aufkommen lassen, lähmen, ducken, unterbuttern, paralysieren, knechten, knuten, versklaven, Fuß auf den Nacken setzen, unter das Joch beugen, unterjochen, terrorisieren, tyrannisieren, **2.** ersticken, auslöschen, dämpfen, **3.** verhalten, zurückhalten, nicht merken lassen, verbergen, verstecken, hinunterschlucken, abtöten, Zähne zusammenbeißen, sich beherrschen, zusammennehmen; verdrängen, **4.** beherrschen, bevormunden, gängeln, bestimmen, Heft aus der Hand nehmen, entmündigen, entrechten, unter Kuratel stellen.

1680 Unterhalt 1. Lebensunterhalt, Auskommen, tägliches Brot, Lebensnotwendiges, Haushaltungskosten, Lebenshaltungskosten, Aufwendungen, **2.** Alimente, Unterhaltszahlungen, Apanage.

1681 unterhalten (sich) 1. erhalten, ernähren, durchfüttern, durchbringen, versorgen, instand/in Gang halten, aufrechterhalten, **2.** Gesellschaft leisten, Zeit vertreiben, zerstreuen, amüsieren, belustigen, ablenken, erheitern, aufmuntern, auf andere Gedanken bringen, **3.** Gespräche führen, sich austauschen, unterreden, besprechen, erzählen; diskutieren, Konversation machen, plaudern, schwatzen, klönen, quatschen, ratschen, palavern, parlieren, **4.** sich vergnügen; Spaß haben/machen, scherzen, spaßen, Quatsch machen, Unsinn reden, witzeln, blödeln, kalbern, herumalbern, Dummheiten machen, ulken, kalauern, **5.** tanzen, schwofen, abhotten.

1682 Unterhalter Entertainer, Animateur, Conférencier, Moderator, Talkmaster, Showmaster, Ansager, Alleinunterhalter, Kabarettist, Diseuse, Reiseanimateur, Discjockey, Deejay, DJ, Newsjockey.

Unterhaltung 1. Gespräch, Dialog, **1683** Plauderei, Gedankenaustausch, Geplauder, Konversation, Meinungsaustausch, Zwiesprache, Dialog, Diskussion, Besprechung, Aussprache; Schwatz, Schwätzchen, Plausch, Smalltalk, Talk, Chat, **2.** Amüsement, Vergnügen, Pläsier, Entertainment, Infotainment, Zeitvertreib, Lustbarkeit, Spaß, Zerstreuung, Abwechslung, Ablenkung, Belustigung, Erheiterung, Fidelität, Gaudi, Betrieb, Trubel, Rummel, Geselligkeit, Highlife, Halligalli, **3.** Spaß, Witz, Scherz, Drolerie, Drolligkeit, Jux, Faxen, Fez, Ulk, Jokus, **4.** Witze, Anekdote, witzige Bemerkung, Witzwort, Aperçu, Bonmot, Wortspiel, Gag, Kalauer, **5.** Spiel, Ratespiel, Brettspiel, Psychospiel, Wettspiel, Telespiel, Computerspiel, **6.** Theater, Kino, Tingeltangel, Fernsehen, Show.

unternehmen 1. anfangen, begin- **1684** nen, angreifen, anpacken, anfassen, in die Hand nehmen, drangehen, sich drammachen; aufziehen, organisieren, vorgehen, managen, gründen, ins Werk setzen, aufbauen, schaffen, tätigen, veranstalten, **2.** handeln, Hand anlegen, aktiv werden, tun, sich einschalten; in Aktion treten, funktionieren, an die Arbeit gehen, in Gang setzen, Initiative ergreifen, in die Wege leiten.

Unternehmen 1. Betrieb, Firma, **1685** Gesellschaft, Konzern, **2.** Tat, Werk, Leistung, Unternehmung, Handlung, Aktion, Akt, Operation, Transaktion, **3.** Unterfangen, Coup, Handstreich, Husarenstück, Meisterstreich, Meisterstück, Bravourstück, Kunststück, Geniestreich.

Unternehmer 1. Fabrikant, Herstel- **1686** ler, Produzent, Producer, Fabrikant, Industrieller, Geschäftsmann, Kapitalist; Tarifpartner, Arbeitgeber, Brötchengeber, **2.** Großindustrieller, Industriemagnat, Industriekapitän, Finanzmagnat, Großaktionär, Großbankier, Börsenmagnat, Marktführer, Medienzar, Mogul, **3.** Bonze, Geldaristokrat, Krösus, Nabob, Plutokrat, Tycoon.

unterscheiden (sich) 1. auseinan- **1687** der halten/kennen, Unterschied machen, differenzieren, **2.** kontrastieren, abstecken, differieren, divergieren, abheben von, abweichen.

1688 Unterschied Verschiedenheit, Differenz, Divergenz, Kontrast, Abweichung, Ungleichheit, Unähnlichkeit, Abstand, Intervall, Tonschritt, Distanz, Gefälle, Kluft, Diskrepanz.

1689 Unterwelt 1. Gangstertum, Gangstermilieu, Verbrecherwelt, Milieu, Halbwelt, Mafia, **2.** Schattenreich, Schattenwelt, Hades, Orkus, Totenreich, Tartarus, Hölle, Inferno.

1690 unterwürfig 1. devot, ergeben, demütig, fügsam, dienstwillig, servil, subaltern, inferior, untertänig, **2.** domestikenhaft, duckmäuserisch, kriecherisch, lakaienhaft, kniefällig, fußfällig, sklavisch, knechtisch, liebedienerisch, gesinnungslos, ohne Stolz, speichelleckerisch, hündisch.

1691 unverbesserlich unbelehrbar, eingefleischt, abgebrüht, verstockt, verhärtet, hartgesotten, halsstarrig, unbekehrbar, unbußfertig, verblendet, hoffnungsloser Fall, Hopfen und Malz verloren, rückfällig.

1692 unverständlich 1. unbegreiflich, unerfindlich, unerklärlich, unfasslich, ungreifbar, unbestimmbar, unerklärbar, nicht zu verstehen, unlesbar, schwer zu entziffern, unleserlich, missverständlich, rätselhaft, Buch mit sieben Siegeln, höhere Mathematik, schwierig, hieroglyphenhaft, spanisch, böhmisch, **2.** undeutlich, unklar, nebelhaft, nebulos, schleierhaft, verhüllt, undurchsichtig, undurchdringlich, undefinierbar, unfassbar, unwägbar, unbestimmbar, unartikuliert, wirr, dunkel, unaufgeklärt, schattenhaft, unscharf, unbestimmt, vage, ungenau, andeutungsweise, schemenhaft, dubios, zu hoch, **3.** sinnlos, sinnwidrig, töricht, verrückt, abwegig, unvernünftig, beziehungslos, ungereimt, widersinnig, unsinnig, toll, absurd, abstrus, hanebüchen, **4.** überempirisch, übersinnlich, übernatürlich, überwirklich, metaphysisch, transzendent, unergründlich, unerkennbar, unerklärbar, unausforschlich, unnennbar, unaussprechlich, mysteriös, mystisch, unberechenbar; himmlisch, überirdisch, jenseitig, göttlich, numinos, **5.** unheimlich, unirdisch, verwunschen,

geisterhaft, gespenstisch, spukhaft, dämonisch.

Unvollkommenheit 1. Unzulänglichkeit, Ungenügen, Insuffizienz, Schwäche, Fehlbarkeit, **2.** Unvollständigkeit, Lückenhaftigkeit, Mängel, Fehlerhaftigkeit, Schadhaftigkeit, Stückwerk, Minderwertigkeit, Halbheit, Unabgeschlossenheit. **1693**

unvollständig 1. unvollendet, unbeendet, unfertig, nicht abgeschlossen, halb fertig, ergänzungsbedürftig, bruchstückhaft, rhapsodisch, torsohaft, rudimentär, fragmentarisch, abgebrochen, lückenhaft, schadhaft, minderwertig, beschädigt, defizitär, defekt, **2.** unvollkommen, fehlerhaft, fehlbar, mangelhaft, unzulänglich, nur gebrochen, nicht fließend, ungenau, ungenügend, schülerhaft, **3.** halb gar, ungar, nicht durchbacken. **1694**

unvorbereitet 1. unausgerüstet, unausgestattet, unerfahren, unversehen, **2.** unbedacht, unüberlegt, unorganisiert, ungeplant, planlos, sorglos, gedankenlos, **3.** auf Anhieb, aus dem Stegreif, frei, frisch drauflos, aus dem Handgelenk / Kopf / Gedächtnis, improvisiert, auswendig, prima vista, vom Blatt, freihändig, ohne Vorlage / Noten, **4.** blindlings, automatisch, ohne Nachdenken, wild drauflos, auf gut Glück, von ungefähr, reflexartig. **1695**

unwissend 1. unkundig, ungeschult, ununterrichtet, unbelehrt, unbelesen, nichts wissend, unbeschlagen, unvertraut, uneingeweiht, ahnungslos, unaufgeklärt, uninformiert, unberaten, überfragt, unverständig, ungeübt, ungelernt, ungelehrt, unbekannt mit, keine Ahnung, schimmerlos, desorientiert, falsch unterrichtet, keinen Dunst, **2.** ungebildet, unerfahren, unbewandert, unbedarft, ignorant. **1696**

unzufrieden unbefriedigt, unausgefüllt, leer, missvergnügt, missmutig; geknickt, sauertöpfisch, mäkelig, verdrießlich, verdrossen, griesgrämig, verbittert, eingeschnappt, übelnehmerisch, zu kurz gekommen. **1697**

unzuverlässig 1. unbeständig, wankelmütig, wechselhaft, wetterwendisch, leicht verführbar, unstet, unberechenbar, launenhaft, launisch, labil, flatterhaft, heute so, morgen so, unsicherer **1698**

Kantonist, **2.** unverlässlich, ungenau, unkorrekt, pflichtvergessen, unaufrichtig, vergesslich, unpünktlich, unglaubwürdig, nimmt den Mund voll.

1699 Unzuverlässigkeit 1. Unbeständigkeit, Wankelmut, Wechselhaftigkeit, Launenhaftigkeit, Launischkeit, Labilität, Flatterhaftigkeit, Unstetigkeit, Unberechenbarkeit, **2.** Unkorrektheit, Ungenauigkeit, Flüchtigkeit, Vergesslichkeit, Unpünktlichkeit, Unglaubwürdigkeit, Strohfeuer, Indiskretion, Unaufrichtigkeit, Unlauterkeit, Säumigkeit, Unverlässlichkeit, **3.** Opportunismus, Illoyalität, Wetterwendischkeit, Verführbarkeit, Beeinflussbarkeit.

1700 Urteil 1. Standpunkt, Meinung, Stellungnahme, Beurteilung, Ermessen, Entscheidung, Stimme, Gutachten, Begutachtung, Votum, Würdigung, Kritik, Diktum, Spruch, Note, Zensur, Prädikat, Wertung, Bewertung, Werturteil, Schätzung, Einschätzung, Befund, Feststellung, **2.** Urteilskraft, Klarsicht, Weitblick, Scharfsicht, **3.** Entscheidung, Urteilsspruch, Rechtsspruch, Richterspruch, Gerichtsentscheid, Schiedsspruch, Verurteilung, Aburteilung, Verdikt.

urteilen 1. sich ein Urteil bilden; zu **1701** einem Urteil gelangen, befinden über, beurteilen, bewerten, Stellung nehmen, begutachten, würdigen, werten, besprechen, rezensieren, kritisieren, zensieren, benoten, abschätzen, ermessen, **2.** Urteil fällen/sprechen, richten, verurteilen, aburteilen, verdonnern, verknacken, Stab brechen, entscheiden, befinden, Recht sprechen, zu Gericht sitzen, bemessen, **3.** unterscheiden, auseinander halten, auseinander kennen.

utopisch ausgedacht, konstruiert, erträumt, visionär, unverwirklichbar, unmöglich, unrealistisch, wirklichkeitsübersteigend. **1702**

V

1703 Variation Variante, Varietät, Abänderung, Abwandlung, Modifikation, Modulation, Abweichung, Abstufung, Besonderheit, Sonderfall, Abart, Lesart, Spielart, Version.

1704 Vater 1. Elternteil, leiblicher Vater, Erzeuger, allein erziehender Vater, Pflegevater, Stiefvater, Ziehvater, Adoptivvater, Bezugsperson, Erziehungsberechtigter, **2.** Papa, Papi, Vati, Daddy, alter Herr, Alter, **3.** geistiger Vater, Stifter, Gründer, Begründer, Initiator.

1705 verallgemeinern generalisieren, übertragen, abstrahieren, formalisieren, typisieren, schematisieren, verabsolutieren.

1706 Verallgemeinerung Generalisierung, Übertragung, Abstrahierung, Abstraktion, Simplifizierung, Simplifikation, Vereinfachung, Schematisierung, Normierung, Typisierung, Formalisierung, Verabsolutierung.

1707 veraltet unmodern, altmodisch, aus der Mode, passé, out, überholt, überlebt, altbacken, angestockt, abgestanden, rückständig, zeitfremd, gestrig, vorgestrig, verstaubt, aus der Mottenkiste, anachronistisch, obsolet, hinterwäldlerisch, kalter Kaffee, Schnee von gestern, megaout, abgetan, nicht mehr gefragt, altfränkisch, tümelnd, altväterisch, verzopft, unzeitgemäß, altertümlich, antiquiert, vorsintflutlich, antediluvianisch.

1708 verändern (sich) 1. ändern, abändern, umarbeiten, verwandeln, umwandeln, umändern, wenden, umdrehen; umformen, abwandeln, modifizieren, variieren, modulieren, Tonart wechseln, umschneiden, umtexten, umschreiben, ummodeln, umschmelzen, verwandeln, umgestalten, anders machen, auf den Kopf stellen, das Unterste zuoberst kehren, aus den Angeln heben, umkrempeln, umstülpen, umbilden, reformieren, umstoßen, umwerfen, umstürzen, revolutionieren, umorganisieren, umstrukturieren, umprogrammieren, umfunktionieren; veränderlich sein, sich ändern; anders werden, umschlagen, sich wenden, bessern, verschlechtern; umsetzen, verpflanzen; verlagern, umbesetzen, neu besetzen, umwidmen, umdeklarieren, übertragen, transponieren; umwerten, umdeuten, ummünzen, anderen Sinn geben, uminterpretieren, umdefinieren, umformulieren, reformulieren, anders sehen, Blickwinkel ändern; einschränken, relativieren, begrenzen, **2.** umräumen, verrücken, umstellen, verschieben, versetzen, **3.** Stellung/Beruf wechseln, umsatteln, umschulen, umsteigen, **4.** mutieren, pubertieren, **5.** sich wandeln, häuten; anderen Sinnes werden, sich entfalten, entwickeln; anders besinnen, umdenken, sich umstellen; umschalten, sich verwirklichen, finden, verlieren, **6.** sein Aussehen ändern, sich rundernеuern, umstylen.

1709 Veränderung 1. Änderung, Verwandlung, Abänderung, Umarbeitung, Umformung, Umbildung, Umbau, Reform, Umorganisation, Umgestaltung, Umstrukturierung, Modifikation, Neuerung, **2.** Wandel, Wandlung, Umwandlung, Wendung, Wende, Umschlag, Umschwung, Revolution, Schwenk, Verlagerung, Umkehr, Umkehrung, Schwankung, Fluktuation, Wechsel, Schwanken, Hin und Her, Auf und Ab, Ups and Downs, Umstellung, Übergang, Umbruch, **3.** Sinneswandel, Sinnesänderung, Häutung, Umstellung, Entfaltung, Reifung, Selbsterkundung, Selbstfindung, Verwirklichung, **4.** Lebenswende, Lebenskrise, Selbstverlust, Ummünzung, Umdeutung, Uminterpretation, Umwertung.

1710 veranlassen 1. anregen, initiieren, induzieren, verursachen, bewirken, zeitigen, herbeiführen, heraufbeschwören, auslösen, hervorbringen, heraufrufen, hervorrufen, verschulden, anstiften, erzeugen, ins Leben rufen, nach sich ziehen, mit sich bringen, zur Folge haben, **2.** in Gang setzen, ankurbeln, anlassen, starten, einschalten, anklicken, anwerfen; managen, in die Wege leiten, zustande bringen, in die Gänge kriegen, anzetteln, einfädeln, in Bewegung bringen.

1711 **veranstalten 1.** arrangieren, anordnen, einrichten, aufziehen, geben, unternehmen, ausrichten, durchführen, verwirklichen, vollziehen, abhalten, bringen, **2.** inszenieren, organisieren, ins Werk/in Szene setzen, auf die Beine stellen, über die Bühne gehen lassen, fertig bringen, bewerkstelligen, managen.

1712 **Veranstaltung 1.** Ausrichtung, Abhaltung, Abwicklung, Durchführung, Organisierung, **2.** Aufführung, Vorführung, Darbietung, Nummer, Auftritt, Vorstellung, Performance, Session, Konzert, Matinee, Soiree, Lesung, **3.** Festlichkeit, Festivität, Festival, Festspiele, Festwochen, Kulturereignis, Großveranstaltung, Spektakel, Event.

1713 **verarbeiten 1.** aufnehmen, verkraften, bewältigen, verschmerzen, verwinden, überwinden, hinwegkommen über, sich abfinden; fertig werden mit, wegstecken, verdauen, sich fassen; zu sich kommen, Abstand gewinnen, Gras wachsen lassen über, **2.** durchdenken, sich aneignen, zu Eigen machen; rezipieren, **3.** bearbeiten, entwickeln, weiterverarbeiten, verwerten.

1714 **verbergen (sich) 1.** verheimlichen, tarnen, kaschieren, verhehlen, vorenthalten, unter den Teppich kehren, zudecken, verdecken, verstecken, dem Blick entziehen, vertuschen, vernebeln, verschleiern, geheim halten, verschweigen, für sich behalten, unerwähnt lassen, mit Schweigen übergehen, totschweigen, überspielen, hinweggehen über, nicht merken lassen, im Unklaren lassen, seinen Mund halten, **2.** maskieren, verkleiden, kostümieren, verlarven, vermummen, verbrämen, verhüllen, mystifizieren, **3.** wegschließen, einschließen, wegstecken, einstecken, **4.** sich verstecken, verkriechen, verschanzen, verbarrikadieren, verborgen halten; untertauchen, abtauchen, in den Untergrund gehen, von der Bildfläche/spurlos/in der Versenkung verschwinden, nicht aufzufinden sein, sich in nichts auflösen.

1715 **verbessern (sich) 1.** bearbeiten, kultivieren, überarbeiten, korrigieren, verfeinern, verschönern, glätten, nachbessern, nachlegen, intensivieren, retuschieren, verschlimmbessern, **2.** entfalten, veredeln, kultivieren, heben, vertiefen, bereichern, optimieren, steigern, erhöhen, fördern, befördern, vorwärts bringen, mehren, entwickeln, ausbauen, erweitern, weiterentwickeln, verstärken, vorwärts treiben, forcieren, weiterbringen, vervollkommnen, anheben, hinaufschrauben, aufwerten, **3.** weiterhelfen, besser stellen, Gehalt erhöhen, zulegen, aufbessern, **4.** versüßen, vergolden, verzuckern, angenehmer machen, **5.** anreichern, düngen, jauchen, kompostieren, meliorieren, **6.** aufsteigen, avancieren.

Verbesserung 1. Korrektur, Retusche, Berichtigung, Nachbesserung, Klarstellung, **2.** Veredelung, Kultivierung, Verfeinerung, Vervollkommnung, Bereicherung, Verschönerung, Aufwertung, **3.** Anreicherung, Bodenverbesserung, Melioration. **1716**

verbinden (sich) 1. Verbindung knüpfen, Beziehung herstellen, Brücke schlagen, sich befreunden, anfreunden, zugesellen, einlassen, engagieren, verbrüdern; fraternisieren, zueinander finden, zusammenwachsen, **2.** vereinigen, amalgamieren, vereinen, paaren, koppeln, knüpfen, schlingen, knoten, verkoppeln, verkuppeln, zusammenkoppeln, zusammenbringen, verquicken, zusammenfügen, montieren, zusammenbauen, zusammenführen, in Verbindung bringen, verschränken, zusammenlegen, verketten, verkabeln, sich einloggen, vernetzen, verkitten, zusammensetzen, verknoten, verschlingen, verknüpfen, aneinander fügen, kombinieren, verzahnen, verzapfen, vernieten, verfugen, verschmelzen, zusammenschmieden, verschweißen, zusammenkleben, zusammenflechten, zusammenketten, zusammenwerfen, verweben, überbrücken, überspannen, überleiten, **3.** zusammenarbeiten, zusammenwirken, Team bilden, sich zusammentun, zusammenschließen, einigen, vereinigen, verbünden; fusionieren, verflechten, assoziieren, integrieren, unieren, kooperieren, konföderieren, liieren, paktieren, koalieren, angliedern, beitreten, eintreten, Mitglied werden, **4.** verschwören, konspirieren, verstricken, Komplott schmieden, **5.** sich verloben, verheiraten, vermählen; Ehe schließen, heiraten, freien. **1717**

1718 Verbindung 1. Kontakt, Verknüpfung, Verkabelung, Vernetzung, Verkoppelung, Koppelung, Verkettung, Verflechtung, Verzahnung, Verquickung, Verschlingung, Verschmelzung; Zusammensetzung, Kombination, Aggregat, Mischung, Synthese, Band, Nexus, Schiene, Brücke, Zusammenhang, Junktim, Relation; Verflochtenheit, Verbundenheit, Zusammengehörigkeit, Schulterschluss, **2.** Assoziation, Gedankenverbindung, roter Faden, Referenz, Bezug, Anknüpfungspunkt, Anschlussstelle, Schnittstelle, Berührungspunkt; Gedankenbrücke, Eselsbrücke, **3.** Bindungen, Gemeinsamkeiten, Verbindungen, Beziehungen, Connections, Kanäle, Draht, Netzwerk, Vitamin B, richtiges Parteibuch, **4.** Studentenverbindung, Burschenschaft, Corps, Landsmannschaft, Loge, Bruderschaft, Kongregation, Orden, **5.** Beziehung, Verhältnis, Bindung, Partnerschaft, Lebensgemeinschaft, Verlobung, Verlöbnis, Ehe, Ehebund, Vermählung, Eheschließung, **6.** Vereinigung, Assoziierung, Zusammenschluss, Koalition, Fraktion, Liga, Bund, Bündnis, Allianz, Föderation, Union, Fusion, Fusionierung, Kartellierung, Kartell, Konzern, Syndikat, Trust, Elefantenhochzeit.

1719 verborgen 1. unmerklich, unsichtbar, unbemerkt, unerkannt, unkenntlich, verhüllt, unter der Oberfläche, untergründig, latent, unterschwellig, subkutan, verkappt, verhohlen, verdeckt, versteckt, verkleidet, maskiert, verlarvt, vermummt, **2.** esoterisch, okkult, nur für Eingeweihte, nicht mitteilbar.

1720 Verbot 1. Untersagung, Interdikt, Zensur, Verwehrung, Einspruch, Verweigerung, Versagung, Relegation, Widerspruch, Veto, Tabu, Bann, Beschwörung, Beschwörungsformel, **2.** Platzverweis, Hausverbot, Hausarrest, Ausgangsverbot, Fahrverbot, Parkverbot, Sperrstunde, Prohibition.

1721 verboten untersagt, unerlaubt, off limits, verwehrt, gesetzwidrig, ungesetzlich, illegal, vorschriftswidrig, rechtswidrig, strafbar, strafwürdig, ordnungswidrig, verfassungswidrig, illegitim, widerrechtlich, unbefugt, unrechtmäßig, unberechtigt, ungerechtfertigt, unzulässig, frevelhaft, verpönt, unstatthaft, tabuisiert, tabu, unaussprechbar, unantastbar, sakrosankt, indiziert, im Giftschrank.

Verbrauch 1. Konsum, Konsumtion, **1722** Verzehr, Bedarf, **2.** Schwund, Verlust, Abgang, Abnahme, Verringerung, Verminderung, Schmälerung, Einbuße, Verschleiß, Abnutzung, Abrieb, Materialermüdung.

verbrauchen (sich) 1. verwenden, **1723** brauchen, konsumieren, verzehren, aufbrauchen, verbuttern, verbraten, verwirtschaften, verkonsumieren, kleinkriegen, aufzehren, aufwenden, ausgeben, **2.** sich verausgaben, überanstrengen; alles hergeben, das Letzte aus sich herausholen, sich übernehmen, **3.** abnutzen, verschleißen, abschaben, verschaben, abbrauchen, aufreiben, zerreiben, mitnehmen, abscheuern, abwetzen, verwetzen, abtragen, auftragen, strapazieren; erschöpfen, beeinträchtigen, herunterbringen, zehren, auslaugen, abstumpfen; verwohnen, abnutzen, abwohnen; schleißen, reißen, dünn werden, schädigen, **4.** nachlassen, sich vermindern; abbröckeln, kleiner werden, sich verringern; abbrechen, **5.** verwischen, undeutlich machen, verwaschen, entfärben, ausbleichen, verschleifen.

Verbrechen Delikt, Straftat, Strafdelikt, Freveltat, Übeltat, Missetat, Untat, Schandtat, Frevel, Entsetzenstat, Gräueltat; Gewalttat, Gewaltverbrechen, Kapitalverbrechen, Wirtschaftsverbrechen, Umweltverbrechen, Sexualverbrechen, Totschlag, Mord, Raubmord, Lynchmord, Fememord, Lynchjustiz, Menschenraub, Menschenhandel, Kidnapping, Hijacking, Kriegsverbrechen, Verbrechen wider die Menschlichkeit.

Verbrecher 1. Delinquent, Straffälliger, Straftäter, Schuldiger, Täter, Krimineller, Übeltäter, Rechtsbrecher, Gesetzesbrecher, **2.** Einbrecher, Räuber, Bankräuber; Entführer, Kidnapper, Luftpirat; Sexualverbrecher, Mörder, Raubmörder, Killer, Totschläger, Gewalttäter, Gewaltverbrecher, Schwerverbrecher, Kriegsverbrecher, Massenmörder, Kapitalverbrecher, Umweltverbrecher, White-Collar-Verbrecher, Schreibtischtäter.

verbreiten 1. ausdehnen, ausströ- **1726**

men, ausbreiten, verströmen, weitersagen, ausstreuen, in Umlauf setzen, weiterleiten, bekannt geben, wissen lassen, ausposaunen, veröffentlichen, unter die Leute bringen, **2.** senden, übertragen.

1727 verbunden 1. befreundet, vereinigt, zusammengehörig, einig, vertraut, zugehörig, verbündet, vereint, alliiert, im Bündnis, verbrüdert, untrennbar, verschworen, komplizenhaft, verschwörerisch, solidarisch, liiert, Schulter an Schulter, Seite an Seite, geeinigt, föderiert, organisiert, assoziiert, **2.** gekoppelt, geschaltet, gestöpselt, kommunizierend, korrespondierend, zusammengeschlossen, zusammengezogen, verkabelt, verdrahtet, online, vernetzt, multimedial, **3.** verflochten, verzahnt, verknüpft, verschlungen, verschmolzen, zusammengesetzt, zusammenhängend.

1728 verderben 1. verkommen, umkommen, draufgehen, ranzig werden, garen, angehen, sich zersetzen; faulen, verfaulen, verwesen, vermodern, modern, vergammeln, schimmeln, verschimmeln, anbrennen, verkohlen, **2.** veröden, verrotten, versauern, rosten, korrodieren, durchrosten, verrosten, einrosten, oxidieren, Patina bilden, Grünspan ansetzen; denaturieren, verfallen, zerfallen, **3.** herunterkommen, absinken, degenerieren, absteigen, abgleiten, absacken, abrutschen, abstürzen, verkommen, unter die Räder kommen, versacken, vor die Hunde gehen, an den Bettelstab/auf den Hund kommen, verludern, verlumpen, versumpfen, verelenden, verlottern; verwahrlosen, verarmen, depravieren, verkümmern, verslumen, verwildern, verrohen, untergehen, scheitern, zugrunde gehen; versimpeln, verdummen, verblöden, **4.** vermasseln, vermurksen, verkorksen, verpatzen, versauen, verpfuschen, verhunzen, versaubeuteln, vergnießbar machen, versalzen, **5.** negativ beeinflussen, auf die schiefe Bahn bringen, schlechten Einfluss ausüben, hinabziehen, herabziehen, hinunterziehen, herunterziehen, ins Verderben reißen, **6.** verhindern, hindern.

1729 verdeutlichen 1. präzisieren, veranschaulichen, herausarbeiten, konkretisieren, auf den Punkt kommen, betonen, hervorheben, pointieren, herausheben, deutlich machen, verstärken, umreißen, konturieren, profilieren, unterstreichen, akzentuieren, klarmachen, offenbaren, orientieren, aufzeigen, herausstellen, **2.** zur Sache kommen, Standpunkt klarmachen, Flötentöne beibringen, Tacheles/Fraktur/deutsch reden, Bescheid stoßen, kein Blatt vor den Mund nehmen, Kind beim Namen nennen, Katze aus dem Sack lassen, deutlich werden, Star stechen, reinen Wein einschenken, beibringen, beibiegen, stecken, aufklären, Maske fallen lassen, Flagge zeigen, **3.** Bezug nehmen, sich beziehen auf; zurückkommen/zurückgreifen auf, verknüpfen mit, ableiten, in Verbindung bringen.

verdienen 1. erwerben, erarbeiten, **1730** einnehmen, bekommen, gewinnen, bezahlt bekommen, Einnahmen haben, erhalten, kriegen, einstreichen, beziehen, profitieren, herausbekommen, absahnen, Geld machen, **2.** zukommen, zustehen, gebühren, beanspruchen können, Anrecht haben, erwarten dürfen, wert/angemessen sein.

Verdienst 1. Einnahme, Einkom- **1731** men, Einkünfte, Bezüge, Lohn, Entgelt, Entlohnung, Gehalt, Fixum, Pauschale, Abgeltung, Abfindung, Vergütung, Gage, Provision, Bezahlung, Besoldung, Honorar, Sold, Salär, Heuer, **2.** Profit, Ertrag, Erlös, Zins, Gewinn, Ausbeute, Rendite, Überschuss, Surplus, Spanne, Schnitt, Marge, Reibach, **3.** Verdienste, Meriten, Werk, Tat, Leistung.

verdienstvoll anerkennenswert, lo- **1732** benswert, löblich, hoch anzurechnen, dankenswert, ehrenvoll, ehrend, beifallswürdig, achtbar, beachtlich, rühmenswert, rühmlich.

verdrängen 1. wegschieben, weg- **1733** drängen, abdrängen, zurückdrängen, wegdrücken, in den Hintergrund drängen, beiseite schieben/drängen/stoßen, zur Seite schieben; an die Wand drängen, aus dem Feld schlagen, verbeißen; kaltstellen, schaden, kündigen, **2.** ignorieren, unterdrücken, niederhalten, ersticken, abwehren, ins Unbewusste abschieben, aus dem Bewusstsein bannen, nicht wahrhaben wollen, überspielen, umlenken, sublimieren, kompensieren, scheinbegründen, rationalisieren.

verehren 1. achten, bewundern, an- **1734**

staunen, respektieren, anerkennen, estimieren, schätzen, aufsehen zu, aufschauen, aufblicken, emporsehen, hochblicken, hoch schätzen, wertachten, werthalten, wertschätzen, hochhalten, heilig halten, hohe Meinung haben, hoch achten, Achtung erweisen, zollen, ehrfürchtig sein, lieben, huldigen, zu Füßen liegen, auf Händen tragen, 2. anhimmeln, anschwärmen, umschmeicheln, umwerben, umschwärmen, in den Himmel heben, anbeten, verhimmeln, vergöttern, fetischisieren, idolisieren, Kult machen um, 3. Denkmal setzen, verewigen.

1735 vereinbaren abmachen, beschließen, statuieren, ausmachen, abkaspern, auskaspern, übereinkommen, verabreden, absprechen, festlegen, festsetzen, festmachen, festklopfen, festschreiben, unterschreiben, besiegeln, akkordieren, verbleiben, fixieren, Vertrag schließen; sich verständigen; Kompromiss schließen, Zugeständnisse machen, tiefer hängen, aushandeln, sich abstimmen, vergleichen, entgegenkommen, einigen; einig werden, sich arrangieren; Lösung finden, auf einen Nenner bringen, sich zusammenraufen; abkarten, heimlich ausmachen; abschließen, handelseinig werden, beschließen, abgrenzen, terminieren, befristen, begrenzen, limitieren, einschränken, abstecken, eingrenzen.

1736 Vereinbarung 1. Abkommen, Abmachung, Übereinkunft, Übereinkommen, Arrangement, Abrede, Absprache, Agreement, Beschluss, Entscheidung, Entschließung, Entschluss, Fixierung, Festschreibung, Festsetzung, Festlegung, Einigung, Klärung, Verständigung; Kompromiss, Zwischenlösung, Interim, Entgegenkommen, Vergleich, Zugeständnis, Konsens, kleinster gemeinsamer Nenner, Schmalspurkonsens, 2. Vertrag, Kontrakt, Abschluss, Konvention, Bündnis, Pakt, Konkordat, Bindung, Verpflichtung, Versprechen.

1737 vereinfachen vereinheitlichen, standardisieren, nivellieren, keinen Unterschied machen, alles in einen Topf werfen, über einen Kamm scheren, normieren, formalisieren, schematisieren, typen, schablonisieren, uniformieren, gleichmachen, simplifizieren, versimpeln, popularisieren, banalisieren, verflachen, vergröbern, verwässern, Geist austreiben.

Vereinfachung Vereinheitlichung, **1738** Nivellierung, Angleichung, Gleichmacherei; Normung, Standardisierung, Typung, Eichung; Normierung, Präzisierung, Mechanisierung, Schematisierung, Schablonisierung, Simplifizierung, Typisierung, Banalisierung, Verflachung, Popularisierung, Verwässerung, Vergröberung.

verfälschen 1. entstellen, verzerren, **1739** verdrehen, verzeichnen, überzeichnen, umkehren, ummünzen, hineininterpretieren, hineinlegen, auf sich beziehen, projizieren, hineinsehen, klittern, abfälschen, 2. verdünnen, versetzen, verschneiden, verlängern, strecken, denaturieren, verwässern, zusammenschütten, zusammenwerfen, panschen.

verfolgen 1. nachgehen, nachjagen, **1740** nachsetzen, nachspringen, nachlaufen, nachsprengen, hinterhersetzen, hetzen, jagen, treiben, bedrängen, beschleichen, anschleichen, jmds. Spuren verfolgen, mit den Augen verfolgen, beschatten, auf den Fersen bleiben, 2. fortsetzen, fortführen, anknüpfen, fortfahren, weiterverfolgen, dran sein, dranbleiben, weiterspinnen, weiterführen, nicht ablassen, beibehalten, sich nicht irremachen lassen, 3. nachlaufen, nachrennen, hinterherrennen, sich an den Rockzipfel hängen; auf Schritt und Tritt folgen, nachstellen, nachsteigen.

verführen verlocken, verleiten, in **1741** Versuchung bringen; locken, buhlen, versuchen, balzen, gurren, Avancen machen, schöntun, kokettieren, flirten, plänkeln, schäkern, liebäugeln, scharmieren, scharmutzieren, hofieren, Hof machen, umwerben, bezaubern, bezirzen, berücken, betören, faszinieren, umgarnen, antörnen, Kopf verdrehen, anmachen, aufreißen, scharfmachen, aufgeilen.

Verführer(in) 1. Don Juan, Casanova, Schürzenjäger, Frauenheld, Herzensbrecher, Weiberheld, Schwerenöter, Partylöwe, Blaubart, Ladykiller, Satyr, Faun, Lustgreis, Lustmolch, Bock, Hengst, Lüstling; Hommes à Femmes, Lady's Man, Charming Boy, Bel Ami, Gigolo, Playboy, Libertin, Roué, Lustknabe, Sexmaniac, 2. Weibchen, Koket- **1742**

te, Playgirl, Playmate, Femme fatale, Kurtisane, Animierdame.

1743 vergangen vorbei, gelaufen, gewesen, zu Ende, abgeschlossen, aus, vorüber, um, dahin, tot, passé, ex, out, long ago, überholt, verflossen, einstig, vorig, einstmalig, früher, damalig, gestrig, ehemalig, entschwunden, erloschen, versunken, vergessen, verweht, zurückliegend, lange her, verjährt, überwunden, verschmerzt, geschichtlich, historisch, unwiederbringlich, vorangegangen, vorhergegangen, vorausgegangen, abgelebt, verpasst, zu spät.

1744 Vergangenheit Urzeit, Vorzeit, Frühzeit, Altertum, Antike, Urgeschichte, Vorgeschichte, Frühgeschichte, Antediluvium, Steinzeit, graue Vorzeit, Prähistorie, Geschichte, Historie; Gestern, vergangene/gewesene Zeiten, Vorleben.

1745 vergänglich endlich, begrenzt, irdisch, wie Spreu im Winde, wandelbar, zeitgebunden, an den Tag gebunden, vorübergehend, ohne Bestand, auf tönernen Füßen, kurzlebig, temporär, nicht von Dauer, sterblich, flüchtig, unbeständig.

1746 Vergänglichkeit 1. Endlichkeit, Flüchtigkeit, Begrenztheit, Unbeständigkeit, Weltgetriebe, Zeitlichkeit, Zeitgebundenheit, Kurzlebigkeit, Sterblichkeit, Vanitas, 2. Schaum, Gischt, Traum, Schnee, Seifenblase, Schall und Rauch, Staub und Asche, Verdunstung, Schmelze, Verflüssigung, Vergehen, Verflüchtigung.

1747 vergeblich vergebens, umsonst, missglückt, misslungen, danebengegangen, dumm gelaufen, gescheitert, ergebnislos, resultatlos, illusorisch, eingebildet, trügerisch, verfehlt, ungenutzt, verschwendet, verpufft, nutzlos, unnütz, fruchtlos, erfolglos, für nichts und wieder nichts, unwirksam, wirkungslos, unverrichteter Dinge, für die Katz, zwecklos, sinnlos, aussichtslos, müßig, unsinnig.

1748 Vergeblichkeit Fass der Danaiden, Nutzlosigkeit, Erfolglosigkeit, Fruchtlosigkeit, Sinnlosigkeit, Wirkungslosigkeit, Fass ohne Boden, Schlag ins Wasser, verlorene Liebesmüh, Sisyphusarbeit, Pyrrhussieg, Kampf gegen Windmühlenflügel, Hornberger Schießen.

vergehen (sich) 1. entschwinden, **1749** verschwinden, enteilen, verlaufen, verrinnen, dahingehen, dahineilen, verfliegen, verrauschen, entweichen, zu Ende gehen, verstreichen, vorübergehen, vorbeigehen, hinschwinden, ablaufen, aufhören, sich verflüchtigen; verwehen; versickern, sich verlaufen, in nichts auflösen; dahinschmelzen, wegschmelzen, 2. verkommen, verwittern, sich zersetzen; zerfallen, verfallen, einstürzen, zusammenstürzen, zusammenkrachen, zusammenbrechen, einfallen, einkrachen, auseinander fallen, zerbröckeln, abbröckeln, 3. verlöschen, verlodern, erlöschen, erkalten, verglimmen, verglühen; nachlassen, abklingen; verklingen, verschwimmen, zerflattern, ersterben; verpuffen, verrauschen, 4. verdunsten, verfliegen, verdampfen, sich verflüchtigen, auflösen; schwinden, verriechen, verduften, schal werden, 5. verbrennen, abbrennen, niederbrennen, in Flammen / Rauch aufgehen, zu Asche werden, verkohlen, 6. veralten, abkommen, unmodern werden, aus der Mode kommen, überaltern, sich überleben, 7. verfallen, ungültig werden, verjähren, Wert verlieren, außer Kurs geraten, 8. widerrechtlich handeln, gegen Gesetze verstoßen, mit dem Gesetz in Konflikt kommen, sich etwas zuschulden kommen lassen; etwas anrichten, unrecht tun, verstoßen gegen, fehlen, sich strafbar machen; straffällig werden, Verbrechen begehen, sein Unwesen treiben, etwas verbrechen, sich versündigen, schuldig machen; zuwiderhandeln, Pflicht verletzen, Wort brechen.

vergelten 1. rächen, ahnden, abrechnen mit, mit gleicher Münze zahlen, Rache nehmen, heimzahlen, Rechnung begleichen, entgelten lassen, fühlen lassen, wettmachen, quittieren, Quittung erteilen, sich Genugtuung verschaffen; büßen lassen, Spieß umdrehen, Antwort nicht schuldig bleiben, 2. abstrafen, Denkzettel verpassen, bestrafen, heimleuchten, zu fühlen geben, es jmdm. besorgen, 3. belohnen, lohnen, danken, erwidern, sich revanchieren, erkenntlich zeigen; gutmachen, entschädigen, vergüten, anrechnen, zugute halten, rückvergüten.

1751 Vergeltung 1. Rache, Revanche, Abrechnung, Ahndung, Nemesis, Heimzahlung, Quittung, Denkzettel, Lehre, Gegenschlag, Vergeltungsschlag, Rachefeldzug, Blutrache, Feme, Repressalie, Retourkutsche, wie du mir, so ich dir, Auge um Auge, 2. Strafe, Bestrafung, Strafaktion, Strafmaßnahme, Sanktion, Sühne, 3. Dank, Erkenntlichkeit.

1752 vergessen (sich) 1. sich nicht mehr erinnern, nicht entsinnen; verschwitzen, verbummeln, verschlafen, verdrängen, verschlampen, verschusseln, entfallen, nicht daran denken, aus dem Gedächtnis verlieren, nicht behalten, verlernen, 2. liegen lassen, verlieren, stehen/sitzen/warten lassen, versetzen, Verabredung/Versprechen nicht einhalten, 3. nicht wissen, was man tut, sich unüberlegt verhalten; entgleisen, aus der Rolle fallen, sich vorbeibenehmen; Fauxpas begehen, handgreiflich werden, aus der Fassung geraten.

1753 Vergleich 1. Gegenüberstellung, Konfrontation, Gegeneinanderhalten, Kontrastierung, 2. Gleichnis, Metapher, Bild, Analogie, 3. Ausgleich, Versöhnung, Kompromiss, Verständigung, Übereinkunft, Beilegung.

1754 vergleichen (sich) 1. nebeneinander halten, nebeneinander stellen, kollationieren, kontrapunktieren, abstimmen, dagegenhalten, gegenüberstellen, konfrontieren, kontrastieren, aneinander messen, prüfen an, Parallelen ziehen, auf eine Stufe stellen, Vergleich ziehen, gegeneinander abwägen, 2. sich gütlich einigen; Ausgleich/Vergleich finden, 3. sich messen; mit jmdm. konkurrieren.

1755 vergraben (sich) 1. eingraben, begraben, einbuddeln, einscharren, zudecken, zuschütten, verbergen, verscharren, verstecken, 2. nichts hören und sehen, für niemanden zu sprechen sein, sich abschließen, versenken; in Klausur gehen, sich abkapseln, absondern.

1756 verhaften aufgreifen, fangen, festnehmen, ergreifen, hoppnehmen, stellen, dingfest machen, überwältigen, habhaft werden, abführen, festsetzen, arretieren, sistieren, inhaftieren, einstecken, einbuchten, einlochen, einsperren, gefangen nehmen, einkerkern, in Gewahrsam nehmen, gefangen setzen, hinter Schloss und Riegel bringen.

verhalten, sich 1. sich benehmen, **1757** betragen, geben, gebärden, gebaren, gehaben; reagieren, verfahren; sich aufführen, gerieren, anstellen; auftreten, 2. stehen, bestellt sein, Bewandtnis haben.

Verhalten 1. Benehmen, Betragen, **1758** Reaktion, Verhaltensweise, Führung, Gebaren, Aufführung, Gehabe, Handlungsweise, Verhaltensmuster, Pattern, Einstellung, 2. Manieren, Formen, Umgangsformen, Gewandtheit, Pli, Stil, Benimm, Imagepflege, 3. Haltung, Attitüde, Allüren, Pose, Air, Stellung, Positur, Gebärden.

Verkauf 1. Abgabe, Ausgabe, Auslieferung, Handel, Umsatz, Veräußerung, Realisation, Absatz, Vertrieb, Versand, Mailorder, Versandverkauf, 2. Ausverkauf, Schlussverkauf, Sale, Räumungsverkauf, Totalausverkauf, 3. Versteigerung, Gant, Vergantung, Auktion. **1759**

verkaufen (sich) 1. absetzen, abgeben, veräußern, realisieren, vertreiben, umsetzen, anbieten, abstoßen, an den Mann bringen, überlassen, zu Geld machen, feilbieten, auf den Markt bringen; versteigern, verganten, auktionieren, unter den Hammer bringen, kommerzialisieren, 2. verkitschen, verkloppen, verschachern, versilbern, verscherbeln, verhökern; hausieren, andrehen, aufreden, aufschwatzen, 3. ausverkaufen, räumen, verramschen, verschleudern, losschlagen, abstoßen, Lager räumen, 4. abgehen, gehen, weggehen, gefragt sein, sich einführen; einschlagen, gefallen, Abnehmer/Publikum/reißenden Absatz finden, sich absetzen lassen, 5. sich kaufen lassen; bestechlich sein. **1760**

Verlangen 1. Wollen, Wünschen, **1761** Streben, Trachten, Drängen, Begehren, Begehrlichkeit, Neigung, Trieb, Drang, Sucht, Hang, Lust, Gelüst, Gier; Appetit, Esslust, Hunger, Heißhunger, Naschhaftigkeit, Bärenhunger, Kohldampf; Gefräßigkeit, Fressbegierde, Fressgier, Fresssucht, Unersättlichkeit; Durst, trockene Kehle, Brand; Libido, Lüsternheit, 2. Wunsch, Begehr, Belieben, Bestreben, Bestrebung, Bitte, Anliegen, Anspruch, Ansinnen, Forderung, Anruf, Appell, Ansuchen, Ersuchen, Sehnen, Sehnsucht, Weh, Nostalgie, Heimweh, Fernweh, **3.** Besitzgier, Habgier, Habsucht, Geldgier, Raffgier, Gewinnsucht.

1762 verlegen 1. scheu, zaghaft, zage, schüchtern, befangen, gehemmt, blockiert, ängstlich, unsicher, unfrei, geniert, genant, geschämig, steif, gezwungen, verkrampft, verklemmt, hilflos, ratlos, **2.** verwirrt, verschämt, betreten, verschüchtert, eingeschüchtert, beschämt, kleinlaut, blamiert, peinlich berührt, schamrot, wie ein begossener Pudel.

1763 Verlegenheit 1. Ratlosigkeit, Unschlüssigkeit, Bedrängnis, Zwiespalt, Unentschiedenheit, Unentschlossenheit, Handlungsdruck, Notlage, Geldverlegenheit, Schwierigkeit, Klemme, Zwickmühle, Sackgasse, Dilemma, Konflikt, Zwangslage, Bredouille, Klippe, Engpass, Kalamität, Schwulität, Gefahrenpunkt, Komplikation, harte Nuss, Problem, Tinte, Patsche, Schlamassel, Pech, Pechsträhne, **2.** Schüchternheit, Scheu, Angst, Komplex, Befangenheit, Unsicherheit, Minderwertigkeitsgefühle, Hemmungen, Beißhemmung, Bisshemmung, Schuldgefühle, Bammel, Nervosität, Verschämtheit, Genierlichkeit, **3.** Beschämung, Blamage, Betretenheit, roter Kopf, Malheur, Gehemmtheit, Hemmung, Verwirrtheit, Unbeholfenheit, Ungeschicklichkeit, Hilflosigkeit, Eckigkeit, Steifheit, Ungewandtheit, Ungeschick, **4.** Verkrampfung, Verkrampftheit, Sperre.

1764 verleumden bezichtigen, beschuldigen, anschwärzen, schlecht machen, verdächtigen, unterstellen, unterschieben, denunzieren, zeihen, verunglimpfen, anhängen, nachsagen, andichten, diffamieren, diskreditieren, mies machen, heruntermachen, übel nachreden, verlästern, schmähen, die Ehre abschneiden, böswillig behaupten, am Zeuge flicken, verteufeln, verschreien, verunehren, lästern, unmöglich machen, verteufeln, verketzern, herziehen über, in den Schmutz ziehen, kein gutes Haar lassen, begeifern, schmähen, herabsetzen, in Verruf bringen.

1765 Verleumdung üble Nachrede, Verunglimpfung, Rufschädigung, Herabwürdigung, Beleidigung, Bezichtigung, Diffamierung, Herabsetzung, Diskredi-

tierung, böswillige Unterstellung, Schmähung, Ehrabschneidung, Verlästerung, Medisance, Verteufelung, Verketzerung, Brunnenvergiftung.

1766 verliebt angetan, zugetan, gewogen, hold, ins Herz geschlossen, entzückt, schwärmerisch, hingerissen, besessen, vernarrt, verschossen, leidenschaftlich, ergriffen, entflammt, entbrannt, vergafft, verknallt, amourös, betört, verhext, verzaubert, bezirzt, außer sich, nicht bei Sinnen, im siebten Himmel, auf Wolke sieben, liebestoll.

1767 verlieren 1. einbüßen, abhanden kommen, verlustig gehen, verkramen, verlegen, verschlampen, versieben, verschludern, verloren gehen, wegkommen, hopsgehen, flöten gehen, los sein, verschütt gehen, kommen um, loswerden, **2.** verscherzen, verwirken, Nachsehen haben, zubuttern, Verlust erleiden, zulegen, draufzahlen, zuzahlen, verspielen, beim Spiel verlieren, zusetzen, ins Hintertreffen geraten, Einbuße erleiden, Haare lassen, in den Mond gucken, in den Schornstein schreiben, hereinfallen, aufsitzen, Zeche bezahlen, verloren geben; an Ansehen verlieren, in Misskredit geraten, in schlechten Ruf kommen, **5.** unterliegen, scheitern.

1768 vermitteln 1. Wort einlegen, fürbitten, sich verwenden, ins Mittel legen; fürsprechen, intervenieren, befürworten, sich einschalten; dolmetschen, schlichten, bereinigen, ausgleichen, **2.** ansagen, moderieren, schalten, verbinden, Kontakt herstellen, **3.** begreiflich/verständlich machen, erklären, interpretieren, entfalten, darlegen, verstehen/erkennen lassen, rüberbringen.

1769 Vermittler Mittelsmann, Mittler, Mittlerrolle, Hehler, Verbindungsmann, Kontaktperson, Makler, Unterhändler, Medium, Moderator, Zwischenhändler, Bindeglied; Dolmetscher, Übersetzer, Sprachmittler, Operator.

1770 Vermittlung 1. Mitwirkung, Mithilfe, Fürbitte, Fürsprache, Intervention, Einsatz, Einschaltung, Hilfe, Vermittlungsstelle, Agentur, Telefonvermittlung, **2.** Übersetzung, Übertragung, Interpretation, Erklärung, Erläuterung.

1771 vermuten 1. glauben, meinen, schätzen, denken, annehmen, als gegeben betrachten, Fall setzen, dafürhalten, dünken, vorkommen, wähnen, für möglich halten, Meinung hegen, Vermutungen anstellen; zuschreiben, beilegen, andichten, **2.** mutmaßen, nicht sicher sein, voraussehen, kommen sehen, vorausahnen, schwanen, dunkeln, vorschwanen, erahnen, Verdacht schöpfen, verdächtigen, präsumieren, unterstellen, Braten riechen, Wind bekommen, sich an fünf Fingern abzählen; ahnen, Lunte riechen.

1772 vernünftig 1. vernunftbegabt, verständig, einsichtig, einsichtsvoll, Vernunftgründen zugänglich, überlegt, umsichtig, besonnen, bedächtig, ernüchtert, Schluss mit lustig, **2.** hell, klug, aufgeklärt, vorurteilslos, aufgeschlossen, gescheit, klarsichtig, nicht auf den Kopf gefallen, **3.** logisch, analytisch, rational, verstandesmäßig, begrifflich, klar, einleuchtend, schlüssig, folgerichtig, vernunftgemäß, mit Hand und Fuß, **4.** intellektuell, geistig, mental, gedanklich, bewusst, reflektiert, kritisch, mit Bewusstsein, bei klarem Verstand, wach, illusionsfrei, sachlich, realistisch, nüchtern, verstandesbetont, vernunftbetont, wirklichkeitsnah, lebensnah, lebensklug, selbstkritisch, urteilsfähig, urteilssicher.

1773 veröffentlichen 1. verlegen, herausgeben, herausbringen, drucken, auflegen, publizieren, edieren, vertreiben, auf den Markt/ins Internet bringen, **2.** verbreiten, öffentlich machen, kundmachen, in Umlauf setzen, unter die Leute bringen, ausrufen, ausschellen, aushängen, ausschreiben, plakatieren, proklamieren, bekannt geben, bekannt machen, publik machen, verkünden, offenbaren, verlautbaren lassen, senden.

1774 Veröffentlichung 1. Publikation, Ausgabe, Neuerscheinung, Druckwerk, Buch, **2.** Herausgabe, Edition, Erscheinen, Druck, Abdruck, Auflage, Drucklegung, Sendung.

1775 verpflichtet 1. gehalten, genötigt, gezwungen; haftbar, haftpflichtig, ersatzpflichtig, schadenspflichtig, gebührenpflichtig, in jmds. Schuld, zu Dank verpflichtet, **2.** gebunden, im Wort, festgelegt, versprochen, in festen Händen, nicht mehr frei.

1776 verraten verpetzen, petzen, sich verplappern; Indiskretion begehen, aus der

Schule plaudern, ausplaudern, herauslassen, angeben, auspacken, nicht hinterm Berge halten, hinterbringen, Katze aus dem Sack lassen; hochgehen lassen, verpfeifen, anzeigen, denunzieren, Verrat begehen.

verrückt 1. närrisch, durchgedreht, **1777** übergeschnappt, toll, weich in der Birne, wunderlich, spinnig, durch den Wind, wirr, verwirrt, im falschen Film, nicht ganz dicht, Schraube los, nicht richtig im Oberstübchen, gestört, nicht recht gescheit, nicht bei Sinnen/Trost, unzurechnungsfähig, verdreht, neben der Spur, nicht alle Tassen im Schrank, meschugge, neben der Kappe, ein Rad ab, bescheuert, behämmert, bekloppt, beknackt, überdreht, aus dem Häuschen, kopflos, überspannt, überkandidelt, schräge, schrill, irre, abgedreht, ausgeflippt, **2.** geisteskrank, geistesgestört, wahnsinnig, anstaltsreif, umnachtet, debil, irrsinnig, idiotisch, blöde, irr, psychopathisch, **3.** absurd, wahnwitzig, hirnverbrannt, aberwitzig, hirnrissig.

Verrücktheit 1. Knall, Knacks, **1778** Klaps, Sparren, Vogel, Meise, Stich, Rappel, Tick, Dachschaden, Macke, Webfehler, **2.** Schnapsidee, Kateridee, Spleen, Flitz, Grille, Mucken, Flausen, verrückter Einfall, **3.** Bewusstseinsstörung, Geistesgestörtheit, Geisteskrankheit.

versagen (sich) 1. abschlagen, ablehnen, ausschlagen, nicht erlauben/gestatten, verneinen, negieren, abwinken, verweigern, verwehren, frustrieren, vorenthalten, entziehen, aberkennen, absprechen, abstreiten, streitig machen, **2.** verbieten, untersagen, unterbinden, **3.** aussetzen, stocken, streiken, blockieren, erlahmen, aushaken, nicht mehr funktionieren / laufen, wegbleiben, Geist aufgeben, stillstehen; nichts mehr hergeben, eintrocknen, versiegen; nicht mehr können, Nerven verlieren, abgehängt werden, zurückbleiben, nicht weiterkönnen, schlappmachen, **4.** durchfallen, sitzen bleiben, zurückbleiben, nicht mitkommen, Anschluss verpassen, Klassenziel nicht erreichen, nicht bestehen, zurückfallen, sich nicht bewähren; enttäuschen, vermissen lassen, verländeln, in den Sand setzen, **5.** sich entziehen; absagen, wegbleiben, aufsagen, sich distanzieren, drücken, dünnmachen; mauern, dichtmachen, **6.** abstillen, entwöhnen, absetzen, **7.** verzichten, entsagen, sich abgewöhnen.

1780 Versagen 1. Versäumnis, Unterlassung, Vergessen, Versehen, Unachtsamkeit, Vernachlässigung, Saumseligkeit, Fahrlässigkeit, Pflichtvergessenheit, Unzulänglichkeit, **2.** Panne, Lücke, Fehler, Mangel, Ausfall, technischer Defekt, Blockade, Ladehemmung, **3.** Nervenkrise, Kollaps.

1781 Versager Nichtsnutz, Tunichtgut, Früchtchen, Schlemihl, Schlawiner, Taugenichts, Flasche, Anfänger, Lusche, taube Nuss, Blindgänger, Spätzünder, Niete, Nulpe, Null, Pfeife, Träne, Pflaume, Trottel, Penner, Nichtskönner, schwarzes Schaf, Schnarchzapfen, Verlierer, Loser, Verlierertyp.

1782 versäumen 1. verpassen, lassen, sich schenken, entgehen lassen; unterlassen, verbummeln, vertrödeln, verstreichen lassen, schwänzen, verschlampen, verschleppen, verzögern, verabsäumen, entgehen, vorübergehen lassen, auf die lange Bank schieben, **2.** verschlafen, zu spät kommen, sich verspäten, verfehlen, verpassen; aneinander vorbeigehen.

1783 verschieden 1. anders, andersartig, diskrepant, von anderer Art; verändert, verwandelt, umgebaut, umgewandelt, nicht wieder zu erkennen, völlig verändert; wie umgewandelt, neugeboren, anderer / neuer Mensch; unegal, ungleich, unähnlich, unterschiedlich, verschiedenartig, uneinheitlich, heteronom, wandlungsfähig, wandelbar, ungleichmäßig, wechselnd, gegensätzlich, **2.** abwechslungsreich, bunt, bilderreich, ereignisreich, mannigfaltig, mannigfach, vielgestaltig, vielförmig, multikulturell, zusammengewürfelt, gemischt, vermischt, variantenreich, vielfältig; vielstimmig, mehrstimmig, polyphon; verschiedenerlei, allerhand, allerlei; beweglich, schillernd, variabel, teils … teils, **3.** abweichend, irregulär, regelwidrig, normwidrig, divergierend, unkonventionell, unorthodox, querdenkerisch.

1784 Verschluss 1. Deckel, Stöpsel, Stopfen, Pfropfen, Korken, Zapfen, Pflock, Klappe, Platte, Schraubdeckel, Hahn, Spund, **2.** Riegel, Schloss, Haken, Knopf, Knebel, Schlinge, Öse, Schnalle, Schließe, Knoten, Reißverschluss, Band, Klettband, Verschlussband, Banderole, Verschlussmarke, Verschlussstreifen, Siegel, Plombe, Verriegelung.

verschwenden 1. in Saus und Braus   **1785** leben, über die Stränge schlagen, die Sau rauslassen, lockeres Leben führen, über seine Verhältnisse leben, in die Vollen gehen, auf großem Fuß leben, Geld zum Fenster hinauswerfen / auf den Kopf hauen, Perlen vor die Säue werfen, **2.** vergeuden, vertun, verschleudern, verwirtschaften, vertändeln, versaufen, verfressen, verbraten, verjuxen, verbumfiedeln, verjuchheien, verballern, verbrettern, verbuttern, verläppern, verplempern, verpulvern, vertrödeln, verspielen, verprassen, verjubeln, durchbringen.

versichern (sich) 1. beteuern, be-   **1786** kräftigen, betonen, Hand ins Feuer legen, beharren, dabei bleiben, erhärten, **2.** versprechen, zusichern, zusagen, geloben, sein Wort geben, sich verbürgen, stark machen; auf seinen Eid nehmen, darauf wetten, beschwören, beeiden, garantieren, verbriefen, bescheinigen, verbürgen, beglaubigen, **3.** Versicherung abschließen, sich absichern, rückversichern; etwas in petto haben, auf Nummer Sicher gehen.

Versicherung 1. Behauptung, Be-   **1787** teuerung, Versprechen, Zusicherung, Gelöbnis, Schwur, Eid, Wort, Kaufmannswort, Ehrenwort, **2.** Sicherung, Deckung, Vorsorge, Vorbedacht, Schutz, Rückversicherung, Rückendeckung, Vorsichtsmaßnahme, Sicherheitsvorkehrung, Sicherheitsmaßnahme.

versorgen (sich) 1. sich eindecken,   **1788** versehen mit; kaufen, horten, speichern, hamstern, vorsorgen, bunkern, **2.** pflegen, betreuen, umsorgen, hüten, behüten, warten, in Obhut / Pflege nehmen, hegen, aufpassen, sich kümmern, bekümmern, jmds. annehmen; besorgt sein um, sorgen für, bemuttern, bevatern, begönnern, **3.** verpflegen, verproviantieren, mit Proviant versehen; verkösten; unterhalten, aufkommen für, für den Lebensunterhalt aufkommen, jmdn. aushalten, **4.** beschicken, bestellen, beliefern.

1789 **Verstand** 1. Urteilskraft, Urteilsvermögen, Urteilsfähigkeit, Denkvermögen, Denkfähigkeit, Denkkraft, Geist, Vernunft, Geisteskraft, Logos, Ratio, diskursives Denken, Erkenntnisvermögen, Erkenntniskraft, Kognition, Begriffsvermögen, Abstraktionsvermögen, Abstraktionsfähigkeit, Bewusstsein, Bewusstheit, Durchdringungsfähigkeit, Intellekt, 2. Intelligenz, Geistesgaben, Auffassungsgabe, Aneignungsfähigkeit, Unterscheidungsvermögen, Differenzierungsvermögen, Beobachtungsgabe, Kombinationsgabe, Klugheit, Scharfsinn, Scharfblick, Gescheitheit, Kritikfähigkeit, Lernfähigkeit, Fassungsvermögen, Verständigkeit, Klarsicht, klarer Verstand, Verständnis, gesunder Menschenverstand, Common Sense, Nüchternheit, Realistik, Sachlichkeit, Vernünftigkeit, Wirklichkeitssinn; Hirn, Grips, Köpfchen, Grütze, Kopf, Mutterwitz.

1790 **verständlich** 1. einsichtig, begreiflich, erklärlich, einleuchtend, überzeugend, plausibel, evident, sinnfähig, augenfällig, vorstellbar, denkbar, glaubhaft, fasslich, fassbar, nachvollziehbar, klar, einsehbar, allgemein verständlich, verstehbar, transparent, vermittelbar, lernbar, erlernbar, einfach, unkompliziert, eingängig, populär, 2. nahe liegend, auf der Hand liegend, mit Händen zu greifen, 3. entschuldbar, verzeihlich, begreiflich, nachfühlbar, zu rechtfertigen, zu verstehen, einzusehen; aus guten Gründen, verständlicherweise, begreiflicherweise, selbstverständlich, versteht sich.

1791 **Verständlichkeit** Verstehbarkeit, Fasslichkeit, Anschaulichkeit, Durchschaubarkeit, Allgemeinverständlichkeit, Sinnfälligkeit, Augenfälligkeit, Plausibilität, Transparenz, Unkompliziertheit, Nachvollziehbarkeit, Vermittelbarkeit, Klarheit.

1792 **Verständnis** 1. Einfühlungsvermögen, Einfühlungsgabe, Empathie, Einfühlung, Feingefühl, Sachverständnis, Sinn, Antenne, Witterung für, 2. Kennerschaft, Sachverstand, Durchblick, Überblick, Durchdringung, 3. Großherzigkeit, Weitherzigkeit, Toleranz.

1793 **verstehen (sich)** 1. hören, vernehmen, zur Kenntnis nehmen, realisieren, mitkriegen, mitbekommen, 2. erkennen, einsehen, durchschauen, klar sehen, wieder erkennen, erfassen, bewusst werden, zu Bewusstsein/zu der Erkenntnis kommen, zur Einsicht gelangen, begreifen, fassen, lernen, kapieren, schnallen, schalten, checken, durchsteigen, durchdringen, eindringen, sich klar werden; klug werden aus, ergründen, mitkommen, folgen, nachvollziehen können, Einblick gewinnen, durchfinden, dahinter kommen, herausfinden, herausbekommen, zusammenreimen, überblicken, verarbeiten, verdauen, durchschauen, ins Bewusstsein dringen, fressen, sich zu Eigen machen; intus haben, Dreh heraushaben; einleuchten, dämmern, aufgehen, funken, eingehen, 3. nachfühlen, nachempfinden, mitfühlen, sich einfühlen; gerecht werden, sich hineindenken, in jmdn. versetzen; mitschwingen, 4. sich verstehen auf, auskennen; kennen, beherrschen, übersehen, überschauen, durchblicken, Durchblick haben, Zusammenhänge sehen, mitreden können, auf dem Laufenden/informiert/sachverständig/im Bild/beschlagen/bewandert sein, wissen, wie der Hase läuft, Bescheid wissen, sich zurechtfinden, 5. einsehen, beherzigen, sich zu Herzen nehmen; eine Lehre ziehen, sich zuziehen, gesagt sein lassen; Vernunft annehmen, zur Einsicht/Räson kommen, 6. sich verständigen; kommunizieren, übereinstimmen, harmonieren, zusammenklingen, zusammenstimmen, zusammenpassen, sich vertragen; sympathisieren, gut stehen/können/auskommen, einander ergänzen, zu nehmen wissen, behandeln können, 7. dekodieren, entschlüsseln, entziffern, dechiffrieren.

1794 **Versuch** 1. Probe, Experiment, Test, Analyse, 2. Kostprobe, Testmuster, Versuchsballon, Pilotfilm, Preview, 3. Zerreißprobe, Kraftprobe, Crashtest, Machtprobe, 3. Versuchsstadium, Vorläufigkeit, Spielcharakter, Werdestatus.

1795 **versuchen** 1. probieren, ausprobieren, durchprobieren, austesten, prüfen, Versuch machen, erproben, 2. experimentieren, forschen, Versuche anstellen, riskieren, wagen, manövrieren, laborieren, sein Heil versuchen, tasten, sondieren, testen, analysieren, tüfteln, austüfteln, ausklügeln, ausknobeln, ausklamüsern.

1796 verteilen (sich) 1. ausgeben, austeilen, distribuieren, zuteilen, zumessen, verabfolgen, zusprechen, zubilligen, zuerkennen, verabreichen, aufteilen, umlegen, ausschütten, auslosen, 2. streuen, säen, ausschleudern, ausstreuen, aussäen, auswerfen, verstreuen, herumstreuen, 3. sich aufteilen, verlaufen; zerstreuen, auseinander laufen.

1797 Verteilung Austeilung, Distribution, Ausgabe, Zuteilung, Aufteilung, Gewinnverteilung, Auslosung, Ausschüttung, Zuerkennung.

1798 Vertiefung 1. Eindruck, Delle, Mulde, Grube, Trichter, Krater, Kuhle, Loch; Falte, Spalte, Einschnitt, Graben, Senkung, Senke, Tal, Furche; Höhle, Grotte, Höhlung, Ausschachtung, Ausmaß, Schacht, Stollen, Schlucht, Schlund, Kluft, Tiefe, 2. Einbuchtung, Nische, Bucht, Bai, Fjord, Golf, Meerbusen, 3. Kerbe, Scharte, Rille, Rinne, Riefe, Fuge, Einkerbung, 4. Steigerung, Fundierung, tieferes Eindringen, Versunkenheit

1799 vertrauen 1. Vertrauen haben, sich verlassen auf; für zuverlässig halten, glauben, Zutrauen haben, jmdm. trauen, Vertrauen schenken, sich stützen auf, jmdm. anvertrauen; bauen/zählen/setzen auf, 2. etwas anvertrauen, in Verwahr/in Obhut/zu treuen Händen geben.

1800 Vertrauen Zutrauen, Zuversicht, Grundvertrauen, Lebensvertrauen, Urvertrauen, Selbstvertrauen.

1801 vertraulich intim, diskret, unter uns, entre nous, unter vier Augen/dem Siegel der Verschwiegenheit, privatim, intern, nur für den Hausgebrauch.

1802 vertraut 1. wohl bekannt, intim, befreundet, familiär, freundschaftlich, innig verbunden, nahe stehend, 2. geläufig, bekannt, gewohnt, heimatlich, altgewohnt, heimisch, alltäglich.

1803 vertreiben 1. verscheuchen, in die Flucht schlagen, wegscheuchen, verdrängen, verstoßen, räumen, scheuchen, forttreiben, verjagen, zerstreuen, auseinander treiben, versprengen, wegjagen, wegtreiben, wegstoßen, ausweisen, exilieren, ansiedeln, aussiedeln, einsiedeln, umsiedeln, umsetzen, verpflanzen, abschieben, austreiben, evakuieren, entwurzeln, verbannen, expatriieren, repatriieren, deportieren, abtransportieren, zwangsumsiedeln, verschicken, verschleppen, verbringen, 2. vergrämen, verärgern, hinausekeln, vergraulen, 3. verkaufen, handeln mit.

Vertreibung Ausweisung, Evakuierung, Räumung, Verbannung, Austreibung, Ausbürgerung, Verschickung, Verbringung, Verschleppung, Exil, Exilierung, Verstoßung, Abschiebung, Landesverweis, Zwangsumsiedlung, Expatriierung, Repatriierung, Deportation, An-/Aus-/Ein-/Umsiedlung. **1804**

vertreten 1. ersetzen, aushelfen, beispringen, einspringen, in die Bresche springen, stellvertreten, doubeln, an die Stelle treten, nachrücken, vorstellen, repräsentieren, stehen für, verkörpern, figurieren als, 2. verfechten, fürsprechen, sich einsetzen/verwenden für; eintreten für, verteidigen, rechtfertigen. **1805**

Vertreter 1. Reisender, Verkäufer, Hausierer, Kommissionär, Handelsvertreter, Reisevertreter, Werber, Agent, 2. Verteidiger, Fürsprecher, Sachwalter, Stellvertreter, Vize, Prokurator, Treuhänder, Vormund; Platzhalter, Bevollmächtigter, Prokurist, Statthalter, Verweser, Satrap, 3. Delegierter, Abgeordneter, Deputierter, Volksvertreter, Parlamentarier, Repräsentant, Funktionär, Interessenvertreter, Sprecher, Wortführer, Galionsfigur, Exponent, 4. Sündenbock, Prügelknabe, Prellbock, Puffer, Lückenbüßer, Blitzableiter, Pappkamerad, Strohmann. **1806**

Vertretung Abordnung, Delegation, Deputation; Gesandtschaft, Botschaft, Auslandsvertretung, Handelsvertretung, Außenstelle, Agentur, Prokura, Repräsentation, Ersatz, Zweitbesetzung, Aushilfe, Stellvertretung, Repräsentanz, Geschäftsstelle. **1807**

verunreinigen beschmutzen, verschmutzen, besudeln, verdrecken, eindrecken, zumüllen, verschmieren, beflecken, verflecken, verschütten, bespritzen, bekleckern, kleckern, sudeln, einsauen, schweinigeln, besabbern, verschwitzen, durchschwitzen, schmutzig/dreckig machen, anschmutzen, trüben; bekritzeln, beschmieren; verkleben, beschlabbern, verkleistern; stauben, **1808**

schmutzen, einstauben; Umwelt verschmutzen, vergiften, kontaminieren, verseuchen, verstrahlen.

1809 verurteilen 1. aburteilen, Urteil fällen/sprechen, Stab brechen, verknacken, schuldig sprechen, für schuldig erklären, Strafe verhängen, mit einer Strafe belegen, **2.** ablehnen, verwerfen, schlecht kritisieren, zerreißen, heruntermachen, zerpflücken, niedermachen, abmaiern, zerrupfen, kein gutes Haar lassen, in der Luft zerreißen, verreißen, vernichtend beurteilen, verdammen; zischen, auszischen, buhen, ausbuhen.

1810 vervielfältigen vervielfachen, abschreiben, abtippen, abziehen, hektographieren, durchpausen, abzeichnen, reproduzieren, drucken, abdrucken, nachdrucken, fotokopieren, faxen, ablichten, überspielen, kopieren, runterladen, klonen.

1811 Vervielfältigung 1. Druck, Abdruck, Probedruck, Fahnenabzug, Fahne, Abguss, Abzug, **2.** Kopie, Abschrift, Durchschlag, Zweitschrift, Duplikat, Doppel, Dublette, Klon, Hektographie, Lichtpause, Reproduktion, Ablichtung, Überspielung, **3.** Vervielfachung, Multiplikation, Verdoppelung, Tautologie.

1812 verwandt 1. blutsverwandt, angeheiratet, verschwistert, verschwägert, versippt, stammverwandt, zur Familie gehörig, **2.** ähnlich, artverwandt, geistesverwandt, wahlverwandt, kongenial.

1813 Verwandtschaft 1. Abstammungsgruppe, Blutsverwandtschaft, Familie, Haus, Geschlecht, Schlag, Sippe, Anverwandte, Ahnen, Vorfahren, Angehörige, Nachkommen, Verwandte, Verwandtenkreis, Parentel, Sippschaft, Clan, Mischpoke, **2.** Ähnlichkeit, Wahlverwandtschaft, Geistesverwandtschaft, Kongenialität.

1814 verwirklichen 1. realisieren, in die Tat umsetzen, wahr machen, ausführen, ins Werk/in Szene setzen, hinkriegen, schmeißen, praktizieren, tun, **2.** sich bewahrheiten, erfüllen; Wahrheit/Wirklichkeit werden, eintreffen, zutreffen.

1815 verwirren (sich) 1. derangieren, in Unordnung bringen, verknäueln, verheddern, durcheinander werfen, verwühlen, zerwühlen, zerraufen, verwickeln, verfilzen, verhuddeln, verwursteln, zerzausen, verstricken, Verwirrung

stiften, das Unterste zuoberst kehren, durcheinander bringen, **2.** in Verlegenheit bringen, beirren, kopfscheu machen, verstören, desorientieren, kirre machen, aus der Ruhe bringen, beunruhigen, aus dem Text bringen, verunsichern, irremachen, irritieren, verdutzen, verblüffen, aus der Fassung bringen, **3.** in Verlegenheit geraten, stottern, stocken, stammeln, sich versprechen, verfangen, verstricken; Faden verlieren, nicht wissen, wo einem der Kopf steht, sich verhaspeln, verheddern, in Widersprüche verwickeln; durcheinander geraten, Fassung verlieren.

verwöhnen 1. verziehen, verkorksen, verweichlichen, verpimpeln, in Watte packen, verzärteln, verhätscheln, **2.** auf Händen tragen, reich beschenken, anbeten, überschütten/überschwemmen mit, auf Rosen betten, jeden Wunsch erfüllen/von den Augen ablesen. **1816**

Verzeichnis 1. Aufstellung, Zusammenstellung, Liste, Tabelle, Übersicht, Inventar, Register, Index, Auflistung, Matrikel, **2.** Plan, Tafel, schwarzes Brett, Brett, Pinnwand, Aushang, Anschlag, **3.** Kartei, Katalog, Kartothek, Datei, Nomenklatur. **1817**

Verzicht 1. Abtretung, Aufgabe, Zedierung, Übertragung, Überlassung, Entäußerung, Verzichtleistung, **2.** Askese, Abstinenz, Enthaltsamkeit, Hingabe, Entsagung, Bescheidung, Opfer, Resignation. **1818**

verzichten 1. aufgeben, lassen, drangeben, hergeben, opfern, entsagen, resignieren, sich abfinden; hinnehmen, sich zufrieden geben, bescheiden, hineinschicken, ergeben; zurückstecken, zurückstehen, **2.** sich enthalten, verkneifen, verbeißen, versagen, entschlagen, entäußern, lossagen, trennen von, abgewöhnen; ablegen, sich frei machen; abstreifen, abschwören, sich begeben. **1819**

verzögern 1. aufschieben, verschleppen, retardieren, hinausschieben, vertagen, verschieben, verlegen, umlegen, zurückstellen, hinziehen, verschlampen, säumen, zögern, zaudern, hinauszögern, auf Eis legen, hinausschieben, verlangsamen, verbummeln, vertrödeln, **2.** hinhalten, aufhalten, hemmen, **1820**

hintanhalten, anstehen lassen, vertrösten, **3.** sich verspäten; zu spät kommen, aufgehalten werden, unpünktlich sein, Zeit überschreiten, im Rückstand/in Verzug sein, verziehen, sich hinziehen; kein Ende finden, zurückbleiben, nachklappen, nachhinken, nachzotteln, bummeln, trödeln, säumen, trendeln, hinterherkommen.

1821 Verzögerung 1. Rückstand, Ausstand, Verzug, Verspätung, Zeitverlust, Aufschub, Frist, Retardation, **2.** Saumseligkeit, Verschleppung, Verlangsamung, Entschleunigung, Bummelei, Trödelei, Vertagung, Verschiebung, Vertröstung, **3.** Galgenfrist, Bedenkzeit, Atempause, Gnadenfrist, Bewährungsfrist, Strafaufschub, Probezeit, Prüfungszeit, Wartezeit, Schlange, Warteschleife, Karenzzeit, Schonzeit, Schonfrist.

1822 verzweifeln 1. verzagen, Mut verlieren, mutlos werden, Kopf/Mut sinken lassen, keinen Ausweg sehen, schwarz sehen, Hoffnung aufgeben/fahren lassen, Ohren hängen lassen, Flinte ins Korn werfen, nicht mehr weiterwissen, aufgeben, Hoffnungen begraben, **2.** sich festfahren, hilflos fühlen; ratlos dastehen, auf Grund fahren, nicht vor- noch zurückkommen, in eine Sackgasse geraten, nicht aus noch ein wissen, Hände ringen, Haare raufen, heulendes Elend kriegen.

1823 viel 1. allerhand, eine Menge, reichlich, üppig, vollauf, erheblich, eine Masse/Stange, mehr als genug, massenhaft, en masse, überreichlich, übergenug, massig, eimerweise, haufenweise, übersät mit, fuderweise, sturzflutartig, wie ein Maschinengewehr, uferlos, unerschöpflich, wie Sand am Meer, beträchtlich, erheblich, zuhauf, erklecklich, zu Hunderten/Tausenden, es prasselt nur so, es regnet/hagelt, scheffelweise, schockweise, dutzendweise, zu Dutzenden, klotzig, knüppeldick, dicke, zahllos, in Hülle und Fülle; gerüttelt Maß, en gros, im Großen, in großen Mengen/großem Umfang, serienweise, in Serie, serienmäßig, reihenweise, **2.** vieles, manches, einiges, vielerlei, mancherlei, alles Mögliche, Verschiedenes, allerlei, mehrerlei, Sonstiges, anderes, Mehreres, nicht wenig, Etliches, dies und das,

3. bei weitem, um ein Erhebliches/Erkleckliches, weitgehend; kein Pappenstiel, keine Kleinigkeit.

Vieldeutigkeit Doppelbedeutung, **1824** Polysemie, Doppelsinnigkeit, Doppelsinn, Ambiguität, Doppeldeutigkeit, Zweideutigkeit, Zweiwertigkeit, Mehrdeutigkeit, Missverständlichkeit, Uneindeutigkeit.

viele manche, mehrere, etliche, etwelche, dieser und jener, verschiedene, **1825** nicht wenige, eine beachtliche Anzahl, ziemlich viele, zahlreiche, ungezählte, unzählige, zahllose, Unmenge, unzählbare, scharenweise, diverse, gewisse, welche; zu Dutzenden, in großer Zahl, in hellen Scharen; wie Sand am Meer, Heer von, Hunderte, Tausende, Mengen, Massen.

Vielfalt 1. Vielgestaltigkeit, Reichtum, Buntheit, Abwechslung, Wechsel, **1826** Farbigkeit, Formenreichtum, Mannigfaltigkeit, Verschiedenartigkeit, Pluralität, Multikultur, Multikulti, Vielförmigkeit, Reichhaltigkeit, Vielheit, Buntheit, Vielerlei, Variationsbreite, Bandbreite, Vielfältigkeit, Allerlei, Auswahl, Fülle, Menge, Masse, **2.** Spektrum, Repertoire, Sinfonie, Palette, Bogen, Strauß, Tableau, Skala, Gemischtwarenladen, Kaleidoskop.

voll 1. gefüllt, zum Überlaufen, randvoll, gestopft/gerüttelt voll, ausgefüllt, **1827** voll gepfropft, **2.** gedrängt, gestopft, besetzt, belegt, dicht besetzt, komplett, ausverkauft, überfüllt, übervoll, voll bis auf den letzten Platz, gesteckt/gerappelt voll, rappelvoll, zum Platzen/Bersten, wimmeln von, platzen vor, überlaufen, **3.** bevölkert, volkreich, dicht besiedelt, dicht bevölkert, übervölkert, überbelegt, menschenwimmelnd, wimmelnd, wuselnd, verkehrsreich, belebt, übersät, gespickt, dicht gesteckt; rund, kreisförmig, ringförmig, scheibenförmig, eirund, gerundet, geschlossen, kugelrund, **4.** warm, tönend, klingend, tragend, wohllautend, tief, dunkel, sonor, klangvoll, satt, voller Sound, **5.** betrunken, volltrunken, zu.

vollenden abschließen, beschließen, **1828** fertig machen/stellen, runden, abrunden, unter Dach bringen, beenden, erledigen, zu Ende bringen, aus der Hand legen, ans Ziel kommen, das Werk krönen, es schaffen, wuppen, bewältigen, leisten, erfüllen, austragen, bewerkstelligen, erreichen, sich entledigen; ausführen, vollbringen, zu Ende führen, zum Abschluss/unter Dach und Fach bringen, letzte Hand anlegen, letzten Schliff/richtigen Pfiff geben, Glanzlichter aufsetzen.

1829 vollkommen 1. vollständig, vollendet, fertig, unfehlbar, unangreifbar, unanfechtbar, druckreif, ausgereift, fehlerlos, fehlerfrei, lupenrein, makellos, einwandfrei, rund, perfekt, komplett, aus einem Guss, nahtlos, astrein, tadellos, untadelig, vollwertig, beispielhaft, ideal, mustergültig, mit allen Vorzügen, das Beste, **2.** sicher, geläufig, gewandt, ohne Stocken, fließend, flüssig, im Schlaf, firm, routiniert, geübt, virtuos, High-End-…, erstklassig, musterhaft, bravourös, meisterlich, formvollendet, auf der Höhe, **3.** umfassend, allseitig, total, umspannend, universal, enzyklopädisch, erschöpfend, global, weltumspannend, mondial.

1830 Vollkommenheit Perfektion, Vollendung, Reife, Fehlerlosigkeit, Untadeligkeit, Beispielhaftigkeit, Reinheit, Vorbildlichkeit, Makellosigkeit, Unangreifbarkeit, Unfehlbarkeit, Mustergültigkeit, Heiligkeit.

1831 Vollzug Ausführung, Durchführung, Vollziehung, Vollführung; Eintreibung, Einzug, Inkasso, Pfändung, Vollstreckung.

1832 voraussetzen bedingen, erfordern, zugrunde liegen, dahinter stecken, verursachen, begründen, Ursache sein.

1833 Voraussetzung Annahme, Vermutung, Bedingung, Kondition, Prämisse, Hypothese, Vorgabe, Einschränkung, Klausel, Vorbehalt, Vorbedingung, Grundlage.

1834 vorbereiten (sich) 1. bereitlegen, bereitstellen, bereithalten, zurechtlegen, zurechtmachen, zurechtstellen, ordnen, herrichten, richten, einrichten, rüsten, bereiten, bahnen, zurüsten, Voraussetzung schaffen, **2.** präparieren, vorsorgen, vorarbeiten; sich einstellen auf, bereitmachen, einstimmen, anschicken; Vorkehrungen treffen, Anstalten machen, in Stellung gehen, vorsehen, aufbereiten, ansetzen; einrichten, organisieren; vorfertigen, vorfabrizieren, **3.**

wappnen, befähigen, aufzäumen, ausbilden, ausrüsten, **4.** laden, programmieren, füttern, Daten eingeben/einspeisen, **5.** anbahnen, vorfühlen, einfädeln, in die Wege leiten, lancieren, anspinnen, ankurbeln, ventilieren, Fühlung nehmen, Verbindung knüpfen, Anlauf nehmen, vorbesprechen, **6.** bewaffnen, aufrüsten.

Vorbereitung 1. Vorarbeit, Planung, **1835** Vorkehrung, Vorsorge, Anbahnung, Einstimmung, Vorbesprechung, Ankurbelung, Einrichtung, Bereitstellung, Zurüstung, Ausrüstung, Count-down, **2.** Kriegsvorbereitung, Aufrüstung, Bewaffnung, Militarisierung.

Vorderseite 1. Vorderteil, Fassade, **1836** Schauseite, Hauptansicht, Vorderansicht, Straßenseite, Front, Stirnseite, Vordergiebel, Giebeldreieck; Butterseite, Sonnenseite, **2.** Titelblatt, Titelseite, Frontispiz, Cover.

vorerst vorab, zunächst, fürs Erste, **1837** vorderhand, momentan, augenblicklich, zurzeit, gegenwärtig, vorläufig; jetzt, heute, für die nächste Zeit, einstweilen, bis auf weiteres, bis auf Widerruf.

vorhanden 1. vorrätig, am Lager, **1838** käuflich, verkäuflich, veräußerlich, lieferbar, zu haben, vorliegend, auf Lager, zu Gebot, feil, erhältlich; bereit, bei der Hand, greifbar, parat, disponibel, verfügbar, zur Disposition, zuhanden, zur Verfügung, griffbereit, **2.** existent, existierend, wirklich, faktisch, real, präsent.

Vorhersage Voraussage, Prognose, **1839** Horoskop, Prophezeiung, Mantik, Orakel, Auspizien, Prophetie, Offenbarung, Verheißung, Weissagung, Wahrsagung.

vorn 1. an der Spitze, zuvorderst, **1840** führend, leitend, nicht zu schlagen/überholen, am Kopf, oben, obenan, an erster Stelle, am Steuer/Ruder, als Erster, Nase vorn, zuerst, voran, vornweg, vor Ort, an der Front, im Alltag, in der Praxis; obenauf, droben, über allem, **2.** von vorn, frontal, en face, stirnseitig.

vornehm aus gutem Stall/guter Familie, nobel, ladylike, gentlemanlike. **1841**

Vorraum 1. Flur, Gang, Korridor, **1842** Hausflur, **2.** Diele, Garderobe, Vorzimmer, Entree, Vestibül, Vorhalle, **3.** Wandelhalle, Wandelgang, Foyer, Lobby.

1843 Vorschlag Angebot, Anregung, Rat, Ratschlag, Offerte, Empfehlung, Antrag.

1844 vorschlagen 1. Vorschlag machen, antragen, unterbreiten, offerieren, anheim stellen, zu bedenken geben, **2.** auffordern, raten, in die Waagschale werfen, geltend machen, **3.** Thema anschneiden, aufgreifen, aufwerfen, vorbringen, zur Sprache bringen, aufrollen, aufs Tapet bringen, zur Diskussion stellen.

1845 vorsichtig 1. behutsam, achtsam, sorglich, sorgfältig, schonungsvoll, rücksichtsvoll, sorgsam, gewissenhaft, bedächtig, bedachtsam, wie auf Eiern, wie ein rohes Ei, auf Zehenspitzen, mit Samthandschuhen, **2.** abwägend, diplomatisch, wohl überlegt, wohlerwogen, bedacht, schonend, besonnen, vorausschauend, **3.** ängstlich, wachsam, auf der Hut/dem Quivive, sicherheitshalber, vorsichtshalber, um sicherzugehen, unsicher, zögerlich, **4.** vorbeugend, prophylaktisch, präventiv.

1846 vorstellen (sich) 1. präsentieren, vorführen, einführen, bekannt machen, introducen, **2.** sich ausdenken; imaginieren, sich ausmalen, vor Augen führen, eine Vorstellung machen, einen Begriff/ein Bild machen; vorschweben.

1847 Vorstellung 1. Bekanntmachung, Introducing, Einführung, Präsentation, **2.** Anschauung, Imagination, Begriff, Bild, Denkbild, Idee, **3.** Veranstaltung, Darbietung, Nummer; Theater, Kino.

1848 vortäuschen simulieren, markieren, mimen, figurieren, schauspielern, Theater spielen, schattenboxen, hochstapeln, Türken bauen, Versteck spielen, sich verstellen; so tun als ob, fingieren, vorgeben, vorspiegeln, vorzaubern, sich den Anschein geben; blenden, vormachen, täuschen, vorschützen, bluffen, X für ein U vormachen, narren, vorgaukeln, aufs Glatteis führen, blauen Dunst vormachen, in Sicherheit wiegen.

1849 Vorteil 1. Vorsprung, Oberhand, Oberwasser, Überlegenheit, Trumpf, Plus, Heimspiel, **2.** Vergünstigung, Verbilligung, Gewinn, Profit, Nutzen, Wert, Ertrag.

1850 Vortrag Bericht, Rapport, Referat, Rede, Ansprache, Vorlesung, Kolleg, Lesung; Dichterlesung, Rezitation, Parlando, Deklamation, Predigt, Kanzelrede; Monolog, Selbstgespräch.

1851 vortragen 1. vorsprechen, deklamieren, rezitieren, aufsagen, vorlesen, Vortrag, Rede, Ansprache halten, dozieren, lesen, referieren, vorlesen, ablesen, wiedergeben, zitieren, szenisch vortragen, **2.** hersagen, herunterbeten, leiern, herunterleiern, herleiern, vorleiern, abspulen, herunterhaspeln, herunterrattern, herunterschnurren, mechanisch hersagen.

1852 vorübergehend 1. manchmal, nicht immer, zeitweise, zeitweilig, ab und zu, gelegentlich, zuweilen, bisweilen, temporär, unregelmäßig, saisonbedingt, von Fall zu Fall, auf kurze Zeit, zuzeiten, sporadisch, dann und wann, hin und wieder, mitunter, von Zeit zu Zeit, hier und da, vereinzelt, stoßweise, anfallweise, periodisch, **2.** probeweise, versuchsweise, provisorisch, interimistisch, zwischenzeitlich, kommissarisch, vertretungsweise, auf Probe, behelfsweise, aushilfsweise, **3.** vorläufig, zunächst, einstweilig, begrenzt, terminiert, auf Zeit, stundenweise, tageweise, halbtags, episodisch, episodenhaft, temporär, nebenbei, nebenher, außer der Reihe, unregelmäßig, **4.** leihweise, als Leihgabe, auf Pump.

1853 Vorurteil Befangenheit, Eingenommenheit, Voreingenommenheit, Denkschablone, vorgefasste Meinung, Stereotyp, Pauschalurteil, Klischee, Ressentiment, Präjudiz, Negativsymbol, Vorverurteilung, Scheuklappen.

1854 vorwärts weiter, geradeaus, fürbass, immerzu, unermüdlich, fort, marsch, avanti, voran, weiter im Text.

1855 vorwerfen Vorwürfe machen, vorhalten, Schuld geben, anlasten, ankreiden, anhängen, zur Last legen, belasten, anschuldigen, beschuldigen, verdächtigen, unterstellen, unterschieben, verantwortlich machen, in die Schuhe schieben, zeihen, bezichtigen, auftischen, vorrechnen, aufrechnen, aufs Brot schmieren, unter die Nase halten.

1856 vorzeitig 1. zu früh, verfrüht, früher als erwartet; im Voraus, vorsorglich, auf lange Sicht, in weiser Voraussicht, vorher, **2.** übereilt, überstürzt, unausgereift, vorschnell, voreilig, unzeitig, unausgegoren, unüberlegt; altklug, frühreif.

1857 Vorzug 1. Vorrang, Vorrecht, Präferenz, Priorität, Primat, Vorrangstellung, Privileg, Bevorzugung, Bevorrechtung, Begünstigung, Ausnahme, **2.** Qualität, gute Eigenschaft, schöner Zug, Vorteil, Plus, Schokoladenseite.

W

1858 Waffe 1. Hiebwaffe, Stichwaffe, Schusswaffe, Mine, Granate, Bombe, Kernwaffen, chemische / biologische Waffen, 2. Bewaffnung, Aufrüstung, Hochrüstung, Rüstungsspirale, Overkill.

1859 wagen 1. riskieren, hasardieren, spekulieren, aufs Spiel setzen, es darauf ankommen lassen, alles auf eine Karte setzen, sein Glück versuchen, va banque spielen, Wagnis eingehen, mit dem Feuer spielen, 2. sich aussetzen, exponieren, gefährden; Gefahr laufen, drauflosgehen, sich heranwagen, stellen; heißes Eisen anfassen, sich in die Höhle des Löwen wagen, 3. sich erlauben, unterfangen, anmaßen, erfrechen, erdreisten, vermeeeen, trauen, getrauen, ein Herz fassen, einfallen lassen, unterstehen, herausnehmen; Stirn haben.

1860 Wagnis Risiko, Drahtseilakt, Wagestück, Mutprobe, russisches Roulette, Abenteuer, Vabanquespiel, Glücksspiel, Experiment; Husarenritt, Hängepartie, Zitterpartie, Gratwanderung.

1861 Wahl 1. Auswahl, Alternative, Variante, Entscheidung, Belieben, Gutdünken, Wunsch, 2. Abstimmung, Hammelsprung, Kampfabstimmung, Votum, Option, Stimmabgabe, Wahlgang, Plebiszit, Volksabstimmung, Volksentscheid, 3. Nominierung, Ernennung, Berufung.

1862 wählen 1. aussuchen, Wahl treffen, sich entscheiden für; auswählen, 2. nennen, ernennen, aufstellen, zur Wahl stellen, nominieren, auf die Wahlliste setzen, 3. von seinem Stimmrecht Gebrauch machen, zur Wahl gehen, Stimme abgeben, stimmen, abstimmen, optieren, votieren, 4. anwählen, Nummer wählen.

1863 wahr richtig, zutreffend, der Wahrheit entsprechend, wahrheitsgetreu, wahrlich, nicht zu bezweifeln, unanzweifelbar, belegt, sicher; tatsächlich, in Wirklichkeit/Wahrheit; etwas Wahres dran, fürwahr, ein Körnchen Wahrheit.

während dieweil, als, solange, indem, **1864** indes, gleichzeitig, unterdessen, inzwischen, einstweilen, zugleich, mittlerweile, indessen, währenddessen, zwischendurch, binnen, innerhalb, zeit, im Laufe/in der Zeit von, nicht später als, in der Zwischenzeit, zwischenzeitlich, interimistisch, zwischenhinein, im Verlauf.

Wahrheit Wirklichkeit, Tatsächlich- **1865** keit, Gewissheit, Realität; Richtigkeit, Tatsachenwahrheit, Tatsächlichkeit.

wahrnehmen 1. hören, sehen, erbli- **1866** cken, vernehmen, merken, fühlen, spüren, wittern, riechen, perzipieren, beobachten; gewahr werden, innewerden, gewahren, bemerken, auffallen, vom Gesicht ablesen, erkennen, registrieren, herausfinden, 2. Gras wachsen/Flöhe husten hören, Braten/Lunte riechen.

Wahrnehmung 1. Perzeption, Ein- **1867** druck, Empfinden, Entdeckung, Beobachtung, Sinneseindruck, Erfassen, Aufnehmen, 2. Sinnesempfindung, Wahrnehmungsvermögen, Sensorium, Geruchsvermögen, Geruchssinn, Tastsinn, Hautempfindung, Hörvermögen, Sehvermögen, Geschmacksvermögen.

Wald Hain, Forst, Holz, Gehölz, Tann, **1868** Waldgebiet; Laubwald, Nadelwald, Mischwald, Schonung, Baumschule.

waldig bewaldet, waldreich, baumbe- **1869** standen, bewachsen, belaubt, dicht belaubt.

wandern spazieren gehen, Wande- **1870** rung/Ausflug machen, laufen, marschieren, tippeln, schreiten, stiefeln, stromern, ziehen, walzen, pilgern, trekken.

warm 1. handwarm, lau, lind, über- **1871** schlagen, mild, mollig, behaglich, wärmend, gemütlich, heimelig, temperiert, vorgewärmt, durchwärmt, geheizt, 2. heiß, glühend, brennend, feurig, glutig, schwül, drückend, überheizt, brütend, bullig, feuchtwarm, dumpf, tropisch, subtropisch, sommerlich, sonnig, südlich, siedend, kochend, flammend, brüllend, wie in einem Backofen, 3. erhitzt, schwitzend, schweißtriefend, schweißgebadet.

Wärme 1. Erwärmung, Hitze, Siede- **1872** hitze, Gluthitze, Bruthitze, Schwüle,

Bullenhitze, tropische Temperaturen, Sonnenglut, Weißglut, **2.** Geborgenheit, Warmherzigkeit.

1873 wärmen (sich) 1. anzünden, anfachen, anmachen, vorglühen, temperieren, anwärmen, überschlagen, heizen, erwärmen, erhitzen, einheizen, feuern, warm machen, **2.** warm halten, isolieren, Wärme dämmen; sich warm anziehen, warm laufen, aufwärmen.

1874 warnen alarmieren, mahnen, abraten, Wink geben, verwarnen, drohen.

1875 Warnung Alarm, Warnruf, Warnschuss, Schreckschuss, Unkenruf, Kassandraruf, Menetekel, Warnzeichen; Verwarnung, Zurechtweisung, Wink, Drohung.

1876 warten 1. erwarten, zuwarten, abwarten, harren, verharren, zögern; sich gedulden, Zeit lassen; ausharren; auf glühenden Kohlen sitzen, lauern, **2.** anstehen, sich anstellen; Schlange stehen.

1877 Wärter Hüter, Heger, Wächter, Waldhüter; Wachmann, Wachposten, Türsteher, Türstopper, Monitor; Nachtwache, Nachtportier, Leibwächter, Gorilla, Bodyguard, Garde; Bahnwärter, Schrankenwärter.

1878 warum weswegen, weshalb, wozu, wofür, wieso, aus welchem Grund, zu welchem Zweck.

1879 Wäsche Weißzeug, Weißwaren, Hauswäsche, Wäscheausstattung, Bettwäsche, Tischwäsche, Leibwäsche.

1880 Wasser 1. Flüssigkeit, Nass, nasses Element, Regen, Niederschlag, Feuchte, Feuchtigkeit, Nässe, **2.** Süßwasser, Trinkwasser, Flusswasser, Salzwasser, Meereswasser.

1881 Wasserfall 1. Gießbach, Wildbach, Wildwasser, Katarakt, Kaskade, Stromschnelle, Wirbel, Strudel, **2.** Redeschwall, Wortkaskade.

1882 Wechsel 1. Abwechslung, Rotation, Turnus, Tausch; Austausch, Umtausch, Auswechslung, Umbesetzung, Wachablösung, Stühlerücken, Ablösung, Revirement, Rochade, **2.** Konversion, Parteiwechsel, Partnerwechsel, Klimawechsel.

1883 wechseln 1. einwechseln, umwechseln, eintauschen, umtauschen; tauschen, austauschen, vertauschen, Besitzer wechseln, wandern, in andere Hände übergehen; Thema / Programm wechseln, zappen, umschalten, hin und her schalten, **2.** abwechseln, ablösen, alternieren, umbesetzen, sich abwechseln; umschichtig tun, Platz tauschen, an jmds. Stelle treten; umstellen, auswechseln, ersetzen, erneuern; sich verändern; fluktuieren, umschlagen.

Wechselseitigkeit Wechselbeziehung, Interaktion, Wechselwirkung, Gegenseitigkeit, Interdependenz, Korrelation, Reziprozität, Mehrfachbezug. **1884**

wecken aufwecken, wach / munter machen, wachrütteln, aufrütteln, aufschrecken, aufstören, alarmieren. **1885**

weg 1. fort, abwesend, anderswo, anderwärts, aushäusig, auswärts, ausgezogen, abgemeldet, verzogen; verreist, entflohen, flüchtig, auf und davon, über alle Berge, von dannen, von hinnen, dahin, spurlos verschwunden, wie vom Erdboden verschluckt, unauffindbar, entflogen, geflohen, geflüchtet, entwichen, ausgebrochen, verschollen; abgängig, verloren, vermisst, perdu, verschütt gegangen, abhanden, futsch, hin, dahin, up and away, **2.** ausgegangen, ausverkauft, vergriffen, ausgebucht; vergessen, verschwitzt, ausgelassen, weggelassen, **3.** vertan, vergeudet, verspielt, verschwendet, verloren, zerronnen, durchgebracht, los. **1886**

Weg 1. Pfad, Steg, Spur, Fährte, Steig, Feldweg, Waldweg, Fußweg, Wanderweg, Trampelpfad, Kreuzweg, Scheideweg; Holzweg, **2.** Piste, Rennstrecke, Rennbahn, Aschenbahn; Startbahn, Landebahn, **3.** Strecke, Route, Reiseweg, Marschstrecke, Kurs, Lauf, **4.** Seeweg, Landweg, Luftweg. **1887**

wegen aufgrund, halber, anlässlich, bedingt durch, in Zusammenhang mit, laut, infolge, kraft, hinsichtlich, zwecks, durch, ob, um ... willen. **1888**

weiblich weiblichen Geschlechts, feminin, fraulich, female. **1889**

weich 1. daunenweich, schmiegsam, nachgiebig, formbar, knetbar, schmierbar, streichfähig, soft, butterweich, **2.** anpassungsfähig, beeinflussbar, nachgiebig, weichherzig, nah ans Wasser gebaut, **3.** zart, seidig, seiden, seidenweich, seidenglatt, samtweich, samtig, wollig, flauschig, flockig, flaumig, mollig, kuschelig, flaumweich, **4.** wabbelig, schwabbelig, quabbelig, quallig, gallert- **1890**

artig, lappig, breiig, labberig, schlabberig, schwammig, quatschig, zerlaufen, zerflossen, gelöst, aufgelöst, zergangen, breitgelaufen, **5.** überzart, verwöhnt, verzärtelt, lasch, schlaff, verweichlicht.

1891 weit 1. ausgedehnt, breit, geräumig, weitläufig, weiträumig, endlos, uferlos, grenzenlos, unbegrenzt, unübersehbar, weltenweit, weit gestreckt, lang gestreckt, weit gespannt, weit gesteckt, **2.** fern, entfernt, weit weg, unerreichbar, am Ende der Welt, meilenweit, in weiter Ferne, außer Sehweite, **3.** von weitem/fern/weither, aus der Ferne/großer Entfernung, **4.** weit fallend, faltig, glockig.

1892 Welt 1. Erde, Erdball, Globus, Erdkreis, Erdkugel; Kontinent, Erdteile, Weltteile, **2.** Weltall, Weltraum, Kosmos, All, Universum, Schöpfung, Weltgebäude, Makrokosmos, Mikrokosmos.

1893 wenig 1. gering, ein bisschen, nicht viel, Tropfen auf den heißen Stein, magere Ausbeute, etwas, verschwindend, geringfügig, unbeträchtlich, nicht nennenswert, Fingerhut voll, nicht der Rede wert, für den hohlen Zahn, unerheblich, unbedeutend, Hauch/Spur von, **2.** wenige, ein paar, nicht viele, nur einige, kaum welche, Einzelne, der eine und der andere, Hand voll, Versprengte, Vereinzelte, **3.** wenigstens, mindestens, zum Mindesten, zumindest, geringstenfalls, das Mindeste.

1894 wenn 1. falls, für den Fall, im Fall, angenommen, sooft, wann immer, gegebenenfalls, so sehr auch, **2.** dieweil, solange, während, wofern, vorausgesetzt, je nachdem, in der Annahme, sobald, sowie, ehe.

1895 werben 1. inserieren, anzeigen, Anzeige schalten, annoncieren, Reklame machen, propagieren, bearbeiten, animieren, ködern, einflüstern, alle Register ziehen, trommeln, agitieren, **2.** anhalten, buhlen um, **3.** akquirieren, Kunden werben, promoten, anwerben.

1896 Werber Freier, Bewerber, Verehrer, Buhle; Kundenfänger, Trommler, Akquisiteur.

1897 Werbung 1. Reklame, Propaganda, Mundpropaganda; Advertising, Public Relations, PR, Promotion, Publicity, Öffentlichkeitsarbeit, Kontaktpflege, Akquisition, Kundenwerbung, **2.** Werbe-

feldzug, Reklamefeldzug, Ballyhoo, Propagandafeldzug, Reklameschlacht, Relaunch, Hype, **3.** Werbemittel, Leuchtreklame, Prospekt, Werbebrief, Mailing, Werbeschrift, Werbebeigabe, Gadget, Werbebeilage, Wurfsendung, Handzettel, Folder, Flyer; Demokassette, Demovideo, Demo, Werbefernsehen, Werbefunk, Werbeblock, Werbefilm, Werbespot, Jingle, Spot, Commercial, Trailer, Pilotfilm, Werbevorführung; Werbeslogan, Werbeschlagwort, Slogan, Werbetext, Logo, Display, Akronym, Eyecatcher, Werbefigur, Werbeschönheit, Covergirl, **4.** Werbeagentur, Advertising Agency, Werbeabteilung, Werbeagent, Merchandiser, Werbetexter, Werbegraphiker, Werbegestalter, Artdirector, Kontakter, Mediaman, Build-upper, **5.** Umwerbung, Beeinflussung, Bearbeitung, Trommelfeuer, Bedarfsweckung, Bedarfslenkung, Absatzförderung, Verkaufsförderung, Merchandising, Schleichwerbung, Produktplatzierung, Verbundwerbung.

Wert 1. Qualität, Güte, Nutzen, Bedeutung, Gehalt, **2.** Äquivalent, Gegenwert, Tauschwert, Marktwert, Kurs, Gebrauchswert.   **1898**

wichtig 1. wesentlich, ernst, dringend, dringlich, akut, brisant, lebenswichtig, notwendig, unentbehrlich, elementar, unerlässlich, unumgänglich, triftig, entscheidend, drängend, ausschlaggebend, bestimmend, signifikant, schwerwiegend, gravierend, inhaltsschwer, vordringlich, weit tragend, folgenschwer, folgenreich, einschneidend, gewichtig, **2.** beachtlich, bedeutend, weltbewegend, welterschütternd, belangvoll, relevant, respektabel, vorrangig, zentral, Lebensfrage, Hauptsache, bedeutsam, wertvoll, beachtenswert, bemerkenswert, bedeutungsvoll, aktuell, gegenwartsnah, brennend, groß, bewegend, denkwürdig, **3.** maßgebend, prominent, einflussreich, tonangebend, im Vordergrund, Jahrhundertereignis, epochal, Epoche machend.   **1899**

Widerstand 1. Reibung, Hemmung, Gegenwirkung, Gegendruck, Gegenkraft, **2.** Widerspruch, Weigerung, Protest, Verwahrung, Abwehr, Gegenwehr, Verteidigung, Defensive, Rückzugsgefecht, Opposition, Resistenz, Gehor-   **1900**

samsverweigerung, Auflehnung, ziviler Ungehorsam.

1901 wie 1. als ob, gleichsam, sozusagen, gewissermaßen, nicht anders als, **2.** auf welche Weise, in welcher Form, **3.** beschaffen, geartet, veranlagt, geformt, gebaut, gewachsen, geprägt, gemacht, aufgebaut, organisiert, **4.** gleichwie, vergleichbar, ähnlich, nicht viel anders, fast dasselbe.

1902 wieder von neuem, abermals, erneut, nochmals, noch einmal, da capo, wiederum, wieder einmal, wiederholt, immer wieder, neuerdings, aufs Neue, neuerlich, von vorne, wiederkehrend.

1903 wiederholen (sich) 1. nachsprechen, nachlesen, auffrischen, repetieren, rekapitulieren, üben, **2.** noch einmal/wieder tun, rückfällig werden, nicht lassen können, in denselben Fehler verfallen, nichts dazugelernt haben; von vorn anfangen, wieder beginnen, **3.** wieder aufnehmen, wieder aufgreifen, aufrollen, zurückkommen auf, neu inszenieren/einstudieren, in Serie spielen; nachdrucken, neu auflegen, **4.** wiederkäuen.

1904 Wiederholung Repetition, Rekapitulation, Auffrischung, Erneuerung; Neueinstudierung, Nachdruck, Neudruck, Neuauflage; Aufguss, Sequel, Dakapo, Wiederauftreten, Rezidiv; Wiederholungszwang, Déjà-vu-Erlebnis; Refrain, Basso continuo, Leitmotiv.

1905 wild 1. ungezähmt, ungebändigt, unbändig, ungebärdig, unbezwinglich, unbezähmbar, unlenkbar, zügellos, ungezügelt, unbeherrscht, heftig, wütend, zornig, unzähmbar; rasend, tobend, furios, zähnefletschend, martialisch, **2.** unerschlossen, ungerodet, ungelichtet, wüst, unwegsam, unzugänglich, unbewohnt, unwirtlich, menschenleer, unkultiviert, unzivilisiert, **3.** wild wachsend/wuchernd, wildwüchsig, **4.** schäumend, kochend, siedend, wallend, quirlend, strudelnd, quellend, gurgelnd, reißend.

1906 Wille 1. Absicht, Entschluss, Vorsatz, Bestreben, Vorhaben, Plan, Wollen, Willensäußerung, Willenserklärung, **2.** Willenskraft, Willensstärke, Entschlossenheit, Entschiedenheit, Tatkraft, Entschlusskraft, Entschlussfähigkeit.

1907 willkommen gern gesehen, freudig begrüßt, erwünscht, angenehm, wohlgelitten, genehm, wie gerufen, passend, recht, gelegen.

1908 willkürlich 1. eigenmächtig, nach Gutdünken, eigenwillig, subjektiv, beliebig, mutwillig, unbedenklich, **2.** herrisch, selbstherrlich, despotisch, diktatorisch, tyrannisch.

1909 Wind Brise, Bö, Zephir, Lüftchen, Hauch, Föhn, Zug, Durchzug, Zugluft, Zugwind, Fahrtwind, Sog, Luftwirbel, Sturm.

1910 wirken 1. fungieren, arbeiten, agieren, **2.** beeindrucken, ausstrahlen, durchschlagen, stechen, verfangen, zünden, greifen, fruchten, nützen, helfen, anschlagen, **3.** nachwirken, nachbeben, nachzittern, fortzeugen, **4.** sich auswirken; bewirken, erzeugen, heraufrufen, veranlassen, hervorrufen, auslösen, anmuten.

1911 wirklich 1. real, faktisch, de facto, existent, bestehend, gegeben, vorhanden, **2.** körperlich, dinghaft, körperhaft, stofflich, fassbar, greifbar, konkret, materiell, substantiell, leibhaftig, in Fleisch und Blut, **3.** effektiv, tatsächlich, in der Tat, bestimmt, unbestreitbar, sicher, gewiss, wahrlich, wahrhaft, veritabel, wahrhaftig, fürwahr, beileibe, mit Sicherheit, sage und schreibe.

1912 wirksam 1. probat, nützlich, tauglich, funktionell, effizient, effektiv, synergetisch, **2.** drastisch, durchgreifend, schlagkräftig, zugkräftig, durchschlagend, radikal, nachhaltig, durchdringend, intensiv, wirkungsvoll, werbewirksam, effektvoll, reißerisch, marktschreierisch, knallig, dick aufgetragen, laut, aufdringlich, schrill, dekorativ, plakativ, eindrucksvoll, ausdrucksstark, suggestiv, überzeugend, glänzend, glanzvoll, mitreißend, zündend, tief greifend, weit reichend.

1913 Wirkung 1. Effekt, Auswirkung, Wirksamkeit, Werbewirksamkeit, Durchschlagskraft, Effizienz, Synergie, Nachhaltigkeit, **2.** Ergebnis, Erfolg, Niederschlag, Spur, Ausfluss, Auswirkung, Folge, Eindruck, Nachwirkung, Widerhall, Resonanz.

1914 wirr 1. verworren, durcheinander, verdreht, ungeordnet, verheddert, verwirrt, verfilzt, vermengt, verknotet, verknäuelt, drunter und drüber, kunterbunt, chaotisch, **2.** desorientiert, konfus, verwirrt, fahrig, unkonzentriert, benommen, irritiert, wie vor den Kopf geschlagen, panisch, kopflos, außer sich, aus dem Gleichgewicht, ratlos, neben der Spur, außer Fassung, zerfahren, schusselig, kraus, **3.** schlaftrunken, duselig, schwindelig, betäubt, verstört, bestürzt, kopfscheu, **4.** unzusammenhängend, unüberschaubar, unübersichtlich, zusammenhanglos, verwirrend.

1915 **Wirt** 1. Gastwirt, Gastronom, Hotelier, Schankwirt, Kneipier, Kneipenwirt, Hauswirt, **2.** Organismus, Primärwirt, Zwischenwirt, Endwirt.

1916 **wissen** Kenntnis haben, kennen, über Wissen verfügen, beherrschen, überblicken, intus/auf der Pfanne haben, loshaben, beschlagen sein, sich auskennen; Bescheid wissen, im Bilde sein, sich bewusst sein.

1917 **Wissen** 1. Kenntnis, Kunde, Einblick, Einsicht, Bewusstsein, Vertrautheit, Übersicht, Verständnis, Überblick, Gewissheit, Sicherheit, **2.** Wissenschaft, Gelehrsamkeit, Gelehrtheit, Buchwissen, **3.** Fachwissen, Branchenkenntnis, Sachkenntnis, Sachverstand, Know-how.

1918 **Wissenschaftler** Forscher, Naturwissenschaftler, Geisteswissenschaftler, Akademiker, Studierter, Gelehrter, Intellektueller, Geistesarbeiter.

1919 **Wohnung** 1. Quartier, Behausung, Unterkunft, Bleibe, Logis, Dach über dem Kopf, **2.** Zimmerflucht, Suite, Appartement, Apartment, Einzimmerwohnung, Kleinwohnung, Garçonnière, Loft, Flat, Mansardenwohnung, Dachwohnung, Dachgeschoss, Penthaus; Mietwohnung, Eigentumswohnung, **3.** Sitz, Wohnsitz, Wohnort, Aufenthaltsort, Standort, Domizil, Anschrift.

1920 **wölben (sich)** 1. schwellen, anschwellen, sich verdicken; aufschwellen, hervortreten, buckeln, wulsten, herauswachsen, sich runden; ausladen, aufblähen, aufquellen, blähen, auftreiben, beulen, aufgehen, aufblasen, aufschwemmen, **2.** überhängen, kragen, überstehen, vorstehen, abstehen, vortreten, herausragen, überragen, vorspringen, vorragen, hervorragen, herausstehen.

Wölbung 1. Wulst, Buckel, Erhebung, Höcker, Erhöhung, Auswuchs, Beule, Schwellung, Verdickung, Wucherung, **2.** Bogen, Arkaden, Bogengang, **3.** Rundung, Halbkugel, Apsis, Kuppel, Rotunde, Rundbau, Gewölbe. **1921**

wollen 1. beabsichtigen, vorhaben, sich vornehmen; intendieren, willens/gewillt sein, zu tun gedenken, bezwecken, anstreben, ausgehen auf, trachten nach, hinsteuern, abzielen, hinzielen, es anlegen auf, sich in den Kopf setzen; Lust haben zu, **2.** bestehen/beharren auf, sich kaprizieren; nicht lockerlassen, ablassen, sich verbeißen, festbeißen, verbohren, auf die Hinterbeine stellen; Kopf durchsetzen, mit dem Kopf durch die Wand gehen, ertrotzen. **1922**

Wunde Verletzung, Blessur, Verwundung, Stich, Schnitt, Riss, Biss, Einschuss, Kratzer, Schramme, Schmarre, Schrunde, Quetschung, Prellung, Zerrung, Verrenkung, Verstauchung, Bruch, Fraktur, Verbrennung, Brandwunde. **1923**

wundern (sich) 1. staunen, sich verwundern; seinen Augen nicht trauen, nicht fassen können, Kopf stehen, Mund und Nase aufsperren, aus allen Wolken fallen, große Augen machen, sich satt sehen; keine Worte finden, Hände über dem Kopf zusammenschlagen, nicht für möglich halten, **2.** verwundern, wundernehmen, in Erstaunen setzen, erstaunen, Atem/Sprache verschlagen, überwältigen, betäuben, blenden, aus der Fassung bringen, **3.** starren, anstarren, bestaunen, anstaunen, stutzen, stutzig werden, scheuen, sonderbar finden. **1924**

Würde 1. Format, Haltung, Stolz, Unnahbarkeit, Erhabenheit, Hoheit, Vornehmheit, Dignität, Grandezza, Majestät, Gravität, **2.** Weihe, Ehre, Rang, Ehrwürdigkeit. **1925**

würdig 1. würdevoll, hoheitsvoll, erlaucht, weihevoll, ehrwürdig, Respekt erheischend, Achtung gebietend, erhaben, unnahbar, **2.** gravitätisch, gewichtig, gemessen, getragen, majestätisch. **1926**

würzen 1. pfeffern, salzen, abschmecken, verfeinern, süßen, zuckern, versüßen, parfümieren, aromatisieren, **2.** Pointen setzen, interessant erzählen. **1927**

Z

1928 zäh 1. beharrlich, ausdauernd, widerstandsfähig, hartnäckig, verbissen, stur, unnachgiebig, zielbewusst, erbittert, insistierend, **2.** dickflüssig, konsistent, zähflüssig, sämig, breiig, kleistrig, seifig, talgig, teigig, speckig, **3.** klebrig, harzig, leimig, haftend, pappig, klebend, selbstklebend, gummiert, **4.** ledern, sehnig, drahtig.

1929 zählen 1. rechnen, zusammenzählen, zusammenrechnen, durchzählen, abzählen, nachrechnen, an den Fingern abzählen; summieren, aufrechnen, ausrechnen; zuzählen, addieren, abziehen, subtrahieren, malnehmen, multiplizieren, teilen, dividieren, ins Quadrat erheben, radizieren, potenzieren; abrechnen, berechnen, aufzählen; nummerieren, paginieren, **2.** einschließen, mitzählen, dazurechnen, einrechnen, mitrechnen, einbegreifen, berücksichtigen, miterwägen, **3.** dazuzählen, dazugehören, darunter fallen, mit betroffen sein.

1930 Zahlung 1. Bezahlung, Begleichung, Tilgung, **2.** Vergütung, Honorierung, Entlohnung, **3.** Abzahlung, Rate, Abtragung, Ratenzahlung, Abschlagszahlung, Abfindung, **4.** Barzahlung, Auszahlung, Scheck, Überweisung.

1931 zart 1. fein gesponnen, fein, feinfädig, duftig, locker, leicht, ätherisch, dünn, blumenhaft, blütenhaft, durchsichtig, schleierdünn, elfenhaft, feenhaft, spinnwebfein, zerbrechlich, durchscheinend, diaphan, eierschalendünn, blütenzart, filigran, subtil, glatt, weich, jung, samten, seidig, **2.** sanft, leise, schonend, mild, sacht, behutsam, gelinde, schonungsvoll.

1932 Zauber 1. Hokuspokus, Gaukelwerk, Gaukelei, Gaukelspiel, Taschenspielerei, Zauberkunst, **2.** Amulett, Talisman, Fetisch, Maskottchen, Glückspfennig, Glücksbringer, Glückszeichen, Liebestrank, Zaubermittel, Zauberformel, Zauberspruch, Zaubertier, Bannspruch, Abrakadabra, Hexeneinmaleins, **3.**

Zauberei, Magie, Teufelswerk, Zauberwesen, Hexerei, schwarze Kunst.

1933 Zeichen 1. Symbol, Sinnbild, Metapher, Allegorie, Parabel, Personifikation, Verkörperung, **2.** Wink, Geste, Tipp, Gebärde, Chiffre, Sigel, Signum, Marke, Markierung, Kürzel, Abkürzung, Kennzeichen, Wahrzeichen, Erkennungszeichen, Statussymbol; Anzeichen, Symptom, Krisenzeichen, Krankheitszeichen, Merkmal, Mal, Stigma, **3.** Vorzeichen, Vorbote, Hinweis, Indiz, Omen, Menetekel, **4.** Fahne, Flagge, Wimpel, Standarte, Banner, Feldzeichen, Stander, Emblem; Signal, Warnzeichen, Fanal, **5.** binäres Zeichen, Bit.

1934 zeigen (sich) 1. weisen, hinweisen, hinzeigen, hindeuten, vorverweisen, deuten, Zeichen geben, signalisieren, Wink geben, gestikulieren, zuwinken, nicken, zunicken, kopfschütteln, Achseln zucken, blinzeln, zwinkern, auf den Fuß treten, anstupsen, **2.** herzeigen, vorzeigen, vorweisen, vor Augen führen, präsentieren, vorstellen, vorführen, demonstrieren, vorlegen, zur Schau tragen, **3.** bezeigen, aufweisen, aufzeigen, anzeigen, bekunden, spüren, merken lassen, offenbaren, sichtbar machen, Flagge zeigen, **4.** beweisen, nachweisen, belegen, verifizieren, dokumentieren, **5.** Finger strecken, Hand heben, sich zu Wort melden, melden, **6.** sich bieten; erscheinen, auftauchen, aufscheinen, sichtbar werden, ins Auge springen; sich ergeben, finden, herausstellen, erweisen, bewahrheiten, als richtig erweisen; klar werden, zutage treten, sich abzeichnen, von selbst verstehen.

1935 Zeit 1. Tempus, Chronos; Zeitspanne, Dauer, Zeitdauer, Weile, Zeitraum, Semester, Phase, Zeitabschnitt, Periode, Frist; Äon, Epoche, Zeitalter, Ära, Dekade; Zeitpunkt, Augenblick, Moment, Tag, Stunde; günstiger Augenblick, Sternstunde, Kairos, **2.** Einheitszeit, Echtzeit, Weltzeit.

1936 zergliedern 1. analysieren, scheiden, auflösen, aufteilen, trennen, detaillieren, aufgliedern, differenzieren, spezifizieren, spezialisieren, einzeln aufführen, dekomponieren, dekonstruieren, aufschlüsseln, im Einzelnen darlegen, in einzelne Schritte zerlegen, operationalisieren, auseinander nehmen, desintegrieren, dezentralisieren, parzellieren, fragmentieren, **2.** zerteilen, zerfasern, zerreden, tranchieren, obduzieren, sezieren, ausschlachten.

1937 zerkleinern mahlen, zermahlen, pulverisieren, zermalmen, zerquetschen, schroten, zerstoßen, zerstampfen, verschroten, zerklopfen, zerschlagen, verquirlen, verrühren; zerrupfen, zerknicken, brechen, raffeln, schaben, reiben, zerreiben, raspeln, schnitzeln, stoßen, durchdrücken, durchseihen, durchdrehen, passieren, durchschlagen, sieben, zerspalten, klein schlagen, hacken, spalten, zerhacken, stampfen, zerdrücken, zerpflücken, zerkrümeln, zerbröseln, zerbröckeln, zerschneiden, klein schneiden.

1938 zerkleinert pulverisiert, pulvrig, staubfein, pulverförmig, mehlig, zerrieben, gerieben, gemahlen, verquirlt, zerstoßen, zerhackt, gestoßen, gestampft, zermatscht, zerquetscht, geschrotet.

1939 zerstören (sich) 1. verderben, ruinieren, zugrunde richten, herunterwirtschaften, untergraben, zunichte machen, vereiteln, zuschanden machen, zerrütten, bankrott richten, an den Bettelstab bringen, erledigen, vernichten, ans Messer liefern, zu Fall bringen, ins Verderben stürzen, **2.** ausrotten, aufreiben, vertilgen, austilgen, beseitigen, auslöschen, ausmerzen, eliminieren, **3.** kaputtmachen, destruieren, demolieren, kurz und klein schlagen, zerstückeln, zerbrechen, zerschmeißen, zerschmettern, zerteppern, zerschlagen, in Stücke brechen, zertrümmern, zusammenschlagen, entzweibrechen, einschmeißen, einwerfen, zuschanden fahren, zu Bruch fahren, Bruch machen, unbrauchbar machen, **4.** kaputtgehen, aus der Hand/zu Boden fallen, in Scherben gehen, zerbrechen, zersplittern, zerschellen, in Stücke brechen, zerspellen, aus dem Leim gehen, **5.** verbrennen, versengen, in Brand stecken, niederbrennen, abbrennen, abfackeln, in Schutt und Asche legen, einäschern, in die Luft jagen, zerbomben, **6.** zerfetzen, zerfleddern, zerlesen, zerreißen, in Stücke/in Fetzen reißen, zerfleischen, **7.** abbrechen, niederreißen, einreißen, abreißen, umreißen, abtragen, niederlegen, schleifen, in Trümmer legen, dem

Erdboden gleichmachen, atomisieren, einebnen, **8.** vernichten, niedermetzeln, niederwalzen, niedermähen, verwüsten, verheeren; zerdrücken, zermalmen, zerstampfen, zerhacken; zernagen, zerfressen, durchlöchern, **9.** versenken, torpedieren, **10.** vergiften, verseuchen, kontaminieren, **11.** sich ruinieren, zugrunde richten; zugrunde gehen, Bankrott gehen, Bankrott/Pleite machen, fallieren, zusammenbrechen, zusammenkrachen, in Konkurs gehen, zuschanden werden, untergehen.

Zerstörung 1. Vernichtung, Destruktion, Austilgung, Annihilierung, Ausrottung; Zertrümmerung, Verwüstung, Verbrennung, Verheerung, Flurschaden, Katastrophe, Apokalypse; Untergang, Pleite, Zusammenbruch, Niederbruch, Ruin, Bankrott; Sprengung, Zusammensturz, Abbruch; Kahlschlag, Kahlfraß, Atomschlag, Weltuntergang, **2.** Zerstückelung, Zerteilung, Zerfaserung, Auflösung, Zersetzung, Zerfall. **1940**

Zeugnis 1. Attest, Diplom, Zertifikat, Beglaubigung, Bescheinigung, Dokument, Patent, Urkunde, Meisterbrief, Beweismittel, Asservat, **2.** Aussage, Zeugenaussage, Angabe, Geständnis, Eid, Schwur. **1941**

ziehen 1. schleppen, schleifen, zerren, ins Schlepptau nehmen, hinter sich herziehen; an sich ziehen, **2.** dehnen, recken, strecken, spannen, anspannen, reißen; rupfen, zupfen, zausen, ziepen, **3.** hochziehen, herausziehen, zücken, heraufziehen, **4.** lutschen, saugen, lecken, schlecken, schlotzen, aussaugen, auslutschen, einsaugen. **1942**

Ziel 1. Zweck, Absicht, Bestimmung, Endzweck, Zielsetzung, Sinn, **2.** Ende, Endpunkt, Bestimmungsort, Reiseziel, Schlusspunkt, Abschluss, Endstation, **3.** Wunsch, Herzenswunsch, Wunschziel, Lebensziel, **4.** Zielpunkt, Zielscheibe, Schießscheibe. **1943**

zielen 1. peilen, anvisieren, visieren, ins Auge fassen, aufs Korn nehmen, anlegen, **2.** steuern, ansteuern, lenken, lotsen, anpeilen, zusteuern auf, anfliegen. **1944**

ziemlich einigermaßen, ausreichend, befriedigend, erträglich, leidlich, passabel, annähernd, ganz, glimpflich, schlecht und recht, so eben, halbwegs, ungefähr, bis zu einem gewissen Grade, **1945**

recht, nicht wenig, ansehnlich, erkleck-lich.

1946 zittern 1. beben, schlottern, schla-ckern, bibbern, mit den Zähnen klap-pern, schnattern, schauern, schaudern, erschauern, zusammenfahren, zucken, durchzucken, **2.** erbeben, erzittern, vi-brieren, erschüttert werden, hin und her schwanken, wackeln.

1947 zögern zaudern, schwanken, zagen, sich bedenken; Bedenken tragen, mit sich kämpfen, unschlüssig, unent-schlossen sein, drucksen, herumdruck-sen, säumen, abwarten, zuwarten, auf-schieben, auf die lange Bank schieben.

1948 Zoo zoologischer Garten, Tierpark, Menagerie, Tiergehege, Wildpark, Tier-garten, Gehege, Freigehege.

1949 zubereiten vorbereiten, bereiten, herrichten, herstellen, anmachen, an-richten, ansetzen, kochen, braten, ga-ren.

1950 Zucht 1. Aufzucht, Züchtung, Neu-züchtung, Zuchtwahl, Herauszüchtung, **2.** Zähmung, Domestizierung, Dressur, Abrichtung, **3.** Kreuzung, Vermi-schung, Bastardierung, Genmanipula-tion.

1951 züchten 1. veredeln, kreuzen, pfrop-fen, okulieren, aufpfropfen, aufsetzen, kultivieren, heranziehen, herauszüch-ten, genetisch manipulieren, **2.** zähmen, bändigen, abrichten, dressieren, domes-tizieren, gefügig machen, zureiten, dril-len.

1952 zufällig 1. per Zufall, aleatorisch, von selbst, irgendwie, unmotiviert, blindlings, unbeabsichtigt, unfreiwillig, **2.** wahllos, von ungefähr, beliebig, aufs Geratewohl, auf gut Glück.

1953 Zufriedenheit Befriedigung, Erfül-lung der Wünsche, Genugtuung, Beha-gen, Wohlbehagen; Wohlgefallen, Selbstbescheidung, Wunschlosigkeit, Selbstgenügsamkeit.

1954 Zuhälter Louis, Loddel, Lude, Striz-zi; Kuppler, Schlepper, Mädchenhänd-ler, Frauenhändler.

1955 Zukunft Folgezeit, Nachher, Morgen, kommende Zeit, künftige Zeiten, Nach-welt.

1956 Zulage Zuschlag, Gratifikation, Prä-mie, Sonderzulage; Weihnachtsgeld, Urlaubsgeld, Leistungsprämie, Treue-prämie.

zunächst vorderhand, vorerst, fürs **1957** Erste, erst einmal, vorab, bis auf weite-res; vorläufig, einstweilen, provisorisch.

zunehmend wachsend, ansteigend, **1958** steigend, im Steigen begriffen, sich run-dend, füllend, mehrend, steigernd, er-höhend; progressiv; auffrischend, stär-ker werdend.

zürnen 1. grollen, nachtragen, **1959** schmollen, tückschen, hadern, anrech-nen, ankreiden, verargen, verübeln, übel nehmen, auf dem Kieker haben, übel vermerken, verdenken, krumm nehmen, in den falschen Hals bekom-men, **2.** trotzen, mucken, murren, mau-len, muffeln, bocken, muckschen, sich stemmen, sträuben, stängeln, sperren.

zurückhaltend 1. reserviert, still, **1960** verhalten, schwer zugänglich, schweig-sam, herb, verschwiegen, wortkarg, ein-silbig, zugeknöpft, kontaktscheu, **2.** re-spektvoll, pietätvoll, taktvoll, diskret, unaufdringlich, dezent, abwartend.

Zurückhaltung 1. Distanz, Reser-**1961** ve, Reserviertheit, Respekt, Scheu, Pie-tät, **2.** Takt, Verhaltenheit, Diskretion, Feinheit, Dezenz, Unaufdringlichkeit, Zartgefühl, **3.** Wortkargheit, Einsilbig-keit, Schweigsamkeit, Verschwiegen-heit, Verschlossenheit, Zugeknöpftheit, Unzugänglichkeit.

zusammen miteinander, vereinigt, **1962** verbunden, Arm in Arm, gemeinsam, vereint, Hand in Hand, Schulter an Schulter, Seite an Seite, ein Herz und eine Seele, selbander, zweisam, mitsam-men, gemeinschaftlich, beieinander, beisammen, ungetrennt, ungeteilt, un-trennbar, unzertrennlich, eins, ineinan-der, verschmolzen, geschlossen, verbrü-dert, kollektiv.

Zusammenarbeit Partnerarbeit, **1963** Teamarbeit, Teamwork, Kooperation, Koproduktion, Gemeinschaftsarbeit, Jointventure, konzertierte Aktion.

zusammenbrechen 1. zusammen-**1964** klappen, zusammensacken, in sich zu-sammenfallen, schlappmachen, absa-cken, ohnmächtig werden, Besinnung verlieren, in Ohnmacht fallen, Kollaps erleiden, kollabieren, **2.** einstürzen, um-fallen.

zusammenhalten 1. zusammenste-**1965** hen, an einem Strang ziehen, einig sein, zueinander halten, sich solidarisieren, solidarisch erklären; Solidarität üben; aneinander hängen, verbunden sein, zusammengehören, Treue halten, zu jmdm. halten, stehen/halten zu, **2.** zusammenwohnen, zusammenleben, zusammenziehen, unter einem Dach leben, **3.** gemeinsame Sache machen, unter einer Decke stecken.

1966 Zustand Verfassung, Beschaffenheit; Befinden, Befindlichkeit, Allgemeinbefinden, Konstitution, Gestimmtheit, Stimmung, Ergehen, Status, Lage, Situation, Status quo, Stadium.

1967 zuständig 1. maßgebend, maßgeblich, kompetent, bestimmend, ausschlaggebend, **2.** befugt, berechtigt, verpflichtet, betraut, autorisiert, verantwortlich.

1968 Zuständigkeit 1. Kompetenz, Ressort, Maßgeblichkeit, Verantwortlichkeit, Berechtigung, Befugnis, Verpflichtung, Vollmacht, Ermächtigung, **2.** Wohnsitz, Gerichtsstand.

1969 zustimmen 1. einräumen, zugestehen, zubilligen, **2.** bejahen, beipflichten, gutheißen, einwilligen, akklamieren, abnicken, einstimmen, beistimmen, in dieselbe Kerbe hauen, ins gleiche Horn stoßen, Partei ergreifen, sich auf jmds. Seite schlagen; sekundieren, billigen, annehmen, akzeptieren, ratifizieren.

1970 zustimmend beipflichtend, beifällig, einverstanden, positiv, bejahend, affirmativ, einverständig, augenzwinkernd.

1971 zuverlässig 1. fair, loyal, solide, ehrlich, beständig, gleich bleibend, unbeirrbar, aufrecht, charakterfest, treu, unerschütterlich, unwandelbar, standfest, anhänglich, treue Seele, altgedient, vertrauenswürdig, glaubwürdig, Vertrauen erweckend, unbestechlich, getreu, treu ergeben, ergeben, linientreu, kritiklos, unkritisch, **2.** gewissenhaft, sorgfältig, pflichttreu, verlässlich, gründlich, genau, ordentlich, ausdauernd, beharrlich, beständig, konservativ, pflichtbewusst, **3.** verbürgt, sicher, bezeugt, unverdächtig, glaubhaft.

1972 Zwang 1. Pression, Repression, Nötigung, Diktat, Psychoterror, Terrorisierung, Mobbing, Bedrückung, Bedrängung, Zwangsmaßnahme, Brachialgewalt, Zwangsmittel, Repressalie, Sanktion, Druckmittel, Machtmittel; Zwangsbindung, Zwangsfixierung; Kandare, Daumenschrauben, härtere Gangart, Zügel, Fron, Joch, Knechtschaft, Unfreiheit, Zwangsarbeit, Sklaverei, **2.** Konsumzwang, Konsumterror.

1973 zweckmäßig 1. brauchbar, geeignet, tauglich, verwendbar, passend, zweckentsprechend, zweckdienlich, sachdienlich, nützlich, dienlich, zweckvoll, praktisch, praktikabel, benutzbar, handlich, handgerecht, griffig, angepasst, benutzerfreundlich, **2.** rationell, planvoll, wohl durchdacht, wohl überlegt, sinnreich, sinnvoll, durchkonstruiert, ausgeklügelt, ausgefeilt; wirtschaftlich, ökonomisch, sparsam, Material sparend, zweckgerichtet, stromlinienförmig, schnittig, windschlüpfrig, seetüchtig, **3.** angezeigt, geraten, tunlich, ratsam, zu empfehlen, angebracht, empfehlenswert.

1974 Zweifel 1. Bedenken, Bedenklichkeit, Skrupel, Unsicherheit, Zwiespalt, Zwiespältigkeit, Zerrissenheit, Ungewissheit, Unentschiedenheit, Unschlüssigkeit, Konflikt, Zaudern, Zögern, Schwanken, innerer Widerstreit, gemischte Gefühle, Ambivalenz, Hassliebe, Doublebind, Gewissenskonflikt, Gewissensfrage, Zweifelsfrage, **2.** Verdacht, Argwohn, Ahnung, Vermutung, Misstrauen, Befürchtung, Skepsis, Unterstellung, Eifersucht, Verdächtigung, **3.** Entweder-oder, Hin und Her, Tauziehen, Dunkelziffer, Wenn und Aber, Pro und Contra, Für und Wider, Vor- und Nachteil, Scheideweg.

1975 zweifelhaft 1. fraglich, ungewiss, unsicher, unbestimmt, anfechtbar, fragwürdig, dubios, ominös, faul, oberfaul, bedenklich, mehrdeutig, verdächtig, **2.** doppelsinnig, doppeldeutig, vieldeutig, zweideutig, strittig, problematisch, viel sagend, verfänglich, suspekt, mulmig, undurchsichtig, undurchschaubar, dunkel, **3.** obskur, zwielichtig, fadenscheinig, halbseiden, übel beleumundet, anrüchig, berüchtigt.

1976 zweifeln bezweifeln, anzweifeln, in Zweifel ziehen, Bedenken hegen, in Frage stellen, wanken, schwanken, unsicher sein, wankend/unsicher/irre werden, Verdacht schöpfen, verdächtigen, argwöhnen, misstrauen.

1977 Zweig 1. Nebenstelle, Zweigstelle,

Tochter, Tochterfirma, Filiale, Handels-
niederlassung, Ladenkette, **2.** Branche,
Abteilung, Gebiet, Sektion, Bereich,
Sektor, Dezernat, Fakultät, Sparte, **3.**
Ast, Arm, Spross, Nebenarm, Seiten-
arm, Seitenlinie.

1978 **zwiespältig** gespalten, zerspalten,
mit sich uneins, ambivalent, innerlich
zerrissen, hin und her gerissen, von
Zweifeln geplagt, mit sich zerfallen, unentschlossen, ratlos, unentschieden, unschlüssig.

1979 **zwingen 1.** nötigen, Druck ausüben,
pressen zu, gefügig machen, Willen aufzwingen, oktroyieren, diktieren, majorisieren, niederstimmen, mundtot machen, **2.** erpressen, festnageln, knebeln,
drankriegen, erzwingen, abpressen, unter Druck setzen, Messer an die Kehle
setzen, keine Wahl lassen, Pistole auf
die Brust setzen, an die Kandare nehmen, terrorisieren, tyrannisieren, **3.** zusammenzwingen, aneinander ketten /
fesseln, zusammenschmieden.

zwingend 1. stichhaltig, unwider- **1980**
stehlich, unausweichlich, eindringlich,
schlagend, stringent, **2.** bindend, verpflichtend, obligatorisch, verbindlich,
3. schicksalhaft, unabwendbar.

Zwischenfall 1. Ereignis, Vorfall, **1981**
Störfall, Störung, **2.** Episode, Zwi-
schenspiel, Intermezzo, Wendung,
Abenteuer.

Register

A

A bis Z, von 679, *2*
a priori 799
A und O 823
aalen, sich 524, *3*
aalglatt 583, *4*; 744, *2*;
1554, *2*
Aas 957, *1*; 973, *2*
Aas, kein 1188
Aasgeier 1275
aasig 461, *2*
ab 1130, *2*
ab und zu 926, *1*;
1457, *2*; 1852, *1*
abändern 22, *4*;
1708, *1*
Abänderung 1703;
1709, *1*
abarbeiten 151, *3*;
533, *1*
abarbeiten, sich 92, *3*;
539, *2*
Abart 1703
abartig 1237
abbalgen 1066, *10*
Abbau 154, *1*; 454, *1*;
999, *2*; 1348, *1*
abbaubar 1636, *1*
abbauen 998, *2*; 1007, *3*;
1149, *4*; 1196, *3*
abbeißen 566, *4*
abbeizen 484, *1*
abbekommen 236, *1*;
522, *1*
abberufen 998, *2*
abberufen werden
1512, *1*
Abberufung 999, *2*;
1581, *1*
abbestellen 122, *2*
Abbestellung 120, *3*
abbetteln 315, *2*
abbezahlen 34; 151, *3*
abbiegen 28, *1*; 172, *1*;
261, *1*
Abbiegung 29, *2*; 1004
Abbild 308, *2*
abbilden 1

Abbildung 308, *2*;
361, *1*
Abbildungstreue 1474, *1*
abbinden 1594, *4*
Abbitte 502, *1*
abbitten 345; 501, *1*
abblasen 475, *1*
abblassen 1149, *3*
abblättern 1066, *10*
abblenden 1399, *4*
abblitzen 1383, *5*
abblitzen lassen 30, *4*
abblocken 857, *3*
abblühen 1603, *6*
abböschend 1417, *2*
abbrauchen 1723, *3*
abbrausen 1367, *3*
abbrechen 122, *2*; 264;
329, *2*; 441, *1*; 475, *1*;
546; 811, *1*; 1520, *1*;
1594, *1*; 1594, *2*;
1723, *4*; 1939, *7*
abbrechen, Brücken hin-
ter sich 1594, *1*
abbrechen, Schwanger-
schaft 25
abbrechen, Spitze 261, *1*
abbrechen, Zelte 475, *1*;
485, *2*
abbremsen 22, *2*
abbrennen 330, *4*;
1749, *5*; 1939, *5*
abbringen von 15
abbröckeln 329, *1*;
1066, *7*; 1723, *4*;
1749, *2*
Abbruch 26; 1368, *1*;
1400, *1*; 1595, *1*;
1678, *1*; 1940, *1*
abbruchreif 1132, *1*
abbrühen 956, *2*
abbügeln 857, *3*
abbürsten 1367, *2*
abbüßen 345
Abc 337, *2*
Abc-Schütze 936, *1*;
1428, *1*
abdachen 6, *1*
Abdachung 5, *4*
abdämpfen 261, *1*
abdanken 998, *1*
Abdankung 999, *1*
abdecken 200; 304, *4*;
484, *3*; 1430, *1*
abdichten 543, *2*

abdienen 151, *3*
abdrängen 1733, *1*
abdrehen 22, *2*; 395, *6*;
1399, *2*
abdrosseln 22, *2*
Abdruck 1497, *1*;
1774, *2*; 1811, *1*
abdrucken 1810
abdrücken 447, *2*;
918, *4*
abdrücken, Luft 402, *2*
abdunkeln 1399, *4*
abebben 1149, *1*
Abend 408, *1*
Abend werden 409, *1*
Abend, am späten
1481, *4*
Abendbrot 1080, *7*
Abendessen 1080, *7*
abendfüllend 1013, *2*
Abendgebet 684
Abendland 568, *1*
abendländisch 568, *2*
abendlich 407, *1*
Abendluft 1068, *3*
abends 407, *1*
Abendstunde 408, *1*
Abenteuer 1055, *4*;
1860; 1981, *2*
abenteuerlich 690, *2*
Abenteuerlust 478, *1*
abenteuern 1331, *2*
Abenteuertourist
1332, *1*
Abenteurer 2; 1332, *1*
aber 3
Aberglaube 4; 1662
aberkennen 1168, *3*;
1779, *1*
abermals 1902
Aberration 29, *2*
Aberwitz 1674, *3*
aberwitzig 24; 1777, *3*
abessen 566, *4*
abfackeln 330, *4*;
1939, *5*
abfahrbereit 610, *2*
abfahren 485, *3*; 485, *3*;
1383, *5*
abfahren auf 219, *2*
Abfahrt 486, *3*
Abfall 5; 1340, *4*
abfallen 6; 12, *1*; 539, *2*;
1618, *2*
abfallen gegen 6, *4*

abfallend 1417, 2;
1417, 3
Abfallhaufen 5, 3
abfällig 31, 2
abfälschen 28, 1;
1739, 1
abfangen 261, 1; 588, 2
abfangen, Angriff 557, 2
abfassen 588, 2; 619, 2;
1421, 3; 1620, 2
abfedern 261, 1; 597, 3
abfegen 1367, 1
abfeiern 151, 3
abfeilen 769, 3
abfertigen 30, 1; 203, 2;
533, 2
Abfertigung 32, 1;
204, 2; 535, 1
abfilmen 1, 2
abfinden 497, 2
abfinden, sich 1040, 2;
1713, 1; 1819, 1
Abfindung 498, 3;
1731, 1; 1930, 3
abflachen 6, 1
abflauen 1149, 1
abfliegen 485, 3
abfließen 10, 1; 1030, 5
Abflug 486, 3
Abfluss 1215, 6
Abfolge 630, 1; 742, 2;
1329, 1
abfordern 195, 1
abformen 1, 2
abfragen 639, 2; 1284, 1
Abfuhr 32, 1; 1116
abführen 304, 1;
1066, 6; 1756
abführend 757, 4
Abführung 7
abfüllen 674, 1; 1030, 4
Abfüllung 1031
abfüttern 676, 1; 676, 2
Abgabe 7; 1514, 2;
1759, 1
Abgang 486, 3; 999, 1;
1368, 1; 1722, 2
abgängig 1886, 1
Abgas 5, 3
abgasarm 1636, 2
Abgase 156, 4
abgearbeitet 1130, 2
abgebaut 104
abgeben 155; 683, 4;
1486, 1; 1617; 1760, 1

abgeben mit, sich
266, 2
abgeben, Löffel 1512, 2
abgeben, sich 102, 1
abgeben, Stimme
1862, 3
abgeblasen 534, 4
abgeblüht 44, 2
abgebrannt 107, 1
abgebraucht 182; 265, 1
abgebrochen 534, 4;
1694, 1
abgebrüht 516, 1;
914, 4; 1540, 5; 1691
Abgebrühtheit 743, 2
abgedacht 1417, 2
abgedankt 44, 6
abgedichtet 380, 1
abgedreht 1777, 1
abgedroschen 182
Abgedroschenheit
183, 1
abgefahren 44, 4
abgegrenzt 945, 4
abgegriffen 44, 3; 182;
265, 1
abgehackt 1005, 1
abgehängt werden
1779, 3
abgehärtet 757, 1; 981, 1
abgehärtet, nicht 471, 1
abgehen 28, 1; 216, 3;
492, 3; 598, 2; 998, 1,
1066, 7; 1760, 4
abgehen lassen, sich
nichts 725
abgehen von 1019, 2
abgehetzt 1130, 2
abgehoben 1261
abgekämpft 1130, 2
abgekartet 834, 1
abgeklärt 1328, 4
abgekürzt 1005, 3
abgelagert 1328, 1
abgelaufen 44, 4;
1397, 6
abgelebt 44, 2; 1743
abgelegen 450, 3
Abgelegenheit 451, 2
abgeleitet 1124, 1
abgelenkt 1638, 1
abgeliebt 265, 1
abgeliefert 534, 1
abgelten 151, 3; 345;
497, 2

Abgeltung 498, 1;
1731, 1
abgelutscht 182
abgemacht 534, 1;
1460, 5
abgemagert 410, 2;
850, 3
abgemattet 1130, 2
abgemeldet 534, 4;
1886, 1
abgeneigt 31, 3
abgeneigt sein, nicht
1127, 1
abgenutzt 44, 3; 182;
265, 1; 1540, 1
Abgeordneter 1806, 3
abgepackt 731, 1
abgepackt, nicht 1065, 3
abgerechnet 161, 1;
768, 4
abgerichtet 705
abgerissen 107, 2; 850, 1
abgerundet 1654, 1
abgesagt werden 598, 3
Abgesandter 1613, 2
Abgesang 1400, 2
abgeschabt 44, 3
abgeschieden 450, 3;
1585, 1
Abgeschiedenheit 451, 2
abgeschlafft 1130, 2
abgeschlagen 1130, 2
abgeschliffen 265, 1
abgeschlossen 380, 1;
450, 1; 534, 1; 610, 1;
745, 1; 1743
abgeschlossen, nicht
1694, 1
Abgeschlossenheit
451, 1
abgeschmackt 182; 941
Abgeschmacktheit
183, 1
abgeschnitten 450, 1;
1005, 1
abgeschrägt 1417, 2
abgesehen von 161, 1
abgesondert 450, 2;
457, 2
abgespannt 1130, 2
abgesprengt 457, 1
abgestanden 182;
406, 1; 574, 1; 1707
abgestiegen 850, 1
abgestimmt 819, 1

Abgestimmtheit 818, *2*
abgestorben 44, *2*;
1585, *2*; 1645, *2*
abgestoßen 265, *1*
abgestuft werden 21, *3*
abgestumpft 1540, *1*;
1540, *3*; 1645, *1*
abgetakelt 850, *4*
abgetan 534, *1*; 768, *4*;
1707
abgetragen 44, *4*
abgetrennt 450, *1*;
457, *1*
abgewertet 1397, *6*
abgewetzt 44, *3*; 265, *1*
abgewiesen werden
1383, *5*
abgewinnen 761, *2*
abgewinnen, etwas
1127, *1*
abgewinnen, Geschmack
691, *1*; 1127, *1*
abgewogen 731, *1*;
819, *1*; 819, *3*
Abgewogenheit 818, *2*
abgewöhnen, sich
1779, *7*; 1819, *2*
Abgewöhnung 512, *1*
abgezehrt 410, *2*; 850, *3*;
1042, *1*; 1432, *4*
abgezogen 574, *2*; 879
abgießen 1030, *2*
Abglanz 527, *4*
abgleiten 28, *2*; 1728, *3*
Abgott 874, *2*
Abgötterei 786
abgöttisch 829, *2*
abgraben, Wasser
857, *3*; 1369, *1*
abgrasen 566, *6*
abgrenzen 528, *2*;
857, *1*; 1632, *4*; 1735
Abgrenzung 529, *3*; 790
Abgrund 858, *4*
abgründig 407, *4*;
1578, *2*
abgrundtief 1578, *2*
abgucken 881, *1*
Abgunst 1169
abgünstig 1171
Abguss 1811, *1*
abhacken 1007, *1*
Abhagerung 1348, *4*
abhaken 533, *2*
abhalftern 213, *6*; 998, *2*

abhalten 441, *2*; 857, *1*;
1711, *1*
abhalten, Lesung
1050, *2*
abhalten, Sitzung 276, *3*
Abhaltung 1524; 1712, *1*
abhampeln, sich 92, *2*
abhandeln 198, *1*;
224, *3*; 276, *2*; 815, *3*
abhanden 1886, *1*
Abhandlung 8
Abhang 5, *4*
abhängen 12, *2*; 524, *1*;
998, *2*; 1394, *3*
abhängen von 9
abhängig 856, *1*; 1651, *1*
abhängig machen von
195, *1*
abhängig machen, sich
9, *2*; 65, *2*
abhängig sein von 9, *1*
Abhängigkeit 206;
1550, *1*
Abhängigkeit von Stimu-
lantien 1550, *3*
abhärmen, sich 63, *2*;
1040, *4*
abhärten, sich 1502, *1*
abhärtend 757, *3*
Abhärtung 1503, *4*
abhauen 484, *1*; 485, *1*;
624, *1*; 624, *1*; 1007, *1*
abhäuten 1066, *10*
abheben 523, *2*; 1508, *3*
abheben auf 219, *2*;
861, *1*
abheben von 1687, *2*
abheben, sich 118;
967, *2*
abheften 533, *1*
abheilen 723, *2*; 831, *1*
abhelfen 22, *4*; 837, *4*
abhetzen, sich 539, *2*;
851, *2*
abheuern 998, *2*
Abhilfe 854, *2*
abhobeln 769, *3*
abhold 31, *3*
abholen 274, *2*
abholzen 1394, *4*
abhorchen 247, *2*
abhören 247, *2*; 1284, *1*
abhotten 1681, *5*
Abhub 5, *1*
abhusten 155

abirren 28, *3*; 901, *1*
Abirrung 29, *3*
Abitur 1285, *1*
Abiturient 1428, *1*
abjagen 19; 1168, *2*
abjagen, sich 539, *2*;
851, *2*
abkanzeln 1553, *2*
abkapseln, sich 17, *2*;
1755, *2*
Abkapselung 451, *1*
abkarten 293, *2*; 1735
abkaspern 1735
abkaufen 770, *2*; 924, *2*
abkaufen, Schneid
398, *3*
abkehren 1367, *1*
abkehren, sich 20, *1*;
485, *1*
abklären 946, *1*
Abklatsch 1142, *1*
abklatschen 881, *2*
abklingen 475, *2*; 723, *2*;
1149, *1*; 1749, *3*
abknallen 1586, *1*
abknappen 901, *2*
abknapsen 1478, *2*
abknicken 329, *1*
abknöpfen 315, *2*
abkochen 293, *1*; 522, *2*
abkommen 28, *2*;
1749, *6*
Abkommen 1736, *1*
abkommen von 1019, *2*
abkommen, vom Kurs
28, *1*
abkommen, vom Thema
28, *3*
abkommen, vom Weg
598, *4*; 901, *1*
abkömmlich 1666
Abkömmling 936, *2*
abkoppeln 1594, *2*
abkratzen 484, *1*;
1512, *3*
abkriegen 236, *1*; 515, *2*;
522, *1*
abkriegen, etwas 530
abkühlen 261, *1*; 507;
551, *2*; 995, *1*; 1149, *2*
abkühlen, sich 261, *2*
Abkühlung 1092, *2*;
1348, *7*
Abkunft 846, *1*
abkupfern 881, *2*

abkürzen 1007, *1*
Abkürzung 29, *2*;
  1933, *2*
abladen 1030, *1*
abladen, Kummer
  1208, *3*
Ablage 535, *2*
ablagern 946, *3*;
  1184, *6*
Ablagerung 1186, *3*
Ablass 784, *1*; 1215, *6*
ablassen 11, *2*; 1030, *2*;
  1922, *2*
ablassen von 122, *3*;
  1019, *2*
ablassen von, nicht
  226, *1*
ablassen, Dampf 261, *2*;
  494, *1*
ablassen, nicht 1740, *2*
Ablauf 630, *1*; 742, *2*;
  1215, *6*; 1283, *2*
Ablauf, im historischen
  351
ablaufen 10; 216, *3*;
  475, *2*; 1603, *2*;
  1749, *1*
ablaufen lassen 11, *2*
ablaufen, Rang 1394, *3*
ablaugen 484, *1*
ableben 1512, *1*
Ableben 1581, *1*
ablegen 175, *4*; 533, *1*;
  1819, *2*
ablegen, Geständnis
  1208, *3*; 1511, *4*
ablegen, Rechenschaft
  494, *4*
ablehnen 30, *2*; 196;
  821, *1*; 1779, *1*;
  1809, *2*
ablehnen, blind 821, *2*
ablehnend 31, *1*
Ablehnung 14, *1*; 32, *2*;
  989, *2*; 1116
ableisten 34; 151, *3*
ableiten 11; 1399, *3*;
  1603, *4*; 1729, *3*
Ableitung 29, *1*; 1400, *3*
ablenken 172, *2*;
  1522, *1*; 1681, *2*
ablenken, sich 1605, *2*
ablenkend 76, *2*
Ablenkung 77, *3*; 1524;
  1683, *2*

Ablenkungsmanöver
  1558, *1*
ablesen 1851, *1*
ablesen, jeden Wunsch
  von den Augen
  1816, *2*
ablesen, vom Gesicht
  1866, *1*
ableuchten 241, *1*
ableugnen 1051, *1*
ablichten 1810
Ablichtung 1811, *2*
abliefern 1388, *3*; 1617
Ablieferung 535, *2*;
  1589, *1*
ablisten 19; 293, *1*
ablösen 12, *2*; 151, *2*;
  304, *4*; 497, *2*; 546;
  631, *4*; 1066, *1*;
  1883, *2*
ablösen, sich 485, *5*
Ablösung 150, *3*;
  1882, *1*
abluchsen 293, *1*
abmachen 12, *2*; 499, *1*;
  546; 1735
Abmachung 1736, *1*
abmagern 12, *1*
Abmagerung 1348, *4*
Abmagerungskur 379, *1*
abmahnen 1081, *3*
Abmahnung 1082, *1*
abmaiern 1809, *2*
abmalen 1, *2*
Abmarsch 486, *3*
abmarschbereit 610, *2*
abmarschieren 485, *2*
abmelden 122, *2*
Abmeldung 120, *3*
abmessen 614, *3*
Abmessung 1089, *2*
abmildern 261, *1*;
  841, *3*
Abmilderung 1092, *2*
abmühen, sich 92, *3*
abmurksen 1586, *1*
abmustern 998, *2*
abnabeln 1594, *4*
abnabeln, sich 213, *4*;
  1066, *5*
Abnabelung 1595, *3*
abnagen 566, *4*
Abnahme 923; 1348, *1*;
  1348, *4*; 1722, *2*
abnehmbar 1065, *3*

abnehmen 12; 280, *2*;
  546; 761, *2*; 770, *2*;
  924, *2*; 1149, *1*;
  1168, *2*
abnehmen, Arbeit
  494, *1*
abnehmen, Glied 1218
abnehmen, Hut 802, *1*
Abnehmen, im 13
abnehmend 13
Abnehmer 925; 1000, *1*
Abneigung 14
abnicken 1969, *2*
abnorm 1237
Abnormität 424, *3*
abnötigen 315, *2*
abnutzen 264; 1723, *3*;
  1723, *3*
abnutzen, sich 1149, *1*
Abnutzung 1722, *2*
Abonnement 136, *1*
Abonnent 925
Abonnenten 1000, *3*
abonnieren 280, *2*;
  811, *3*
abordnen 1388, *1*
Abordnung 1807
Aborigines 297
Abort 26; 1582, *1*
abortieren 25
Abortus 26
abperlen 10, *1*
abpfeifen 475, *1*
abpflücken 546
abplatzen 1066, *7*
abpolstern 261, *1*
abprallen 597, *1*
abpressen 1979, *2*
abprüfen 1284, *1*
abqualifizieren 509, *2*;
  841, *1*
Abqualifizierung 23, *2*
abrackern, sich 92, *3*;
  539, *2*
Abrakadabra 1932, *2*
abrasieren 484, *1*
abraten 15; 1874
Abraum 5, *1*
abräumen 484, *3*
abreagieren, sich 213, *3*;
  261, *2*
abrechnen 494, *4*;
  1929, *1*
abrechnen mit 1750, *1*
Abrechnung 150, *2*;

495, 3; 1316, 1;
1751, 1
Abrede 1736, 1
abregen, sich 261, 2
abreiben 484, 1;
1326, 3; 1603, 1
Abreibung 1385, 1;
1393, 1
Abreise 486, 3
abreisen 485, 3
abreißen 475, 2; 475, 2;
484, 1; 509, 1;
1066, 7; 1939, 7
abrichten 1610; 1951, 2
Abrichtung 1628;
1950, 2
Abrieb 1722, 2
abriegeln 857, 4;
1399, 1; 1462, 4
abringen 315, 2; 761, 2
abringen, sich 92, 3
abrinnen 10, 1
Abriss 1032; 1299, 2;
1612, 1
abrollen 10, 2; 216, 3
abrücken 485, 2;
1409, 5
abrücken von 624, 2
abrücken, von jmdm.
485, 5
Abruf, auf 205
abrunden 519, 1; 769, 3;
1828
Abrundung 520, 1
abrupt 1005, 2; 1263
abrüsten 261, 3
Abrüstung 1348, 10
abrutschen 28, 2;
581, 1; 777, 1; 1728, 3
absäbeln 1409, 1
absacken 28, 2; 581, 2;
1728, 3; 1964, 1
Absage 32, 2; 1116
absagen 30, 2; 557, 1;
1779, 5
absägen 998, 2; 1409, 1
absahnen 153, 3;
1730, 1
Absahner 1275
absatteln 213, 6
Absatz 1147; 1560, 1;
1678, 1; 1759, 1
Absatzförderung 1897, 5
Absatzforschung 1087
Absatzgebiet 1086, 2

Absatzmarkt 1086, 2
absaugen 484, 1
abschaben 484, 1;
1723, 3
abschaffen 22, 4; 123, 4;
484, 4
Abschaffung 486, 2
abschälen 1066, 10
abschalten 22, 2; 524, 1;
1064, 1; 1356, 1;
1594, 2
abschätzen 1137, 2;
1375, 2; 1701, 1
abschätzig 31, 2
Abschätzigkeit 1115
Abschaum 5, 1; 753
abschäumen 946, 3
abscheiden 155; 1512, 1
Abscheidung 156, 1
Abscheu 14, 2
abscheuern 1723, 3
abscheulich 461, 1;
822, 1; 1397, 5
abschicken 1388, 4
Abschiebehaft 692, 1
abschieben 173, 1;
1803, 1
abschieben, ins Unbe-
wusste 1733, 2
Abschiebung 1804
Abschied 486, 3; 801, 1;
999, 1; 1595, 1
abschießen 533, 3;
998, 2; 1586, 3
abschießen, Vogel
174, 2; 761, 2
abschilfern 1066, 7
abschinden, sich 539, 2
Abschirmung 1461, 2
abschlachten 1586, 1
Abschlachtung 1090
abschlaffen 1356, 1
abschlagen 30, 2;
1007, 1; 1394, 4;
1779, 1
abschlägig 31, 3
Abschlagszahlung
1930, 3
abschleifen 198, 2;
769, 3
abschleifen, sich 73, 2
abschließen 475, 1;
533, 1; 1399, 1; 1735;
1828
abschließen mit 329, 2

abschließen, sich
1755, 2
abschließen, Versiche-
rung 1786, 3
abschließend 477, 1
Abschließung 451, 1
Abschluss 535, 2;
814, 2; 1400, 1;
1736, 2; 1943, 2
Abschluss, zum 477, 1
Abschlussprüfung
1285, 1
abschmecken 977, 2;
1927, 1
abschmeicheln 315, 2
abschmettern 857, 3
abschmieren 581, 2
abschminken, sich
122, 3
abschnappen 588, 2
abschneiden 857, 4;
1007, 1; 1409, 1;
1561, 1
abschneiden, die Ehre
1764
Abschnitt 1539, 2;
1560, 1
Abschnitten, in 1015, 2
abschnittsweise 1015, 2
abschnüren 402, 2;
857, 4; 1594, 4
Abschnürung 858, 3
abschöpfen, Rahm
761, 2
abschrauben 1066, 1
abschrecken 857, 1;
995, 1
abschreckend 461, 1;
820, 3; 822, 1; 1420, 1
abschreiben 122, 3;
881, 2; 1810
Abschreiber 1141
abschreiten 614, 3;
703, 1
Abschrift 1811, 2
abschüssig 1417, 2
Abschüssigkeit 5, 4
abschütteln 30, 1;
484, 1
abschütteln, Joch 213, 4
abschütteln, Knecht-
schaft 213, 4
abschütten 1030, 2
abschwächen 261, 1;
841, 3; 1149, 1

Abschwächung 1092, 2
abschwatzen 293, 1;
  315, 2
abschweifen 28, 3
Abschweifung 29, 4
abschwellen 1149, 1
abschwenken 20, 1
Abschwenkung 29, 4
abschwindeln 293, 1
abschwirren 485, 1
abschwören 6, 5; 256;
  1819, 2
Abschwung 988, 3;
  1348, 5
Absegnung 1449, 3
absehen 1019, 2
absehen von 122, 3;
  152, 2
abseifen 1367, 3
abseilen 1184, 5
abseilen, sich 20, 1;
  485, 1; 624, 1
Abseite 1059, 2; 1350
abseitig 450, 3; 1639
Abseitigkeit 424, 4·
  451, 2
abseits 450, 3
Absence 33, 3
absenden 1388, 4
absent sein 598, 1
absentieren, sich 624, 1
observieren 998, 2
absetzen 22, 1; 998, 2;
  1511, 1; 1760, 1;
  1779, 6
absetzen lassen, sich
  1760, 4
absetzen, sich 624, 1;
  1184, 6
Absetzung 999, 2
absichern 210, 2
absichern, sich 1462, 3;
  1786, 3
Absicherung 1176, 4
Absicht 1258, 1;
  1906, 1; 1943, 1
Absicht, mit 16
Absicht, unbewusste
  859, 2
absichtlich 16
absinken 6, 1; 581, 2;
  1149, 1; 1728, 3
absitzen 1469, 2
absolut 679, 3; 1077, 3;
  1640, 1

Absolution 784, 1
Absolutismus 847, 3
absolvieren 533, 1
Absolvierung 535, 1
absonderlich 119, 2
Absonderlichkeit 424, 4
absondern 17; 155;
  1594, 2
absondern, sich 17;
  1755, 2
Absonderung 18;
  156, 1; 451, 1
absorbieren 127, 3;
  195, 2; 266, 3; 1603, 2
abspalten 1594, 2
Abspaltung 1595, 3
abspannen 1530, 4
Abspannung 540, 1
absparen 1478, 4
absparen, sich 1220, 1
absparen, sich vom
  Munde 1478, 2
abspecken 1478, 4
abspeisen 30, 4
abspenstig machen 19
absperren 17, 1; 837, 4,
  1399, 1; 1462, 4;
  1632, 4
Absperrung 858, 3;
  858, 4; 1419
abspielen 1486, 7
abspielen, sich 10, 2;
  216, 2
abspinnen 1149, 4
absplittern 329, 1;
  1594, 1
Absprache 1736, 1
absprechen 1735;
  1779, 1
absprechend 1246
abspringen 6, 5; 20;
  1066, 7
Absprung 1496, 2
abspulen 1851, 2
abspülen 1367, 3
Abstammungsgruppe
  1813, 1
Abstammungsreihe
  1058, 4
Abstand 486, 1; 498, 3;
  1688
Abständen, in gleichen
  1323, 1
abständig 44, 2
Abständigkeit 45, 4

abstatten 304, 4
abstatten, Bericht 259
abstatten, Besuch 282, 1
abstatten, Dank 357, 1
abstauben 1168, 2;
  1367, 1
Abstauber 1402, 2
abstechen 118; 967, 2;
  1586, 1
Abstecher 29, 2; 578, 1
abstecken 1632, 4;
  1687, 2; 1735
abstehen 1920, 2
abstehen von 1019, 2
absteigen 21; 282, 2;
  1728, 3
abstellen 22; 1511, 1
Abstellraum 1483, 1
abstempeln 509, 1;
  931, 3
absterben 1512, 3;
  1603, 6
absterbend 44, 2
abstieben 485, 1; 523, 2
Abstieg 1348, 1
abstillen 1779, 6
abstimmen 499, 1;
  1226, 2; 1754, 1;
  1862, 3
abstimmen, aufeinander
  73, 1
abstimmen, sich 1735
Abstimmung 1861, 2
Abstinenz 1818, 2
abstoppen 22, 2
abstoßen 30, 1; 462;
  1760, 1; 1760, 3
abstoßen, sich die Hör-
  ner 515, 2
abstoßend 461, 1;
  822, 1; 1637, 3
abstottern 34; 151, 3
Abstract 1299, 2
abstrafen 1750, 2
abstrahieren 1705
abstrahieren von 152, 2
Abstrahierung 1706
abstrahlen 1381, 2
abstrakt 879
Abstraktion 878, 1;
  1706
Abstraktionsfähigkeit
  1789, 1
Abstraktionsvermögen
  1789, 1

abstrampeln, sich 92, 2
abstreichen 1007, 2
abstreifen 175, 4;
484, 1; 1819, 2
abstreifen, Eierschalen
510, 1
abstreiten 1051, 1;
1779, 1
Abstrich 454, 1
Abstriche machen
1007, 2
abstrus 24; 1692, 3
abstufen 509, 2
Abstufung 23; 1703
abstumpfen 1723, 3
Absturz 580, 1; 1658
abstürzen 581, 1;
1383, 2; 1728, 3
abstützen 1462, 1;
1543, 1
abstützen, sich 1543, 2
absuchen 1549, 1
Absud 567, 2
absurd 24; 1692, 3;
1777, 3
abtakeln 998, 2
abtasten 263, 1
abtauchen 1714, 4
abtauen 1066, 2
Abtei 952
abteilen 17, 1; 1561, 2
Abteilung 442, 2;
800, 1; 1977, 2
Abteilungsleiter 1047, 2
abtippen 1810
Abtönung 23, 1
abtörnen 496
abtöten 1586, 4; 1679, 3
abtöten, Gefühle
284, 2
abtragen 34; 151, 3; 264;
304, 4; 484, 3;
1723, 3; 1939, 7
abträglich 1660, 3
Abtragung 150, 3;
1930, 3
abtransportieren 173, 1;
1803, 1
abtreiben 25
abtreiben, Frucht 25
Abtreibung 26
abtrennen 17, 1; 166, 1;
1007, 1; 1066, 1; 1218;
1409, 1; 1561, 1
Abtrennung 1595, 3

abtreten 998, 1; 1220, 1;
1621, 2
Abtretung 1818, 1
Abtrift 29, 2
Abtritt 1582, 1
abtrocknen 1603, 1
abtropfen lassen
1603, 2
abtrünnig 933
abtrünnig werden 6, 5
Abtrünniger 377; 932
Abtrünnigkeit 5, 5
abtun 122, 3; 533, 1
abtupfen 484, 1
aburteilen 1701, 2;
1809, 1
Aburteilung 1700, 3
Abusus 154, 2
abverlangen 195, 1
abwägen 371, 2;
1284, 1; 1375, 2
abwägen, gegeneinander
1754, 1
abwägend 1357, 2;
1845, 2
Abwägung 1321
abwälzen 213, 1
abwandeln 296, 3;
1708, 1
abwandern 20, 1
Abwanderung 1108
Abwandlung 1703
abwarten 1876, 1; 1947
abwartend 772, 2;
1357, 2; 1675, 2;
1960, 2
abwärts 27
abwaschen 1367, 2;
1367, 3
Abwasser 5, 3
Abwässer 156, 4
abwechseln 1883, 2
abwechseln, sich 1883, 2
abwechselnd 696
Abwechslung 1683, 2;
1826, 1; 1882, 1
Abwechslung, ohne
771, 2; 1017, 2
abwechslungsreich
76, 1; 1783, 2
Abweg 29, 2
abwegig 24; 119, 2;
1692, 3
Abwehr 14, 1; 32, 1;
1900, 2

abwehren 30, 1; 857, 3;
918, 3; 1733, 2
abwehrfähig 883, 1
Abwehrkräfte, ohne
471, 2
abweichen 28; 967, 2;
1687, 2
abweichen, voneinander
28, 4
abweichend 119, 2; 933;
1783, 3
Abweichler 932
Abweichung 29; 1688;
1703
abweiden 566, 6
abweisen 30
abweisend 31; 1005, 2;
1495, 3; 1661, 1
Abweisung 32
abwenden von 1430, 1
abwenden, sich 20, 1;
485, 1; 1409, 5
abwenden, sich nicht
65, 3
abwerben 19
abwerfen 175, 4; 1196, 1
abwerfen, Ballast 494, 1
abwerten 509, 2
abwertend 31, 2; 1246
Abwertung 23, 2
abwesend 1638, 1;
1886, 1
abwesend sein 1590, 3
Abwesenheit 33
abwetzen 264; 1723, 3
abwickeln 533, 1; 998, 2
Abwicklung 535, 1;
1712, 1
abwiegeln 30, 4; 496;
857, 3
abwiegen 614, 3; 1561, 2
abwimmeln 30, 4
abwinkeln 296, 1
abwinken 30, 4; 1779, 1
Abwinken, bis zum
1647, 2
abwirtschaften 1149, 4
abwischen 484, 1;
1367, 2; 1603, 1
abwohnen 151, 3;
1723, 3
abzahlen 34; 151, 3
abzählen 1929, 1
abzählen, an den Fingern
1929, 1

abzählen, sich an fünf
Fingern 1771, 2
Abzahlung 150, 3;
1930, 3
abzapfen 1030, 4
abzäumen 213, 6
abzäunen 1632, 4
Abzeichen 930, 3
abzeichnen 1, 2; 278, 3;
533, 2; 1810
abzeichnen, sich 958, 1;
1157, 2; 1934, 6
Abziehbild 183, 1;
1142, 1
abziehen 237, 4; 441, 2;
485, 2; 918, 4; 1007, 2;
1030, 4; 1374, 1; 1810;
1929, 1
abziehen, Show 1269, 1
abzielen 1259, 2;
1922, 1
abzielen auf 861, 1;
1528, 1
abzocken 153, 3
Abzocker 1275
Abzug 147, 3; 308, 3;
486, 3; 486, 4; 1811, 1
abzüglich 161, 1
abzupfen 546
abzusehen, kein Ende
882, 1
abzuschen, nicht 1013, 2
abzwacken 1007, 3;
1478, 4
Abzweig 29, 2
abzweigen 28, 1;
1561, 2
Abzweigung 29, 2
abzwicken 1007, 1
abzwingen 761, 2
Accessoires 1291, 2
Accrochage 170, 2
Ach und Krach, mit
1091, 2
Achillesferse 599, 2
Achse 1119, 6
Achse, auf 393, 2
Achselzucken 1115
achselzuckend 772, 4
Acht geben auf 128, 2;
247, 1
Acht haben 193, 1
Acht haben auf 247, 1
Acht lassen, außer
152, 1

achtbar 86, 2; 328, 2;
1732
achten 420, 1; 1375, 1;
1734, 1
ächten 173, 1
achten auf 128, 2;
247, 1; 873
achten, auf seine Ge-
sundheit 1413, 4
achten, gering 1114, 1
achten, hoch 1375, 1;
1734, 1
achten, nicht 1114, 1
Achterbahn 1668, 1
achtern 477, 3
achtlos 1638, 2
Achtlosigkeit 1038, 2;
1151
achtsam 1475, 1;
1845, 1
achtsam sein 128, 4
Achtsamkeit 1351;
1474, 2
Achtung 35; 716, 3
Achtung gebietend
791, 3; 885; 1506, 1;
1926, 1
ächzen 944, 3
Acker 794, 3
Acker machen, sich vom
485, 1
Ackergaul 1247
Ackerland 794, 3
ackern 92, 3; 787, 1
Action 1477, 1
Actionspielshow 1459
ad acta 534, 1
ad hoc 771, 3
ad libitum 242
Adam Riese, nach 43
Adam und Eva, seit
882, 4
Adamskostüm, im
1154, 1
Adaptation 74, 2
adaptieren 73, 1
Adaption 74, 2
adäquat 312, 2; 504, 1
Addel 156, 3
addieren 1929, 1
Adel 36
Adel, niederer 36, 2
adeln 174, 1; 420, 1
Adelskaste 36, 2
Adelsstand 36, 2

Adept 1428, 3
Ader 577
Ader, künstlerische 1253
Ader, leichte 1037, 2
Aderlass 1348, 3
Adleraugen 141
Adlernase 1161
Administration 230;
1203
adoleszent 909, 1
Adoleszenz 908, 1
Adonis 1414, 2
adoptieren 1168, 6
Adoptiveltern 464
Adoptivkind 936, 2
Adoptivmutter 1140, 1
Adoptivvater 1704, 1
Adresse 930, 2
adressieren 931, 2
adrett 626; 869
adversativ 695, 3
Advertising 1897, 1
Advertising Agency
1897, 4
Advokat 912, 2
Affäre 580, 2; 1055, 4
Affe 1310, 1; 1544
Affekt 549, 1; 549, 4;
1519, 2
affektgeladen 322, 1
Affekthandlung 549, 5
affektiert 459, 2; 766;
1624, 3
Affektiertheit 460, 1
affektiv 473; 548, 2
Affektivität 693, 1
affenartig 1410, 1
Affentheater 1674, 3
Affidavit 342, 2
affig 459, 1; 766
Affigkeit 460, 1
affin 771, 4
Affirmation 279, 5
affirmativ 1970
affirmieren 278, 2
Affront 61, 1; 240;
843, 1
Agenda 1258, 1
Agens 794, 1
Agent 248, 2; 816, 3;
1806, 1
Agentur 1185, 2;
1770, 1; 1807
Aggregat 1088; 1718, 1
Aggression 61, 1

aggressiv 37; 605;
690, 5
Aggressivität 830
Aggressor 604, 1
agieren 815, 1; 1486, 1;
1910, 1
agil 301, 1; 479; 744, 2;
1026, 2; 1556, 2
Agilität 478, 1
agitieren 851, 3; 1895, 1
Agonie 917, 5
Agraffe 1291, 5
Agrarier 189, 1
Agreement 1736, 1
Agronom 189, 1
ahnden 1750, 1
Ahndung 1751, 1
ähneln 1614, 3
ahnen 668, 1; 1278;
1771, 2
Ahnen 1813, 1
ahnen, nichts Gutes
555, 3
Ahnenreihe 1058, 4
ähnlich 504, 1; 771, 4;
774; 1812, 2; 1901, 4
Ähnlichkeit 505, 2;
1813, 2
Ahnung 556, 1; 693, 2;
1974, 2
Ahnung, keine 1696, 1
ahnungslos 1159;
1696, 1
Ahnungslosigkeit 1662
Ahnungsvermögen
468, 4
ahnungsvoll 467, 6;
1277
Air 159; 1758, 3
Airbus 579, 7
Aircondition 1068, 2
Akademiker 1918
akademisch 1001;
1017, 1; 1602, 3
Akklamation 231
akklamieren 1969, 2
akklimatisieren, sich
73, 2
Akklimatisierung 74, 2
Akkord 818, 1
Akkordarbeit 101, 3
akkordieren 1735
akkumulieren 1361, 2
akkurat 722, 1; 1475, 1
Akkuratesse 1474, 1

akquirieren 274, 1;
1895, 3
Akquisiteur 1896
Akquisition 1897, 1
Akribie 1474, 1
akribisch 722, 1; 1475, 1
Akrobat 111, 2
Akronym 1897, 3
Akt 140, 2; 1055, 3;
1685, 2
Akten, zu den 534, 1
Aktenmappe 870, 8
Akteur 360
Aktie 271, 3
Aktienhändler 816, 2
Aktion 1094; 1685, 2
Aktion, in 1556, 2
Aktion, konzertierte
1963
Aktionsgruppe 800, 7
Aktionsradius 436, 3
aktiv 423; 479; 1556, 2
aktiv werden 1684, 2
Aktiva 271, 3
aktivieren 75, 2; 391, 2;
526, 1; 541, 2; 543, 4
Aktivität 478, 1
aktualisieren 543, 3
Aktualität 202, 3;
1179, 1
aktuell 699, 2; 1126, 2;
1899, 2
Akustik 1583, 5
akut 699, 2; 1899, 1
Akzent 1144
akzentuieren 1729, 1
akzentuiert 1145, 1
akzeptabel 1128, 1
Akzeptanz 35
akzeptieren 1969, 2
akzeptieren, nicht 30, 3
akzeptiert 534, 1
Akzise 1514, 2
alabasterfarben 592, 1
alabasterhaft 410, 1
Alarm 855; 1875
alarmieren 1354, 1;
1874; 1885
Alb 707, 3
albern 403, 3
Albernheit 1674, 1
Album 1362, 3
aleatorisch 1952, 1
alert 626; 869; 1026, 3
alias 426, 2

Alimente 1680, 2
Alkoholabhängigkeit
1550, 2
Alkoholentzug 512, 2
alkoholfrei 1602, 2
Alkoholika 759, 2
Alkoholiker 397, 1;
1601
alkoholisiert 250, 1
Alkoholismus 1550, 3
Alkoholkranker 1601
Alkoholsucht 1550, 3
All 1892, 2
Allah 785, 2
alldieweil 3
alle 38; 1028, 1
alle miteinander 38, 2
Allee 1527
Allegorie 308, 5; 1933, 1
allegorisch 310, 2;
1265, 1
allegorisieren 359, 5
Allegorisierung 361, 2
allein 3; 157; 450, 1;
457, 1; 1194
allein stehend 457, 2
allein, für sich 273, 1
Alleinerbe 513, 3
Alleinherrschaft 847, 3
Alleinherrscher 849
alleinig 157
Alleinrecht 1318, 4
Alleinsein 451, 1
Alleinunterhalter 1682
allem, trotz 1607, 2
allem, über 1840, 1
allem, vor 53, 1; 273, 1
allemal 738, 2
allenfalls 1128, 3
allenthalben 1611, 1
Allerbarmer 785, 1
allerdings 3; **39**; 1640, 1
allerenden 1611, 1
allerfeinst 554
allergisch 471, 2
allerhand 130, 2;
1783, 2; 1823, 1
allerlei 1783, 2; 1823, 2
Allerlei 1826, 1
Allerlei, buntes 1113, 3
allerliebst 71, 2; 869
Allerneuste, das 1125, 1
allerorten 1611, 1
allerwärts 1611, 1
allerwege 1611, 1

Allerweltsgeschmack
1125, *1*
Allerweltskerl 1559
alles 679, *3*
alles in allem 41; 49;
453; 679, *3*
alles oder nichts 695, *4*
alles tun 92, *2*
allesamt 38, *1*
Alleswisser 1436
allewege 882, *1*
allezeit 882, *2*
allgegenwärtig 1611, *1*
allgemach 1015, *2*
allgemein 40; 678, *1*;
896; 968, *1*; 1654, *3*
Allgemeinbefinden 1966
Allgemeinbefinden, gu-
tes 758
Allgemeinbegriffe 796, *4*
Allgemeinen (im) 41
Allgemeinen tun, im
1249, *2*
Allgemeinheit 1212, *1*
Allgemeinverständlich-
keit 1791
Allgewalt 1076, *1*
allgewaltig 1077, *3*
Allgütiger 785, *1*
Allianz 1718, *6*
alliiert 1727, *1*
alljährlich 882, *2*
Allma 939, *1*
Allmacht 1076, *1*
allmächtig 1077, *3*
Allmächtiger 785, *1*
allmählich 1015, *2*
Allotria 1674, *2*
Allroundman 1559
Allroundtalent 1559
allseitig 40, *4*; 1829, *3*
Alltag 42; 1014
Alltag, grauer 42, *2*
Alltag, im 1840, *1*
alltäglich 182; 678, *1*;
968, *1*; 1091, *2*;
1802, *2*
alltäglich, nicht 119, *1*;
1231, *2*
Alltäglichkeit 42, *2*;
183, *1*; 1014
Alltagssprache 1493, *4*
allumfassend 40, *4*
Allüren 1758, *3*
Allwissender 785, *1*

allzu menschlich 1104, *2*
allzu schön 941
allzu sehr 1624, *1*
allzu viel 1624, *1*
Alma Mater 1140, *3*
Almanach 171, *4*;
1362, *3*
Almauftrieb 291, *4*
Almosen 677, *1*
Alp 1020, *2*
Alpdruck 62, *2*; 1020, *2*
Alphabet 337, *2*; 1422, *2*
Alptraum 62, *2*
alptraumartig 1420, *1*
als 69, *1*; 418; 1505;
1864
als ob 54; 774; 1901, *1*
alsbald 180
also 43; 1472
alt 44; 587, *2*
Alt 1363, *2*
Alt und Jung 38, *1*
Altan 181
altbacken 1495, *2*;
1002, *1*; 1707
altbewährt 299
alteingesessen 227, *1*
Alteisen 5, *2*
älteln 1149, *4*
Altenheim 833, *2*
Altenteil 45, *3*
Alter 45; 1704, *2*
Alter, biblisches 45, *1*
alterieren, sich 106, *2*
alterierend 130, *2*
alteriert 322, *1*; 548, *1*
altern 1149, *4*
Alternative 1861, *1*
Alternative haben, keine
1135
Alternativer 169
Alternativkultur 1545, *1*
Alternativszene 1545, *1*
alternd 13
alternieren 1883, *2*
alternierend 696
Alters, ehrwürdigen
44, *5*
Alters, gesegneten 44, *1*
Alters, vorgerückten
44, *1*
Altersheim 833, *2*
altersschwach 1042, *2*
Alterssicherung 1338, *2*
altersstarr 1504, *2*

Altersversorgung
1338, *2*
Altertum 976, *1*; 1744
altertümlich 44, *5*; 1707
Älteste 1078, *1*
Ältester 910, *1*
altfränkisch 1707
altgedient 44, *6*; 299;
1971, *1*
Altgedienter 45, *2*
altgewohnt 968, *1*;
1802, *2*
althergebracht 678, *1*
altjüngferlich 1495, *3*
Altkleider 5, *2*
altklug 1856, *2*
Altlast 5, *1*
Altlasten 513, *1*
ältlich 44, *1*
Altmaterial 5, *2*
altmodisch 1707
Altpapier 5, *2*
Altruismus 1644
altruistisch 1643
Altstadt 1499, *3*
altväterisch 1707
Altwaren 5, *2*
Altweibergeschwätz
737, *2*
Altweibersommer 46
amalgamieren 1717, *2*
Amant 714
Amateur 384, *1*;
1003, *2*; 1488
amateurhaft 385, *2*
Amateurhaftigkeit 386
Amateursportler 1488
Ambassadeur 387, *1*
Ambiguität 1824
Ambition 82, *2*
ambitioniert 421
Ambitioniertheit 422, *1*
ambivalent 1649, *1*;
1978
Ambivalenz 1974, *1*
Ambrosia 979
ambulant 301, *2*
Ambulatorium 983
Amen in der Kirche, wie
das 1460, *1*
Amigo 652
amikal 654, *3*
Amme 1140, *1*
Ammenmärchen 1071, *4*
Amnestie 784, *1*

amnestieren 501, *2*

amnestiert 1672, *2*

Amoklauf 1090

amorph 633, *1*

amortisieren 151, *2*

amortisieren, sich
1196, *1*

Amour bleu 865

Amour fou 1055, *4*

Amouren 1055, *4*

amourös 1766

Ampel 1012, *1*

Amphetamin 1311

amputieren 1218

Amt 120, *1*; 230; 383, *1*;
1354, *3*

Ämterhäufung 953

amtieren 102, *2*

amtlich 751, *1*; 1213, *1*;
1460, *4*

amtlich, nicht 1244, *3*

Amtsanmaßung 1071, *2*

Amtsgeheimnis 702, *2*

Amtsperson 194

Amtspflicht 383, *1*

Amtsschimmel 634, *1*;
1239, *1*

Amtstracht 949, *2*

Amtsträger 194

Amtsübergabe 438, *2*

Amulett 1932, *2*

amüsant 76, *1*; 748, *1*;
835, *2*

Amüsement 1683, *2*

amüsieren 75, *4*; 1681, *2*

amüsieren, sich 651, *1*

Amüsierlokal 681, *1*

an ... Statt 1505

an sich 426, *1*

an und für sich 426, *1*

anachronistisch 1707

anakreontisch 835, *5*

analog 504, *1*; 771, *4*;
1654, *2*

Analogie 1753, *2*

Analogieschluss 1400, *3*

Analyse 8, *1*; **47**; 636, *2*;
1794, *1*

analysieren 1795, *2*;
1936, *1*

analytisch 1772, *3*

anämisch 1432, *1*

Anamnese 638, *1*

anästhetisieren 284, *1*

Anatomie 973, *1*

anatomisch 1228, *1*

anbaggern 1334, *3*

anbahnen 1834, *5*

Anbahnung 51, *2*;
438, *1*; 1835, *1*

Anbau 520, *4*; 563, *4*

anbauen 198, *3*; 519, *1*;
560, *5*

Anbeginn 51, *1*

anbei 48

anbeißen 219, *2*

Anbeißen, zum 100, *3*

anbelangen 289

anbelangt, was ... 49

anberaumen 72, *2*

anbeten 288; 1056, *2*;
1734, *2*; 1816, *2*

Anbetracht (in) 49

anbetreffen 289

Anbetung 1055, *2*

anbetungswürdig 149, *2*

anbieten 50; 307;
469, *1*; 489, *1*; 683, *1*;
1760, *1*

anbieten, sich 50; 1279

anbinden 313, *1*; 1534, *1*

anblasen 851, *3*;
1334, *1*; 1391, *1*

Anblick 159; 165, *1*;
308, *1*; 752, *2*; 1378, *2*

anblicken 80, *2*

anbohren 787, *1*

anbraten 325, *1*

anbräunen 590, *4*

anbrechen 52, *2*; 1214, *2*

anbrennen 330, *2*;
1728, *1*

anbringen 210, *1*

Anbringung 211, *1*

Anbruch 51, *1*

Andacht 601, *1*; 684

andächtig 125, *1*

andauern 364, *2*

andauernd 365, *1*;
882, *1*

andenken 263, *4*

Andenken 527, *3*

Andenkenkitsch 940, *1*

andere, der 1143, *1*

anderen, zum 117, *3*

anderer 1783, *1*

anderer, kein 1194

andererseits 3

anderes 1823, *2*

anderes, nichts 1194

andermal, ein 1482, *2*

ändern 1708, *1*

ändern, Blickwinkel
1708, *1*

ändern, Kurs 28, *1*

ändern, nicht zu 1664

ändern, Richtung 28, *1*

ändern, sein Aussehen
1708, *6*

ändern, sich 1708, *1*;
1708, *5*

andern, vor allem 273, *1*

andernfalls 1206

anders 119, *2*; 648, *1*;
1783, *1*

anders können, nicht
1135

anders machen 1708, *1*

anders werden 1708, *1*

anders, jedes Mal 886, *2*

anders, nicht viel 1901, *4*

anders, völlig 695, *3*

andersartig 1783, *1*

andersfarbig 591, *3*

andersgläubig 933

Andersgläubiger 932

anderswo 393, *2*;
1886, *1*

Änderung 544, *1*;
1709, *1*

änderungswillig 467, *2*

anderwärts 1886, *1*

andeuten 861, *1*

Andeutung 81, *1*;
860, *2*; 951, *2*

andeutungsweise
1124, *2*; 1692, *2*

andichten 1764; 1771, *1*

Andrang 1542, *2*

andrehen 293, *1*;
1760, *2*

andrehen, Licht 241, *1*

androgyn 390

androhen 398, *3*

Androhung 399, *1*;
843, *1*

anecken 90, *4*

aneignen 1168, *3*

aneignen, sich 515, *1*;
1049, *1*; 1713, *2*

Aneignungsfähigkeit
1789, *2*

aneinander fügen 1717, *2*

Aneinanderreihung
1329, *1*

Anekdote 559, 2;
 1683, 4
anekdotisch 1005, 5
anekeln 462
anempfehlen 75, 1; 208;
 215; 541, 1; 1305, 1
anempfunden 941
Anerbieten 470
anerbieten, sich 50, 4
anerkannt 58; 243, 3;
 252, 2; 262, 2; 299;
 781, 2; 968, 1
anerkannt, gesetzlich
 751, 4
anerkennen 278, 5;
 494, 2; 1063, 1;
 1375, 1; 1734, 1
anerkennen, nicht 196
anerkennen, Verdienste
 1063, 2
anerkennend 803, 2
anerkennenswert 1732
Anerkennung 35; 231;
 279, 3; 279, 5; 356;
 518, 1; 532, 1; 532, 3;
 989, 3; 1062, 1
anfachen 851, 3;
 1334, 1; 1873, 1
anfahren 244, 2; 1391, 1
Anfahrt 68, 1
Anfall 1295, 2
anfallen 60, 2; 530
anfällig 471, 2; 1042, 1
Anfälligkeit 472, 1
anfallweise 1852, 1
Anfang 51; 1296, 2
Anfang an, von 771, 3;
 882, 4
Anfang bis Ende, von
 679, 2
Anfang machen 52, 3;
 437, 2
anfangen 52; 435, 3;
 506, 1; 547, 1; 958, 2;
 1684, 1
anfangen, es dumm
 1657, 2
anfangen, etwas Neues
 456, 2
anfangen, Streit 1534, 2
anfangen, von vorn
 1903, 2
Anfänger 384, 2; 1781
anfänglich 53, 1
anfangs 53

Anfangsgründe 796, 4
anfassen 263, 1; 1684, 1
anfassen, heißes Eisen
 1859, 2
anfassen, mit 837, 1
anfassen, mit Samthand-
 schuhen 1413, 2
Anfassen, zum 1026, 1
Anfasser 812, 1
anfauchen 1391, 1
anfechtbar 1273, 1;
 1975, 1
anfechten 918, 3;
 1051, 1
anfechten lassen, sich
 nicht 773
Anfechtung 558, 2
anfeinden 60, 3; 821, 2;
 918, 3
Anfeindung 240
anfertigen 102, 4; 560, 3
anfertigen, Büste 359, 1
anfertigen, Plastik 1, 2;
 359, 1
Anfertigung 563, 2
anfeuchten 616, 1
anfeuchten, die Kehle
 1600, 1
anfeuern 75, 2; 219, 1
anflehen 315, 1
anfliegen 60, 2; 435, 1;
 530; 1184, 4; 1944, 2
Anflug 232; 951, 2;
 1193; 1497, 2
anfordern 280, 1
Anforderung 82, 3
Anfrage 94, 1; 638, 1
anfragen 315, 1; 639, 1
anfreunden, sich 1157, 4;
 1717, 1
anfügen 519, 2; 519, 2
anfühlen, sich 1381, 1
anführen 293, 1; 669, 2;
 1174, 2
Anführer 671, 2
anfüllen 674, 1
anfunkeln 398, 3
Angabe 96, 2; 460, 1;
 615, 1; 1941, 2
Angaben zur Person
 930, 2
angängig 1128, 1
angeben 72, 1; 430, 3;
 944, 1; 1120, 2;
 1174, 2; 1269, 1; 1776

angeben, Ton 669, 2
Angeber 1436
angeberisch 459, 2
angebetet 1054, 2
Angebetete 713
angeblich 54; 79; 1380
angebogen 48
angeboren 55
Angebot 470; 1843
Angebot machen 50, 2
angebracht 504, 1;
 1468, 1; 1973, 3
angebrannt 1397, 3
angebunden, kurz 31, 1;
 1005, 2; 1661, 1
angedeihen lassen
 683, 2
Angedenken 527, 1
angedeutet 1199, 3
angeekelt 1364, 4
angefallen werden 530
angefault 1397, 3
angeflogen 1263
angegoren 844, 1
angegossen, wie 722, 6
angegraut 44, 1
angegriffen 1042, 1
angeheftet 48
angeheiratet 1812, 1
angeheitert 250, 1
angehen 52, 1; 60, 2;
 263, 2; 289; 315, 1;
 510, 2; 729, 1; 918, 3;
 1728, 1
angehen gegen 857, 1
angehen, um Geld
 321, 1
angehend 290; 1482, 3
angehören 807, 1
Angehörige 1813, 1
angeht, was … 49
angeht, was das 290
Angeklagter 56
angeknackst 265, 1
angekränkelt 1042, 1
angekratzt 1042, 1
Angel 211, 2; 1060, 1
angelegen sein lassen,
 sich 92, 2; 193, 1;
 217, 1; 1528, 1
Angelegenheit 120, 1;
 580, 2; 697, 2
angelegentlich 1145, 2
angeln 588, 3; 761, 2;
 1528, 1; 1549, 2

Angelpunkt 823; 1119, 6
angemessen 86, 1;
    312, 2; 504, 1; 735, 2;
    1317, 3; 1468, 1
angemessen sein 88, 2;
    503, 1; 1730, 2
angenehm 57; 768, 5;
    781, 3; 869; 1054, 1;
    1175, 1; 1907
angenehm sein 691, 1
angenehmer machen
    1715, 4
angenommen 534, 1;
    582; 1894, 1
angeödet 1364, 4
angeordnet 751, 5
angepasst 341, 3;
    1973, 1
Angepasstheit 74, 2
angeregt 835, 1
angereichert 891, 5
angerichtet 610, 4
angerostet 265, 1
angesäuert 844, 1;
    1397, 3
angesäuselt 250, 1
angeschlagen 265, 1;
    1042, 1
angeschrieben, gut
    243, 1
angeschwollen 381, 2
angesehen 58; 1077, 2
Angesicht 752, 1
Angesicht zu Angesicht,
    von 1244, 2
angesichts 49
angespannt 64, 1;
    125, 1; 548, 1; 891, 2
angestammt 59
Angestellter 103
Angestellter, leitender
    672
angestockt 1707
angestrahlt 839, 4
angestrengt 891, 2;
    1624, 4
angetan 1766
angetan haben, es jmdm.
    691, 1
angetan sein 1056, 1;
    1127, 1
Angetraute 1235, 4
Angetrauter 1235, 4
angetrunken 250, 1
angewidert 1364, 4

angewiesen sein auf 9, 1;
    327
angewiesen, auf andere
    856, 1
angewöhnen, sich 763, 2
angewurzelt, wie
    1504, 3
angezählt 1042, 1
angezeigt 803, 1;
    1197, 3; 1973, 3
angezogen 610, 2
angleichen 73, 1; 151, 1
angleichen, sich 73, 2
Angleichung 74, 1;
    150, 1; 1738
angliedern 1717, 3
anglimmen 330, 2
anglotzen 80, 2
angreifen 60; 129, 4;
    918, 5; 1233, 1;
    1684, 1
angreifen, Substanz
    1520, 3
angreifend 130, 1
Angreifer 604, 1
angreiferisch 37, 1
angrenzen 263, 3
angrenzend 1155, 2
Angriff 61
Angriffslust 830
angriffslustig 37, 1;
    690, 5
Angst 62; 1473; 1763, 2
Angst haben 63, 1
Angst machen 398, 1
angst und bange 64, 2
Angst vor der Angst
    62, 6
angstbesessen 64, 2
angstbesetzt 1420, 2
ängsten 63, 1; 398, 1
angsterfüllt 64, 1
angstfrei 644, 2
angstgepeinigt 64, 2
Angsthase 603
ängstigen 63; 129, 2;
    398, 1
ängstigen, sich 63
ängstigend 1293, 3;
    1420, 1
ängstlich 64; 1762, 1;
    1845, 3
ängstlich sein 128, 4
Ängstlichkeit 62, 3
Angstneurose 721

Angstträume 62, 2
angstvoll 64, 1
angucken 80, 1
anhaben 1588, 2
anhaben, Hosen 669, 2
anhaben, Spendierhosen
    446, 2
Anhalt 810, 2
anhalten 22, 2; 364, 2;
    811, 1; 1081, 2;
    1507, 3; 1520, 1;
    1895, 2
anhalten um 245, 2
anhalten, Atem 63, 1
anhaltend 365, 1; 882, 1
Anhaltspunkt 1497, 2
Anhaltspunkt, ohne 797
anhand von 1124, 3
Anhang 66, 4; 520, 2
anhangen 65, 1
anhängen 65; 1764;
    1855
anhängen, sich 631, 1
Anhänger 66; 1003, 1;
    1428, 3
Anhängerschaft 66, 4
anhängig 1207, 3
anhänglich 1971, 1
Anhänglichkeit 1055, 1
Anhängsel 520, 2
anhäufen 1361, 2;
    1478, 1
anhäufen, sich 1509, 3
Anhäufung 1362, 1
anheben 52, 1; 123, 2;
    435, 3; 506, 1; 827, 1;
    1494, 2; 1715, 2
Anhebung 1510, 1
anheften 210, 1; 519, 2
anheim fallen 236, 1
anheim stellen 531, 1;
    1844, 1
anheimeln 691, 2
anheimelnd 719
anheischig machen, sich
    50, 4; 489, 1
anheizen 75, 2
anherrschen 1391, 1
anheuern 266, 1
Anhieb, auf 1695, 3
anhimmeln 1056, 2;
    1734, 2
Anhöhe 257, 1
anhören 868, 2
anhören, sich 1584, 5

animalisch 1599, *1*
Animateur 1682
Animationsfilm 618, *3*
animativ 76, *3*
Animierdame 1742, *2*
animieren 75, *2*; 469, *1*;
541, *2*; 1895, *1*
animierend 76, *3*
animiert 250, *1*
animos 605
Animosität 14, *1*; 472, *2*;
606
ankämpfen gegen 857, *1*;
918, *3*
Ankauf 923
ankaufen 924, *2*
Anker 810, *2*
ankern 1184, *4*
anketten 210, *1*; 313, *1*
Anklage 943, *1*
anklagen 944, *1*
Ankläger 912, *2*
anklammern 210, *1*
anklammern, sich 65, *2*
Anklang 413, *2*;
1062, *1*
ankleben 210, *1*
ankleiden 98, *1*
anklicken 52, *3*; 263, *4*;
1710, *2*
anklingeln 1568
anklingen 526, *4*
anklingend 774
anklingend an 771, *4*
anklopfen 282, *1*
anknacksen 264
anknipsen 89, *3*
anknipsen, Licht 241, *1*
anknüpfen 1740, *2*
Anknüpfungspunkt
1718, *2*
ankommen 67; 958, *2*
ankommen auf 9, *4*
ankommen lassen, es
darauf 1859, *1*
Ankömmling 283, *1*
ankreiden 1553, *1*;
1855; 1959, *1*
ankreuzen 931, *3*
ankündigen 276, *2*;
1120, *2*
ankündigen, sich 958, *1*
Ankündigung 97, *1*;
860, *1*; 1122
Ankunft 68; 465, *1*

ankurbeln 52, *3*; 89, *3*;
1710, *2*; 1834, *5*
Ankurbelung 51, *2*;
1835, *1*
anlächeln 1009, *1*
Anlage 346; 452, *1*;
520, *3*; 577; 680;
1172, *2*; 1227, *1*
Anlage, als 48
Anlagen 449, *1*
anlangen 67, *1*; 263, *1*
anlangend 290
Anlass 794, *1*
Anlass, aus 69, *1*
Anlass, entscheidender
794, *1*
Anlass, offizieller 465, *2*
anlassen 89, *3*; 1710, *2*
anlässlich 69; 1888
anlasten 237, *4*; 1855
Anlauf 51, *2*; 1446, *1*
anlaufen 52, *1*; 616, *3*;
1445, *2*
anlaufen lassen 52, *3*
anläuten 1568
anlegen 319, *2*, 517, *1*;
676, *1*; 811, *1*; 1184, *4*;
1196, *2*; 1259, *1*;
1944, *1*
anlegen auf, es 1922, *1*
anlegen mit, sich 1534, *1*
anlegen, Gurt 210, *1*
anlegen, Hand 837, *2*;
1684, *2*
anlegen, Kleider 98, *1*
anlegen, letzte Hand
198, *2*; 1828
anlegen, Sammlung
1361, *1*
anlegen, Staat 1292, *2*
anlegen, Zügel 857, *1*
Anlegestelle 333; 1629
anlehnen, sich 124, *1*;
881, *2*; 1543, *2*
anlehnungsbedürftig
856, *1*; 1659, *3*
Anleihe 271, *3*; 358;
986; 1142, *1*
anleiten 437, *5*; 1034, *2*
anleiten, pädagogisch
564
Anleitung 96, *1*; 671, *5*;
1033, *1*
anlernen 1034, *2*
Anlernling 1428, *4*

anlesen 1050, *1*
anleuchten 241, *1*
anliegen 88, *1*; 263, *3*;
519, *5*
Anliegen 1761, *2*
Anliegen sein 217, *1*
anliegend 48; 1155, *2*
anliegend, eng 480, *3*
Anlieger 1143, *2*
anlocken 1334, *4*
anlügen 1072
Anmache 843, *1*
anmachen 75, *3*; 210, *1*;
219, *1*; 1334, *3*; 1741;
1873, *1*; 1949
anmachen, Licht 241, *1*
anmahnen 196; 1081, *3*
Anmahnung 1082, *1*
anmalen 590, *2*
Anmarsch 61, *1*; 68, *1*
Anmarsch sein, im
1157, *1*
Anmarsch, im 1155, *3*
anmarschieren 67, *1*;
1157, *1*
anmaßen, sich 195, *1*;
430, *3*; 1859, *3*
anmaßend 84, *2*; 459, *2*
Anmaßung 460, *1*;
643, *2*
anmelden 1120, *2*
anmelden, sich 1157, *2*
Anmelderaum 126, *4*
Anmeldung 126, *4*;
465, *3*
anmerken 162, *1*
anmerken lassen, sich
162, *3*
anmerken lassen, sich
nichts 228
Anmerkung 164, *2*;
520, *2*
anmontieren 210, *1*
Anmut 70; 607, *1*;
1414, *1*
anmuten 158; 1381, *1*;
1910, *4*
anmutig 71
anmutlos 1264, *1*
Anmutung 159; 752, *2*
annageln 210, *1*
annähern 1157, *4*
annähern, sich 73, *2*
annähernd 1654, *1*;
1945

Annäherung 966, 2
Annahme 126, 4; 207, 1;
    465, 1; 556, 1; 965, 3;
    1100, 3; 1833
Annahme, in der 1894, 2
Annahme, in der irrigen
    903
Annalen 527, 3
annehmbar 1128, 1
annehmen 127, 2;
    430, 1; 466, 1; 555, 1;
    964, 2; 1099; 1168, 4;
    1375, 2; 1771, 1;
    1969, 2
annehmen, als Kind
    1168, 6
annehmen, Form
    506, 4
annehmen, Formen
    145, 4
annehmen, Gestalt
    506, 4
annehmen, Gewohnheit
    763, 2
annehmen, Haltung
    704, 1
annehmen, sich jmds.
    1788, 2
annehmen, Vernunft
    1049, 4; 1793, 5
Annehmlichkeit 249, 1;
    730, 1
annektieren 1168, 3
Annihilierung 1940, 1
anno dazumal 666, 1
Annonce 97, 1
annoncieren 50, 2;
    1120, 2; 1895, 1
annullieren 122, 2;
    123, 4
annulliert 534, 4
Annullierung 120, 3;
    486, 2
anöden 1016, 1
Anomalie 29, 5
anonym 834, 2; 1641, 1
Anonymus 1181, 2
anordnen 72; 499, 1;
    1226, 2; 1229, 1;
    1711, 1
Anordnung 136, 2;
    209, 1; 632, 1; 779;
    1094; 1227, 1
anorganisch 1585, 2
anormal 1237

anpacken 52, 3; 224, 1;
    1233, 3; 1684, 1
anpassen 73; 519, 6;
    1284, 2
anpassen, sich 73;
    448, 2; 503, 2
Anpassung 74; 764
anpassungsfähig 301, 1;
    744, 2; 1890, 2
Anpassungsfähigkeit
    623, 2
anpeilen 80, 2; 1515, 2;
    1944, 2
anpfeifen 52, 3; 1391, 1
Anpfiff 51, 2; 1385, 1
anpflanzen 560, 5
Anpflanzung 563, 4;
    680
anpflaumen 1491, 1
anpflocken 313, 1
anpinnen 210, 1
anpinseln 590, 2
anpöbeln 841, 1
Anprall 1525
anprallen 90, 1
anprangern 319, 2
anpreisen 50, 1; 469, 1;
    1063, 1
Anpreisung 470; 1062, 2
anprobieren 1284, 2
anpumpen 321, 1
anquasseln 1334, 3
anquatschen 1334, 3
anrainen 263, 3
Anrainer 1143, 2
anranzen 1391, 1
anraten 75, 1; 469, 1;
    541, 1; 1081, 1;
    1305, 1
Anraten 470
anrechnen 151, 4;
    193, 2; 251, 1; 1750, 3;
    1959, 1
anrechnen, hoch 357, 2
Anrecht 82, 1; 1318, 1
Anrecht haben 1730, 2
Anrede 930, 4
anreden 1174, 1
anregen 75; 219, 1;
    541, 2; 894, 1;
    1305, 1; 1710, 1
anregend 76; 892, 1
Anreger 1257, 2
Anregung 77; 1333;
    1843

anreichen 683, 1
anreichern 1715, 5
Anreicherung 1716, 3
Anreise 68, 1
anreisen 1157, 1
anreißen 1214, 2
Anreiz 77, 2; 794, 1;
    957, 1; 1333
anreizen 1334, 1
anrempeln 90, 3;
    1334, 2; 1526
Anrempelung 843, 1
Anrichte 1418
anrichten 50, 3; 1949
anrichten, etwas 89, 4;
    1749, 8
anrichten, Unheil
    1369, 1
anrollen 67, 1; 90, 2;
    1157, 1
anrollend 1155, 3
anrüchig 91, 5; 1975, 3
anrücken 1157, 1
Anruf 1082, 3; 1353, 2;
    1761, 2
anrufen 1354, 1; 1568
anrufen, Gesetz 944, 2
Anrufung 684
anrühren 263, 1; 263, 2
ansagen 72, 1; 1120, 2;
    1768, 2
Ansager 1682
ansammeln, sich 1509, 3
Ansammlung 1362, 1
ansässig 227, 1
ansässig sein 1024, 2
Ansatz 796, 2
Ansatzpunkt 796, 2
ansaufen, sich einen
    284, 3
anschaffen 274, 2;
    924, 1; 1279
Anschaffung 923
anschauen 80, 1; 247, 1
anschaulich 78; 1265, 1
anschaulich machen
    528, 3
Anschaulichkeit 589, 2;
    947, 1; 1791
Anschauung 222; 375;
    1100, 1; 1847, 2
Anschauung, eigene
    517, 1
Anschauungsvermögen
    1253

Anschein 159; 1198, 3;
1558, 2
Anschein haben 158;
1381, 1
Anschein nach, dem 79
anscheinen 241, 1
anscheinend 54; **79**
anschicken, sich 52, 3;
1834, 2
Anschiss 1385, 1
Anschlag 97, 3; 116;
860, 1; 1817, 2
anschlagen 210, 1;
236, 2; 244, 1; 264;
1584, 2; 1910, 2
anschlagen, Lache
1009, 2
anschleichen 1740, 1
anschleppen 274, 1
anschließen 263, 3
anschließen, sich 65, 4;
220, 1; 631, 1; 1229, 3
Anschluss 966, 1; 966, 2
Anschlussstelle 1718, 2
anschmachten 1056, 2
anschmieden 210, 1
anschmiegen, sich 73, 2
anschmiegend 1054, 3
anschmiegsam 1054, 3
anschmieren 293, 1
anschmutzen 1808
anschnallen 210, 1
anschnallen, sich
1462, 3
anschnauzen 1391, 1
Anschnauzer 1385, 1
anschneiden 1214, 2
anschneiden, Thema
1844, 3
anschrauben 210, 1
anschreiben 237, 4;
321, 2
Anschrift 930, 2; 1919, 3
anschuldigen 944, 1;
1855
Anschuldigung 943, 1;
1385, 2
anschwärmen 1056, 2;
1734, 2
anschwärzen 948, 1;
1764
anschwellen 145, 2;
1297; 1509, 3; 1920, 1
Anschwellen 1510, 3
anschwemmen 1157, 3

ansehen 80; 1451
Ansehen 202, 2; 716, 2;
752, 2; 1353, 3
Ansehen der Person,
ohne 735, 1
ansehen, mit 515, 1
ansehen, sich 80;
1485, 1
ansehen, sich die Welt
1331, 1
ansehnlich 791, 2;
1327, 2; 1506, 1; 1945
anseilen, sich 1462, 3
ansengen 330, 4
ansetzen 52, 1; 72, 2;
519, 8; 1375, 2;
1834, 2; 1949
ansetzen, Grünspan
1728, 2
ansetzen, Hebel 52, 3
Ansicht 308, 1; 752, 2;
1100, 1
ansichtig werden 1451
ansiedeln 1184, 1;
1803, 1
Ansiedlung 1185, 1;
1804
Ansinnen 1761, 2
anspannen 195, 3;
1942, 2
anspannen, sich 92, 3
Anspannung 549, 1;
1020, 2; 1477, 2
ansparen 1478, 1
anspielen 861, 1;
1491, 1
Anspielung 81; 662, 1;
860, 2; 1490, 2
Anspielung machen
861, 1
Anspielung, boshafte
1490, 3
anspinnen 52, 3; 1834, 5
anspitzen 75, 1; 391, 2;
1334, 2; 1374, 1
Ansporn 77, 2; 794, 1
anspornen 75, 2; 541, 1;
1081, 2
Ansprache 801, 3; 1850
Ansprache, ohne 450, 1
ansprechbar 467, 1;
748, 1
ansprechbar, nicht
820, 2
Ansprechbarkeit 468, 2

ansprechen 315, 1;
691, 2; 1174, 1; 1313;
1334, 3
ansprechend 99, 1;
100, 1; 654, 2; 869;
1175, 1; 1335
anspringen auf 1313
Anspruch 82; 1318, 1;
1761, 2
Anspruch haben auf
195, 1
anspruchslos 83
Anspruchslosigkeit
434, 1
anspruchsvoll 84
anspülen 1157, 3
anstacheln 75, 2; 851, 3;
1334, 2
Anstalt 449, 3; 833, 2
Anstalten machen 52, 3;
1834, 2
anstaltsreif 1777, 2
Anstand 85
Anstände 989, 2
anständig 86; 328, 2;
804, 3; 1225, 3
Anständigkeit 85, 2
Anstandsbesuch 281, 2
anstandshalber 304, 1
anstandslos 87; 738, 1
anstandswidrig 91, 1
anstarren 80, 2; 1334, 3;
1924, 3
anstatt 1505
anstauen, sich 1509, 3
anstaunen 1734, 1;
1924, 3
anstechen 1214, 2
anstecken 75, 2; 210, 1;
210, 1; 1621, 3
anstecken, sich 530
ansteckend 690, 5
Ansteckung 984, 1
anstehen 88; 1507, 4;
1876, 2
anstehen lassen 1541;
1820, 2
anstehend 1207, 3
ansteigen 145, 2;
1508, 1
Ansteigen 135, 2
ansteigend 1417, 3; 1958
anstellen 89; 266, 1
anstellen, Berechnung
251, 1

anstellen, Ermittlungen
536
anstellen, etwas 89, 4
anstellen, Nachforschun-
gen 536
anstellen, sich 88, 3;
807, 3; 1371, 1;
1757, 1; 1876, 2
anstellen, sich dumm
901, 3; 1657, 2
anstellen, Untersuchun-
gen 635
anstellen, Ventilator
995, 2
anstellen, Vermutungen
1771, 1
anstellen, Versuche
1795, 2
Anstellerei 460, 1
anstellig 576, 1; 744, 1
Anstelligkeit 743, 1
Anstellung 101, 2
Anstellung, ohne 104
ansteuern 1157, 3;
1944, 2
Anstich 51, 2
Anstieg 135, 2
anstieren 80, 2
anstiften 208; 851, 3;
1710, 1
Anstifter 366; 897
Anstiftung 367
anstimmen, Gelächter
1009, 2
anstimmen, Lied
1465, 1
Anstoß 77, 1; 794, 1;
1525
anstoßen 89, 3; **90**;
263, 3; 541, 1; 1526;
1600, 2
anstößig 91
Anstößigkeit 662, 1
anstrahlen 241, 1;
1009, 1
anstreben 217, 1;
1259, 2; 1528, 1;
1922, 1
anstreichen 590, 3;
931, 3
Anstreicher 1083, 2
anstrengen 92; 195, 3;
539, 1
anstrengen, Prozess
944, 2

anstrengen, sich 92;
245, 2
anstrengend 1021, 1;
1440, 2
Anstrengung 917, 1;
1020, 2
Anstrich 159
anstückeln 519, 8
anstupsen 263, 4;
1934, 1
Ansturm 1542, 2
anstürmen 90, 2
ansuchen 303; 315, 1
Ansuchen 94, 1; 1761, 2
ansuchen um 245, 2
Ansucher 95, 3
Antagonismus 694, 2
antagonistisch 695, 4
antanzen 67, 1
antasten 263, 1
antediluvianisch 1707
Antediluvium 1744
Anteil 1102, 1; 1295, 2;
1338, 1
Anteil haben 1563, 1
Anteilnahme 893;
1562, 1
anteilnehmend 1564, 1
Antenne 468, 1; 1792, 1
Anthologie 171, 4;
1362, 3
antichambrieren 208
Antichrist 1574
anticken 263, 4
antidogmatisch 933
antik 44, 5
Antike 1744
Antilope, wie eine
1036, 5
Antipathie 14, 1
antipathisch 1637, 3
Antipode 700, 1
antippen 263, 4; 639, 1
antiquarisch 44, 5
antiquiert 1707
Antiquität 976, 1
antireligiös 31, 4
Antithese 558, 2
antithetisch 695, 3
antizipieren 93
Antlitz 752, 1
antörnen 75, 3; 219, 1;
1741
Antrag 94; 470; 1843
antragen 50, 1; 1844, 1

antragen, Stellung
1354, 3
Antragsteller 95, 3
antreffen 1592, 4
antreiben 75, 2; 391, 2;
541, 1; 1157, 3
antreten 67, 1; 139, 3;
958, 2; 1511, 3
Antreten 68, 1
antreten, Erbe 514
antreten, Hinterlassen-
schaft 514
antreten, Reise 485, 3
Antrieb 77, 1; 794, 1;
1446, 2
Antrieb, aus eigenem
646
antrinken, sich einen
Rausch 284, 3
Antritt 51, 1; 68, 1
Antrittsbesuch 281, 2;
438, 1
Antrittsvorlesung 51, 2
antun, etwas 1369, 1
antun, Leid 1369, 2
antun, sich etwas
1586, 5
antun, sich Zwang 228
antuschen 590, 2
Antwort 558, 1; 1314, 1
antworten 557, 1; 1313
anvertrauen 1621, 1
anvertrauen, etwas
1799, 2
anvertrauen, Geheimnis
1208, 3
anvertrauen, sich jmdm.
1799, 1
anverwandeln 127, 3
anverwandeln, sich
73, 2; 763, 2
Anverwandlung 74, 2
Anverwandte 1813, 1
anvisieren 1944, 1
anwachsen 145, 2;
510, 2; 1509, 3
Anwachsen 146, 1;
1510, 3
anwählen 1862, 4
Anwalt 912, 2
Anwalt machen, sich
zum 92, 2
anwandeln 435, 1
Anwandlung 1519, 2
anwärmen 1873, 1

Anwärter 95; 513, 3
Anwartschaft 82, 1
anwehen 435, 1
anweisen 72, 1; 304, 4;
1034, 2
Anweisung 96; 136, 2;
209, 1; 1033, 1
anwendbar 1128, 1
anwenden 153, 1; 246
Anwendung 154, 1;
204, 1
anwerben 1895, 3
anwerfen 1710, 2
anwesend 699, 3; 853
anwesend sein 1563, 2
anwesend, nicht 598, 1
Anwesende 1565, 1
Anwesender 283, 3
Anwesenheit 570;
698, 2; 1562, 2
Anwesenheit von, in
699, 3
anwidern 462
Anwohner 1143, 2
Anwurf 1385, 2
Anzahl 1102, 1; 1295, 2;
1329, 1
Anzahl, eine beachtliche
1825
anzahlen 1339
anzapfen 321, 1; 1214, 2
Anzeichen 930, 1;
1933, 2
anzeichnen 931, 3
Anzeige 97; 470; 943, 1
anzeigen 50, 2; 944, 1;
1120, 2; 1776; 1895, 1;
1934, 3
anzeigen, sich 1157, 2
Anzeigetafel 97, 2
anzetteln 1710, 2
anziehen 98; 210, 1;
428, 2; 1334, 1;
1508, 4
anziehen, Blicke 118
anziehen, Schraube 412
anziehen, sich warm
1873, 2
anziehen, Tempo 391, 3
anziehend 99; 1335
Anziehung 980, 2; 1333
Anziehungskraft 980, 2;
1333
Anziehungspunkt 1079
anzischen 1391, 1

Anzug sein, im 67, 1;
958, 1
Anzug, im 1155, 3
anzüglich 91, 1; 239, 1;
1244, 5; 1492, 1
Anzüglichkeit 81, 2;
662, 1
anzünden 1873, 1
anzünden, Licht 241, 1
anzunehmen 79; 863, 1
anzunehmen, nicht
926, 2
anzuraten 1468, 1
anzurechnen, hoch 1732
anzusehen sein 158
anzusehen, nett 869
anzuzweifeln, kaum
863, 1
anzweifeln 1976
Äon 1935, 1
Apanage 1338, 1;
1680, 2
apart 273, 3; 457, 1;
1177, 3; 1231, 2
Apartheid 389, 2
Apartment 1919, 2
Apathie 1646, 4
apathisch 406, 4; 772, 3;
1645, 1
Aperçu 1683, 1
Aperitif 438, 1
Äpfel 344
Aphorismus 374, 3
aphoristisch 1005, 5
Aplomb 1144
apodiktisch 1535, 3
Apokalypse 1940, 1
Apologie 495, 2
Apoplexie 1393, 4
Aporie 1665
Apostasie 5, 5
Apostat 932
apostatisch 933
apostrophieren 1174, 1
Apparat 609, 1; 733;
1088; 1203; 1567
Apparatur 168, 1; 733
Appartement 1919, 2
Appeal 957, 2; 1333
Appeasement 150, 4
Appell 855; 1082, 3;
1353, 2; 1761, 2
appellieren 1081, 3
Appendix 520, 9
Appetit 1073, 1; 1761, 1

Appetit haben 872, 1
Appetit haben auf
217, 2
appetitanregend 100, 1;
109
Appetithappen 1080, 3
appetitlich 100
applanieren 151, 1
Applanierung 150, 1
applaudieren 948, 2
Applaus 231; 413, 2
Approbation 532, 2
approbieren 278, 5;
531, 2
Apriori 798, 2
apropos 1167, 1
Apsis 1921, 3
Aquädukt 333
Aquaplaning 768, 6
Aquarell 308, 2
aquarellieren 359, 1
Aquarellist 1083, 1
äquivalent 775
Äquivalent 550, 2;
1898, 2
Ära 1035, 1
Arabeske 1136, 1
Arbeit 101; 383, 1;
1027, 2
Arbeit, ohne 104
Arbeit, schriftliche 8, 2
arbeiten 102; 815, 1;
1045, 1; 1910, 1
arbeiten an 266, 2
arbeiten, als Prostituier-
te(r) 1279
arbeiten, an sich 510, 5
arbeiten, daran 533, 1
arbeiten, schlecht 1252
arbeiten, schwer 92, 3
Arbeiten, wissenschaftli-
ches 636, 2
arbeitend 1556, 3
Arbeiter 103
Arbeitgeber 1686, 1
Arbeitnehmer 103
arbeitsam 621
Arbeitsanfall 291, 2
Arbeitsbereich 121
Arbeitseifer 422, 2
Arbeitseinstellung 1531
arbeitsfähig 757, 5
Arbeitsfeld 121
Arbeitsfreude 422, 2
arbeitsfreudig 621

Arbeitsgebiet 121;
571, 2
Arbeitsgemeinschaft
800, 2
Arbeitsgerät 733
Arbeitsgruppe 800, 2
Arbeitskampf 1531
Arbeitskraft 103; 980, 1
Arbeitslager 969
Arbeitslampe 1012, 1
Arbeitsleistung 980, 1;
1046, 1; 1195, 3
arbeitslos 104
Arbeitslust 422, 2
Arbeitsmarkt 1086, 2
Arbeitsniederlegung
1531
Arbeitspause 647
Arbeitsplatz 101, 2
Arbeitsplatz, ohne 104
Arbeitsschicht 1387, 2
Arbeitsstätte 291, 1
Arbeitssucht 1550, 4
Arbeitstag 42, 1
Arbeitstisch 1580
arbeitsunfähig 1042, 1
Arbeitsverhältnis 101, 2
Arbeitsvermögen 980, 1;
1274, 2
Arbeitsweise 1517, 1
Arbeitswut 422, 2
arbiträr 242
archaisch 44, 5
Archetyp 1136, 4
Archipel 889
Architekt 191; 671, 6
Archiv 1483, 3
Archivierung 1362, 4
Areal 685, 2; 795
areligiös 31, 4
Arena 1377
arg 323, 1; 1397, 4;
1452, 1; 1659, 4
Arg 584, 1
Arg, ohne 1159
Ärger 105; 1118; 1477, 2
ärgerlich 130, 2; 322, 1;
1021, 1; 1243, 1;
1637, 1
ärgern 90, 4; 106;
129, 1; 1242, 2;
1334, 2
ärgern, sich 106
Ärgernis 105, 3
Arglist 584, 1; 898

arglistig 16; 323, 2;
583, 4
arglos 433, 2; 1159
Arglosigkeit 434, 2
Argument 794, 2
Argumentation 794, 2
argumentieren 501, 3;
1399, 3
Argwohn 1974, 2
argwöhnen 1976
Arie 739, 2
Aristokratie 36, 2
arithmetisch 722, 5
Arkaden 1921, 2
Arkadien 1234
arkadisch 835, 5
Arkanum 702, 1
arm 107
Arm 778, 1; 1977, 3
Arm in Arm 1962
Armee 1102, 3; 1111, 2
Ärmelaufschlag 1291, 9
Armeslänge 1156, 1
Armlehne 810, 5
Armleuchter 405, 4;
1012, 2
ärmlich 107, 2; 954, 2
Ärmlichkeit 1190, 1
armselig 107, 2
Armseligkeit 1190, 1
Armstuhl 1470, 1
Armut 1190, 1
Armutszeugnis 599, 5
Aroma 108; 746, 3
aromatisch 109
aromatisieren 1927, 1
Arrangement 779;
1133, 2; 1736, 1
Arrangeur 1134, 1
arrangieren 756;
1226, 3; 1711, 1
arrangieren, sich 448, 2;
1735
Arrest 267; 692, 1
arretieren 614, 1; 1756
Arrival 68, 1
arriviert 781, 2
Arrivierten, die 1201, 2
arrogant 459, 2
Arroganz 460, 1
Ars amandi 1055, 2
Arsch 405, 4; 1350
Arschkriecher 1221
Arschloch 405, 4
Arsenal 1483, 2

Art 110; 632, 1; 1294, 2;
1517, 1
Art und Weise 110, 3
Art, von anderer 1783, 1
Artdirector 1897, 4
Artefakt 1046, 2
arten nach 1614, 3
artifiziell 1002
artig 328, 1; 864;
1175, 2
Artigkeit 85, 1; 490, 2
Artikel 8, 1
Artikulation 1493, 2
artikulieren 162, 2;
1494, 1
artikuliert 378, 2; 945, 2
Artikulierung 1493, 2
Artist 111
artverwandt 771, 4;
1812, 2
Arznei 112; 1098, 2
Arzneimittel 112, 1;
1098, 2
Arzt 113
Arztbesuch 281, 1
Asche 712, 3; 1340, 1
Asche werden, zu
1749, 5
Aschenbahn 685, 3;
1887, 2
Aschenputtel 160, 1
Aschgraue, bis ins
1647, 2
äsen 566, 6
aseptisch 574, 2
asexuell 574, 2
Askese 1092, 1; 1818, 2
asketisch 1535, 2
Aspekt 1100, 2
asphaltieren 179, 1;
769, 1
Asphaltschluchten
1499, 2
Aspirant 95, 2
Ass 1500, 1
Asservat 1941, 1
Assessor 95, 2; 1035, 1
assimilieren, sich 73, 2
Assimilierung 74, 2
Assistent 838, 2
Assistenz 854, 1
assistieren 837, 2
assortieren 1226, 2
assortiert 148, 3
assortiert, wohl 1327, 2

Assoziation 1321;
1718, 2
assoziieren 1717, 3
assoziieren, sich 1229, 3
assoziiert 1727, 1
Assoziierung 1718, 6
Ast 1977, 3
asten 92, 3
Ästhet 726, 1; 1003, 1
ästhetisch 996, 2
Ästhetizismus 607, 2
astrein 414, 2; 1829, 1
Astrologe 1276
Astronautik 578, 4
astronomisch 791, 2
Asyl 1461, 2
Asylant 1107
Asylsuchender 1107
Atavismus 1348, 1
Atelier 114
Atem 1025, 3
atemberaubend 892, 1
atemlos 548, 1
Atemnot 481, 2
Atempause 525, 1;
1821, 3
Atemzug, im selben 776
atheistisch 31, 1
Äther 1068, 1
ätherisch 1036, 3;
1070, 2; 1931, 1
Athlet 111, 2; 982; 1488
athletisch 981, 1;
1489, 1
atmen 115; 316, 1;
1024, 1
atmen, tief 115
Atmosphäre 1068, 1;
1301, 2
Atoll 889
Atom 192, 2; 1560, 3
Atomenergie 478, 2
atomisieren 1561, 1;
1939, 7
Atomkrieg 987, 2
Atomschlag 1940, 1
Atomstreitkraft 1111, 2
Attaché 387, 1
Attacke 61, 1
attackieren 60, 2
attackierend 37, 1
Attentat 116; 1587, 1
Attest 279, 1; 1941, 1
attestieren 278, 1
Attitüde 1758, 3

Attraktion 767, 5;
957, 2; 1079
attraktiv 1335
Attraktivität 893; 957, 2
Attrappe 1142, 1;
1558, 2
Attrappe, als 318, 3
Attribut 930, 1
atzen 676, 1
ätzen 106, 1; 447, 2;
789; 907, 1
ätzend 844, 2; 1373, 3;
1492, 1; 1637, 3
Atzung 542, 1
auch 117
auch das noch 1173
Audienz 465, 2
Audiokassette 922, 2
Auditorium 283, 4;
1565, 1
Aue 620, 1
auf 862, 1; 1207, 1
auf sich haben 201, 1
Auf und Ab 1709, 2
auf und davon 1886, 1
aufarbeiten 543, 1;
1148, 1
Aufarbeitung 544, 1
aufatmen 524, 1
Aufbau 511, 2; 563, 3;
632, 1; 779; 965, 1;
1227, 1; 1538
aufbauen 298, 1; 510, 3;
964, 1; 1229, 1;
1605, 1; 1684, 1
aufbauen, wieder 543, 1
aufbauend 757, 3
aufbäumen, sich 124, 2
aufbauschen 1622, 4
aufbegehren 124, 2;
129, 5
aufbereiten 198, 4;
1834, 2
aufbessern 1715, 3
Aufbesserung 1510, 1
aufbewahren 123, 1
aufbieten, alles 92, 2
Aufbietung 452, 2
aufbinden 313, 7
aufbinden, Bären 1072
aufblähen 1622, 1;
1920, 1
aufblähen, sich 1269, 1
aufblasen 1920, 1
aufblasen, sich 1269, 1

aufblenden 241, 1
aufblicken 827, 2;
1734, 1
aufblitzen 435, 1;
1381, 2
aufblühen 543, 5;
1214, 3
aufbrauchen 1723, 1
aufbrausen 106, 2;
1376, 2
aufbrausend 829, 3
aufbrechen 485, 1;
485, 2; 506, 2;
1214, 1; 1214, 1
aufbrechen, Tür 432, 1
aufbringen 106, 1;
129, 1; 139, 1; 274, 1;
761, 2; 851, 3
Aufbruch 486, 3
aufbrühen 956, 2
aufbrummen 72, 1;
122, 4
aufbürden 237, 1
aufdecken 319, 3;
1208, 1; 1305, 3
aufdecken, Karten
1208, 3
aufdecken, sich 213, 7
Aufdeckung 1209, 1
aufdonnern 1622, 5
aufdrängen, sich 1522, 1
aufdrehen 89, 3; 395, 3
aufdringlich 119, 1;
1021, 3; 1555; 1912, 2
aufdröseln 1066, 3;
1594, 5
Aufdruck 930, 3;
1136, 1
aufdrucken 931, 4
aufdrücken 1214, 2
aufdrücken, Stempel
931, 4
aufeinander folgend 351
Aufeinanderfolge
630, 1; 1329, 1
Aufenthalt 810, 6; 1524
Aufenthalt, ohne
1663, 2
Aufenthaltsort 1919, 3
auferlegen 72, 1; 237, 2
auferstehen 543, 5
auferstehen lassen, wie-
der 543, 5
Auferstehung 544, 2
aufessen 1030, 3

aufessen, Suppe 1040, 2
auffächern 1561, 1
Auffächerung 1595, 2
auffahren 106, 2
auffahrend 829, 3
Auffahrt 520, 8; 1527
auffallen 90, 4; **118;**
174, 2; 884; 1620, 1;
1866, 1
auffallen, nicht 73, 2;
1236, 2
auffallend 119; 273, 2;
553
auffällig 119, 1; 1432, 2
auffangen 261, 1;
588, 1; 1430, 3
Auffassung 1100, 1
Auffassungsgabe 623, 2;
1789, 2
auffassungsschnell
622, 2; 890, 1
auffinden 619, 1
Auffindung 675, 1
aufflackern 142, 1;
330, 2
aufflackern, wieder
543, 5
aufflammen 142, 1;
330, 2
auffliegen 1262, 3;
1383, 1
auffordern 280, 3;
315, 1; 446, 1; 1844, 2
auffordern zu 469, 1
Aufforderung 470
Aufforderung, wieder-
holte 1082, 1
aufforsten 543, 1
Aufforstung 544, 1
auffrischen 526, 1;
543, 1; 543, 4; 1903, 1
auffrischen, Farbe
590, 1
auffrischend 1070, 1;
1958
Auffrischung 544, 1;
1904
aufführen 560, 4;
1174, 2; 1486, 2
aufführen, einzeln
1936, 1
aufführen, sich 1757, 1
Aufführung 1712, 2;
1758, 1
auffüllen 519, 1; 674, 1

Auffüllung 520, 7
Aufgabe 101, 2; **120;**
136, 3; 383, 1; 486, 4;
638, 4; 1183, 1;
1818, 1
aufgabeln 619, 2
Aufgabenbereich 121
Aufgabengebiet 121
Aufgabenkomplex 121
Aufgabenkreis 121
Aufgang 1596
aufgebaut 1901, 3
aufgeben 122; 329, 2;
475, 1; 1019, 2;
1388, 4; 1594, 1;
1819, 1; 1822, 1
aufgeben, Anzeige 50, 2
aufgeben, einander
485, 5
aufgeben, Geist 1512, 1;
1779, 3
aufgeben, Hoffnung
122, 3; 1822, 1
aufgeben, Land 485, 4
aufgeben, nicht 65, 3;
226, 2
aufgeben, sich 65, 2
aufgeben, Stellung
998, 1
aufgeben, Wohnung
175, 1
aufgebläht 381, 2;
1624, 1
aufgeblasen 381, 2;
459, 2
Aufgeblasenheit 460, 1
Aufgebot 97, 3; 452, 2
aufgebracht 322, 1
Aufgebrachtheit 105, 2
aufgebraucht 1028, 1
aufgebrezelt 1624, 3
aufgedonnert 1624, 3
aufgedreht 835, 3
aufgedunsen 381, 2
aufgefrischt 1177, 4
aufgehalten werden
1520, 1; 1820, 3
aufgehen 52, 2; 506, 2;
523, 2; 1214, 3; 1297;
1793, 2; 1920, 1
aufgehen in 1220, 1
aufgehen, in Flammen
1749, 5
aufgehen, in Rauch
1749, 5

aufgehen, Licht 435, 1
aufgehoben, gut 1460, 3
aufgeilen 1741
aufgeilend 91, 3
aufgeklärt 644, 3;
1772, 2
aufgekratzt 548, 3;
835, 3
aufgeladen 548, 1
aufgelegt 576, 2
aufgelegt, gut 835, 3
aufgelegt, nicht 1042, 1
Aufgelegtsein 1519, 1
aufgelockert 644, 2;
1036, 3
aufgelöst 548, 3;
1162, 5; 1890, 4
aufgemotzt 1624, 3
aufgeputzt 1624, 3
aufgeräumt 731, 1;
835, 3; 1225, 1
Aufgeräumtheit 650, 1
aufgeregt 64, 1; 548, 1
Aufgeregtheit 549, 1
aufgerichtet 732, 1
aufgerichtet, hoch
732, 1
aufgerieben 1130, 2
aufgerundet 1654, 1
aufgeschlossen 467, 2;
748, 1; 895, 1;
1026, 2; 1121; 1772, 2
Aufgeschlossenheit
468, 2; 749, 1
aufgeschmissen 534, 2;
856, 2
aufgeschmissen sein
1520, 3
aufgeschossen 791, 1
aufgeschwemmt 381, 2
aufgesprungen 1307, 4;
1495, 2
aufgestanden, mit dem
linken Fuß zuerst 1117
aufgetakelt 1624, 3
aufgetaut 644, 2;
1162, 5
aufgeteilt 731, 3
aufgetragen 610, 4
aufgetragen, dick
1912, 2
aufgetrieben 381, 2
aufgewärmt 182
aufgeweckt 890, 1;
1026, 2

aufgeworfen 381, 4
aufgewühlt 64, 1; 548, 2
aufgießen 956, 2
aufgliedern 1594, 2;
    1936, 1
Aufgliederung 779;
    1595, 2
aufgraben 787, 1
aufgreifen 123, 2; 127, 4;
    588, 2; 1756; 1844, 3
aufgreifen, wieder
    1903, 3
aufgrund 49; 69, 1; 1888
Aufguss 567, 2; 1142, 1;
    1904
aufhaben 1588, 2
aufhaken 1066, 4
aufhalsen 237, 2
aufhalten 857, 1;
    1214, 1; 1522, 1;
    1820, 2
aufhalten, sich 212, 3;
    1024, 2
aufhängen 210, 1
aufheben 22, 4; 122, 1;
    123; 484, 4; 509, 1;
    827, 1; 1064, 2;
    1361, 1
aufheben, Hand 278, 2
Aufhebens machen
    1622, 4
Aufhebung 486, 2
aufheitern 946, 4;
    1605, 1
aufheiternd 76, 1
aufhelfen 1543, 2
aufhellen 946, 4;
    1149, 3; 1208, 2;
    1605, 1
aufhetzen 851, 3
aufholen 1148, 1
aufhorchen 128, 1;
    868, 1; 894, 2
aufhören 441, 1; 475, 1;
    475, 2; 1749, 1
aufhören, nicht 364, 2
aufjagen 391, 2
aufkaufen 924, 2
aufkeimen 506, 2
aufklappen 1214, 2
aufklaren 946, 4
aufklären 319, 3; 501, 3;
    528, 4; 536; 946, 1;
    946, 4; 1120, 1;
    1208, 2; 1729, 2

Aufklärer 1257, 1
Aufklärung 529, 1; 537
aufklauben 123, 2; 546;
    1361, 1
Aufkleber 930, 3
aufklinken 1214, 2
aufknacken 1214, 2
aufknöpfen 1214, 2
aufknoten 1214, 2
aufknüpfen 1586, 2
aufkommen 411, 3;
    506, 1; 506, 5; 524, 2;
    723, 1; 958, 1
Aufkommen 51, 1;
    525, 2
aufkommen für 304, 1;
    1788, 3
aufkommen lassen, nicht
    1679, 1
aufkommen, für den Le-
    bensunterhalt 1788, 3
aufkreuzen 282, 1
aufkriegen 1214, 2
aufkündigen 122, 2;
    998, 1
aufkündigen, Freund-
    schaft 329, 2
auflachen, hell 1009, 2
aufladen 237, 1; 674, 2
aufladen, sich 1588, 1
Auflage 207, 2; 1250;
    1774, 2
Auflage machen 72, 1
auflassen 122, 1
Auflassung 120, 2;
    486, 2
Auflauf 1102, 3
auflaufen 1383, 5;
    1509, 3
auflaufen lassen 857, 3
aufleben 524, 2; 543, 5
aufleben, wieder 543, 5;
    1605, 2
auflegen 1773, 1
auflegen, neu 1903, 3
auflegen, sich 124, 1
auflehnen 124
auflehnen, sich 124;
    523, 5
Auflehnung 1900, 2
auflesen 123, 2; 546;
    619, 1
aufleuchten 1381, 2
auflisten 614, 2
Auflistung 1817, 1

auflockern 199; 1066, 6
auflodern 330, 2
auflösen 122, 1; 475, 1;
    1066, 3; 1305, 3;
    1936, 1
auflösen, Ehe 1594, 1
auflösen, sich 1749, 4
auflösen, sich in nichts
    1714, 4; 1749, 1
Auflösung 47; 521;
    675, 2; 1181, 1;
    1940, 2
aufmachen 52, 3; 89, 3;
    167, 2; 199; 547, 1;
    1066, 4; 1214, 1
aufmachen, sich 485, 2
Aufmachung 168, 3;
    957, 2; 1291, 2
Aufmachung, große
    1286, 1
Aufmarsch 1329, 3
aufmarschieren 67, 1;
    139, 3
aufmeißeln 1214, 2
aufmerken 128, 1
aufmerksam 125; 423;
    654, 1; 864; 891, 2;
    895, 1; 1175, 1;
    1475, 1
aufmerksam machen
    90, 3; 861, 1; 1208, 2
aufmerksam machen, auf
    sich 861, 2
aufmerksam werden
    894, 2
Aufmerksamkeit 468, 2;
    490, 2; 677, 2; 893;
    1351
aufmöbeln 75, 3; 541, 2
Aufmotzung 168, 3
aufmuntern 75, 3;
    541, 1; 1605, 1;
    1681, 2
Aufmunterung 1604
aufmüpfig 425; 642, 1
Aufnahme 126; 308, 3;
    465, 2; 1362, 4
Aufnahme machen 1, 2
aufnahmebereit 467, 1
Aufnahmebereitschaft
    468, 2
aufnahmefähig 467, 1
Aufnahmefähigkeit
    468, 2; 623, 2; 1501, 4
Aufnahmegerät 733

Aufnahmeleitung
1048, *1*
aufnahmewillig 467, *1*
aufnehmen 123, *2*; **127**;
359, *1*; 435, *3*; 526, *2*;
827, *1*; 1361, *4*;
1367, *1*; 1713, *1*
Aufnehmen 1867, *1*
aufnehmen, Beziehung
1157, *4*
aufnehmen, es mit
jmdm. 918, *2*
aufnehmen, Kampf
60, *1*
aufnehmen, Kontakt
1157, *4*
aufnehmen, Kredit
321, *1*
aufnehmen, Verbindun-
gen 437, *2*
aufnehmen, wieder
1903, *3*
aufopfern 1220, *1*
aufopfern, sich 1220, *1*
Aufopferungsfähigkeit
1644
aufopferungsvoll 1643
aufpacken 237, *1*
aufpäppeln 139, *1*;
676, *1*
aufpassen 128; 247, *1*;
873; 1788, *2*
aufpassen, nicht 1392, *3*
Aufpasser 248, *2*
aufpeitschen 75, *3*;
851, *3*
aufpeitschend 76, *3*;
130, *1*
aufpfropfen 1951, *1*
aufplustern 1622, *1*
aufplustern, sich
1269, *1*; 1511, *5*
aufpolieren 543, *1*
aufpoliert 1177, *4*
aufprägen 447, *2*; 931, *4*
Aufprall 1525
aufprallen 90, *1*
aufpulvern 75, *3*
aufputschen 75, *3*;
851, *3*
aufputschend 76, *3*
Aufputz 168, *3*; 1291, *2*
aufputzen 1622, *5*
aufquellen 1297; 1920, *1*
aufraffen, sich 499, *2*

aufragen 1507, *2*
aufragend 862, *3*
aufrappeln, sich 499, *2*
aufrauen 1326, *4*
aufräumen 484, *2*;
1226, *1*
aufräumen mit 484, *4*
aufrechnen 151, *4*; 1855;
1929, *1*
aufrecht 131; 328, *2*;
732, *1*; 1971, *1*
aufrechterhalten 226, *1*;
1681, *1*
aufreden 208; 1760, *2*
aufregen 75, *3*; **129**;
219, *1*; 1233, *1*;
1334, *1*
aufregen, sich 129;
1376, *2*
aufregend 76, *3*; **130**;
892, *1*
aufregend, nicht 1091, *2*
Aufregung 62, *2*; 549, *1*;
1477, *1*
aufreiben 539, *1*;
1326, *4*; 1434;
1723, *3*; 1939, *2*
aufreiben, sich 92, *3*
aufreibend 130, *2*;
1440, *2*
aufreißen 1214, *1*;
1259, *3*; 1741
aufreißen, alte Wunden
1242, *3*
aufreizen 851, *3*; 1334, *1*
aufreizend 37, *1*; 76, *3*;
130, *2*; 368
Aufreizung 367
aufrichten 541, *2*;
560, *4*; 1502, *2*;
1605, *1*
aufrichten, sich 523, *1*;
1511, *5*
aufrichtend 1606
aufrichtig 86, *3*; **131**;
545, *1*
Aufrichtigkeit 434, *1*;
1210, *1*
Aufrichtung 563, *3*;
1503, *2*; 1604
Aufriss 1258, *2*; 1612, *1*
aufrollen 395, *2*;
1214, *2*; 1844, *3*;
1903, *3*
aufrollen, sich 395, *3*

aufrücken 177
Aufruf 855; 1082, *3*;
1353, *2*
aufrufen 1354, *1*
Aufruhr 134, *3*
Aufruhr, innerer 549, *4*
aufrühren 851, *3*;
1233, *1*
aufrunden 519, *2*
aufrüsten 1834, *6*
Aufrüstung 1835, *2*;
1858, *2*
aufrütteln 75, *2*; 541, *2*;
1233, *1*; 1885
aufrüttelnd 130, *1*
Aufsage 120, *3*
aufsagen 122, *2*;
1779, *5*; 1851, *1*
aufsagen lassen 1284, *1*
aufsammeln 123, *2*;
1361, *1*
aufsässig 425
Aufsatz 8, *2*
aufsaugen 127, *3*;
1603, *2*
aufschauen 827, *2*;
1734, *1*
aufscheinen 1381, *2*;
1934, *6*
aufscheuchen 391, *2*
aufschichten 1361, *2*
aufschieben 1541;
1820, *1*; 1947
aufschießen 523, *2*;
1530, *1*
Aufschlag 1291, *9*;
1510, *2*; 1525
aufschlagen, Augen
827, *2*
aufschlagen, Zelte
1184, *1*
aufschließen 1214, *1*
aufschlitzen 1214, *2*
Aufschluss 529, *1*
aufschlüsseln 1936, *1*
aufschlussreich 238, *1*;
892, *2*
aufschnappen 515, *3*;
588, *1*; 868, *1*
aufschnappen, etwas
530
aufschneiden 430, *3*;
1214, *2*; 1269, *1*;
1409, *1*; 1594, *4*
Aufschneider 1436

Aufschneiderei 460, *1*
aufschnüren 1214, *2*
aufschrammen 1326, *4*
aufschrauben 1066, *1*;
  1214, *2*
aufschrecken 63, *1*;
  1885
aufschreiben 1421, *1*
Aufschub 1821, *1*
aufschürfen 1326, *4*
aufschütteln 1066, *6*
aufschwatzen 208;
  1760, *2*
aufschwellen 1920, *1*
aufschwemmen 1920, *1*
aufschwingen, sich
  499, *2*; 523, *2*
Aufschwung 132;
  525, *2*; 1510, *1*
aufsehen 827, *2*
Aufsehen 552
aufsehen zu 1734, *1*
Aufsehen, ohne 834, *1*
aufsetzen 1184, *4*;
  1259, *3*; 1421, *2*;
  1951, *1*
aufsetzen, Dämpfer 496
aufsetzen, Glanzlichter
  1828
aufsetzen, Hörner
  293, *3*
aufsetzen, sich 523, *1*
Aufsicht 133; 1048, *2*
aufsitzen 1383, *5*;
  1767, *2*
aufspalten 1594, *2*
Aufspaltung 1595, *2*
aufsparen 123, *1*;
  1478, *1*
aufspeichern 123, *1*
aufsperren 1214, *1*
aufsperren, Mund und
  Nase 1924, *1*
aufspielen 1486, *3*
aufspielen, sich 430, *3*;
  1269, *1*
aufspießen 210, *1*
aufspringen 456, *1*;
  1214, *3*
aufspüren 619, *1*
aufstacheln 851, *3*;
  1334, *2*
Aufstand 134
aufstapeln 1361, *2*
aufstechen 1214, *1*

aufstecken 122, *3*;
  475, *1*; 827, *1*
aufstecken, Licht 528, *4*
aufstehen 124, *2*; 523, *1*
aufstehen, wieder
  524, *2*
aufsteigen 177; 523, *2*;
  1508, *2*; 1508, *3*;
  1715, *6*
aufsteigend 1417, *3*
aufstellen 22, *3*; 1226, *3*;
  1511, *1*; 1862, *2*
aufstellen lassen, sich
  1511, *3*
aufstellen, sich 139, *3*;
  1511, *5*
Aufstellung 779; 1817, *1*
aufstieben 523, *2*
Aufstieg 135; 511, *1*;
  518, *1*; 1510, *1*
aufstöbern 619, *1*
aufstocken 145, *1*;
  519, *1*
aufstören 1885
aufstoßen 90, *1*; 1214, *1*
aufstreben 1528, *2*
aufstutzen, sich 124, *1*;
  1543, *2*
aufsuchen 282, *1*;
  1549, *4*
auftakeln 1622, *5*
auftakeln, sich 1292, *2*
Auftakt 51, *1*
auftanken 524, *3*; 674, *1*
auftauchen 67, *1*; 506, *3*;
  523, *3*; 958, *2*;
  1620, *3*; 1934, *6*
auftauchen, wieder
  526, *1*
auftauen 1066, *2*
aufteilen 1226, *2*;
  1561, *2*; 1594, *2*;
  1796, *1*; 1936, *1*
aufteilen, sich 1796, *3*
Aufteilung 779; 1797
auftischen 50, *3*; 203, *2*;
  1855
Auftrag 120, *1*; 136;
  209, *1*; 1353, *1*
auftragen 50, *3*; 203, *2*;
  280, *1*; 1723, *3*
auftragen, andere Farbe
  590, *1*
auftragen, dick 1622, *4*
Auftraggeber 1000, *1*

auftreiben 274, *1*;
  619, *1*; 1920, *1*
auftrennen 1594, *4*
auftreten 67, *1*; 958, *2*;
  1269, *1*; 1486, *1*;
  1757, *1*
Auftreten 68, *1*
Auftrieb 77, *2*; 132
Auftritt 68, *1*; 140, *2*;
  1533, *2*; 1712, *2*
Auftritt, beim ersten
  53, *3*
auftrittsicher 1460, *8*
auftun 619, *1*; 1214, *1*
auftun, sich 1214, *3*
auftürmen, sich 1507, *2*;
  1509, *3*
aufwachsen 510, *1*
aufwallen 956, *1*
Aufwallung 105, *2*;
  143, *2*; 549, *4*
Aufwand 137; 452, *2*;
  1286, *1*
Aufwand, ohne 433, *3*
Aufwandsentschädi-
  gung 498, *3*
aufwärmen, alte Ge-
  schichten 1016, *1*
aufwärmen, sich 1873, *2*
Aufwartefrau 826, *2*
aufwarten 50, *3*; 203, *2*
aufwärts 138
Aufwärtsentwicklung
  132; 637
Aufwartung 204, *2*;
  281, *1*
Aufwartung machen
  282, *1*
aufwaschen 1367, *1*
aufwecken 1885
aufweichen 1066, *2*
aufweisen 807, *1*;
  1934, *3*
aufwenden 304, *1*;
  1723, *1*
aufwendig 1268; 1573;
  1660, *4*
Aufwendung 452, *2*
Aufwendungen 137, *1*;
  978, *1*; 1680, *1*
aufwerfen 1844, *3*
aufwerfen, Gischt
  1376, *1*
aufwerten 1715, *2*
Aufwertung 1716, *2*

aufwickeln 395, *2*
aufwiegeln 851, *3*
Aufwiegelung 367
aufwiegen 151, *4*; 497, *1*
Aufwiegler 366; 1272, *3*;
   1429, *1*
aufwieglerisch 368
aufwinden 395, *2*
aufwirbeln 395, *1*
aufwirbeln, Staub 118;
   129, *3*; 948, *1*
aufwischen 1367, *1*
aufwühlen 1233, *1*
aufwühlend 130, *1*
aufzählen 1174, *2*;
   1929, *1*
aufzäumen 1834, *3*
aufzäumen, Pferd am
   Schwanz 901, *3*;
   1657, *2*
aufzehren 1723, *1*
aufzeichnen 127, *5*;
   1421, *1*
Aufzeichnung 126, *1*;
   1187, *1*
Aufzeichnungen 176
aufzeigen 528, *1*;
   1729, *1*; 1934, *3*
aufziehen 139; 1157, *2*;
   1491, *1*; 1684, *1*;
   1711, *1*
aufziehen, weiße Flagge
   1383, *3*
Aufzucht 1950, *1*
aufzucken 1381, *2*
aufzufinden sein, nicht
   1714, *4*
Aufzug 140; 168, *3*;
   579, *9*; 949, *1*
aufzuwiegen, nicht mit
   Gold 149, *1*; 975
aufzwingen, Willen
   1979, *1*
Augapfel 141; 713;
   976, *3*
Auge in Auge 695, *2*
Auge um Auge 1751, *1*
Augen 141
äugen 247, *2*; 1451
Augen lassen, nicht aus
   den 80, *2*; 247, *1*
Augen machen, große
   1924, *1*
Augen, mit verbundenen
   318, *1*

Augen, unter vier
   1244, *3*; 1801
Augen, vor aller 1211, *1*
Augenblick 951, *3*;
   1935, *1*
Augenblick zum andern,
   von einem 1263
Augenblick, auf einen
   1005, *4*
Augenblick, günstiger
   1935, *1*
Augenblick, im 699, *1*
Augenblick, im falschen
   1660, *1*
Augenblick, im letzten
   429, *3*; 477, *2*; 1481, *2*
Augenblick, im selben
   776; 1410, *2*
Augenblick, jeden 180
augenblicklich 699, *1*;
   771, *3*; 1410, *2*; 1837
Augendiener 1402, *1*
Augendienerei 1062, *4*
augenfällig 78, *1*; 945, *3*;
   1790, *1*
Augenfälligkeit 1791
Augenhöhe, in 775
augenlos 318, *1*
Augenmaß, nach
   1654, *1*
Augenmerk 893
Augenschein 159; 947, *1*
augenscheinlich 79
Augenschmaus 730, *1*
Augentäuschung
   1558, *2*
Augenweide 730, *1*
Augenwischerei 292;
   880, *3*
Augenzeuge 248, *1*;
   260, *2*; 338
Augenzeuge sein 515, *1*
Augenzeugenbericht
   258, *3*
Augenzeugenschaft
   517, *1*
augenzwinkernd 1970
Auges, offenen 125, *1*
Auges, tränenden
   1659, *1*
Augur 1276
Auktion 1759, *3*
auktionieren 1760, *1*
Au-pair-Mädchen 826, *3*
Aura 1333

Aureole 832
aus 1028, *1*; 1585, *2*;
   1743
aus sein auf 1528, *1*
ausarbeiten 198, *1*;
   510, *3*; 756; 1421, *3*
Ausarbeitung 225, *1*
ausarten 145, *4*
ausatmen 115; 1512, *1*
ausbaden 345
ausbaggern 787, *1*
ausbalancieren 151, *5*
ausbalanciert 819, *3*
ausbaldowern 619, *1*
Ausbau 511, *2*; 520, *1*
ausbauen 145, *1*; 371, *4*;
   510, *3*; 519, *1*; 1229, *1*;
   1715, *2*
ausbedingen, sich 195, *1*
ausbeißen, sich die Zäh-
   ne 1383, *6*
ausbessern 543, *1*
Ausbesserung 225, *2*;
   544, *1*
Ausbeute 518, *5*;
   1195, *1*; 1731, *2*
Ausbeute, magere
   1893, *1*
ausbeuten 153, *2*;
   1196, *3*
Ausbeuter 1275
Ausbeutung 154, *2*;
   1458
ausbezahlen 304, *2*
ausbieten 50, *1*
ausbilden 1034, *2*;
   1834, *3*
ausbilden, sich 1049, *2*
Ausbilder 1035, *2*
Ausbildung 1033, *2*
ausbitten, sich 195, *1*;
   315, *1*
ausblasen 1064, *1*
ausblasen, Lebenslicht
   1586, *1*
ausbleiben 598, *1*
Ausbleiben 33, *1*
ausbleiben, nicht 216, *2*
ausbleichen 1149, *3*;
   1723, *5*
Ausblick 165, *1*
ausbluten 1030, *5*
ausbohren 787, *1*
ausbooten 998, *2*;
   1369, *1*

ausbrechen 20, *1*; **142**;
   330, *2*; 506, *2*; 624, *1*
ausbrechen, in Gelächter
   1009, *2*
ausbrechen, in Tränen
   944, *3*
ausbreiten 145, *1*;
   1430, *1*; 1726, *1*
ausbreiten, sich 145, *4*;
   162, *1*; 1530, *3*
Ausbreitung 146, *1*;
   788; 1510, *3*
ausbremsen 811, *1*
ausbringen, Hoch 90, *6*
ausbringen, Toast 90, *6*
Ausbruch 51, *1*; **143**
ausbrüten 560, *6*; 682, *2*
ausbrüten, etwas 530
ausbuddeln 787, *2*
ausbügeln 261, *1*;
   769, *2*; 946, *1*
ausbuhen 1809, *2*
ausbürgern 173, *1*
Ausbürgerung 1804
ausbürsten 1367, *2*
ausbüxen 624, *1*
Ausdauer 613, *4*; 688, *1*
ausdauernd 144;
   1928, *1*; 1971, *2*
ausdehnen 145; 1530, *2*;
   1726, *1*
ausdehnen, sich 145
Ausdehnung 146;
   620, *2*; 792, *1*; 1089, *2*
ausdenken 371, *2*
ausdenken, sich 1846, *2*
ausdeuten 528, *3*
Ausdeutung 529, *2*
ausdiskutieren 946, *1*
ausdörren 1603, *5*
ausdrehen 1064, *1*
Ausdruck 147; 632, *2*;
   752, *2*
ausdrücken 162, *2*;
   201, *1*; 402, *2*; 1064, *1*
ausdrücken, Dank
   357, *1*
ausdrücklich 16; 273, *1*;
   378, *2*; 1145, *2*
Ausdrucksform 1517, *1*
ausdruckslos 574, *2*;
   1017, *2*; 1639
Ausdruckslosigkeit 593
ausdrucksstark 78, *2*;
   891, *3*; 1912, *2*

ausdrucksvoll 78, *2*;
   891, *3*; 1026, *4*;
   1145, *2*
Ausdrucksweise
   1493, *2*; 1517, *1*
ausdünnen 1007, *2*
ausdünsten 155; 1445, *1*
Ausdünstung 156, *1*
auseinander fallen
   1066, *2*; 1749, *2*
auseinander halten
   1687, *1*; 1701, *3*
auseinander kommen
   1534, *1*
auseinander nehmen
   1561, *1*; 1936, *1*
Auseinandergehen
   1595, *1*
Auseinanderlegung
   529, *1*
Auseinandersetzung
   277, *3*; 917, *2*; 1533, *1*
Auseinandersetzung,
   bewaffnete 987, *1*
Auseinandersetzung,
   militärische 987, *1*
auseinandersetzungs-
   fähig 981, *5*
auseinandersetzungs-
   freudig 920
auseinandersetzungs-
   stark 920
auserkoren 148, *2*
ausersehen 148, *2*
auserwählt 148, *2*
Auserwählte 713
Auserwählter 714
ausessen 1030, *3*
ausfahren 485, *3*;
   1388, *3*
Ausfahrt 486, *3*;
   1215, *1*; 1527
Ausfall 33, *1*; 240;
   1368, *1*; 1780, *2*
ausfallen 598, *3*
ausfallen, gut 715, *1*
ausfallend 239, *1*;
   1244, *5*
ausfällig 239, *1*; 239, *1*;
   642, *3*
Ausfälligkeit 240
ausfechten, Strauß
   1534, *2*
ausfeilen 198, *2*
ausfertigen 533, *2*

Ausfertigung 535, *2*;
   569; 1539, *4*
ausfindig machen 536;
   619, *1*; 1305, *3*
ausfliegen 1331, *1*
ausfließen 1030, *5*
ausflippen 129, *5*; 219, *2*
Ausflucht 502, *2*;
   1071, *2*
Ausflüchte machen
   172, *2*; 1023, *2*
Ausflug 578, *1*
Ausflug machen 1870
Ausflügler 1332, *1*
Ausfluss 156, *1*; 1215, *6*;
   1913, *2*
ausformen 756
Ausformung 110, *1*
ausforschen 536; 635
Ausforschung 537
ausfragen 639, *2*
Ausfragerei 638, *1*; 1178
Ausfuhr 814, *3*
ausführbar 1128, *1*
ausführen 198, *1*;
   270, *1*; 528, *1*; 533, *1*;
   815, *2*; 1814, *1*; 1828
ausführen, Befehl 704, *1*
ausführlich 722, *4*
Ausführung 164, *1*;
   361, *1*; 529, *1*; 533, *1*;
   1831
ausfüllen 214, *1*; 221, *1*;
   533, *2*; 543, *2*; 674, *2*
ausfüllend 781, *3*
Ausgabe 1759, *1*;
   1774, *1*; 1797
Ausgabe, erste 1230, *1*
Ausgaben 137, *1*; 978, *1*
Ausgang 521; 1215, *1*;
   1400, *1*
Ausgang, guter 1400, *2*
Ausgangsbasis 796, *2*
Ausgangslage 1010, *2*
Ausgangspunkt 796, *2*;
   1296, *2*
Ausgangsverbot 1720, *2*
ausgearbeitet 1328, *3*
ausgeben 304, *1*;
   1561, *2*; 1723, *1*;
   1796, *1*
ausgehen als 226, *1*
ausgeben, einen 446, *2*
ausgeben, sich als 1072
ausgebessert 731, *1*

ausgebeten haben, sich 195, *1*
ausgebildet 516, *1*
ausgeblichen 592, *1*
ausgeblutet 850, *2*
ausgebrannt 850, *2*; 1028, 5; 1585, *2*
ausgebrochen 1886, *1*
ausgebrütet 686, *2*
ausgebucht 1556, *4*; 1886, *2*
ausgebufft 516, *1*; 572, *2*
Ausgebürgerter 1107
Ausgeburt 186; 1386
ausgedacht 1702
ausgedehnt 791, *2*; 1013, *1*; 1891, *1*
ausgedient 44, *6*
Ausgedienter 45, *2*
ausgedörrt 820, *1*; 1602, *1*
ausgefallen 119, *1*; 553; 1417, 5; 1457, *1*
ausgefallen, gut 804, *2*
ausgefeilt 1328, *3*; 1973, *2*
ausgefertigt 534, *1*
ausgeflippt 1777, *1*
Ausgeflippter 169
ausgeflogen 1028, *2*
ausgefranst 1307, *2*
ausgeführt 534, *1*; 610, *1*
ausgefüllt 1827, *1*
ausgegangen 1585, *2*; 1886, *2*
ausgeglichen 768, *4*; 819, *3*; 1357, *3*; 1649, *2*
Ausgeglichenheit 818, *2*; 1355, *2*
ausgegossen 1028, *1*
ausgehen 475, *2*; 475, *2*; 485, *1*; 1149, *3*
ausgehen auf 1528, *1*; 1922, *1*
ausgehen, gut 715, *1*
ausgehungert 218, *2*; 1432, *4*
ausgeklügelt 416, *1*; 1328, *3*; 1973, *2*
ausgekocht 1396, *1*
ausgekrochen 686, *2*
ausgelassen 835, *3*; 1886, *2*

Ausgelassenheit 650, *4*
ausgelastet 1556, *4*
ausgelaufen 1397, 6
ausgeleiert 182
ausgelichtet 954, *1*
ausgeliefert 856, *3*; 1319
ausgelutscht 1028, 5
ausgemacht 534, *1*; 1640, *2*
ausgemergelt 410, *2*; 850, *3*
ausgenommen 161, *1*
ausgepicht 1396, *1*
ausgepowert 1028, 5
ausgeprägt 348, *2*
ausgepumpt 1028, 5
ausgepunktet 534, *3*
ausgerechnet 1173
ausgereift 1328, *3*; 1829, *1*
ausgesaugt 1028, 5
ausgeschaltet 104
ausgeschieden 104
ausgeschlafen 1026, *2*
ausgeschlossen 450, *1*; 534, *3*; 1319; 1664
ausgeschlossen, nicht 1128, *1*
ausgeschüttet 1028, *1*
ausgesetzt 856, *4*
ausgesetzt, dem Wind 1070, *3*
ausgesogen 1028, 5
ausgesprochen 348, *2*; 378, *2*; 1640, *2*
ausgestalten 519, *1*; 756; 1229, *1*
ausgestanden 610, *1*
ausgestattet 252, *1*
ausgestorben 1585, *2*
ausgestorben, wie 450, *3*
ausgestoßen 450, *1*; 534, *3*; 1319
Ausgestoßener 160, *2*
ausgesucht 148; 416, *1*
ausgetrocknet 820, *1*; 1602, *1*
ausgetrunken 1028, *1*
ausgewachsen 1328, *2*
Ausgewiesener 1107
ausgewogen 735, *1*; 819, *3*
Ausgewogenheit 818, *2*
ausgezählt 534, *3*

ausgezeichnet 149; 791, *4*
ausgezogen 1154, *1*; 1886, *1*
ausgiebig 1327, *4*
ausgießen 1030, *2*
Ausgleich 150; 498, *1*; 656, *1*; 1753, *3*
ausgleichen 151; 261, *1*; 304, *4*; 345; 440; 1064, *2*; 1768, *1*
ausgleichend 658, *1*
Ausgleichung 150, *1*
ausgleiten 581, *1*
ausgliedern 166, *4*
ausgraben 619, *1*; 787, *2*
Ausgrabung 675, *1*
ausgreifen 428, *1*
ausgrenzen 1114, *1*
ausgrenzend 388
Ausgrenzung 389, *1*; 1115
Ausguck 1609, *1*
Ausguss 1215, *6*; 1215, 7
aushaken 1779, *3*
aushalten 226, *2*; 522, *3*; 1040, *1*; 1588, *3*
aushalten, jmdn. 1788, *3*
aushalten, Vergleich nicht 6, *4*
aushandeln 1735
aushandeln, heimlich 293, *2*
aushändigen 683, *1*; 1617
Aushang 97, *3*; 1817, *2*
aushängen 50, *1*; 1120, *4*; 1773, *2*
Aushängeschild 767, 5; 930, *3*
ausharren 226, *2*; 1876, *1*
aushauchen 1512, *1*
aushauen 756
aushäusig 1886, *1*
aushebeln 857, *3*
ausheben 458, *2*; 787, *1*
Aushebung 209, *2*
aushecken 371, *2*; 560, 6
ausheilen 524, *2*; 723, *2*; 831, *1*
aushelfen 321, *2*; 837, *1*; 1805, *1*

Aushilfe 838, 2; 854, 1;
  1807
aushilfsweise 1852, 2
aushöhlen 539, 1;
  539, 1; 787, 1
ausholen 639, 2; 1148, 2
ausholzen 1007, 2
aushorchen 639, 2
Aushorcher 248, 2
auskaspern 1735
auskennen, sich 516, 2;
  928, 2; 1793, 4; 1916
ausklammern 152, 2
ausklamüsern 1305, 3;
  1795, 2
Ausklang 1400, 2
auskleiden 175, 4; 200;
  676, 2
Auskleidung 870, 3
ausklingen 475, 2
ausklopfen 1367, 2
ausklügeln 371, 2;
  1795, 2
auskneifen 142, 3;
  624, 1
ausknipsen 1064, 1
ausknobeln 1795, 2
ausknocken 1394, 2
auskochen 522, 2
auskommen 492, 2;
  624, 1; 729, 2
Auskommen 444;
  1027, 1; 1680, 1
Auskommen haben
  729, 2
auskommen können,
  nicht ohne 327
auskommen, gut 1793, 6
auskömmlich 341, 1;
  728
auskosten, voll 725
auskratzen 624, 1;
  1030, 3
auskriechen 510, 1
auskühlen 551, 2;
  995, 1; 1149, 2
auskundschaften 536
Auskunft 1122
auskurieren 723, 1
auslachen 319, 2;
  1491, 2
ausladen 1030, 1;
  1920, 1
ausladend 381, 4
Ausladung 1031

Auslage 170, 1
Auslagen 137, 1; 978, 1
auslagern 1621, 1
Auslagerung 120, 2
Ausland 649, 1
Ausland, im 648, 3
Auslandskorrespondent
  260, 1
Auslandsmarkt 1086, 2
Auslandsvertretung
  1807
auslangen 729, 1
Auslass 1215, 1
auslassen 152
auslassen über, sich
  276, 2
auslassen, sich 162, 1
Auslassung 164, 1; 332;
  599, 2; 989, 1
Auslastung 154, 1
Auslauf 1309, 2; 1400, 1
auslaufen 10, 3; 475, 2;
  475, 2; 485, 3;
  1030, 5; 1149, 3
auslaufend 13
Ausläufer 1400, 1
auslaugen 1723, 3
Auslaugung 154, 2
ausleben, sich 725
ausleeren 1030, 2
auslegen 50, 1; 200;
  241, 2; 321, 2; 528, 3;
  676, 2; 901, 4
auslegen, falsch 901, 4
Auslegeware 1571
Auslegung 361, 2;
  529, 2
ausleihen 321, 2
Auslese 171, 1
auslesen 166, 1
ausleuchten 241, 1
auslichten 1007, 2
ausliefern 1388, 3; 1617
ausliefern, sich 9, 2;
  1511, 4
Auslieferung 120, 5;
  1589, 1; 1759, 1
auslöffeln 1030, 3
auslöffeln, Brei 1040, 2
auslöffeln, Suppe 345
auslöschen 1064, 1;
  1679, 2; 1939, 2
auslosen 1796, 1
auslösen 90, 5; 1710, 1;
  1910, 4

Auslosung 1797
ausloten 614, 3; 635
Auslotung 615, 2
auslüften 1069
Auslug 1609, 1
auslutschen 1942, 4
ausmachen 493; 619, 1;
  977, 1; 1064, 1; 1451;
  1735
ausmachen, etwas
  201, 2; 313, 3
ausmachen, heimlich
  1735
ausmalen 199; 270, 1;
  528, 3; 590, 3
ausmalen, sich 1590, 2;
  1846, 2
ausmanövrieren 998, 2
Ausmaß 146, 2; 788;
  1089, 2; 1102, 1; 1630;
  1798, 1
Ausmaß, in diesem 1472
ausmerzen 1939, 2
ausmessen 614, 3
Ausmessung 615, 2
ausmisten 1226, 1
ausmitteln 1284, 1
ausmünden 475, 2
ausmustern 166, 2;
  998, 2
Ausnahme 424, 3;
  1857, 1
Ausnahme machen
  152, 2
Ausnahme von, mit
  161, 1
Ausnahme, alle ohne
  38, 1
Ausnahme, ohne 443, 2;
  679, 3
Ausnahmefall, im
  926, 1; 1457, 2
ausnahmslos 38, 2;
  443, 2
ausnahmsweise 1457, 2
ausnehmen 152, 2;
  153, 2
ausnehmen, sich 158
ausnehmend 163, 1;
  554; 1452, 1
ausnutzen 153; 246;
  1196, 3
Ausnutzung 154
auspacken 1030, 1;
  1214, 2; 1776

auspeitschen 1242, 7
auspendeln 475, 2
Auspfiff 1116
ausphantasieren 270, 1
Auspizien 1839
ausplaudern 948, 1;
1465, 4; 1776
ausplündern 153, 2
Ausplünderung 154, 2
ausposaunen 948, 1;
1726, 1
auspowern 153, 2
Auspowerung 154, 2
Ausprägung 632, 2
auspreisen 174, 3
auspressen 153, 2;
402, 2; 639, 2
ausprobieren 1284, 2;
1795, 1
Auspuff 1215, 6
auspumpen 153, 2;
1030, 4
auspunkten 1394, 2
auspusten 1064, 1
Ausputz 1291, 2
ausputzen 1292, 1
ausquartieren 173, 1
ausquetschen 153, 2;
639, 2; 1030, 4
ausradieren 1064, 3
ausrangieren 166, 2
ausrasten 129, 5
ausrauben 1168, 3
ausräumen 484, 4;
1030, 1
Ausräumung 1031
ausrechnen 251, 1;
1929, 1
Ausrede 502, 2; 1558, 1
ausreden 15; 496
ausreden lassen, nicht
1522, 2
ausreichen 729, 1;
729, 1
ausreichend 341, 1; 728;
1091, 2; 1945
ausreichend, kaum
1655, 1
Ausreise 486, 3
ausreißen 175, 2; 624, 1
ausrichten 280, 4;
1120, 1; 1226, 3;
1711, 1
Ausrichtung 1569, 2;
1616, 5; 1712, 1

ausrinnen 1030, 5
ausrotten 1586, 4;
1939, 2
Ausrottung 1940, 1
ausrücken 485, 2
ausrufen 1120, 4;
1354, 1; 1773, 2
ausrufen lassen 1354, 2
ausruhen 441, 1; 524, 1;
1356, 1
ausrupfen 175, 2
ausrüsten 167, 1; 538, 2;
1834, 3
Ausrüstung 168, 1; 733;
1835, 1
ausrutschen 581, 1;
777, 1
Ausrutscher 599, 4
Aussaat 563, 4
aussäen 560, 5; 1796, 2
Aussage 164, 1; 615, 1;
1100, 4; 1941, 2
aussagen 201, 1; 259;
1120, 2
aussaugen 153, 2;
1942, 4
ausschachten 787, 1
Ausschachtung 1798, 1
ausschalten 22, 2;
998, 2
Ausschaltung 999, 2
Ausschank 681, 1
ausschauen 158; 1549, 1
ausscheiden 155; 998, 1
Ausscheiden 999, 1
ausscheiden, aus dem
Dienst 998, 1
**Ausscheidung 18, 3;
156**
ausschellen 1120, 4;
1773, 2
ausschelten 1391, 1
ausschenken 50, 3
ausscheren 20, 1; 118;
142, 3
ausschiffen 1030, 1
Ausschiffung 1031
ausschildern 528, 5;
931, 3
ausschimpfen 1391, 1
ausschirren 213, 6
ausschlachten 153, 2;
1936, 2
Ausschlachtung 154, 1
ausschlafen 524, 1

ausschlagen 30, 3;
506, 2; 1779, 1
ausschlaggebend
1899, 1; 1967, 1
ausschlaggebend, nicht
1639
Ausschlaggebende, das
823
ausschleudern 1796, 2
ausschließen 17, 1;
152, 2; 998, 3
ausschließen, sich 17, 2
ausschließend, einander
695, 4
ausschließlich 157; 1194
ausschlüpfen 510, 1
Ausschluss 999, 3
Ausschluss der Öffent-
lichkeit, unter 834, 1
ausschmücken 167, 2;
199; 268; 448, 1;
1292, 1; 1622, 4
Ausschmückung 168, 3;
269; 1291, 2
Ausschnitt 317; 344;
1560, 1
ausschnüffeln 247, 2
ausschöpfen 1030, 2
Ausschöpfung 154, 1
ausschreiben 50, 1;
533, 2; 1120, 4;
1773, 2
ausschreiben, Beloh-
nung 307
Ausschreibung 97, 1;
470
ausschreiten 428, 1;
614, 3; 703, 2
Ausschreitung 1668, 4
Ausschuss 5, 2; 800, 2;
911, 1; 1251; 1304, 2
ausschütteln 1367, 2;
1443, 1
ausschütten 1030, 2;
1796, 1
ausschütten, Herz
213, 3; 944, 3; 1208, 3
ausschütten, sich vor La-
chen 1009, 2
Ausschüttung 1797
ausschweifend 727;
1093, 3; 1624, 1
Ausschweifung 1619, 2
ausschweigen, sich
1438, 1

ausschwemmen 946, 3
ausschwenken 1367, 2;
1443, 1
ausschwitzen 155
aussehen 158; 1381, 1
Aussehen 110, 1; **159**;
752, 2
aussehen wie 1614, 3
außen 393, 4; 1199, 1
Außenansicht 1198, 2
aussenden 1381, 2;
1621, 4
Außenhandel 814, 3
Außenseite 1198, 1
Außenseiter 160; 169
Außenstehender 160, 1
Außenstelle 1185, 2;
1807
Außenwelt 1635, 1
außer 161
außer sich 322, 1;
548, 3; 1766; 1914, 2
außer wenn 161, 2
außerdem 117, 3; 453
außerdienstlich 1244, 3
Äußeres 159; 168, 3;
1198, 2
außergewöhnlich 163, 1;
1457, 1
außerhalb 393, 2
äußerlich 393, 4;
1199, 1
Äußerlichkeit 634, 1;
1200
äußern 162; 1494, 1
äußern, Wunsch 315, 1
außerordentlich 149, 1;
163
außerplanmäßig 163, 2
äußerst 1452, 1
außerstande 1655, 2
Äußersten, bis zum 1300
Äußerung 164; 1100, 4
äußerungswillig 1121
aussetzen 196; 441, 1;
524, 1; 683, 2; 811, 1;
1356, 3; 1520, 1;
1553, 1; 1779, 3
Aussetzen 1678, 1
aussetzen, Belohnung
307
aussetzen, sich 9, 2;
1859, 2
Aussicht 165; 308, 1;
556, 3; 1129

Aussicht haben auf
555, 1
Aussichten 165, 2
aussichtslos 1659, 5;
1664; 1747
aussichtsreich 781, 2;
803, 1
Aussichtsturm 1609, 1
aussickern 1030, 5
aussiedeln 173, 1;
1803, 1
Aussiedler 1107
Aussiedlung 1804
aussöhnen 261, 1
Aussöhnung 656, 1
aussondern 166
Aussonderung 156, 1
aussortieren 166, 1;
1594, 3
ausspähen 247, 2
ausspannen 19; 213, 6;
524, 1; 1168, 3
Ausspannung 525, 1
aussparen 152, 1;
1019, 3
aussperren 17, 1; 998, 3
ausspielen, Trumpf
761, 2
ausspinnen 270, 1
Aussprache 277, 2;
1493, 2; 1683, 1
aussprechen 162, 2;
1494, 1
aussprechen, Beileid
1563, 3
aussprechen, Dank
357, 1
aussprechen, sich 213, 3;
1208, 3
aussprengen 948, 1
Ausspruch 164, 2
ausspucken 155
ausstaffieren 167, 1
Ausstaffierung 168, 3
Ausstand 1531;
1821, 1
ausstatten 167; 199;
448, 1
Ausstattung 137, 2; **168**;
449, 2; 900, 1; 1291, 2
ausstechen 1394, 3
ausstehen 88, 1; 958, 1;
1040, 1
ausstehen können, nicht
821, 1

ausstehen, viel 1040, 4
ausstehend 1207, 3
aussteigen 20, 1; 142, 3
Aussteiger 2; **169**
ausstellen 50, 1; 196;
533, 2; 1553, 1
ausstellen, sich ein Ar-
mutszeugnis 319, 1
Ausstellung 170
aussterben 475, 2
Aussteuer 168, 4
aussteuern 167, 1;
1226, 3
Ausstieg 1215, 1
ausstopfen 522, 4;
674, 2
Ausstoß 1046, 1
ausstoßen 155; 173, 1;
998, 3; 1494, 3
ausstoßen, Dampfwol-
ken 1308
ausstoßen, Rauchwol-
ken 354
ausstoßen, Schreie
1018, 1
ausstrahlen 1381, 2;
1621, 4; 1910, 2
ausstrecken, Fühler
1549, 3
ausstrecken, sich
1356, 1
ausstreichen 769, 2
ausstreuen 948, 1;
1726, 1; 1796, 2
ausströmen 155; 475, 2;
1030, 5; 1381, 2;
1726, 1
ausströmen, Duft
1344, 1
aussuchen 1862, 1
Austausch 1882, 1
austauschbar 771, 1
Austauschbarkeit
1616, 3
austauschen 1883, 1
austauschen, Briefe
974, 1
austauschen, sich
276, 3; 1681, 3
Austauschstoff 550, 2
austeilen 557, 2; 683, 2;
1561, 2; 1796, 1
Austeilung 1797
austesten 1284, 3;
1795, 1

austilgen 1586, *4*;
1939, *2*
Austilgung 1940, *1*
austragen 948, *1*; 1828
austragen, Wettkampf
918, *2*
Austräger 1613, *1*
austreiben 1803, *1*
austreiben, Geist 1737
Austreibung 1804
austreten 506, *3*; 998, *1*;
1030, *5*
austricksen 293, *1*;
1369, *1*
austrinken 1030, *3*
Austritt 999, *1*
austrocknen 1603, *2*
austüfteln 635; 1795, *2*
ausüben, Amt 102, *2*
ausüben, Beruf 102, *2*
ausüben, Druck 398, *3*;
402, *2*; 1979, *1*
ausüben, Herrschaft
848, *1*
ausüben, Macht 848, *1*
ausüben, schlechten Ein-
fluss 1728, *5*
Ausübung 101, *1*
ausufern 1618, *1*
Ausuferung 1619, *1*
Ausverkauf 1759, *2*
ausverkaufen 1030, *1*;
1760, *3*
ausverkauft 1028, *1*;
1827, *2*; 1886, *2*
ausverkauft, immer
243, *3*
Auswachsen, zum
130, *2*; 1017, *1*
Auswahl 171; 1826, *1*;
1861, *1*
Auswahl, große 1327, *2*
Auswahlband 1362, *3*
auswählen 499, *2*;
1862, *1*
Auswahlmannschaft
171, *3*
auswalzen 145, *3*
Auswanderer 1107
auswandern 175, *1*;
485, *4*
Auswanderung 1108
auswärts 393, *2*; 1886, *1*
Auswechselbarkeit
1616, *3*

auswechseln 1883, *2*
Auswechselspieler
550, *4*
Auswechslung 1882, *1*
ausweglos 1659, *5*; 1664
Ausweglosigkeit 1665
ausweichen 172; 492, *2*;
624, *2*; 1633, *1*
ausweichend 1649, *1*
Ausweichstelle 29, *2*
Ausweis 279, *1*
ausweisen 173; 1803, *1*
ausweisen, sich 173
Ausweisung 1804
ausweiten 145, *1*;
1530, *2*
ausweiten, sich 145, *4*
Ausweitung 146, *1*
auswendig 393, *4*;
1695, *3*
auswerfen 155; 1796, *2*
auswerfen, Netze
1549, *2*
auswerten 246; 1196, *3*;
1375, *2*
Auswertung 154, *1*;
1285, *4*
auswetzen, Scharte
497, *1*
auswickeln 1214, *2*
auswiegen 614, *3*
auswirken, sich 631, *2*;
1910, *4*
auswirken, sich nachtei-
lig 1369, *5*
auswirken, sich negativ
1369, *5*
auswirken, sich ungüns-
tig 1369, *5*
Auswirkung 630, *3*;
1913, *1*; 1913, *2*
auswischen 1064, *3*
auswischen, eins 1369, *1*
Auswringen, zum
1162, *1*
Auswuchs 1619, *1*;
1921, *1*
Auswurf 156, *1*
auszacken 1409, *3*
auszahlen 304, *2*
auszahlen, sich 1196, *1*
Auszahlung 1930, *4*
auszanken 1391, *1*
Auszehrung 1348, *4*
auszeichnen 174;

420, *1*; 1063, *2*;
1450, *2*
auszeichnen, sich 174
Auszeichnung 419, *2*;
1062, *2*; 1270, *4*
Auszeit 525, *1*
Ausziehbett 295
ausziehen 175; 1367, *4*
ausziehen, sich 175
auszischen 1809, *2*
Auszubildender (Azubi)
1428, *4*
Auszug 486, *3*; 486, *5*;
567, *2*; 1299, *2*;
1560, *1*
Auszug machen 175, *3*
auszugsweise 1566
auszuhalten 1128, *2*
auszupfen 175, *2*;
1367, *4*
auszuschließen, nicht
1128, *3*
auszusetzen haben 196
auszustehen haben
515, *2*
authentisch 414, *1*;
1166, *1*
autistisch 1456
Auto 579, *2*
Autobahn 1527
Autobiographie 176
Autobus 579, *4*
autochthon 59, *2*
Autochthone 297
Autodidakt 384, *1*
autodidaktisch 385, *2*
Autogramm 279, *4*
Autokennzeichen 930, *2*
Autokino 937
Autokrat 849
Autokratie 847, *3*
Automat 733
automatisch 1096, *1*;
1695, *4*
automatisieren 1306
Automobil 579, *2*
autonom 644, *1*
autonom werden 213, *4*
Autonome 1545, *2*
Autonomie 645, *1*
Autor 1423
Autorenfilm 618, *3*
autorisieren 531, *2*
autorisiert 252, *2*;
1967, *2*

Autorisierung 532, *2*
autoritär 1504, *2*;
   1535, *3*
Autorität 573; 716, *1*
autoritativ 572, *2*;
   1077, *2*; 1535, *1*
Autoritätsgläubigkeit
   991

Autoritätsverlust
   1433, *3*
Autostrich 1282
Avancen machen 1741
avancieren 177;
   1715, *6*
Avantgardist 1257, *2*

avantgardistisch 670, *2*
avanti 1854
Aversion 14, *1*
avisieren 1259, *1*
Axiom 798, *2*
Axt im Haus 744, *1*
Azubi 1428, *4*

B

Baalsdienst 786
babbeln 1494, 3
Baby 936, 1
Babysitter 826, 3
Bacchanal 711
bacchantisch 727
Bach 760, 1; 1296, 1
back 1352
backbord 1059, 1
Backe 1560, 4
backen 325, 1
Backenbart 187
Backenstreich 1393, 1
Backfisch 1078, 2
Background 517, 2;
859, 1
Backofen, wie in einem
1871, 2
Backpfeife 1393, 1
Bad 178; 1330, 3
Bad in der Menge 231
baden 1249, 4; 1367, 3;
1442, 1
Baden 178, 5
baden gehen 1383, 2
Badeort 178, 3
Bader 661
Badezimmer 178, 1
Baedeker 671, 5
baff 1504, 3
Bagage 753
Bagatelle 951, 1
bagatellisieren 268;
841, 3
Bagatellisierung 269
baggern 787, 1
Baggersee 760, 2
bähen 1584, 3
Bahn 1539, 1
Bahn, freie 644, 5;
1309, 2
bahnbrechend 670, 2
Bahnbrecher 1257, 2
Bahnbus 579, 4
Bahncard 1577
bahnen 179; 769, 1;
1834, 1

Bahnhof 810, 6
Bahnhof, großer 419, 2
Bahnlinie 1058, 3
Bahnnetz 1176, 2
Bahnschranke 1419
Bahnübergang 333
Bahnwärter 1877
Bai 1798, 2
Baisse 988, 3; 1348, 5;
1518
Bajazzo 1384, 1
Bakkarat 783
Bakschisch 436, 2;
677, 1
Bakterien 985
Balance 150, 5
balancieren 151, 5
bald 180; 665; 1654, 1
bald wie möglich, so
429, 3; 1410, 2
bald, recht 429, 3;
1410, 2
Bälde, in 180
baldigst 180
Balg 870, 2
Balgerei 1393, 2
Balken 810, 3
Balkenwerk 810, 4
Balkon 181; 1302, 2
Ball 749, 2; 994, 1
Balladensänger 1363, 1
Ballast 1020, 1
ballen 391, 1
Ballen 1295, 1
ballern 1018, 3
Balletttruppe 800, 3
Ballon 579, 7; 970, 1
Ballsaison 1360
Ballungsraum 1499, 4
Ballyhoo 1897, 2
Balsam 567, 2; 1604
balsamisch 109
balzen 1741
Bammel 62, 4; 1763, 2
bammeln 1443, 2
banal 182; 312, 3; 941;
1028, 3
banalisieren 509, 3;
1737
Banalisierung 1738
Banalität 183; 1200;
1256, 1
Banause 384, 2
banausenhaft 341, 3;
385, 2

Banausenhaftigkeit 1662
Band 336, 1; 569;
800, 4; 1291, 6;
1718, 1; 1784, 2
Bandaufnahme 126, 1;
1187, 2
Bandbreite 1826, 1
Bändchen 1291, 6
Bande 800, 5
Bande, über die 1124, 2
Banden, in 1651, 3
Bandenchef 671, 2
Bandenführer 671, 2
Banderole 529, 4;
1784, 2
bändigen 1951, 2
bändigen, sich 228
Bändiger 1035, 2
Bandit 1429, 1
Bandleader 1047, 2
bange 64, 1
Bange machen 398, 1
bangen 63, 1
Bangen 62, 1
bangend 64, 1
Bangigkeit 62, 2
bänglich 64, 1
Bänglichkeit 62, 3
Bank 184; 1470, 2
Bänkelsang 739, 2
Bänkelsänger 1363, 1
Banker 741
Bankett 1080, 10
Bankhaus 184, 2
Banknote 712, 1
Bankomat 921, 2
Bankräuber 1725, 2
bankrott 534, 2
Bankrott 185; 1116;
1940, 1
Bankrott machen
1939, 11
Bankschalter 921, 2
Bann 1333; 1720, 1
Bann, im 895, 1
bannen 305, 1; 894, 1
bannen, aus dem Be-
wusstsein 1733, 2
bannen, Gefahr 492, 4
bannend 1335
Banner 1933, 4
Bannkreis 685, 1
Bannspruch 1932, 2
bar 161, 1; 1365, 2;
1663, 3

Bar 681, *1*
Baracke 824, *1*
Barbar 186
Barbarei 335
barbarisch 334
Barbarisierung 1348, *6*
bärbeißig 1005, *2*
Barbier 661
barbieren 1249, *5*
barbusig 1154, *2*
Barde 1363, *1*
Bärendienst 902, *2*
Bärenhäuter 595
Bärenhunger 1761, *1*
Barett 971
barfuß 1154, *2*
barfüßig 1154, *2*
Bargeld 712, *1*
bargeldlos 1124, *4*
Bariton 1363, *1*
Barkasse 579, *6*
Barke 579, *6*
barmherzig 1643
Barmherzigkeit 784, *1*
Barmusiker 1134, *2*
barock 992, *1*; 1254, *3*
Barras 1111, *2*
Barriere 858, *4*; 1419
Barrikade 211, *4*
barsch 31, *1*, 370, *2*,
    1005, *2*; 1373, *4*;
    1535, *1*; 1661, *1*
Barschaft 271, *3*
Barschheit 643, *3*;
    1536, *2*
Bart 187
Bärtchen 187
bärtig 1307, *2*
Bartscherer 661
Barvermögen 271, *3*
Barzahlung 1930, *4*
Basar 1086, *1*
basieren 1507, *1*
basieren auf 9, *3*
Basis 796, *1*; 796, *2*;
    810, *2*; 1232, *3*;
    1301, *2*
basisdemokratisch 369
Baskenmütze 971
bass 1452, *1*
Bass 1363, *1*
Bassin 760, *3*
Bassist 1134, *2*
Basso continuo 1904
basta 476; 728

Bastard 871
bastardieren 1112, *3*
Bastardierung 1950, *3*
Bastei 211, *4*
Bastelarbeit 813, *2*
basteln 188
Bastion 211, *4*
Batterie 1295, *1*
Batzen 951, *1*
Batzenware 5, *2*
Bau 159; 563, *3*; 632, *1*;
    692, *2*; 779; 824, *1*;
    965, *1*; 1538
Bau, im 53, *2*
Bau, vom 516, *1*;
    572, *2*
Bauart 1517, *2*
Bauch 673, *2*
bauchfrei 1154, *2*
bauchig 381, *4*
bauchpinseln 1401
Bauchpinsler 1402, *1*
Bauchredner 111, *2*
Baude 824, *1*
Bauelement 192, *1*;
    350, *2*
bauen 179, *1*; 560, *4*
bauen auf 555, *1*;
    1543, *2*; 1799, *1*
bauen, goldene Brücken
    489, *1*
bauen, Luftschlösser
    430, *2*; 1590, *2*
bauen, Türken 1848
Bauer 189; 1272, *1*
bäuerisch 376, *3*
bäuerlich 376, *3*
Bauernfänger 294, *2*
Bauernfängerei 292
Bauernhof 190
Bauernopfer 1219, *1*
bauernschlau 1396, *1*
baufällig 44, *3*; 992, *3*
Baugrund 795
Bauherr 191
Bauland 795
Baulichkeit 824, *1*
Baumaschinen 579, *5*
Baumaterial 1521, *2*
baumbestanden 1869
Baumeister 191
baumeln 1443, *2*
baumeln lassen, Seele
    1356, *1*
baumelnd 1065, *4*

Baumgarten 680
baumlos 913, *2*
Baumschule 680; 1868
baumstark 981, *1*
Baumwolle 1521, *3*
Bauplan 779; 1258, *2*
Bauplaner 191
Bauplatz 795
Bausch und Bogen, in
    41; 453; 679, *2*
bauschig 587, *1*
Bauschutt 5, *1*
Baustein 192, *1*
Baustil 1517, *2*
Baustoff 1521, *2*
Bauteil 192; 463, *3*
Bauträger 191
Bauweise 632, *1*; 1538
Bauwerk 824, *1*
Bazillen 985
beabsichtigen 1259, *1*;
    1922, *1*
beabsichtigt 16
beachten 193; 441, *3*
beachten, nicht 492, *1*;
    1409, *5*
beachtenswert 892, *2*;
    1899, *2*
beachtet werden 118
beachtlich 892, *2*;
    1452, *1*; 1498; 1732,
    1899, *2*
Beachtung 35
beackern 198, *3*
Beamtenschaft 230
Beamter 194
beängstigen 129, *2*
beängstigend 690, *1*;
    1420, *1*
Beängstigung 399, *1*
beanspruchen 92, *1*;
    195; 217, *1*; 237, *2*
beanspruchen können
    88, *2*; 195, *1*; 1730, *2*
beansprucht 1556, *4*
beanstanden 196;
    1553, *1*
Beanstandung 989, *2*
beantragen 197
beantworten 557, *1*
Beantwortung 558, *1*
bearbeiten 198; 208;
    274, *3*; 1626, *1*;
    1713, *3*; 1715, *1*;
    1895, *1*

Bearbeitung 225, 2;
 1897, 5
Beatgeneration 1545, 2
Beatnik 169
Beatniks 1545, 2
Beau 1414, 2
beaufsichtigen 128, 2;
 873
Beaufsichtigung 133, 1
beauftragen 280, 1;
 1621, 1
beauftragt 252, 2
Beauftragung 136, 3;
 1353, 1
Beautée 1414, 2
bebauen 198, 3; 560, 5
Bebauung 563, 4
beben 63, 1; 597, 1;
 1946, 1
Beben 1165, 1; 1525
bebend 64, 1; 548, 1
bebildern 199
bebildert 591, 2
Bebilderung 308, 4
bechern 1600, 2
Becken 223; 760, 3
Beckmesser 990, 2;
 1239, 1
Beckmesserei 989, 4
bedacht 890, 2; 1260, 1;
 1475, 2; 1845, 2
Bedacht 1474, 2
bedacht, auf Gewinn
 959
Bedacht, mit 16; 1475, 1
bedacht, nur auf den ei-
 genen Vorteil 1456
bedächtig 1015, 1;
 1357, 2; 1772, 1;
 1845, 1
bedachtsam 1357, 2;
 1475, 1; 1845, 1
Bedachtsamkeit 1474, 2
bedanken, sich 357, 1
Bedarf 1147; 1722, 1
Bedarf haben 327
Bedarf, bei 205
Bedarfsanalyse 1087
Bedarfsforschung 1087
Bedarfslenkung 1897, 5
Bedarfsweckung 1897, 5
bedauerlich 1043;
 1659, 3
bedauerlicherweise 1043
bedauern 256; 501, 1

Bedauern 1341
Bedauern, zu jmds.
 1043
bedauernswert 1659, 3
bedecken 200; 1430, 1
bedecken, sich mit Wol-
 ken 409, 2
bedeckt 407, 2
Bedeckung 1461, 2
bedenken 193, 2; 371, 2
Bedenken 1473; 1974, 1
bedenken mit 683, 2
Bedenken, ohne 87
bedenken, sich 1947
bedenkenlos 1037, 1
Bedenkenlosigkeit 991
bedenklich 545, 4;
 690, 5; 1243, 2;
 1397, 4; 1975, 1
Bedenklichkeit 62, 3;
 1974, 1
Bedenkzeit 1821, 3
bedeuten 201; 861, 1
bedeuten haben, zu
 201, 1
bedeutend 262, 2;
 791, 2; 791, 4; 1899, 2
bedeutsam 600, 1;
 892, 2; 1145, 1;
 1468, 2; 1899, 2
Bedeutsamkeit 202, 3;
 1144
Bedeutung 202; 716, 1;
 792, 2; 1548; 1898, 1
Bedeutung haben 201, 1
Bedeutungsfeld 202, 4
bedeutungsgleich 771, 4
bedeutungslos 1028, 3;
 1639
Bedeutungslosigkeit
 951, 1
bedeutungsvoll 310, 2;
 892, 2; 1054, 2;
 1145, 2; 1899, 2
bedichten 420, 1
bedienen 203; 274, 3
bedienen, sich 246
bediensten 89, 1
Bedienstete 826, 1
Bediensteter 103
Bedienung 204; 225, 1
Bedienungsanleitung
 96, 2
bedingen 1832
bedingt 205; 1336

bedingt durch 49; 1888
bedingt sein durch 9, 3
Bedingtheit 206
Bedingung 207; 454, 3;
 859, 3; 1192, 1; 1833
Bedingung machen, zur
 195, 1
Bedingungen 1010, 3
bedingungslos 1300;
 1640, 1
bedrängen 198, 5;
 315, 1; 391, 4; 851, 1;
 1081, 1; 1242, 1;
 1522, 1; 1740, 1
Bedrängnis 481, 1;
 1190, 2; 1763, 1
Bedrängnis, in 401;
 856, 2
bedrängt 480, 1
Bedrängung 1972, 1
bedrohen 398, 2
bedrohend 1293, 3
bedrohlich 545, 4;
 690, 1; 1293, 3
bedroht 690, 4
Bedrohung 399, 1
bedrucken 931, 4;
 1137, 1
bedrücken 237, 5; 496;
 1404, 2
bedrückend 406, 2;
 1293, 3
bedrückt 1182, 1;
 1659, 1
Bedrücktheit 1118
Bedrückung 1020, 2;
 1972, 1
bedürfen 327
Bedürfnis 1147
bedürfnislos 83, 1
bedürftig 107, 1
Bedürftigkeit 1190, 1
beduseln, sich 284, 3
beduselt 250, 1
beehren 282, 1; 420, 1
beeiden 1786, 2
beeidet 1213, 1
beeilen, sich 428, 2
beeindruckbar 467, 3
beeindrucken 884;
 1910, 2
beeindruckend 885
beeindruckt 548, 2
beeinflussbar 467, 3;
 1890, 2

Beeinflussbarkeit
1699, 3
beeinflussen 198, 5;
208; 541, 1
beeinflussen, negativ
1728, 5
beeinflusst 548, 2
Beeinflussung 436, 1;
1897, 5
beeinträchtigen 496;
1114, 1; 1369, 1; 1434;
1723, 3
beeinträchtigt 265, 2
beeinträchtigt werden
1369, 4
Beeinträchtigung 858, 5;
1115
Beelzebub 1574
beenden 475, 1; 1828
beendet 610, 1
beendigen 475, 1; 533, 1
Beendigung 535, 1;
1400, 1
beengen 237, 5; 402, 2;
857, 2
beengt 480, 1; 954, 2
Beengtheit 481, 1
Beengung 481, 2
beerben 514
beerdigen 122, 3; 233, 1
Beerdigung 234, 1
befähigen 538, 2;
1834, 3
befähigt 576, 1; 890, 1
Befähigung 577
Befähigungsnachweis
470
befahrbar 1207, 1
befahren 246
befallen 530
befallen sein von 1040, 3
befallen von 1042, 1
befangen 64, 2; 455, 1;
1570; 1656; 1762, 1
Befangenheit 481, 5;
1763, 2; 1853
befassen mit, sich 80, 1;
266, 2
befassen, sich 102, 1
befehden 918, 3; 1534, 1
Befehl 136, 3; **209**
befehlen 848, 1
befehlend 479; 1373, 4
befehligen 848, 1
Befehlsgewalt 209, 1

befehlsgewohnt 705
Befehlston, im 479
befeinden 918, 3
befestigen 210
Befestigung 211
Befestigungsanlage
211, 4
Befestigungswerk
211, 4
befeuchten 616, 1
befeuern 75, 2; 219, 1
befinden 72, 1; 1701, 2
Befinden 1966
befinden über 1701, 1
befinden, sich 212;
1507, 1
Befindlichkeit 1966
befingern 263, 1
beflaggen 139, 2;
1292, 1
beflecken 1808
befleckt 1408
befleißigen, sich 92, 2
beflissen 254, 1; 423;
491; 705
Beflissenheit 255; 422, 1
beflügeln 75, 2; 219, 1
beflügelnd 76, 3
beflügelt 781, 1; 835, 1
befolgen 193, 2; 441, 3;
704, 1
befördern 300, 3;
1388, 2; 1588, 1;
1715, 2
Beförderung 135, 1;
302, 2; 1589, 1
befrachten 237, 1; 674, 2
befragen 639, 2; 1284, 1
Befragung 638, 1;
1285, 1; 1631
befreien 213; 837, 4
befreien, sich 213
befreiend 757, 4; 1606
befreit 644, 5
Befreiung 532, 3; 645, 2
befremden 1620, 1
Befremden 552
befremdend 273, 2; 553
befremdet 1504, 3
befremdlich 119, 2;
273, 2; 553; 648, 1;
1417, 5
Befremdung 552
befreunden, sich 1157, 4;
1717, 1

befreundet 654, 3;
1727, 1; 1802, 1
befreundet sein mit
928, 1
befrieden 261, 1
befriedigen 214; 221, 1;
729, 1
befriedigen, sich 214
befriedigen, sich selbst
214, 2
befriedigend 57, 2; 728;
781, 3; 1945
befriedigt 1364, 2
Befriedigung 1953
Befriedigung, innere
780, 2
Befriedung 150, 4;
656, 1; 1092, 2
befristen 1541; 1735
befruchten 560, 2
befugen 531, 2
Befugnis 82, 1; 532, 2;
1318, 1; 1968, 1
befugt 252, 2; 1967, 2
befugt sein 963, 2
befühlen 263, 1
Befund 615, 1; 1700, 1
befürchten 63, 2; 555, 3
Befürchtung 62, 2;
1473; 1974, 2
befürworten 215;
298, 1; 469, 1; 1768, 1
Befürwortung 470
begaben 1450, 2
begabt 576, 1; 890, 1
Begabung 577; 677, 4;
784, 2
Begabung, besondere
1501, 5
Begabung, technische
743, 1
begaffen 80, 2
begatten 560, 2
begaunern 293, 1
begeben, sich 216;
703, 1; 1819, 2
begeben, sich zur Ruhe
1392, 1
Begebenheit 580, 2;
742, 1
Begebnis 580, 2; 742, 1
begegnen 216, 2;
1592, 1
begegnen, sich 1409, 6
begegnet sein mit 928, 1

begegnet, nie 1641, *2*
Begegnung 517, *1*;
 1593, *1*
begehbar 1207, *1*
begehen 246; 703, *1*
begehen, Einbruch
 432, *1*
begehen, Fauxpas 90, *4*;
 1752, *3*
begehen, Hausfriedens-
 bruch 432, *1*
begehen, Indiskretion
 1776
begehen, Selbstmord
 1586, *5*
begehen, Suizid 1586, *5*
begehen, Verbrechen
 1749, *8*
begehen, Verrat 1776
Begehr 1761, *2*
begehren 217; 327
Begehren 1055, *2*;
 1073, *3*; 1761, *1*
begehrenswert 1335
begehrlich 218; 1074
Begehrlichkeit 1073, *1*;
 1761, *1*
begehrt 243, *2*; 678, *2*
begeifern 1764
begeistern 75, *2*; **219**;
 305, *1*; 1233, *1*;
 1334, *1*
begeistern, sich 219;
 725; 894, *2*
begeisternd 76, *3*
begeistert 250, *2*;
 548, *3*; 877, *1*
Begeisterung 549, *3*;
 1446, *2*
begeisterungsfähig
 467, *1*
Begeisterungsfähigkeit
 468, *2*
Begierde 1073, *3*
begierig 218, *1*; 1074
begießen 616, *1*
Begine 1189
Beginn 51, *1*
Beginn, zu 53, *1*
beginnen 52, *1*; 435, *3*;
 506, *1*; 547, *1*; 1684, *1*
beginnen, Schlägerei
 1394, *2*
beginnen, wieder
 1903, *2*

beglänzen 241, *1*
beglaubigen 278, *1*;
 531, *2*; 1786, *2*
beglaubigt 252, *2*;
 1460, *4*
Beglaubigung 279, *2*;
 1941, *1*
begleichen 151, *2*;
 304, *1*; 304, *4*
begleichen, Rechnung
 1750, *1*
Begleichung 150, *2*;
 1930, *1*
begleiten 220; 1486, *3*
Begleiter 66, *2*; 652;
 838, *1*
Begleiter, ständiger 714
Begleiterin 653
Begleiterin, ständige 713
Begleiterscheinung
 520, *6*
Begleitwort 520, *2*
beglücken 221; 651, *1*;
 1450, *2*
beglücken mit 683, *2*
beglückend 781, *3*
beglückt 781, *1*
Beglücktheit 780, *2*
Beglückung 650, *2*;
 780, *2*
beglückwünschen
 1563, *4*
begnaden 1450, *2*
begnadet 576, *1*
begnadigen 501, *2*
Begnadigung 784, *1*
Begnadung 724, *2*;
 784, *2*
begnügen, sich 1478, *4*
begönnern 298, *1*;
 1788, *2*
begossen 1162, *4*
begraben 233, *1*;
 1755, *1*
begraben sein 233, *2*
begraben, Hoffnungen
 1822, *1*
begraben, Kriegsbeil
 261, *3*
Begräbnis 234, *1*
Begräbnisstätte 657
begradigen 151, *1*;
 1226, *3*
Begradigung 150, *1*
begrapschen 263, *1*

begreifen 1793, *2*
begreifen, kaum zu
 1441, *2*
begreiflich 433, *1*;
 1790, *1*; 1790, *3*
begreiflich machen
 1768, *3*
begreiflicherweise
 1790, *3*
begrenzen 857, *1*;
 1632, *4*; 1708, *1*; 1735
begrenzt 205; 480, *1*;
 480, *2*; 1655, *2*; 1745;
 1852, *3*
Begrenztheit 1746, *1*
Begrenzung 454, *1*;
 1092, *2*
Begriff 147, *1*; **222**;
 878, *1*; 1847, *2*
Begriff haben, hohen
 1375, *1*
Begriff machen, sich ei-
 nen 1846, *2*
Begriff sein, im 52, *3*
Begriff, im 254, *3*
Begriff, schwer von
 403, *1*
begriffen, im Steigen
 1958
begrifflich 879; 1772, *3*
Begriffsbildung 529, *3*
begriffsklauberisch
 1241, *2*
begriffsstutzig 403, *1*
Begriffsstutzigkeit
 404, *1*
Begriffsvermögen
 1789, *1*
begründen 52, *3*; 501, *3*;
 528, *4*; 1832
Begründer 1704, *3*
Begründerin 1140, *3*
begründet 1460, *4*
begründet, wohl 1395
Begründung 51, *2*;
 502, *1*; 794, *2*; 1316, *2*
begrüßen 215; 466, *2*;
 691, *1*; 802, *1*
begrüßt, freudig 1907
Begrüßung 126, *3*;
 465, *2*; 801, *1*
begucken 80, *1*
begünstigen 179, *2*;
 298, *1*; 489, *1*
begünstigt 781, *2*

begünstigt, vom Glück
781, 2

Begünstigter 782

Begünstigung 854, 1;
1857, 1

begutachten 276, 2;
977, 2; 1375, 2;
1701, 1

Begutachter 911, 2

Begutachtung 1285, 2;
1700, 1

begütert 1327, 1

begütigen 261, 1

Begütigung 1092, 2

behaart 1307, 2

behaftet mit 1042, 1

behaftet sein mit 1040, 3

behagen 503, 1; 651, 1;
691, 1

Behagen 650, 2; 730, 1;
1953

behaglich 719; 1871, 1

Behaglichkeit 249, 1

behalten 123, 1; 526, 2;
811, 2

behalten sein, leicht zu
447, 3

behalten, für sich
1438, 2; 1714, 1

behalten, im Auge
128, 2; 193, 1; 247, 1

behalten, nicht 1752, 1

Behälter 225; 1379, 3

Behältnis 223

behämmert 403, 1;
1777, 1

behänd 890, 1

behände 423; 1036, 5;
1410, 1

behandeln 198, 1; **224**;
276, 2

behandeln können
1793, 6

behandeln, gesondert
166, 3

behandeln, pfleglich
1249, 1; 1413, 1

behandeln, schändlich
1114, 2

behandeln, schlecht
1242, 1

behandeln, schwer zu
1441, 3

behandeln, sorgsam
1413, 1

behandeln, ungerecht
1114, 1

behandeln, von oben
herab 1114, 1

behandeln, wie Luft
1409, 5

Behandlung 204, 2;
225

Behandlungsbedürftiger
1238

Behang 870, 3

behängen 200; 1622, 5

beharren 1786, 1

beharren auf 226, 1;
1922, 2

beharrlich 144; 1928, 1;
1971, 2

Beharrlichkeit 613, 3

Beharrungsvermögen
613, 3

behauen 756

behaupten 226

behaupten, böswillig
1764

behaupten, Feld 226, 2;
411, 5

behaupten, Gegenteil
557, 2

behaupten, sich 226

Behauptung 798, 2;
1100, 4; 1787, 1

behaust 227, 2

Behausung 1919, 1

beheben 22, 4; 123, 4;
484, 4

beheben, Schäden
543, 1

beheimatet 227

Behelf 550, 1

behelfen, sich 448, 2;
1478, 4

behelfsweise 1852, 2

behelligen 1522, 1

behelligen, jmdn. 391, 5

Behelligung 843, 1;
1524

Behemoth 1574

beherbergen 127, 1

beherrschen 848, 1;
963, 1; 1679, 4;
1793, 4; 1916

beherrschen, sich 228;
1679, 3

beherrschend 670, 2;
1077, 1

beherrscht 1091, 1;
1357, 3

Beherrschtheit 229, 1

Beherrschung 229; 611;
1089, 1; 1092, 1;
1612, 3

beherzigen 193, 2;
1049, 4; 1793, 5

beherzigenswert 149, 2

beherzt 920; 1139, 1

Beherztheit 1138

behexen 305, 1

behilflich sein 837, 2

behindern 857, 2

behindert 265, 2

Behinderung 858, 5;
1524

Behörde 230

behördlich 751, 1;
1213, 1

behumpsen 293, 1

behüten 1430, 1;
1788, 2

behüten vor 1413, 2

behütet 1460, 3

behutsam 1109, 1;
1357, 2; 1475, 1;
1845, 1; 1931, 2

Behutsamkeit 1351,
1474, 2

bei 69, 1

bei sich haben 1588, 1

beibehalten 1740, 2

beibiegen 1208, 2;
1729, 2

Beiboot 579, 6

beibringen 274, 1;
274, 1; 447, 1; 861, 1;
1034, 1; 1208, 2;
1729, 2

beibringen, Flötentöne
1729, 2

beibringen, Verluste
1369, 1

Beichte 1209, 2

beichten 1208, 3

beiderseits 696

beidhändig 390

beidrehen 395, 6

beidseitig 390

beieinander 1962

beieinander, eng 1155, 2

beieinander, gut 757, 1

Beifall 231; 518, 3;
532, 1; 989, 3; 1062, 1

Beifall, nicht enden wol-
    lender 231
Beifall, tosender 231
beifallen 435, 1
beifällig 1970
Beifallklatschen 231
Beifallsbekundung 231
Beifallssturm 231
beifallswürdig 1732
beifolgend 48
beifügen 519, 2; 1112, 2
Beifügung 520, 3
Beigabe 1113, 2
beigeben 519, 2; 683, 2;
    1112, 2
beigeben, Bilder 199
beigeben, klein 489, 2;
    704, 2
beigefügt 48
beigepackt 48
beigeschlossen 48
Beigeschmack 232
beigesellen, sich 631, 1
beihelfen 837, 3
Beihilfe 520, 3; 854, 1
Beiklang 232
beikommen lassen, sich
    371, 2
Beilager 1055, 3
beiläufig 1167, 1; 1639
Beiläufigkeit 951, 1
beilegen 261, 1; 519, 2;
    1771, 1
beilegen, Gewicht 217, 1
beilegen, zu viel Gewicht
    1622, 1
Beilegung 1753, 3
beileibe 1911, 1
beiliegen 519, 5
beiliegend 48
beimengen 1112, 2
beimessen, Wert 217, 1
beimischen 1112, 2
Beimischung 1113, 2
Bein 778, 1
Bein, kein 1188
beinahe 1654, 1
Beinbruch, kein 772, 5
Beine machen 391, 2
Beinen sein, unsicher auf
    den 1435, 1
Beinen sein, wieder auf
    den 723, 1
Beinen, unsicher auf den
    1673, 4

beinhalten 201, 1;
    224, 3; 493
beinhart 820, 3
Beipack 520, 3
beipacken 519, 2
Beipackzettel 96, 2
beipflichten 1969, 2
beipflichtend 1970
Beirat 911, 1; 1304, 2
beirren 293, 1; 1815, 2
beisammen 1962
Beisammensein 749, 2;
    1593, 1
Beischlaf 1055, 3
beischlafen 1056, 3
beischließen 519, 2
Beisein, im 699, 3
beiseite tun 17, 1
beisetzen 233
Beisetzung 234
Beispiel 235; 874, 1;
    1136, 2
beispielgebend 149, 2
beispielhaft 149, 2;
    1829, 1
Beispielhaftigkeit 1830
beispiellos 149, 2; 163, 1
beispringen 489, 1;
    494, 1; 837, 1;
    1430, 3; 1805, 1
beißen 330, 3; 907, 1;
    1242, 3; 1404, 1
beißen haben, nichts zu
    872, 1
beißen, auf Granit
    1383, 6
beißen, in den sauren Ap-
    fel 1135
beißen, ins Gras 1512, 2
beißend 844, 2; 891, 1;
    1293, 1; 1373, 3;
    1492, 1
Beißhemmung 1763, 2
Beistand 838, 1; 854, 1;
    1562, 1
beistehen 224, 2; 837, 1
Beistelltisch 1580
beisteuern 683, 2; 837, 3
beistimmen 1969, 2
Beitrag 7; 8, 1; 164, 1;
    854, 1
beitragen 837, 3
beitreiben 458, 1
beitreten 1229, 3;
    1717, 3

Beitrittskandidat 95, 2
Beiwagen 66, 1
Beiwerk 168, 3; 951, 1
beiwohnen 1563, 2
Beize 1476
beizeiten 1290, 1
beizen 330, 3; 522, 2;
    590, 2
bejahen 278, 2; 1969, 2
bejahend 803, 2; 1224;
    1970
bejahrt 44, 1
Bejahrtheit 45, 1
Bejahung 279, 5
bejammern 944, 4
bejammernswert
    1659, 3
bejubeln 420, 1; 948, 2
bejubelt 58; 243, 1
bekämpfen 557, 2;
    857, 1; 918, 3
bekannt 243, 2; 262, 1;
    299; 678, 1; 1802, 2
bekannt machen
    1120, 3; 1773, 2;
    1846, 1
bekannt sein mit 928, 1
bekannt werden 411, 3;
    506, 5; 958, 3
bekannt, wohl 262, 1;
    968, 1; 1802, 1
Bekannte 713
Bekannter 714
Bekanntgabe 1122
Bekanntheit 716, 3;
    1212, 3
bekanntlich 1460, 4
Bekanntmachung 97, 1;
    860, 1; 1847, 1
Bekanntschaft gemacht
    haben 928, 1
bekehren 1626, 1
Bekehrung 445, 1
bekennen 1208, 3
bekennen, Farbe
    1507, 5
bekennen, sich schuldig
    256; 1425, 3
bekennend 663
Bekenner 876, 1; 932
Bekenntnis 1209, 2;
    1337, 1
bekifft 250, 2
beklagen 256; 944, 1
beklagen, sich 196

beklagen, sich über
944, 3
beklagenswert 107, 2;
1659, 3
Beklagter 56
beklatschen 948, 2
bekleckern 1808
bekleiden 98, 1; 200;
676, 2
Bekleidung 949, 1
beklemmend 406, 2;
480, 1; 1293, 3
Beklemmung 62, 2;
481, 2; 1118; 1473
beklommen 64, 1;
480, 1
beklommen sein 63, 2
Beklommenheit 62, 2;
481, 2; 1118; 1473
beklopfen 263, 1
bekloppt 1777, 1
beknackt 1777, 1
beknirschen, sich
1534, 2
bekommen 236; 466, 1;
522, 1; 1730, 1
bekommen, bezahlt
1730, 1
bekommen, Entschädi-
gung 497, 3
bekommen, erzählt
868, 1
bekommen, Gänsehaut
659, 1
bekommen, geschenkt
236, 1; 522, 1
bekommen, geschickt
522, 1
bekommen, in den fal-
schen Hals 1959, 1
bekommen, in die falsche
Kehle 322, 2
bekommen, Junge
682, 2
bekommen, Kind 682, 1
bekommen, Korb
1383, 5
bekommen, Lust 894, 2
bekommen, satt 1039, 1
bekommen, Schrecken
63, 1
bekommen, sich in die
Hand 228
bekommen, Wind
1771, 2

bekommen, zu spüren
515, 2
bekommen, Zuschlag
236, 1
bekömmlich 757, 3;
1036, 3; 1109, 3
beköstigen 50, 3
bekräftigen 210, 3;
278, 5; 543, 4; 1786, 1
Bekräftigung 279, 3;
1100, 4; 1503, 3
bekränzen 1292, 1;
1632, 1
bekriegen 918, 3;
1534, 1
bekritzeln 270, 3; 1808
bekümmern 1242, 2;
1369, 2
bekümmern, sich
1788, 2
Bekümmernis 1473
bekümmert 64, 1;
1659, 1
Bekümmertheit 1591
bekunden 162, 3;
1120, 2; 1934, 3
bekunden, Dank 357, 1
bekunden, Mitgefühl
1563, 3
Bekundung 164, 3
Bel Ami 1742, 1
belächeln 1491, 1
beladen 237, 1; 1182, 1
Belag 618, 1; 1387, 1
belagern 857, 4
Belagerung 858, 3
belämmert 403, 1
Belang 202, 2
Belang sein, von 201, 2
Belange 580, 2
belangen 944, 1
belanglos 950, 2;
1017, 2; 1639
Belanglosigkeit 951, 1
belangvoll 1899, 2
belassen 1019, 2
belastbar 981, 1
Belastbarkeit 810, 1;
1501, 2
belasten 195, 3; **237**;
402, 1; 1855
belastend 1021, 1;
1293, 3; 1440, 2
belastend, nicht 757, 3
belastet 1182, 1; 1426, 2

belästigen 1242, 1;
1334, 3; 1522, 1
belästigen, jmdn. 391, 5
Belästigung 843, 1; 1524
Belästigung, sexuelle
1458
Belästigungen 105, 3
Belastung 105, 3;
1020, 1; 1250; 1424, 2
Belastungen 978, 1
Belastungsprobe 1285, 3
belaubt 1869
belaubt, dicht 1869
belauern 247, 2
belaufen, sich auf 977, 1
belauschen 247, 2;
868, 2
beleben 75, 2; 75, 3;
411, 4; 541, 2
beleben, neu 543, 4
beleben, wieder 543, 5
belebend 76, 1; 1606
belebt 1026, 1; 1228, 1,
1827, 3
belebt, neu 1177, 4
Belebung 77, 2; 525, 1;
1503, 1
Beleg 235; 279, 2;
1296, 3; 1497, 2
belegen 167, 3; 614, 2;
1339; 1934, 4
belegen bei 1049, 2
belegen, mit Beschlag
195, 2
belegen, mit einer Strafe
1809, 1
belegen, mit Granaten
60, 2
belegt 406, 5; 1307, 3;
1827, 2; 1863
belegt, nicht 1673, 1
Belehnung 986
belehren 946, 5; 1034, 1
belehren, eines Besseren
946, 5; 1626, 1
belehrend 238
Belehrung 96, 1;
1033, 1; 1304, 1
beleibt 381, 1
Beleibtheit 673, 2
beleidigen 841, 1;
1242, 2
beleidigend 239;
1244, 5
beleidigt 322, 2

beleidigt, leicht 471, *3*
Beleidigung 240; 1765
beleihen 321, *1*; 321, *2*
Beleihung 358; 986
belesen 929; 996, *2*
beleuchten 241; 528, *3*
beleuchtend 238, *1*
beleuchtet 839, *4*
Beleuchtung 361, *1*
Beleuchtung, helle
  1052, *1*
Beleuchtungskörper
  1012, *1*
beleumdet, übel 91, *5*
beleumundet, übel
  1975, *3*
belfern 244, *1*
belichten 241, *1*
belieben 503, *1*; 691, *1*
Belieben 1761, *2*;
  1861, *1*
Belieben, nach 242
belieben, wie 314, *2*
beliebig 242; 1908, *1*;
  1952, *2*
Beliebigkeit 991
beliebt 243; 678, *2*
beliebt, wie es 242
Beliebtheit 716, *3*
beliefern 203, *2*;
  1388, *3*; 1788, *4*
bellen 244; 1391, *2*
Bellen 734, *4*
Belletristik 1061
Bello 871
belobigen 1063, *1*
Belobigung 1062, *2*
belohnen 497, *1*; 1750, *3*
Belohnung 498, *1*;
  677, *2*
belüften 1069
Belüftung 1068, *2*
belügen 1072
belustigen 75, *4*; 1681, *2*
belustigen, sich 602, *2*;
  651, *1*
belustigen, sich über
  1491, *1*
belustigend 76, *2*; 835, *2*
belustigt 835, *3*
Belustigung 650, *1*;
  1683, *2*
bemächtigen, sich
  1168, *3*; 1233, *3*
bemäkeln 196

bemalen 590, *3*; 1137, *1*
bemalt 591, *2*
Bemalung 589, *1*
bemängeln 196; 1553, *1*
Bemängelung 989, *2*
bemannen 167, *3*
Bemannung 800, *9*
bemänteln 268
Bemäntelung 269
bemeistern 963, *1*
bemeistern, sich 228
bemerkbar 378, *1*; 1498
bemerkbar machen, sich
  958, *1*
bemerken 162, *1*;
  668, *1*; 1451; 1866, *1*
bemerken, am Rande
  162, *1*
bemerken, nicht 492, *1*
bemerkenswert 163, *1*;
  273, *2*; 553; 892, *2*;
  1899, *2*
bemerkt werden 118
bemerkt werden, nicht
  1236, *2*
bemerkt, nebenbei
  1167, *1*
Bemerkung 164, *2*;
  860, *2*; 1490, *3*
Bemerkung, witzige
  1683, *4*
bemessen 251, *1*; 614, *3*;
  1561, *2*; 1701, *2*
Bemessung 1295, *2*
bemitleiden 1563, *3*
bemitleidenswert
  1659, *3*
bemittelt 1327, *1*
bemogeln 293, *1*
bemoost 44, *2*
bemühen 195, *3*; **245**
bemühen, sich 245
bemühen, sich um 303
bemüht 423
bemustern 1137, *1*
bemuttern 1249, *1*;
  1788, *2*
benachbart 1155, *2*
benachrichtigen 280, *4*;
  1120, *1*
Benachrichtigung 332;
  1122
benachteiligen 293, *1*;
  1114, *1*; 1369, *1*
benachteiligend 388

benachteiligt werden
  1369, *4*
Benachteiligter 1219, *2*
Benachteiligung 389, *1*;
  858, *5*; 1115; 1368, *2*
benamsen 931, *5*;
  1174, *1*
benebelt 250, *1*
Benediktion 1449, *1*
Benehmen 85, *1*;
  1758, *1*
benehmen, sich 1757, *1*
beneiden 1170
beneidenswert 781, *2*
benennen 162, *2*; 931, *5*;
  1174, *1*
Benennung 147, *1*;
  930, *2*
benetzen 616, *1*
benetzt 1162, *4*
Bengel 910, *2*; 1272, *1*
benigne 1109, *4*
Benimm 1758, *2*
Benjamin 910, *1*
benommen 406, *4*;
  1914, *2*
benoten 1701, *1*
benötigen 327; 598, *2*
benutzbar 1973, *1*
benutzen 246; 327
benutzerfreundlich
  1973, *1*
benutzt werden 382, *2*
Benutzung 154, *1*
Benutzungsvorschrift
  96, *2*
Benzin 478, *2*
Benziner 579, *2*
beobachten 128, *2*; **247**;
  1451; 1866, *1*
Beobachter 248
Beobachtung 133, *1*;
  517, *1*; 1867, *1*
Beobachtungsgabe
  468, *1*; 1789, *2*
beordern 72, *1*; 280, *3*
bepacken 237, *1*; 674, *2*
bepackt 1182, *1*
bepflanzen 198, *3*
Bepflanzung 563, *4*
bepflastern 200
bequatschen 1626, *1*
bequem 57, *1*; 633, *3*;
  719; 1036, *2*; 1150, *2*;
  1489, *2*; 1675, *1*

bequem machen, es sich
1184, *2*; 1356, *1*

bequemen, sich 489, *1*;
531, *4*

Bequemlichkeit 249;
1151; 1676, *1*

berappeln, sich 524, *2*

berappen 304, *3*

beraten 276, *1*; 837, *2*;
1305, *1*

beraten, sich 276, *3*

Berater 838, *1*

Beraterstab 800, *2*

beratschlagen 276, *1*

Beratschlagung 277, *1*

Beratung 277, *1*; 854, *1*;
1304, *3*

berauben 1168, *3*

beraubt 1432, *5*

beraubt, der Freiheit
1651, *2*

berauschen 219, *1*;
305, *1*

berauschen, sich
284, *3*

berauschend 285, *1*;
1335

berauschend, nicht
1091, *2*

berauscht 250; 286;
548, *5*

Berauschtheit 1310, *1*

berechenbar 945, *4*

berechnen 237, *4*; **251**;
371, *2*; 1929, *1*

berechnend 808; 1456

berechnet 1260, *1*;
1554, *1*

Berechnung 556, *2*;
743, *2*; 1321

berechtigen 531, *2*

berechtigt 252; 312, *2*;
751, *4*; 1967, *2*

berechtigt sein 963, *2*

Berechtigung 82, *1*;
532, *2*; 1318, *1*;
1968, *1*

bereden 208; 276, *1*;
541, *1*; 1626, *1*

beredsam 253, *1*

Beredsamkeit 1493, *3*

beredt 253

Beredtheit 1493, *3*

Beredung 277, *1*

Bereich 685, *1*; 1977, *2*

Bereich des Möglichen,
im 1128, *3*

Bereich, persönlicher
824, *2*

bereichern 1715, *2*

bereichern, sich 761, *1*

Bereicherung 511, *2*;
1716, *2*

bereift 914, *1*

bereinigen 151, *4*;
261, *1*; 304, *4*; 946, *1*;
1768, *1*

Bereinigung 150, *4*

bereit 254; 610, *2*;
1838, *1*

bereit finden, sich 531, *4*

bereit sein 489, *1*;
531, *4*; 1511, *3*

bereiten 560, *3*; 1834, *1*;
1949

bereiten, den Weg 437, *1*

bereiten, Freude 221, *1*;
1620, *1*

bereiten, Ovationen
948, *2*

bereiten, Schmerz
1369, *2*

bereiten, Unannehmlich-
keiten 106, *1*

bereithalten 1834, *1*

bereitlegen 1834, *1*

bereitmachen, sich
1834, *2*

bereits 1411

Bereitschaft 255

Bereitschaft, in 254, *2*;
610, *3*

bereitstehen 837, *1*

bereitstellen 274, *1*;
1834, *1*

Bereitstellung 1835, *1*

bereitwillig 254, *1*; 491;
654, *1*; 738, *1*

Bereitwilligkeit 255

berennen 60, *2*

bereuen 256; 1404, *2*

Berg 257; 1102, *2*

bergab 27

bergauf 138

Bergbahn 579, *4*

Bergbesteigung 135, *2*

Berge, über alle 1886, *1*

bergen 493; 1430, *1*

bergend 1475, *2*

Bergfahrt 135, *2*; 138

Berghang 5, *4*

bergig 1642, *1*

Bergkegel 257, *1*

Bergkette 257, *2*

Berglehne 5, *4*

Bergrutsch 1165, *1*

Bergseite 5, *4*

Bergung 854, *2*

Bergwanderung 135, *2*

Bericht 8, *1*; **258**; 1122;
1850

berichten 259; 1120, *1*

berichten, Vorgeschichte
1148, *2*

Berichterstatter 260

Berichterstattung
258, *1*; 1122

berichtigen 946, *5*

Berichtigung 1716, *1*

beriechen 1344, *3*

berieseln 616, *1*

Berserker 186

bersten 142, *1*; 329, *1*;
1214, *3*; 1262, *1*;
1391, *2*

Bersten, zum 1827, *2*

berüchtigt 262, *1*;
1975, *3*

berücken 305, *1*, 1741

berückend 1335

berücksichtigen 193, *2*;
1929, *2*

berücksichtigen, mit
193, *2*

Berücksichtigung 1351

Berückung 1333

Beruf 101, *2*; 120, *1*;
1027, *2*

berufen 148, *2*; 305, *2*;
1354, *3*

berufen, sich auf
1543, *2*

beruflich 572, *1*

Berufs wegen, von
572, *2*

Berufsheer 1111, *2*

Berufssoldat 1111, *1*

Berufsspieler 1488

Berufssportler 1488

berufstätig 1556, *3*

Berufung 136, *3*; 724, *2*;
1353, *1*; 1861, *3*

beruhen auf 9, *3*

beruhen lassen, auf sich
773; 1019, *2*

beruhend, auf einer Idee
879
beruhigen 261; 857, 1;
1605, 1
beruhigen, sich 261
beruhigt 1357, 3
Beruhigung 1092, 2;
1604
berühmt 262; 791, 4
Berühmtheit 202, 2;
1212, 3; 1500, 2
berühren 263; 289;
1233, 1
berühren, flüchtig
263, 4
berühren, nicht 773
berühren, sich 263, 3
berühren, unangenehm
106, 2
berühren, wunden Punkt
1242, 6
berührend, sich mit
771, 4
berührt 548, 2
berührt, peinlich 1762, 2
Berührung 966, 1
Berührungsangst 62, 3
Berührungspunkt
1718, 2
besabbern 1808
besäen 560, 5
besagen 201, 1
besaitet, zart 471, 3
besamen 560, 2
besänftigen 261, 1;
1605, 1
besänftigend 1606
Besänftigung 1092, 2
Besatz 1291, 2
Besatzer 1464, 2
Besatzung 800, 9;
1464, 2
Besatzungsmacht
1464, 2
Besäufnis 711
besäuseln, sich 284, 3
beschädigen 264
beschädigt 265; 1694, 1
Beschädigung 1368, 1
beschaffen 203, 2;
274, 1; 924, 1;
1229, 2; 1901, 3
beschaffen, Informatio-
nen 536
beschaffen, sich 761, 2

beschaffen, wohl 416, 1
Beschaffenheit 110, 1;
632, 1; 1294, 1; 1538;
1966
Beschaffenheit, natürli-
che 1164, 1
Beschaffung 275, 1
Beschaffungsnetz 854, 1
Beschaffungsstrich 1282
Beschaffungssystem
854, 1
beschäftigen 89, 1; **266**
beschäftigen mit, sich
80, 1; 102, 1; 1633, 2
beschäftigen, sich 266
beschäftigt 1556, 4
beschäftigt, viel 1556, 4
beschäftigt, voll 1556, 4
Beschäftigter im öffentlichen Dienst 194
Beschäftigung 101, 2
beschäftigungslos 104
beschämen 319, 2;
841, 1; 1242, 6
beschämend 239, 2;
1243, 1; 1637, 1
beschämt 1342; 1762, 2
Beschämung 1372, 1;
1763, 3
beschatten 247, 2;
409, 2; 1740, 1
Beschau 1285, 2
beschauen 80, 1
beschauen, sich 80, 3
beschaulich 1357, 4
Beschaulichkeit 445, 1;
1355, 2
Beschauung 1285, 2
Bescheid 164, 1; 558, 1;
1122
bescheiden 83, 1;
280, 3; 433, 3; 480, 1;
557, 1; 1091, 2
bescheiden, abschlägig
30, 2
bescheiden, sich
1478, 4; 1819, 1
Bescheidung 1818, 2
bescheinen 241, 1
bescheinigen 278, 1;
1786, 2
bescheinigt 252, 2
Bescheinigung 279, 1;
279, 2; 1941, 1
bescheißen 293, 1

beschenken 221, 3;
683, 2; 1450, 2
beschenken, reich
1816, 2
bescheren 683, 2
Bescherung 630, 3;
677, 2
bescheuert 403, 1;
1777, 1
beschicken 674, 1;
1788, 4
beschießen 60, 2
beschildern 174, 3;
931, 2; 931, 3
beschimpfen 1391, 1
Beschimpfung 240
beschirmen 873;
1430, 1
Beschirmer 838, 1
Beschirmung 1461, 2
Beschiss 292
beschissen 1397, 1
beschlabbern 1808
Beschlag 1291, 2
beschlagen 318, 2;
516, 1; 616, 3; 929;
1292, 1; 1445, 2;
1540, 2
beschlagen sein 963, 1;
1793, 4; 1916
Beschlagenheit 517, 2;
1917, 1
Beschlagnahme 267
beschlagnahmen 458, 1
beschleichen 435, 1;
1740, 1
beschleunigen 391, 3;
428, 2
Beschleunigung 427, 4
beschließen 499, 1;
1259, 1; 1735; 1735;
1828
Beschließer 133, 2
beschlossen 476;
1460, 5
Beschluss 500, 1;
1736, 1
beschmieren 270, 3;
1808
beschmutzen 1808
beschmutzt 1408
beschneiden 1007, 1;
1007, 3; 1409, 4
beschnitten 1005, 1
beschnobern 1344, 3

beschnüffeln 247, 2;
1344, 3

beschnuppern 1344, 3

beschönigen 268;
590, 5; 1072

Beschönigung 269;
1558, 4

beschranken 1462, 4

beschränken 857, 1;
1007, 3

beschränken, sich
313, 5; 1478, 4

beschränkt 403, 1;
480, 2; 954, 2;
1655, 2

beschränkt, auf eine Sei-
te 455, 2

Beschränktheit 404, 1;
481, 5

Beschränkung 207, 1;
454, 1

beschreiben 259; **270;**
359, 1; 931, 1

Beschreibung 258, 1;
361, 1

beschreiten 703, 1

beschreiten, Rechtsweg
944, 2

beschriften 528, 5;
931, 2

Beschriftung 529, 4

beschuldigen 237, 5;
944, 1; 1764; 1855

Beschuldigter 56

Beschuldigung 943, 1

beschummeln 293, 1

Beschuss 61, 1

beschützen 873; 1430, 1

beschützend 1475, 2

Beschützer 838, 1

beschützerisch 1475, 2

beschützt 1460, 3

Beschützung 1461, 2

beschwatzen 208;
1626, 1

Beschwer 1020, 2;
1190, 2

Beschwerde 943, 1;
1041, 1

Beschwerden 984, 1;
1403, 2

beschweren 237, 5;
402, 1

beschweren, sich 196;
944, 1

beschwerlich 1021, 1;
1440, 2; 1637, 1

Beschwerlichkeit
1020, 2

beschwert 1182, 1

Beschwerung 1020, 1

beschwichtigen 261, 1;
1605, 1

Beschwichtigung 150, 4;
1092, 2

beschwindeln 293, 1;
1072

beschwingen 75, 2

beschwingt 71, 2;
781, 1; 835, 1; 1036, 3

beschwipst 250, 1

beschworen 1213, 1;
1460, 4

beschwören 305, 2;
315, 1; 1081, 1;
1786, 2

beschwörend 1145, 2

Beschwörung 1082, 1;
1720, 1

Beschwörungsformel
1720, 1

beseelen 75, 2; 411, 4

beseelt 1026, 1

Beseeltheit 1025, 6

Beseelung 1025, 3

besehen 80, 1

besehen, bei Licht
722, 5

beseitigen 22, 4; 484, 1;
533, 1; 1586, 1;
1939, 2

Beseitigung 486, 2

beseligen 221, 1;
651, 1

beseligend 781, 3

beseligt 781, 1

Beseligung 780, 2

Besenwirtschaft 681, 1

besessen 829, 2;
1093, 3; 1766

besessen sein, vom Spiel-
teufel 1486, 5

besessen, von Vorurtei-
len 1504, 4

Besessenheit 549, 3;
830; 1055, 2; 1550, 1

besetzen 60, 2; 266, 3

besetzen, neu 1708, 1

besetzt 1827, 2

besetzt, dicht 1827, 2

Besetzung 370, 1;
1347, 1

besichtigen 80, 1

Besichtigung 281, 1;
1285, 2

besiedelt, dicht 1827, 3

besiegbar 1128, 2

besiegeln 499, 1; 1735

besiegelt 476; 534, 1;
1213, 3; 1460, 4

besiegen 1394, 2;
1463, 2

besiegen, durch Knock-
out 1394, 2

besiegen, sich selbst 228

besiegt 534, 3

besingen 420, 1

besinnen, anders 1708, 5

besinnen, sich 371, 3;
526, 1

besinnlich 1357, 2;
1357, 4

Besinnlichkeit 445, 1,
1355, 2

Besinnung 445, 1

besinnungslos 286;
1645, 2

Besitz 271

Besitz, ererbter 513, 1

besitzen 807, 1

besitzen, Geltung 201, 3

besitzen, Herrschaft
848, 1

besitzen, keinen roten
Heller 482

besitzen, Macht 848, 1

besitzend 1327, 1

Besitzer 272

Besitzer, künftiger 95, 1

Besitzgier 1761, 3

besitzgierig 808

besitzlos 107, 1

besitzsüchtig 808

Besitztum 271, 1

besoffen 250, 1

besolden 304, 2

Besoldung 1731, 1

Besonderheit 424, 2;
424, 3; 930, 1;
1484, 4; 1703

besonders 119, 1;
163, 1; **273;** 457, 1;
886, 1; 892, 2;
1231, 1; 1457, 1

besonders, ganz 1452, 1

besonders, nicht 1091, 2
besonnen 221, 2; 241, 1;
890, 2; 1772, 1;
1845, 2
Besonnenheit 1355, 2;
1474, 2
besonnt 781, 2; 839, 3
besorgen 203, 2; **274**;
533, 1; 1168, 2;
1229, 2
besorgen, es jmdm.
1750, 2
besorgen, sein Haus
280, 5
Besorgnis 62, 3; 1473
besorgt 64, 1; 548, 1;
1475, 1
besorgt sein 63, 2
besorgt sein um 1788, 2
Besorgtheit 1473
Besorgung 275; 383, 2;
535, 1
Besorgung machen
274, 2
bespannen 200
bespiegeln, sich 80, 3
bespitzeln 247, 2
bespötteln 1491, 1
besprechen 276; 305, 2;
1701, 1
besprechen, sich 276;
1681, 3
Besprechung 277;
989, 1; 1593, 1;
1683, 1
besprengen 616, 1
bespritzen 616, 1; 1808
besprochen, viel 262, 1
besprühen 616, 1
besser 3
besser als nichts 728
besser sein 1394, 3
besser stellen 1715, 3
besser werden 723, 2;
761, 3
bessern, sich 723, 2;
1708, 1
Besserung 525, 2;
1510, 4
Besserungswille 1341
Besserwisser 384, 2;
1239, 1
Besserwisserei 989, 4
besserwisserisch 1241, 2
Besserwissertum 1240, 2

bestallen 89, 1
Bestallung 136, 3;
438, 2
Bestand 362, 2; 796, 3;
900, 1; 1011, 2
Bestand haben 364, 1
Bestand, ohne 1745
beständig 144; 365, 1;
414, 2; 882, 1; 1971, 1;
1971, 2
Beständigkeit 362, 2;
613, 3
Bestandsliste 900, 2
Bestandsmasse 900, 1
Bestandsverzeichnis
900, 2
Bestandteil 463, 3;
1560, 3
bestärken 278, 4; 541, 2;
1305, 1
Bestärkung 279, 5
bestätigen 278; 494, 2;
541, 2; 557, 1
bestätigt 252, 2
Bestätigung 279; 495, 3;
532, 3
bestatten 233, 1
Bestattung 234, 1
bestäuben 560, 2
bestaunen 1924, 3
Beste, das 554; 1829, 1
bestechen 924, 3
bestechend 1335
bestechlich 754
bestechlich sein 1760, 5
Bestechlichkeit 755
Bestechung 436, 2
Bestechungsgeld 436, 2
bestehen 226, 2; 1024, 1
Bestehen 570
bestehen auf 195, 1;
226, 1; 1922, 2
bestehen aus 493
bestehen, nicht 1779, 4
bestehend 365, 1;
1911, 1
bestehlen 1168, 2
besteigen 456, 1;
1508, 2
Besteigung 135, 2
bestellen 89, 1; **280**;
560, 5; 1120, 1;
1788, 4
bestellen, sein Haus
280, 5

Besteller 925; 1000, 1
bestellt 252, 2
bestellt sein 1757, 2
Bestellung 136, 1; 563, 4
Besten, vom 554
bestens 149, 1; 804, 2
besteuern 237, 4
Besteuerung 1514, 2
bestialisch 334
Bestialität 335
Bestie 186
bestimmbar 467, 3
bestimmen 72, 1;
499, 1; 528, 2; 614, 2;
848, 2; 1174, 2;
1626, 1; 1679, 4
bestimmend 1899, 1;
1967, 1
bestimmt 347, 2; 479;
1145, 1; 1535, 1;
1911, 3
bestimmt nicht 1664
bestimmt sein durch 9, 3
bestimmt, für die Öffent-
lichkeit 1211, 1
Bestimmtheit 1144;
1461, 1; 1536, 1
Bestimmung 120, 1;
207, 2; 209, 1; 529, 3;
750, 1; 1094; 1322, 1;
1389, 1; 1943, 1
Bestimmungsort 1943, 2
Bestleistung 767, 3
bestrafen 1750, 2
Bestrafung 1751, 2
bestrahlen 241, 1
bestrahlt 839, 4
Bestrahlung 112, 2
Bestreben 422, 1;
1761, 2; 1906, 1
bestrebt 423
Bestrebung 1761, 2
bestreitbar 1673, 1
bestreiten 557, 2; 918, 3;
1051, 1
bestreiten, Lebensunter-
halt 522, 3
bestricken 305, 1
bestrickend 1335
Bestseller 518, 4; 767, 3
bestücken 167, 1
Bestückung 168, 1
bestürmen 315, 1; 391, 4
bestürzen 1620, 1
bestürzend 553

bestürzt 1504, 3; 1914, 3
Bestürzung 62, 2; 552
Besuch 281; 283, 1;
445, 2
Besuch machen 282, 1
besuchen 246; **282**
besuchen, häufig
282, 3
besuchen, Schule
1049, 1
Besucher 283; 1000, 3;
1332, 1; 1565, 1
besucht 243, 3
besucht, häufig 243, 3
besudeln 1808
besudelt 1408
betagt 44, 1
betasten 263, 1
betätigen 203, 1
betätigen, sich 102, 1
Betätigung 101, 1;
204, 1
Betätigungsdrang 422, 1
betäuben 284; 1924, 2
betäuben, sich 284
betäubend 285; 1440, 2
betäubt 286; 406, 4;
1645, 2; 1914, 3
Betäubung 552; 1646, 3
betauen 616, 1
betaut 1162, 1
beteiligen 287
beteiligen, am Gewinn
287
beteiligen, sich 456, 2;
1563, 1
beteiligt 895, 1; 1564, 2
beteiligt sein 1563, 1
Beteiligte 1565, 2
Beteiligung 698, 2; 893;
1562, 2
Beteiligung, innere
1562, 1
beten 288
beteuern 226, 1; 1786, 1
Beteuerung 164, 3;
1100, 4; 1787, 1
betiteln 931, 5; 1174, 1
Betitelung 930, 2
betonen 226, 1; 1729, 1;
1786, 1
Betonkopf 405, 1
betont 1145, 1
Betonung 1144; 1493, 2;
1583, 2

betören 293, 1; 305, 1;
691, 2; 1741
betörend 1335
betört 548, 3; 1766
Betörung 1333
Betracht, in 49
betrachten 80, 1; 247, 1;
371, 2
betrachten, als gegeben
1771, 1
betrachten, kritisch
1137, 2
betrachten, sich 80, 3;
1485, 1
betrachten, von allen Seiten 276, 1; 371, 2
Betrachter 248, 1
betrachtet, aus der Nähe
722, 5
betrachtet, bei Licht
426, 1
beträchtlich 791, 2;
1327, 2; 1498; 1506, 3;
1823, 1
Betrachtung 8, 1; 1321
Betrag 1270, 1
betragen 977, 1
Betragen 85, 1; 1758, 1
betragen, sich 1757, 1
betrauen 89, 1
betrauern 911, 1
beträufeln 616, 1
beträufelt 1162, 4
betraut 1987, 2
betraut mit 252, 2
betreffen 263, 2; 289
betreffend 290; 504, 4
betreffs 290
betreiben 203, 1; 274, 3
Betreiben 77, 1
betreiben, etwas 102, 1
betreiben, Kult mit 65, 1
betreiben, Prophylaxe
1430, 5
betreiben, Prostitution
1279
betreiben, Selbstdemon-
tage 319, 1
betreiben, Understate-
ment 841, 2
Betreibung 204, 1
betressen 1292, 1
betretbar 1207, 1
betreten 703, 1; 1504, 3;
1762, 2

Betreten 68, 1
Betretenheit 1763, 3
betreuen 224, 2; 274, 3;
873; 1249, 1; 1788, 2
betreut 1460, 3
Betreuung 204, 2;
225, 3; 275, 2; 1248, 1
Betrieb 291; 740, 1;
1683, 2; 1685, 1
Betrieb, außer 745, 1
betriebsam 423; 479;
1026, 2; 1556, 2
Betriebsamkeit 291, 2;
422, 1
Betriebsangehöriger 103
Betriebsgeheimnis
702, 2
Betriebsleiter 1047, 2
Betriebssystem 352, 1
betrifft 290
betrifft, was ... 49
betrinken, sich 284, 3;
1600, 2
betroffen 1504, 3;
1564, 2
betroffen machen
1081, 1
betroffen sein, mit
1929, 3
betroffen, nicht 772, 2
Betroffener 1219, 2
Betroffenheit 552
Betroffenheitskitsch
940, 3
betrogen 1659, 6
betrüben 237, 5; 364, 4;
1369, 2
betrüblich 1293, 2;
1637, 1; 1659, 4
Betrübnis 1591
betrübt 1659, 1
Betrübtheit 1591
Betrug 292; 1558, 1
betrügen 293
betrügen, sich 430, 2;
901, 5
Betrüger 294; 1429, 1
Betrügerei 292
betrunken 250, 1;
1827, 5
Betrunkenheit 1310, 1
Betsaal 938, 2
Bett 295; 1011, 3
Bett bleiben, im 524, 1
Bett, französisches 295

Bettbezug 870, 9
Bettcouch 295
Bettel 5, 1
bettelarm 107, 1
Bettelbrief 94, 2
Bettelmönch 939, 2
betteln 315, 1
betten 1392, 4
betten, auf Rosen
    1816, 2
betten, zur letzten Ruhe
    233, 1
Bettgenosse 714
Bettgenossin 713
Bettgeschichte 1055, 4
bettlägerig 1042, 2
Bettlägeriger 1238
Bettlägerigkeit 984, 1
bettreif 1130, 1
Bettschatz 713
bettschwer 1130, 1
Bettstatt 295
Bettstelle 295
Bettwäsche 1879
betucht 1327, 1
betulich 1015, 1; 1241, 1
betun 1249, 1
betupfen 263, 1
betuppen 293, 1
Beuge 1295, 1
beugen 296; 402, 3;
    841, 1
beugen, Nacken 704, 2
beugen, Recht 293, 5
beugen, sich 1040, 2
beugen, sich über 296, 1
beugen, unter das Joch
    1679, 1
Beugung 1004
Beule 1921, 1
beulen 1920, 1
beunruhigen 129, 2;
    398, 1; 1815, 2
beunruhigend 130, 1;
    690, 1; 1273, 2
beunruhigt 548, 1
Beunruhigung 62, 2;
    399, 1; 549, 1; 1473
beurkunden 278, 1;
    931, 3
beurkundet 1460, 4
beurlauben 213, 2
beurlauben, sich 469, 3
beurteilen 276, 2;
    1375, 2; 1701, 1

beurteilen, richtig 735, 3
beurteilen, vernichtend
    1809, 2
Beurteiler 990, 1
Beurteilung 989, 1;
    1271, 3; 1700, 1
Beute 518, 5
Beutel 223; 870, 8;
    921, 3
beuteln 1394, 1
Beutelschneider 294, 2;
    1275
bevatern 1788, 2
bevölkert 1827, 3
bevölkert, dicht 1827, 3
Bevölkerung 297
Bevölkerungsschicht
    1387, 3
bevollmächtigen 531, 2
bevollmächtigt 252, 2
Bevollmächtigter
    1047, 2; 1806, 2
Bevollmächtigung
    438, 2; 532, 2
bevor 418
bevor, noch ·418
bevormunden 1679, 4
Bevormundung 1048, 2
bevorrechten 298, 3
bevorrechtet 252, 2
Bevorrechtung 1857, 1
bevorschussen 321, 2
bevorstehen 398, 4;
    958, 1; 1157, 2
bevorstehend 1155, 3
bevorzugen 298; 1127, 1
Bevorzugung 1857, 1
bewachen 128, 2; 873;
    1430, 1
bewachsen 200; 1869
bewacht 1460, 3
Bewachung 133, 1
bewaffnen 167, 3;
    1834, 6
Bewaffnung 1835, 2;
    1858, 2
bewahren 123, 1;
    1249, 3; 1430, 1
bewahren vor 1413, 2;
    1430, 1
bewahren, Andenken
    526, 3
bewahren, Contenance
    228
bewahren, Fassung 228

bewahren, Haltung 228
bewahren, kühlen Kopf
    1356, 2
bewahren, Nerven
    1356, 2
bewahren, Ruhe 228;
    1356, 2
bewahren, Schweigen
    1438, 2
bewähren, sich 226, 2;
    1626, 3
bewähren, sich nicht
    1779, 4
bewahren, vor dem Ver-
    fall 522, 2
bewahrheiten, sich
    1814, 2; 1934, 6
bewahrt 1460, 3
bewährt 299; 516, 1
Bewahrung 1248, 2
Bewährung, auf 205
Bewährungsfrist 1821, 3
bewaldet 1869
bewältigen 715, 1;
    1713, 1; 1828
Bewältigung 518, 1
bewandert 516, 1; 929
bewandert sein 1793, 4
Bewandtnis 202, 1
Bewandtnis haben
    1757, 2
bewässern 616, 2
bewässert 1162, 4
bewegen 208; 263, 2;
    300; 1233, 1; 1626, 1
bewegen, hin und her
    1443, 4
bewegen, kaum zu
    1440, 1
bewegen, sich 300
bewegen, sich in 1588, 2
bewegen, sich lautlos
    777, 1
bewegend 130, 1;
    600, 2; 1899, 2
Beweggrund 794, 1
beweglich 71, 2; **301**;
    479; 744, 2; 1026, 2;
    1065, 3; 1783, 2
beweglich, schwer
    1264, 1
Beweglichkeit 623, 2;
    645, 3; 1446, 2
bewegt 548, 2; 1070, 1
Bewegtheit 549, 2

Bewegung 302; 1537, *1*
Bewegung, feministische
608
Bewegung, ohne 1357, *7*
Bewegungsfreiheit
645, *1*; 1309, *2*
bewegungslos 1357, *1*;
1504, *1*
Bewegungslosigkeit
1355, *4*
beweihräuchern 1401
beweinen 944, *4*
Beweinung 943, *2*
Beweis 279, 6; 1497, *2*
beweisbar 1460, *4*
beweisen 1934, *4*
beweisen, Identität
173, *2*
beweisen, Unschuld
494, *3*
Beweisführung 370, *2*;
615, *1*; 794, *2*
Beweiskraft 947, *2*
beweiskräftig 1395;
1460, *4*; 1460, *4*
Beweismittel 1941, *1*
Bewenden 535, *2*
bewenden lassen
1019, *2*
bewerben, sich 303;
1511, *3*
bewerben, sich um
217, *1*
Bewerber 95, *2*; 1896
Bewerbung 94, *1*; 470
bewerfen 200
bewerkstelligen 533, *1*;
715, *1*; 1045, *1*;
1711, *2*; 1828
Bewerkstelligung 535, *1*
bewerten 1375, *2*;
1701, *1*
Bewertung 1700, *1*
bewiesen 1460, *4*
bewiesen, experimentell
1460, *4*
bewilligen 503, *2*; 531, *1*
bewilligt 252, *1*
Bewilligung 532, *1*;
532, *2*
bewillkommnen 466, *2*
bewirken 1045, *1*;
1710, *1*; 1910, *4*
bewirten 50, 3; 203, *2*;
446, *1*

bewirtschaften 198, 3;
560, *5*
Bewirtung 204, *2*
Bewohner 297
Bewohnerschaft 297
bewölken, sich 398, *4*;
409, *2*
Bewölkung 408, *2*
Bewunderer 66, 5;
1003, *1*
bewundern 1056, *2*;
1375, *1*; 1734, *1*
bewundernswert 149, *2*;
553
bewundert 243, *1*
Bewunderung 1062, *1*
bewunderungswürdig
553
Bewurf 870, *3*
bewusst 16; 1260, *1*;
1772, *4*
bewusst sein, sich 1916
bewusst werden 1793, *2*
bewusst werden, sich
668, *1*
Bewusstheit 1789, *1*
bewusstlos 286; 1645, *2*
Bewusstlosigkeit 1646, *3*
Bewusstsein 707, *1*;
1100, *1*; 1789, *1*;
1917, *1*
Bewusstsein, in vollem
16
Bewusstsein, mit 1772, *4*
bewusstseinsgespalten
708
bewusstseinsgestört 708
Bewusstseinsindustrie
997, *3*
Bewusstseinslücke 33, *3*
Bewusstseinsspaltung
709
Bewusstseinsstörung
709; 1778, *3*
bezahlbar 312, *1*;
1128, *2*
bezahlen 151, *2*; **304**
bezahlen sein, zu 88, *1*
bezahlen, Zeche
1369, *4*; 1767, *2*
bezahlt 534, *1*; 768, *4*
bezahlt machen, sich
1196, *1*
Bezahlung 150, *3*;
1731, *1*; 1930, *1*

bezaubern 221, *1*; **305**;
691, *2*; 1741
bezaubernd 71, *1*; 1335
bezaubert 548, *3*
Bezauberung 549, *3*;
1333
bezechen, sich 284, *3*
bezecht 250, *1*
bezeichnen 162, *2*;
174, *3*; 931, *1*; 1174, *1*;
1494, *1*
bezeichnend 348, *1*
Bezeichnung 147, *1*;
222; 529, *4*
bezeigen 162, *3*; 1934, *3*
bezeigen, Dank 357, *1*
Bezeigung 164, *3*
bezeugen 162, *3*; 278, *1*;
1120, *2*
bezeugt 1971, *3*
Bezeugung 164, *3*
bezichtigen 60, *3*;
944, *1*; 1764; 1855
bezichtigen, sich
1511, *4*
Bezichtigung 943, *1*;
1765
beziehbar 731, *1*
beziehen 200; 280, *2*;
811, *3*; 924, *2*; 1730, *1*
beziehen, auf sich
1739, *1*
beziehen, aus dem Aus-
land 437, *1*
beziehen, sich 409, *2*
beziehen, sich auf 9, *4*;
289; 1543, *2*; 1729, *3*
beziehen, sich mit Eis
659, *2*
beziehen, Wohnung
458, *3*
Bezieher 925; 1000, *3*
Beziehung 1055, *4*;
1089, *4*; 1718, *5*
Beziehung, in dieser
504, *3*
Beziehungen 470;
1718, *3*
Beziehungskiste 1055, *4*
Beziehungsknatsch 1057
Beziehungskrise 1057
beziehungslos 450, *1*;
1692, *3*
Beziehungslosigkeit
451, *1*

beziehungsreich
1441, *2*; 1468, *2*
beziehungsvoll 1468, *2*
beziehungsweise 1206
beziffern 931, *3*
beziffern auf 977, *1*
Bezirk 685, *1*
bezirzen 305, *1*; 1741
bezirzt 1766
bezogen 407, *2*
Bezug 923; 1718, *2*
Bezug auf, in 49; 290
Bezug nehmen 1729, *3*
Bezüge 1731, *1*
bezüglich 290; 1336
Bezüglichkeit 206
Bezugsperson 1140, *1*;
1704, *1*
Bezugspersonen 464
Bezugsquelle 1296, *3*
bezwecken 1259, *2*;
1922, *1*
bezweckt 16
bezweifeln 1976
bezweifeln, nicht zu
1863
bezwingbar 1128, *2*
bezwingen 305, *1*;
1394, *2*
bezwingen, sich 228
bezwingend 1335
Bezwinger 1464, *1*
bibbern 659, *1*; 1946, *1*
bibbernd 914, *2*
bibelfest 663
bibliographieren 1361, *4*
Bibliomane 1003, *3*
Bibliophile 1003, *3*
Bibliothek 306; 1362, *2*
Bibliothek, digitale 306
bieder 328, *3*; 341, *3*
Biedermann 340, *3*
Biedersinn 85, *2*
biegen 296, *1*; 395, *4*
Biegen oder Brechen, auf
1300; 1640, *1*
biegen, gerade 769, *2*
biegen, sich vor Lachen
1009, *2*
biegsam 622, *1*
Biegung 415, *1*; 1004
Biegung machen 28, *1*
Biene 1078, *2*
Bienenfleiß 422, *2*
bienenfleißig 621

Biennale 170, *2*
Bierbauch 673, *2*
Biergarten 681, *1*
Bierlokal 681, *1*
Biertischpolitiker 1436
Biest 186; 1386
bieten 216, *2*; **307**;
683, *1*
bieten haben, zu 307
bieten, Anblick 158
bieten, Gelegenheit
538, *2*
bieten, Hand 802, *1*
bieten, Paroli 124, *2*
bieten, sich 1934, *6*
bieten, Sicherheit 339, *2*
Bigamist 294, *2*
bigott 480, *2*; 583, *4*
Bigotterie 481, *5*; 584, *2*
Bijouterie 1291, *1*
Bike 579, *2*
Bilanz 521; 1316, *1*
bilateral 390
Bild 126, *1*; 140, *2*; 222;
308; 878, *1*; 1753, *2*;
1847, *2*
Bild machen 1, *2*
Bild machen, sich ein
1846, *2*
Bild sein, im 1793, *4*
Bild, im 310, *2*
Bildarchiv 1483, *3*
Bildbeigaben 308, *4*
Bilde sein, im 1916
Bilde, im 516, *1*
bilden 560, *6*; 564; 756
bilden, Begriff 528, *2*
bilden, Bodensatz
1184, *6*
bilden, Eisblumen
659, *2*
bilden, Eisdecke 659, *2*
bilden, Eisschollen
659, *2*
bilden, Gegengewicht
151, *5*
bilden, Gegensatz 967, *2*
bilden, Kontrast 967, *2*
bilden, Organisation
1229, *3*
bilden, Patina 1728, *2*
bilden, Schaum 1376, *1*
bilden, Schicht 1184, *6*
bilden, sich 506, *1*;
1049, *2*

bilden, sich ein Urteil
1701, *1*
bilden, Team 1717, *3*
bilden, Umgebung
1632, *3*
bildend 238, *1*; 1415
bildend, Einheit 1228, *2*
Bilderanbetung 786
bilderreich 1265, *1*;
1783, *2*
Bildersammlung 1362, *2*
Bilderschrift 337, *2*;
1422, *2*
Bilderstürmer 919, *5*
Bildfolge 618, *2*
bildgewaltig 1327, *2*
bildhaft 78, *1*; 310, *1*
Bildhaftigkeit 589, *2*
Bildhauer 309
bildhauerisch 1261
bildhauern 756
bildhübsch 869
Bildjournalist 260, *1*
bildlich 310
Bildner 309
Bildnis 308, *2*; 308, *2*
Bildröhre 311
Bildsäule 1471
Bildschirm 311
Bildschirmwelt 880, *4*;
1382
Bildschmuck 308, *4*
bildschön 1412, *1*
Bildstreifen 618, *2*
Bildtelefon 1567
Bildteppich 1571
Bildtext 1575
Bildung 565
Bildungsanstalt 1427, *1*
Bildungsbürger 340, *1*
Bildungsgang 1033, *2*
Bildungslücke 1662
Bildungsprotz 1436
Bildungsreise 578, *2*
Bildungsstätte 1427, *1*
Bildunterschrift 529, *4*
Bildunterschriften ma-
chen 528, *5*
Bildwerk 1471
Billett 332; 1577
billig 182; **312**; 504, *1*;
803, *3*
billigen 215; 278, *2*;
494, *2*; 1127, *1*;
1969, *2*

Billigung 532, *1*; 1062, *1*
bimmeln 1584, *2*
Bimmeln 734, *2*
bimsen 1049, *1*; 1394, *1*;
  1610
binär 695, *4*
Bindeband 1291, *6*
Bindeglied 1769
Bindekraft 810, *1*
Bindemittel 211, *3*
binden 210, *1*; **313**
binden, auf die Seele
  1081, *2*
binden, Hände 857, *2*
binden, nicht 1019, *1*
binden, sich 313
bindend 751, *5*; 1980, *2*
Binder 1291, *7*
Bindfaden 575, *1*
Bindung 1718, *5*;
  1736, *2*
Bindungen 1718, *3*
Bindungskraft 1333
Bingo 783
binnen 888, *1*; 1864
Binnengewässer 760, *2*
Binnenmarkt 1086, *2*
Binsenwahrheit 183, *1*;
  1256, *1*
Binsenweisheit 183, *1*;
  1256, *1*
biologisch 757, *3*;
  1166, *1*
Biotop 680
Birett 971
Birne 970, *1*
Birne, weich in der
  1777, *1*
Birnen 344
bis auf 161, *1*
bisexuell 390
bisher 666, *2*
bislang 666, *2*
Biss 1446, *2*; 1923
Bisschen 951, *2*
bisschen, ein 1893, *1*
bisschen, kein 1180, *1*
Bissen 951, *2*; 1080, *8*;
  1539, *3*
bissfest 1495, *1*
Bisshemmung 1763, *2*
bissig 31, *2*; 690, *5*;
  1373, *3*; 1492, *1*
Bissigkeit 643, *3*;
  1490, *3*

Bistro 681, *1*
bisweilen 1852, *1*
Bit 1933, *5*
bitte 314
Bitte 94, *1*; 1761, *2*
bitte schön 314, *1*
bitte sehr 314, *1*
Bitte um Vergebung
  502, *1*
bitte, wie 314, *2*
bitten 288; **315**
Bitten 684
bitten, kniefällig 315, *1*
bitten, um Aufschluss
  639, *1*
bitten, um Verzeihung
  501, *1*
bitten, zu kommen
  446, *1*
bitten, zu sich 446, *1*
bittend 1145, *2*
bitter 844, *2*; 1152;
  1182, *1*; 1293, *2*
bitterernst 545, *4*
bitterkalt 914, *1*
Bitterkeit 606; 1118
Bitternis 1118
Bittgebet 684
Bittgesuch 94, *2*
Bittschreiben 94, *2*
Bittschrift 94, *2*
Bittsteller 95, *3*
bitzeln 330, *3*; 907, *1*
Biwak 1011, *1*
bizarr 24; 1231, *2*;
  1254, *3*
Blabla 737, *2*
Black-out 33, *3*
blaffen 244, *1*
blähen 1920, *1*
blaken 1308
blamabel 1243, *1*;
  1637, *1*
Blamage 1116; 1372, *1*;
  1763, *3*
blamieren, sich 319, *1*
blamiert 1762, *2*
blamiert, unsterblich
  534, *3*
blanchieren 956, *2*
blank 107, *1*; 768, *2*;
  839, *2*; 1365, *1*
blanko 87; 1207, *5*
Blankoscheck 645, *3*
Blankovollmacht 532, *2*

Blase 800, *5*; 953
blasen 316; 995, *2*;
  1486, *3*
blasen lassen, ins Röhr-
  chen 1284, *3*
blasen, Marsch 1391, *1*
blasiert 84, *2*; 459, *2*;
  772, *4*
Blasiertheit 460, *1*
Blasmusiker 1134, *2*
Blasphemie 627
blass 592, *1*
blass werden 539, *2*
Blässe 593
Blatt 1539, *7*
Blatt, unbeschriebenes
  1641, *1*
Blatt, vom 1695, *3*
blättern 1050, *1*
Blätterwald 1271, *2*
Blattmacher 260, *1*
blau 250, *1*
blauäugig 1159
Blauäugigkeit 991
Blaubart 1742, *1*
Blaue, ins 1667, *2*
bläuen 590, *1*
Blaulicht, mit 429, *3*
blaumachen 602, *3*
Blaustrumpf 641
Bloch 1671, *1*
blechen 304, *3*
blechern 406, *5*
Bleibe 1919, *1*
Bleibe, ohne 393, *3*
bleiben 364, *1*; 1184, *2*;
  1512, *4*
bleiben bei 226, *1*
bleiben lassen 1019, *2*
bleiben, gleich 364, *1*
bleiben, kalt 773
bleibend 363, *1*; 365, *1*
bleibend, gleich 1971, *1*
Bleibende, das 1548
bleich 592, *1*; 1042, *1*
bleichen 1149, *3*
Bleichheit 593
Bleichsucht 1433, *2*
bleiern 1017, *1*; 1130, *1*;
  1440, *1*
bleischwer 1440, *1*
Blende 870, *6*
blenden 293, *1*; 305, *1*;
  884; 1381, *1*; 1485, *3*;
  1848; 1924, *2*

blendend 839, 2;
1254, 1; 1335; 1412, 1
Blender 294, 2; 1436
Blendwerk 880, 2
Blessur 1923
Blick 141; 165, 1
Blick, auf den ersten
771, 3
blicken 1451
blicken lassen, sich
282, 1
blicken, um sich
1549, 1
blickend, klar 890, 2
blickend, weit 890, 2
Blickfang 957, 2; 1079
Blickfeld 317
blicklos 318, 1
Blickpunkt 1100, 2
Blickwinkel 1100, 2
blind 318; 1504, 4;
1638, 2
Blind Date 552
Blinddarm 520, 9
Blindenheim 833, 2
Blindgänger 1781
Blindgläubigkeit 991
Blindheit 991
blindlings 1037, 1;
1695, 4; 1952, 1
blinken 1381, 2
blinkend 768, 2
blinzeln 1934, 1
Blitz aus heiterem Him-
mel 1393, 3
Blitzableiter 1806, 4
blitzartig 1263; 1410, 1
blitzblank 1365, 1
blitzen 1381, 2
blitzend 839, 2
blitzgescheit 890, 1
Blitzkarriere 135, 1
Blitzschlag 1393, 3
blitzschnell 1410, 1
Blizzard 1542, 1
Block 33, 3; 800, 1;
1295, 1; 1499, 3
Blockade 33, 3; 858, 4;
1780, 2
blockieren 614, 1;
857, 4; 1399, 1;
1522, 3; 1779, 3
blockiert 1762, 1
Blockschrift 1422, 1
Blockwart 1429, 2

blöde 403, 1; 1637, 1;
1777, 2
blödeln 1681, 4
Blödheit 404, 1
Blödian 405, 2
Blödmann 405, 2
Blödsinn 1674, 3
blöken 1584, 3
blond 839, 6
bloß 1154, 1
Blöße 599, 5; 1053
bloßgestellt 534, 3
bloßlegen 1208, 1
bloßliegen 213, 7
bloßstellen 319
bloßstellen, sich 319
Bloßstellung 1372, 1
bloßstrampeln, sich
213, 7
blubbern 1494, 3;
1584, 4
Blues 1591
Bluessänger 1363, 1
Bluessängerin 1363, 2
Bluff 1558, 1
bluffen 293, 1; 1848
Bluffer 294, 2
blühen 506, 2; 1287, 2
blühend 660, 1; 757, 1;
909, 3
Blume 108
Blume, durch die 1124, 2
Blumen 1136, 5
blümen 1137, 1
blumenhaft 1931, 1
blumig 100, 2; 109
Blut machen, böses
851, 3
Blut, böses 1533, 1
Blut, im 55
Blut, leichtes 1038, 1
blutarm 574, 2; 1432, 1
Blutarmut 1433, 2
Blutbad 1090
Blutdurst 335
blutdürstig 334
Blüte 132; 1286, 2
bluten 304, 3; 1030, 5
Blüten 712, 4; 1136, 5
bluten lassen 153, 2
blütenhaft 1931, 1
Blütenlese 1362, 3
blütenweiß 839, 2
blütenzart 1931, 1
Blütezeit 767, 4

blutgierig 334
Bluthund 186
blutjung 909, 1
blutleer 592, 1; 1432, 1
Blutleere 1433, 2
blutlos 592, 1; 1432, 1
Blutlosigkeit 1433, 2
Blutrache 1751, 1
Blutreinigungskur
1330, 4
Blutsauger 1275
Blutsbruder 652
Blutsbrüderschaft 655, 1
blutsverwandt 1812, 1
Blutsverwandtschaft
1813, 1
Bluttat 116; 1587, 1
Blutvergießen 987, 1
blutvoll 78, 1; 981, 1
Blutwäsche 1330, 4
Blutzeuge 1219, 2
Bö 1909
Boardcase 870, 8
Bobby 1266, 1
Bock 599, 1; 1073, 1;
1742, 1
Bock zum Gärtner ma-
chen 901, 5
Bock, kein 1675, 1
Bock, null 1117; 1675, 1
bockbeinig 425
Bockbeinigkeit 1608
bocken 1959, 2
bockig 425
Bockigkeit 1608
Bockmist 1674, 1
Boden 794, 3; 796, 1
Boden lassen, zu 1511, 1
Boden unter den Füßen,
ohne 877, 2
Boden, am 534, 3
Boden, auf dem 1677, 1
Boden, zu 27
Bodenakrobat 111, 2
Bodenbelag 1571
Bodenfalte 257, 1
Bodenkrieg 987, 1
bodenlos 130, 2; 1578, 2
Bodenlosigkeit 643, 3
Bodensatz 5, 1; 1186, 3;
1340, 3
Bodenschätze 1521, 2
bodenständig 59, 2
Bodenverbesserung
1716, 3

Body 973, *1*
Bodybuilder 982
Bodyguard 1877
Bogen 870, *1*; 1004;
    1539, 7; 1826, 2;
    1921, 2
Bogen machen 172, *1*
Bogenbrücke 333
Bogengang 1921, 2
Bohemien 2
Bohle 331, *1*
böhmisch 1692, *1*
Bohne, blaue 994, 2
Bohne, nicht die 1180, *1*
Bohnenstange, wie eine
    410, 3
bohnern 769, 3; 1367, 2
bohren 315, *1*; 391, 4;
    787, *1*; 1242, 3;
    1404, *1*
bohrend 1293, *1*
Bohrinsel 889
böig 1070, *1*
Boje 930, 3
böllern 1018, 3
bollig 1264, *1*; 1642, 3
Bollwerk 211, 4
Bolzen 211, 2
bombardieren 60, 2;
    391, 4; 1522, *1*
Bombast 1256, 2;
    1623, *1*
bombastisch 1624, 5
Bombe 552; 1079;
    1858, *1*
Bombenanschlag 116
Bombenerfolg 518, 3;
    767, 3
Bombenkerl 982
Bombenkritik 989, 3
bombensicher 1460, *1*
Bommel 1291, 4
Bon 350, *1*
Bonheur 780, *1*
Bonhomie 85, *1*; 434, 2
Bonhomme 340, 3
Bonität 716, 2
Bonmot 1683, 4
Bonsai 1348, 9
Bonze 1686, 3
Boom 132
boomen 510, 4
Boot 579, 6
Bord 331, 2
Bord, an 699, 3

Bordell 320
Borderline 709
Bordkarte 1577
Bordüre 1291, 4
Borg 358
borgen 321
Borke 870, 2
borkig 1642, 2
Born 1296, *1*
borniert 341, 3; 403, *1*;
    480, 2; 1504, 2
Borniertheit 404, *1*;
    481, 5; 1662
Börse 921, 3; 1086, *1*
Börsencrash 1348, 5
Börsenkrach 1348, 5
Börsenmagnat 1686, 2
Börsenmakler 816, 2
Börsenspekulant 816, 2
Börsensturz 1348, 5
Börsianer 741; 816, 2
Borsten 806, *1*
borstig 1307, 2
Borte 1291, 4
bösartig 323, *1*; 690, 5
Bösartigkeit 324
Böschung 5, 4
böse 322; 323, *1*;
    1397, 5
böse machen 106, *1*
böse werden 106, 2
Bösewicht 1429, *1*
boshaft 323
Boshaftigkeit 324
Bosheit 324; 1490, 3
böswillig 16; 239, *1*;
    323, *1*
Böswilligkeit 324
Bote 1613, *1*
Botengang 275, 2
Botenlohn 677, *1*
botmäßig 705
Botmäßigkeit 706, *1*
Botschaft 164, 3; 1807
Botschafter 387, *1*
Bottich 223
Boudoir 1309, *1*
Boulevard 1527
Boulevardkomödie 960
Boulevardpresse 1271, 2
bourgeois 341, 2
Bourgeois 340, *1*
Bourgeoisie 340, 2
Boutique 740, 2
boxen 918, 2; 1394, 2

Boxerei 1393, 2
Boxhieb 1393, *1*
Boxkampf 917, 3
Boy 826, 4
Boyfriend 714
Boykott 370, *1*
boykottieren 857, 3;
    1409, 5
boykottiert 534, 3
brabbeln 1494, 3
brach 1204, *1*; 1653, *1*
Brachialgewalt 1972, 2
Brachland 1205, 4
brachliegen 1356, 3
brachliegend 1653, *1*
Brahma 785, 2
Brainstorming 1593, 2
Brain Trust 800, 2
Bramarbas 1436
bramarbasieren 1269, 2
Branche 1977, 2
Branchenkenntnis
    1917, 3
Brand 549, 4; 617, 2;
    1761, *1*
branden 90, 2; 1376, *1*;
    1584, 4
Brandmal 930, 5
brandmarken 173, *1*;
    319, 2
brandneu 1177, *1*
Brandopfer 1219, 3
Brandrede 367; 989, 3
Brandung 765; 1537, 2
Brandwunde 1923
braten 325; 1445, *1*;
    1949
braten, in der Sonne
    325, 2
Bratensaft 1476
Brauch 326; 1322, 2
brauchbar 576, *1*;
    1197, *1*; 1973, *1*
brauchbar sein 1196, *1*
Brauchbarkeit 1195, 4
brauchen 246; 327;
    598, 2; 1723, *1*
brauchen, zu nichts zu
    1397, *1*
Brauchtum 326, *1*
brauen 956, 2
braun werden 590, 4
bräunen 325, *1*; 409, 3;
    590, *1*; 590, 4
Brauner 1247

braunhaarig 407, 6
bräunlich 407, 6
Brausekopf 1272, 3
brausen 316, 1; 1367, 3;
1376, 1
Brausen 734, 2
Braut 1235, 4
Bräutigam 1235, 4
brav 328; 705; 1175, 2
Bravheit 706, 1
Bravour 767, 7; 1138
bravourös 1139, 1;
1829, 2
Bravourstück 1685, 3
Break 525, 1
brechen 329; 1594, 1;
1937
brechen mit 6, 5; 329, 2
brechen, auseinander
329, 1
brechen, Frieden 60, 2
brechen, Genick 1512, 4
brechen, Hals 1512, 4
brechen, Herz 1369, 2
brechen, in Stücke
329, 1; 1939, 3;
1939, 4
brechen, Lanze 215;
501, 3; 1430, 3
brechen, Schweigen
1208, 3; 1494, 2
brechen, Stab 1701, 2;
1809, 1
brechen, Streit vom
Zaun 1334, 2
brechen, übers Knie
428, 4
brechen, Wort 1749, 8
Brecher 1537, 2
Brechmittel 1386
Bredouille 1763, 1
breiig 1890, 4; 1928, 2
breit 722, 4; 981, 3;
1891, 1
Breite 146, 2
Breiten 685, 2
breiten über 1430, 1
breiter werden 145, 2
breitgelaufen 1890, 4
breitmachen, sich
1522, 1
breitschlagen 1626, 1
breitschlagen lassen,
sich 489, 2
breitschultrig 981, 3

breittreten 145, 3;
509, 3
Bremse 858, 1
bremsen 22, 2; 857, 1
brennen 330; 428, 3;
907, 1; 1381, 2;
1404, 1
brennen auf 217, 1
brennen, auf den Nägeln
428, 3
brennen, lichterloh
330, 2
brennen, Schnaps 330, 5
brennend 429, 3; 844, 2;
1293, 1; 1871, 2;
1899, 2
Brenner 836
Brennpunkt 1119, 6
brenzlig 690, 1
Bresche 1067, 1; 1215, 3
Brett 331; 1817, 2
Brett vor dem Kopf
403, 1
Brett, schwarzes 97, 3;
1817, 2
brettern 428, 1
Brettl-Lied 739, 2
Brettspiel 1683, 5
Brevier 1362, 3
Brief 332; 1267, 3
Brief und Siegel 279, 2;
534, 1
Brief, im 48
Brief, offener 332
Briefbogen 1539, 7
Briefing 96, 2
Briefkastenfirma
1558, 1
Briefkontakt 966, 3
brieflich 1124, 4
Briefsendung 1267, 2
Brieftasche 921, 3
Briefträger 1613, 1
Briefumschlag 870, 4
Briefwechsel 966, 3
brillant 149, 1; 1254, 1
Brillanten 976, 2
Brille 550, 3
Brille, rosa 269; 1222
brillieren 1269, 1;
1287, 1
Brimborium 1291, 3
bringen 1045, 1;
1388, 3; 1588, 4;
1621, 4; 1711, 1

bringen, an den Bettel-
stab 1939, 1
bringen, an den Mann
1760, 1
bringen, an den Tag
1208, 1
bringen, an sich 761, 2;
1168, 2
bringen, ans Licht
1208, 1
bringen, auf andere Ge-
danken 1681, 2
bringen, auf den Markt
50, 1; 437, 1; 1760, 1;
1773, 1
bringen, auf die Bühne
1486, 2
bringen, auf die Fährte
861, 1
bringen, auf die Lein-
wand 198, 6
bringen, auf die Palme
106, 1
bringen, auf die richtige
Länge 1409, 2
bringen, auf die schiefe
Bahn 1728, 5
bringen, auf die Spur
861, 1
bringen, auf einen Nen-
ner 1735
bringen, auf Touren
391, 2
bringen, auf Trab 391, 2
bringen, auf Vorder-
mann 412
bringen, aufs Tapet
1844, 3
bringen, aus dem Text
1815, 2
bringen, aus der Fassung
1620, 1; 1815, 2;
1924, 2
bringen, aus der Ruhe
1815, 2
bringen, auseinander
1594, 2
bringen, beiseite 1168, 2
bringen, durcheinander
1815, 1
bringen, Ertrag 1196, 1
bringen, es weit 177;
715, 2
bringen, es zu etwas
715, 2

bringen, fertig 715, *1*;
1045, *1*; 1711, *2*
bringen, Frucht 1588, *4*
bringen, Gefahr 398, *2*
bringen, Gewinn
1196, *1*
bringen, hinter Schloss
und Riegel 1756
bringen, hinter sich
533, *1*; 703, *1*
bringen, in aller Munde
948, *1*
bringen, in Anschlag
193, *2*
bringen, in Bewegung
89, *3*; 391, *2*; 1710, *2*
bringen, in Beziehung
1399, *3*
bringen, in die richtige
Form 1409, *2*
bringen, in die Scheuer
546
bringen, in Dramenform
198, *6*
bringen, in Einklang
261, *1*
bringen, in Erfahrung
515, *3*; 536
bringen, in Form 756
bringen, in Harnisch
106, *1*
bringen, in Misskredit
1369, *1*
bringen, in Ordnung
484, *4*; 1226, *1*
bringen, in Rage 106, *1*
bringen, in Schuss
1226, *1*
bringen, in Schwung
75, *3*; 391, *2*
bringen, in Sicherheit
1430, *1*
bringen, in Unordnung
1815, *1*
bringen, in Verbindung
1717, *2*; 1729, *3*
bringen, in Verlegenheit
1242, *6*; 1815, *2*
bringen, in Verruf 1764
bringen, in Versuchung
1741
bringen, ins Gleichge-
wicht 151, *5*
bringen, ins Internet
1773, *1*

bringen, ins Lot 151, *5*;
261, *1*
bringen, ins Reine
946, *1*
bringen, ins Rollen 52, *3*
bringen, ins Unglück
1369, *1*
bringen, ins Wanken
1526
bringen, Kind zur Welt
682, *1*
bringen, Licht in 1208, *2*
bringen, mit sich
1710, *1*
bringen, nahe 528, *4*
bringen, näher 1157, *4*
bringen, nicht aus der
Ruhe zu 772, *4*
bringen, Nutzen 1196, *1*
bringen, Opfer 1220, *1*
bringen, Schäfchen ins
Trockene 1196, *2*
bringen, um den Ver-
stand 305, *1*
bringen, um die Ecke
1586, *1*
bringen, unter Dach
1430, *1*; 1828
bringen, unter Dach und
Fach 1828
bringen, unter den Ham-
mer 1760, *1*
bringen, unter die Erde
233, *1*; 1586, *1*
bringen, unter die Leute
1120, *3*; 1726, *1*;
1773, *2*
bringen, unter einen Hut
261, *1*
bringen, unter Ver-
schluss 1462, *5*
bringen, Vorteil 1196, *1*
bringen, vorwärts
1715, *2*
bringen, Zinsen 1196, *1*
bringen, zu Bett 1392, *4*
bringen, zu Ende 533, *1*;
1828
bringen, zu Fall 857, *3*;
1369, *1*; 1939, *1*
bringen, zu Papier
1421, *1*
bringen, zu Tal 1184, *5*
bringen, zum Abschluss
1828

bringen, zum Ausdruck
162, *3*; 1494, *1*
bringen, zum Geständ-
nis 1511, *2*
bringen, zum Lachen
651, *1*
bringen, zum Schmelzen
152, *3*
bringen, zum Stehen
22, *2*
bringen, zur Besinnung
261, *1*; 1081, *3*
bringen, zur Einsicht
1626, *1*
bringen, zur Raserei
106, *1*
bringen, zur Räson
1081, *3*
bringen, zur Sprache
162, *1*; 1844, *3*
bringen, zur Strecke
588, *3*; 1394, *2*;
1463, *2*; 1586, *1*
bringen, zustande
715, *1*; 1710, *2*
bringen, zuwege 715, *1*
bringend, Gewinn
1197, *2*
bringend, Segen 781, *2*
bringend, Trost 1606
bringt nichts 1653, *1*
Brio 1446, *2*
brisant 429, *3*; 690, *3*;
1899, *1*
Brisanz 399, *2*; 478, *3*
Brise 1909
bröckelig 1495, *2*;
1495, *2*
bröckeln 329, *1*;
1066, *7*
brocken 329, *1*
Brocken 951, *2*; 1102, *2*;
1539, *3*; 1539, *6*;
1560, *1*
brodeln 956, *1*; 1584, *4*
Brodem 353, *2*
Broker 816, *2*
Bronn 1296, *1*
Brosamen 677, *1*;
1340, *1*
Brosche 1291, *5*
broschieren 313, *7*
Broschur 336, *2*
Broschüre 336, *2*; 828, *2*
bröselig 1132, *2*; 1495, *2*

Brot, tägliches 1027, 2;
1680, 1
Brötchengeber 1686, 1
Broterwerb 101, 2
Brotkrumen 1340, 1
brotlos 104
Brotmesser 1106
Brotneid 1169
Brotzeit 1080, 2
Bruch 585, 1; 1368, 1;
1551, 1; 1595, 1; 1923
Bruch machen 1939, 3
Bruchbude 1309, 1
brüchig 1065, 1;
1132, 1; 1495, 2
Bruchlandung 1650
Bruchstelle 1496, 1
Bruchstück 1340, 3;
1539, 2; 1560, 2
bruchstückhaft 265, 1;
1694, 1
Bruchteil 951, 2; 1560, 1
Brücke 333; 1571;
1718, 1
brüderlich 654, 3; 809
Brüderlichkeit 655, 2
Bruderschaft 1718, 4
Brüderschaft 655, 1
Brühe 1476; 1551, 1
brühen 956, 2
brühwarm 771, 3
brüllen 1018, 1
Brüllen 734, 3
brüllen vor Lachen
1009, 2
brüllend 1871, 2
brummeln 629
brummen 510, 4;
1391, 1; 1469, 2;
1584, 2
Brummen 734, 2
Brummer 579, 3
Brummi 579, 3
Brunch 1080, 2
brunchen 566, 2
brünett 407, 6
Brunnen 1296, 1
Brunnenvergifter 366
Brunnenvergiftung 1765
Brunst 1073, 3
brünstig 1074
brüsk 31, 1; 1005, 2;
1661, 1
brüskieren 1334, 2;
1409, 5

Brüskierung 843, 1;
1115
Brust 344
Brust, in der 888, 2
Brüste 344
brüsten, sich 1269, 1
Brusttuch 1291, 7
Brüstung 1419
Brut 753
brutal 334
Brutalität 335
brüten 371, 2; 682, 2
brütend 1871, 2
Bruthitze 1872, 1
brutzeln 325, 1; 1584, 2
Bub 910, 2
bübchenhaft 1670, 2
Bube 1429, 1
Bubi 910, 2
Buch 336; 1061; 1774, 1
Buch mit sieben Siegeln
1692, 1
buchen 280, 2; 1339
buchen, als Schuld
237, 4
Bücherbrett 331, 2
Bücherei 306
Bücherfreund 1003, 3
Büchergestell 331, 2
Bücherliebhaber 1003, 3
Büchernarr 1003, 3
Büchersammler 1003, 3
Büchersammlung 306;
1362, 2
Bücherschrank 1418
Bücherwurm 160, 1;
1003, 3
Buchhülle 870, 4
Büchlein 828, 2
buchmäßig 722, 5
Buchschmuck 308, 4
Büchse 223
Buchseite 1539, 7
Buchstabe 337
Buchstaben nach, dem
722, 5
buchstabengetreu 722, 4
Buchstabenschrift
1422, 2
buchstabieren 1050, 1
buchstäblich 722, 4
Bucht 1798, 2
Buchung 136, 1
Buchwissen 1917, 2
Buckel 257, 1; 1921, 1

buckeln 102, 3; 827, 1;
1920, 1
bucklig 992, 2; 1642, 1
Bückling 801, 2
Bückling machen 802, 1
Büdchen 740, 4
buddeln 787, 1
Buddha 785, 2
Bude 740, 4; 1309, 1
Budenzauber 749, 2
Budget 825, 2; 1258, 3
büffeln 1049, 1
Büffet 1418
Buffo 1384, 1
Bug 415, 2
Bügelfalte 585, 1
bügeln 769, 2
bugsieren 669, 2
buhen 1809, 2
Buhle 713; 1896
buhlen 217, 2; 245, 2;
1741
buhlen um 1895, 2
buhlerisch 1074
Bühne 1377; 1576, 1
Bühnenbild 168, 2
Bühnenkünstler 360
Bühnensprache 1493, 4
Bühnenstück 1378, 1
Bühnenwerk 1378, 1;
1539, 5
Build-upper 1897, 4
Bukanier 2
Bukett 108; 343, 2
bukolisch 835, 5
Bulimie 1550, 4
Bulle 982; 1266, 1
Bullenhitze 1872, 1
bullern 1018, 3
Bulletin 258, 1
bullig 381, 1; 981, 3;
1871, 2
Bumerang 902, 2
Bummelant 595
Bummelei 1676, 1;
1821, 2
bummelig 1675, 1
bummeln 594; 602, 2;
703, 2; 1820, 3
Bummelstreik 370, 1;
1531
Bummler 595
Bums 734, 3
bumsen 1056, 3
Bumslokal 681, 1

Bund 343, 2; 1111, 2;
1718, 6
Bunde, im 443, 1
Bündel 343, 2; 870, 8;
1295, 1
bündeln 313, 4; 1233, 2;
1361, 2
Bundesgenosse 652
Bundesheer 1111, 2
Bundesstraße 1527
bündig 479; 1005, 2;
1535, 1
Bündigkeit 1144
Bündnis 1718, 6; 1736, 2
Bündnis, im 1727, 1
Bungalow 824, 1
Bunker 211, 4; 692, 2
bunkern 1788, 1
bunt 78, 1; 591, 1;
1026, 4; 1783, 2
bunt, zu 130, 2; 1021, 3
buntfarbig 591, 1
Buntheit 589, 1;
1826, 1; 1826, 1
buntscheckig 591, 1
Bürde 1020, 1; 1473;
1658

Burg 211, 4; 824, 1
Bürge 338
bürgen 313, 3; **339**
Bürger 340
Bürgerinitiative 800, 7
Bürgerkrieg 987, 2
bürgerlich 341; 731, 2
Bürgerrecht 1318, 3
Bürgersteig 1527
Bürgertum 340, 2
Bürgerwehr 1111, 2
Bürgschaft 342
burlesk 835, 4
Burleske 960
burned out 1028, 5
Büro 740, 3
Bürokrat 1239, 1
Bürokratie 230
bürokratisch 1241, 1
Bürostadt 1499, 4
Bursche 910, 2
Burschenschaft 1718, 4
burschikos 642, 1
bürsten 1326, 1; 1367, 2
Bus 579, 4
Busch 343

Büschel 343, 2
Buschen 343, 2
Buschwerk 343, 1
Busen 344
busenfrei 1154, 2
Busenfreundin 653
Busenfreundschaft
655, 1
Busentuch 1291, 7
Businessman 741
Buslinie 1058, 3
Bußbereitschaft 1341
Buße tun 345
büßen 345
büßen lassen 1750, 1
bußfertig 1342
Bußprediger 1239, 2
Büste 344; 1471
Butler 826, 4
Butterbrot, für ein 312, 1
Butterfahrt 578, 1
Buttermesser 1106
Butterseite 780, 2;
1836, 1
butterweich 1890, 1
Byte 1501, 4

C

Cachenez 1291, 7
Café 681, 1
Callboy 1281
Callgirl 1280
Camcorder 916, 2
Camkamera 916, 2
Camouflage 1558, 2
Camp 1011, 1
Campanile 1609, 1
campy 1492, 3
cancheln 122, 2
Canto 739, 2
Cantus 739, 2
Caravan 579, 2
Cartoon 308, 2
Casanova 1742, 1
Cäsar 849
Cäsarenwahn 460, 2
cash 1663, 3
Cast 800, 9
Casting 1347, 1
Caudillo 849
Causa 580, 2
Causeur 927
CD-ROM 1362, 3; 1483, 4
Cellist 1134, 2
Center 1119, 3
Centrecourt 685, 3
Chaiselongue 1470, 2
Chalet 824, 1
Chamäleon 1221
Champion 1464, 1; 1488; 1500, 1
Chance 165, 2; 556, 3; 1129
changieren 1381, 4
changierend 718, 2
Chanson 739, 2
Chansonnette 1363, 2
Chansonnier 1363, 1
Chaos 1668, 1
chaotisch 1667, 1; 1914, 1
Charakter 110, 1; **346**; 632, 2
Charakterbildung 346

charakterfest 347; 1971, 1
Charakterfestigkeit 613, 3
charakterisieren 270, 1; 931, 1
Charakterisierung 361, 1; 930, 2
Charakteristik 930, 2
Charakteristikum 424, 2; 930, 1
charakteristisch 348; 378, 2
charakterlos 349; 574, 2; 754; 1397, 5; 1432, 3
Charakterlosigkeit 755
charakterschwach 349
charakterstark 347, 1
Charakterstärke 613, 3
charaktervoll 347, 1
Charakterzug 424, 2
Charge 1302, 1; 1347, 1
chargieren 674, 1; 1622, 4
Charisma 716, 3
Charismatiker 671, 6
Charité 983
Charivari 1113, 3
charmant 71, 1; 76, 2
Charme 70; 1333
Charmeur 927
Charming Boy 1742, 1
Chart 1303
Chartermaschine 579, 7
chartern 89, 1
Chassis 1301, 1
Chat 1683, 1
Chaussee 1527
Chauvi 1075
Chauvinismus 1163, 2
Chauvinist 1075
Check 1285, 2
checken 1284, 1; 1793, 2
Chef 1047, 2
Chefarzt 1047, 2
Chefetage 1048, 1
Chemie 444
chemisch 1002
chevaleresk 864
Chiffre 930, 5; 1933, 2
chiffrieren 1621, 7
Chip 192, 1; **350**
Chippy 397, 1

chirurgisch 722, 2
chloroformieren 284, 1
Choleriker 1272, 3
cholerisch 829, 3
Chor 800, 3
Choral 739, 2
Choreographie 779
Chörlein 181
Chorleiter 1047, 2
Chorsänger 1363, 1
Chorsängerin 1363, 2
Chronik 527, 3
chronisch 365, 1
Chronist 260, 2
Chronologie 742, 2
chronologisch 351
Chronos 1935, 1
Cicerone 671, 4
Cicisbeo 714
Cinemax 937
Citoyen 340, 1
City 1499, 3
Claim 1318, 1
Clan 800, 6; 953; 1813, 1
Claque 1402, 1
Claqueur 1221; 1402, 1
clean 1365, 3
clever 744, 2; 1396, 1
Cleverness 743, 2
Clinch 400, 3; 917, 3
clinchen 402, 2
Clique 800, 6; 953
Cliquenwirtschaft 953
Clito 942
Close-up 126, 1; 308, 3
Clou 767, 5
Clown 111, 2; 1384, 1
Cluster 1102, 1
Coach 1035, 2
coachen 1034, 2
Coaching 1033, 1
Cocktail 1113, 1
Cocktailparty 749, 2
Codewort 930, 5
Codeziffer 930, 5
Codiersprache 1493, 5
Coiffeur 661
Collage 308, 2
College 1427, 1
coloured 591, 3
Combo 800, 4
Comeback 1349, 2
Comedy 960
Comic 308, 2; 559, 2

Coming-out 1209, *1*
commercial 959
Commercial 1897, *3*
Common Sense 1789, *2*
Compagnie 800, *3*
Compunetz 1176, *3*
Computer 352
Computerausdruck
 147, *3*
Computerfreaks 1545, *2*
computerisieren 1306
Computerkonferenz
 1593, *4*
Computerspeicher
 1483, *4*
Computerspiel 1683, *5*
Computersprache
 1493, *5*
Concierge 826, *5*
Conditio sine qua non
 207, *1*
Conférencier 1682
Connaisseur 726, *1*

Connections 1718, *3*
Consulting 1304, *3*
Container 223
Contenance 229, *1*
Continuity 394
cool 644, *2*; 914, *3*
Coolness 1646, *2*
Cop 1266, *1*
Copyright 1318, *1*
coram publico 1211, *1*
Cordon sanitaire 211, *4*
Corps 1718, *4*
corriger la fortune
 293, *1*
Couch 1470, *2*
Couleur 110, *2*; 589, *1*
Count-down 1835, *1*
Counterpart 700, *1*
Countertenor 1363, *1*
Countrysong 739, *2*
Coup 518, *2*; 1685, *3*
Coup d'État 134, *2*
Coupé 579, *2*

Coupon 350, *1*; 1539, *2*
Cour 465, *2*
Courage 1138
couragiert 920; 1139, *1*
Courmacher 927
Courschneider 1402, *1*
Cover 870, *4*; 1836, *2*
Covergirl 1414, *2*;
 1897, *3*
Crack 1311; 1488;
 1500, *1*
Crashkurs 1033, *2*
Crashtest 1794, *3*
Credit 716, *2*
Creme 1201, *2*
Crescendo 1510, *3*
Crew 800, *9*
Cross-over 1113, *4*
Crux 1020, *2*
Cup 962, *2*; 1270, *4*
cutten 1409, *2*
Cyberspace 880, *4*; 1382
cyborgen 1218

D

da 699, 3; 853
da capo 1902
da gewesen 1177, 2
da sein 1024, 1
da sein, nicht 598, 1
dabei 3; 125, 1; 254, 3;
    699, 3; 895, 1;
    1026, 2
dabei bleiben 1786, 1
dabei sein 128, 1; 515, 1;
    1563, 2
dabei, dicht 1155, 2
dabei, hart 1155, 2
Dabeisein 698, 2
dabeistehen 1563, 2
Dach 824, 2; 970, 1
Dach über dem Kopf
    1919, 1
Dach über dem Kopf,
    ohne 393, 1
Dach und Fach, unter
    610, 1
Dach, unter 534, 1
Dachboden 1483, 1
Dachgeschoss 1919, 2
Dachkammer 1309, 1;
    1483, 1
Dachs, junger 910, 2
Dachschaden 709;
    1778, 1
Dachtel 1393, 1
Dachwohnung 1919, 2
dackelbeinig 992, 5
Daddy 1704, 2
dadurch 1124, 3
dafür sein 215
dafürhalten 1099;
    1771, 1
Dafürhalten 1100, 1
dafürstehen 339, 1
dagegen 3
dagegenhalten 557, 2;
    1754, 1
daheim 227, 1
Daheim 824, 2
daher 43
daherreden 1494, 3

dahin 1585, 1; 1743;
    1886, 1; 1886, 1
dahineilen 1749, 1
dahingegangen 1585, 1
dahingehen 1512, 2;
    1749, 1
dahingestellt 1207, 3;
    1673, 1
dahinleben 1024, 1
dahinraffen 1512, 4
dahinschmelzen 1749, 1
dahinter klemmen, sich
    92, 2; 392
dahinter kommen
    515, 3; 1066, 3;
    1305, 3; 1793, 2
dahinter machen, sich
    392
dahinter setzen, Druck
    391, 2
dahinter stecken 1832
dahinter, nichts 1028, 3;
    1199, 2
dahintreiben 1437, 2
dahocken 1469, 3
Dakapo 1904
Dakaporufe 231
Daktylogramm 930, 5
dalassen 1627, 3
daliegen 212, 1
damalig 1743
damals 666, 1
Dame 640
Dame, alte 1140, 2
Dame, junge 1078, 2
Damenkränzchen 800, 8
dämlich 403, 1
Dämlichkeit 404, 1
Damm 211, 4; 1527
Damm, auf dem 757, 1
Damm, nicht auf dem
    1042, 1
dämmen, Wärme
    1873, 2
dämmerig 407, 1
dämmern 52, 2; 409, 1;
    435, 1; 1392, 2;
    1793, 2
Dämmerstunde 408, 1
Dämmerung 51, 3;
    408, 1
Damoklesschwert
    399, 2
Dämon 707, 3; 724, 2;
    1574

Dämonenglaube 4
Dämonenkult 786
dämonisch 407, 4;
    1692, 5
Dampf 353; 478, 1;
    1186, 1
Dampf machen 391, 2
Dampfbad 178, 4
dampfen 354; 956, 1;
    1308; 1445, 1
dämpfen 261, 1; 496;
    769, 2; 857, 1; 956, 2;
    1679, 2
dämpfen, Stimme 629
Dampfer 579, 6
Dämpfer 508; 1092, 2
dämpfig 406, 2; 1162, 3
Dampfross 579, 4
Dämpfung 1092, 2;
    1348, 3
danach 1482, 1
Dandy 1544
dandyhaft 459, 1;
    1624, 3
daneben 117, 3; 1155, 1
danebengegangen
    583, 1; 1747
danebengehen 1383, 1
danebenhauen 901, 3
danebenschießen 598, 4;
    901, 3
danebentreten 598, 5;
    901, 2
dank 69, 2; 1124, 3
Dank 356; 498, 1;
    1751, 3
Dankadresse 356
dankbar 355; 664;
    1197, 2
dankbar sein 357, 2
Dankbarkeit 356
Dankbarkeitsgefühl 356
danken 288; 357;
    497, 1; 1750, 3
danken haben, zu 357, 2;
    1425, 2
dankenswert 1197, 1;
    1732
dankerfüllt 355, 1
Dankgebet 684
Danksagung 356
Dankschreiben 356
dann 1482, 1
dann und wann 1852, 1
dannen, von 1886, 1

Danse macabre 1400, *2*
dappeln 703, *2*
darangeben 1220, *1*
darauf 1482, *1*
darben 482; 872, *1*
darbieten 50, *3*; 307;
  683, *3*
Darbietung 1712, *2*;
  1847, *3*
darbringen 683, *3*
darin 888, *1*
darlegen 241, *2*; 528, *1*;
  1768, *3*
darlegen, im Einzelnen
  1936, *1*
Darlegung 164, *1*;
  361, *1*; 370, *2*; 529, *1*;
  615, *1*
Darlehen 358; 986
Darlehenskasse 184, *2*
Darling 713
Därme 439
darniederliegen 1040, *3*
darreichen 50, *3*; 683, *1*
darren 1603, *3*
darstellen 1, *1*; 201, *1*;
  241, *2*; 270, *1*; 359;
  528, *1*; 931, *1*; 1486, *1*
darstellen, bildlich
  359, *5*; 528, *3*
darstellen, etwas 201, *3*
darstellen, falsch 1072
darstellen, in Ziffern
  359, *2*
darstellen, indirekt
  359, *5*
darstellen, sich 359
darstellen, übertrieben
  1622, *4*
darstellen, zeichenhaft
  359, *5*
Darsteller 360
Darstellung 308, *2*; **361**;
  529, *2*; 559, *1*
Darstellungskraft
  1274, *1*
Darstellungsweise
  1493, *2*
dartun 1120, *2*
darüber 290
darüber hinaus 117, *3*
darum 43
darunter 1677, *4*
das heißt 1160
Dasein 570; 1025, *1*

daseinsfreudig 835, *1*
Daseinskampf 1025, *5*
daselbst 853
dasitzen 1469, *3*
dasselbe 771, *1*
dasselbe, fast 1901, *4*
dasselbe, immer 42, *2*
dastehen 1507, *1*;
  1620, *3*
dastehen, ratlos 1822, *2*
Date 1593, *1*
Datei 1817, *3*
Daten 930, *2*
Datenbank 184, *3*;
  1362, *4*
Datenerfassung 1362, *4*
Datenhighway 1176, *3*
Datensammlung
  1362, *4*
Datenverarbeitungsanla-
  ge, elektronische
  352, *1*
datieren 931, *2*
dato, bis 666, *2*
Datscha 824, *1*
Dauer 362; 1935, *1*
Dauer, auf 882, *2*
Dauer, nicht von 1745
Dauerbezieher 1000, *3*
Dauerbrenner 362, *4*
Dauererfolg 362, *1*
Dauergast 283, *1*
dauerhaft 363
dauerhaft machen
  522, *2*
Dauerkäufer 925
Dauermieter 1000, *3*
dauern 364
dauernd 365; 882, *1*
dauernd, lang 1013, *2*
Dauerredner 1436
Dauerwellen 806, *1*
Daumenschrauben
  1972, *1*
daunenweich 1890, *1*
davon 290
davongehen 485, *1*;
  624, *1*
davonkommen 492, *4*
davonlassen, Finger
  30, *3*; 1019, *2*
davonlaufen 624, *1*
davonmachen, sich
  624, *1*
davonschleichen 624, *1*

davontragen 236, *3*;
  1168, *2*
davontragen, Sieg
  1463, *1*
dawiderreden 557, *2*
dazu 48; 117, *3*; 290
dazugehören 519, *5*;
  1563, *1*; 1929, *3*
dazugelernt haben,
  nichts 1903, *2*
dazulernen 510, *5*;
  1049, *2*
dazurechnen 1929, *2*
dazutun 837, *3*
dazuzählen 1929, *3*
dazwischen 809
dazwischenfahren 440
dazwischenreden
  1522, *2*
dazwischentreten 440;
  857, *3*
de facto 1911, *1*
de jure 751, *3*
de Luxe 416, *1*
Deadline 1572
Deal 740, *6*; 814, *2*
dealen 815, *2*
Dealer 1312
Debakel 1116; 1658
debattieren 276, *3*;
  1531, *2*
debil 403, *1*; 1777, *2*
debitieren 237, *4*
Debitor sein 1425, *1*
Debüt 51, *2*; 438, *1*
Debüt, beim 53, *3*
Debütant 1428, *4*
debütieren 52, *3*
dechiffrieren 946, *2*;
  1066, *3*; 1793, *7*
Deckbett 870, *9*
Decke 870, *9*; 1198, *1*
Deckel 870, *4*; 1784, *1*
decken 151, *2*; 339, *2*;
  560, *2*; 1430, *1*;
  1462, *2*
decken gegen 1430, *1*
decken, Bedarf 729, *1*
decken, Rücken 1430, *3*
decken, sich 1430, *4*;
  1614, *1*
Deckenlicht 1012, *1*
Deckmantel 1558, *1*
Deckmantel, unter dem
  54

Deckname 1288
Deckung 150, 2; 342, 1;
  1461, 2; 1616, 1;
  1787, 2
deckungsgleich 771, 1
Deckungsgleichheit
  1616, 1
decodieren 946, 2
decouragieren 496
Dedikation 677, 3
dedizieren 683, 3
Deduktion 1400, 3
deduzieren 1399, 3
Deejay 1682
deeskalieren 261, 3
Defätist 1245
defätistisch 1246
defekt 265, 1; 1694, 1
Defekt 599, 2; 1368, 1
Defekt, technischer
  1780, 2
defensiv 658, 2
Defensive 1900, 2
defilieren 1236, 1
definieren 528, 2;
  614, 2; 931, 1
Definition 222; 529, 3
definitiv 476
Defizit 1067, 3
defizitär 1655, 1;
  1694, 1
Deflation 1348, 5
deformieren 264
deformiert 265, 1
Defraudant 294, 2
deftig 376, 2; 1158;
  1359, 2
Degeneration 1348, 2
degenerieren 1728, 3
degoutant 461, 1
degoutieren 462
degradieren 841, 1
degradiert 534, 3
dehnbar 622, 1; 1654, 3
Dehnbarkeit 623, 1
dehnen 1530, 2; 1942, 2
dehnen, sich 1530, 3;
  1530, 4
dehydrieren 1603, 2
dehydriert 1602, 1
Deibel 1574
Deich 211, 4
deichseln 715, 1;
  1226, 3; 1229, 2
Déjà-vu-Erlebnis 1904

Dekade 1935, 1
dekadent 471, 3
Dekadenz 472, 1;
  607, 2; 1348, 2
Dekalog 750, 1; 750, 2
Deklamation 1256, 2;
  1850
deklamatorisch 253, 2;
  1624, 5
deklamieren 1851, 1
Deklaration 529, 5
deklarieren 528, 5
deklassiert 850, 1
deklinieren 296, 3
dekodieren 1066, 3;
  1793, 7
Dekolleté 344
dekomponieren 1936, 1
Dekomposition 47
dekonstruieren 1936, 1
Dekonstruktion 47
dekontaminieren 1367, 5
Dekor 168, 3; 1136, 1
Dekoration 1291, 2
dekorativ 1405; 1912, 2
dekorieren 167, 2;
  174, 1; 420, 1;
  1063, 2; 1292, 1
Dekorum 168, 3;
  1558, 2
Dekret 209, 1
dekretieren 72, 1
dekuvrieren 1208, 1
Delegation 1807
delegieren 1388, 1;
  1621, 1
Delegiertenkonferenz
  1593, 2
Delegierter 1806, 3
delektieren, sich 651, 1;
  725
delikat 100, 2; 471, 1
Delikatesse 468, 3; 979
Delikt 1669, 2; 1724
Delinquent 1725, 1
Delirium 1310, 1
deliziös 100, 2
Delkredere 342, 2
Delle 1798, 1
delphisch 407, 4
Delta 1400, 1
Demagoge 366
Demagogie 367
demagogisch 368
Demand 1147

Demarkationslinie 790
demaskieren 319, 3
Demaskierung 1209, 1
Dementi 947, 4
dementieren 946, 5;
  1051, 2
dementsprechend 43;
  504, 3
Demenz 709
Demeter 785, 3
demgemäß 43
Demilitarisierung
  1348, 10
demissionieren 998, 1
Demissionierung 999, 1
Demiurg 785, 1
demnach 43
demnächst 180
Demo 1897, 3
demobilisieren 261, 3
Demokassette 1897, 3
demokratisch 369;
  1211, 2
demolieren 264; 1939, 3
Demonstration 164, 3;
  370; 529, 1
demonstrativ 16; 842;
  1145, 1
demonstrieren 528, 1;
  1934, 2
Demontage 1348, 3
demontieren 841, 1
demoralisieren 496;
  1434
demotivieren 496; 1434
Demovideo 1897, 3
Demut 706, 2
demütig 689, 2; 705;
  1690, 1
demütigen 841, 1
demütigen, sich 704, 3
demütigend 239, 2
Demütigung 240;
  1372, 1
demzufolge 43
denaturieren 1728, 2;
  1739, 2
denaturiert 1237
dengeln 1374, 1
Denkanstoß 77, 1
Denkarbeit 1321
Denkart 375
denkbar 863, 1; 1128, 1;
  1790, 1
denkbar, kaum 926, 2

Denkbild 1847, *2*

denken 371; 770, *1*;
  1099; 1771, *1*

Denken 707, *1*; 1321

denken an 526, *2*;
  1486, *4*

Denken, diskursives
  1789, *1*

denken, nicht daran
  1752, *1*

denken, nicht daran zu
  1664

Denken, positives 1222

denken, schöpferisch
  435, *2*

Denken, schöpferisches
  1253

denkend, frei 644, *3*

denkend, negativ 1246

denkend, positiv 1224

Denker 372

Denkergebnis 1400, *3*

Denkfähigkeit 1789, *1*

denkfaul 1675, *1*

Denkfaulheit 991

Denkfehler 599, *1*

Denkhilfe 854, *3*

Denkkraft 1789, *1*

Denkmal 373

Denkmodell 878, *1*;
  1552, *3*

Denkmöglichkeit 878, *1*

Denkpause 1678, *1*

Denkprozess 1321

Denkschablone 1853

Denkschrift 94, *2*

Denksportaufgabe
  120, *4*

Denkspruch 374

Denkstein 373

Denkübung 1628

Denkungsart 375

Denkvermögen 707, *1*;
  1789, *1*

Denkweise 346; 375

denkwürdig 1899, *2*

Denkwürdigkeiten 176

Denkzeichen 527, *3*

Denkzettel 1033, *3*;
  1751, *1*

denn 49; 69, *2*; 1160;
  1472

dennoch 3; 1202;
  1607, *2*

Denunziant 1429, *2*

denunziatorisch 583, *4*

denunzieren 1764; 1776

Dependance 1185, *2*

deplatziert 1555;
  1661, *3*

deponieren 22, *3*

Deportation 1804

Deportationslager 969

deportieren 173, *1*;
  1803, *1*

Depot 1483, *2*

Depp 405, *2*

depravieren 1728, *3*

depraviert 850, *1*

Depression 721; 988, *3*;
  1348, *5*; 1591

Depression, manische
  721

depressiv 720; 1182, *1*;
  1659, *1*

deprimieren 496

deprimiert 1182, *1*;
  1659, *1*

Deputat 1295, *2*

Deputation 1807

Deputierter 1806, *3*

derangieren 1815, *1*

derangiert 1150, *4*

derart 1472

derartig 1472

derb 376, 1264, *1*,
  1359, *2*

Derbheit 643, *2*

dereinst 666, *1*; 1482, *2*

dergestalt 1472

dermaßen 1472

Dernier Cri 1125, *1*;
  1179, *1*

derzeit 666, *1*; 699, *1*

derzeitig 699, *1*

Desaster 1116; 1658

desaströs 1420, *1*

desavouieren 319, *2*

desavouieren, sich
  319, *1*

Desavouierung 1372, *1*

Deserteur 377

desertieren 20, *1*;
  1618, *2*

desgleichen 117, *1*

Desiderat 1067, *3*

Design 168, *3*

Designer 561

Designerdroge 1311

desillusionieren 507

Desillusionierung 508;
  1092, *2*

desinfizieren 1367, *5*

Desinformation 1071, *1*;
  1558, *4*

desinformieren 1072

desintegrieren 1936, *1*

Desinteresse 1646, *2*

desinteressiert 772, *4*

desolat 450, *1*; 1017, *2*;
  1204, *1*; 1659, *1*

Desorganisation 1668, *1*

desorientieren 1815, *2*

desorientiert 1696, *1*;
  1914, *2*

Desperado 2

desperat 856, *2*

Despot 849

Despotie 847, *3*

despotisch 1535, *3*;
  1908, *2*

Despotismus 847, *3*

dessen ungeachtet
  1607, *2*

Dessert 1080, *5*

Dessin 1136, *1*

Destille 681, *1*

destillieren 330, *5*

destilliert 1365, *2*

destruieren 1939, *3*

Destruktion 1940, *1*

destruktiv 37, *1*

deswegen 43; 43

Deszendent 936, *2*

Deszendenz 846, *1*

Detail 463, *3*; 1560, *3*

Detailgeschäft 740, *2*

detaillieren 1936, *1*

detailliert 457, *4*; 722, *4*

Detektiv 248, *2*

Determination 529, *3*

determinieren 528, *2*

Determiniertheit 206

Detonation 143, *1*;
  734, *3*

detonieren 142, *1*;
  1018, *3*

Deubel 1574

Deus ex Machina 838, *1*

Deut 951, *1*

Deut, keinen 1180, *1*

deuteln 371, *2*

deuten 241, *2*; 528, *3*;
  861, *1*; 1934, *1*

Deuter 1276

Deutler 990, 2; 1239, 1
deutlich 78, 2; 376, 2;
    378; 945, 2; 1022;
    1145, 1; 1373, 5; 1498
deutlich machen 1729, 1
deutlich werden 1729, 2
Deutlichkeit 947, 1
Deutsch, auf 1207, 2
Deutung 361, 2; 529, 2
Deutungsmuster 997, 1
deviant 1237
Devianz 29, 5
Deviation 29, 2
Devise 374, 2
Devisen 271, 3
devot 1690, 1
Devotion 706, 2
Devotionalie 976, 1
Dez 970, 1
dezent 996, 3; 1960, 2
Dezentralisation 1595, 2
dezentralisieren 1594, 2;
    1936, 1
Dezenz 607, 2; 1961, 2
Dezernat 1977, 2
dezidiert 479; 1145, 1
dezimieren 1007, 2
Dezision 500, 1
dezisionistisch 695, 4
Dia 308, 3
diabolisch 323, 1
Diabolus 1574
Diagnose 615, 1
Diagnostik 225, 3
diagnostizieren 224, 2;
    614, 2
diagonal 1199, 3; 1417, 1
Diagonale 1058, 1
Diagramm 308, 2
Dialekt 1493, 4
Dialektik 1493, 3
Dialog 277, 2; 1683, 1;
    1683, 1
Dialyse 1330, 4
Diamanten 976, 2
diametral 695, 4
Diana 641
diaphan 410, 1; 1931, 1
Diapositiv 308, 3; 618, 2
Diarium 527, 3
Diät 379
Diäten 137, 1; 498, 3
Diätkost 379, 2
Dichotomie 694, 2
dichotomisch 695, 4

dicht 380; 1265, 1
dicht bei dicht 380, 2
dicht machen 543, 2
dicht, nicht ganz 1777, 1
Dichte 613, 1
dichten 270, 2
Dichter 1423
dichterisch 1265, 1;
    1415
Dichterlesung 1850
dichthalten 1438, 2
dichthalten, nicht 948, 1
Dichtkunst 1061
dichtmachen 122, 1;
    1779, 5
dichtmaschig 380, 2
Dichtung 1061
dick 381
dick haben, es 1039, 2
dicke 1823, 1
Dicke 673, 2; 1501, 3;
    1630
dickfellig 1645, 1
Dickfelligkeit 1646, 1
dickflüssig 1928, 2
Dickicht 343, 1
dickköpfig 425
dickleibig 381, 1
dicklich 381, 1
Dickschädel 1272, 3
dicktun 430, 3; 1269, 1
didaktisch 238, 2
diebisch 1452, 1
Diebstahl, geistiger
    1142, 1
Diele 331, 1; 1842, 2
dienen 65, 1; 214, 1;
    382; 1196, 1
dienen als 382, 2
dienen, zwei Herren
    1561, 3
Diener 801, 2; 826, 4;
    838, 2
Diener machen 802, 1
dienern 802, 1
Dienerschaft 826, 1
dienlich 1197, 1; 1973, 1
dienlich sein 1196, 1
Dienst 383
Dienst nach Vorschrift
    370, 1
Dienst, außer 44, 6
Dienst, immer im 621
Dienstbereich 436, 3
Dienstbote 826, 4

Dienstboten 826, 1
Diensten, zu 491
Dienstgrad 1302, 1
Dienstleistung 204, 2;
    383, 2; 854, 1
dienstlich 1213, 1
Dienstmädchen 826, 2
Dienstmagd 826, 2
Dienstmann 1613, 1
Dienstpersonal 826, 1
Dienstrang 1302, 1
Dienstreise 578, 2
Dienststelle 230
Dienststellenleiter
    1047, 2
Dienstweg 634, 1
dienstwillig 705; 1690, 1
dies und das 1113, 3;
    1823, 2
diesbezüglich 290;
    504, 3
Diesel 579, 2
dieser und jener 1825
dieserhalb 290
diesig 407, 2
dieweil 776; 1864;
    1894, 2
diffamieren 841, 1; 1764
diffamierend 239, 2
Diffamierung 240; 1765
Differenz 1688
Differenzen 1533, 1
differenzieren 1687, 1;
    1936, 1
differenziert 84, 1;
    416, 1; 731, 3; 996, 3;
    1579
Differenziertheit 607, 2
Differenzierung 779
Differenzierungsvermö-
    gen 1789, 2
differieren 967, 2;
    1687, 2
diffizil 1243, 2; 1441, 2
diffus 407, 3; 1654, 3
Digest 1362, 3
digital 695, 4
digitalisieren 359, 2
Dignität 1925, 1
Diktat 209, 1; 750, 1;
    1972, 1
Diktator 849
diktatorisch 1535, 3;
    1908, 2
Diktatur 847, 3

diktieren 72, *1*; 1979, *1*
diktieren, in die Feder
  837, *5*
Diktion 1493, *2*; 1517, *1*
Diktum 1700, *1*
dilatorisch 1649, *1*
Dilemma 988, *2*;
  1763, *1*
Dilettant 384; 1003, *2*
dilettantisch 385
Dilettantismus 386
dilettieren 1252
Dimension 146, *2*;
  792, *1*; 1089, *2*
Diner 1080, *4*
Ding 697, *1*; 1521, *1*
Ding, junges 1078, *2*
Dinge sein, guter 651, *2*
Dinge, guter 835, *3*
Dinge, unverrichteter
  1747
dingen 89, *1*
Dingen, über den 772, *1*
Dingen, vor allen 273, *1*
dingfest machen 1756
dinghaft 1911, *2*
dinieren 566, *2*
Dinner 1080, *7*
dionysisch 518, *3*
Dip 1476
Diplom 279, *1*; 1941, *1*
Diplomarbeit 8, *2*
Diplomat 387
Diplomatie 743, *2*
diplomatisch 744, *2*;
  1554, *2*; 1845, *2*
diplomieren 174, *1*
direkt 1207, *2*; 1244, *2*;
  1663, *1*
Direktion 1048, *1*
Direktive 96, *2*; 136, *2*;
  209, *1*
Direktor 1047, *2*
Direktorium 1048, *1*
Dirigent 1047, *2*
dirigieren 669, *2*
dirigierend 670, *1*
Dirn 1078, *2*
Dirne 1280
Dirnenwesen 1282
Discjockey 1682
Discokugel 1012, *1*
Discolicht 1671, *2*
Discomusik 1133, *3*
Discountladen 740, *5*

Diseuse 1682
Disharmonie 1533, *1*
disharmonisch 695, *1*
disjunktiv 695, *4*
Diskette 1483, *4*
Disko 681, *2*
diskreditieren 841, *1*;
  1764
diskreditieren, sich
  319, *1*
Diskreditierung 389, *1*;
  1765
diskrepant 1783, *1*
Diskrepanz 29, *5*; 1688
diskret 1439, *1*; 1801;
  1960, *2*
Diskretion 1961, *2*
diskriminieren 1114, *1*;
  1369, *1*
diskriminierend 239, *2*;
  388
Diskriminierung 240;
  389; 1115; 1368, *2*
Diskurs 277, *2*
Diskurs, öffentlicher
  1212, *1*
Diskussion 277, *3*;
  1683, *1*
Diskussionsgrundlage
  796, *5*
Diskussionsleiter
  1047, *2*
Diskussionsteilnehmer
  1565, *2*
diskutabel 1128, *1*
diskutieren 276, *3*;
  1681, *3*
Disneyland 940, *1*
Dispens 532, *1*; 784, *1*
dispensieren 213, *2*
dispensiert 644, *5*
Dispensierung 532, *1*
Dispersion 1113, *4*
Display 97, *2*; 311;
  1897, *3*
disponibel 254, *2*;
  610, *3*; 1838, *1*
Disponibilität 255
disponieren 72, *2*;
  1226, *3*
disponiert 471, *2*; 576, *2*
Disponiertheit 1519, *1*
Disposition 346; 472, *1*;
  779; 1227, *1*; 1519, *1*;
  1569, *1*

Disposition, zur 254, *2*;
  610, *3*; 1838, *1*
Disput 277, *3*; 1533, *2*
disputieren 276, *3*;
  1534, *2*
Disputierer 1239, *1*
disqualifizieren 998, *3*
disqualifiziert 534, *3*
disqualifiziert werden
  21, *3*
Dissertation 8, *2*
Dissident 700, *2*; 932
dissidentisch 933
Dissolution 47
dissonant 822, *2*
Dissonanz 1533, *1*
Distanz 486, *1*; 1688;
  1961, *1*
distanzieren, sich 20, *1*;
  485, *5*; 1779, *5*
Distanzierung 1595, *1*
distanzlos 480, *2*
Distanzlosigkeit 481, *5*
distinguiert 996, *3*
Distinktion 607, *1*
distribuieren 1796, *1*
Distribution 1797
Distrikt 685, *1*
Disziplin 229, *1*; 571, *2*
disziplinarisch 1535, *3*
disziplinieren, sich 228
disziplinlos 1093, *2*
dithyrambisch 518, *3*
dito 117, *1*
Diva 1500, *1*
Divergenz 29, *5*; 1688
divergieren 28, *4*;
  967, *2*; 1687, *2*
divergierend 1783, *3*
diverse 1825
Dividende 1338, *1*
dividieren 1929, *1*
dividieren, auseinander
  1594, *2*
Divinationsgabe 468, *4*
divinatorisch 467, *6*;
  899; 1277
Diwan 1470, *2*
DJ 1682
doch 3; 1607, *2*
Dogma 750, *2*; 798, *2*
dogmatisch 1504, *4*
doktern 1252
Doktor 113
Doktorarbeit 8, *2*

Doktrin 798, 2; 1033, 4
doktrinär 1504, 4
Dokument 1941, 1
Dokumentarfilm 618, 3
Dokumentation 8, 1;
258, 3
dokumentieren 127, 5;
1934, 4
Dolcefarniente 1676, 2
Dolch 1106
dolmetschen 528, 1;
1768, 1
Dolmetscher 1769
Dom 938, 2
Domäne 121; 190;
1484, 1
Domestiken 826, 1
domestikenhaft 1690, 2
domestizieren 1951, 2
domestiziert 705
Domestizierung 1950, 2
Domina 641; 1280
dominant 670, 1;
1077, 1
Dominanz 847, 2;
1076, 1
dominieren 669, 2;
848, 2
Domizil 824, 2; 1919, 3
Dompteur 111, 2;
1035, 2
Don Juan 1742, 1
Donnerbalken 1582, 1
Donnergepolter 734, 3
donnern 1018, 2; 1391, 2
Donnern 734, 2
Donnerschlag 734, 3;
1393, 3
Donnerwetter 1385, 1
donnerwettern 1391, 2
Donquichotterie 875, 2;
1674, 2
doof 403, 1
Doofheit 404, 1
Dope 1311
dopen 75, 3
Doppel 1811, 2
Doppelbedeutung 1824
Doppelbett 295
doppeldeutig 1975, 2
Doppeldeutigkeit 1824
Doppelereignis 1616, 2
doppelgeschlechtig 390
doppelköpfig 390
Doppelmoral 584, 2

Doppelschicht 1387, 2
doppelseitig 390
Doppelsinn 1824
doppelsinnig 1975, 2
Doppelsinnigkeit 81, 2;
1824
Doppelspiel 584, 1
Doppelstrategie 584, 1
doppelt 390
doppelzüngig 583, 4;
1554, 2
Doppelzüngigkeit
584, 1
Dorado 1234
Dorf 1232, 1; 1499, 2
Dorf, potemkinsches
1558, 2
Dörfer, böhmische 1662
Dorftrottel 405, 5
Dorn 211, 2
Dorn im Auge 1637, 3
Dorn im Auge sein
821, 1
dornenlos 781, 2
dornig 1373, 1; 1441, 2
dörren 1603, 3
Dose 223
dösen 1392, 2
dosieren 614, 3; 1561, 2
Dosierung 23, 1
dösig 1130, 1
Dosis 1295, 2
Dosis, homöopathische
951, 2
Döskopp 405, 1
Dossier 258, 1
Dotation 677, 2
dotieren 683, 2
doubeln 1486, 1;
1805, 1
Double 550, 4
Doublebind 1974, 1
Douceur 677, 1
down 1182, 1; 1659, 1
Doyen 671, 6
Dozent 1035, 1
dozieren 1034, 1;
1851, 1
dozierend 238, 2
Drachensaat 843, 2
Dragee 112, 2
Draht 1048, 3; 1718, 3
Draht, auf 1026, 3
drahten 1621, 6
Drahtesel 579, 2

drahtig 981, 1; 1489, 1;
1928, 4
Drahtseilakt 1860
Drahtverhau 858, 4
Drahtzieher 671, 6; 897
drainieren 1603, 4
drakonisch 334; 820, 3;
1535, 3
drall 376, 1; 381, 1
Drall 396, 2; 1446, 1
Drama 1061; 1378, 1;
1658
Dramatik 1477, 1
Dramatiker 1423
dramatisch 130, 1;
1265, 1
dramatisieren 198, 6;
1622, 4
Dramatisierung 1623, 2
Dramendichter 1423
dran sein 1740, 2
dran sein, gut 807, 2
dran, gut 757, 1
dran, nichts 1397, 1
dranbleiben 1740, 2
Drang 1761, 1
drangeben 1819, 1
drangehen 52, 3;
1684, 1
drängeln 391, 1
drängen 75, 2; 391;
428, 3; 541, 1; 1081, 2
Drängen 1761, 1
drängen auf 391, 4
drängen nach 217, 2;
1528, 1
drängen, an die Wand
1733, 1
drängen, beiseite
1733, 1
drängen, in den Hinter-
grund 1733, 1
drängen, sich 391
drängen, sich nach
391, 4
drängen, zu einer Ent-
scheidung 1374, 2
drängend 429, 3;
1899, 1
Drangsal 1190, 2
drangsalieren 1242, 1
drangvoll 480, 1
dranhalten, sich 92, 3;
392
drankommen 631, 4

drankriegen 1979, 2
dranmachen, sich
    1684, 1
dransetzen, alles
    1528, 1
dranwollen, nicht
    402, 4; 1633, 1
drastisch 376, 2; 1395;
    1912, 2
dräuen 398, 4
dräuend 1420, 1
drauf und dran 180;
    254, 3
Draufgänger 919, 2
draufgängerisch 479;
    642, 1; 920; 1139, 2
draufgeben, eins 1391, 1
draufgeben 1512, 4;
    1728, 1
draufhaben 963, 1
draufhalten, Daumen
    1478, 2
drauflos frisch 1695, 3
drauflos, wild 1695, 4
drauflosgehen 1859, 2
draufmachen, einen
    602, 2
draufzahlen 519, 2;
    1767, 2
draußen 393
drechseln 756
Dreck 5, 1; 156, 2;
    951, 1; 1406, 1;
    1551, 1
Dreck am Stecken
    1426, 2
dreckig 91, 4; 1408
dreckig machen 1808
Drecksau 1407
Dreckspatz 1407
Dreh 126, 1; 1597
Dreh- und Angelpunkt
    823
Drehbuch 394
Drehbuchautor 1423
Drehbuchschreiber
    1423
drehen 395; 715, 1
drehen und wenden
    371, 2
drehen und wenden, sich
    172, 2; 1023, 2
drehen, Däumchen 594;
    1016, 2
drehen, Film 395, 8

drehen, sich 395
drehen, sich auf die ande-
    re Seite 395, 7
drehen, sich um 224, 3;
    289
drehen, Strick 1369, 1
Drehort 1232, 2
Drehpunkt 823
Drehstuhl 1470, 1
Drehung 396; 1004
Dreikäsehoch 910, 2
dreingeben 122, 3
dreinhauen 60, 2; 918, 5
dreinschlagen 60, 2;
    918, 5
dreist 642, 3
Dreistigkeit 643, 2
Dreitagebart 187
Dresche 1393, 1
dreschen, leeres Stroh
    1269, 2
dreschen, Phrasen
    1269, 2
Dress 949, 1
Dresscode 326, 3
Dresseur 111, 2
dressieren 1610; 1951, 2
Dressing 1476
Dressman 360
Dressur 1628; 1950, 2
dribbeln 1526
Drift 1537, 2
driften 1437, 2
Drill 1628
drillen 395, 2; 1610;
    1951, 2
drin 888, 1
drin, nicht 1664
dringen, an die Öffent-
    lichkeit 411, 3
dringen, ans Ohr
    1584, 1
dringen, ins Bewusstsein
    1793, 2
dringend 429, 3;
    1191, 1; 1899, 1
dringlich 429, 3;
    1145, 2; 1191, 1;
    1899, 1
dringlich sein 428, 3
Dringlichkeit 202, 3
Drink 759, 1
drinnen 888, 1
drinstecken 1040, 4
drippeln 625; 1325

Dritte-Welt-Laden
    740, 2
drittklassig 1397, 1;
    1432, 5
Drive 1446, 2
Drive-in-Kino 937
droben 862, 1; 1840, 1
Droge 112, 1; 1098, 2;
    1311; 1521, 5
dröge 574, 2; 1017, 2
Drogenabhängiger 397
Drogenabhängigkeit
    1550, 2
Drogenentzug 512, 2
drogenfrei 1365, 3
Drogenhändler 1312
Drogenrausch 1310, 2
Drogenstrich 1182
Drogensucht 1550, 3
drohen 398; 1874
drohen, mit Krieg 398, 3
drohend 690, 1; 690, 1;
    1420, 1
Drohgebärde 399, 1
Drohkulisse 399, 2
Drohne 595
dröhnen 1018, 2
Dröhnen 734, 2; 734, 3
dröhnend 1022
Drohnendasein 1676, 1
Dröhnung 1311
Drohung 399; 843, 1;
    1875
Drohwort 627
Drolerie 1683, 3
drollig 835, 3
Drolligkeit 1683, 3
Droschke 579, 1
drosseln 22, 2; 857, 1;
    1007, 3
Drosselung 454, 1;
    858, 2
drüben 695, 2
Druck 399, 1; 400;
    1020, 1; 1020, 2;
    1477, 2; 1774, 2;
    1811, 1
Druck sein, immer im
    851, 2
Druck, erster 1230, 1
Druck, im 401; 856, 2
Druck, ohne 646
Druck, unter 401;
    1652, 2
Drückeberger 595; 603

Drückebergerei 1676, 1
drucken 1773, 1; 1810
drücken 237, 5; 284, 4;
　391, 1; **402**; 509, 2
drücken, an die Wand
　1394, 3
drücken, auf die Tube
　391, 3
drücken, breit 402, 2
drücken, Hand 802, 1
drücken, in die Hand
　683, 2
drücken, platt 402, 2
drücken, Preis 815, 3
drücken, Schulbank
　1049, 1
drücken, sich 172, 2;
　1633, 1; 1779, 5
drückend 406, 2;
　1021, 1; 1871, 2
Drücker 812, 1
Drücker, auf den letzten
　429, 3
Druckfehler 599, 1
Drucklegung 1774, 2
Druckmittel 1123, 3;
　1972, 1
druckreif 1829, 1
Drucksache 1267, 3
Druckschrift 336, 2;
　1422, 1
drucksen 1520, 2; 1947
Druckvorlage 1187, 1
Druckwerk 336, 1;
　1774, 1
Drum und Dran 168, 3;
　1010, 3; 1291, 2
Drummer 1134, 2
drunten 1677, 1
drunter und drüber
　1667, 3; 1914, 1
Dschungel 343, 1
dual 390
Dualismus 694, 2
dualistisch 695, 4
Dübel 211, 2
dübeln 210, 1
dubios 1273, 2; 1692, 2;
　1975, 1
Dublette 1811, 2
Duce 849
ducken 402, 3; 841, 1;
　1679, 1
ducken, sich 704, 2;
　1040, 2

Duckmäuser 852
duckmäuserisch 1690, 2
duckmäusern 704, 1
Dudelei 739, 1
dudeln 1465, 1
Duell 917, 2
Duellant 700, 3
duellieren, sich 918, 6
Duft 108
duften 1344, 1
duftend 100, 1; 109
Duftgarten 680
duftig 1036, 3; 1070, 2;
　1931, 1
duftlos 574, 1
Duftmarke 424, 2
Duktus 110, 3; 1517, 1
dulden 531, 1; 1040, 1
dulden, keinen Auf-
　schub 428, 3
duldend 772, 3
duldsam 1109, 4
Duldsamkeit 1110
Duldung 532, 1
Dulzinea 713
dumm 403; 1637, 1
dumm gelaufen 1747
Dummbart 405, 2
dummdreist 642, 3
Dumme sein, der 1029
Dummejungenstreich
　1674, 2
Dummerjan 405, 2
Dummheit 404; 1674, 3
Dummheiten machen
　1681, 4
Dummkopf 405
Dummlack 405, 2
dümmlich 403, 1
Dummrian 405, 2
dummstolz 459, 2
dümpeln 1435, 1
dumpf 406; 1540, 3;
　1871, 2
Dumpfbacke 405, 2
Dumpfheit 404, 1;
　1646, 4
dumpfig 406, 1
Dung 156, 3
düngen 1715, 5
Dünger 156, 3
dunkel 407; 1659, 5;
　1692, 2; 1827, 4;
　1975, 2
Dunkel 408, 1; 702, 1

Dünkel 460, 1
dunkel werden 409, 1
Dunkel, undurchdringli-
　ches 408, 1
dunkelhaarig 407, 6
dünkelhaft 84, 2; 459, 2;
　840
dunkelhäutig 591, 3
Dunkelheit 408
Dunkelmann 2
dunkeln 409; 1771, 2
Dunkeln, im 407, 5
Dunkelziffer 1974, 3
dünken 1381, 1; 1771, 1
dünken, sich erhaben
　430, 3
dünn 312, 3; **410**;
　954, 1; 1028, 3;
　1931, 1
dünn werden 1066, 8;
　1723, 3
dünner werden 12, 1
dünnflüssig 410, 4;
　1162, 5
dünnhäutig 471, 1
Dünnhäutigkeit 472, 3
dünnmachen, sich
　485, 1; 624, 1; 1779, 5
Dunst 353, 2; 1186, 1
Dunst, blauer 353, 1;
　1071, 2
Dunst, keinen 1696, 1
dunsten 354; 1308
dünsten 956, 2
Dunstglocke 353, 2
dunstig 407, 2
Dünung 302, 3; 1537, 2
düpieren 293, 1
duplex 390
Duplikat 1811, 2
Duplizität 1616, 2
durabel 363, 1
durch 610, 1; 1124, 3;
　1888
durch und durch 679, 2
durch, quer 1663, 2
durchackern 198, 2
durcharbeiten 198, 2;
　756; 1050, 1
durchatmen 115
durchaus 1640, 1
durchbacken, nicht
　1694, 3
durchbeißen, sich 226, 2
durchbekommen 411, 5

durchbiegen, sich 581, 2
durchbilden 756
durchblättern 1050, 1
durchbläuen 1394, 1
Durchblick 1792, 2
Durchblick haben
1793, 4
durchblicken 1793, 4
durchblicken lassen
861, 1
durchbohren 1214, 1;
1334, 3
durchbohrend 1373, 4
durchboxen 411, 5
durchboxen, sich
411, 5
durchbrechen 329, 1
durchbrennen 624, 1
durchbringen 411, 5;
1681, 1; 1785, 2
durchbringen, sich
522, 3
Durchbruch 518, 1
durchdacht 731, 3;
1260, 1; 1328, 3;
1468, 3
durchdacht, wohl
1973, 2
durchdenken 371, 1;
1713, 2
durchdiskutieren 946, 1
durchdrehen 1937
durchdringen 411;
1214, 1; 1793, 2
durchdringend 891, 1;
1022; 1373, 2; 1912, 2
Durchdringung 1792, 2
Durchdringungsfähig-
keit 1789, 1
durchdrücken 411, 5;
1937
durcheinander 1504, 3;
1667, 1; 1914, 1
Durcheinander 291, 3;
1668, 2
durchfahren 1298, 2
Durchfahrt 1215, 4
Durchfall 1116
durchfallen 1383, 1;
1779, 4
durchfechten 411, 5
durchfeiern 602, 2
durchfeuchten 411, 1;
616, 2
durchfinden 1793, 2

durchfinden, sich 619, 1
durchfließen 616, 2
durchformen 756
durchforschen 635
durchfroren 914, 2
durchführbar 1128, 1
durchführbar, nicht
1664
Durchführbarkeit 1129
durchführen 533, 1;
1711, 1
durchführen, planmäßig
1229, 1
Durchführung 535, 1;
1712, 1; 1831
durchfüttern 522, 3;
1681, 1
Durchgabe 1122
Durchgang 1215, 4;
1285, 2
durchgängig 41
durchgebacken 610, 4
durchgeben 1120, 3
durchgebracht 1886, 3
durchgedreht 1130, 2;
1777, 1
durchgehen 1050, 1;
1284, 1
durchgehen lassen
501, 4; 531, 1
durchgehend 1663, 2
durchgeschwitzt 1408
durchgestanden 610, 1
durchgestylt 626
durchgreifen 412
durchgreifend 1912, 2
durchhalten 226, 2
Durchhalten 362, 3
durchhängen 581, 2
durchhauen 1394, 1;
1594, 4
durchhecheln 948, 1
durchhelfen 522, 3
durchkämmen 1549, 1
durchkämpfen, sich
411, 5
durchklingeln 1568
durchkneten 1112, 1;
1326, 3
durchkommen 492, 4;
522, 3; 1236, 2
durchkonstruiert
1973, 2
durchkreuzen 857, 3;
1522, 2

Durchkreuzung 508;
858, 2
Durchlass 1215, 4
durchlassen 411, 2;
861, 1
durchlassen, Licht
1381, 3
durchlässig 265, 1;
1065, 2
durchlavieren, sich
1023, 1
durchleben 515, 1
durchlesen 1050, 1
durchleuchten 635
durchlöchern 264;
1214, 1; 1939, 8
durchlöchert 265, 1
durchlüften 1069
durchmachen 602, 2;
1040, 1
durchmanövrieren, sich
1023, 1
durchmarschieren
1298, 1
Durchmesser 1058, 1;
1501, 3
durchmogeln, sich
1023, 1
Durchnahme 225, 1
durchmessen 411, 1
durchnässt 1162, 1
durchnehmen 224, 3;
1034, 1
durchorganisiert 1260, 1
durchpauken 411, 5
durchpausen 1810
durchpeitschen 411, 5
durchproben 1610
durchprobieren 977, 2;
1795, 1
durchqueren 1298, 1
durchrechnen 251, 1;
1284, 1
Durchreiche 1215, 4
durchreisen 1298, 1
Durchreisender 283, 2;
1332, 1
durchringen, sich 499, 2
durchrosten 1728, 2
Durchsage 1122
durchsagen 1120, 3
durchsägen 1561, 1
durchschaubar 1211, 2
Durchschaubarkeit
1212, 2; 1791

durchschauen 1305, 3;
1793, 2; 1793, 2
durchscheinen 1381, 3
durchscheinend 410, 1;
1931, 1
durchscheuern 264
durchschiffen 1298, 2
durchschimmern
1381, 3
Durchschlag 1811, 2
durchschlagen 1594, 4;
1626, 3; 1910, 2; 1937
durchschlagen, sich
522, 3; 1024, 1
durchschlagend 1395;
1912, 2
Durchschlagskraft
1913, 1
durchschlängeln, sich
1023, 1; 1236, 2
durchschleichen, sich
1023, 1
durchschlüpfen 1236, 2
durchschneiden 1594, 4
Durchschnitt 1299, 1;
1322, 3
durchschnittlich 678, 1;
1091, 2
Durchschnittswert
1299, 1
durchschreiten 1298, 1
Durchschuss 1067, 1
durchschwärmen 602, 2
durchschweifen 1298, 1
durchschwitzen 1808
durchsehen 1284, 1
durchsehen, flüchtig
1050, 1
durchseihen 1937
durchsetzen 411, 5;
432, 3
durchsetzen, Kopf
1922, 2
durchsetzen, sich 145, 4;
226, 2; 411, 5; 1626, 3
durchsetzerisch 1456
durchsetzungsfähig
1077, 1
Durchsetzungsvermö-
gen 478, 1
Durchsicht 1285, 2
durchsichtig 410, 1;
945, 1; 1042, 1;
1931, 1

Durchsichtigkeit 947, 1
durchsickern 411, 3
durchspielen 1375, 2
durchsprechen 224, 3;
276, 1
durchstarten 391, 3
durchstechen 1214, 1
durchstehen 226, 2;
1040, 1; 1588, 3
Durchstehen 362, 3
durchstehlen, sich
1023, 1
durchsteigen 1793, 2
Durchstich 1215, 8
durchstöbern 1549, 1
Durchstoß 518, 1
durchstoßen 411, 5;
1214, 1
durchstrahlen 221, 2
durchstreichen 1064, 3
durchstreifen 1298, 1
durchströmen 616, 2
durchsuchen 1549, 1;
1549, 4
Durchsuchung 1285, 2
durchtrainiert 981, 1;
1489, 1
durchtränken 616, 1;
616, 2
durchtränken, sich
411, 1
durchtränkt 1162, 1
durchtrennen, Nabel-
schnur 1594, 4
Durchtrennung 1595, 3
Durchtrieb 1053
durchtrieben 1396, 1
Durchtriebenheit
743, 2
durchwachsen 1091, 2;
1566
durchwalken 1326, 3
durchwalten 221, 2
durchwandern 1298, 1
durchwärmen 221, 2
durchwärmt 1871, 1
durchweben 411, 4
durchweg 41; 41
durchweichen 411, 1
durchweicht 1162, 1
durchwetzen 264
durchwichsen 1394, 1
durchwinden, sich
1023, 1

durchwirken 221, 2;
411, 4
durchwitschen 492, 2;
1236, 2
durchzählen 1929, 1
durchziehen 411, 4;
533, 1; 1298, 1
durchzucken 435, 1;
1946, 1
Durchzug 1909
Durchzug machen 1069
durchzwängeln, sich
1023, 1
dürfen 963, 2
dürftig 107, 2; 410, 3;
914, 3; 954, 2; 1397, 1;
1639; 1653, 1; 1655, 1
Dürftigkeit 1190, 1
dürr 410, 2; 1602, 1;
1653, 1
Dürre 1205, 1
Durst 1761, 1
dürsten 217, 2; 482
dürstend 218, 1
durstig 1602, 1
durstlöschend 757, 4
durststillend 757, 4
Dusche 178, 1; 508;
1092, 2; 1186, 1;
1330, 3
duschen 1367, 3
Düse 1215, 3
Dusel 780, 1; 1310, 1
Dusel haben 715, 2
duselig 1914, 3
duseln 1392, 2
düsen 428, 1
Düsenjäger 579, 7
Düsenklipper 579, 7
Dussel 405, 2
düster 407, 1; 407, 7;
1246; 1420, 2; 1659, 5
Düsterkeit 408, 1; 1591
Dutzenden, zu 1823, 1;
1825
Dutzendware 1322, 3
dutzendweise 1823, 1
Dyke 867
Dynamik 478, 1; 1446, 2
dynamisch 479; 1026, 3;
1671, 1
Dynast 849
Dynastie 1058, 4
D-Zug 579, 4

E

Ebbe 765; 1348, *8*
Ebbe in der Kasse
  1190, *1*
eben 732, *2*; 768, *1*;
  1008
eben noch 954, *2*
eben, gerade 1091, *2*
Ebenbild 505, *2*
ebenbürtig 775
Ebenbürtigkeit 1616, *3*
Ebene 620, *1*; 1232, *3*;
  1301, *2*
Ebene, auf höchster
  862, *4*
Ebene, schiefe 5, *4*
ebenerdig 1677, *2*
ebenfalls 117, *1*
Ebenmaß 818, *2*;
  1414, *1*
ebenmäßig 819, *3*;
  1412, *1*
Ebenmäßigkeit 818, *2*
ebenso 117, *1*; 771, *1*;
  1472
ebnen 179, *1*; 769, *1*
ebnen, Weg 298, *1*;
  538, *2*
Echo 231; **413**
echoen 1485, *4*
echt 131; 348, *1*; 348, *2*;
  363, *1*; **414**; 1166, *1*
echt, täuschend 583, *3*
Echtheit 1294, *2*;
  1366, *2*
Echtzeit 1935, *2*
Eck 415, *2*
Eckbank 184, *1*; 1470, *2*
Eckchen 951, *2*; 1539, *2*
Ecke 415; 685, *2*;
  1232, *2*; 1539, *1*
Ecke, um die 1155, *2*
Eckensteher 595
eckig 410, *2*; 820, *1*;
  1264, *1*; 1373, *1*
Eckigkeit 1763, *3*
Eckkneipe 681, *1*
Eckpfeiler 810, *3*

Eckpunkt 207, *1*
Eckstein 810, *2*
Ecstasy 1311
edel 148, *1*; **416**; 975
Edelkitsch 940, *1*
Edelmetall 976, *2*
Edelmut 1644
edelmütig 416, *3*
Edelrost 1186, *3*
Edelschuppen 681, *1*
Edelsinn 1644
Edelsteine 976, *2*
Eden 1234
edieren 1773, *1*
Edikt 209, *1*; 750, *1*
Edition 1774, *2*
Editorial 438, *1*
Edukation 565
EDV 352, *1*
Effekt 518, *5*; 1195, *3*;
  1314, *1*; 1913, *1*
Effekten 271, *3*
Effektenhandel 814, *3*
Effekthascherei 460, *1*
effektiv 1911, *3*, 1912, *1*
effektvoll 1912, *2*
Effet 396, *2*
effizient 1912, *1*
Effizienz 1913, *1*
egal 772, *5*
egalisieren 151, *1*
Egalisierung 150, *1*
Egghead 372
Egoismus 1455
Egoist 417
egoistisch 1456
egoman 1456
Egomane 417
Egotismus 1455
Egotist 417
Egotrip 1455
Egozentrik 1455
Egozentriker 417
egozentrisch 1456
eh und je, seit 882, *4*
ehe 418; 1894, *2*
Ehe 1718, *5*
ehebrechen 293, *3*
Ehebund 1718, *5*
ehedem 666, *1*
Ehefrau 1235, *4*
Ehegespons 1235, *4*
Ehehälfte 1235, *4*
Ehekrach 1533, *3*
Ehekrieg 1533, *3*

Eheleute 1235, *4*
Eheliebste 1235, *4*
ehemalig 1743
ehemals 666, *1*
Ehemann 1235, *4*
Ehepaar 1235, *4*
Ehepartner 1235, *4*
ehern 820, *1*
Eheschließung 1718, *5*
ehestens 1410, *1*
Ehetragödie 1057
Ehrabschneidung 1765
ehrbar 328, *2*
Ehre 419; 1925, *2*
Ehre machen 420, *2*
ehren 174, *1*; **420**;
  948, *2*; 1375, *1*
ehrenamtlich 1634, *1*
Ehrenbezeigung 419, *2*;
  801, *3*
ehrend 1732
Ehrengabe 419, *2*
ehrenhaft 86, *3*
ehrenhalber 1634, *1*
Ehrenmal 373
Ehrenmann 927
Ehrenrettung 495, *2*
ehrenrührig 239, *2*;
  1397, *5*
Ehrensache 1250
Ehrentag 906
ehrenvoll 1732
ehrenwert 328, *2*
Ehrenwort 1787, *1*
Ehrenzeichen 419, *2*
Ehrerbietung 35
Ehrfurcht 35
ehrfürchtig sein 1734, *1*
Ehrgefühl 419, *1*
Ehrgeiz 82, *2*; 422, *1*
ehrgeizig 421
ehrgeizig, krankhaft 421
Ehrgeizling 1529
ehrlich 86, *3*; 131;
  1971, *1*
Ehrlichkeit 1210, *1*
Ehrliebe 419, *1*
ehrlos 349; 1397, *5*
ehrpusselig 328, *3*
ehrsüchtig 421
Ehrung 419, *2*; 1062, *2*
ehrverletzend 239, *2*
Ehrverletzung 240
ehrwürdig 791, *3*;
  1926, *1*

Ehrwürdigkeit 1925, *2*
Ei 51, *1*
Ei dem andern, wie ein
771, *1*
Ei, wie ein rohes 1845, *1*
Eiche 613, *6*
eichen 614, *3*
Eichung 1738
Eid 1787, *1*; 1941, *2*
Eidbruch 1071, *3*
eidesstattlich 1460, *4*
eidetisch 78, *1*; 310, *1*
Eidos 878, *1*
Eier 712, *3*
Eiern, wie auf 1845, *1*
Eierschale 592, *1*
eierschalendünn 1931, *1*
Eifer 422; 452, *2*;
490, *1*; 830
Eiferer 876, *2*; 1272, *3*
eifern 391, *4*; 1528, *1*
eifernd 829, *2*; 920
Eifersucht 1169; 1974, *2*
eifersüchtig 1171
eifersüchtig sein 1170
eifervoll 829, *2*
eifrig 421; **423**; 1026, *2*;
1145, *2*
eigen 457, *1*; 1231, *1*
Eigen haben, zu 807, *1*
Eigen machen, sich zu
526, *2*; 763, *2*; 1713, *2*;
1793, *2*
Eigenart 346; **424**;
632, *2*; 1484, *4*
Eigenart, kulturelle
997, *1*
Eigenart, schöpferische
1274, *1*
eigenartig 273, *2*;
348, *1*; 892, *2*; 1177, *3*;
1231, *1*
Eigenbrötler 160, *1*
eigenbrötlerisch 119, *2*
Eigendynamik 424, *5*
eigengeprägt 1231, *1*
eigengesetzlich 414, *1*
Eigengesetzlichkeit
424, *5*
eigenhändig 1244, *2*
Eigenheim 824, *2*
Eigenheit 424, *2*
Eigenlob 460, *1*; 1455
eigenmächtig 1908, *1*
Eigenname 930, *4*

Eigennutz 1455
eigennützig 1456
Eigennützigkeit 1455
Eigenruhm 460, *1*
eigens 16; 157; 273, *1*
Eigenschaft 424, *2*;
1294, *1*
Eigenschaft, gute
1857, *2*
eigensinnig 425
eigenstaatlich 644, *1*
eigenständig 273, *3*;
414, *1*
Eigensucht 1455
eigensüchtig 1456
eigentlich 426; 799
Eigentor 902, *2*
Eigentum 271, *1*
Eigentümer 272
eigentümlich 119, *2*;
348, *1*; 1231, *1*
Eigentümlichkeit 346;
424, *2*; 930, *1*; 1484, *4*
Eigentumswohnung
1919, *2*
Eigenverantwortlichkeit
645, *1*
eigenwillig 273, *3*;
1908, *1*
eigenwüchsig 414, *1*;
1415
eignen 807, *1*
eignen zu, sich 382, *2*
Eigner 272
Eignung 577
Eiland 889
Eile 427
Eile sein, in 428, *2*
Eile, in 401; 429, *1*;
1671, *1*
Eile, in höchster 429, *3*
Eile, ohne 1357, *3*
eilen 428; 703, *2*; 851, *2*
eilen, sich 428
eilends 429, *2*; 1410, *2*
eilfertig 429, *2*; 1410, *2*
Eilfertigkeit 427, *3*
eilig 429; 1410, *1*;
1671, *1*
eilig sein 428, *3*
Eiltempo 427, *2*
Eilzug 579, *4*
Eimer, im 534, *2*
eimerweise 1823, *1*
ein für alle Mal 476

einander 696
einarbeiten 519, *6*;
1034, *2*
einarbeiten, sich 763, *2*
Einarbeitung 764
einäschern 233, *1*;
1939, *5*
Einäscherung 234, *2*
einatmen 115
Einbahnstraße 1527
einbalsamieren 522, *4*
einbalsamiert 363, *3*
Einband 870, *4*
Einbau 520, *4*
einbauen 519, *6*
Einbaum 579, *6*
einbegreifen 493;
1929, *2*
einbehalten 441, *2*
einbekennen 1208, *3*
einberufen 458, *2*
Einberufung 209, *2*
einbetten 519, *6*
einbeziehen 127, *2*;
193, *2*; 493
einbezogen 1564, *2*
einbiegen 586, *2*
einbilden, sich 430
einbilden, sich etwas
430, *3*
Einbildung 460, *1*;
880, *1*
Einbildungskraft 1253
einbinden 313, *7*
einblasen 208; 861, *1*
einbläuen 447, *1*
einblenden 519, *6*
Einblendung 520, *4*
Einblick 1917, *1*
einbrechen 432, *1*
Einbrecher 1725, *2*
einbringen 546; 1196, *1*;
1588, *4*
einbringen, Antrag 197
einbringlich 664; 1197, *2*
einbrocken, sich eine
Suppe 1369, *4*
Einbruch der Nacht
408, *1*
einbuchten 1756
Einbuchtung 1798, *2*
einbuddeln 1755, *1*
einbürgern 127, *6*
einbürgern, sich 145, *4*;
763, *1*

Einbürgerung 126, *5*;
431
Einbuße 1348, *1*;
1368, *1*; 1722, *2*
einbüßen 1029; 1767, *1*
eindämmen 857, *1*
eindecken, sich 924, *1*;
1788, *1*
eindeutig 91, *1*; 945, *2*;
1649, *3*
Eindeutigkeit 662, *1*;
947, *1*
eindicken 313, *6*; 551, *1*
eindimensional 455, *1*
eindrängen, auf jmdn.
391, *5*
eindrängen, sich 432, *2*
eindrecken 1808
eindrehen 395, *3*
eindringen 411, *1*; **432**;
1793, *2*
eindringen, gewaltsam
432, *1*
Eindringen, tieferes
1798, *4*
eindringlich 891, *4*;
1145, *2*; 1395; 1980, *1*
Eindringlichkeit 1144
Eindringling 1523
Eindruck 693, *2*;
1798, *1*; 1867, *1*;
1913, *2*
Eindruck haben 430, *1*;
668, *1*
Eindruck machen
691, *2*; 884; 1233, *1*
eindrücken 447, *2*;
1214, *1*
eindrücklich 1145, *2*
eindrucksfähig 467, *1*
Eindrucksfähigkeit
468, *2*
eindrucksvoll 885;
1506, *1*; 1912, *2*
eindübeln 210, *1*
eindünsten 522, *2*
eine oder das andere, das
695, *4*
eine und der andere, der
1893, *2*
einebnen 151, *1*; 1939, *7*
Einebnung 150, *1*
einengen 237, *5*; 1007, *3*
Einengung 454, *2*;
481, *1*; 858, *2*

einer den anderen 696
einer für den andern 696
einer nach dem andern
457, *1*; 1015, *2*
einer wie der andere
771, *1*
einer, nicht 1188
Einerlei 1014; 1324, *2*
Einerlei, ewiges 42, *2*
einerseits 1566
einesteils 1566
einfach 433; 678, *1*;
945, *1*; 1036, *2*;
1036, *4*; 1790, *1*
Einfachheit 434
einfädeln 1710, *2*;
1834, *5*
einfahren 546
einfahren, sich 763, *1*
Einfahrt 1215, *1*
Einfall 61, *1*; 77, *1*;
878, *2*; 1519, *2*
Einfall der Dunkelheit
408, *1*
Einfall, verrückter
1778, *2*
Einfälle 1253
Einfälle haben 435, *2*
Einfälle, ohne 1653, *2*
einfallen 12, *1*; 60, *2*;
435; 581, *2*; 958, *2*;
1465, *1*; 1749, *2*
einfallen lassen, sich
371, *2*; 1859, *3*
einfallen lassen, sich etwas 435, *2*
einfallen, wieder 526, *1*
einfallslos 182; 1653, *2*
Einfallslosigkeit 183, *1*
einfallsreich 76, *2*;
576, *1*; 1231, *1*; 1415
Einfallsreichtum 707, *2*;
1253
Einfalt 404, *2*; 434, *2*
einfältig 328, *3*; 403, *2*;
433, *2*; 1159
Einfältigkeit 404, *2*
Einfaltspinsel 405, *5*
Einfamilienhaus 824, *1*
einfangen 588, *2*
einfangen, sich 236, *3*
einfärben 590, *1*
einfassen 1632, *1*
Einfassung 1301, *1*
einfetten 769, *4*

einfinden, sich 65, *4*;
67, *1*; 282, *1*; 958, *2*
einflechten 162, *1*;
435, *3*
einflicken 519, *6*
einfliegen 67, *1*; 1184, *4*
einfließen lassen 162, *1*;
435, *3*
einflößen 208; 676, *1*
einflößen, Abscheu 462
einflößen, Achtung 884
Einfluss 436; 716, *1*;
1076, *3*
Einflussbereich 436, *3*
Einflussgebiet 436, *3*
Einflusslosigkeit 1433, *3*
Einflussnahme 436, *1*
einflussreich 1077, *2*;
1899, *3*
Einflusssphäre 436, *3*
Einflüsterer 897
einflüstern 208; 861, *1*;
1895, *1*
Einflüsterung 898
einfordern 195, *1*;
458, *1*
einförmig 771, *2*
Einförmigkeit 1014;
1205, *2*; 1324, *2*
einfrieden 1632, *4*
einfriedigen 1632, *4*
einfrieren 522, *2*
einfugen 162, *1*, 435, *3*;
519, *6*
einfügen, sich 73, *2*
Einfügung 74, *2*
einfühlen, sich 1793, *3*
einfühlend 899
einfühlsam 467, *5*
Einfühlsamkeit 468, *3*
Einfühlung 1792, *1*
Einfühlungsgabe 1253;
1792, *1*
Einfühlungsvermögen
693, *1*; 1792, *1*
Einfuhr 814, *3*
einführen 52, *3*; **437**;
528, *4*; 763, *1*; 815, *2*;
1034, *2*; 1846, *1*
einführen, sich 437;
1760, *4*
Einführung 96, *1*; **438**;
529, *1*; 1033, *1*;
1847, *1*
einfüllen 674, *1*

Eingabe 94, *1*
Eingabe machen 197
Eingang 465, *1*; 1215, *1*;
1267, *2*
eingängig 433, *1*;
1790, *1*
Eingängigkeit 434, *3*
eingangs 53, *1*
eingearbeitet 516, *1*
eingeben 676, *1*
eingeben, Daten 1834, *4*
eingeben, Gedanken
75, *1*
eingebildet 84, *2*;
459, *2*; 583, *3*; 797;
1747
eingebildet sein 430, *3*
eingeboren 59, *1*
eingebuchtet 1651, *2*
Eingebung 878, *2*
eingebürgert 678, *1*
eingedenk sein 526, *3*
eingeengt 480, *1*; 954, *2*
eingefahren 678, *1*;
968, *1*
eingefallen 265, *3*;
1042, *1*
eingefleischt 1640, *2*;
1691
eingeführt 299; 678, *2*
eingeführt, gut 243, *2*
eingeführt, nicht 648, *2*
eingegeben 899
eingehalten 587, *1*
eingehen 1149, *3*;
1512, *3*; 1603, *5*;
1793, *2*
eingehen auf 557, *1*
eingehen auf, nicht nä-
her 861, *1*
eingehen, Bindung
313, *3*
eingehen, Handel 313, *3*
eingehen, in die ewigen
Jagdgründe 1512, *2*
eingehen, Wagnis
1859, *1*
eingehend 722, *4*
eingekeilt 480, *1*
eingekeilt sein 1520, *1*
eingeklemmt 480, *1*
eingekraust 587, *1*
eingelocht 1651, *2*
eingemacht 363, *2*
eingenommen 1054, *2*

eingenommen sein
1056, *1*
eingenommen sein, von
sich 430, *3*
eingenommen, von sich
459, *2*
Eingenommenheit 1853
eingepackt 731, *1*
eingepfercht 480, *1*
eingepökelt 363, *2*
eingeräumt 731, *1*
eingerechnet 453
eingerechnet, alles
679, *3*
eingerostet 44, *3*
eingeschlafen 1645, *2*
eingeschlossen 48; 453
eingeschnappt 322, *2*;
1697
eingeschnurrt 1602, *1*
eingeschränkt 205;
480, *1*
Eingeschränktheit 206
eingeschrumpft 1602, *1*
eingeschüchtert 1762, *2*
eingeschweißt 363, *2*;
745, *2*
eingesessen 227, *1*
eingesperrt 1651, *2*
eingespielt 678, *1*
Eingeständnis 1209, *2*
eingestehen 1208, *3*
eingestürzt 265, *3*
eingeweckt 363, *2*
Eingeweide 439
eingeweiht 929
Eingeweihte, nur für
1719, *2*
Eingeweihter 1035, *3*
eingewöhnen, sich
73, *2*
Eingewöhnung 764
eingezogen 450, *2*
eingezogen werden
382, *1*
Eingezogenheit 451, *1*
eingießen 674, *1*
eingipsen 210, *1*
eingleisig 455, *1*
eingliedern 127, *2*;
1226, *2*
eingraben 447, *2*; 789;
1755, *1*
eingravieren 789
eingreifen 25; 440

eingrenzen 528, *2*;
857, *1*; 1632, *4*; 1735
Eingrenzung 529, *3*
Eingriff 26
eingrooven, sich 763, *2*
einhaken 440; 557, *2*
Einhalt 1518
einhalten 441; 586, *2*;
811, *1*; 1356, *1*
einhalten, Verabredung
nicht 1752, *2*
einhalten, Versprechen
nicht 1752, *2*
einhämmern 447, *1*
einhandeln, sich 236, *3*
einhändigen 683, *1*
einhauen auf 60, *2*
einhegen 1632, *4*
einheimisch 59, *1*;
227, *1*
einheimsen 546; 761, *1*
Einheit 442; 1552, *1*
Einheit, gedankliche 222
Einheit, innere 442, *3*
Einheit, paramilitärische
1111, *2*
einheitlich 443, *2*;
745, *4*; 771, *2*; 1468, *3*
Einheitlichkeit 442, *1*
Einheitszeit 1935, *2*
einheizen 398, *3*;
1873, *1*
einhelfen 837, *5*
Einhelfer 838, *3*
einhellig 443, *1*; 1615, *2*
Einhelligkeit 444
einholen 274, *2*; 588, *2*;
1148, *1*
Einholen 275, *1*
einhüllen 200; 1233, *2*;
1430, *1*
einig 443; 745, *4*;
1727, *1*
einig sein 1614, *2*;
1965, *1*
einig werden 1735
einige, nur 1893, *2*
einigeln, sich 17, *2*
einigen 261, *1*
einigen können, sich
nicht 28, *4*
einigen, sich 1717, *3*;
1735
einigen, sich gütlich
1754, *2*

einigend 443, *1*
einigermaßen 1091, *2*;
1945
einiges 1823, *2*
Einigkeit 444
Einigung 1736, *1*
einimpfen 208; 447, *1*
einjagen, Schrecken
398, *1*
einkalkulieren 193, *2*
einkalkuliert 16
Einkauf 275, *1*; 923
einkaufen 274, *2*; 924, *1*
Einkaufsbummel ma-
chen 924, *1*
Einkaufspreis 1270, *3*
Einkaufszentrum 740, *5*
Einkehr 281, *1*; **445**;
1341
einkehren 21, *2*; 282, *1*
einkerben 1409, *3*
Einkerbung 1798, *3*
einkerkern 1756
einkesseln 857, *4*
Einkesselung 858, *3*
einklagen 195, *1*; 458, *1*;
944, *2*
einklammern 931, *3*
Einklang 444; 818, *1*
einkleiden 359, *5*
Einkleidung 168, *3*;
361, *2*
einklinken, sich 440
einknicken 329, *1*;
704, *2*
einkochen 522, *2*
Einkommen 1338, *1*;
1731, *1*
einkommen um 197;
303; 315, *1*
Einkommen, arbeitslo-
ses 1338, *1*
Einkommen, ohne 107, *1*
Einkommen, ohne festes
1673, *2*
Einkommensquelle
1027, *2*
einkommensschwach
107, *1*
einkommensstark
1327, *1*
einkrachen 1749, *2*
einkreisen 857, *4*;
1632, *5*
Einkreisung 858, *3*

einkringeln 931, *3*
Einkünfte 1731, *1*
einladen 446
einladen zu 469, *1*
einladend 100, *1*
Einladung 749, *2*
Einlage 452, *1*; 520, *3*
einlagern 123, *1*; 1361, *2*
Einlass 1215, *2*
einlassen 519, *6*; 1214, *1*
einlassen, sich 1511, *3*;
1717, *1*
einlassen, sich auf
219, *2*; 266, *2*
einlassen, sich mit
1157, *4*
einlassen, sich nicht
1019, *2*
einlässlich 722, *4*
Einlassung 164, *2*
Einlauf 1267, *2*
einlaufen 67, *1*; 1149, *3*;
1184, *4*
Einlaufen 68, *1*
einleben, sich 73, *2*
einlegen 522, *2*
einlegen, gutes Wort
298, *1*; 1430, *2*
einlegen, Veto 557, *2*
einlegen, Wort 208,
1768, *1*
einleiten 437, *2*
einleitend 53, *1*
Einleitung 438, *1*
einlenken 704, *2*
einleuchten 1793, *2*
einleuchtend 433, *1*;
945, *3*; 1772, *3*;
1790, *1*
einlochen 1756
einlöffeln 676, *1*
einloggen, sich 1717, *2*
einlösen 304, *4*
Einlösung 150, *2*
einlullen 261, *4*
einmachen 522, *2*
einmal 666, *1*
einmal tun, noch 1903, *2*
einmal, auf 1263
einmal, noch 1902
einmal, wieder 1902
einmalig 149, *1*; 163, *1*;
1231, *2*
Einmaligkeit 424, *3*
Einmarsch 61, *1*

einmarschieren 60, *2*
einmeißeln 931, *4*
einmengen, sich 1522, *2*
einmieten, sich 458, *3*
einmischen, sich 440;
1522, *2*
Einmischung 1524
einmummeln 1430, *1*
einmünden 475, *2*;
1592, *5*
Einmündung 1593, *3*
einmütig 443, *1*; 1615, *2*
Einnahme 1731, *1*
Einnahme, zusätzliche
520, *3*
Einnahmen haben
1730, *1*
einnehmen 458, *1*;
761, *1*; 1168, *5*;
1730, *1*
einnehmen für 1626, *1*
einnehmen, gegen sich
1369, *4*
einnehmend 71, *1*; 99, *1*;
654, *2*; 1175, *1*; 1335
einnicken 1392, *2*
einnisten, sich 432, *2*;
1184, *1*
Einöde 451, *2*; 1205, *4*
einölen 769, *4*
einordnen 519, *6*;
1226, *2*
einordnen, sich 73, *2*
Einordnung 74, *2*
einpacken 475, *1*;
1233, *2*; 1430, *1*
einpassen 519, *6*
einpauken 447, *1*;
1034, *1*
einpeitschen 447, *1*
Einpeitscher 366
einpinseln 769, *4*
einplanen 193, *2*
einpökeln 522, *2*
einprägen 447
einprägen, sich 118;
447; 526, *2*; 1049, *1*;
1610
einprägsam 78, *2*
einpressen 447, *2*
einprügeln 447, *1*
einpuppen, sich 17, *2*
einquartieren 127, *1*
Einquartierung 445, *2*
einrahmen 1632, *2*

Einrahmung 1301, *1*
einrangieren 519, *6*;
    1226, *2*
einrasten 1399, *5*
einräuchern 1308
einräumen 531, *1*;
    1969, *1*
einräumen, Vorrechte
    298, *3*
Einräumung 532, *2*
einrechnen 1929, *2*
Einrede 164, *2*; 558, *2*
einreden 208
einreden, sich 430, *1*
einreiben 769, *4*
einreichen, Antrag 197
einreichen, Gesuch 197
einreichen, Klage 944, *1*
einreihen 519, *6*; 586, *2*;
    1226, *2*
einreihen, sich 73, *2*
Einreihung 126, *2*
einreißen 763, *1*;
    1214, *1*; 1939, *7*
einrenken 261, *1*; 946, *1*
einrennen, Tür 1522, *1*
einrichten 448; 538, *1*;
    547, *1*; 756; 1226, *3*;
    1229, *1*; 1711, *1*;
    1834, *1*; 1834, *2*
einrichten, für die Bühne
    198, *6*
**einrichten, sich 73, *2*;
    448**; 458, *3*
einrichten, Wohnung
    448, *1*
Einrichtung 168, *2*; 449;
    900, *1*; 1227, *2*;
    1835, *1*
Einrichtungsgegenstän-
    de 449, *2*
Einriss 1496, *1*
einritzen 789; 789
einrollen 395, *2*
einrosten 1149, *4*;
    1728, *2*
einrücken 382, *1*; 458, *2*
eins 1962
eins a 554
eins, alles 772, *5*
eins, mit 1263
Eins, wie eine 732, *1*
einsacken 581, *2*; 761, *1*;
    1168, *2*
einsagen 837, *5*

Einsager 838, *3*
einsalzen 522, *2*
einsam 450; 1204, *1*
Einsamkeit 451
einsammeln 458, *1*; 546;
    1361, *1*
Einsatz 422, *1*; 452;
    1291, *8*; 1770, *1*
einsatzbereit 254, *2*
einsauen 1808
einsaugen 127, *3*;
    1603, *2*; 1942, *4*
einschalten 89, *3*;
    435, *3*; 519, *6*; 1710, *2*
einschalten, Licht
    241, *1*
einschalten, sich 440;
    1684, *2*; 1768, *1*
Einschaltung 1770, *1*
einschärfen 447, *1*;
    1081, *2*
einscharren 1755, *1*
einschätzen 1375, *2*
einschätzen, falsch
    1622, *2*
einschätzen, höher
    298, *2*
Einschätzung 1700, *1*
einschenken 50, *3*;
    674, *1*
einschenken, reinen
    Wein 1208, *3*; 1729, *2*
einschicken 50, *1*
einschieben 519, *6*
Einschiebsel 520, *4*
einschiffen, sich 456, *1*
Einschiffung 486, *3*
einschlafen 475, *2*;
    1392, *2*; 1512, *1*
Einschlafen, zum 1017, *1*
einschläfern 261, *4*;
    284, *1*; 1016, *1*
einschläfernd 285, *1*;
    1017, *1*
Einschlag 518, *4*; 585, *1*;
    734, *3*; 1193; 1525;
    1569, *2*
einschlagen 437, *1*;
    691, *2*; 1214, *1*;
    1233, *2*; 1760, *4*
einschlagen, Weg 703, *1*
einschlägig 572, *1*
einschleichen, sich
    432, *2*
einschleppen 437, *3*

einschleusen 198, *4*;
    298, *1*; 432, *3*; 437, *3*
einschließen 123, *1*;
    493; 857, *4*; 1462, *5*;
    1632, *5*; 1714, *3*;
    1929, *2*
**einschließlich 117, *2*;
    453**
Einschluss 520, *3*
einschmeicheln, sich
    432, *2*; 447, *3*; 1401
einschmeißen 1939, *3*
einschmieren 769, *4*
einschmuggeln 437, *3*
einschmuggeln, sich
    432, *2*
einschnappen 106, *3*;
    1399, *5*
einschneiden 789;
    1409, *3*
einschneidend 378, *1*;
    1498; 1899, *1*
Einschnitt 1678, *1*;
    1798, *1*
einschnüren 402, *2*
Einschnürung 481, *4*
einschränken 1007, *3*;
    1708, *1*; 1735
einschränken, sich
    1478, *4*
Einschränkung 206;
    207, *1*; **454**; 858, *2*;
    1640, *1*; 1833
einschreiben 127, *2*;
    1421, *1*
Einschreiben 1267, *3*
einschreiten 440
Einschub 452, *3*;
    520, *4*
einschüchtern 398, *3*;
    496; 884
einschüchternd 31, *1*;
    885
Einschüchterung 399, *1*
einschulen 127, *2*
Einschuss 1193; 1923
einschütten 674, *1*
einschweben 1184, *4*
einschweißen 522, *2*
Einsegnung 234, *2*
einsehbar 1790, *1*
Einsehbarkeit 1212, *2*
einsehen 1793, *2*;
    1793, *5*
Einsehen haben 531, *1*

einseifen 293, *1*;
1367, *3*; 1401
einseitig 455; 1504, *4*;
1570; 1656
Einseitigkeit 481, *5*
einsenden 50, *1*
einsenken 1184, *5*
einsetzen 52, *1*; 89, *1*;
266, *1*; 435, *3*; 519, *8*;
1354, *3*
einsetzen für, sich
1805, *2*
einsetzen, rücksichtslos
1220, *3*
einsetzen, sich 92, *2*;
215; 501, *3*; 918, *1*
einsetzen, sinnlos
1220, *3*
einsetzen, Stücke 543, *2*
einsetzen, zum Erben
1621, *2*
Einsetzung 438, *2*;
1353, *1*
Einsicht 517, *1*; 1917, *1*
einsichtig 915, *3*; 1347;
1772, *1*; 1790, *1*
einsichtig machen
1626, *1*
Einsichtigkeit 947, *2*
einsichtsvoll 1772, *1*
einsickern 411, *1*
Einsiedelei 952
einsiedeln 1803, *1*
Einsiedler 160, *1*; 939, *2*
einsiedlerisch 450, *2*
Einsiedlerleben 451, *1*
Einsiedlung 1804
einsilbig 1439, *1*;
1960, *1*
Einsilbigkeit 1961, *3*
einsinken 581, *2*
einsitzen 1469, *2*
einspannen 195, *3*
einspännig 457, *3*
einsparen 1007, *3*;
1478, *4*
Einsparung 454, *1*
einspeisen, Daten
1834, *4*
einsperren 1756
Einsperrung 18, *1*
einspielen, sich 763, *1*
einspielen, sich auf 73, *2*
einspinnen, sich 17, *2*
einsprengen 616, *1*

Einsprengsel 520, *4*
einspringen 837, *1*;
1805, *1*
einspritzen 616, *1*
Einspruch 164, *2*;
558, *2*; 989, *2*; 1720, *1*
einst 666, *1*
Einstand 51, *2*
Einstandspflicht 342, *2*
einstauben 1808
einstecken 761, *2*;
1040, *2*; 1168, *2*;
1388, *4*; 1714, *3*; 1756
einstehen 313, *3*; 339, *1*
einstehen für 345; 918, *1*
**einsteigen 52, *1*; 432, *1*;
456**; 1563, *1*
einstellen 22, *3*; 89, *1*;
122, *1*; 266, *1*; 475, *1*;
1226, *3*
einstellen, Arbeit
1532, *1*
einstellen, sich 67, *1*;
216, *2*; 958, *2*
einstellen, sich auf 73, *2*;
1834, *2*
einstellen, sich wieder
526, *1*
Einstellung 120, *2*; 375;
438, *2*; 1100, *1*;
1758, *1*
Einstellung zum Leben
1025, *4*
Einstieg 1215, *1*
einstig 666, *1*; 1743
einstimmen 220, *2*;
1465, *1*; 1969, *2*
einstimmen, sich 1834, *2*
einstimmig 443, *2*;
679, *3*
Einstimmung 1835, *1*
einstmalig 1743
einstmals 666, *1*
einstreichen 761, *1*;
1168, *2*; 1730, *1*
einstreuen 435, *3*
einströmen 519, *7*;
1592, *5*
einströmen lassen 519, *7*
einstudieren 1486, *2*;
1610
einstudieren, neu
1903, *3*
einstufen 519, *6*
einstürmen auf 60, *2*

einstürmen, auf jmdn.
391, *5*
einstürzen 1749, *2*;
1964, *2*
einstweilen 1837; 1864;
1957
einstweilig 1852, *3*
eintauchen 1184, *5*
eintauschen 1883, *1*
einteilen 1226, *2*;
1478, *3*; 1561, *2*
Einteilen 1480
Einteilung 779; 1227, *1*
eintönig 771, *2*; 1017, *1*;
1204, *1*
Eintönigkeit 42, *2*; 1014;
1205, *2*; 1324, *2*
Eintracht 444; 655, *2*;
656, *1*
einträchtig 443, *1*
eintragen 127, *2*;
1196, *1*; 1421, *1*
einträglich 664; 1197, *2*
Eintragung 126, *2*
eintreffen 67, *1*; 958, *2*;
1814, *2*
Eintreffen 68, *1*; 465, *1*
eintreiben 458, *1*
Eintreibung 1831
eintreten 67, *1*; 216, *2*;
958, *1*; 1229, *3*;
1717, *3*
eintreten für 215; 918, *1*;
1805, *2*
einrichtern 447, *1*;
676, *1*; 1034, *1*
einrichtern, sich
1049, *1*
Eintritt 51, *1*; 68, *1*;
1215, *2*
Eintrittsgeld 1577
Eintrittskarte 1577
Eintrittspreis 1577
eintrocknen 1603, *5*;
1603, *6*; 1779, *3*
eintrommeln 447, *1*
eintrüben, sich 409, *2*
Eintrübung 408, *2*
eintrudeln 67, *1*
einüben 1610
Einübung 1628
einverleiben, sich 127, *3*;
566, *1*; 761, *2*
Einvernehmen 444;
532, *1*

Einvernehmen, im
443, *1*
einvernehmlich 443, *1*
einverstanden 443, *1*;
610, *1*; 738, *2*; 1970
einverständig 443, *1*;
1970
Einverständnis 444;
532, *1*; 1449, *3*
Einwand 164, *2*; 558, *2*;
989, *2*
Einwanderer 1107
einwandern 1184, *1*
Einwanderung 1108
einwandfrei 86, *2*;
679, *1*; 1317, *1*;
1829, *1*
einwandfrei, nicht
1397, *5*
einweben 519, *6*
einwechseln 1883, *1*
einwecken 522, *2*
einweichen 616, *2*;
1066, *2*
einweihen 528, *4*;
547, *2*; 1208, *3*
Einweihung 51, *2*
einweisen 437, *5*; 669, *2*;
1034, *2*
Einweisung 96, *1*; 438, *2*
einwenden 15; 196;
557, *2*; 1553, *1*
Einwendung 989, *2*
einwerfen 162, *1*;
435, *3*; 1388, *4*;
1939, *3*
einwickeln 208; 293, *1*;
1233, *2*; 1401;
1430, *1*; 1626, *1*
einwiegen 261, *4*
einwilligen 531, *1*;
1969, *2*
Einwilligung 532, *1*
einwirken 208; 564
Einwirkung 436, *1*
Einwohner 297; 340, *5*
Einwohnerschaft 297
Einwurf 164, *2*; 520, *4*;
558, *2*; 1678, *3*
einwurzeln 510, *2*;
1184, *1*
einzäunen 1632, *4*
Einzelarbeit 813, *1*
Einzelgänger 160, *1*
Einzelhandel 814, *3*

Einzelhändler 741
Einzelheit 463, *3*;
1560, *3*
Einzelheiten, mit allen
722, *4*
einzeln 457; 1015, *2*;
1065, *2*
Einzelne 1893, *2*
Einzelne, der 1103, *2*
Einzelnen, im 457, *4*
einzelstehend 457, *2*
Einzelstück 569; 813, *1*;
976, *1*
einziehen 67, *1*; **458**;
484, *4*; 509, *1*; 1184, *1*
einziehen, Erkundigun-
gen 536
einziehen, Luft 115
einziehen, Schwanz
704, *1*
Einziehung 267
einzig 157; 886, *1*
Einzigartigkeit 424, *3*
Einziger 714
Einziger, kein 1188
Einzigkeit 424, *3*
Einzimmerwohnung
1919, *2*
Einzug 68, *1*; 267; 1831
Einzugsgebiet 685, *1*
einzusehen 1790, *3*
einzuwenden, nichts
610, *1*
einzwängen 402, *2*
eirund 1827, *3*
Eis 915, *1*
Eis werden, zu 551, *2*
Eiscafé 681, *1*
Eisen, heißes 399, *2*;
690, *3*
Eisenbahn 579, *4*
Eisenbahn, höchste
1481, *2*
Eisenbahnfähre 579, *6*
eisern 820, *3*; 1504, *2*;
1535, *1*
eisig 31, *1*; 820, *2*;
914, *1*; 1504, *1*
eiskalt 820, *2*; 914, *1*;
914, *1*
Eisschrank 1418
Eiszeit 1348, *7*
eitel 459; 1028, *3*
Eitelkeit 460
Eiter 156, *1*

Ekel 14, *2*; 1014; 1118;
1386
ekelhaft 461; 822, *1*
ekeln 462
ekeln, sich 462
Eklat 552
eklatant 119, *1*; 945, *3*
Eklektiker 1141
eklektisch 182
Eklektizismus 183, *1*;
1113, *4*
eklig 461, *1*
Ekstase 549, *4*; 1055, *2*
ekstatisch 548, *3*
ektomieren 1218
Elaborat 8, *1*; 940, *2*
Elan 478, *1*; 1025, *6*;
1446, *2*
Élan vital 478, *1*;
1025, *6*
elastisch 301, *1*; 622, *1*
Elastizität 623, *1*
Elefant im Porzellanla-
den 405, *3*; 1264, *1*
Elefanten machen, aus ei-
ner Mücke einen
1622, *4*
Elefantenhochzeit
1718, *6*
elegant 416, *2*; 996, *3*
Elegant 1544
Eleganz 746, *1*
elegisch 1659, *1*
Elektrische 579, *4*
elektrisieren 75, *2*;
219, *1*
elektrisierend 130, *1*;
1335
elektrisiert 1026, *2*
Elektroauto 579, *2*
Elektroherd 845
Elektronengehirn 352, *1*
Element 192, *1*; **463**;
1521, *1*; 1560, *3*
Element, nasses 1880, *1*
elementar 433, *1*;
1166, *2*; 1899, *1*
Elementarbegriffe
796, *4*
Elementarkenntnisse
796, *4*
Elementartechniken
796, *4*
Elementarteilchen
192, *2*

Elemente 463, *2*
elend 107, *2*; 410, *2*;
    850, *1*; 1042, *1*;
    1659, *1*
Elend 1020, *2*; 1190, *1*;
    1658
Elendsviertel 1499, *4*
Elevator 579, *9*
Elfenbeinturm 451, *1*
elfenhaft 1931, *1*
eliminieren 484, *1*;
    1939, *2*
Eliminierung 486, *2*
elitär 84, *2*
Elite 171, *1*
Elitetruppe 171, *3*
Elixier 567, *2*
Ellbogen, mit 1456
ellenlang 1013, *2*
eloquent 253, *1*; 744, *2*
Eloquenz 1493, *3*
Eltern 464
Eltern, nicht von schlech-
    ten 804, *2*
Elternpaar 464
Elternteil 464; 1140, *1*;
    1704, *1*
elysisch 781, *3*
Elysium 1234
E-Mail 332; 1267, *4*
Emanzipation 645, *2*
emanzipieren, sich
    213, *4*; 1066, *5*
emanzipiert 644, *1*
Embargo 267; 267
Emblem 930, *3*; 1933, *4*
Embonpoint 673, *2*
embryonal 53, *2*
Embryonalstadium 51, *1*
emeritieren 998, *4*
emeritiert 44, *6*
Emeritierung 999, *1*
Emigrant 1107
Emigration, in der
    648, *3*
emigrieren 485, *4*
eminent 163, *1*; 1452, *1*
Eminenz, graue 859, *1*
Emir 849
Emissär 1613, *2*
Emotion 549, *2*; 693, *1*
emotional 473; 888, *2*
emotionalisiert 548, *2*
Emotionalität 474;
    693, *1*

emotionell 473; 899
emotionsfrei 1358, *1*
Empathie 468, *3*;
    693, *1*; 1792, *1*
Empfang 126, *3*; 465;
    749, *2*; 801, *1*
empfangen 127, *1*;
    236, *1*; **466;** 522, *1*
empfangen, nicht 30, *4*
empfänglich 467
Empfänglichkeit 468
Empfangsbestätigung
    279, *2*
Empfangsdame 204, *3*
Empfangsgerät 609, *1*
empfehlen 50, *1*; 208;
    215; **469;** 1063, *1*;
    1305, *1*
empfehlen, dem Himmel
    1450, *1*
empfehlen, sich 469
empfehlen, zu 1973, *3*
empfehlenswert 299;
    803, *1*; 1197, *3*;
    1973, *3*
Empfehlung 470;
    801, *1*; 1062, *2*;
    1304, *1*; 1843
Empfindelei 472, *2*
empfinden 660, *1*
Empfinden 693, *1*;
    1867, *1*
empfinden, Abneigung
    821, *1*
empfinden, Abscheu
    462
Empfinden, ästhetisches
    746, *1*
empfinden, Feindschaft
    821, *2*
empfinden, Feindselig-
    keit 821, *2*
empfinden, Groll 821, *2*
empfinden, Hass 821, *2*
empfinden, Rachsucht
    821, *2*
empfinden, Ressenti-
    ment 821, *2*
empfinden, Reue 256
empfinden, Scham
    1371, *1*
empfindlich 471;
    1452, *1*; 1498
Empfindlichkeit 472;
    693, *3*

empfindsam 473
Empfindsamkeit 474
Empfindung 693, *1*
Empfindungsfähigkeit
    693, *1*
empfindungslos 1585, *2*;
    1645, *2*
empfindungsreich 473
Empfindungsvermögen
    693, *1*
Emphase 478, *1*; 1144
emphatisch 1145, *2*
Empirie 517, *1*
empirisch 1460, *4*
empor 138
Empore 1302, *2*
empören, sich 124, *2*;
    129, *5*
empörend 130, *2*
Empörer 919, *5*
emporheben, sich
    1508, *3*
Emporkommen 135, *1*
emporsehen 1734, *1*
empört 322, *1*
Empörung 105, *2*
emsig 423; 621; 1556, *1*
Emsigkeit 122, *2*
Emulsion 112, *2*
Emulsionsschicht 618, *1*
E-Musik 1133, *3*
en détail 457, *4*
en face 1810, *2*
en gros 1823, *1*
en masse 1823, *1*
en passant 1167, *1*
en suite 1015, *2*
en vogue 243, *1*
encouragieren 75, *2*
Endabnehmer 925
Endbetrag 521
Endchen 1539, *1*
Ende 1340, *5*; 1400, *1*;
    1518; 1539, *1*; 1581, *1*;
    1943, *2*
Ende der Pyramide, am
    unteren 1677, *3*
Ende der Welt, am
    1891, *2*
Ende haben 475, *2*
Ende machen 475, *1*
Ende machen, seinem Le-
    ben ein 1586, *5*
Ende sein, am 122, *3*
Ende sein, zu 475, *2*

Ende vom Lied 630, 3
Ende, am 477, 3; 534, 2;
    1130, 2
Ende, bis zum bitteren
    1640, 2
Ende, ohne 882, 1;
    1647, 2
Ende, zu 610, 1; 1743
endemisch 59, 1; 227, 1
enden 475; 1512, 2
enden wollend, nicht
    1647, 2
Enden, an allen 1611, 1
endend, nicht 1647, 2
Endergebnis 521
endgültig 476
endigen 475, 2
Endkampf 1400, 5
endlich 477; 1745
Endlichkeit 1746, 1
endlos 882, 1; 1013, 2;
    1647, 2; 1891, 1
Endlosigkeit 1648
Endlosschleife 1648
endogen 888, 2
Endpreis 1270, 3
Endpunkt 1400, 2;
    1943, 2
Endrunde 1400, 5
Endspiel 1400, 5
Endspurt 427, 4; 1400, 5
Endstadium 1400, 2
Endstand 521
Endstation 1400, 2;
    1943, 2
Endstück 1340, 5;
    1400, 1
Endsumme 521
Endwirt 1915, 2
Endzweck 1943, 1
Energie 478; 1536, 1
energiegeladen 479
energielos 1432, 3
Energielosigkeit 1433, 1
Energien, pflanzliche
    478, 2
energisch 479; 1145, 1;
    1556, 2
energisch werden 412
enervieren 106, 1
eng 341, 3; 380, 2; **480**;
    954, 2
eng werden 674, 3
eng, zu 1397, 2
Engagement 452, 2

engagieren 89, 1; 266, 1
engagieren, sich 92, 2;
    918, 1; 1717, 1
engagiert 423; 920;
    1564, 2
engagiert, sozial 1643
Enge 481
Engel 641
Engel, gefallener 1574
Engel, guter 838, 1
Engelsgeduld 688, 2
engführen 402, 2; 857, 1
Engführung 454, 2
engherzig 480, 2;
    1241, 3
Engherzigkeit 481, 5
Engpass 481, 4; 988, 2;
    1763, 1
Engroshandel 814, 3
Engrospreis 1270, 3
engstirnig 341, 3;
    480, 2; 1241, 3
Engstirnigkeit 183, 2;
    481, 5
Ennui 1014
ennuyieren 1016, 1
enorm 163, 1; 885;
    1327, 2; 1452, 1
Enquete 1631
Ensemble 800, 3
Entartung 1348, 2
entäußern, sich 1220, 1;
    1819, 2
Entäußerung 1818, 1
entbehren 482; 872, 1
entbehren können, nicht
    327
entbehren müssen
    492, 3
entbehrlich 1627, 2;
    1666
Entbehrung 1190, 1
entbinden 213, 2; 682, 1
Entbindung 68, 2; 687
entbittern 261, 1
entblättern 484, 1
entblättert 913, 2;
    1154, 1
entblöden, sich nicht
    531, 3
entblößen 175, 4;
    1208, 1
entblößen, sich 175, 4;
    213, 7
entblößt 1154, 1

entbrannt 1766
entbrannt sein für
    1056, 2
entbrennen 142, 1;
    217, 2; 330, 2; 1056, 2
entbunden 644, 5
entbunden werden
    682, 1
entdecken 515, 3; 619, 1;
    1208, 1; 1451
entdecken, neu zu
    1177, 5
entdecken, Neuland
    619, 1
entdecken, sich 1208, 3
Entdecker 1257, 2
Entdeckung 675, 1;
    1209, 1; 1867, 1
Entdeckungsreise 578, 2
Entdeckungsreisender
    1332, 1
Entdramatisierung
    1092, 2
Ente 1071, 4
entehren 509, 4
enteignen 1168, 3
Enteignung 483
enteilen 485, 1; 1749, 1
entern 761, 2
Entertainer 1682
Entertainment 1683, 2
entfallen 6, 2; 1752, 1
entfalten 145, 1; 510, 3;
    528, 1; 1214, 2;
    1715, 2; 1768, 3
entfalten, Pracht 1287, 1
entfalten, sich 1214, 3;
    1708, 5
Entfaltung 146, 1;
    361, 1; 511, 1; 529, 1;
    1510, 4; 1709, 3
entfärben 1149, 3;
    1723, 5
entfärbt 592, 1
Entfärbung 593
entfernen 175, 2; **484**;
    998, 3; 1066, 1; 1218;
    1594, 3
entfernen, sich 485
entfernen, sich voneinan-
    der 485, 5
entfernen, Teile 1409, 2
entfernen, Unkraut
    1367, 4
entfernt 450, 3; 1891, 2

entfernt, gleich weit 809
entfernt, weit 1173
Entfernung 486
Entfernung, aus großer
1891, 3
entfesseln 213, 3
Entfettung 1348, 4
entflammen 75, 2;
219, 1; 1334, 1
entflammend 76, 3;
1335
entflammt 1766
entflechten 1594, 2
entflecken 1367, 2
entfliegen 624, 1
entfliehen 506, 3; 624, 1
entflogen 1886, 1
entflohen 1886, 1
entfremden 19
entfremden, sich 485, 5
Entfremdung 1595, 1
entfrosten 1066, 2
entführen 487; 1168, 2
Entführer 1725, 2
Entführung 488
entgegen 1660, 1
entgegenarbeiten 857, 2
entgegengehen 466, 2;
1157, 1
entgegengesetzt 695, 4;
1352
entgegenhalten 557, 2
entgegenjubeln 420, 1
entgegenkommen 489;
503, 2
Entgegenkommen 255;
383, 2; **490**; 1736, 1
entgegenkommen, sich
1735
entgegenkommend
254, 1; **491**; 654, 1
Entgegennahme 465, 1
entgegennehmen 466, 1;
1168, 4
entgegensehen 555, 1
entgegensetzen 557, 2
entgegensetzen, Wider-
stand 124, 2
entgegenstehen 967, 2
entgegenstellen 124, 2;
557, 2; 967, 1
entgegenstellen, sich
226, 3
Entgegenstellung 558, 2
entgegenstrecken 683, 1

entgegentreten 124, 2;
857, 2
entgegenwirken 857, 3;
1515, 3
entgegnen 435, 3; 557, 2
entgegnen, nichts
1438, 1
Entgegnung 558, 2
entgehen 492; 1782, 1
entgehen lassen, sich
122, 3; 1782, 1
entgehen, der Gefahr
492, 4
entgeistert 1504, 3
Entgelt 1270, 1; 1731, 1
entgelten 345
entgelten lassen 1750, 1
entgelten lassen, nicht
1413, 3
Entgeltung 498, 1
entgiften 261, 1;
1367, 5
entgleisen 1752, 3
Entgleisung 29, 3;
599, 4; 1650; 1669, 1
entgleiten 28, 2
entgräten 1066, 10
enthaaren 484, 1
enthalten 493
enthalten, sich 228;
872, 3; 1819, 2
enthaltsam 934; 1535, 2
Enthaltsamkeit 935;
1818, 2
enthaupten 1586, 2
entheben 213, 2
entheben, der Ämter
998, 2
Enthebung 999, 3
enthemmen 213, 3
enthemmt 829, 2;
1093, 3
enthoben 644, 5
enthüllen 319, 3; 547, 2;
1120, 2; 1208, 1
Enthüllung 675, 1;
1209, 1
enthülsen 1066, 10
Enthumanisierung
1348, 6
enthusiasmieren 219, 1
enthusiasmiert 548, 3
Enthusiasmus 422, 1;
549, 3; 875, 1
Enthusiast 876, 1

enthusiastisch 548, 3;
877, 1
entkeimen 1367, 5
entkleiden 175, 4
entkleidet 1154, 1
entknoten 1214, 2
entkommen 492, 2
Entkommen 143, 3
entkorken 1214, 2
entkräften 539, 1;
557, 2; 1434
entkräftet 1130, 2;
1130, 2; 1432, 2
Entkräftung 540, 1;
558, 2
entkrampfen 1066, 6
entladen 213, 3; 1030, 1
entladen, sich 142, 1
Entladung 143, 2
entlang 1155, 1
entlarven 319, 3; 1208, 1
Entlarvung 1209, 1
entlassen 104; 998, 2
Entlassung 999, 2
entlasten 151, 4; 213, 2;
494; 501, 3; 837, 2;
1430, 3
entlasten, sich 494
entlastet 644, 5
Entlastung 150, 3; **495**;
854, 1; 1316, 2
entlauben 484, 1
entlaubt 913, 2
entlaufen 624, 1
entledigen, sich 213, 1;
484, 2; 533, 1; 1828
entledigen, sich der Kleider 175, 4
entledigen, sich einer
Schuld 304, 4
entleeren 1030, 2
entleeren, sich 1030, 5
entleert 1028, 1
Entleerung 1031;
1330, 4
entlegen 450, 3
Entlegenheit 451, 2
entlehnen 321, 1;
881, 2
Entlehnung 358; 1142, 1
entleiben, sich 1586, 5
entleihen 321, 1
Entleihung 358
entlocken 639, 2
entlohnen 304, 2

Entlohnung 1731, *1*;
  1930, *2*
entlüften 1069
entmachtet 1432, *5*
entmaterialisieren
  1547, *1*
Entmenschlichung
  1348, *6*
entmenscht 334
entmilitarisieren 261, *3*
entmischen 1594, *3*
entmündigen 1679, *4*
Entmündigung 1048, *2*
entmutigen 496; 507;
  1434
entmutigen lassen, sich
  nicht 226, *1*
entmutigend 1659, *5*
entmutigt 1182, *1*;
  1659, *1*
entmystifizieren 319, *3*
entmythologisieren
  319, *3*
entnehmen 515, *3*;
  868, *1*; 1168, *5*;
  1399, *3*
entnerven 106, *1*
entnervend 130, *2*
entnervt 850, *3*; 1130, *2*
Entourage 66, *4*
entpflichten 213, *2*
entpressen 402, *2*
entpuppen, sich 319, *1*
entquellen 506, *3*
entraten 482
entraten können, nicht
  327
enträtseln 946, *2*;
  1066, *3*; 1305, *3*
entre nous 1801
entrechten 1679, *4*
entrechtet 1319
Entrechteter 160, *2*
Entree 1080, *3*; 1577;
  1842, *2*
Entrefilet 8, *1*
entreißen 1168, *2*;
  1168, *3*
entrichten 304, *1*
entriegeln 213, *3*
entrinnen 492, *2*; 624, *1*
entrinnen, dem Tod
  492, *4*
entrollen 1214, *2*
entropisch 59, *1*

entrückt 250, *2*; 548, *3*;
  1638, *1*
Entrücktheit 549, *3*
Entrückung 33, *2*;
  549, *3*; 1646, *3*
entrümpeln 484, *2*
Entrümpelung 486, *2*
entrunzeln 769, *2*
entrüsten, sich 129, *5*
entrüstet 322, *1*
Entrüstung 105, *1*
entsaften 402, *2*
entsagen 1779, *7*;
  1819, *1*
entsagend 934
Entsagung 935; 1818, *2*
Entsatz 854, *2*
entsatzen 213, *5*
entschädigen 214, *1*;
  345; **497**; 1750, *3*
entschädigt werden
  497, *3*
Entschädigung 498
entschärfen 261, *1*
entscheiden 499;
  1701, *2*
entscheiden, sich 499
entscheiden, sich für
  1862, *1*
entscheidend 1899, *1*
entscheidend, nicht
  1639
Entscheidende, das 823
Entscheider 672
Entscheidung 500, *1*;
  1094; 1700, *1*;
  1700, *3*; 1736, *1*;
  1861, *1*
Entscheidungsfrage
  638, *2*
Entscheidungsfreiheit
  645, *1*
Entscheidungsmacht
  1076, *1*
entscheidungsschwach
  1432, *3*
Entscheidungsschwäche
  1433, *1*
entscheidungsstark 479
entschieden 347, *2*; 476;
  479; 534, *1*; 545, *1*;
  1460, *6*; 1535, *1*
Entschiedenheit 478, *1*;
  1144; 1536, *1*; 1906, *2*
entschlacken 1367, *5*

Entschlackung 1330, *4*
entschlafen 1512, *1*
Entschlafen 1581, *1*
entschlagen, sich
  1819, *2*
entschleiern 319, *3*;
  1208, *1*
Entschleierung 1209, *1*
entschleunigen 22, *2*
Entschleunigung 1821, *2*
entschließen können,
  sich nicht 1435, *2*
entschließen, sich 499, *2*
Entschließung 500, *1*;
  1736, *1*
entschlossen 347, *2*; 479;
  1460, *6*
Entschlossenheit 478, *1*;
  1906, *2*
entschlummern 1392, *2*
entschlüpfen 492, *2*;
  624, *1*
Entschluss 500; 1736, *1*;
  1906, *1*
entschlüsseln 1066, *3*;
  1305, *3*; 1793, *7*
Entschlussfähigkeit
  1906, *2*
Entschlusskraft 478, *1*;
  1906, *2*
entschlusslos 1649, *1*
Entschlusslosigkeit
  1433, *1*
entschuldbar 1790, *3*
entschuldigen 501
entschuldigen, sich 501
Entschuldigung 495, *2*;
  502
Entschuldung 150, *3*
entschwinden 1749, *1*
entschwunden 1743
entseelt 1585, *1*
entsenden 1388, *1*
Entsendung 136, *3*
entsetzen 63, *1*
Entsetzen 62, *1*
Entsetzenstat 1724
entsetzlich 822, *1*;
  1420, *1*
entsetzt 64, *1*; 1504, *3*
entseuchen 1367, *5*
entsichern 1066, *9*
entsichert 690, *1*
entsiegeln 946, *2*;
  1066, *3*

entsinnen, sich 435, *1*;
526, *1*
entsinnen, sich nicht
1752, *1*
entsorgen 166, *3*; 484, *1*
entspannen 213, *3*;
261, *1*; 524, *1*;
1356, *1*; 1530, *4*
entspannen, sich 261, *2*
entspannend 1606
entspannt 644, *2*;
1357, *3*; 1675, *2*
Entspannung 150, *4*;
525, *1*; 656, *1*
entspinnen, sich 52, *1*
entsprechen 503;
691, *1*
entsprechen, Anforde-
rungen 214, *1*
entsprechen, sich
1614, *1*
entsprechend 312, *2*;
504; 771, *4*; 774; 775;
1336; 1615, *2*
entsprechend, dem Ge-
setz 751, *2*
entsprechend, der Mode
1126, *1*
entsprechend, der Wahr-
heit 1063
entsprechend, einander
819, *2*
Entsprechung 505;
1616, *4*
entsprießen 506, *2*
entspringen 506, *3*
entstauben 1367, *1*
entstehen 52, *2*; **506**
entstehen lassen 560, *1*
Entstehen, im 53, *2*
Entstehung 51, *1*
entstellen 264; 1072;
1739, *1*
entstellt 265, *2*; 455, *1*;
583, *2*; 1570
Entstellung 1071, *1*;
1558, *4*
entstört 254, *2*
entströmen 506, *3*;
1030, *5*
entsumpfen 1603, *4*
enttarnen 319, *3*; 619, *2*
enttäuschen 507;
1779, *4*
enttäuschend 1659, *5*

enttäuscht 1182, *1*;
1659, *1*
Enttäuschung 508
entthronen 998, *2*
Entthronung 999, *2*
entwachsen, den Kinder-
schuhen 510, *1*
entwaffnen 261, *3*; 1434
entwaffnend 1335
Entwaffnung 1183, *1*
entwässern 522, *2*;
1603, *2*; 1603, *4*
entwässert 1602, *1*
entweder ... oder
695, *4*; 1206
Entweder-oder 1974, *3*
entweichen 28, *2*;
1030, *5*; 1749, *1*
Entweichen 143, *3*
entweihen 509, *4*
Entweihung 1372, *2*
entwenden 1168, *2*
entwerfen 756; 964, *1*;
1259, *3*
entwerfen, Bild 270, *1*
Entwerfer 191; 561
entwerten 122, *2*; 264;
484, *1*; **509**; 841, *1*
entwertet 1397, *6*
Entwertung 1348, *5*
entwichen 1886, *1*
entwickeln 510; 528, *1*;
1399, *3*; 1713, *3*;
1715, *2*
entwickeln, Rauchfahne
1308
entwickeln, sich 145, *2*;
506, *4*; **510**; 761, *3*;
1708, *5*
entwickelt 996, *1*;
1328, *2*
entwickelt, voll 1328, *2*
Entwicklung 511; 637;
742, *2*; 1283, *2*;
1510, *4*
Entwicklung, in der
53, *2*
Entwicklung, kontinuier-
liche 362, *2*
Entwicklung, rückläufi-
ge 1348, *1*
Entwicklungsgang
511, *3*
Entwicklungsgeschichte
511, *4*

Entwicklungsjahre
908, *1*
Entwicklungsphase
511, *3*
Entwicklungsprozess
511, *3*; 1283, *3*
Entwicklungsstand
511, *3*
Entwicklungsstufe
511, *3*
entwinden 1168, *3*
entwinden, sich 213, *1*
entwirren 946, *1*
entwischen 492, *2*;
624, *1*
entwöhnen 1779, *6*
Entwöhnung 512, *1*
entwölken 946, *4*
entwürdigen 509, *4*;
841, *1*
entwürdigen, sich
319, *1*
entwürdigend 239, *2*
Entwürdigung 240;
1372, *2*
Entwurf 308, *2*; 813, *1*;
965, *2*; 1136, *3*;
1258, *2*
Entwurf, im 53, *2*
entwurzeln 175, *2*;
1803, *1*
entwurzelt 450, *1*
entzaubern 507
Entzauberung 508
entziehen 1168, *3*;
1779, *1*
entziehen, dem Blick
1714, *1*
entziehen, sich 17, *2*;
172, *2*; 402, *4*; 624, *2*;
1633, *1*; 1779, *5*
entziehen, Wasser
522, *2*; 1603, *2*
Entziehung 512, *1*
entzifferbar 945, *4*
entziffern 946, *2*;
1050, *1*; 1066, *3*;
1793, *7*
entziffern, schwer zu
1441, *2*; 1692, *1*
entzücken 219, *1*;
221, *1*; 305, *1*; 651, *1*;
691, *2*
Entzücken 549, *3*;
650, *2*; 730, *1*; 780, *2*

entzückend 1335;
1412, 1
entzückt 548, 3; 1766
Entzückung 549, 3
Entzug 512
Entzug, auf 1042, 5
entzünden 75, 2; 219, 1
entzünden, sich 330, 2
entzündet 381, 3
entzündlich 690, 1
entzwei 265, 3
entzweibrechen 1939, 3
entzweien 1534, 1;
1594, 2
entzweigehen 329, 1
entzweit 695, 1
Entzweiung 1533, 1;
1595, 1
Enzyklika 258, 2
Enzyklopädie 1032
enzyklopädisch 1829, 3
Epidemie 984, 2
epidemisch 690, 5
epigonal 182; 1653, 2
Epigone 1141
epigonenhaft 182;
1653, 2
Epigonenhaftigkeit
183, 1
Epigramm 374, 1
epigrammatisch 1005, 5
Epiker 1423
Epikureer 726, 1
epikureisch 727
Epilog 1400, 2
Epiphänomen 520, 6
episch 722, 4; 1265, 1
Episode 1055, 4;
1678, 2; 1981, 2
episodenhaft 1852, 3
episodisch 1852, 3
Epistel 332; 1385, 1
Epizentrum 823
epochal 163, 1; 1899, 3
Epoche 1935, 1
Epoche machend 163, 1;
1899, 3
Epochenstil 1517, 2
Epopöe 559, 2
Epos 559, 2; 1061
Equipe 800, 9
equipieren 167, 1
Equipierung 168, 1
Equipment 168, 1
erachten 1099; 1375, 2

Erachten 1100, 1
erahnen 1771, 2
erarbeiten 560, 3;
761, 2; 1730, 1
erbarmen 364, 4
Erbarmen 784, 1
erbarmen, sich 837, 1
erbarmend 1643
erbärmlich 107, 2; 349;
1397, 5; 1659, 3
erbarmungslos 334;
820, 3
Erbarmungslosigkeit
335
erbarmungswürdig
1042, 1; 1659, 3
erbauen 560, 4; 651, 1
erbauen, sich 725
Erbauer 191
erbaut, neu 1177, 1
Erbauung 601, 1;
1503, 2
Erbberechtigter 513, 3
Erbe 95, 1; **513**; 936, 2;
997, 1
erbeben 63, 1; 1946, 2
Erbeben 62, 1
erben 236, 1; **514**
erbeuten 588, 3; 761, 2
Erbfeind 604, 1
erbitten 288; 315, 1
erbittern 106, 1; 129, 1
erbitternd 130, 2
erbittert 322, 1; 1928, 1
Erbitterung 105, 1
erblassen 63, 1; 1512, 1
Erblassen 1581, 1
erblassen, vor Neid 1170
erbleichen 63, 1
erblich 55
erblicken 619, 1; 1451;
1866, 1
erblicken, Licht der Welt
67, 2
erblindet 318, 1
erbosen 106, 1
erbosen, sich 106, 2
erbost 322, 1
Erbostheit 105, 1
erbötig 254, 1; 491
Erbötigkeit 255
erbrechen 329, 3;
1214, 1
erbringen 1196, 1
Erbschaft 513, 1

Erbschaft machen 514
erbschleichen 251, 2;
1072
Erbschleicher 294, 2;
852
Erbsenzähler 1239, 1
Erbteil 513, 1
Erdball 994, 1; 1892, 1
Erdbeben 1165, 1
erdbestatten 233, 1
Erdbestattung 234, 2
Erdbewohner 1103, 1
Erdboden 794, 3
Erde 794, 3; 1892, 1
Erde, auf der 1677, 1
Erde, zu ebener 1677, 2
Erdenbürger 1103, 1
Erdendasein 1025, 1
Erdenferne 451, 2
Erdengast 1103, 1
erdenken 560, 6
erdenklich 1128, 1
Erdenleben 1025, 1
Erdentage 1025, 1
Erdenwinkel 451, 2
Erdgeschoss, im 1677, 2
erdichten 560, 6; 1072
Erdichtung 563, 3;
1071, 4
erdig 1408
Erdkreis 1892, 1
Erdkugel 994, 1;
1892, 1
Erdoberfläche 1198, 4
erdolchen 1586, 1
Erdreich 794, 3
erdreisten, sich 1859, 3
erdrosseln 1586, 1
Erdrücken 257, 1
erdrückend 1395;
1440, 1
Erdrutsch 518, 1; 988, 1
erdrutschartig 1452, 1
Erdstoß 1165, 1
Erdteile 1892, 1
Erdtrabant 1513
erdulden 1040, 1;
1588, 3
erdwärts 27
ereifern, sich 129, 5
ereignen, sich 216, 2
Ereignis 580, 2; 742, 1;
1378, 2; 1981, 1
Ereignis, freudiges 68, 2;
687

Ereignis, großes 742, *3*
ereignislos 1017, *1*
Ereignislosigkeit 1014
ereignisreich 1783, *2*
Eremitin 1189
ererbt 55
erfahrbar, mit den Sinnen 1466, *1*
erfahren 515; 572, *2*;
868, *1*; 1328, *4*
erfahren (sein) 516
erfahren, am eigenen Leibe 515, *2*
Erfahrung 517; 1033, *3*
Erfahrungen machen
515, *1*
erfahrungsgemäß
1460, *4*
Erfahrungsmangel 1662
Erfahrungsraum
1309, *2*
Erfahrungswert 517, *2*
erfassen 588, *2*; 1168, *1*;
1361, *4*; 1793, *2*
Erfassen 1867, *1*
erfassend, das Wesentliche 890, *1*
Erfassung 126, *2*;
1362, *4*
erfinden 560, *6*; 964, *2*,
1072
Erfinder 372
erfinderisch 1231, *1*;
1415
Erfindung 563, *3*;
965, *2*; 1071, *4*
Erfindungsgabe 724, *2*;
1253; 1274, *1*
erflehen 288
Erfolg 135, *1*; **518**;
780, *1*; 1046, *1*;
1913, *2*
Erfolg haben 177;
691, *2*; 715, *2*; 1626, *3*
erfolgen 216, *2*; 631, *2*
erfolglos 1747
Erfolglosigkeit 1748
erfolgreich 781, *2*
erfolgreich sein 715, *2*
Erfolgsmensch 782
Erfolgsstory 518, *2*
erforderlich 1191, *1*
erfordern 977, *1*; 1832
Erfordernis 1192, *1*
erforschen 619, *1*; 635

Erforschung 537;
1285, *2*
erfragen 639, *1*
erfrechen, sich 1859, *3*
erfreuen 214, *1*; 221, *1*;
651, *1*; 691, *2*
erfreuen, sich 725
erfreulich 57, *2*; 781, *3*;
869; 1054, *1*
erfreulicherweise 781, *4*
erfreut 835, *1*
erfrieren 1512, *3*
erfrischen 75, *3*; 543, *5*;
1502, *2*
erfrischen, sich 1600, *1*
erfrischend 57, *2*; 76, *1*;
1359, *1*
erfrischt 1177, *4*
Erfrischung 525, *1*; 979;
1080, *8*; 1503, *1*
Erfrischungsgetränk
759, *3*
erfühlen 668, *1*
erfüllbar 1128, *2*
erfüllen 214, *1*; 221, *1*;
304, *4*; 489, *2*; 533, *1*;
1045, *1*; 1828
erfüllen, jeden Wunsch
1816, *2*
erfüllen, mit Sinn 221, *2*
erfüllen, sich 1814, *2*
erfüllen, Zweck 1196, *1*
erfüllend 781, *3*
erfüllt 534, *1*; 548, *3*;
781, *1*; 1468, *2*
erfüllt sein 219, *2*
Erfüllung 150, *2*; 518, *1*;
535, *2*; 780, *2*
Erfüllung der Wünsche
1953
erfunden 583, *2*; 797
erfunden, frei 797
erfunden, hat das Pulver
nicht 403, *1*
ergänzen 519
ergänzen, einander
1793, *6*
ergänzen, sich 519
ergänzend 48
Ergänzung 520
ergänzungsbedürftig
1694, *1*
ergattern 236, *1*; 761, *2*
ergeben 631, *2*; 689, *2*;
705; 772, *3*; 977, *1*;

1196, *1*; 1588, *4*;
1690, *1*; 1971, *1*
ergeben aus, sich 9, *4*
ergeben sein, treu 65, *1*
ergeben, sich 216, *2*;
506, *4*; 619, *3*; 704, *2*;
1819, *1*; 1934, *6*
ergeben, treu 1971, *1*
Ergebenheit 35; 706, *1*
Ergebnis 521; 562;
615, *1*; 630, *3*;
1046, *1*; 1400, *4*;
1913, *2*
ergebnislos 1747
Ergebung 688, *2*;
706, *2*; 1183, *1*
ergehen 212, *2*
Ergehen 1966
ergehen lassen, Gnade
vor Recht 501, *4*
ergehen lassen, über sich
1040, *2*
ergehen, sich 703, *2*
ergiebig 355, *2*; 664;
1197, *2*; 1327, *3*
Ergiebigkeit 1274, *2*
ergießen, sich 475, *2*;
623; 1030, *5*
erglänzen 1381, *2*
erglühen 219, *2*;
1056, *2*; 1371, *1*;
1381, *2*
ergo 43
ergötzen 651, *1*; 1502, *2*
Ergötzen 650, *2*; 730, *1*
ergötzen, sich 602, *2*;
725
ergötzlich 57, *2*; 835, *2*
ergrauen 1149, *4*
ergraut 44, *1*
ergreifen 263, *2*;
1168, *1*; 1233, *1*; 1756
ergreifen, Besitz 1168, *1*
ergreifen, Chance
1196, *2*
ergreifen, Flucht 624, *1*
ergreifen, Gegenmaßnahmen 857, *3*
ergreifen, Gelegenheit
246
ergreifen, Initiative
52, *3*; 1684, *2*
ergreifen, Partei 1430, *3*;
1969, *2*
ergreifen, Wort 162, *1*

ergreifen, Zügel 669, 2
ergreifend 130, 1
ergriffen 548, 2;
 1564, 1; 1766
Ergriffenheit 549, 2;
 601, 1; 1562, 1
ergrimmen 106, 1
ergründen 536; 619, 1;
 635; 1305, 3; 1793, 2
Erguss 143, 1
erhaben 416, 1; 600, 1;
 791, 3; 885; 1261;
 1926, 1
Erhabenheit 601, 1;
 792, 2; 1925, 1
Erhalt 465, 1
erhalten 123, 1; 236, 1;
 466, 1; **522**; 1681, 1;
 1730, 1
erhalten bleiben 6, 2
erhalten, Kenntnis
 515, 3
erhalten, sich 364, 1;
 522
erhältlich 1838, 1
Erhaltung 1248, 2
erhandeln 924, 2
erhängen 1586, 2
erharren 555, 2
erhärten 210, 2; 278, 5;
 1502, 3; 1603, 2;
 1786, 1
Erhärtung 279, 3
erhaschen 588, 2;
 761, 2
erheben 219, 1; 458, 1;
 523; 635; 651, 1
erheben, Anspruch
 195, 1
erheben, Augen 827, 2
erheben, Einspruch 196;
 557, 2; 918, 3; 1051, 1
erheben, Glas 90, 6
erheben, ins Quadrat
 1929, 1
erheben, Protest 124, 2
erheben, sich 52, 2;
 124, 2; **523**; 1507, 2
erheben, sich über den
 Horizont 523, 3
erhebend 600, 2
erheblich 791, 2;
 1452, 1; 1498;
 1506, 3; 1823, 1;
 1823, 1

Erhebliches, um ein
 1823, 3
Erheblichkeit 202, 3
Erhebung 134, 1; 257, 1;
 601, 1; 636, 2; 1631;
 1921, 1
erheischend, Respekt
 1926, 1
erheitern 75, 4; 651, 1;
 1681, 2
erheiternd 76, 1; 835, 2
erheitert 835, 3
Erheiterung 650, 1;
 1604; 1683, 2
erhellen 221, 2; 241, 1;
 528, 4; 946, 1
erhellend 238, 1
erhellt 839, 4
erhitzen 1873, 1
erhitzen, sich 129, 5;
 219, 2
erhitzt 548, 3; 1871, 3
Erhobenheit 549, 3
erhoffen 555, 2
erhoffen, sich 430, 1
erhöhen 145, 1; 174, 1;
 420, 1; 1715, 2
erhöhen, Gehalt 1715, 3
erhöhen, sich 1508, 4;
 1509, 1
erhöhend, sich 1958
Erhöhung 257, 1;
 1062, 3; 1510, 1;
 1921, 1
erholen, sich 524;
 723, 1
erholt 757, 2
Erholung 525; 1503, 4
Erholungszeit 647
erhören 531, 1
Erhörung 532, 3
erigieren 523, 4
erinnerlich sein 526, 5
erinnern 526; 1081, 3
erinnern an 526, 4;
 1614, 3
erinnern, sich 435, 1;
 526
erinnern, sich nicht
 mehr 1752, 1
erinnernd 771, 4; 774
Erinnerung 527;
 1082, 1
Erinnerungsstück
 527, 3; 976, 1

Erinnerungstag 906
Erinnerungsvermögen
 527, 1
erjagen 588, 3; 761, 2
erkalten 475, 2; 551, 2;
 1149, 2; 1749, 3
erkalten lassen 995, 1
erkälten, sich 530
erkämpfen 761, 2
erkaufen 761, 2
erkennbar 945, 4; 1498
erkennbar, klar 378, 2
erkennen 515, 3;
 1399, 3; 1451; 1793, 2;
 1866, 1
erkennen lassen 1768, 3
erkennen, gut zu 1373, 5
erkennen, nicht wieder
 zu 1783, 1
erkennen, wieder 526, 1;
 1793, 2
erkenntlich 355, 1
Erkenntlichkeit 356;
 1751, 3
Erkenntnis 517, 1
Erkenntnisdrang 1178
Erkenntnisinteresse
 1178
Erkenntniskraft 1789, 1
Erkenntnisvermögen
 1789, 1
Erkennungswort 930, 5
Erkennungszeichen
 930, 5; 1933, 2
Erker 181
erklären 162, 1; 241, 2;
 501, 3; **528**; 1034, 2;
 1768, 3
erklären mit 1399, 3
erklären, für gültig
 278, 5
erklären, für nichtig
 122, 2
erklären, für schuldig
 1809, 1
erklären, für ungültig
 122, 2
erklären, für wahr
 226, 1
erklären, Rücktritt
 998, 1
erklären, sich bereit
 50, 4
erklären, sich einverstanden 531, 1

erklären, sich solidarisch
1965, *1*
erklärlich 1790, *1*
Erklärung 164, *1*;
502, *1*; **529**; 615, *1*;
1770, *2*
erklecklich 1506, *3*;
1823, *1*; 1945
Erkleckliches, um ein
1823, *3*
erklettern 1508, *2*
erklimmen 1508, *2*
erklingen 1584, *1*
erklingen lassen, Gläser
90, *6*
erkoren 148, *2*
erkranken 530
erkrankt 1042, *1*
erkrankt, lebensgefähr-
lich 1042, *1*
erkrankt, schwer
1042, *1*
Erkrankung 984, *1*
erkunden 536; 619, *1*;
635
erkundigen, sich 639, *1*
Erkundigung 537;
638, *1*
Erkundung 537
erkünstelt 766
erlahmen 539, *2*;
1149, *1*; 1520, *2*;
1779, *3*
erlangen 236, *1*; 522, *1*;
761, *2*
Erlass 209, *1*; 750, *1*
erlassen 72, *1*; 1064, *2*
erlassen, Strafe 501, *2*
erlauben 531
erlauben, nicht 1779, *1*
erlauben, sich 195, *1*;
531; 1045, *2*; 1859, *3*
Erlaubnis 532; 1449, *3*
Erlaubnis haben 963, *2*
erlaubt 252, *1*; 751, *4*
erlaucht 1926, *1*
erlauschen 868, *1*
erläutern 528, *1*
Erläuterung 520, *2*;
529, *1*; 1770, *2*
erleben 515, *1*; 668, *1*
erleben, Schmerzliches
1040, *4*
Erlebnis 517, *1*
Erlebnisbericht 258, *3*

Erlebniscenter 740, *5*
Erlebnishunger 478, *1*
erlebnishungrig 218, *3*
erledigen 475, *1*; **533**;
1828; 1939, *1*
erledigen sein, zu 88, *1*
erledigen, Drecksarbeit
1220, *2*
erledigt 534; 610, *1*;
768, *4*; 1130, *2*
Erledigung 275, *1*; **535**
erlegen 588, *3*; 1586, *3*
erleichtern 179, *2*;
213, *3*; 1066, *6*
erleichtern, sich 494, *1*
erleichternd 1606
erleichtert 644, *5*
Erleichterung 495, *1*;
854, *1*
erleiden 515, *2*; 1040, *1*
erleiden, Einbuße
1767, *2*
erleiden, Fiasko 1383, *2*
erleiden, Kollaps
1964, *1*
erleiden, Schaden
1369, *4*
erleiden, Schiffbruch
1383, *2*
erleiden, Schock 63, *1*
erleiden, Verlust 1767, *2*
erlernbar 1790, *1*
erlernen 1049, *1*
erlesen 100, *2*; 148, *1*;
416, *1*; 975; 996, *3*
Erlesenheit 607, *1*;
1414, *1*
erleuchten 221, *2*;
241, *1*; 946, *1*
erleuchtet 839, *4*
Erleuchtung 878, *2*;
1052, *1*
erliegen 1383, *3*
erlogen 583, *2*
Erlös 1731, *2*
erloschen 1585, *2*;
1743
erlöschen 475, *2*;
1149, *4*; 1512, *1*;
1749, *3*
Erlöschen 1581, *1*
erlösend 1606
Erlöser 671, *6*
erlöst 644, *5*
ermächtigen 531, *2*

Ermächtigung 532, *2*;
1968, *1*
ermahnen 1081, *1*
Ermahnung 1082, *1*
ermangeln 482
ermannen, sich 499, *2*
ermäßigen 1149, *5*
ermäßigt 312, *1*
ermatten 539, *2*; 1149, *1*
ermattend 1440, *2*
Ermattung 540, *1*
ermessen 371, *2*;
1375, *2*; 1701, *1*
Ermessen 1100, *1*;
1700, *1*
Ermessen, nach eigenem
242
Ermessen, nach mensch-
lichem 79
ermitteln 536; 1549, *1*
Ermittlung 537
ermöglichen 307; **538**
ermorden 1586, *1*
ermordet werden
1512, *5*
Ermordung 1587, *1*
ermüden 237, *2*; **539**;
1016, *1*; 1434
ermüden, nicht 392
ermüdend 1017, *1*;
1021, *1*; 1440, *2*
ermüdet 1130, *1*
Ermüdung 540
ermuntern 75, *2*; 278, *4*;
541; 1305, *1*; 1502, *2*;
1605, *1*
ermunternd 76, *1*;
1606
Ermunterung 77, *2*;
279, *5*; 1304, *1*;
1503, *2*; 1604
ermutigen 75, *2*; 278, *4*;
541, *2*; 1502, *2*;
1605, *1*
ermutigend 1606
Ermutigung 77, *2*;
279, *5*; 1304, *1*;
1503, *2*; 1604
ernähren 1681, *1*
ernähren, sich 522, *3*;
566, *1*
ernährt, gut 757, *1*
Ernährung 542
ernannt, selbst 84, *2*
ernennen 89, *1*; 1862, *2*

Ernennung 438, 2;
1353, 1; 1861, 3
erneuern 543; 1883, 2
erneuern, Farbe 590, 1
erneuern, sich 519, 3;
543
erneuert 1177, 4
Erneuerung 544;
1343, 1; 1904
erneuerungsbedürftig
850, 4
erneut 1902
erniedrigen 841, 1
erniedrigen, sich 704, 3
erniedrigend 239, 2
Erniedrigung 240
ernst 347, 2; **545**;
690, 5; 1899, 1
Ernst 202, 3; 601, 1;
1144; 1536, 1
Ernst machen 412
ernst nehmen 193, 1
ernst werden 1374, 2
Ernst, im 545, 3
Ernstes, allen 545, 3
Ernstfall 399, 2
ernsthaft 545, 1
ernstlich 545, 4;
1145, 2; 1498
Ernte 1362, 1
erntefrisch 660, 2
ernten 546; 761, 2
ernten, Lorbeeren 174, 2
erntereif 1328, 1
Erntezeit 1360
ernüchtern 261, 1; 507
ernüchtert 1772, 1
Ernüchterung 508;
1092, 2
Eroberer 1464, 1
erobern 761, 2
Eroberung 1055, 4
eröffnen 52, 3; 307;
437, 2; **547**; 1120, 2;
1208, 2
eröffnen, Feuer 60, 2
eröffnen, Geschäft
1184, 3
eröffnen, Praxis 1184, 3
eröffnet 1207, 1
Eröffnung 51, 2; 1122;
1209, 1
Eröffnungstag 906
erörtern 224, 3; 276, 1;
1534, 2

Erörterung 225, 1;
277, 1
Eros 1055, 2; 1467
Eroscenter 320
Erosion 1205, 3
Erotik 1055, 2; 1467
Erotikshow 1459
erotisch 1466, 3
erotisierend 91, 3
erotisiert 1074
erotoman 1074
Erotomanie 1073, 3
erpicht 218, 1; 423;
808
erpressen 398, 3;
1979, 2
Erpresser 294, 1
Erpressung 399, 1
erproben 1284, 3;
1795, 1
erprobt 299; 516, 1;
1460, 4
Erprobung 1285, 3
erquicken 75, 4; 524, 1;
543, 5; 651, 1; 1502, 2
erquicken, sich 1600, 1
erquickend 57, 2; 1606
Erquickung 525, 1;
1503, 1
erraffen 761, 2
erraten 1066, 3; 1305, 3
errechnen 251, 1
erregbar 829, 3
Erregbarkeit 472, 2; 830
erregen 75, 3; 129, 1;
1334, 1
erregen, Anteilnahme
894, 1
erregen, Ärgernis 90, 4;
129, 3
erregen, Aufsehen 118;
129, 3; 174, 2; 884
erregen, Befremden
90, 4
erregen, Ekel 462
erregen, Missfallen 90, 4
erregen, Mitleid 364, 4;
1233, 1
erregen, Staunen 884
erregen, Übelkeit 462
erregend 76, 3; 130, 1
erregend, Angst 1420, 1
erregend, Anstoß 91, 6
erregend, Ärgernis 91, 6;
1021, 2

erregend, Aufsehen
119, 1; 163, 1; 553
erregend, Besorgnis
545, 4
erregend, Ekel 461, 1
erregend, Furcht 1420, 1
erregend, Grauen
1420, 1
erregend, Mitleid
1659, 3
erregend, Schauder
1420, 1
erregend, Schwindel
690, 2; 1254, 1
Erreger 985
erregt 548; 1074
Erregtheit 549, 1;
1073, 3
Erregung 62, 2; 105, 2;
549; 1477, 1
erreichbar 1128, 2
Erreichbarkeit 1156, 1
erreichen 236, 1; 411, 5;
761, 2; 1828
erreichen, Klassenziel
nicht 1779, 4
erreichen, Ziel 67, 1;
411, 5; 958, 2
erreichen, Ziel nicht
1520, 3
erreichen, zu 699, 3
errichten 52, 3; 560, 4;
964, 1
Errichtung 563, 3
erringen 761, 2
erringen, Sieg 1463, 1
erröten 1371, 1
Errungenschaft 1179, 1
Ersatz 498, 2; **550**;
1142, 1; 1807
Ersatz für 1505
Ersatzmann 550, 4
Ersatzmittel 550, 2
ersatzpflichtig 1775, 1
Ersatzstoff 550, 2
ersäufen 1586, 1;
1618, 1
erschaffen 560, 1; 756
Erschaffung 563, 1
Erschaffung der Welt
1416, 1
erschallen 1584, 1
erschallen lassen
1465, 1
erschauen 1451

erschauern 63, *1*;
    659, *1*; 1946, *1*
erscheinen 67, *1*; 506, *2*;
    506, *3*; 958, *2*; 958, *3*;
    1381, *1*; 1633, *3*;
    1934, *6*
Erscheinen 68, *1*;
    1774, *2*
erscheinen als 1486, *1*
erscheinen, auf der Bild-
    fläche 67, *1*
erscheinen, ratsam
    469, *2*
erscheinen, unangemel-
    det 1620, *3*
Erscheinung 110, *1*; 159;
    308, *1*; 707, *3*; 878, *1*;
    880, *2*; 1198, *2*
Erscheinungsbild 159
Erscheinungsform
    110, *1*
erschießen 1586, *2*
erschießen, standrecht-
    lich 1586, *2*
Erschießung 1587, *2*
erschlaffen 539, *2*;
    1016, *2*; 1149, *1*
Erschlaffung 540, *1*
erschlagen 1130, *2*;
    1504, *3*; 1586, *1*
erschleichen 1072
erschleichen, einen Vor-
    teil 293, *1*
erschließen 547, *3*;
    1034, *1*
erschließen, sich 1214, *3*
erschließen, wirtschaft-
    lich 547, *3*
erschlossen 996, *1*
erschöpfen 539, *1*;
    1434; 1723, *3*
erschöpfen, sich 92, *3*
erschöpfend 722, *4*;
    1440, *2*; 1829, *3*
erschöpft 1130, *2*;
    1432, *2*
Erschöpfung 540, *1*;
    540, *1*
erschossen 1130, *2*
erschrecken 63, *1*;
    129, *2*; 398, *1*
Erschrecken 62, *1*
erschreckend 553
erschreckt 1504, *3*
erschrocken 1504, *3*

erschüttern 263, *2*;
    1233, *1*; 1526
erschütternd 130, *1*;
    1659, *4*
erschüttert 548, *2*
erschüttert werden
    1946, *2*
Erschütterung 549, *2*;
    1525
erschweren 857, *3*
erschwerend 1440, *2*
Erschwernis 858, *2*
Erschwerung 858, *2*;
    1524
erschwinglich 312, *1*
ersehen 1399, *3*
ersehnen 217, *1*
ersetzbar 1666
ersetzen 382, *2*; 497, *1*;
    1805, *1*; 1883, *2*
ersetzlich 1666
ersichtlich 945, *4*
ersinnen 560, *6*
erspähen 1451
ersparen 1413, *2*;
    1478, *1*
ersparen, sich 492, *2*
ersprießlich 664; 1197, *2*
erspüren 668, *1*
erst 477, *2*
erst einmal 1957
erstarken 524, *2*
Erstarkung 1503, *1*
erstarren 659, *2*
erstarren (lassen) **551**
erstarren, zur Salzsäule
    63, *1*
erstarrt 914, *1*; 1504, *3*
Erstarrung 552; 915, *1*;
    1646, *5*
erstatten 151, *2*; 304, *4*
erstatten, Anzeige
    944, *1*
erstatten, Bericht 259
Erstattung 498, *2*
Erstaufführung 51, *2*
erstaunen 1620, *1*;
    1924, *2*
Erstaunen 552
erstaunlich 119, *1*; **553**;
    1452, *1*
erstaunt 1504, *3*
erstaunt, bass 1504, *3*
Erstausgabe 1230, *1*
Erstbezug 51, *2*

Erstdruck 1179, *2*;
    1230, *1*
Erste, fürs 1837; 1957
erstechen 1586, *1*
erstehen 506, *1*; 924, *1*
erstehen, wieder 543, *5*
Erstehung 923
ersteigern 924, *2*
Ersteigung 135, *2*
erstellen 560, *3*
Erstellung 563, *3*
Erster 1464, *1*
Erster, als 1840, *1*
ersterben 1749, *3*
Erstes, als 53, *1*
ersticken 402, *2*; 857, *1*;
    1064, *1*; 1512, *3*;
    1679, *2*; 1733, *2*
ersticken, Gefühle im
    Keim 284, *1*
erstickend 406, *2*
erstickt 406, *5*; 1044
erstklassig 148, *1*;
    416, *1*; **554**; 1829, *2*
Erstklässler 1428, *1*
erstmalig 53, *3*; 1177, *2*
erstrahlen 1381, *2*
erstrangig 554
erstreben 217, *1*;
    1259, *2*; 1528, *1*
erstrebenswert 781, *2*;
    1197, *3*
erstrecken, sich 145, *2*;
    212, *1*; 1530, *3*
erstrecken, sich auf 289
erstreiten 761, *2*
Erstschlag 987, *1*
Erstschrift 1230, *1*
erstürmen 761, *2*
Erstveröffentlichung
    1179, *2*
ersuchen 195, *1*; 280, *3*;
    315, *1*
Ersuchen 1761, *2*
ertappen 619, *2*; 1620, *2*
erteilen, Abfuhr 30, *4*
erteilen, Abreibung
    1391, *1*
erteilen, Approbation
    531, *2*
erteilen, Auftrag 280, *1*
erteilen, Prokura 531, *2*
erteilen, Quittung
    1750, *1*
erteilen, Rüge 1553, *2*

erteilen, Tadel 1553, *2*
erteilen, Vollmacht
531, *2*
erteilen, Zigarre 1553, *2*
ertönen 1584, *1*
Ertrag 518, *5*; 1195, *1*;
1338, *1*; 1731, *2*;
1849, *2*
Ertrag, ohne 1653, *1*
ertragen 1040, *1*;
1588, *3*
erträglich 1091, *2*;
1128, *2*; *1945*
erträglich, schwer
1440, *2*
ertragreich 664; 1197, *2*;
1327, *3*
Ertragsfähigkeit 1274, *2*
Ertragskraft 1274, *2*
ertragsunfähig 1653, *1*
ertränken 1586, *1*;
1618, *1*
erträumen 555, *2*
erträumen, sich 430, *1*
erträumt 1702
ertrinken 1512, *3*
ertrotzen 411, *5*; 1922, *2*
ertüchtigen 538, *2*
ertüchtigen, sich 1502, *1*
erübrigen 1478, *1*
eruieren 619, *1*
Eruption 143, *1*; 1165, *3*
erwachen 52, *2*
Erwachen 51, *3*
erwachen, wieder
526, *1*
erwachsen 506, *4*;
1328, *2*
erwägen 276, *1*; 371, *2*;
1259, *1*
erwägen sein, zu 469, *2*
erwägen, Für und Wider
371, *2*
erwägen, zu 1128, *1*
erwägenswert 1128, *1*
Erwägung 1321
erwählt 148, *2*
erwähnen 263, *4*;
861, *1*; 1174, *2*;
1494, *1*
erwähnen, lobend
1063, *1*
erwähnen, nicht 152, *1*
erwähnenswert 892, *2*
Erwähnung 164, *1*

Erwähnung, lobende
989, *3*
erwärmen 219, *1*;
221, *2*; 1873, *1*
erwärmen, sich 894, *2*
Erwärmung 1872, *1*
erwarten 555; 1588, *5*;
1876, *1*
erwarten dürfen
1730, *2*
erwarten sein, zu 88, *1*;
958, *1*; 1157, *1*
erwarten, Kind 466, *3*
erwarten, zu 863, *1*;
945, *4*
Erwartung 556; 1477, *1*
Erwartung, gespannte
1477, *1*
Erwartungsangst 62, *6*
erwartungsgemäß
1260, *2*
erwartungsvoll 895, *1*
erwecken, Anschein
1381, *1*
erwecken, Beifall 691, *2*
erwecken, Bewunderung
884
erwecken, den Eindruck
1584, *5*
erwecken, Eindruck 158
erwecken, Interesse
894, *1*
erweckend, Vertrauen
1971, *1*
Erwecker 671, *6*
Erweckung 77, *2*
erweichen 1626, *1*;
1626, *1*
erweichen, nicht zu
820, *2*
Erweis 164, *3*; 279, *6*
erweisen 162, *3*
erweisen, Achtung
1734, *1*
erweisen, Gefälligkeit
489, *1*
erweisen, letzte Ehre
233, *1*
erweisen, sich 1934, *6*
erweisen, sich als richtig
1592, *3*; 1934, *6*
erweisen, sich dankbar
357, *1*
erweitern 145, *1*;
1715, *2*

erweitern, Kenntnisse
1049, *2*
Erweiterung 146, *1*;
511, *2*; 520, *1*; 1510, *3*
Erwerb 923
Erwerb, ohne 104
erwerben 761, *2*; 924, *1*;
1730, *1*
erwerben, Kenntnisse
1049, *1*
erwerben, Verdienste
1045, *1*
erwerbsfähig 757, *5*
Erwerbsfähigkeit 758
erwerbslos 104
Erwerbsmittel 1027, *2*
erwerbstätig 1556, *3*
erwerbstätig sein 102, *2*
Erwerbstätigkeit 101, *2*
Erwerbung 923
erwidern 557; 1313;
1750, *3*
erwidern, nichts 1438, *1*
Erwiderung 558;
1314, *1*
erwiesen 1460, *4*
erwirken 761, *2*
erwischen 588, *2*;
619, *2*; 761, *2*; 1620, *2*
erwischen, auf frischer
Tat 1620, *2*
erwischen, etwas 530
erwischen, in flagranti
1620, *2*
erwünscht 57, *1*; 738, *2*;
863, *2*; 1054, *1*; *1907*
erwürgen 1586, *1*
erzählen 259; 270, *2*
erzählen, interessant
1927, *2*
erzählen, sich 1681, *3*
erzählenswert 892, *2*
Erzähler 260, *2*; *1423*
Erzählung 559
erzen 820, *1*
erzeugen 560; 1710, *1*;
1910, *4*
Erzeuger 561; 1704, *1*
Erzeugnis 562
Erzeugung 563
Erzfeind 604, *1*
erziehen 564
Erzieher 1035, *1*
Erzieherin 1035, *1*
erzieherisch 238, *2*

Erziehung 85, *1*; **565**
Erziehungsanstalt 833, *2*
Erziehungsberechtigte
    464; 1140, *1*
Erziehungsberechtigter
    1704, *1*
Erziehungsstätte 1427, *1*
erzielbar 1128, *1*
erzielen 546; 761, *2*
erzielen, Gewinn 761, *1*
erzittern 1946, *2*
Erzittern 62, *1*
erzürnen 106, *1*; 1534, *1*
erzürnen, sich 129, *5*
erzwingen 411, *5*;
    761, *2*; 1979, *2*
es sei denn, dass 161, *2*
es war einmal 418;
    666, *1*
Eselei 1674, *3*
Eselsbrücke 854, *3*;
    1718, *2*
Eselsgeduld 688, *2*
Eselsohr 585, *1*
Eskalation 988, *1*;
    1510, *5*
eskalieren 1374, *2*;
    1508, *4*; 1309, *1*
Eskamoteur 111, *2*
Eskapade 1055, *4*;
    1674, *3*
eskortieren 220, *1*
Esoterik 701
esoterisch 1719, *2*
Esperanto 1493, *4*
Esprit 707, *2*
Esprit, mit 996, *3*
Essay 8, *1*
Essayist 1423
essbar 610, *4*
essen 566
Essen 749, *2*; 1080, *1*
essen haben, nichts zu
    872, *1*
Essen machen 956, *3*
Essen und Trinken
    542, *1*
essen wie ein Scheunen-
    drescher 566, *1*
essen, geräuschvoll
    566, *5*
essen, jmds. Brot 9, *1*
essen, Reste 1220, *2*
essen, schnell 566, *4*
essen, zu viel 566, *1*

Essenz 567; 1548
essigsauer 844, *1*
Esskultur 730, *3*
Esslust 1761, *1*
esslustig 218, *2*
Esstisch 1080, *10*; 1580
Esswaren 542, *2*
Establishment 1201, *2*
estimieren 1734, *1*
etablieren 52, *3*; 547, *1*
etablieren, sich 1184, *3*
etabliert 341, *2*; 1460, *2*
Etablierung 51, *2*
Etablissement 320;
    681, *1*
Etagenheizung 836
Etagenkellner 204, *3*
Etagere 331, *2*
Etappe 1560, *1*
Etappen, in 1015, *2*
Etat 825, *2*; 1258, *3*
Ethik 85, *2*
ethisch 86, *2*
Ethnie 297
Ethnozentrismus
    1163, *1*
Ethos 375; 762
Etikett 930, *3*
Etikette 326, *3*
Etikettenschwindel
    1558, *1*
etikettieren 528, *5*;
    931, *2*
etliche 1825
Etliches 1823, *2*
Etui 223; 870, *8*; 1379, *3*
etwa 774; 1654, *1*;
    1654, *2*
etwas 1893, *1*
Etwas 697, *1*
etwas machen, sich aus
    1127, *1*
etwas tun 102, *1*
etwelche 1825
Eulen nach Athen 1666
Eulenspiegel 1384, *1*
Eulenspiegelei 1674, *2*
euphemisieren 268
Euphemismus 269
Euphorie 780, *2*
euphorisch 548, *3*;
    781, *1*
euphorisieren 221, *1*
Eurogeld 712, *1*
Europa 568

europäisch 568, *2*
Evakostüm, im 1154, *1*
evakuieren 173, *1*;
    1803, *1*
Evakuierung 1804
Evaluation 1285, *4*
evaporieren 522, *2*
Event 742, *3*; 1712, *3*
Eventualität 1129
eventuell 205; 1128, *3*
Evergreen 362, *4*;
    518, *4*; 739, *2*
evident 945, *3*; 1395;
    1790, *1*
Evidenz 947, *1*
Evolution 511, *4*
ewig 882, *1*; 1013, *2*;
    1647, *2*
Ewigkeit 1648
Ewigkeit, bis in alle
    1647, *2*
Ewigkeit, eine 1013, *2*
Ewigkeit, in alle 882, *1*
ex 1743
exakt 722, *1*; 1290, *1*;
    1475, *1*
Exaktheit 1474, *1*
exaltiert 548, *3*; 1093, *3*;
    1624, *2*
Exaltiertheit 549, *3*;
    1623, *1*
Examen 1285, *1*
examinieren 639, *2*;
    1284, *1*
Exegese 361, *2*
exekutieren 1586, *2*
Exekution 1587, *2*
Exekutive 847, *1*
Exempel 235
Exemplar 569; 1539, *4*
exemplarisch 149, *2*;
    820, *3*
exemplifizieren 528, *1*
exerzieren 1610
exhibitionieren, sich
    359, *3*
exhumieren 787, *2*
Exil 1804
Exilant 1107
exilieren 173, *1*; 1803, *1*
exiliert 1319
Exilierung 1804
existent 1838, *2*; 1911, *1*
Existenz 570; 1025, *1*;
    1027, *1*

Existenzform 1025, 4;
1517, 3
Existenzkampf 1025, 5
Existenzniveau 1025, 4
existieren 1024, 1
existierend 1838, 2
Exitus 1400, 2; 1581, 1
exklusiv 745, 3; 996, 3
exklusive 161, 1
Exklusivität 607, 1
exkommunizieren 173, 1
Exkremente 156, 2
exkulpieren 501, 2
Exkurs 29, 4; 520, 4
Exkursion 578, 2
Exodus 486, 3
exorbitant 163, 1;
1624, 1
Exotik 649, 1
exotisch 648, 1
expandieren 145, 1
Expansion 146, 1
Expansionskraft 400, 1
expansiv 37, 1; 479
expatriieren 1803, 1
Expatriierung 1804
expedieren 1388, 4
Expedierung 1589, 1
Expedition 578, 2;
1589, 1
Expektoration 156, 1
Experiment 517, 1;
636, 2; 1794, 1; 1860
Experimentalfilm 618, 3
experimentieren 635;
1795, 2

Experimentierfreude
1253
experimentierfreudig
576, 1
Experte 573
Expertengruppe 800, 2
Explikation 529, 1
explizieren 528, 1
explodieren 129, 5;
142, 1; 1262, 1;
1391, 2; 1508, 4
Exploitation 154, 2
exploitieren 153, 2
explorieren 635
Explosion 143, 1;
734, 3
explosiv 690, 1; 829, 3
Explosivkraft 478, 3
Expo 170, 2
Exponent 1806, 3
exponieren, sich 1859, 2
exponiert 690, 4
Export 814, 3
Exporteur 741
exportieren 815, 2
Exposé 1258, 2
Exposition 170, 2
express 429, 3
expressiv 78, 1
Expropriation 483
expropriieren 1168, 3
exquisit 100, 2; 148, 1;
416, 1
extemporieren 1486, 6
extensiv 1013, 1

Exterieur 1198, 2
exterritorial 393, 2
extra 16; 117, 3; 273, 1;
457, 1; 1452, 1
Extraausgaben 137, 1
extrahieren 175, 2
Extrakt 567, 2; 1299, 2
Extraktion 486, 2
extraordinär 163, 1
Extras 520, 3
extravagant 119, 2;
1624, 1
extravertiert 748, 2
Extravertiertheit
749, 1
extrem 1300; 1624, 1
extremistisch 1093, 3;
1300
Extremität 778, 1
extrovertiert 748, 2
Extrovertiertheit
749, 1
exzellent 100, 2; 148, 1;
149, 1
Exzentriker 160, 1
exzentrisch 119, 2
Exzentrizität 424, 4;
1519, 2
exzeptionell 163, 1
exzerpieren 175, 3
Exzerpt 1560, 1
Exzess 1619, 2
exzessiv 1093, 3;
1624, 1
Eyecatcher 1897, 3

F

Fabel 559, 2; 697, 3; 1521, 4
Fabelei 1071, 4
fabelhaft 1254, 1
fabeln 270, 2; 1072
Fabrik 291, 1
Fabrikant 1686, 1; 1686, 1
Fabrikarbeit 101, 3
Fabrikat 562
Fabrikation 563, 2
Fabrikmarke 930, 3
fabrikmäßig 1096, 1
fabrikneu 1177, 1
fabrizieren 560, 3
Fabulant 1436
fabulieren 270, 2; 1072
face to face 695, 2
Fach 331, 2; **571**
Fach, vom 516, 1; 572, 2
Facharbeit 101, 3
Fachausbildung 1033, 2
Fachausdruck 147, 1
Fachbereich 1484, 1
Fachbuch 1032
fächeln 316, 1; 995, 2; 1443, 3
fächern 995, 2; 1226, 2; 1561, 1
Fachgebiet 571, 2; 1484, 1
fachgemäß 572, 1
fachgerecht 572, 1; 817, 1
Fachgeschäft 740, 2; 1484, 1
Fachgröße 573
Fachhandel 1484, 1
Fachidiotie 454, 2
Fachkraft 573
fachkundig 572, 1
fachlich 572
Fachmann 573
fachmännisch 572, 1; 1001
Fachpresse 1271, 2
Fachrichtung 1484, 1

Fachsprache 1493, 5
fachübergreifend 40, 3
Fachwissen 1917, 3
fackeln, nicht lange 412
Fackelzug 370, 1
fad 403, 3; **574**; 592, 2; 1017, 1
fade 1639
Faden 575
Faden, roter 798, 1; 823; 1718, 2
Fadensbreite, um 1654, 1
fadenscheinig 44, 3; 1975, 3
Fadensommer 46
Fadheit 593; 1014; 1205, 2
Fading-out 512, 1
Fag 867
fähig 516, 1; **576**
fähig sein 963, 1
Fähigkeit 229, 2; **577**; 611; 980, 1
fahl 592, 1
fahnden 536; 1528, 1; 1549, 1
Fahndung 537
Fahne 147, 3; 1811, 1; 1933, 4
Fahnen, mit fliegenden 548, 3
Fahnenabzug 1811, 1
Fahnenflüchtiger 377
Fahrausweis 1577
Fahrbahn 1527
Fährboot 579, 6
Fahrdamm 1527
Fähre 579, 6
fahren 300, 4; 703, 3; 1515, 1
fahren lassen 122, 3
fahren lassen, Hoffnung 1822, 1
fahren nach 216, 1
fahren, an den Karren 1391, 1
fahren, auf Grund 1822, 2
fahren, mit dem Schiff 300, 4
fahren, Rad 300, 4
fahren, zu Bruch 1939, 3
fahren, zu Tal 21, 1

fahren, zuschanden 1939, 3
Fahrgestell 1301, 1
fahrig 1150, 1; 1638, 1; 1914, 2
Fahrigkeit 1038, 2
Fahrkarte 1577
fahrlässig 1037, 1
Fahrlässigkeit 1038, 2; 1780, 1
Fährnis 399, 2
fahrplanmäßig 1290, 1
Fahrrad 579, 2
Fahrschein 1577
Fahrstraße 1527
Fahrstuhl 140, 1; 579, 9
Fahrt 427, 2; 478, 1; **578**; 1446, 1; 1589, 2
Fahrt ins Blaue 578, 1
Fahrt, auf 393, 2
Fahrt, in 322, 1; 548, 3; 1026, 2
Fährte 1497, 1; 1887, 1
Fährte sein, auf der falschen 901, 5
Fährte, falsche 599, 3; 902, 1
Fahrtunterbrechung 810, 6
Fahrtwind 1909
Fahrverbot 1720, 2
Fahrwasser 463, 4
Fahrweg 1527
Fahrzeug 579
Fahrzeugführer 671, 3
Fahrzeuglenker 671, 3
Faible 1055, 1; 1172, 2; 1484, 2
fair 86, 3; 86, 3; 735, 1; 1971, 1
Fairness 85, 2; 736
Fairplay 85, 2
Fait accompli 1557, 1
Fäkalien 156, 2
Fäkalsprache 1493, 4
Fake 1558, 1
Fakir 111, 2
Faksimile 1142, 1
Fakt 1557, 1
faktisch 1838, 2; 1911, 1
Faktizität 1557, 2
Faktor 463, 1; 792, 1
Faktor sein 201, 3
Faktoren, ökologische 1635, 3

Faktotum 838, 2
Faktum 697, 2; 1557, 1
fakturieren 251, 1
Fakultät 1977, 2
fakultativ 242
falb 592, 1
Falbe 1247
Falbel 585, 1
falben 1149, 3
Falkenaugen 141
Fall 580
Fall für sich 424, 3
Fall zu Fall, von 205;
1852, 1
Fall, auf jeden 1640, 1
Fall, auf keinen 1173
Fall, freier 580, 1
Fall, für den 582;
1894, 1
Fall, gesetzt den 582
Fall, hoffnungsloser
1691
Fall, im 1894, 1
Fall, nicht in jedem
205
Falle 295; 1060, 1
Fälle, auf alle 1640, 1
Falle, im 582
fallen 6, 1; **581**; 1512, 4
fällen 1394, 4
fallen lassen 20, 1;
122, 3
fallen lassen, Maske
319, 1; 1729, 2
fallen lassen, Wort
861, 1
fallen, anheim 236, 1
fallen, auf den Wecker
106, 1
fallen, auf denselben Tag
1614, 1
fallen, auf die Nase
581, 1
fallen, auf die Nerven
106, 1
fallen, auf einen Stuhl
1469, 1
fallen, aus allen Wolken
1924, 1
fallen, aus dem Rahmen
28, 1; 118
fallen, aus der Hand
1939, 4
fallen, aus der Rolle
1752, 3

fallen, auseinander
1066, 2; 1749, 2
fallen, darunter 1929, 3
fallen, in den Arm 857, 2
fallen, in Ohnmacht
1964, 1
fallen, in Schlaf 1392, 2
fallen, in Ungnade
1369, 4
fallen, ins Auge 118
fallen, ins Gewicht
201, 2
fallen, ins Haus 1620, 3
fallen, ins Schloss
1399, 5
fallen, ins Wasser 598, 3
fallen, ins Wort 435, 3;
1522, 2
fallen, lästig 1039, 2;
1522, 1
fallen, leicht 963, 3
fallen, mit der Tür ins
Haus 1657, 2
fallen, schwer 539, 1
fällen, Urteil 1701, 2;
1809, 1
fallen, zu Boden 6, 3;
581, 1; 1939, 4
fallen, zur Last 237, 3
fallend 13
fallend, aus dem Rah-
men 119, 1; 273, 2
fallend, in die Augen
119, 1
fallend, weit 1891, 4
Fallensteller 905, 1
Fallgrube 1060, 1
fallieren 1939, 11
fällig 1207, 4
fällig sein 88, 1
Fälligkeitstag 1572
Falliment 185
Fall-out 156, 4; 1186, 3
fallrecht 732, 2
Fallreep 1047, 1
falls 205; **582**; 1894, 1
Fallstrick 1060, 1
falsch 323, 1; **583**
Falsch 584, 1
Falsch, ohne 131; 804, 1
Falschaussage 1071, 3
fälschen 881, 3
Fälscher 294, 1; 1141
Falschgeld 712, 4;
1142, 2

Falschheit 324; **584**
Falschinformation
1071, 1
fälschlich 903; 1380
fälschlicherweise 903
Falschmeldung 1071, 4
Falschmünzer 294, 1
Falschmünzerei 1142, 2
Falschspieler 294, 2;
1429, 1
Fälschung 292; 1142, 2
Falsifikat 1142, 2
Faltboot 579, 6
Falte 585; 1798, 1
Falte, strenge 585, 2
fälteln 586, 2
falten 586
faltenlos 722, 6
faltenreich 587, 1
Faltenwurf 585, 1
faltig 44, 2; **587**; 1891, 4
Falz 585, 1
falzen 586, 2
Fama 737, 1
familiär 719; 1802, 1
Familiarität 1156, 2
Familie 110, 2; 846, 1;
1813, 1
Familie, aus guter 1841
Familien, die ersten
1201, 2
Familienname 930, 4
famos 149, 1; 576, 1
Famulus 838, 2
Fan 66, 5
Fan sein 65, 1
Fanal 1933, 4
Fanatiker 876, 2;
1272, 3
fanatisch 829, 2; 1300;
1504, 4
fanatisieren 851, 3
Fanatismus 481, 5
Fang 518, 5
fangen 588; 1756
fangen, etwas 530
fangen, Feuer 219, 2;
1056, 2
fangen, Fische 588, 3
Fangfrage 638, 2
Fangnetz 1176, 1
Fant 1544
Farbe 589
Farbe, künstliche 589, 3
farbecht 363, 1

Färbemittel 589, 3
färben 268; **590**
farbenblind 318, 1
farbenfreudig 591, 1
farbenfroh 591, 1
Farbenpracht 589, 1
farbenprächtig 591, 1
farbenprangend 591, 1
farbenreich 591, 1
Farbensinn 746, 1
Farbenspiel 589, 1
Farbfernseher 609, 1
Farbgebung 589, 1
farbig 78, 1; **591**; 981, 4;
   1026, 4
Farbigkeit 589, 2;
   1826, 1
Farbkopie 972
farblos 592; 1017, 2;
   1639
Farblosigkeit 593;
   1205, 2
Farbstoff 589, 3
Färbung 589, 1; 1583, 2
Farce 960; 1558, 1;
   1674, 1
Farm 190
Farmer 189, 1
Fasching 1558, 3
Faselei 737, 2; 1674, 1
faseln 1494, 3
Faser 575, 3
faserig 1065, 2
fasern 1066, 8
Faserung 1538
Fashion 1125, 1
fashionable 1126, 1
Fasnacht 1558, 3
Fass der Danaiden 1748
Fass ohne Boden 1748
Fassade 1198, 2;
   1558, 2; 1836, 1
fassbar 1026, 1; 1790, 1;
   1911, 2
Fassbarkeit 947, 1
fassen 493; 588, 1;
   1168, 1; 1793, 2
fassen können, nicht
   1924, 1
fassen, am Portepee
   1081, 3
fassen, beim Schopfe
   246
fassen, Entschluss
   499, 2

fassen, Fuß 73, 2;
   1184, 1
fassen, in Worte 162, 2
fassen, ins Auge 247, 1;
   1259, 1; 1284, 1;
   1944, 1
fassen, sich 228; 261, 2;
   1361, 5; 1713, 1
fassen, sich ein Herz
   499, 2; 1859, 3
fassen, Vorsatz 1259, 1
fasslich 433, 1; 1790, 1
Fasslichkeit 434, 3; 1791
Fasson 632, 3
fassonieren 756
Fassonschnitt 806, 2
Fassung 229, 1; 1301, 1
Fassung, außer 1914, 2
fassungslos 1504, 3;
   1659, 1
Fassungslosigkeit 552
Fassungsvermögen
   1501, 4; 1789, 2
fast 1654, 1
fasten 872, 3
Fasten 379, 1
Fastendiät 379, 1
Fastenkur 379, 1
Fastfood 1080, 8
Fastfood, geistiges
   1028, 3
Fastnacht 1558, 3
Faszikel 828, 2
Faszination 549, 3
faszinieren 98, 3; 305, 1;
   691, 2; 884; 1741
faszinierend 892, 1;
   1335
fasziniert 548, 3; 895, 1
Faszinosum 1079
Fata Morgana 880, 2
fatal 1243, 1; 1637, 1;
   1659, 4
Fatalismus 1355, 3
fatalistisch 1357, 3
Fatalität 1658
Fatum 1389, 1; 1658
fauchen 316, 1; 1391, 2;
   1584, 3
faul 265, 1; 1150, 2;
   1397, 3; 1675, 1;
   1975, 1
faul sein 524, 3; 594
Fäule 596
faulen 1728, 1

faulenzen **594**; 602, 3
Faulenzer 595
Faulheit 249, 2; 1676, 1
faulig 461, 2; 1397, 3
Fäulnis 596
Faulpelz 595
Faultier 595
Faun 1742, 1
Fauna 1164, 2
faunisch 1074
Faust, auf eigene 644, 1;
   646
Faust, mit eiserner 334
faustdick 376, 2
faustisch 1579
Faustregel 1322, 2
Faustskizze 308, 2;
   1258, 2
Fauxpas 599, 4
Favela 1499, 4
favorisieren 298, 2
Favorit 782; 1431
Favoritin 713
Fax 972
faxen 1621, 6; 1810
Faxen 1674, 1; 1683, 3
Faxenmacher 1384, 1
Fazit 521; 1400, 4
Feature 8, 1
fechten 918, 6
Feder, spitze 31, 2
Feder, wie eine 1036, 5
Federfuchser 1239, 1
Federgewicht 1036, 1
Federkraft 623, 1
Federkrieg 1533, 2
federleicht 1036, 1;
   1036, 5
Federlesens machen,
   kein 412
federn 597
federnd 622, 1
Federstrich, mit einem
   87; 1005, 3
Fee 707, 4
Feedback 1314, 1
Feeling 468, 1; 693, 3
feenhaft 410, 2; 1931, 1
fegen 428, 1; 1367, 1
Fehde 606; 917, 2
Fehde, in 695, 1
Fehdehandschuh 843, 1
fehl am Platz 1661, 3
Fehl, ohne 416, 1
fehlbar 1694, 2

Fehlbarkeit 1693, *1*
Fehlbetrag 1340, *2*
fehlen 88, *1*; 492, *3*;
598; 1749, *8*
Fehlen 33, *1*
Fehler 599; 902, *1*;
1424, *1*; 1780, *2*
Fehler machen 901, *3*
fehlerfrei 1829, *1*
fehlerhaft 265, *1*; 583, *1*;
1694, *2*
Fehlerhaftigkeit 1693, *2*
fehlerlos 679, *1*; 722, *1*;
1317, *1*; 1829, *1*
Fehlerlosigkeit 1830
Fehlgeburt 26
fehlgehen 901, *1*
fehlgreifen 901, *3*
Fehlgriff 599, *3*; 902, *1*
Fehlkonstruktion 1251
Fehlleistung 599, *3*;
902, *1*
Fehlpass 599, *3*
Fehlschlag 508; 1116
fehlschlagen 1383, *1*
Fehlschluss 599, *3*;
902, *1*
Fehlspekulation 599, *3*
fehlspekulieren 901, *5*
Fehlstart 599, *3*
fehltreten 598, *5*; 901, *2*
Fehltritt 1669, *1*
Fehlurteil 599, *3*
Fehlzündung 599, *3*
feien 1430, *2*
Feier 749, *2*
Feierabend 647
Feierabend machen
475, *1*
feierlich 600; 791, *3*;
1213, *2*
Feierlichkeit 601
feiern 420, *1*; 524, *1*;
594; **602**; 948, *2*
feiern, Urständ 543, *5*
Feierstunde 601, *2*
Feiertag 647
feige 64, *2*
Feigheit 62, *4*
Feigling 603
feil 754; 1838, *1*
feilbieten 50, *1*; 1760, *1*
feilen 198, *2*; 769, *3*;
1326, *2*; 1374, *1*
feilschen 815, *3*

fein 100, *2*; 410, *1*;
416, *1*; 471, *1*; 1132, *2*;
1931, *1*
fein machen, sich
1292, *2*
Feinarbeit 1294, *3*
Feind 604; 700, *3*
feindlich 605
Feindlichkeit 606
Feindschaft 606
feindselig 605
Feindseligkeit 14, *1*;
606
feinfädig 1931, *1*
feinfühlig 467, *4*
Feingefühl 468, *3*;
1792, *1*
feingliedrig 410, *2*
Feinheit 70; 472, *3*; **607**;
1961, *2*
Feinkost 979
feinnervig 467, *4*; 471, *1*
Feinnervigkeit 472, *2*
Feinschmecker 726, *2*
Feinschmeckerei 730, *3*;
993
feinschmeckerisch 727
Feinsinn 468, *3*; 607, *1*
feinsinnig 467, *4*; 996, *2*;
1579
Feinsliebchen 713
Feinsten, vom 554
feist 381, *1*
feixen 1009, *1*
Feld 685, *2*; 685, *3*;
794, *3*; 1164, *2*
Feld, freies 1309, *2*
Feldbett 295
Feldlager 1011, *1*
Feldschlacht 987, *1*
Feldweg 1887, *1*
Feldzeichen 1933, *4*
Feldzug 987, *1*
Fell 870, *2*
Fellowtraveller 66, *2*
Fels 257, *2*; 613, *6*
felsenhart 820, *1*
felsig 1204, *1*; 1642, *1*
female 1889
Feme 1751, *1*
Fememord 116; 1724
feminin 1889
Feminismus 608
Femme fatale 1742, *2*
Fenn 1551, *1*

Fenster 141; 1215, *5*
Fensterladen 870, *6*
Ferien 525, *1*
Ferien machen 524, *1*
Feriengast 1332, *1*
Ferienhaus 824, *1*
Ferienlager 1011, *1*
Ferienzeit 647
Ferkel 1407
fern 1891, *2*
fern halten 857, *1*;
1430, *1*
fern liegend 1639
fern, von 1891, *3*
fernbleiben 598, *1*
Fernbleiben 33, *1*
Fernblick 165, *1*
Ferne 486, *1*; 649, *1*
Ferne, aus der 1891, *3*
Ferne, in weiter 1891, *2*
ferner 117, *1*; 453
fernerhin 117, *1*; 1482, *2*
Fernheizung 836
Fernkopie 972
Fernlaster 579, *3*
fernlenken 208
Fernruf 1353, *2*
fernschreiben 1621, *6*
Fernschreibnetz 1176, *2*
Fernsehanstalt 609, *2*
Fernsehapparat 609, *1*
Fernsehempfänger
609, *1*
Fernsehen 609; 1097;
1683, *6*
Fernsehen, digitales
609, *2*
Fernsehen, öffentlich-
rechtliches 609, *2*
Fernsehen, privates
609, *2*
Fernseher 609, *1*
Fernsehfilm 618, *3*
Fernsehkamera 916, *2*
Fernsehprogramm
609, *3*
Fernsehturm 1609, *1*
Fernsicht 165, *1*
fernsprechen 1568
Fernsprecher 1567
fernsteuern 208
Fernstudium 1033, *2*
fernübertragen, Daten
1621, *6*
Fernweh 1761, *2*

Fersen bleiben, auf den
1740, *1*
fertig 534, *1*; 534, *2*;
610; 1130, *2*; 1328, *3*;
1829, *1*
fertig machen 533, *1*;
1828
fertig machen, sich 98, *1*
fertig stellen 533, *1*;
1828
fertig werden 715, *1*;
729, *2*
fertig werden mit 533, *1*;
1713, *1*
fertig, halb 1694, *1*
fertigen 560, *3*
Fertiger 561
Fertighaus 824, *1*
Fertigkeit 611
Fertigung 563, *2*
Fertigungskosten 978, *2*
fertil 664
Fertilität 1274, *2*
Fes 971
fesch 600, *2*
Fessel 858, *1*
fesseln 98, *3*; 313, *1*;
857, *3*; 894, *1*; 1233, *1*
fesseln, aneinander
1979, *3*
fesselnd 892, *1*
fest 144; 347, *1*; 479;
534, *1*; **612**; 820, *1*;
1535, *1*
Fest 749, *2*
fest sitzend 722, *6*
fest werden 551, *1*;
1603, *2*
Fest, ein 738, *2*
Festakt 601, *2*
festbeißen, sich 1922, *2*
Festbeleuchtung 1052, *2*
festbinden 313, *1*
feste 1225, *3*
Feste 211, *4*
festen 602, *1*
Festessen 730, *2*;
1080, *10*
festfahren, sich 1520, *3*;
1822, *2*
festgefahren 856, *2*
festgelegt 1775, *2*
festgelegt, nicht 1649, *3*
festgenagelt 1651, *3*
festgesetzt 1651, *2*

festhalten 614, *2*; 811, *2*;
1168, *1*; 1233, *3*;
1421, *1*
festhalten an 226, *1*
festhängen 1520, *1*
festigen 210, *2*; 278, *5*;
1502, *3*; 1543, *1*
Festigkeit 613; 810, *1*;
1144; 1536, *1*
Festigung 1503, *3*
Festival 1712, *3*
Festivität 465, *2*; 749, *2*;
1712, *3*
festkleben 210, *1*;
1520, *1*
festklopfen 1735
festlegen 72, *2*; 210, *3*;
313, *2*; 499, *1*; 528, *2*;
614, *2*; 1735
festlegen, sich 313, *3*
festlegen, sich nicht
172, *2*; 1023, *1*
Festlegung 454, *2*;
500, *1*; 529, *3*; 1736, *1*
festlich 600, *2*
Festlichkeit 601, *1*;
749, *2*; 1712, *3*
festmachen 210, *1*;
1735
festmachen, etwas 313, *3*
Festmahl 1080, *10*
festnageln 313, *2*;
1979, *2*
Festnahme 692, *1*
festnehmen 1756
Festplatte 1483, *4*
festschnallen 210, *1*
festschnallen, sich
1462, *3*
festschrauben 210, *1*
festschreiben 1735
Festschreibung 1736, *1*
festsetzen 72, *2*; 614, *2*;
1735; 1756
festsetzen, Preis 174, *3*
festsetzen, sich 432, *2*;
1184, *1*
Festsetzung 207, *2*;
1736, *1*
festsitzen 1469, *2*;
1520, *1*
Festspiel 1378, *1*
Festspiele 1712, *3*
Festspielhaus 1576, *2*
feststecken 210, *1*

feststehend 771, *2*;
1460, *5*
feststellen 162, *1*; **614**;
1399, *3*
Feststellung 164, *1*; **615**;
1285, *2*; 1700, *1*
Festtag 647
festtäglich 600, *2*
Festung 211, *4*
Festungswall 211, *4*
Festversammlung 601, *2*
Festwochen 1712, *3*
festzurren 210, *1*
festzustellen, leicht
378, *2*
Fete 749, *2*
Fete machen 602, *1*
feten 602, *1*
Fetisch 874, *2*; 1932, *2*
fetischisieren 1734, *2*
Fetischismus 786
fett 381, *1*; 664; 1158
fettarm 1495, *2*
fetten 769, *4*
Fettflecken, voll 1408
fettig 768, *6*; 1408
fettleibig 381, *1*
Fettleibigkeit 673, *2*
Fettwanst 673, *2*
Fetzchen 1539, *2*
Fetzen 5, *1*; 1340, *1*;
1539, *2*
fetzen, sich 1534, *2*
feucht 406, *1*; 1162, *3*;
1359, *1*
feucht werden 616, *3*
Feuchte 1880, *1*
feuchten 616; 1325
feuchtfröhlich 835, *3*
Feuchtigkeit 1186, *1*;
1880, *1*
feuchtkalt 914, *1*;
1162, *3*
feuchtwarm 406, *2*;
1871, *2*
feudal 1327, *4*
Feudaladel 36, *2*
Feudalaristokratie 36, *2*
Feuer 478, *1*; 549, *4*;
617; 830; 1052, *2*;
1446, *2*
Feuer und Flamme
548, *3*
Feuer und Flamme sein
219, *2*

Feuer und Wasser, wie
695, *4*
Feuerbestattung 234, *2*
Feuereifer 422, *2*
Feuergarbe 617, *3*
feuergefährlich 690, *1*
Feuergefecht 987, *1*
feuern 918, *4*; 998, *2*;
1018, *3*; 1873, *1*
Feuerprobe 1285, *3*
Feuersbrunst 617, *2*
Feuerschlucker 111, *2*
Feuerstelle 845
Feuerstoß 617, *3*
Feuertaufe 51, *2*
Feuerung 836
Feuerwehr 854, *2*
Feuilleton 8, *1*
Feuilletonist 260, *1*;
1423
feurig 548, *3*; 829, *2*;
1871, *2*
Fex 66, *5*
Fez 1683, *1*
Fiaker 579, *1*
Fiasko 185; 1116
Fibel 1032; 1291, *5*
Fiber 575, *3*
Fick 1055, *3*
ficken 1056, *3*
fidel 748, *1*; 835, *3*
Fidelität 650, *1*; 1683, *2*
Fieber 549, *4*; 1073, *3*
fieberhaft 429, *2*;
1671, *3*
fiebern 217, *2*; 1040, *3*
fiebernd 1599, *2*
Fiebertraum 880, *1*
Fieberwahn 880, *1*
fiebrig 548, *1*; 1042, *1*
Fieldresearch 1087
Fieldwork 1087
Fiepen 734, *2*
fieselig 410, *3*
Fiffi 871
fifty-fifty 809
Figaro 661
Fight 917, *3*
fighten 918, *1*
Figur 159; 632, *4*;
747, *2*; 1256, *3*;
1347, *1*; 1471
Figur machen, gute 884
Figur machen, keine
gute 319, *1*

Figur, blendende 1412, *2*
Figur, gute 1058, *5*
figural 310, *2*
figurativ 310, *2*
figurieren 1486, *1*;
1848
figurieren als 1805, *1*
Figurine 1471
figürlich 78, *1*; 310, *2*
Fiktion 880, *4*; 965, *3*;
1558, *2*
fiktiv 1265, *2*; 1380
Filia 1078, *1*
Filiale 1185, *2*; 1977, *1*
Filibuster 2
filigran 410, *1*; 1931, *1*
Filius 910, *1*
Film 618; 1097; 1387, *1*
Film, im falschen 1777, *1*
Filmapparat 916, *2*
Filmarchiv 1483, *3*
Filmatelier 114
Filmband 618, *2*
Filmbühne 937
filmen 127, *5*; 395, *8*
Filmheld 1500, *1*
Filmkamera 916, *2*
Filmkritiker 260, *1*;
990, *1*
Filmmanuskript 394
Filmmaterial 618, *2*
Filmmusik 1133, *3*
Filmpalast 937
Filmrolle 618, *2*
Filmschauspieler 360
Filmstar 1500, *1*
Filmstreifen 618, *2*
Filmstudio 114
Filmtheater 937
Filou 291; 387, *2*;
897; 1429, *1*
filtern 946, *3*
filtrieren 946, *3*
Filz 710; 953; 1521, *3*
filzen 1168, *2*; 1478, *2*;
1549, *1*
Filzhut 971
filzig 808; 1479, *1*
Filzokratie 953
Fimmel 424, *4*
Finale 427, *4*; 1400, *2*
Finalist 1464, *1*
Finanzen 825, *2*
Finanzhyäne 1275
Finanzier 838, *1*

finanzieren 34; 274, *1*;
304, *4*; 321, *2*; 522, *3*
Finanzierungsplan
1258, *3*
finanzkräftig 1327, *1*
Finanzmagnat 1686, *2*
Finanzmarkt 1086, *2*
Finanzplan 825, *2*
finanzschwach 107, *1*
finanzstark 1327, *1*
Findelkind 936, *2*
finden 588, *2*; **619**;
770, *1*; 1099; 1305, *3*;
1399, *3*; 1451
finden an, Gefallen
763, *2*; 1127, *1*
finden an, Geschmack
1127, *1*
finden sein, zu 212, *3*
finden, Abnehmer
1760, *4*
finden, Anklang 691, *2*;
1626, *3*
finden, Ausgleich
1754, *2*
finden, Gefallen 691, *1*
finden, Geschmack
691, *1*
finden, Glauben 1626, *3*
finden, Haar in der Sup-
pe 196
finden, jmdn. sympa-
thisch 1056, *1*
finden, kein Ende
145, *3*; 1520, *1*;
1820, *3*
finden, keine Ruhe
851, *2*
finden, keine Worte
1924, *1*
finden, keinen Kompro-
miss 28, *4*
finden, Lösung 946, *2*;
1066, *3*; 1735
finden, nicht in Ordnung
196
finden, nichts zu 1667, *1*
finden, Publikum
1760, *4*
finden, reißenden Ab-
satz 1760, *4*
finden, sein Grab 233, *2*
finden, sich 619;
1708, *5*; 1934, *6*
finden, sich bereit 489, *1*

finden, sonderbar
1924, 3
finden, unsympathisch
821, 1
finden, Vergleich
1754, 2
finden, wieder 619, 1
finden, zu Hause 1592, 4
finden, zueinander
1157, 4; 1717, 1
Finderlohn 498, 3
findig 576, 1; 744, 2;
890, 1; 1396, 1
findig sein 963, 3
Findigkeit 743, 2
Finesse 607, 2; 1597
Finger 778, 1
Finger am Puls haben
392
Finger machen, lange
1168, 2
Finger, fieser 1429, 1
Fingerabdruck 930, 5;
1497, 1
fingerfertig 744, 1
Fingerfertigkeit 611;
743, 1
Fingerhut 951, 2
Fingerhut voll 1893, 1
Fingerspitzengefühl
468, 3; 746, 1
Fingerübung 1628
Fingerzeig 860, 2
fingieren 1072; 1848
fingiert 318, 3; 583, 3;
1380
Finish 427, 4; 767, 7;
1400, 5
finster 407, 1; 1420, 2
finster machen 1399, 4
finster werden 409, 1
Finsterling 1429, 1
finstern 409, 1
Finstern, im 407, 5
Finsternis 408, 1
Finsternis, ägyptische
408, 1
Finte 1060, 1
fintenreich 1396, 1
fipsig 410, 3
Firlefanz 940, 1; 1291, 3
firm 516, 1; 929; 1829, 2
Firma 740, 1; 1685, 1
Firmament 1513
firmen 437, 4

Firmenberatung 1304, 3
firmieren 931, 3
Firmung 438, 2
firnissen 769, 3
First 767, 1
Fisch noch Fleisch, nicht
772, 4; 1649, 4
Fisch, kleiner 951, 1
Fischblut 1255
fischblütig 772, 4; 914, 3
fischen 588, 3
fischen nach 1549, 2
fischen, im Trüben
293, 1
Fischernetz 1176, 1
Fisimatenten 1674, 1
fispeln 629
fisseln 1325
fit 516, 1; 757, 1; 981, 1;
1026, 3; 1489, 1
Fitness 758
fitten 503, 3
fitzen 1409, 3
fix 301, 1; 534, 1; 612;
890, 1; 1410, 1
fix und fertig 610, 2
fixen 284, 4
Fixer 397, 1; 816, 2
fixieren 80, 2; 210, 1;
614, 1; 1334, 3; 1735
fixieren, schriftlich
1421, 1
fixiert 612
fixiert auf 1651, 1
Fixierung 1736, 1
Fixigkeit 427, 2
Fixkosten 978, 2
Fixstern 1513
Fixum 1731, 1
Fjord 1798, 2
flach 182; 768, 1;
950, 3; 1199, 2
Fläche 620; 685, 2
Flächenbrand 617, 2
Flächenmaß 1089, 2
Flachfernseher 609, 1
Flachheit 183, 1; 620, 2
flächig 768, 1
Flächigkeit 620, 2
Flachkopf 405, 1
Flachland 620, 1
flachsen 1491, 1;
1534, 1
Flachsinn 404, 1
flachsinnig 403, 1

Flachwichser 405, 4
flackern 330, 1; 330, 1;
1381, 2
flackernd 1671, 2
flackrig 1671, 2
Fladen 1539, 3
Flagge 1933, 4
flaggen 139, 2
flagrant 945, 3
flagranti, in 1263
Flair 159; 1333
flamboyant 718, 1
Flamme 617, 1; 713
flammen 330, 1; 1381, 4
flämmen 330, 4
flammend 1026, 5;
1871, 2
Flammenmeer 617, 2
Flaneur 595
flanieren 703, 2
Flanke 1560, 4
flankieren 1430, 2
Flappe 1131
flapsig 403, 3; 642, 2
Flapsigkeit 643, 2
Flasche 223; 1781
Flaschenzug 140, 1
Flash 1310, 2
Flat 1919, 2
flatterhaft 1037, 1;
1698, 2
Flatterhaftigkeit 1038, 1;
1699, 1
Flatterie 1062, 4
flattern 316, 1; 1437, 1;
1443, 2
flatternd 1026, 5
flattieren 1401
Flatulenz 156, 2
flau 574, 1; 1042, 1;
1397, 1
Flaum 187
Flaumfeder, wie eine
1036, 5
flaumig 1036, 3; 1890, 3
flaumweich 1890, 3
flauschig 1890, 3
Flausen 1071, 4;
1256, 2; 1674, 1;
1778, 2
Flaute 1355, 4
fläzen 524, 3
flechten 102, 4
Flechtwerk 1176, 1
Fleck 1232, 2

Fleck, blinder 1067, 3
Flecken 1406, 2
fleckenlos 1365, 1
Fleckenlosigkeit 1366, 1
fleckig 265, 1; 1408
Flegel 1272, 1
Flegelei 643, 3
flegelhaft 642, 3;
  1661, 2
Flegeljahre 908, 1
flegeln 524, 3
flehen 288; 315, 1
Flehen 684
flehend 1145, 2
flehentlich 1145, 2
Fleisch und Blut 936, 2
Fleisch und Blut, in
  1911, 2
Fleischeslust 1073, 3;
  1467
fleischig 381, 1; 1359, 1
Fleischlichkeit 1467
Fleiß 422, 2
Fleiß, mit 16
fleißig 621; 1556, 1
flektieren 296, 3
flexibel 301, 1; **622**;
  744, 2
Flexibilität 623
Flic 1266, 1
flicken 543, 2
Flicken 1539, 2
flicken, am Zeuge 1764
Flickschusterei 1251
Flickwerk 550, 1; 1251
Fliege 187; 1291, 7
fliegen 428, 1; 777, 3;
  1437, 1
fliegen nach 216, 1
fliegend 1026, 5
Fliegengewicht 1036, 1
Flieger 579, 7
fliehen 142, 3; **624**
fließen 625; 1445, 1
fließend 410, 4; 1649, 3;
  1829, 2
fließend, nicht 1694, 2
Fließtext 1575
Flimmer 1052, 2
Flimmerkiste 609, 1
flimmern 1381, 2
flink 423; 1410, 1
Flinkheit 427, 2
Flippie 1671, 3
flirren 1381, 2

Flirt 966, 2; 1055, 4
flirten 1741
flispern 629
Flittchen 1280
Flitter 1291, 3
flittern 1381, 2
Flitterwochen 780, 2;
  966, 2
Flitz 424, 4; 1484, 2;
  1778, 2
flitzen 428, 1
Flitzer 579, 2
Flocke, wie eine 1036, 5
flocken 551, 3
Flocken 712, 3
flockig 1036, 3; 1890, 3
Flohmarkt 1086, 1
Flop 1116
Flor 1521, 3
Flora 1164, 2
floral 718, 1
florieren 510, 4
Floskel 1256, 1
floskelhaft 182
Floß 579, 6
flöten 629; 1465, 3;
  1486, 3
Flöten 734, 5
flöten gehen 1767, 1
Flötist 1134, 2
flott 626; 869; 1026, 3;
  1410, 1
Flotte 579, 6
Flottenverband 579, 6
flottieren 1437, 2
Flottille 579, 6
flottmachen 543, 1
Flower-Power 1545, 2
Fluch 627; 1658
fluchen 628; 1391, 2
Flucht 143, 3
fluchtartig 429, 2;
  1410, 1
flüchten 624, 1
flüchtig 1005, 4;
  1036, 3; 1070, 2;
  1150, 1; 1199, 3; 1745;
  1886, 1
Flüchtigkeit 1006, 2;
  1038, 2; 1151; 1699, 2;
  1746, 1
Flüchtling 1107
fluderig 1150, 1
Flug 578, 1
Flügel 1560, 2

flügellahm 1182, 2
flügge 1328, 2
Flugkapitän 671, 3
flugs 429, 2; 1290, 2;
  1410, 1
Flugschein 1577
Flugzeug 579, 7
Flugzeugentführung 488
Fluidum 1333
Fluktuation 302, 2;
  1444; 1709, 2
fluktuieren 1443, 4;
  1883, 2
flunkern 1072
fluoreszieren 1381, 4
Flur 794, 3; 1164, 2;
  1842, 1
Flurbereinigung 1053
Flurschaden 1940, 1
Fluse 575, 3
flusig 1150, 1
Fluss 630, 1; 760, 1
Fluss, im 1207, 3
flussabwärts 27
Flussarm 520, 5
Flussaue 620, 1
flüssig 1162, 5; 1327, 1;
  1829, 2
flüssig machen 274, 1
Flüssigkeit 759, 1;
  1880, 1
Flussinsel 889
Flusswasser 1880, 2
flüstern 629
Flüstern 734, 2
flüsternd 1044
Flut 673, 1; 765; 1537, 2
fluten 625
Flutlicht 1012, 1;
  1052, 2
flutschen 715, 1; 777, 1
Flyer 1897, 3
Föderation 1718, 6
föderiert 1727, 1
Fohlen 1247
Föhn 1909
föhnen 1603, 1
föhnig 406, 2
Fokus 1119, 6
Folder 1897, 3
Folge 520, 3; **630**;
  1314, 1; 1329, 1;
  1913, 2
Folge haben, zur 631, 2;
  1710, 1

Folge, in steter 1323, *1*
Folgekosten 978, *2*
folgen 631; 704, *1*;
    1793, *2*
folgen auf 631, *4*
folgen, auf Schritt und
    Tritt 1740, *3*
folgend, aufeinander 351
Folgenden, im 1146
folgendermaßen 1160;
    1472
folgenlos 768, *5*
folgenreich 1899, *1*
folgenschwer 1899, *1*
folgerichtig 945, *3*;
    1317, *2*; 1468, *3*;
    1772, *3*
Folgerichtigkeit 947, *2*
folgern 11, *3*; 1399, *3*
Folgerung 1400, *3*
folgewidrig 24; 583, *5*
Folgewirkung 630, *3*
Folgezeit 1955
folglich 43
folgsam 705
Folgsamkeit 706, *1*
folgt, wie 1472
Foliant 336, *1*
Folie 859, *1*; 1301, *2*
Folter 335; 1103, *2*
Folterknecht 186
foltern 1242, *7*
foltern, psychisch
    1242, *7*
folternd 1293, *1*
Folterung 335
Fond 859, *1*; 1476
Fonds 796, *3*
foppen 139, *4*; 293, *1*;
    1491, *1*
Fopperei 81, *1*
forcieren 391, *3*; 1715, *2*
forciert 829, *2*
Förderer 1003, *1*; 1095
förderlich 1197, *1*
fordern 195, *1*; 217, *1*;
    1334, *2*
fördern 179, *2*; 298, *1*;
    564; 1715, *2*
fördern, zutage 787, *2*;
    1208, *2*
Forderung 82, *3*; 1761, *2*
Förderung 154, *1*; 565;
    854, *1*; 1510, *4*
Form 110, *1*; 159;

326, *3*; **632**; 878, *1*;
    1136, *4*
Form wegen, der 504, *1*
Form, in 757, *1*; 981, *1*;
    1489, *1*
Form, in aller 1213, *2*
Form, in dieser 1472
Form, in gedrängter
    1005, *3*
Form, in welcher
    1901, *2*
formal 1213, *2*
Formalie 634, *1*
formalisieren 1705;
    1737
Formalisierung 1706
Formalität 634, *1*
Format 632, *4*; 792, *1*;
    1302, *1*; 1925, *1*
formatieren 1226, *2*
Formation 442, *1*;
    632, *1*
formbar 622, *1*; 1261;
    1890, *1*
Formbarkeit 623, *2*
Formblatt 634, *2*
Formel 147, *1*; 1256, *1*
formelhaft 182; 678, *3*;
    771, *2*; 968, *1*
formell 968, *2*; 1213, *2*
formen 560, *6*; 564; 756;
    964, *1*
Formen 1758, *2*
formen, sich 506, *1*;
    506, *4*
Formenreichtum
    1826, *1*
Formfehler 599, *4*
Formgebung 632, *2*
Formgefühl 746, *1*
formidabel 149, *1*
formieren 756; 1226, *3*
formieren, sich 139, *3*
Forminhalt 887, *1*
Formkram 634, *1*
förmlich 968, *2*; 1213, *2*
Förmlichkeit 326, *3*;
    634, *1*
Förmlichkeit, ohne
    644, *2*
formlos 633; 644, *2*
Formsache 634
Formsinn 746, *1*
Formular 634, *2*
Formular, ohne 633, *3*

formulieren 162, *2*;
    1421, *3*
Formulierung 147, *1*
Formulierungsgeschick
    1493, *3*
Formung 436, *1*; 565;
    632, *2*
formvollendet 1265, *1*;
    1412, *1*; 1829, *2*
Formvollendung 1414, *1*
forsch 479; 1139, *1*
forschen 635; 1549, *1*;
    1795, *2*
forschend 895, *1*
Forscher 372; 1918
Forschergeist 893
Forschertrieb 1178
Forschung 636
Forschung, empirische
    636, *2*
Forschung, freie 636, *3*
Forschungsgegenstand
    638, *4*
Forschungslücke 1067, *3*
Forschungsreise 578, *2*
Forschungsreisender
    1332, *1*
Forschungstrieb 893
Forst 1868
Förster 905, *1*
fort 1854; 1886, *1*
Fort 211, *4*
fort und fort 882, *2*
fort, in einem 882, *1*
fortab 1482, *2*
fortan 1482, *2*
Fortbestand 362, *2*
fortbestehen 364, *3*
Fortbestehen 362, *2*
fortbewegen, sich 703, *1*
Fortbewegung 302, *2*
fortbilden, sich 510, *5*;
    1049, *2*
fortbleiben 598, *1*
Fortdauer 362, *2*
fortdauern 364, *2*
fortdauernd 365, *1*;
    882, *1*
Fortentwicklung 637
fortfahren 1740, *2*
Fortfall 1348, *3*
fortfallen 6, *2*; 598, *3*
fortführen 1740, *2*
Fortführung 513, *2*
Fortgang 362, *2*; 511, *1*;

630, *1*; 637; 742, *2*;
1283, *2*
Fortgang, lückenloser
362, *2*
fortgehen 364, *2*; 485, *1*
Fortgehen 486, *3*
fortgesetzt 882, *1*
fortissimo 1022
fortjagen 998, *2*
fortkommen 510, *4*
Fortkommen 135, *1*
fortlassen 152, *1*;
1019, *1*
fortlaufen 624, *1*
fortlaufend 882, *1*
fortleben 364, *3*
fortmachen, sich 485, *1*
fortpflanzungsfähig 664
fortschaffen 484, *2*
fortschicken 998, *2*
fortschleppen 484, *1*
Fortschritt 132; 511, *1*;
637; 1510, *4*
Fortschritte machen, kei-
ne 1520, *3*
Fortschrittler 1223;
1257, *1*
fortschrittlich 670, *2*
Fortschrittsglaube 1222
fortschrittsgläubig 1224
Fortschrittsgläubigkeit
1222
fortsetzen 127, *4*;
1740, *2*
Fortsetzung 520, *3*;
630, *2*
fortstehlen, sich 624, *1*
forttreiben 1803, *1*
Fortuna 518, *1*; 780, *1*
Fortune 518, *1*
fortwähren 364, *2*
fortwährend 882, *1*
fortwerfen 484, *2*
fortwirken 364, *3*
fortzeugen 1910, *3*
fortziehen 175, *1*
Forum 1086, *1*; 1212, *1*;
1232, *3*; 1301, *2*; 1377
fossil 44, *5*
Fossil 1340, *3*
Foto 126, *1*; 308, *3*
Fotoapparat 916, *1*
Fotoatelier 114
Fotografie 308, *3*
fotografieren 1, *2*; 127, *5*

Fotokopie 972
fotokopieren 1810
Fotokopierer 916, *3*
Fotomodell 360
Fotostudio 114
Foyer 1842, *3*
Fracht 1020, *1*; 1589, *2*
Frachter 579, *6*
Frage 94, *1*; 120, *4*;
580, *2*; **638**; 697, *2*
Frage, brennende 638, *2*
Frage, rhetorische
638, *2*
Fragebogen 634, *2*
Fragelust 1178
fragen 315, *1*; **639**
fragen, Löcher in den
Bauch 639, *2*
fragen, sich 371, *2*
fragen, um Rat 639, *1*
fragend 895, *1*
Fragerei 638, *1*
Fragestellung 638, *4*
fragil 471, *1*
fraglich 1207, *3*; 1673, *1*;
1975, *1*
fraglos 1640, *1*
Fragment 1560, *2*
fragmentarisch 1694, *1*
fragmentieren 1936, *1*
fragwürdig 91, *5*; 690, *4*;
1273, *1*; 1380; 1397, *5*;
1975, *1*
Fraktion 800, *1*; 1718, *6*
Fraktur 1923
frank 644, *2*
frank und frei 1207, *2*
frankieren 1233, *4*
franko 1634, *1*
fransig 1307, *2*
frappant 119, *1*; 553;
1395
frappieren 995, *1*;
1620, *1*
Frappiertheit 552
Fraß 1080, *1*
fraternisieren 1717, *1*
Fratz 1078, *2*
Fratze 752, *1*
fratzenhaft 822, *1*
Frau 640; 1235, *4*
Frau, allein stehende
640
Frau, weise 1276
Frauenautonomie 608

Frauenbefreiung 608
Frauenbewegung 608
Frauenbilder 641
Frauenfaden 46
Frauenhandel 1458
Frauenhändler 1954
Frauenhaus 833, *2*
Frauenheld 1742, *1*
Frauenpolitik 608
Frauenrechtsbewegung
608
Frauenzimmer 640
fraulich 1889
Freak 169
Freak-out 1310, *2*
frech 642; 1065, *5*
Frechdachs 1384, *2*
Frechheit 643
free lance 644, *6*
frei 91, *3*; 457, *3*; **644**;
1028, *4*; 1207, *5*;
1695, *3*
frei lassen 152, *1*;
1019, *3*
frei machen 179, *1*;
484, *3*; 1066, *4*
frei machen, sich 175, *4*;
1819, *2*
frei stehend 457, *2*
frei von der Leber weg
644, *2*
frei von Schuld 1672, *1*
frei, dichterisch 1265, *2*
frei, nicht mehr 1775, *2*
Freibad 178, *2*
freiberuflich 644, *6*
Freibeuter 2
Freibrief 532, *3*; 1318, *4*
Freidenker 1257, *1*
freidenkerisch 644, *3*
Freie lassen, ins 1214, *1*
freien 1717, *5*
Freien, im 393, *1*
Freier 95, *2*; 1896
Freigabe 532, *1*
freigeben 213, *2*; 1019, *1*
freigebig 748, *3*; 793, *1*
Freigebigkeit 1644
freigegeben 1207, *1*
Freigehege 1948
Freigeist 1257, *1*
freigeistig 644, *3*
freigesprochen 1672, *2*
freigestellt 644, *5*
freihalten 446, *2*; 1339

freihalten, sich den Rü-
cken 1023, 1
freihändig 1139, 2;
1695, 3
Freiheit 532, 3; **645**
Freiheit, künstlerische
645, 1
freiheitlich 369
Freiheitsberaubung 488;
692, 1
Freiheitsdurst 645, 2
Freiheitsentzug 692, 1
Freiheitskampf 917, 4
Freiheitsliebe 645, 2
Freiheitsstrafe 692, 1
Freiheitsverlangen
645, 2
freiheraus 1207, 2
freikämpfen 213, 5
freikommen 213, 1
freilassen 213, 2; 1019, 1
freilegen 484, 3; 619, 1
Freilegung 675, 1
freilich 3; 39; 738, 2
freimachen 213, 1;
1233, 4
freimachen, sich 213, 4
Freimut 434, 1; 645, 3;
1210, 1
freimütig 644, 2; 1121;
1207, 2
Freimütigkeit 645, 3;
1210, 1
freipressen 213, 5
freischwebend 1673, 2
freischwimmen, sich
213, 4
freisprechen 501, 2
freistehen 963, 2
freistehend 242
freistellen 213, 2; 531, 1;
998, 2
Freistellung 532, 1;
999, 1
Freitisch 677, 1
Freitod 1587, 3
Freitreppe 1596
freiwillig 646; 1634, 1
Freiwilligkeit 478, 1
Freizeit 525, 1; **647**
freizügig 91, 2
Freizügigkeit, sexuelle
662, 2
fremd 450, 1; **648**;
1641, 2

fremd werden, einander
485, 5
fremdartig 648, 1
Fremde 649
Fremde, in der 648, 3
fremdeln 1371, 1
fremdenfeindlich 605
Fremdenführer 671, 4
Fremdenphobie 1163, 2
Fremder 283, 2; 1332, 1
fremdgehen 293, 3
Fremdheit 451, 1
Fremdlinge 649, 2
Fremdsprache 1493, 4
frenetisch 548, 3; 829, 2
frequentieren 246;
282, 3
frequentiert 243, 3
Freskenmaler 1083, 1
Fresko 308, 2
Fressalien 542, 2
Fressbegierde 1761, 1
Fresse 752, 1; 1131
fressen 566, 6; 1050, 1;
1793, 2
fressen 1080, 1
fressen, kahl 566, 6
Fresser 726, 3
Fresserei 711
Fressgelage 711
Fressgier 1761, 1
Fresssucht 1550, 4;
1761, 1
Fresstempel 681, 1
Freude 650; 780, 2
Freude machen 651, 1
Freude, mit 738, 2
freudearm 1659, 3
freudeleer 1659, 3
Freudenfest 749, 2
Freudengeheul 650, 3
Freudenhaus 320
Freudenmädchen 1280
Freudenschrei 650, 3
Freudentaumel 650, 3
freudestrahlend 835, 1
freudevoll 781, 1
freudig 738, 1; 781, 1;
835, 1
Freudigkeit 650, 1
freudlos 450, 1; 1182, 1;
1659, 1
Freudlosigkeit 1591
freuen 651; 691, 2
freuen, sich 651

freuen, sich an 807, 1
freuen, sich auf 555, 1
freuen, sich wie ein
Schneekönig 651, 2
Freund 652; 714
Freund und Feind 38, 1
Freund, guter 652
Freundin 653; 713
freundlich 491; **654**;
839, 3; 864; 1175, 1
freundlich sein, so
489, 1
freundlicherweise 314, 1
Freundlichkeit 490, 2
freundlichst 314, 1
Freundschaft 655
freundschaftlich 654, 3;
1802, 1
Freundschaftsbande
655, 1
Freundschaftsdienst
383, 2
Frevel 1372, 2; 1724
frevelhaft 1721
Freveltat 1724
Friede 444
Frieden 656
Friedensliebe 656, 2
friedfertig 658, 1; 689, 1
Friedfertigkeit 656, 2
Friedhof 657
friedlich 443, 1; **658**;
1357, 1
Friedlichkeit 656, 2
friedliebend 658, 1
friedlos 1671, 1
Friedlosigkeit 427, 1
friedsam 658, 1
friedvoll 658, 1
frieren 551, 2; **659**
frierend 914, 2
frigid 914, 3
Frigidität 1646, 4
frisch 78, 1; 591, 1; **660**;
757, 1; 869; 909, 3;
914, 1; 1026, 4;
1070, 1; 1177, 1;
1307, 5
Frische 589, 2; 623, 2;
758; 915, 1; 1366, 1
frischen 682, 2
Frischluft 1068, 3
frischweg 771, 3
Friseuse 661
frisieren 268; 1249, 5

Frisiertisch 1580
Frisör(in) 661
Frist 362, *1*; 1821, *1*;
  1935, *1*
fristen, Leben 482;
  522, *3*
fristgemäß 1290, *1*
fristlos 1263
Frisur 806, *2*
frivol 91, *1*; 1037, *2*
Frivolität 662
froh 835, *1*
froh machen 651, *1*
frohgemut 835, *1*
fröhlich 835, *1*; 1036, *4*
fröhlich sein 651, *2*
Fröhlichkeit 650, *1*
frohlocken 651, *2*
Frohlocken 650, *3*
Frohmut 650, *1*
frohmütig 835, *1*
Frohnatur 1223
Frohsinn 650, *1*
fromm 663
Frömmelei 481, *5*;
  584, *2*
frommen 1196, *1*
Frommheit 1337, *2*
Frömmler 852
frömmlerisch 480, *2*;
  583, *4*
Fron 101, *4*; 1020, *2*;
  1972, *1*
frönen 725
frönen, dem Alkohol
  284, *3*
fronen, sich 539, *2*
Fronstellung 606
Front 1329, *3*; 1836, *1*
Front machen 124, *2*
Front, an der 1840, *1*
frontal 1840, *2*
Frontalzusammenstoß
  1650
Frontispiz 1836, *2*
Froschaugen 141
Froschblut 1255;
  1646, *4*
froschblütig 772, *4*;
  914, *3*
Froschperspektive
  481, *5*
Frost 915, *1*
fröstelig 914, *1*
frösteln 659, *1*

fröstelnd 914, *2*
frosten 522, *2*
frostig 31, *1*; 914, *1*
Frostigkeit 1646, *4*
frostklirrend 914, *1*
frottieren 1326, *1*;
  1603, *1*
Frotzelei 1490, *2*
frotzeln 1491, *1*
frotzelnd 1492, *2*
Frucht 518, *5*; 630, *3*
fruchtbar 355, *2*; **664**;
  781, *2*; 1415
Fruchtbarkeit 673, *1*;
  1274, *2*
fruchtbringend 664
Früchtchen 1781
fruchten 1196, *1*; 1910, *2*
fruchtig 1359, *1*
fruchtlos 1747
Fruchtlosigkeit 1748
frugal 433, *3*
Frugalität 434, *4*
früh 665
früh bis spät, von 882, *1*
früh, zu 1856, *1*
Frühadapter 1257, *2*
Frühchen 936, *1*
Frühe 51, *3*
Frühe, in aller 665
früher 418; **666**; 1743
früher als erwartet 1411;
  1856, *1*
früher als gedacht 1411
früher oder später
  1207, *7*; 1482, *2*
Frühgeschichte 1744
Frühherbst 46
Frühjahr 667
Frühjahrsputz 1330, *3*
Frühlicht 51, *3*
Frühling 667
Frühlingslüftchen
  1068, *3*
frühmorgens 665
frühreif 1856, *2*
Frühschoppen 1080, *2*
Frühstück 1080, *2*
frühstücken 566, *2*
Frühstunde 51, *3*
Frühzeit 1744
frühzeitig 665; 1290, *1*
Frust 508
Frustration 508
frustrieren 507; 1779, *1*

Frustrierung 508
Fuchs 387, *2*; 1247
fuchsen 106, *1*
fuchsig 322, *1*
füchsisch 1396, *1*
fuchsteufelswild 322, *1*
Fuchtel, unter der
  1651, *3*
fuchtig 322, *1*
Fuder 1295, *1*
fuderweise 1823, *1*
Fuffziger, falscher
  294, *1*
Fug und Recht, mit
  252, *1*; 751, *4*
Fuge 211, *2*; 1215, *3*;
  1798, *3*
fügen, aneinander
  1717, *2*
fügen, sich 73, *2*; 216, *2*;
  704, *1*; 1040, *2*;
  1592, *7*
fügsam 689, *2*; 705;
  1690, *1*
Fügsamkeit 688, *2*;
  706, *1*
Fügung 1389, *1*
Fügung, günstige 780, *1*
Fügung, unglückliche
  1658
fühlbar 378, *1*; 1452, *1*;
  1466, *1*; 1498
fühlen 668; 1866, *1*
fühlen lassen 162, *3*;
  1750, *1*
fühlen nach 263, *1*
fühlen, auf den Zahn
  1284, *3*
fühlen, Schmerzen
  1040, *1*
fühlen, sich 212, *2*
fühlen, sich bemüßigt
  1135
fühlen, sich glücklich
  781, *5*
fühlen, sich hilflos
  1822, *2*
fühlen, sich hingezogen
  1056, *1*; 1127, *2*
fühlen, sich schuldig
  1425, *3*
fühlen, sich verantwort-
lich 1135; 1425, *3*
fühlen, sich verpflichtet
  1135

fühlen, sich zugehörig 65, *1*
fühlend, zart 467, *5*
Fühler 468, *1*
Fühligkeit 474
fühllos 1096, *3*; 1585, *2*; 1645, *2*
Fühlungnahme 966, *2*
Fuhre 1295, *1*; 1589, *2*
führen 203, *1*; 220, *2*; **669**; 1515, *1*
führen zu 631, *2*
führen, ad absurdum 557, *2*
führen, am Narrenseil 1491, *1*
führen, aufs Glatteis 293, *4*; 1848
führen, bergauf 1508, *1*
führen, Beschwerde 944, *2*
führen, das große Wort 669, *2*
führen, Gespräche 1681, *3*
führen, Gründe ins Feld 501, *3*
führen, hinters Licht 293, *1*
führen, im Schilde 1259, *1*
führen, Klage 944, *2*
führen, Krieg 918, *5*
führen, Leben 1024, *1*
führen, lockeres Leben 1785, *1*
führen, mit sich 1588, *1*
führen, Namen 1174, *3*
führen, Regie 1486, *2*
führen, sich vor Augen 1846, *2*
führen, spazieren 1588, *2*
führen, vor Augen 528, *3*; 1934, *2*
führen, Vorsitz 669, *1*
führen, zu Ende 1828
führend 554; **670**; 1840, *1*
Führer 671; 849
Führung 204, *1*; 1048, *1*; 1758, *1*
Führung haben, politische 848, *1*
Führungskraft 672

Führungsschwäche 1433, *3*
Führungsstab 672
Fülle 673; 887, *2*; 1102, *2*; 1286, *2*; 1449, *2*; 1826, *1*
füllen 237, *1*; 543, *2*; **674**
Füllen 910, *2*; 1247
füllen, sich 674, *3*
füllend 1158
füllend, sich 1958
Füllhorn 780, *1*
füllig 381, *1*; 1506, *2*
Fülligkeit 673, *2*
Füllmasse 887, *2*
Füllsel 520, *2*; 887, *2*
Füllung 887, *2*
fulminant 163, *1*
Fummel 949, *1*
fummeln 188
Fun 650, *1*
Fund 675
Fundament 796, *1*; 810, *2*
fundamental 799
fundamentalistisch 1300; 1504, *4*
fundamentieren 1462, *1*
Fundgrube 892, *2*; 1296, *3*
fundieren 371, *4*; 1462, *1*; 1543, *1*
fundiert 722, *3*; 929
Fundierung 794, *2*; 1798, *4*
fündig werden 619, *1*
Fundort 1296, *3*
Fundraising 854, *1*
Fundsache 675, *1*
Fundstelle 1296, *3*
Fundus 796, *3*; 900, *1*
fünf nach zwölf 1481, *1*
fünf vor zwölf 1481, *2*
Fünfuhrtee 1080, *6*
fungieren 1910, *1*
fungieren als 102, *2*
Funke 617, *1*; 878, *2*; 1052, *2*
funkeln 1381, *2*
funkelnagelneu 1177, *1*
funkelnd 839, *2*; 1026, *4*
funken 715, *1*; 1621, *6*; 1793, *2*
Funktiolekt 1493, *5*

Funktion 120, *1*; 383, *1*
funktionalisieren 153, *3*
Funktionalisierung 154, *3*
Funktionär 1806, *3*
funktionell 1912, *1*
funktionieren 703, *3*; 715, *1*; 1045, *1*; 1684, *2*
funktionieren, nicht mehr 1779, *3*
funktionsfähig 254, *2*
Funktionsmusik 1133, *3*
funktionsunfähig 265, *3*
Funkturm 1609, *1*
für 1505
für möglich halten 1771, *1*
für sich 450, *2*; 457, *1*
für und für 882, *2*
Für und Wider 1974, *3*
fürbass 1854
Fürbitte 470; 684; 1770, *1*
fürbitten 288; 1768, *1*
Furche 585, *2*; 1497, *1*; 1798, *1*
furchen 586, *3*; 787, *1*
Furcht 62, *1*
Furcht haben vor 63, *2*
furchtbar 822, *1*; 1420, *1*
fürchten 63, *1*; 555, *3*; 624, *2*
Fürchten, zum 1420, *2*
fürchterlich 1420, *1*
furchtlos 1139, *1*
Furchtlosigkeit 1138
furchtsam 64, *1*
Furchtsamkeit 62, *3*
fürderhin 117, *1*
Furie 641
furios 322, *1*; 1905, *1*
Furnier 870, *3*
furnieren 200
Furor 105, *2*
Furore machen 118
Fürsorge 1248, *1*; 1644
fürsorglich 1475, *1*
Fürsorglichkeit 1644
Fürsprache 470; 1770, *1*
fürsprechen 501, *3*; 1768, *1*; 1805, *2*
Fürsprecher 1095; 1806, *2*

Fürst 849
Fürst der Finsternis 1574
Furt 1215, *4*
fürwahr 1863; 1911, *3*
füsilieren 1586, *2*
Fusion 1718, *6*
fusionieren 1717, *3*
Fusionierung 1718, *6*
Fuß 796, *1*
Fuß, auf gespanntem
   695, *1*
Fußangel 1060, *1*
Fußballplatz 685, *3*
Fussel 575, *3*

fusselig 1307, *2*
fusseln 1066, *8*
fußen 1507, *1*
fußen auf 9, *3*
Füßen, auf tönernen
   1745
Fußes, stehenden 771, *3*;
   1290, *2*; 1410, *2*
Fußfall 801, *2*
fußfällig 1690, *2*
Fußgängerzone 1499, *3*
Fußnote 520, *2*
Fußspitzen, auf 1044
Fußspur 1497, *1*

Fußstapfen 1497, *1*
Fußstütze 810, *5*
Fußtritt 1525
Fußweg 1887, *1*
futsch 1886, *1*
Futter 870, *3*
Futter, gut im 381, *1*
Futteral 223; 870, *8*;
   1379, *3*
futtern 566, *1*
füttern 676; 1834, *4*
Futterneid 1169
futterneidisch 1171
Fütterung 542, *1*; 870, *3*

G

Gabe 577; 677; 1219, 1; 1295, 2
Gabe, milde 677, 1
Gabelfrühstück 1080, 2
gabeln, sich 1561, 5
Gabelung 29, 2; 1004
Gaben, prophetische 468, 4
Gabenopfer 1219, 3
Gabenverteilung 677, 2
gackern 1494, 3; 1584, 3
Gadget 1897, 3
Gaffer 248, 1
Gag 1683, 4
Gage 1731, 1
gähnen 1214, 4
gähnend 1130, 1; 1207, 1
Gala 1286, 1
galamäßig 600, 2
Galan 714; 927
galant 864
Galanterie 490, 2
Galanummer 767, 5; 1079
Galaxie 1513
Galaxis 1513
Galeere 579, 6
Galerie 1302, 2; 1362, 2
Galgenfrist 1821, 3
Galgenhumor 1490, 3
Galgenvogel 1429, 1
Galionsfigur 1806, 3
gallebitter 844, 2
gallertartig 1890, 4
gallig 323, 1; 844, 2
Galopp 302, 1; 427, 2
galoppieren 428, 1
Gameshow 1459
gammelig 1397, 3
gammeln 594
Gammler 1545, 2
Gang 275, 2; 302, 1; 630, 1; 800, 5; 1283, 2; 1842, 1

gang und gäbe 678, 1; 968, 1
Gangart 302, 1
Gangart, härtere 1972, 1
gangbar 678, 2; 1128, 1
gangbar machen 179, 1
Gänge 1080, 9
Gängelband 1048, 2
Gängelei 1048, 2
gängeln 1679, 4
Gängelung 1048, 2
gängig 40, 1; 243, 2; 299; 678
Gangster 294, 1
Gangstermilieu 1689, 1
Gangstertum 1689, 1
Gangway 333
Ganove 1429, 1
Gans 405, 4
Gans, dumme 405, 4
Gänsemarsch 1329, 3
Gänsemarsch, im 1015, 2
Gant 1759, 3
ganz 679; 1945
ganz und gar 679, 2
Ganze, das 38, 1
Ganzen, im 41
Ganzes 442, 1
Ganzes, strukturiertes 1552, 1
Ganzheit 442, 1
ganzheitlich 679, 1
ganzjährig 365, 3
gänzlich 679, 2
Ganztagsschule 1427, 1
Gap 1067, 3
gar 610, 4; 1654, 1
gar werden lassen 956, 2
gar, halb 1670, 2; 1694, 3
Garant 338
Garantie 342, 1; 1461, 3
garantieren 339, 1; 1462, 2; 1786, 2
garantiert 1460, 4
Garaus machen 1586, 1
Garbe 343, 2
Garçonnière 1919, 2
Garde 1877
Garderobe 949, 1; 1842, 2
Gardine 870, 6
Gardinen, hinter schwedischen 1651, 2

Gardinen, schwedische 692, 2
Gardinenpredigt 1082, 4; 1385, 1
garen 325, 1; 956, 2; 1949
gären 1376, 1; 1728, 1
Garn 575, 2; 1060, 1
garnieren 167, 2; 1292, 1
Garnierung 168, 3; 1291, 2
Garnitur 1291, 2; 1329, 2; 1470, 2
garstig 323, 1; 822, 1
Garstigkeit 324
Garten 680
Garten Eden 1234
Garten Gottes 1234
Garten, botanischer 680
Garten, englischer 680
Garten, zoologischer 1948
Gartenbank 184, 1
Gartenfest 749, 2
Gartenstuhl 1470, 1
Gartenwirtschaft 681, 1
Gärung 596
Gas 478, 2
gasförmig 1070, 2
Gasheizung 836
Gasherd 845
Gaslampe 1012, 1
Gasse 1527
Gasse, hohle 481, 4
Gassenhauer 739, 2
Gassenjunge 1272, 1
Gasstrumpf 1012, 1
Gast 283, 1
Gäste 281, 2; 1000, 3
Gästehaus 681, 2
gastfrei 748, 3
Gastfreiheit 749, 3
Gastfreund 283, 1
gastfreundlich 748, 3
Gastfreundlichkeit 749, 3
Gastfreundschaft 749, 3
Gasthaus 681
Gasthof 681, 1
Gasthörer 283, 3
gastlich 748, 3
Gastlichkeit 749, 3
Gastmahl 1080, 10
Gastrolle 281, 2; 1347, 1
Gastronom 1915, 1

Gastronomie 730, 3; 993

Gastrosophie 730, 3

Gastspiel 281, 2

Gaststätte 681, 1

Gastwirt 1915, 1

Gatte 1235, 4

Gatter 1419

Gattin 1235, 4

Gattung 110, 2

GAU 1650

Gaudi 650, 4; 1683, 2

Gaukelei 1932, 1

Gaukelspiel 880, 2; 1932, 1

Gaukelwerk 1932, 1

Gaukler 111, 2

Gaul 1247

Gaumen 746, 2

Gaumen, feiner 726, 2

Gaumenfreude 979

Gaumenkitzel 730, 1; 979

Gauner 294, 1; 1429, 1

Gaunerei 292

Gaunersprache 1493, 4

gay 866

Gay 867

Gazelle, wie eine 1036, 5

gazellenhaft 71, 2

geachtet 58

geächtet 534, 3; 1319

Geächteter 160, 2

Geacker 1020, 2

geädert 718, 1

gearbeitet, schlecht 1397, 2

geartet 576, 1; 1901, 3

geästelt 992, 6

Gebabbel 737, 2

gebacken, frisch 1177, 1

gebacken, neu 1177, 1

gebahnt 768, 1

gebändigt 1091, 1

gebannt 548, 3; 548, 3; 895, 1

Gebärde 147, 2; 860, 2; 1933, 2

Gebärden 1758, 3

gebärden, sich 1757, 1

Gebärdenspiel 147, 2

Gebärdensprache 147, 2

Gebaren 1758, 1

gebären 682

gebaren, sich 1757, 1

Gebäude 824, 1

gebaut 1901, 3

gebaut, gut 1412, 2

gebaut, nah ans Wasser 1890, 2

gebaut, schlecht 822, 1

gebefreudig 793, 1; 1643

Gebeine 973, 2

Gebelfer 1385, 1

Gebell 734, 4; 1385, 1

geben 307; 321, 2; **683**; 1034, 1; 1486, 2; 1617; 1711, 1

geben, Abschied 998, 2

geben, Acht 128, 1

geben, Acht auf 128, 2; 247, 1

geben, anderen Namen 931, 5

geben, anderen Sinn 1708, 1

geben, anheim 531, 1

geben, Antrieb 75, 2; 89, 3

geben, Arbeit 89, 1

geben, Aufschluss 557, 1

geben, Ausdruck 1494, 1

geben, Auskunft 1120, 1

geben, bekannt 1120, 3; 1726, 1; 1773, 2

geben, Bescheid 557, 1; 1120, 1

geben, Beschreibung 270, 1

geben, Brief und Siegel 339, 1

geben, Brust 676, 1

geben, dem Affen Zucker 1622, 4

geben, der Wahrheit die Ehre 1208, 3

geben, eins auf die Nase 1391, 1

geben, eins hintendrauf 1394, 1

geben, Einverständnis 531, 1

geben, etwas von sich 162, 1

geben, falsches Bild 1072

geben, Farbe 590, 1

geben, Fersengeld 624, 1

geben, Fest 602, 1

geben, Flasche 676, 1

geben, Form 756

geben, Futter 676, 1

geben, Gas 391, 3

geben, Geleit 220, 1

geben, Genugtuung 345

geben, Glanz 769, 3

geben, Halt 1543, 1

geben, Hand 802, 1

geben, Hilfestellung 837, 1

geben, Hinweis 861, 1

geben, Impuls 75, 2

geben, in Auftrag 280, 1

geben, in Obhut 1799, 2

geben, in Verwahr 22, 3; 1799, 2

geben, keine Ruhe 391, 4; 1242, 1

geben, keinen Laut von sich 1438, 2

geben, Kick 541, 2

geben, Klaps 1394, 1

geben, Kontra 124, 2; 557, 2

geben, Konzert 1486, 3

geben, Korb 30, 4

geben, Laufpass 329, 2; 998, 2

geben, Laut 244, 1

geben, letzten Schliff 1828

geben, letztes Geleit 233, 1

geben, Mitgift 167, 1

geben, Nachricht 1120, 1

geben, Note 1284, 1

geben, Obacht 128, 1

geben, Pfand 339, 2

geben, Quartier 127, 1

geben, Rat 1305, 1

geben, Rest 1586, 1

geben, richtigen Pfiff 1828

geben, Rippenstoß 1081, 3

geben, Schuld 1855

geben, sein Bestes 92, 2

geben, sein Wort 313, 3; 1786, 2

geben, sich 1757, 1

geben, sich den Anschein 1848

geben, sich ein Air
    430, 3; 1269, 1
geben, sich ein Ansehen
    430, 3
geben, sich eine Blöße
    319, 1
geben, sich einen Ruck
    499, 2
geben, sich jmdm. in die
    Hand 9, 2
geben, sich Mühe 92, 2
geben, sich zufrieden
    729, 2; 1478, 4;
    1819, 1
geben, Sporen 391, 3
geben, über den Sender
    1621, 4
geben, Unterschrift
    278, 3
geben, verloren 122, 3;
    1767, 2
geben, von sich 329, 3
geben, Vorzug 298, 2
geben, Widerworte
    557, 2
geben, Wink 861, 1;
    1874; 1934, 1
geben, Zeichen 1208, 2;
    1313; 1934, 1
geben, zu bedenken 15;
    1844, 1
geben, zu denken
    266, 3
geben, zu essen 676, 1
geben, zu fressen 676, 1
geben, zu fühlen 1750, 2
geben, zu spüren 162, 3
geben, zu treuen Händen
    1799, 2
geben, zu trinken 676, 1
geben, zu verstehen
    861, 1
geben, zum Besten
    270, 2
geben, zur Post 1388, 4
Geber 838, 1
Gebet 684
gebeugt 992, 2; 1659, 1
gebeutelt 1659, 1
Gebiet 685; 697, 2;
    1977, 2
gebieten 72, 1; 848, 1
gebieten, Einhalt 857, 3
gebieten, Halt 857, 2
gebietend, Achtung

791, 3; 885; 1506, 1;
    1926, 1
Gebieter 849
gebieterisch 1535, 3
Gebilde 697, 1
gebildet 929; 996, 2
gebilligt 534, 1
Gebimmel 734, 2
Gebinde 343, 2
Gebirge 257, 2
gebirgig 1642, 1
Gebirgsmassiv 257, 2
Gebirgszug 257, 2
geblendet 318, 1
geblieben 1585, 1
geblümt 718, 1
gebogen 992, 1
gebohnert 768, 2
gebongt 534, 1
geboren 686
geboren werden 67, 2
geboren zu 576, 1
geborgen 227, 2; 1460, 3
Geborgenheit 1461, 2;
    1872, 2
Geborgenheitsgefühl
    1461, 2
Gebot 209, 1; 750, 1;
    1192, 2; 1250
Gebot der Stunde
    1192, 2
Gebot, inneres 762
Gebot, zu 1838, 1
geboten 504, 1; 1191, 1;
    1197, 3
gebracht werden 958, 3
gebrandmarkt 534, 3
Gebräu 759, 1; 1113, 1
Gebrauch 154, 1; 225, 1
Gebrauch haben, im 327
Gebrauch machen von
    246
Gebrauch machen, von
    seinem Stimmrecht
    1862, 3
Gebräuche 326, 1
gebrauchen 246; 327
gebrauchen können 327
gebrauchen sein, zu
    382, 2
gebrauchen, Ellenbogen
    391, 1
gebrauchen, Verstand
    371, 1
gebrauchen, zu 1197, 1

gebräuchlich 299;
    678, 1; 968, 1
Gebrauchsanleitung
    96, 2
Gebrauchsanweisung
    96, 2
Gebrauchsgut 562
Gebrauchstext 1575
Gebrauchswert 1898, 2
gebraucht 44, 4
Gebrauchtes 5, 2
Gebrause 734, 2
gebrechen 598, 2
Gebrechen 984, 1
gebrechlich 1042, 2;
    1432, 2
Gebrechlichkeit 984, 1
gebrochen 265, 1;
    534, 2; 850, 2;
    1540, 2; 1659, 1
gebrochen, nur 1694, 2
Gebrüll 734, 3
Gebrumm 734, 2
gebügelt 768, 7
Gebühr 7; 1270, 2
Gebühr, nach 504, 1
Gebühr, über 1624, 1
gebühren 88, 2;
    1730, 2
gebührend 312, 2;
    504, 1; 735, 2
gebührenfrei 1634, 1
gebührenpflichtig
    1775, 1
gebunden 1775, 2
gebunden sein an 9, 3
gebunden, an den Tag
    1745
gebunden, an die Person
    1244, 4
gebunden, nicht an die
    Person 301, 2
Geburt 51, 1; 68, 2;
    687; 846, 1
Geburt her, von 55
Geburt, von 686, 1
gebürtig 686, 1
Geburtsadel 36, 2
Geburtstagsfest 749, 2
Gebüsch 343, 1
Geck 1544
geckenhaft 459, 1;
    1624, 3
gedacht 879
Gedächtnis 527, 1

Gedächtnis haben, im 526, 5

Gedächtnis, aus dem 1695, 3

Gedächtniskraft 527, 1

Gedächtnislücke 33, 3

Gedächtnismal 373

Gedächtnisrede 527, 2

Gedächtnisschwäche 33, 3

Gedächtnisschwund 33, 3

Gedächtnisstörung 33, 3

Gedächtnisstütze 854, 3

gedämpft 406, 5; 1044

Gedanke 77, 1; 202, 1; 878, 1; 1100, 3; 1321

Gedanke daran, kein 1173

Gedanken machen, sich 63, 2; 371, 1

Gedankenarbeit 1321

gedankenarm 182

Gedankenarmut 183, 1; 404, 1

Gedankenaufriss 1258, 2

Gedankenaustausch 277, 2; 1683, 1

Gedankenblitz 878, 2

Gedankenbrücke 1718, 2

Gedankenflucht 33, 2

Gedankenfolge 1321

Gedankenfreiheit 645, 1

Gedankenfülle 1321

Gedankengang 1321

Gedankengebäude 1552, 2

Gedankenleser 1276

gedankenlos 403, 2; 1037, 1; 1096, 2; 1199, 2; 1638, 2; 1695, 2

Gedankenlosigkeit 33, 2; 404, 2

gedankenreich 1579

Gedankenspiel 1258, 2

Gedankensplitter 374, 3

Gedankentiefe 1321

gedankenträge 1675, 1

Gedankenübertragung 966, 1

Gedankenverbindung 1718, 2

Gedankenverknüpfung 1321

gedankenverloren 1638, 1

gedanklich 879; 1772, 4

gedehnt 1013, 1

Gedeih und Verderb, auf 679, 2; 1300

gedeihen 510, 1

Gedeihen 511, 1; 518, 1; 780, 1

gedeihlich 664; 757, 3; 781, 2; 803, 1

gedenken 526, 3

Gedenken 527, 1

gedenken, zu tun 1259, 1; 1922, 1

Gedenkfeier 527, 2; 906

Gedenkrede 527, 2

Gedenkstätte 373

Gedenkstein 373

Gedenktag 906

gediegen 86, 3; 414, 2

gedopt 1645, 2

gedörrt 1602, 1

Gedränge 291, 3; 481, 3

gedrängt 380, 2; 429, 1; 1005, 3; 1827, 2

gedrängt, dicht 480, 1

Gedrängtheit 481, 1; 1006, 1

gedrechselt 1624, 5

Gedröhn 734, 2

gedrückt 1182, 1

gedruckt werden 958, 3

gedrungen 981, 3

Gedudel 739, 1

Geduld 688

gedulden, sich 1876, 1

geduldig 144; **689**; 1357, 2

Geduldsprobe 105, 3; 1285, 3

geehrt 58

geeignet 504, 1; 516, 1; 576, 1; 803, 3; 1197, 1; 1973, 1

geeignet sein 503, 3

geeignet sein für 1507, 4

geeinigt 1727, 1

Gefach 571, 1

Gefahr 399, 2; 988, 1

Gefahr, außer 1460, 3

Gefahr, in 690, 4

gefährden 398, 2

gefährden, sich 1859, 2

gefährdet 471, 1; 690, 4

Gefährdung 399, 2

Gefahrenpunkt 1763, 1

gefährlich 690; 1397, 4; 1673, 6

gefährlich werden 398, 2

Gefährlichkeit 399, 2

gefahrlos 1109, 2; 1460, 2

Gefährt 579, 1

Gefährte 66, 2; 652

Gefährtenschaft 655, 1

Gefährtin 653

gefahrvoll 690, 1

Gefälle 5, 4; 1688

gefallen 214, 1; 437, 1; 503, 1; 651, 1; **691**; 1127, 1; 1585, 1; 1760, 4

Gefallen 383, 2; 490, 1; 650, 2

gefallen lassen, sich 531, 1; 704, 2; 1040, 2

gefallen lassen, sich etwas nicht 124, 2

Gefallen tun 489, 1

gefallen, nicht auf den Kopf 890, 1; 1772, 2

gefallen, nicht auf den Mund 253, 1

gefällig 254, 1; 328, 1; 491; 654, 1; 869; 1175, 1

gefällig sein 489, 1

Gefälligkeit 383, 2; 490, 1; 854, 1

gefälligst 314, 1

Gefallsucht 460, 1

gefallsüchtig 459, 1

gefälscht 583, 3

gefältelt 587, 1

gefaltet 587, 1; 731, 1

gefangen 1651, 2

gefangen nehmen 894, 1; 1756

gefangen sein 1469, 2

Gefangenenlager 692, 2

Gefangennahme 692, 1

Gefangenschaft 692

Gefängnis 692, 2

Gefängnis sein, im 1469, 2

Gefängniswärter 133, 2

gefärbt 1570
Gefasel 737, 2
Gefäß 223
gefasst 1357, 3
gefasst machen, sich auf
  555, 3
Gefasstheit 229, 1;
  1355, 2
Gefecht 987, 1; 1533, 2
gefegt, leer 1028, 2
gefeiert 58; 262, 2
gefeit 883, 1; 1460, 3
gefesselt 895, 1; 1651, 3
gefestigt 1328, 4
gefettet 768, 6
Gefilde 685, 2
Gefilde der Seligen 1234
geflammt 718, 1
Geflecht 1176, 1;
  1521, 3
gefleckt 718, 1
geflickt 731, 1; 1177, 4
Geflimmer 1052, 2
geflissentlich 16
geflohen 1886, 1
geflüchtet 1886, 1
Geflunker 1071, 2;
  1256, 2
geflunkert 583, 2
Geflüster 734, 2; 737, 1
Gefolge 66, 4
Gefolge haben, im
  631, 2
Gefolgschaft 66, 4
Gefolgsmann 66, 2
geformt 416, 2; 1265, 1;
  1328, 4; 1901, 3
gefragt 243, 2; 678, 2
gefragt sein 1760, 4
gefragt, nicht mehr 1707
gefräßig 218, 2
Gefräßigkeit 1761, 1
gefressen haben 821, 1
gefressen, voll 381, 1;
  1364, 1
gefressen, Weisheit mit
  Löffeln 1241, 2
Gefrett 105, 3
gefrieren 551, 2; 659, 2
Gefrierpunkt 1518
gefroren 44, 1; 1504, 1
Gefüge 632, 1; 779;
  1227, 1; 1538
gefügig 705; 1342;
  1432, 3

gefügig machen 1951, 2;
  1979, 1
Gefügigkeit 706, 1
gefügt, fest 380, 2
Gefühl 468, 3; **693**
Gefühl haben, das
  668, 2
Gefühl haben, im 668, 1
Gefühle haben 668, 1
Gefühle unterdrücken
  284, 2
Gefühle verdrängen
  284, 2
Gefühle, gemischte
  1974, 1
Gefühlen, mit gemisch-
  ten 1649, 1
gefühlig 471, 3; 473
Gefühligkeit 474
gefühllos 286; 334;
  406, 4; 772, 4; 820, 2;
  914, 3; 1645, 1
Gefühllosigkeit 335;
  1646, 1
gefühlsarm 914, 3
Gefühlsarmut 1646, 4
gefühlsbestimmt 473
gefühlsbetont 473
Gefühlsbetontheit 474
Gefühlsduselei 474
gefühlskalt 820, 2;
  914, 3
Gefühlskälte 915, 2;
  1646, 4
Gefühlslage 1519, 1
gefühlsmäßig 888, 2;
  899
gefühlsreich 473
gefühlsselig 473
Gefühlsseligkeit 474
Gefühlsspannung 549, 1
Gefühlstiefe 474
gefühlsverlogen 941
Gefühlsverlogenheit
  940, 3
gefühlswarm 1054, 4
Gefühlswelten 1447, 1
gefühlvoll 473; 1265, 2
gefüllt 1827, 1
Gefunkel 1052, 2
gefurcht 44, 2; 1642, 2
gegabelt 992, 6
gegangen, schief 1397, 2
gegangen, verschütt
  1886, 1

gegeben 1911, 1
gegebenenfalls 582;
  1128, 3; 1894, 1
Gegebenheit 580, 2;
  1557, 1
Gegebenheiten 1010, 3
gegen 1505; 1654, 1
Gegenargument 558, 2
Gegenäußerung 558, 2
Gegenbehauptung
  558, 2
Gegenbewegung 1314, 2
Gegenbeweis 558, 2
Gegenbild 505, 2
Gegend 685, 2; 1499, 3
Gegendruck 1314, 1;
  1900, 1
Gegeneinanderhalten
  1753, 1
Gegenfrage 638, 2
Gegengabe 498, 1
Gegengewicht 150, 5
Gegenhall 413, 1
Gegenkandidat 700, 3
Gegenkraft 1900, 1
Gegenkultur 1545, 1
gegenläufig 695, 3; 1352
Gegenläufigkeit 694, 1
gegenlehnen, sich
  1543, 2
Gegenleistung 356;
  498, 1
gegenlesen 1284, 1
Gegenliebe 413, 2
Gegenpart 700, 1
Gegenpol 150, 5
Gegenrede 164, 2;
  558, 2
Gegenrevolution 1314, 2
Gegensatz 694
gegensätzlich 24; **695**;
  1783, 1
Gegensätzlichkeit 694, 1
Gegenschlag 1314, 1;
  1751, 1
Gegenseite, auf der
  695, 1
gegenseitig 696
Gegenseitigkeit 1884
Gegenspieler 700, 1
Gegenstand 697
Gegenstand haben, zum
  224, 3
Gegenstand, gefundener
  675, 1

gegenständlich 78, *1*
gegenstandslos 1397, *6*;
1639
Gegenstandsschrift
1422, *2*
gegensteuern 1515, *3*
Gegenstimme 558, *2*
Gegenstoß 1314, *1*
gegenstoßen 90, *1*
Gegenströmung
1314, *1*
Gegenstück 505, *1*
Gegenteil 694, *1*
Gegenteil, im 3; 1173
gegenteilig 695, *3*
gegenüber 49; 695, *2*
Gegenüber 1143, *3*
gegenübersehen, sich
619, *3*
gegenüberstellen 557, *2*;
967, *1*; 1754, *1*
Gegenüberstellung
1753, *1*
Gegenverhalten 1314, *1*
Gegenvorschlag 558, *2*
Gegenwart 698
Gegenwart von, in
699, *3*
gegenwärtig 699; 1837
gegenwärtig haben
526, *5*
gegenwärtig sein 526, *5*
gegenwartsnah 699, *2*;
1899, *2*
Gegenwehr 1900, *2*
Gegenwert 1270, *1*;
1898, *2*
Gegenwirkung 1314, *1*;
1900, *1*
gegenzeichnen 278, *3*
Gegenzug 1314, *1*
gegessen, voll 1364, *1*
geglänzt 768, *2*
gegliedert 731, *3*
gegliedert, wohl 731, *3*
geglückt 804, *2*
Gegner 604, *1*; **700**
gegnerisch 605
Gegnerschaft 606;
962, *1*
gegoren 844, *1*
gegriffen, aus der Luft
583, *2*; 797
gegriffen, zu hoch
1624, *6*

Gehabe 460, *1*; 1576, *3*;
1758, *1*
gehaben, sich 1757, *1*
Gehalt 202, *1*; 823;
887, *1*; 1548; 1731, *1*;
1898, *1*
gehalten 1775, *1*
gehalten sein 1135
gehaltlos 574, *1*; 1028, *3*
Gehaltsempfänger 103
gehaltvoll 1158; 1327, *3*
gehandicapt 1651, *3*
Gehänge 343, *2*
geharnischt 1145, *1*
gehässig 239, *1*; 323, *1*
Gehässigkeit 81, *1*; 324;
584, *1*
gehäuft 1216
Gehäuse 952; 1309, *1*
Gehege 1948
geheilt 757, *2*
geheilt werden 524, *2*;
723, *1*
geheim 834, *2*
geheim halten 1438, *2*;
1714, *1*
geheimdienstlich 834, *2*
Geheimkult 701
Geheimlehre 701
Geheimnis 408, *3*; **702**
Geheimnis, offenes
262, *1*; 737, *1*
geheimnisumwittert
407, *4*
geheimnisvoll 407, *4*
Geheimtipp 860, *2*
Geheimwissenschaft 701
Geheimzahl 930, *5*
Geheimzeichen 930, *5*
Geheiß 136, *2*; 209, *1*
geheizt 1871, *1*
gehemmt 1182, *1*;
1673, *5*; 1762, *1*
Gehemmtheit 1763, *3*
gehen 212, *2*; 300, *1*;
437, *1*; 485, *1*; **703**;
729, *1*; 998, *1*; 1760, *4*
gehen lassen 1019, *1*
gehen lassen, es sich gut
594
gehen lassen, sich 524, *3*
gehen lassen, sich durch
den Kopf 371, *2*
gehen lassen, sich nicht
228

gehen lassen, über die
Bretter 1486, *2*
gehen lassen, über die
Bühne 1711, *2*
gehen mit, bergab
1149, *1*
gehen nach 216, *1*
gehen um 224, *3*; 289
gehen, abwärts 21, *1*
gehen, an Bord 456, *1*
gehen, an den Kragen
398, *2*
gehen, an den Leib
398, *2*
gehen, an der Spitze
669, *2*
gehen, an die Arbeit
1684, *2*
gehen, an die Decke
106, *2*
gehen, an die Nieren
129, *4*
gehen, an die Substanz
1520, *3*
gehen, ans Eingemachte
1520, *3*
gehen, ans Leben
398, *2*
gehen, auf den Geist
106, *1*
gehen, auf den Grund
536; 635
gehen, auf den Leim
1383, *4*
gehen, auf den Strich
1279
gehen, auf die Barrika-
den 124, *2*
gehen, auf die Reise
1331, *1*
gehen, auf die Wander-
schaft 175, *1*
gehen, auf Distanz
485, *5*
gehen, auf große Fahrt
1331, *1*
gehen, auf leisen Sohlen
777, *1*
gehen, auf Nummer Si-
cher 128, *4*; 1786, *3*
gehen, auf Reisen 485, *3*
gehen, auf Tuchfühlung
1157, *4*
gehen, auf und davon
624, *1*

gehen, auf Wolken
781, 5
gehen, aufwärts 1508, 2
gehen, aus dem Leim
1939, 4
gehen, aus dem Weg
172, 1; 1409, 5
gehen, aus dem Wege
492, 2; 624, 2; 1633, 1
gehen, auseinander
485, 5; 967, 2; 1594, 1
gehen, baden 1383, 2
gehen, Bankrott
1939, 11
gehen, bergab 21, 1
gehen, bergauf 1508, 2
gehen, durch die Lappen
492, 2
gehen, durch Mark und
Bein 1233, 1; 1404, 1
gehen, durchs Ziel
1463, 1
gehen, eigene Wege
1066, 5
gehen, einig 1614, 2
gehen, flöten 1767, 1
gehen, gegen den Strich
462
gehen, glatt 715, 1
gehen, gut 510, 4
gehen, hin und her
703, 1
gehen, in Deckung
1430, 4
gehen, in den Unter-
grund 1714, 4
gehen, in die Binsen
1383, 1
gehen, in die Brüche
329, 1; 475, 2; 1383, 1
gehen, in die Falle
901, 3
gehen, in die Hocke
296, 2
gehen, in die innere Emi-
gration 17, 2
gehen, in die Luft 106, 2
gehen, in die Offensive
60, 1
gehen, in die Schlinge
1383, 4
gehen, in die Vollen
92, 2; 725; 1785, 1
gehen, in Klausur
1755, 2

gehen, in Konkurs
1939, 11
gehen, in Pension 998, 1
gehen, in Rente 998, 1
gehen, in Sack und
Asche 256
gehen, in Scherben
1939, 4
gehen, in sich 256;
371, 3
gehen, in Stellung
1834, 2
gehen, ins Bett 1056, 3;
1392, 1
gehen, ins Detail
145, 3
gehen, ins Freie 703, 2
gehen, ins Garn 1383, 4
gehen, ins Gericht
1553, 2
gehen, ins Netz 901, 3
gehen, ins Ohr 447, 3
gehen, konform 1614, 2
gehen, mit dem Kopf
durch die Wand
1922, 2
gehen, mit sich zu Rate
371, 3
gehen, müßig 594
gehen, nach Canossa
704, 3
gehen, nach Hause
475, 1
gehen, nahe 263, 2
gehen, schief 1383, 1
gehen, schlafen 1392, 1
gehen, schlecht 1040, 3
gehen, schwanger mit
266, 2
gehen, Shopping 924, 1
gehen, spazieren 300, 1;
703, 2; 1870
gehen, stiften 624, 1
gehen, über die Bühne
216, 3
gehen, um den Bart 1401
gehen, um Kopf und Kra-
gen 398, 2
gehen, verloren 1767, 1
gehen, verlustig 1767, 1
gehen, verschütt 1767, 1
gehen, von dannen
485, 1
gehen, von der Hand
715, 1

gehen, voneinander
1594, 1
gehen, vonstatten 216, 3
gehen, vor Anker
1184, 1
gehen, vor die Hunde
1728, 3
gehen, vor sich 216, 3
gehen, zu Bett 1392, 1
gehen, zu Boden 1383, 3
gehen, zu Ende 475, 2;
1749, 1
gehen, zu Fuß 703, 1
gehen, zu Herzen 263, 2;
1233, 1
gehen, zu Leibe 60, 2;
1394, 2
gehen, zu Tal 21, 1
gehen, zu weit 1622, 3
gehen, zu Werke 815, 1
gehen, zugrunde
1512, 3; 1728, 3;
1939, 11
gehen, zur Hand 837, 1
gehen, zur Konkurrenz
20, 1
gehen, zur Kosmetikerin
1249, 5
gehen, zur Neige 475, 2
gehen, zur Seite 172, 1
gehen, zur Wahl 1862, 3
gehend, genau 722, 1
gehend, tief 1498
Gehetze 427, 1
gehetzt 429, 1; 1599, 2
gehetzt, mit allen Hun-
den 1396, 1
geheuchelt 583, 4
geheuer sein, nicht
1633, 3
geheuer, nicht 690, 1;
1273, 2; 1420, 2;
1673, 6
Geheul 943, 2
Gehilfe 838, 2; 961
Gehirnschlag 1393, 4
gehoben 548, 3; 600, 1;
996, 2
Gehöft 190
Gehölz 343, 1; 1868
gehorchen 503, 2; **704**
gehorchend, der Not
1652, 2
gehören 807, 1
gehören, sich 88, 2

gehörig 86, *1*; 504, *1*;
1225, *3*
gehörig, zur Familie
1812, *1*
gehörnt 1659, *6*
gehorsam 328, *1*; 705
Gehorsam 706
Gehorsam, blinder
706, *2*
Gehorsamsverweige-
rung 1900, *2*
gehört, nie 1641, *2*
gehört, wie es sich 731, *2*
geht an 1091, *2*
geht ins Geld 1573
geht nicht 1664
geht über Leichen 334;
1456
geht und steht, wie er
771, *3*
geht, es 728
Gehudel 1668, *2*
gehüpft wie gesprungen
772, *5*
Gehweg 1527
geifern 1391, *2*
geigen 1486, *3*
Geiger 1134, *2*
geil 1074; 1254, *1*
Geilheit 1073, *3*
geimpft 883, *1*
Geisel 338; 1219, *2*
Geißel 186; 1658
Geist 707; 1789, *1*
Geist, böser 1574
Geist, der stets verneint
1245
Geist, guter 838, *1*
Geister 707, *3*
Geisterglaube 4
geisterhaft 592, *1*;
1420, *2*; 1692, *5*
geistern 777, *1*; 1633, *3*
Geisterseher 1276
geistesabwesend 1638, *1*
Geistesabwesenheit
33, *2*
Geistesarbeiter 372;
1918
geistesarm 182; 403, *1*
Geistesarmut 183, *1*;
404, *1*
Geistesblitz 878, *2*
Geistesgaben 1789, *2*
Geistesgegenwart 707, *2*

geistesgegenwärtig
125, *1*; 1357, *5*
geistesgestört 708;
1777, *2*
Geistesgestörtheit 709;
1778, *3*
Geistesgröße 724, *1*;
792, *2*
Geisteshaltung 375
Geisteskraft 1789, *1*
geisteskrank 708;
1777, *2*
Geisteskrankheit 709;
1778, *3*
geistesmächtig 1415
Geistesschärfe 947, *3*
geistesschwach 403, *1*
Geistesschwäche 404, *1*
Geistesstörung 709
geistesverwandt 771, *4*;
819, *2*; 1812, *2*
Geistesverwandtschaft
1813, *2*
Geisteswissenschaftler
1918
geistig 879; 1772, *4*
Geistlicher 939, *1*
geistlos 182
Geistlosigkeit 183, *1*;
404, *1*
geistreich 76, *2*; 1231, *3*
geisttötend 182; 1017, *1*
geistvoll 76, *2*
Geiz 1480
Geizdrache 710
geizen 1478, *2*
Geizhals 710
geizig 1479, *1*
Geizkragen 710
Gejage 427, *1*
gejagt 429, *1*; 1599, *2*
gejagt, von Furien 64, *2*
Gejagtheit 427, *1*
Gejammer 943, *2*
Gejauchze 650, *3*
gekappt 1005, *1*
gekauft, fertig 610, *5*
gekauft, gern 243, *2*;
678, *2*
Gekeife 1385, *1*
gekerbt 1642, *2*
gekippt 844, *1*; 1397, *3*
Gekläffe 734, *4*
Geklapper 734, *2*
geklärt 945, *1*; 1365, *2*

gekleidet, gleich 771, *2*
Geklirr 734, *2*
geklont 771, *1*
Geknatter 734, *2*
geknebelt 1651, *3*
geknickt 265, *1*; 1182, *1*;
1659, *1*; 1697
gekocht 610, *4*
gekommen, auf den
Hund 850, *1*
gekommen, vorwärts
781, *2*
gekommen, zu kurz
1697
gekommen, zur Welt
686, *2*
gekonnt 572, *1*; 1001
gekoppelt 1727, *2*
Gekrakel 1422, *1*
gekränkt 322, *2*
Gekränktheit 105, *1*
gekräuselt 587, *1*; 992, *4*
gekreuzt 390
Gekritzel 1422, *1*
Gekröse 439
gekrümmt 992, *1*
gekündigt 104
gekünstelt 766
gekürzt 1005, *1*
Gelaber 737, *2*
Gelächter 650, *3*; 734, *2*
geladen 322, *1*; 690, *1*
geladen sein 106, *2*
geladen, schwer 250, *1*
Geladener 283, *1*
Gelage 711
gelähmt 1042, *2*
Gelände 685, *2*; 795
Gelände, vermintes
843, *2*
Geländer 1419
Geländewagen 579, *2*
gelangen in 432, *4*
gelangen, ans Ziel 67, *1*;
715, *2*
gelangen, zu einem Ur-
teil 1701, *1*
gelangen, zur Einsicht
1793, *2*
gelangweilt 772, *4*;
1364, *4*
Gelass 1309, *1*
gelassen 689, *1*; 1357, *3*
gelassen, im Stich
1659, *6*

Gelassenheit 229, *1*;
688, *1*; 1355, *2*
Geläuf 1497, *1*
gelaufen 1743
gelaufen, schief 583, *1*;
1397, *2*
geläufig 262, *1*; 678, *1*;
1802, *2*; 1829, *2*
Geläufigkeit 743, *1*
gelaunt 576, *2*
gelaunt, gut 835, *3*
gelaunt, schlecht 1117
geläutert 945, *1*;
1365, *2*
Geld 712
Geld machen 761, *1*;
1730, *1*
Geld machen, zu 1760, *1*
Geld wie Heu 1327, *1*
Geld wie Heu haben
807, *2*
Geld, ohne 107, *1*
Geldadel 1201, *2*
Geldaristokrat 1686, *3*
Geldbehälter 921, *1*
Geldbeutel 921, *3*
Geldentwertung 1348, *5*
Geldgeber 1095
Geldgier 1761, *3*
geldgierig 808
Geldinstitut 184, *2*
Geldkapital 271, *3*
Geldkassette 922, *1*
Geldkasten 921, *1*
Geldklemme 1190, *1*
Geldladen 921, *1*
Geldmittel 271, *3*;
1123, *1*
Geldschein 712, *1*
Geldschrank 921, *1*
Geldsorgen 1190, *1*
Geldverlegenheit
1190, *1*; 1763, *1*
Geldwert 1270, *1*
geleckt, wie 1365, *1*
geleert 1028, *1*
gelegen 57, *1*; 803, *1*;
1907
gelegen kommen 691, *1*;
1592, *7*
gelegen sein 212, *1*
gelegen, hoch 1070, *3*
Gelegenheit 556, *3*;
1129
Gelegenheit, bei 69, *1*

Gelegenheit, bei dieser
1167, *1*
Gelegenheitskauf 923
Gelegenheitsraucher
sein 1308
gelegentlich 69, *1*;
926, *1*; 1852, *1*
gelegentlich, nur 1457, *2*
gelegt, in die Wiege 55
gelegt, in Falten 587, *1*
gelehrig 467, *3*
Gelehrsamkeit 1917, *2*
gelehrt 929
Gelehrter 372; 1918
Gelehrtheit 1917, *2*
Geleise 1497, *3*
geleiten 220, *1*
Geleitwort 438, *1*
Geleitzug 579, *6*
Gelenk 211, *2*
gelenkig 301, *1*; 622, *2*
Gelenkigkeit 623, *2*
gelenkt 1260, *1*
gelernt 516, *1*; 572, *1*;
1001
Gelichter 753
gelichtet 410, *3*; 954, *1*
geliebt 1054, *2*
Geliebte 713
Geliebter 714
geliefert 534, *2*
gelieren 551, *1*
gelinde 689, *1*; 1109, *1*;
1931, *2*
gelingen 715
Gelingen 518, *1*; 780, *1*
Gelispel 734, *2*
gellen 1018, *1*
gellend 1022
geloben 1786, *2*
Gelöbnis 1787, *1*
gelockert 644, *2*;
1065, *1*
gelockt 992, *4*
gelogen 583, *2*
gelöscht 534, *4*; 768, *4*
gelöst 644, *2*; 1890, *4*
gelten 201, *4*
gelten lassen 278, *4*;
489, *1*; 531, *1*
geltend machen 1844, *2*
geltend machen, Ansprü-
che 195, *1*
geltend, für alle 40, *2*
Geltung 202, *2*; 716

Geltung, bedingte 206
Geltungsbedürfnis
460, *2*
geltungsbedürftig 421
Geltungsbereich 436, *3*
Geltungsdrang 460, *2*
Geltungssucht 460, *2*
geltungssüchtig 421
gelüftet 1070, *3*
Gelump 753
gelungen 804, *2*; 835, *4*
Gelüst 1073, *1*; 1761, *1*
gelüsten nach 217, *2*
gemach 689, *1*; 1015, *1*;
1357, *2*
Gemach 1309, *1*
gemächlich 1015, *1*
gemacht 738, *2*; 766;
781, *2*; 1901, *3*
Gemächt 778, *2*
gemacht, gut 804, *2*;
1317, *1*
gemacht, wie 504, *1*
Gemahl 1235, *4*
gemahlen 1938
Gemahlin 1235, *4*
gemahnen 326, *4*
gemahnen an 1614, *3*
gemahnend 774
Gemälde 308, *2*
Gemäldesammlung
1362, *2*
gemalt 591, *2*
gemangelt 768, *7*
Gemarkung 685, *2*
gemasert 718, *1*
gemäß 86, *1*; 504, *1*;
775
gemäß sein 503, *1*
gemäßigt 1091, *1*
gemästet 381, *1*
Gemecker 989, *4*
gemein 40, *4*; 91, *4*; 349;
678, *1*; 1397, *5*
gemein machen, sich
841, *2*
Gemeinde 66, *4*; 938, *5*;
1499, *1*
gemeingefährlich 690, *5*
Gemeinheit 324; 1398;
1669, *1*
gemeinhin 41
Gemeinplatz 183, *1*;
1256, *1*
gemeinplätzig 182

Gemeinplätzigkeit
183, *1*
gemeinsam 443, *2*; 776;
1962
Gemeinsamkeiten
1718, *3*
Gemeinschaft 717
gemeinschaftlich 443, *2*;
1962
Gemeinschaftsarbeit
1963
Gemeinsinn 1644
gemeint, ernst 545, *3*
gemeint, gut 654, *2*
Gemenge 1113, *1*
Gemengelage 1113, *4*
gemessen 600, *1*;
1091, *1*; 1357, *3*;
1926, *2*
Gemessenheit 601, *1*
Gemetzel 987, *1*; 1090
Gemisch 1113, *1*
gemischt 1783, *2*
Gemischtwarenladen
740, *2*; 1826, *2*
gemogelt, instand
1177, *4*
Gemunkel 737, *1*
Gemurmel 734, *2*
Gemüse, junges 908, *2*
Gemüsegarten 680
gemustert 718
Gemüt 468, *3*; 693, *1*
Gemüt, im 888, *2*
gemütlich 719; 1015, *1*;
1871, *1*
Gemütlichkeit 249, *1*
gemütlos 334
gemütsarm 914, *3*
Gemütsart 346
Gemütsbeschaffenheit
1519, *1*
Gemütsbewegung
549, *1*
Gemütserregung
549, *1*
gemütskalt 914, *3*
gemütskrank 720;
1042, *4*
Gemütskrankheit 721
Gemütsmensch 1255
Gemütsruhe 1355, *2*
Gemütsstimmung
1519, *1*
Gemütstiefe 474

Gemütsverfassung
1519, *1*
Gemütszustand 1519, *1*
gemütvoll 467, *5*; 473;
1054, *4*
Genabdruck 930, *5*
genannt werden 1174, *3*
genannt, auch … 426, *2*
genannt, so 426, *2*
genannt, viel 262, *1*
genant 1495, *3*; 1762, *1*
genarbt 718, *1*
genäschig 218, *2*; 727
genau 378, *2*; **722**;
1225, *2*; 1290, *1*;
1475, *1*; 1971, *2*
genau gehend 722, *1*
genau wie 504, *1*
genau, ganz 457, *4*
genau, peinlich 1241, *1*
Genauigkeit 1474, *1*
genauso 117, *1*; 771, *1*;
1472
Genbank 184, *3*
genbedingt 55
genehm 57, *1*; 1907
genehm sein 691, *1*
genehmigen 12, *4*;
503, *2*; 531, *1*; 1600, *2*
genehmigen, sich
1045, *2*
genehmigt 252, *1*
Genehmigung 532, *2*
geneigt 254, *1*; 491;
738, *1*; 1054, *2*;
1417, *2*
geneigt sein 531, *4*
Geneigtheit 1055, *1*;
1172, *1*
Genen, in den 55
Generalbass 798, *1*
Generalbeichte 1209, *2*
Generaldirektor 1047, *2*
generalisieren 1705
Generalisierung 1706
Generalmusikdirektor
1047, *2*
Generalstreik 1531
Generation X 908, *2*
Generation, junge
908, *2*
generell 40, *4*; 41;
1611, *1*
generieren 560, *1*
generös 748, *3*; 793, *1*

Genese 511, *4*
genesen 524, *2*; **723**;
757, *2*
genesen sein 723, *1*
Genesis 1416, *1*
Genesung 525, *2*
genial 1415
Genialität 724, *2*
Genie 707, *2*; **724**;
1274, *1*
genieren 1522, *1*
genieren, sich 807, *3*;
1371, *1*
genierlich 1243, *1*
Genierlichkeit 1763, *2*
geniert 1762, *1*
genießbar 610, *4*;
1091, *2*
genießen 651, *1*; **725**;
807, *1*
genießen, Achtung
201, *3*
genießen, Leben 725
genießen, Vertrauen
1626, *3*
genießend, Immunität
883, *2*
Genießer 726
genießerisch 727;
1466, *2*
Geniestreich 1685, *3*
Genital 942
Genius 707, *2*; 724, *1*
Genmanipulation
1950, *3*
genommen, gefangen
1651, *2*
genommen, genau
426, *1*; 722, *5*
genommen, in Anspruch
1556, *4*
genommen, streng
426, *1*
genommen, unter die
Lupe 722, *5*
genoppt 718, *1*
Genörgel 989, *4*
Genosse 652
Genossenschaft 1227, *2*
Genossin 653
genötigt 1775, *1*
genötigt sein 1135
Genre 110, *2*
genrehaft 869
Gent 1544

Gentleman 927; 1084
Gentleman, kein 1661, 3
gentlemanlike 864; 1841
genudelt 1364, 1
genug 728
genug haben 106, 2;
    729, 2; 1039, 2
genug sein lassen 729, 2
genug, kaum 954, 2
genug, mehr als 728;
    1327, 1; 1627, 2;
    1823, 1
Genüge, zur 728
genügen 214, 1; 503, 1;
    729
genügend 728; 1091, 2
genugsam 728
genügsam 83, 1
genugtun 214, 1
Genugtuung 498, 2;
    1953
genuin 59, 3; 414, 1;
    1166, 1
Genuss 650, 2; **730**;
    1073, 2
Genüsse, kulinarische
    979
Genüsse, lukullische 979
genussfähig 727; 1466, 2
Genussfähigkeit 1467
Genussfreude 1073, 2
genussfreudig 1037, 2;
    1466, 2
Genussfreudigkeit 1467
genüsslich 727
Genüssling 726, 1
Genussmensch 726, 1
genussreich 57, 2
genusssüchtig 218, 1
geöffnet 1207, 1
geölt 768, 6
geordnet 341, 1; **731**;
    1225, 1; 1468, 3
geordnet, zeitlich 351
gepaart 390
Gepäck 1020, 1
gepackt 548, 2; 731, 1
Gepansche 1113, 1
gepanzert 1504, 2
gepeinigt 1042, 3
gepellt, wie aus dem Ei
    1365, 1
gepfeffert 844, 2;
    862, 5; 1359, 3; 1573
Gepflegtheit 1366, 1

Gepflogenheit 326, 2;
    1322, 2
gepfropft, voll 1827, 1
geplagt, von Zweifeln
    1649, 1; 1978
Geplänkel 1055, 4
geplant 16; 1468, 3
geplant, wie 1260, 2
Geplapper 734, 2;
    737, 2
Geplätscher 734, 2;
    737, 2
geplatzt 265, 3; 534, 2
Geplauder 737, 2;
    1683, 1
gepökelt 844, 2
gepolstert, gut 381, 1
Gepolter 734, 2
Gepräge 110, 1; 137, 2;
    159; 632, 1; 1517, 1
geprägt 416, 2; 1261;
    1265, 1; 1328, 4;
    1901, 3
Gepränge 1286, 1
Geprassel 734, 2
gepresst 380, 2
gepriesen 243, 1
geprüft, schwer 1659, 1
gepunktelt 718, 1
gepunktet 718, 1
geputzt 1365, 1
gequält 1042, 3
Gequassel 737, 2
Gequengel 943, 2
gequetscht 380, 2
Gequietsche 734, 2
gerade 131; **732**; 768, 1;
    1008
Gerade 1058, 1
gerade sein lassen, fünf
    501, 4; 531, 1; 1252;
    1413, 3
geradeaus 1663, 2; 1854
geradebiegen 946, 1
geradestehen 339, 1
geradestehen für 345
geradestehen müssen
    1425, 3
geradezu 1207, 2
Geradheit 1210, 1
geradlinig 732, 2;
    1663, 2
Geradlinigkeit 434, 1
gerafft 1005, 3
gerappelt voll 1827, 2

Geraschel 734, 2
Gerase 427, 2
Gerassel 734, 2
Gerät 168, 1; **733**;
    1123, 1
geraten 510, 1; 715, 1;
    803, 1; 1197, 3;
    1468, 1; 1973, 3
geraten, aneinander
    1534, 1
geraten, aus dem Häus-
    chen 106, 2; 651, 2
geraten, aus der Fassung
    1752, 3
geraten, außer Kurs
    1749, 7
geraten, außer sich
    219, 2
geraten, durcheinander
    1815, 3
geraten, gut 804, 2
geraten, in Aufruhr
    124, 2
geraten, in Brand 330, 2
geraten, in ein schiefes
    Licht 1369, 4
geraten, in eine Sackgas-
    se 1822, 2
geraten, in Erregung
    129, 5
geraten, in Harnisch
    106, 2
geraten, in Misskredit
    1369, 4; 1767, 2
geraten, in Schweiß
    1445, 1
geraten, in Verlegenheit
    1371, 1; 1815, 3
geraten, in Verzug
    1425, 1
geraten, in Wallung
    129, 5
geraten, ins Hintertref-
    fen 1767, 2
geraten, ins Schleudern
    581, 1
geraten, ins Schwimmen
    1435, 2; 1442, 2
geraten, ins Schwitzen
    1445, 1
geraten, ins Stocken
    1520, 2
geraten, ins Trudeln
    581, 2
geraten, kurz 950, 1

geraten, sich in die Wolle
1534, 2
Geratewohl, aufs
1667, 2; 1952, 2
Gerätschaft 733
geräumig 791, 2; 1891, 1
Geräumigkeit 792, 1
geräumt 1028, 1
Geraune 734, 2; 737, 1
Geräusch 734
Gerausche 734, 2
Geräuschkulisse 859, 1
geräuschlos 1044
geräuschvoll 1022
gerben, Fell 1394, 1
gerecht 347, 1
gerecht (sein) 735
gerecht werden 963, 1;
1793, 3
gerecht werden wollen,
allen 1561, 3
gerecht werden, jmdm.
735, 3
gerecht, in allen Sätteln
516, 1
gerechtfertigt 504, 1;
735, 2
Gerechtigkeit 736;
1318, 2
gerechtigkeitsliebend
735, 1
Gerechtigkeitslücke
1669, 1
Gerechtigkeitssinn
468, 1
Gerede 737; 1256, 2
geregelt 534, 1; 731, 1
gereichen, zum Schaden
1369, 5
gereichen, zur Ehre
420, 2
gereift 516, 1; 1328, 1;
1328, 3
gereinigt 945, 1; 1365, 1
gereist, weit 516, 1
gereizt 322, 1
Gereiztheit 105, 1
gerettet 1460, 3
gereuen 256
Gericht 912, 1; 1080, 1
gerichtet 534, 3; 610, 2;
731, 1; 1177, 4
gerichtet, nach innen
1357, 4
Gerichtsbarkeit 912, 1

Gerichtsentscheid
1700, 3
Gerichtssache 1283, 1
Gerichtsstand 1968, 2
Gerichtstermin 1572
Gerichtsverfahren
1283, 1
Gerichtsverhandlung
1283, 1
Gerichtswesen 912, 1
gerieben 1396, 1; 1938
gerieben, dünn 265, 1
gerieft 1642, 2
gerieren, sich 807, 3;
1757, 1
Geriesel 734, 2
gerillt 1642, 2
gering 950, 2; 1397, 1;
1893, 1
geringfügig 950, 2;
1639; 1893, 1
Geringfügigkeit 951, 1
geringschätzig 31, 2
Geringschätzung 1115
Geringste, nicht das
1180, 1
Geringsten, nicht im
1173
geringstenfalls 1893, 3
gerinnen 551, 1
Gerippe 810, 4
gerissen 1396, 1;
1554, 2
Gerissenheit 743, 2
gern 87; 254, 1; 646;
738
gern haben 1127, 1
gern haben können 773
gern haben, jmdn.
1056, 1
gern tun 489, 1
gern, liebend 738, 2
Gernegroß 1436
Gerte 955
gertenschlank 410, 2
Geruch 108
geruchlos 574, 1
Geruchsorgan 1161
Geruchssinn 1867, 2
Geruchsvermögen
1867, 2
Gerücht 737, 1
Gerüchteküche 737, 2
Gerüchtemacherei
737, 2

gerüchteweise 1124, 2
gerüchtweise 79
gerufen, wie 1907
geruhen 531, 4
gerühmt 58
gerührt 548, 2; 1564, 1
gerührt, leicht 473
gerührt, vom Donner
1504, 3
geruhsam 1357, 2
Gerumpel 734, 2
Gerümpel 5, 1; 5, 2
gerundet 381, 4; 1827, 3
Gerüst 810, 4; 965, 1
gerüstet 576, 3; 610, 2
gerüttelt voll 1827, 1
gesagt – getan 771, 3
gesagt sein lassen, sich
1049, 4; 1793, 5
gesagt, genau 1160
gesalzen 862, 5; 1573
gesammelt 125, 1;
148, 3; 891, 2
Gesamtergebnis 521
Gesamtheit 38, 1;
442, 1; 1212, 1
Gesamtschule 1427, 1
Gesamtwerk 1046, 1
Gesandter 387, 1
Gesandtschaft 1807
Gesang 734, 5; 739
Gesangsstück 739, 2
Gesäß 1350
gesät, dünn 410, 3;
954, 1; 1457, 1
gesättigt 891, 5; 1364, 1
gesäubert 731, 1;
1365, 1
geschädigt 265, 2
Geschädigter 1219, 2
geschaffen werden
506, 1
geschaffen zu 576, 1
geschafft 610, 1; 1130, 2
Geschäft 291, 1; 740;
814, 2
Geschäfte machen
815, 2
Geschäftemacher 741
geschäftig 423; 621;
1026, 2; 1556, 2
Geschäftigkeit 291, 2;
422, 1
geschäftlich 959
Geschäftsaufgabe 185

Geschäftsfreund 652
Geschäftsführer 1047, 2
Geschäftsführung
  1048, 1
Geschäftsgeheimnis
  702, 2
Geschäftsleben 814, 1
Geschäftsleitung
  1048, 1
Geschäftslokal 740, 3
Geschäftsmann 741;
  1686, 1
Geschäftspartner
  1235, 1
Geschäftsreise 578, 2
Geschäftsstelle 740, 3;
  1185, 2; 1807
Geschäftsstraße 1527
Geschäftsträger 387, 1;
  1613, 2
geschäftstüchtig 479
Geschäftsverkehr 814, 1
geschaltet 1727, 2
geschämig 1762, 1
geschärft 1373, 1
geschätzt 58; 245, 1;
  1054, 2
geschätzt werden 201, 3
geschätzt, hoch 58;
  1054, 2
gescheckt 718, 1
geschehen 10, 2; 216, 2;
  958, 1
Geschehen 742; 1283, 2
geschehen lassen 531, 1;
  1019, 1
geschehen, nicht 598, 3
Geschehnis 742, 1
Gescheide 439
gescheit 890, 1; 929;
  1772, 2
gescheit, nicht recht
  1777, 1
gescheitert 534, 2; 1747
Gescheitheit 1789, 2
Geschenk 677, 2
Geschenk des Himmels
  780, 1
geschenkt 1634, 1
geschenkt, fast 312, 1
gescheuert 1365, 1
Geschichte 559, 2; 1744
Geschichten machen
  807, 3; 1371, 1
geschichtlich 1743

Geschichtsklitterung
  1071, 5
Geschichtsschreiber
  260, 2
Geschick 611; 743, 1;
  1389, 1
Geschicklichkeit 611;
  743
Geschicklichkeitskünst-
  ler 111, 2
geschickt 301, 1; 576, 1;
  744; 1554, 2
Geschicktheit 743, 1
geschieden 457, 3
Geschirrschrank 1418
geschlagen 534, 2;
  534, 3; 1659, 1;
  1659, 1
geschlagen, mit Blind-
  heit 318, 1
geschlagen, über einen
  Leisten 771, 2
geschlagen, vernichtend
  534, 3
geschlagen, wie vor den
  Kopf 1504, 3; 1914, 2
Geschlecht 110, 2;
  778, 2; 1813, 1
Geschlecht, schwaches
  641
Geschlechterfolge
  1058, 4
Geschlechterkrieg
  1533, 3
Geschlechts, männli-
  chen 1085
Geschlechts, weiblichen
  1889
Geschlechtsakt 1055, 3
geschlechtsreif 1328, 2
Geschlechtsteil 778, 2
Geschlechtsteil, weibli-
  ches 942
Geschlechtstrieb
  1598, 1
Geschlechtsverkehr
  1055, 3
geschliffen 744, 2;
  768, 2; 1373, 1
Geschlinge 439
geschlossen 443, 2;
  679, 1; **745;** 1827, 3;
  1962
geschlossen, ins Herz
  1766

Geschlossenheit 442, 1
geschlüpft 686, 2
Geschmack 108; 746
Geschmack, nach jmds.
  691, 1
Geschmack, von erlese-
  nem 84, 1
Geschmack, von gewähl-
  tem 84, 1
Geschmack, von gutem
  84, 1
geschmacklos 91, 4;
  574, 1; 633, 2; 1555
Geschmacklosigkeit
  662, 3; 940, 1
Geschmackssinn 746, 2
Geschmacksverirrung
  940, 1
Geschmacksvermögen
  1867, 2
geschmackvoll 996, 2;
  1412, 1
Geschmeide 976, 2;
  1291, 1
geschmeidig 71, 2;
  301, 1; 622, 2; 744, 2
Geschmeidigkeit
  623, 2
Geschmeiß 753
Geschmiere 1422, 1
geschmiert 768, 6
geschmiert, wie 768, 5
geschmissen 1504, 3
geschmolzen 1162, 5
Geschnatter 737, 2
geschniegelt 626
geschnitten 534, 3
geschnitten, wie aus dem
  Gesicht 771, 1
Geschnörkel 1623, 1
geschockt 1504, 3
Geschöpf 66, 3; 747;
  1103, 1
Geschoss 994, 2
geschossen, wie aus der
  Pistole 1263; 1410, 1
geschraubt 766; 1624, 5
Geschrei 734, 3; 943, 2
Geschrei machen
  1018, 1
geschrieben, groß
  1145, 2
geschrieben, wie auf den
  Leib 504, 1
geschrotet 1938

geschult 516, *1*; 576, *3*;
929; 1001
Geschützstand 211, *4*
geschützt 227, *2*; 883, *1*;
1460, *3*
geschwächt 850, *3*
Geschwader 442, *2*
Geschwafel 737, *2*
Geschwätz 183, *1*;
737, *2*; 1256, *2*
geschwätzig 253, *2*;
1121
Geschwätzigkeit 1210, *2*
geschweift 992, *1*
geschwind 1410, *1*
Geschwindigkeit 427, *2*
Geschwindschritt 427, *2*
Geschwindschritt, im
1410, *1*
geschwollen 381, *3*
Geschwollenheit 460, *1*
Geschworene 911, *2*
Geschworenengericht
911, *1*
geschwungen 992, *1*
gesegnet 781, *2*
gesegnet, mit Glücksgü-
tern 1327, *1*
gesehen, gern 1907
gesehen, nie 1641, *2*
gesehen, noch nie
1177, *2*
gesellig 748
Geselligkeit 281, *2*; **749**;
1683, *2*
Gesellschaft 281, *2*;
465, *2*; 740, *1*; 749, *2*;
800, *1*; 1227, *2*;
1685, *1*
Gesellschaft, bürgerliche
340, *2*
Gesellschaft, die 1212, *1*
Gesellschaft, die ganze
38, *2*
Gesellschaft, die gute
1201, *2*
Gesellschaft, die vorneh-
me 1201, *2*
Gesellschaft, feine
1201, *2*
Gesellschafter 1235, *1*
Gesellschafterin 826, *2*
gesellschaftlich 1213, *2*
Gesellschaftsform
1552, *4*

gesellschaftskritisch
1059, *3*
Gesellschaftslöwe 927
Gesellschaftsreise 578, *1*
Gesellschaftsschicht
1387, *3*
Gesetz 750
Gesetz, nach dem 751, *3*
Gesetzesbrecher 1725, *1*
Gesetzesübertretung
1669, *2*
gesetzlich 751, *1*
gesetzmäßig 751;
1191, *2*
Gesetzmäßigkeit 750, *2*;
1192, *3*; 1318, *2*
gesetzt 545, *1*; 1328, *4*;
1357, *3*
gesetzwidrig 1721
Gesetzwidrigkeit
1669, *2*
gesichert 1460, *2*;
1460, *4*; 1460, *7*
Gesichertsein 1461, *2*
Gesicht 752; 880, *2*;
1198, *2*
Gesicht machen 162, *3*
Gesicht, zweites 468, *4*
Gesichtsausdruck 147, *2*
Gesichtserker 1161
Gesichtsfarbe 589, *1*
Gesichtsfeld 317
Gesichtskreis 317
gesichtslos 574, *2*
Gesichtspunkt 1100, *2*
Gesichtsverlust 1372, *1*
Gesichtswinkel 317
Gesichtszüge 147, *2*;
752, *1*
Gesims 415, *2*
Gesinde 826, *1*
Gesindel 753; 753
gesinnt, gleich 443, *1*;
654, *3*
gesinnt, gut 654, *2*;
1054, *2*
gesinnt, übel 323, *1*
Gesinnung 375
Gesinnungsgenosse
66, *2*
gesinnungslos 349; **754**;
1690, *2*
**Gesinnungslosigkeit
755**
Gesinnungslump 1221

gesittet 86, *2*
Gesocks 753
Gesöff 759, *1*
gesondert 273, *1*; 457, *1*
gesonnen 254, *1*; 576, *2*
gespalten 457, *1*; 1978
Gespann 1235, *4*
gespannt 895, *1*
gespannt sein auf 555, *1*
gespannt, weit 1891, *1*
Gespanntheit 893; 1178;
1477, *1*
Gespanntsein 1477, *1*
gespeichert 1460, *7*
Gespenst 707, *3*
Gespensterfurcht 62, *2*
Gespensterglaube 4
gespenstern 1633, *3*
Gespensterseher 1276
gespenstig 1420, *2*
gespenstisch 1692, *5*
gespickt 1827, *3*
Gespiele 652; 714
Gespielin 653; 713
Gespinst 1521, *3*
gesponnen 24
gesponnen, fein 1931, *1*
Gespött machen, sich
zum 319, *1*
Gespött machen, zum
319, *2*
Gespräch 277, *2*;
1683, *1*
gesprächig 253, *2*; 1121
gesprächig, nicht
1439, *1*
Gesprächigkeit 1210, *2*
Gesprächsgegenstand
697, *2*
Gesprächsgruppe 800, *2*
Gesprächspartner
1235, *2*
Gesprächsrunde 800, *2*
Gesprächsstoff 697, *2*
Gesprächsteilnehmer
1565, *2*
Gesprächsthema 697, *2*
gesprächsweise 1244, *2*
gespreizt 459, *2*; 766
Gespreiztheit 460, *1*
gesprenkelt 718, *1*
gesprochen, aus der See-
le 443, *1*
gesprochen, schuldig
1426, *2*

Gespür 693, 3
Gespür, feines 468, 1
Gestade 1629
gestaffelt 731, 3
Gestalt 110, 1; 159;
    632, 1; 878, 1; 973, 1
gestalten 198, 1; 270, 2;
    560, 6; **756**
gestalten, neu 543, 1
Gestalten, schöpferi-
    sches 1253
gestaltend 1415
Gestalter 191
gestalterisch 1415
gestaltet 1265, 1
gestaltlos 633, 1
Gestaltung 168, 3;
    632, 2; 1538
Gestaltungsfreude
    1274, 1
Gestaltungskraft 1274, 1
gestaltungskräftig 1415
Gestaltungstrieb 1274, 1
Gestaltungsvermögen
    1274, 1
gestampft 1938
geständig sein 1208, 3
Geständnis 1209, 2;
    1941, 2
Gestank 108
gestapelt 731, 1
gestatten 531, 1
gestatten, nicht 1779, 1
gestatten, sich 531, 3;
    1045, 2
gestattet 252, 1; 751, 4
Geste 860, 2; 1933, 2
Gesteck 343, 2
gesteckt voll 380, 2;
    1827, 2
gesteckt, dicht 1827, 3
gesteckt, weit 1891, 1
gestehen 1208, 3
Gesteine 1164, 2
Gestell 331, 2
gestellt, hoch 862, 2
gestellt, höher 862, 2
gestellt, zufrieden 83, 2;
    1364, 2
Gestellungsbefehl
    209, 2
gestelzt 766
gestempelt 1213, 3
Gestern 1744
Gestichel 1490, 2

Gestiebe 302, 3
gestiefelt und gespornt
    610, 2
Gestik 147, 2
Gestikulation 147, 2
gestikulieren 1934, 1
gestimmt 576, 2
gestimmt, gleich 443, 1;
    819, 1
Gestimmtheit 1519, 1;
    1966
Gestirn 1513
Gestöber 302, 3
gestopft 731, 1; 1827, 2
gestopft voll 1827, 1
gestopft, voll 1364, 1
gestöpselt 1727, 2
gestorben 534, 4;
    1585, 1
gestört 1777, 1
gestört, psychisch 720
gestört, seelisch 720
gestoßen 1938
gestrafft 732, 1; 1005, 3
gestrandet 534, 2
Gesträuch 343, 1
gestreckt 1013, 1
gestreckt, lang 1013, 1;
    1891, 1
gestreckt, weit 1891, 1
Gestrecktheit 620, 2
gestreift 718, 1
gestreng 1535, 1
gestrichen 534, 4;
    591, 2; 768, 4
gestrickt, einfach 433, 2
gestrig 1707; 1743
gestromt 718, 1
Gestrüpp 343, 1
gestutzt 1005, 1
gestylt 626
Gesuch 94, 1
gesucht 243, 2; 678, 2;
    766; 1457, 1
Gesudel 1406, 2
Gesülze 737, 2; 1062, 4
Gesumm 734, 2
gesund 376, 1; 660, 1;
    757
gesund machen 831, 2
gesund sein, wieder
    723, 1
gesund werden 524, 2;
    723, 1; 831, 1
Gesundbrunnen 525, 2

gesunden 524, 2; 723, 1
gesundet 757, 2
Gesundheit 758
Gesundheit, bei guter
    757, 1
gesundheitsförderlich
    757, 3
Gesundheitspflege
    1248, 3
Gesundheitsschädigung
    1368, 1
gesundheitswidrig
    1660, 3
Gesundung 525, 2
gesunken 1677, 4
Getäfel 870, 3
getan 534, 1; 610, 1
getan haben, es 1425, 3
Geländel 1055, 4
getäuscht 1659, 6
getaut 1162, 5
geteilt 457, 1
getigert 718, 1
getilgt 768, 4
getönt 591, 2
Getöse 734, 2; 734, 3
getragen 11, 1; 600, 1;
    1044; 1926, 2
getragen werden 1437, 1
getragen werden von
    9, 3
Getragenes 5, 2
Getragenheit 601, 1
Getränk 759
Getränk, ohne 1602, 2
Getränke, harte 759, 2
getrauen, sich 1859, 3
getrennt 457, 1; 695, 1
getreten, auf den Fuß
    322, 2
getreten, auf den Schlips
    322, 2
getreu 504, 1; 1971, 1
Getreuer 66, 2; 652
Getriebe 291, 3
getrieben 1093, 3; 1261;
    1651, 1
Getriebenheit 427, 1
getrocknet 1602, 1
getroffen 322, 2;
    1182, 1; 1659, 1
getroffen, gut 804, 2
getroffen, ins Schwarze
    804, 2
getroffen, nicht 583, 1

getroffen, wie vom Blitz
1504, *3*

getrübt 407, *2*

Getue 460, *1*; 1623, *1*;
1674, *1*

Getümmel 291, *3*;
1102, *3*; 1668, *4*

getüncht 591, *2*

getüpfelt 718, *1*

getupft 718, *1*

Getuschel 734, *2*; 737, *1*

geübt 516, *1*; 576, *3*;
744, *2*; 1829, *2*

Geübtheit 743, *1*

Gevatter Tod 1581, *3*

gewachsen 1901, *3*

gewachsen sein 963, *1*

gewachsen, ans Herz
1054, *2*

gewachsen, dem Leben
nicht 856, *1*

gewachsen, gerade
732, *1*

gewachsen, gut 1412, *2*

gewachsen, hoch 791, *1*

gewachst 768, *2*

gewagt 91, *3*; 690, *2*

gewählt 148, *1*; 416, *1*;
996, *3*

gewählt, selbst 646

Gewähltheit 607, *1*

Gewähr 342, *1*

gewahr werden 668, *1*;
1451; 1866, *1*

Gewähr, ohne 1207, *6*

gewahren 619, *1*; 1451;
1866, *1*

gewähren lassen 1019, *1*

gewähren, Zahlungsauf-
schub 1541

gewähren, Zutritt 466, *2*

gewährleisten 307;
339, *1*

Gewährleistung 342, *2*

Gewahrsam 692, *1*

Gewahrsam, in 1651, *2*

Gewährsmann 338

Gewährung 532, *3*

Gewalt 229, *3*; 847, *1*

Gewalt haben, sich in
der 228

Gewalt, höhere 1389, *2*

Gewalt, notfalls mit
1640, *1*

gewaltbereit 37, *1*

Gewaltherrschaft 847, *3*

gewaltig 381, *1*; 791, *1*;
829, *1*; 1327, *2*;
1440, *1*; 1452, *1*

gewaltlos 658, *2*

Gewaltlosigkeit 656, *2*

Gewaltmarsch 917, *1*

Gewaltmensch 186

Gewaltorgie 1090

gewaltsam 829, *2*;
1624, *4*

Gewaltsamkeit 830

Gewalttat 1724

Gewalttäter 1725, *2*

gewalttätig 37, *1*; 334

Gewalttätigkeit 335; 830

Gewalttour 917, *1*

Gewaltverbrechen 1724

Gewaltverbrecher
1725, *2*

Gewaltverzicht 656, *1*

gewalzt 768, *1*

gewandt 301, *1*; 516, *1*;
576, *1*; 744, *2*; 864;
1489, *1*; 1829, *2*

Gewandtheit 611;
743, *1*; 1758, *2*

Gewandung 949, *1*

gewappnet 576, *3*

gewärtigen 555, *1*

gewärtigen sein, zu
958, *1*

Gewäsch 737, *2*

gewaschen 1365, *1*

gewaschen, frisch
1365, *1*

gewaschen, mit allen
Wassern 516, *1*;
744, *2*; 1396, *1*

Gewässer 760; 1164, *2*

gewässert 718, *2*

Gewebe 1176, *1*;
1521, *3*; 1538

geweckt 890, *1*

Gewehrkugel 994, *2*

gewellt 992, *4*

Gewerbe der Welt, ältes-
tes 1282

Gewerbe, horizontales
1282

Gewerbesteuer 1514, *2*

Gewerbetreibender 741

gewerblich 959

gewerbsmäßig 959

Gewerkschaft 1227, *2*

gewesen 1743

gewesen sein, es 1425, *3*

gewesen, lange 666, *1*

gewetzt 1373, *1*

gewichst 768, *2*

Gewicht 202, *2*; 400, *2*;
716, *1*; 980, *2*;
1020, *1*; 1144

Gewicht haben 201, *2*

Gewicht, nach 1065, *3*

gewichtig 600, *1*;
1077, *2*; 1145, *1*;
1440, *1*; 1506, *1*;
1899, *1*; 1926, *2*

Gewichtigkeit 202, *3*

gewichtlos 1036, *1*

Gewichtsabnahme
1348, *4*

Gewichtsklasse 1089, *5*

Gewichtsverlust 1348, *4*

gewickelt sein, schief
901, *5*

gewieft 516, *1*; 1396, *1*;
1554, *2*

Gewieftheit 517, *2*

gewillt 254, *1*

gewillt sein 1922, *1*

Gewimmel 291, *3*;
1102, *3*

Gewimmer 943, *2*

Gewinde 343, *2*; 1004

Gewinn 1195, *1*;
1270, *4*; 1338, *1*;
1731, *2*; 1849, *2*

gewinnen 98, *3*; 546;
715, *2*; **761**; 1463, *1*;
1463, *1*; 1626, *1*;
1730, *1*

gewinnen, Abstand
1713, *1*

gewinnen, an Wert
761, *3*

gewinnen, Einblick
1793, *2*

gewinnen, lieb 1056, *1*

gewinnen, Oberhand
1463, *2*

gewinnen, sich lieb
1157, *4*

gewinnen, Terrain 411, *5*

gewinnend 71, *1*; 654, *1*;
1335

Gewinner 782; 1464, *1*

gewinnorientiert 959

Gewinnshow 1459

Gewinnspanne 1195, 2
Gewinnsucht 1761, 3
gewinnsüchtig 808
Gewinnung 154, 1
Gewinnverteilung 1797
Gewirk 1521, 3
Gewirr 291, 3; 1668, 1
gewiss 39; 738, 2;
1460, 1; 1911, 3
gewisse 1825
Gewissen 762
Gewissen, gutes 762
Gewissen, reines 762
Gewissen, schlechtes
762; 1424, 3
gewissenhaft 722, 1;
1475, 2; 1845, 1;
1971, 2
Gewissenhaftigkeit
1474, 1
gewissenlos 349; 754
Gewissenlosigkeit 755;
1398
Gewissensangst 1424, 3
Gewissensbisse 762;
1341; 1424, 3
Gewissensbisse haben
256
Gewissensfrage 1974, 1
Gewissenskonflikt
1974, 1
Gewissensnot 1424, 3
Gewissenspein 1424, 3
Gewissensqual 1424, 3
Gewissenssache 1250
gewissermaßen 41; 54;
310, 3; 426, 2; 774;
1160; 1901, 1
Gewissheit 947, 1;
1100, 1; 1461, 1;
1557, 1; 1865; 1917, 1
Gewissheit, mit ziemli-
cher 79
Gewitter 1186, 1
gewittern 1018, 2
Gewitterregen 1186, 1
Gewitterwand 408, 2
Gewitterwolke 399, 2
Gewitterwolken 408, 2
gewittrig 406, 2
gewitzigt 516, 1; 1396, 1
gewitzt 516, 1; 890, 1;
1396, 1
Gewitztheit 517, 2;
743, 2

Gewoge 302, 3; 481, 3
gewogen 1054, 2; 1766
gewogen sein 1056, 1;
1127, 1
gewogen sein, nicht
821, 1
Gewogenheit 490, 1;
1055, 1
gewöhnen 763
gewöhnen, sich 763
gewöhnen, sich aneinan-
der 73, 2; 763, 1
Gewohnheit 42, 2;
326, 2; 1322, 2
Gewohnheit haben, die
1249, 2
Gewohnheit machen,
zur 763, 2
Gewohnheit werden
763, 1
Gewohnheit werden, zur
145, 4
gewohnheitsmäßig
365, 2; 678, 1;
1096, 2; 1323, 2
Gewohnheitsrecht 82, 1
Gewohnheitstrinker
1601
gewöhnlich 41; 91, 4;
182; 678, 1
gewohnt 678, 1; 1802, 2
gewohnt sein 1249, 2
Gewöhnung 764;
1550, 1
gewöhnungsbedürftig
1177, 2
Gewölbe 1921, 3
gewölbt 381, 4; 992, 1
Gewölk 353, 1
gewollt 16; 646; 1624, 5
geworfen 686, 2
geworfen, aus der Bahn
850, 1
Gewühl 291, 3; 481, 3;
1102, 3
gewunden 766; 992, 1
gewünscht, wie 242;
504, 2
gewürfelt 718, 1
gewürzt 844, 2
Gewusel 291, 3
gezackt 1373, 1; 1642, 2
gezählt 722, 5
gezähmt 705
gezähnt 1373, 1; 1642, 2

Gezänk 1533, 2
gezeichnet 534, 3
Gezeiten 765
Gezerre 1533, 1
Gezeter 734, 2
gezielt 16; 1260, 1
gezielt, wohl 722, 2
geziemend 504, 1
geziert 459, 1; 766;
1495, 3
Geziertheit 460, 1
gezogen, lang 1013, 1
Gezücht 753
gezügelt 1091, 1
Gezwitscher 734, 5
gezwungen 766;
1762, 1; 1775, 1
gezwungen sein 1135
gezwungenermaßen
1652, 2
Gezwungenheit 460, 1
Ghetto 18, 1; 685, 1
Ghettoisierung 18, 1
Ghostwriting 1558, 2
gibbeln 1009, 2
gibt zu denken 892, 2
gickeln 1009, 2
gicksen 1009, 2
Giebel 767, 1
Giebeldreieck 1836, 1
gieprig 1074
Gier 1073, 3; 1761, 1
gieren 217, 2; 872, 2;
1528, 1
gierig 218, 1; 1074
Gießbach 1881, 1
gießen 616, 1; 1325
gießen, hinter die Binde
1600, 2
gießen, Öl ins Feuer
851, 3
gießen, voll 674, 1
gießen, Wasser in den
Wein 496
Gift und Galle 105, 2
giften 244, 2; 1391, 2
Giftgasanschlag 116
giftig 323, 1; 690, 5
Giftküche 737, 2
Giftmischer 897
Giftmüll 5, 1
Giftschrank, im 1721
Gigant 1345
gigantisch 791, 1
Gigantismus 1619, 1

Gigerl 1544
gigerlhaft 1624, 3
Gigolo 1742, 1
gilben 1149, 3; 1603, 6
Gilde 1227, 2
Gimpel 405, 3
gimpelhaft 403, 2
Gipfel 257, 2; 554; **767**
Gipfel, auf dem 862, 4
Gipfelkonferenz 767, 6
Gipfelpunkt 767, 2
Gipfeltreffen 767, 6
gipsen 543, 2
Gipskopf 405, 1
Girl 1078, 2
Girlande 343, 2
Girlfriend 713
Girlie 1078, 2
Girobank 184, 2
Gischt 1537, 2; 1746, 2
gischten 1376, 1;
    1584, 4
Gitarrist 1134, 2
Gitter 1419
Gittern sein, hinter
    1469, 2
Gittern, hinter 1651, 2
Gladiator 919, 4
Glanz 137, 2; 716, 3;
    1052, 2; 1286, 2
glänzen 174, 2; 1269, 1;
    1287, 1; 1381, 2;
    1485, 3
glänzen, durch Abwesen-
    heit 598, 1
glänzend 149, 1; 768, 2;
    839, 2; 1268; 1912, 2
Glanzleistung 767, 3
glanzlos 318, 2; 1540, 2
Glanzlosigkeit 1205, 2
Glanznummer 767, 5;
    1079
Glanzpunkt 767, 5; 1079
Glanzstück 767, 5
glanzvoll 1268; 1912, 2
Glanzzeit 767, 4
Glas 759, 1
Gläschen 759, 1
gläsern 945, 1; 1495, 2
glashell 945, 1
glasieren 769, 3
glasklar 945, 3
Glasnost 1212, 2
Glasschrank 1418
Glast 1052, 2

glatt 433, 3; 583, 4;
    744, 2; **768**; 1554, 2;
    1931, 1
glatt gehen 715, 1
glatt machen 179, 1
glatt ziehen 769, 2
Glätte 743, 2
glätten 151, 1; 179, 1;
    198, 2; **769**; 1715, 1
glätten, Wogen 261, 1
glattweg 87
glattzüngig 1554, 2
glatzköpfig 913, 1
Glaube 556, 1; 1100, 1;
    1337, 2
Glaube an das Gute
    1222
Glaube an Ideale
    875, 1
glauben 430, 1; **770**;
    1099; 1771, 1; 1799, 1
glauben müssen, dran
    1135; 1512, 3
glauben, nicht zu 130, 2;
    1254, 1
Glaubensbekenntnis
    1337, 1
Glaubensgemeinschaft
    938, 1
Glaubenslehre 1337, 1
Glaubensrichtung
    1337, 1
Glaubenssatz 798, 2
glaubenssicher 663
glaubensüberzeugt 663
glaubhaft 79; 1790, 1;
    1971, 3
gläubig 663
gläubig sein 770, 1
Gläubigkeit 991; 1337, 2
glaubwürdig 1971, 1
glaubwürdig sein
    1626, 3
gleich 180; 504, 1; **771**;
    775; 1290, 2; 1410, 2
gleich, aufs Haar 771, 1
gleich, immer 771, 2
gleich, möglichst 429, 3
gleich, ungefähr 504, 1
gleichaltrig 771, 1
gleichartig 771, 4
gleichartig sein 503, 1
Gleichartigkeit 1616, 1
gleichbedeutend 771, 4
gleichberechtigt 775

Gleichberechtigung
    645, 2; 1616, 3
Gleichberechtigungs-
    kampf 608
gleichen 503, 1; 1614, 3
gleichermaßen 117, 1;
    1472
gleicherweise 117, 1
gleichfalls 117, 1
gleichförmig 771, 2;
    1323, 2
Gleichförmigkeit 42, 2;
    1014; 1324, 2
gleichgeordnet 1615, 2
gleichgeschlechtlich 866
Gleichgesinntheit 444
gleichgestellt 775
Gleichgewicht 150, 5;
    818, 2; 1355, 2
Gleichgewicht, aus dem
    1914, 2
Gleichgewicht, im 819, 1
gleichgewichtig 819, 1
gleichgültig 772;
    1540, 4; 1638, 2;
    1639; 1645, 1
gleichgültig lassen 773
gleichgültig lassen, nicht
    263, 2
Gleichgültigkeit 1646, 2
Gleichheit 1616, 1
Gleichklang 444;
    1616, 4
gleichkommen 503, 1;
    1148, 1
Gleichlauf 1616, 1
gleichliegen 1614, 2
gleichmachen 1737
gleichmachen, dem Erd-
    boden 1939, 7
Gleichmacherei 1738
gleichmacherisch 771, 2
Gleichmaß 42, 2; 613, 4;
    818, 2; 1324, 1;
    1355, 2; 1616, 4
gleichmäßig 144; 819, 3;
    882, 3; 1323, 1;
    1357, 3
Gleichmäßigkeit 1324, 1
Gleichmut 688, 1;
    1355, 2
gleichmütig 1357, 3
gleichnamig 771, 1
Gleichnis 308, 5;
    1753, 2

Gleichnis, im 310, 2
gleichnishaft 310, 2
Gleichrang 1616, 3
gleichrangig 775
Gleichrangigkeit 1616, 3
gleichsam 54; **774**;
  1901, 1
Gleichschaltung 1616, 5
Gleichschritt 1616, 5
gleichsehen 1614, 3
gleichseitig 1323, 3
gleichsinnig 771, 4
Gleichstand 1616, 3
gleichstehend 775
Gleichstellung 1616, 3
Gleichstellungskampf
  608
Gleichtakt 444; 1324, 1;
  1616, 4
gleichtun 631, 3
gleichwertig 775
gleichwertig sein 503, 1
Gleichwertigkeit 1616, 3
gleichwie 1472; 1901, 4
gleichwohl 3; 1202;
  1607, 2
gleichzeitig 699, 2; 776;
  1864
Gleichzeitigkeit 1616, 2
gleichziehen 1148, 1
gleichziehen, nicht 6, 4
Gleisner 852; 1402, 1
Gleisnerei 584, 1
gleisnerisch 583, 4
gleißen 1381, 2; 1485, 3
gleißend 839, 2
gleiten 703, 2; **777**;
  1437, 1
gleiten, abwärts 777, 1
gleitend 1649, 3
Gleitkettenfahrzeug
  579, 5
glibbrig 768, 6
Glied 778
Glied, künstliches
  550, 3
Glied, männliches
  778, 2
gliedern 1226, 2;
  1229, 1; 1561, 1
Gliederung 779;
  1227, 1; 1538
glimmen 330, 1; 1308;
  1381, 2
Glimmen 617, 1

glimmern 1381, 4
glimpflich 1945
glitschen 581, 1; 777, 1
glitschig 768, 6; 1408
glitzern 1381, 2
glitzernd 839, 2
global 40, 4; 896;
  1829, 3
globalisieren 145, 1
Globalisierung 146, 2
Globetrotter 1332, 1
Globus 994, 1; 1892, 1
Glocken 344
glockenhell 839, 5
glockenklar 839, 5
glockenrein 839, 5
Glockenschlag, mit dem
  1290, 1
Glockenturm 1609, 1
glockig 1891, 4
Glorie 716, 3
glorifizieren 420, 1
Glorifizierung 1062, 3
Gloriole 832
glorios 1268
glorreich 1268
glosen 330, 1
Glossar 1032
Glosse 520, 2
Glossenschreiber
  260, 1; 1423
glossieren 276, 2
Glotzaugen 141
Glotze 609, 1
Glück 518, 1; **780**;
  1449, 2
Glück haben 715, 2;
  1592, 4
Glück haben, noch ein-
  mal 492, 2
Glück, auf gut 1667, 2;
  1695, 4; 1952, 2
Glück, zum 781, 4
glücken 715, 1
gluckern 1584, 4
glücklich (sein) 781
glücklich machen 651, 1
glücklich sein 651, 2
glücklich, wunschlos
  83, 2
glücklicherweise 781, 4
Glücksbringer 1932, 2
glückselig 781, 1
glucksen 625; 1584, 4
Glucksen 734, 2

Glücksfall 518, 2; 780, 1
Glücksfund 675, 1
Glücksgriff 780, 1
Glücksjäger 2
Glückskarte 552
Glückskind 782
Glückspfennig 1932, 2
Glückspilz 782
Glücksritter 2
Glückssache 780, 1
Glücksspiel 783; 1860
Glücksspiele machen
  1486, 5
Glücksstern 780, 1
Glückssträhne 780, 1
glückstrahlend 781, 1
Glückstraum 880, 3
Glückszeichen 1932, 2
Glückwunsch 801, 4
Glückwunschadresse
  801, 4
Glückwunschkarte
  801, 4
Glühbirne 1012, 1
glühen 330, 1; 651, 2;
  1056, 2; 1381, 2
glühend 548, 3; 1871, 2
Glupscher 141
Glut 549, 4; 617, 1; 830;
  1052, 2
gluten 330, 1; 1381, 2
Gluthitze 1872, 1
glutig 1871, 2
Glyptothek 1362, 2
Gnade 677, 4; **784**;
  1449, 2
Gnadenbrot 677, 1
Gnadenfrist 1821, 3
Gnadengesuch 94, 2
gnadenlos 820, 3
gnädig 781, 2; 840;
  1109, 4
gnädig sein 531, 4
Gnädigkeit 784, 3; 1110
Gnom 707, 4
Gobelin 870, 3; 1571
Go-in 370, 1
Gold 976, 2
goldblond 839, 6
Goldfisch 1327, 1
Goldgräber 2
goldig 869
Goldmarie 782
goldrichtig 1317, 1
Golem 707, 3

Golf 1798, *2*
Goliath 1345
Gondel 579, *6*
gondeln 300, *4*
gönnen 531, *1*; 683, *2*
gönnen, nicht 1170
gönnen, sich 1045, *2*
gönnen, sich etwas 725
gönnen, sich Ruhe
    1356, *1*
Gönner 1003, *1*; 1095
gönnerhaft 840
Gönnerhaftigkeit 784, *3*
Goodwill 490, *1*; 716, *2*
Göre 1078, *2*
Gorilla 1877
Gosche 1131
Gospel 739, *2*
Gosse 1551, *1*
Gossensprache 1493, *4*
gothic 1420, *2*
Gott 785
Gott sei Dank 781, *4*
Gott, lieber 785, *1*
Gotterbarmen, zum
    107, *2*
Götterfunke 724, *2*
Göttergatte 1235, *4*
gottergeben 689, *2*
göttergleich 1412, *1*
Göttermahl 979
Göttertrank 979
Gottesacker 657
Gottesdienst 938, *3*
gottesfürchtig 663
Gottesfürchtigkeit
    1337, *2*
Gottesgabe 784, *2*
Gottesgeißel 186
Gotteshaus 938, *2*
Gotteslästerung 627
Gotteslohn, um 1634, *1*
Gottesstrafe 627
gottgefällig 663
gottgläubig 663
Gottheit 785, *1*
Göttin 641; 1500, *1*
göttlich 100, *2*; 1412, *1*;
    1692, *4*
gottlob 781, *4*
gottlos 31, *4*
Gottseibeiuns 1574
Gottvater 785, *1*
gottverlassen 450, *3*
Gottvertrauen 1337, *2*

gottvoll 835, *4*
Götze 874, *2*
Götzendienerei 786
Götzendienst 786
Götzenverehrung 786
Gouache 308, *2*
Gourmand 726, *3*
Gourmet 726, *2*
goutieren 691, *1*
Gouvernante 826, *2*
gouvernantenhaft 238, *2*
Grab 657
graben 635; 787;
    1549, *1*
Graben 858, *4*; 1798, *1*
graben, Grube 293, *4*
Gräberfeld 657
Grabesdunkel 408, *1*
Grablegung 234, *1*
Grabmonument 373
Grabstätte 657
Grabstein 373
Grad 788; 1302, *1*;
    1501, *3*
Gradation 23, *1*
Grade, bis zu einem ge-
    wissen 1945
gradlinig 433, *2*
Gradmesser 1089, *3*
graduell 1015, *2*
gradweise 1015, *2*
Graffito 308, *2*
Gral 976, *3*
Gram 1341; 1403, *1*;
    1591
grämen, sich 1040, *4*
gramerfüllt 1659, *1*
gramgebeugt 1659, *1*
grämlich 1117
gramvoll 1293, *2*
Gran 951, *2*
Granate 994, *2*; 1858, *1*
granatenvoll 250, *1*
Grand Prix 962, *2*
Grande Dame 640
Grandezza 792, *2*;
    1925, *1*
grandios 791, *1*
Grandseigneur 927
grantig 322, *1*
Graphik 308, *2*
grapschen 588, *1*;
    1233, *3*
Gras 1311
grasen 566, *6*

grasen lassen 873
grassieren 145, *4*
grässlich 461, *1*; 1420, *1*
Grat 767, *1*
Gratifikation 677, *2*;
    1956
grätig 322, *1*
gratinieren 325, *1*
gratis 1634, *1*
Gratulation 801, *4*
Gratulationsbrief 801, *4*
gratulieren 1563, *4*
Gratwanderung 690, *4*;
    1860
grau 44, *1*
grau in grau 592, *1*
Gräuel 14, *2*; 335;
    1386
Gräueltat 335; 1724
grauen 52, *2*; 63, *1*
Grauen 62, *1*
grauenhaft 1420, *1*
grauenvoll 1420, *1*
grauhaarig 44, *1*
graulen 63, *1*
gräulich 822, *1*
Graupeln 1186, *2*
Graus, ein 1420, *2*
grausam 334; 1293, *2*
Grausamkeit 335
grausen 63, *1*
Grausen 62, *1*
grausen, sich 462
grausig 1420, *2*
gravieren 447, *2*; 789;
    931, *4*
gravierend 545, *4*;
    1440, *2*; 1498; 1899, *1*
Gravität 1925, *1*
Gravitation 980, *2*
gravitätisch 600, *3*;
    1926, *2*
Grazie 70; 607, *1*
grazil 71, *2*; 410, *2*
graziös 71, *2*
greifbar 78, *2*; 699, *3*;
    1026, *1*; 1498;
    1838, *1*; 1911, *2*
greifbar machen 528, *3*
greifen 588, *1*; 1168, *1*;
    1233, *3*; 1910, *2*
greifen, ans Herz
    1233, *1*
greifen, aus der Luft
    1072

greifen, mit Händen zu
945, 3; 1790, 2
greifen, nach den Ster-
nen 1528, 2
greifen, tief in die Tasche
446, 2
greifen, um sich 145, 4
greifen, unter die Arme
494, 1; 837, 1
greifen, zu den Waffen
918, 5
Greifen, zum 1155, 2
greifen, zur Feder
1421, 1
greifend, tief 1912, 2
Greifer 812, 1
Greifwerkzeug 812, 1
greinen 944, 3
greis 44, 1
Greis 45, 2
Greisenalter 45, 1
greisenhaft 44, 2
Greisenhaftigkeit 45, 4
Greisentum 45, 4
grell 591, 1, 1022
Gremium 911, 1;
1304, 2
Grenze 790; 1419
Grenze, grüne 790
Grenze, ohne 1647, 1
grenzen an 263, 3
grenzenlos 1647, 1;
1891, 1
Grenzenlosigkeit 146, 2;
1648
Grenzgänger 1257, 2
Grenzlinie 790; 1058, 2
grenzüberschreitend
896
Gretchenfrage 638, 2
grienen 1009, 1
Griesgram 1245
griesgrämig 1117; 1697
Griff 518, 2; 812, 1;
1516, 2
Griff haben, im 963, 1
griffbereit 610, 3;
1838, 1
griffig 1973, 1
Grille 424, 4; 1519, 2;
1778, 2
grillen 325, 1; 1584, 2
Grillparty 749, 2
grimassenhaft 822, 1
Grimm 105, 1

grimmig 322, 1; 1373, 2
grindig 1642, 2
grinsen 651, 2; 1009, 1
grinsend 654, 4; 835, 1
Grips 707, 2; 1789, 2
gripsen 1168, 2
grob 239, 1; 376, 2;
1264, 2; 1661, 2
grobfädig 1065, 2
grobgliedrig 1264, 1
Grobheit 643, 2
Grobian 1272, 1
grobkörnig 1642, 2
gröblich 376, 2
grobschlächtig 376, 1;
1264, 1
groggy 1130, 2
grölen 1465, 2
Croll 606; 1118
grollen 1018, 2; 1959, 1
Grollen 734, 2
grollend 322, 1; 1152
Gros, das 1102, 5
Groschen 712, 3
groß 262, 2; **791**;
1328, 2; 1899, 2
Groß und Klein 38, 1
Großaktionär 1686, 2
großartig 885
Großartigkeit 792, 2
Großaufnahme 308, 3
Großbankier 1686, 2
Großbehälter 223
Großbildkamera 916, 1
Großbourgeoisie 340, 2
Großbrand 617, 2
Großbürger 340, 1
großbürgerlich 341, 2
Großbürgertum 340, 2
großdenkend 793, 2
Größe 146, 2; 202, 3;
573; 632, 4; **792**;
1089, 5; 1500, 2; 1630
Größe, unbekannte
1181, 2
Großen und Ganzen, im
41
Großen, im 1823, 1
Größenordnung 146, 2
Größenverhältnis
1089, 4
Größenwahn 460, 2
größenwahnsinnig
459, 2
größer werden 1530, 1

Großflächigkeit 792, 1
Großhandel 814, 3
Großhändler 741
Großherzigkeit 1792, 3
Großindustrieller
1686, 2
Grossist 741
großjährig 1328, 2
Großkaufmann 741
Großmacht 792, 3
großmächtig 791, 3
Großmannssucht 460, 2
Großmaul 1436
großmäulig 459, 2
Großmäuligkeit 460, 1
Großmogul 849
Großmut 1644
großmütig 793, 2; 1643
Großmutter 1140, 2
Großrechner 352, 1
Großreich 792, 3
Großreinemachen
1330, 3
großschnäuzig 459, 2
großspurig 459, 2
Großspurigkeit 460, 1
Großstadt 1499, 1
Großtat 1046, 1
größtenteils 1101; 1625
größtmöglich 1452, 2
Großtuer 1436
großtuerisch 459, 2
großtun 1269, 1
Großveranstaltung
1712, 3
Großwetterlage 1010, 3
Großwildjagd 904
Großwildjäger 905, 1
großziehen 139, 1
großzügig 748, 3; **793**
Großzügigkeit 1644
grotesk 119, 2; 835, 4;
1254, 3; 1492, 2
Groteske 1490, 4
Grotte 1798, 1
grottenschlecht 1397, 1
Groupie 66, 5
Grube 1060, 1; 1798, 1
Grübelei 1321
grübeln 371, 2; 1305, 2
Grübeln 1321
grüblerisch 1579
Gruft 657
grün 909, 2; 1670, 2
grün sein, nicht 821, 1

Grün, erstes 667
Grün, frisches 667
grün, nicht 31, 3
Grünanlage 680
Grund 794; 859, 1
Grund auf, von 679, 2;
 722, 3; 1300
Grund und Boden 795
Grund, aus diesem 43
Grund, aus welchem
 1878
Grund, ohne 797
Grund, tiefster 794, 1
grundanständig 86, 3
Grundbedingung 207, 1
Grundbegriffe 796, 4
Grundbesitz 271, 2; 795
Grunde, am 1677, 1
Grunde, im 426, 1;
 722, 5
grundehrlich 86, 3; 131
Grundeigentum 795
Grundeinstellung 375
gründeln 1549, 2
gründen 52, 3; 547, 1;
 1684, 1
gründen auf, sich 9, 3
gründen in 9, 3
Gründen, aus guten
 1790, 3
gründen, Geschäft
 1184, 3
gründen, Hausstand
 448, 1
Gründer 191; 561;
 1704, 3
grundfalsch 583, 1
Grundgedanke 567, 1;
 798, 1
Grundgefühl 1519, 1
Grundgüte 805
Grundidee 798, 1
Grundlage 796; 1833
Grundlagenforschung
 636, 3
Grundlagenwissen
 796, 4
grundlegend 722, 3; 799
gründlich 722, 3; 891, 2;
 1225, 3; 1475, 1;
 1971, 2
Gründlichkeit 1474, 1
grundlos 797; 1408;
 1578, 2
Grundmotiv 798, 1

Grundpfeiler 810, 3
Grundprinzip 798, 1
Grundrecht 1318, 3
Grundregel 798, 1
Grundriss 1258, 2
Grundsatz 750, 2; 798;
 1089, 3; 1322, 1
Grundsatzerklärung
 529, 5
grundsätzlich 40, 2;
 799
Grundstein 796, 1
Grundsteinlegung 51, 2
Grundstock 796, 3
Grundstoff 463, 1;
 1521, 2
Grundstück 795
Gründung 51, 2; 1185, 1
Gründungstag 906
Grundvertrauen 1800
Grundvorstellung 798, 1
Grünen, im 393, 1
Grünschnabel 910, 2
grüppchenweise 1015, 2
Gruppe 442, 2; 717, 1;
 800
Gruppenkultur 1545, 1
Gruppenleiter 1047, 2
gruppieren 1226, 2
Gruppierung 779
gruselig 1420, 2
gruseln 63, 1
Gruseln 62, 2
Gruß 801
Grußadresse 801, 4
Grußbotschaft 801, 4
grüßen 802
Grußformel 801, 1
Grütze 1789, 2
Grützkopf 405, 1
Gspusi 713
gucken 1451
gucken, in den Mond
 1029; 1767, 2
gucken, in die Luft 1029
gucken, in die Röhre
 1029
Gucker 141
Guckloch 1215, 3
Guerillakrieg 987, 2
Guerillero 919, 5
Guide 671, 5
guillotinieren 1586, 2
Gülle 156, 3
Gulli 1215, 6

gültig 678, 4; 751, 5;
 1213, 1
gültig sein 201, 4
gültig, allgemein 40, 2
Gültigkeit 716, 4
gummiert 1928, 3
Gunst 784, 3; 1055, 1;
 1449, 2
Gunst der Verhältnisse
 780, 1; 1389, 2
Gunstbezeigung 490, 2
günstig 57, 1; 312, 1;
 803
Günstling 714; 782;
 1431
Günstling des Glücks
 782
Günstlinge 66, 4
Günstlingswirtschaft
 953
gurgeln 625; 1584, 4
gurgelnd 1905, 4
Gurke 1161
gurren 1584, 3; 1741
Gurt 812, 2
Gürtel 812, 2; 1346
Gürtellinie, unter der
 91, 1
Guru 671, 6; 1035, 3
Guss 1186, 1
Guss, aus einem 679, 1;
 1829, 1
Gusto 746, 2
gut 100, 2; 414, 2;
 738, 2; 757, 1; 804;
 1317, 1; 1654, 1
Gut 190
gut gehen 510, 4;
 715, 1
gut geworden 804, 2
gut haben, es 807, 2
gut können 1793, 6
gut stehen 1793, 6
gut tun 236, 2
gut zu haben 328, 1
gut, ebenso 775
Gutachten 989, 1;
 1700, 1
gutartig 804, 1
gutbringen 151, 4
gutbürgerlich 341, 1
Gutdünken 1100, 1;
 1861, 1
Gutdünken, nach 242;
 1908, 1

Güte 784, *3*; **805**; 1110;
1294, *2*; 1898, *1*
Güte des Geschicks
780, *1*
Güte haben 489, *1*
Güteklasse 1294, *2*
Guten, des zu viel tun
1622, *3*
Güteraustausch 814, *1*
Güterverkehr 814, *1*
Gütesiegel 930, *3*
Gütezeichen 930, *3*
gutgläubig 1159
Gutgläubigkeit 434, *2*;
991
Guthaben 271, *3*

gutheißen 215; 494, *2*;
531, *1*; 1969, *2*
gutherzig 804, *1*
gütig 804, *3*; 1054, *4*;
1109, *4*; 1643
Gütigkeit 805
gütigst 314, *1*
gütlich 658, *2*
gütlich tun, sich 566, *3*;
725
gutmachen 345; 1750, *3*
gutmachen, wieder 345;
497, *2*
gutmütig 467, *5*; 804, *1*
Gutmütigkeit 472, *3*;
805

gutsagen 313, *3*; 339, *1*
Gutsagung 342, *2*
Gutsbesitzer 189, *1*
Gutschein 350, *1*
gutschreiben 151, *4*;
494, *2*
Gutschrift 495, *3*
Gutsherr 189, *1*
Gutshof 190
gutsprechen 339, *1*
Guttat 1219, *1*
gutzumachen, wieder
1128, *2*
Gymnasiast 1428, *1*
Gymnasium 1427, *1*
Gymnastik 1487

H

Haar 806
Haar lassen, kein gutes 1764; 1809, 2
Haar, aufs 722, 2
Haar, transplantiertes 806, 3
Haar, um ein 1654, 1
Haarband 1291, 6
Haare lassen 1767, 2
Haarersatz 806, 3
Haaresbreite, um 954, 2; 1654, 1
haargenau 722, 1
haarig 1307, 2; 1637, 1
haarklein 722, 1
Haarkünstler 661
haarlos 768, 3; 913, 1
Haarnadelkurve 1004
Haarnetz 1176, 1
Haarriss 1496, 1
haarscharf 722, 2
Haarschleife 1291, 6
Haarschneider 661
Haarschnitt 806, 2
Haarschopf 806, 1
Haarspalter 1239, 1
Haarspalterei 1240, 2
haarspalterisch 1241, 1
haarsträubend 1420, 2
Haarstylist 661
Haarteil 806, 3
Haartracht 806, 2
Hab und Gut 271, 2
Habe 271, 2
Habe, bewegliche 271, 2; 449, 2
haben 807
haben müssen 327
haben wollen 217, 2; 894, 4
haben wollen, für sich 195, 1
haben, in der Mache 533, 1
haben, sich 807; 1371, 1
haben, zu 1028, 4; 1838, 1

Habgier 1761, 3
habgierig 808
habhaft werden 1756
Habilitationsschrift 8, 2
Habitualisierung 764
Habitus 159; 1517, 4
Habschaft 271, 2
Habseligkeiten 271, 2
Habsucht 1761, 3
habsüchtig 808
hacken 1937
hackevoll 250, 1
Hackordnung 1303
Hader 606; 1533, 1
Haderlump 1429, 1
hadern 1534, 1; 1959, 1
hadersüchtig 37, 1
Hades 1689, 2
Hafen 1461, 2
Hafendamm 211, 4
Haft 692, 1
haftbar 1775, 1
haftbar machen 944, 2
haften 313, 3; 339, 1; 1520, 1
haften, im Gedächtnis 118; 447, 3
haftend 1928, 3
haftpflichtig 1775, 1
Haftung 342, 1; 1250
Hagel 1186, 2
hageln 1325
hagelt, es 1823, 1
hager 410, 2
Hagiographie 269
Hagiographierung 1062, 3
Hahn 1784, 1
Hahn im Korb 782
Hahn kräht danach, kein 772, 5
Hahnrei machen, zum 293, 3
Hain 1868
Haircutter 661
Häkelgarn 575, 2
häkeln 102, 4
Haken 211, 2; 599, 2; 1004; 1060, 1; 1784, 2
Hakennase 1161
halb 809; 1199, 4
halb und halb 809; 1566; 1649, 1
halbamtlich 1213, 1
Halbbildung 386

Halbblut 1247
Halbdunkel 408, 1
halber 69, 2; 1888
Halbes und nichts Ganzes, nichts 1091, 2; 1649, 4
halbgebildet 385, 2
Halbgebildeter 384, 2
Halbgott 785, 1
Halbheit 1251; 1693, 2
halbieren 1561, 4
halbiert 809
Halbierung 1595, 2
Halbkugel 1921, 3
halbblaut 1044
halbpart 809
halbseiden 91, 1; 1975, 3
halbseitig 809
halbtags 1852, 3
Halbtagsarbeit 101, 3
halbwegs 809; 1091, 2; 1945
Halbwelt 1689, 1
halbwüchsig 909, 1; 1670, 2
Halbwüchsige 908, 3
Halbzeit 1119, 4; 1678, 1
Halde 5, 4
Hälfte 1119, 4
Hälfte, bessere 1235, 4
Hälfte, mehr als die 1625
Hälfte, zur 809
hälften 1561, 4
hälftig 809
Hall 413, 1; 734, 1
hallen 1018, 2; 1584, 1
Hallenbad 178, 2
hallend 1022
Hallig 889
Halligalli 1683, 2
Hallo, großes 801, 3
Halluzination 709; 880, 1
halluzinierend 708
Halluzinogen 1311
Halm 1516, 1
Hals 481, 4
Hals über Kopf 429, 3; 1263
Halsabschneider 294, 1; 1275
halsbrecherisch 690, 2
Halskrause, bis zur 1452, 1
halsstarrig 425; 1691

Halstuch 870, 5;
1291, 7
Halt 810; 1518; 1678, 1
Halt machen 475, 1;
811, 1
haltbar 363, 1; 414, 2
haltbar gemacht 363, 2
haltbar machen 522, 2
Haltbarkeit 362, 3;
613, 1
halten 22, 2; 280, 2;
588, 2; **811**; 1462, 1;
1507, 3
halten können, das La-
chen nicht 1009, 2
halten nach, Ausschau
555, 2
halten über, Hand
1430, 2
halten zu 1965, 1
halten, am Boden
402, 3; 1679, 1
halten, am Leben 522, 3
halten, an sich 228
halten, Ansprache
1851, 1
halten, Augen offen
247, 1
halten, auseinander
1687, 1; 1701, 3
halten, Ausschau
1549, 1
halten, besetzt 811, 2
halten, Diät 872, 3
halten, Einkehr 256
halten, fern 857, 1;
1430, 1
halten, für erforderlich
1135
halten, für möglich 1099
halten, für nötig 1135
halten, für richtig
770, 2; 1099
halten, für sicher 555, 1
halten, für unabdingbar
1135
halten, für wahr 770, 2
halten, für wertlos
1114, 1
halten, für wertvoll
1375, 1
halten, für zuverlässig
1799, 1
halten, Fuß in der Tür
251, 2

halten, Gardinenpredigt
1553, 2
halten, geheim 1438, 2;
1714, 1
halten, Gleichgewicht
151, 5
halten, große Stücke auf
jmdn. 1375, 1
halten, Hausputz 1367, 1
halten, heilig 1734, 1
halten, im Zaume 857, 1
halten, in Atem 195, 3;
237, 2
halten, in Gang 1681, 1
halten, in Ordnung
1249, 1
halten, in Quarantäne
17, 1
halten, in Reserve 123, 3
halten, instand 1249, 3;
1681, 1
halten, klein 1679, 1
halten, Kurs 441, 3
halten, kurz 1478, 2
halten, Mund 1438, 1
halten, nebeneinander
1754, 1
halten, nicht 1019, 1
halten, nicht für möglich
1924, 1
halten, nicht hinterm
Berge 1776
halten, nicht mehr
Schritt 1149, 4
halten, offen 1214, 1;
1339
halten, sauber 1249, 1
halten, seine Zunge im
Zaum 1438, 2
halten, seinen Mund
1714, 1
halten, sich 364, 1
halten, sich abseits 17, 2
halten, sich an 441, 3;
1543, 2
halten, sich die Seiten
1009, 2
halten, sich fern 598, 1;
624, 2
halten, sich für unwider-
stehlich 430, 3
halten, sich für weiß was
430, 3
halten, sich im Hinter-
grund 17, 2

halten, sich schadlos
1196, 2
halten, sich tapfer 226, 2
halten, sich verborgen
1714, 4
halten, sich verbunden
65, 1
halten, sich zur Verfü-
gung 837, 1
halten, Siesta 1356, 1
halten, Spitze 669, 2
halten, Treue 1965, 1
halten, unten 402, 3;
1679, 1
halten, unter die Nase
1855
halten, viel von sich
430, 3
halten, Vorlesung
1050, 2
halten, Waage 151, 5
halten, Wacht 128, 3
halten, warm 1873, 2
halten, zu jmdm. 65, 3;
1965, 1
halten, zueinander
1965, 1
halten, Zügel in der
Hand 669, 2
halten, zugute 501, 4;
1750, 3
halten, zum Besten
1491, 1
halten, zum Narren
293, 1; 1491, 1
haltend, auf Ordnung
1225, 2
Haltepunkt 810, 6
Halter 272; 812
Haltestelle 810, 6
haltlos 349; 754;
1093, 3; 1432, 3;
1673, 4
Haltlosigkeit 755;
1619, 2
Haltung 159; 229, 1;
375; 1517, 4; 1758, 3;
1925, 1
haltungslos 349
Halunke 1429, 1
Häme 324
hämisch 323, 1
Hammelsprung 1861, 2
Hammer 643, 3; 1079
hämmern 1018, 2

Hampelmann 603
Hamsterkiste 1483, *2*
hamstern 1478, *1*;
 1788, *1*
Hand 778, *1*
Hand haben, sich in der
 228
Hand im Spiel haben
 1563, *1*
Hand in den Mund, von
 der 107, *1*; 1673, *2*
Hand in Hand 1962
Hand lassen, freie 531, *1*
Hand sein, in jmds. 9, *1*
Hand und Fuß, mit
 1772, *3*
Hand und Handschuh,
 wie 722, *6*
Hand voll 951, *2*;
 1893, *2*
Hand, auf die 1663, *3*
Hand, aus erster 1663, *1*
Hand, aus zweiter 44, *4*;
 182; 1124, *2*; 1653, *2*
Hand, bei der 254, *2*;
 1838, *1*
Hand, hinter vorgehalte-
 ner 1124, *2*
Hand, linker 1059, *1*
Hand, offene 793, *1*
Hand, rechte 838, *2*
Hand, rechter 1320, *1*
Hand, sichere 743, *1*
Hand, unter der 834, *1*
Hand, von langer
 1475, *2*
Hand, zur 254, *2*;
 610, *3*; 699, *3*
Handarbeit 101, *3*; **813**
handarbeiten 102, *4*;
 188
Handbewegung 860, *2*
Handbuch 671, *5*; 1032
Hände, zwei linke
 1657, *1*
Händedruck 801, *2*
Händeklatschen 231
Handel 740, *6*; **814**;
 1759, *1*
Händel 1533, *2*
handeln 203, *1*; **815**;
 1684, *2*
Handeln 101, *1*
handeln mit 1803, *3*
handeln über 224, *3*

handeln von 224, *3*
handeln, sich um 289
Handeln, sprachliches
 1493, *1*
handeln, unbedacht
 428, *4*
handeln, vorschnell
 428, *4*
handeln, widerrechtlich
 1749, *8*
Handelsbeziehungen
 814, *1*
handelseinig 534, *1*
handelseinig werden
 1735
Handelsgesellschaft
 740, *1*
Handelsniederlassung
 1977, *1*
Handelsplatz 1086, *1*
Händelsucht 830
händelsüchtig 37, *1*
Handelsverkehr 814, *1*
Handelsvertreter 816, *3*;
 1806, *1*
Handelsvertretung 1807
Handelswert 1270, *1*
Handelszeichen 930, *3*
Handeltreibender 816, *1*
Händen haben, in 807, *1*
Händen, in festen
 1775, *2*
händeringend 1659, *2*
handfertig 744, *1*
handfest 78, *2*; 376, *1*;
 981, *1*; 1158
handgearbeitet 817, *2*
handgefertigt 817, *2*
Handgeld 436, *2*
Handgelenk, aus dem
 1695, *3*
handgemacht 817, *2*
handgemein werden
 1394, *2*
Handgemenge 917, *2*;
 1393, *2*
handgerecht 1973, *1*
handgreiflich 37, *1*;
 78, *2*; 945, *3*; 1395
handgreiflich werden
 1394, *2*; 1752, *3*
Handgreiflichkeit
 1393, *2*
Handgriff 812, *1*;
 1516, *2*

Handhabe 1123, *2*
handhaben 203, *1*;
 224, *1*
handhaben, Sprache
 1494, *2*
Handhabung 204, *1*;
 225, *1*
handhoch 950, *3*
Handicap 858, *5*
handicapen 857, *3*
Handkamera 916, *2*
Handkoffer 870, *8*
Handkuss 801, *2*
Handlanger 838, *2*; 961
Händler 741; **816**
Handleserin 1276
handlich 1973, *1*
Handling 204, *1*
Handlung 697, *3*; 742, *1*;
 1094; 1685, *2*
Handlung, kriegerische
 987, *1*
Handlung, kriminelle
 1669, *2*
Handlungsdruck 1763, *1*
Handlungsfreiheit
 645, *1*
handlungsorientiert 479
Handlungsweise 1094;
 1758, *1*
Hand-out 796, *5*
Handreichung 854, *1*;
 1032
Handschlag 801, *2*
Handschrift 1230, *1*;
 1422, *1*
Handskizze 308, *2*
Handstreich 61, *1*;
 134, *2*; 1685, *3*
Handtasche 870, *8*
Handumdrehen, im
 1410, *2*
handverlesen 148, *1*
handwarm 1091, *3*;
 1871, *1*
Handwerk 813, *1*
handwerkern 188
handwerklich 817
handwerksmäßig 817, *1*
Handy 1567
Handzeichen 860, *2*
Handzettel 1897, *3*
hanebüchen 130, *2*;
 1692, *3*
Hang 5, *4*; 1055, *1*;

1073, *1*; 1172, *1*;
1172, *3*; 1569, *1*;
1761, *1*
Hängebrücke 333
Hängelampe 1012, *1*
hängen 1443, *2*;
1469, *3*; 1586, *2*
hängen bleiben 1520, *1*
hängen lassen, Ohren
1822, *1*
Hängen und Würgen,
mit 954, *2*
hängen, am seidenen Fa-
den 398, *2*
hängen, am Tropf 9, *2*
hängen, an den Nagel
122, *3*; 475, *1*
hängen, an der Strippe
1568
hängen, an die große
Glocke 948, *1*
hängen, an jmds. Lippen
894, *2*
hängen, aneinander
1056, *1*; 1965, *1*
hängen, Brotkorb höher
1478, *4*
hängen, sich an den
Rockzipfel 1740, *3*
hängen, tiefer 1478, *4*;
1735
hangend 1065, *4*
hängend 1065, *4*
Hängepartie 690, *4*;
954, *2*; 1860
Hänger 33, *3*; 66, *1*
Hängeschrank 1418
Hang-over 1118
Hans im Glück 782
Hansdampf 1559
Hansdampf in allen Gas-
sen 1559
Hänselei 81, *1*; 1490, *2*
hänseln 1491, *1*
Hanswurst 111, *2*;
1384, *1*
hantieren 102, *3*; 203, *1*
hapern 598, *2*
Häppchen 951, *2*
Happen 951, *2*; 1080, *8*;
1539, *3*
happig 130, *2*; 862, *5*;
1452, *1*
happy 781, *1*
Happy Few 1201, *3*

Happyend 1400, *2*
Hardware 352, *1*
harfen 1486, *3*
Harlekin 1384, *1*
härmen, sich 1040, *4*
harmlos 433, *2*; 1109, *2*
Harmlosigkeit 404, *2*;
434, *2*
Harmonie 444; 656, *1*;
818; 1414, *1*; 1616, *4*
harmonieren 519, *4*;
1614, *2*; 1793, *6*
harmonisch 443, *1*; **819**;
1412, *1*; 1615, *2*
harmonisieren 73, *1*;
261, *1*
harmonisiert 819, *1*
Harmonisierung 74, *1*
Harpagon 710
harren 1876, *1*
harsch 376, *2*; 1373, *2*;
1661, *1*
Harsch 1186, *2*
hart 820; 1504, *1*;
1535, *1*; 1659, *4*
hart bleiben 226, *2*
hart werden 1603, *2*
Härte 613, *1*; 1536, *1*
Härtefall 1190, *2*
härten 1502, *3*
Hartgeld 712, *1*
hartgesotten 1691
hartherzig 820, *2*
Hartherzigkeit 1646, *2*
hartköpfig 425; 1504, *2*
hartleibig 820, *2*
hartnäckig 144; 425;
1928, *1*
Hartnäckigkeit 613, *3*
Haruspex 1276
harzig 1928, *3*
Hasardeur 2
hasardieren 1486, *5*;
1859, *1*
Hasardspiel 783
Hasch 1311
haschen 588, *1*
Haschisch 1311
Hase, alter 573
Hasenfuß 603
Hasenherz 603
haspeln 395, *2*
Hass 606
hassen 821
hasserfüllt 605

hässlich 323, *1*; **822**
Hassliebe 1974, *1*
Hast 291, *2*; 427, *1*
Hast, in fliegender
429, *3*
Hast, ohne 1357, *3*
hasten 428, *1*; 851, *2*
hastig 429, *1*
hätscheln 1056, *3*
Hatz 61, *2*; 427, *1*; 904
Haube 971
Hauch 951, *2*; 1193;
1909
Hauch von 1893, *1*
Hauch, kein 1180, *1*
Hauch, ohne einen
1357, *7*
hauchdünn 410, *1*
hauchen 115; 316, *1*; 629
Haudegen 919, *2*;
1272, *2*
Haue 1393, *1*
hauen 179, *1*; 1394, *1*
hauen, auf die Pauke
1269, *1*
hauen, aus dem Stein
756
hauen, Geld auf den
Kopf 1785, *1*
hauen, in die Pfanne
857, *3*
hauen, in dieselbe Kerbe
1969, *2*
hauen, in Stein 1, *2*
hauen, übers Ohr 293, *1*
hauen, vom Hocker
1620, *1*
hauen, vom Stuhl
1620, *1*
Häufchen Elend 1182, *1*
Haufen 800, *5*; 1102, *2*;
1295, *1*
häufen 1361, *2*
häufen, sich 145, *2*;
1509, *3*
haufenweise 1823, *1*
häufig 1216
Häufung 1102, *1*
Haupt 970, *1*
Haupt- und Staatsaktion
742, *3*
Hauptansicht 1836, *1*
Hauptattraktion 767, *5*;
1079
Hauptbetriebszeit 1360

Hauptdarsteller 1347, *1*
Häupten, zu 862, *1*
Haupterbe 513, *3*
Hauptfigur 1347, *1*
Hauptgedanke 798, *1*
Hauptgeschäftsstelle
  1119, *3*
Hauptgeschäftszeit
  767, *4*; 1360
Hauptgewinn 1270, *4*
Haupthaar 806, *1*
Häuptling 671, *2*
Hauptperson 1347, *1*
Hauptreisezeit 1360
Hauptrolle 1347, *1*
Hauptsache 823; 1548;
  1899, *2*
Hauptsache, in der
  273, *1*
hauptsächlich 273, *1*;
  1625
Hauptschule 1427, *1*
Hauptschüler 1428, *1*
Hauptstadt 1499, *1*
Hauptstraße 1527
Hauptströmung 1125, *1*
Haupttreffer 1270, *4*
Hauptverkehrszeit
  767, *4*
Haus 740, *1*; **824**;
  833, *1*; 1813, *1*
Haus aus, von 55
Haus und Hof 271, *2*
Haus, im 888, *1*
Haus, offenes 749, *3*
Haus, öffentliches 320
Hausangestellte 826, *1*
Hausarbeit 8, *2*
Hausarrest 18, *1*; 692, *1*;
  1720, *2*
Hausaufgaben 120, *6*
hausbacken 182; 328, *3*
Hausbesitz 271, *2*
Hausbesitzer 272
Hausbursche 826, *4*
Häuschen 824, *1*;
  1582, *1*
Häuschen, aus dem
  322, *1*; 1777, *1*
Hausdame 826, *2*
Hausdiener 826, *4*
Hause, zu 227, *1*
hausen 1024, *2*
Häuserbesetzung 370, *1*
Häuserviertel 1499, *3*

Hausflur 1842, *1*
Hausfrau 640; 1235, *4*
Hausfreund 714
Hausgarten 680
Hausgebrauch, nur für
  den 1801
Hausgehilfe 826, *4*
hausgemacht 817, *2*
Hausgemeinschaft 717, *2*
Hausgenosse 1143, *2*
Hausgerät 449, *2*
Hausgericht 1484, *3*
Hausgesinde 826, *1*
Hausgräuel 940, *1*
Haushalt 825
haushalten 1478, *3*
Haushälterin 826, *2*
haushälterisch 1479, *1*
Haushaltsführung
  825, *1*
Haushaltsgehilfin 826, *2*
Haushaltsgeld 712, *2*
Haushaltshilfe 826, *2*
Haushaltsplan 825, *2*;
  1258, *3*
Haushaltung 825, *1*
Haushaltungskosten
  1027, *1*; 1680, *1*
Hausherr 1235, *4*
Hausherrin 1235, *4*
haushoch 791, *1*; 862, *3*
Haushund 871
hausieren 1760, *2*
Hausierer 1806, *1*
Hauslehrer 1035, *1*
Hausmachergericht
  1484, *3*
Hausmädchen 826, *2*
Hausmaier 826, *5*
Hausmann 1084
Hausmeister 826, *5*
Hausmittel 112, *1*
Hauspersonal 826
Hausputz 1330, *3*
Hausrat 449, *2*
Hausse 132
Hausstand 825, *1*
Haussuchung machen
  1549, *1*
Haustyrann 1075
Hausverbot 1720, *2*
Hauswart 826, *5*
Hauswäsche 1879
Hauswesen 825, *1*
Hauswirt 1915, *1*

Haut 870, *2*; 1198, *1*
Haut und Haar, mit
  679, *2*
Haut und Knochen
  410, *3*
Haute Couture 1125, *2*
Hautempfindung
  1867, *2*
häuten 1066, *10*
häuten, sich 1708, *5*
hauteng 480, *3*
Hautevolee 1201, *2*
Hautgout 108
hautlos 471, *1*
Hautriss 1496, *1*
Häutung 1709, *3*
Havarie 1650
Hazienda 190
Headhunter 1257, *2*
Headline 930, *7*
Hebel 812, *1*
heben 827; 1600, *2*;
  1715, *2*
heben, aus den Angeln
  1708, *1*
heben, Blick 827, *2*
heben, einen 1600, *2*
heben, Hand 1934, *5*
heben, in den Himmel
  1734, *2*
heben, kaum zu
  1440, *1*
heben, Lider 827, *2*
heben, sich 523, *2*;
  1508, *4*
hebend 1405
Hebewerk 140, *1*
Hebung 1510, *1*
Hechelei 1490, *2*
hecheln 115
Hechtsprung 1496, *2*
Hecke 343, *1*
Heckenschütze 1429, *2*
Hedonismus 1467
Hedonist 726, *1*
hedonistisch 1466, *2*
Heer 1111, *2*
Heer von 1825
Heeresverband 442, *2*;
  1111, *2*
Heerführer 671, *2*
Heerscharen 1102, *3*
Heerschau 521
Heerstraße 1527
Heft 812, *1*; **828**

Heft in der Hand haben
669, 2; 848, 1
Heftchen 828, 2
heften 102, 4; 210, 1
heftig 37, 1; **829**;
1452, 1; 1905, 1
heftig werden 106, 2
Heftigkeit 830
Hege 1248, 1
Hegemon 849
hegemonial 1077, 1
Hegemonie 847, 2;
1076, 3
hegen 873; 1249, 1;
1413, 1; 1788, 2
hegen, Aversion 821, 1
hegen, Bedenken 1976
hegen, Gefühl 668, 1
hegen, Meinung
1771, 1
hegen, Sympathien
1056, 1
Heger 905, 1; 1877
Hehl machen, kein
1208, 3
hehlen 293, 2
Hehler 961; 1769
hehr 791, 3
Heidenangst 62, 4
heikel 84, 1; 471, 1;
690, 1; 1243, 2;
1441, 2
heil 679, 1; 757, 2
Heil 1449, 2
heil werden 831, 1
Heilanstalt 983
Heilbad 178, 3
heilbar 1128, 2
Heilbehandlung 225, 3
heilen 723, 2; **831**
heilend 757, 4
Heiler 113
Heilfasten 379, 1
heilig 975
Heilige 641
heiligen 420, 1
Heiligenschein 832
Heiligkeit 1830
Heiligtum 976, 3
Heilkost 379, 2
heilkräftig 757, 4
Heilkunde 1098, 1
Heilkundiger 113
Heilkunst 1098, 1
Heilmethode 225, 3

Heilmittel 112, 1;
1098, 2
heilsam 757, 4; 1197, 3
heilsgewiss 663
Heilstätte 983
Heilung 525, 2
Heilwasser 759, 3
Heim 824, 2; **833**; 845
Heimarbeit 101, 3;
813, 2
heimatlich 1802, 2
Heimatloser 1107
heimatverbunden 59, 2
Heimatvertriebener
1107
heimbringen 220, 1
heimelig 719; 1871, 1
Heimeligkeit 249, 1
heimfahren 220, 1
Heimgang 1581, 1
heimgegangen 1585, 1
heimgehen 1512, 1
heimgeleiten 220, 1
heimgesucht 1659, 1
heimgesucht werden
1040, 4
heimisch 227, 1; 1802, 2
heimisch sein 1024, 2
heimisch werden 73, 2
Heimkehr 1349, 1
Heimkino 609, 1
heimleuchten 30, 5;
1750, 2
heimlich 834
Heimreise 1349, 1
heimschicken 475, 1
Heimspiel 518, 4;
1849, 1
Heimstätte 824, 2
heimsuchen 282, 1;
1242, 2
Heimsuchung 281, 2;
1041, 1
Heimtücke 584, 1; 755
Heimtücker 897
heimtückisch 323, 2;
690, 5; 754
Heimweg 1349, 1
Heimweh 1761, 2
heimwerkern 188
heimzahlen 1750, 1
Heimzahlung 1751, 1
Heini 405, 2
Heinzelmann 707, 4
heiraten 1717, 5

Heiratsantrag 94, 1
Heiratsgut 168, 4
Heiratsmarkt 1086, 2
Heiratsschwindler
294, 1
heischen 195, 1; 217, 1
heiser 406, 5; 1307, 3
heiß 690, 3; 1074;
1871, 2
heiß machen, Hölle
391, 2; 398, 3
heißblütig 829, 2
Heißblütigkeit 830
heißen 201, 1; 931, 5;
1174, 1; 1174, 3
heißen, willkommen
127, 1; 215; 466, 2;
802, 1
Heißhunger 1761, 1
heißhungrig 218, 2
heißmangeln 769, 2
Heißsporn 919, 2
heiter 660, 1; **835**;
945, 1
heiter sein 651, 2
Heiterkeit 650, 1
Heizanlage 836
heizen 1873, 1
Heizkessel 836
Heizkörper 836
Heizung 836
Hektik 291, 2; 427, 1
hektisch 548, 1; 1671, 1
Hektographie 1811, 2
hektographieren 1810
Held 1464, 1
Heldenepos 559, 2
heldenhaft 1139, 1
Heldenmut 1138
heldenmütig 920
helfen 494, 1; **837**;
1196, 1; 1543, 2;
1605, 1; 1910, 2
helfen, auf die Sprünge
861, 1
helfen, in den Sattel
298, 1
helfen, sich 837
helfen, sich selbst
837, 6
helfend 757, 4
Helfer 838
Helfershelfer 294, 4;
961
Helikopter 579, 7

hell 781, *2*; **839**; 890, *1*;
945, *1*; 1772, *2*
hell machen 241, *1*
hell werden 52, *2*
hellblond 839, *6*
helle 622, *2*
Heller 951, *1*
hellhörig 125, *1*; 467, *4*
Hellhörigkeit 468, *1*
Helligkeit 1052, *1*
hellsehen 1278
Hellseher 1276
hellseherisch 467, *6*;
1277
hellsichtig 467, *6*; 1277
hellwach 467, *2*
Helm 971
Hemdenmatz 936, *1*
hemdsärmelig 633, *3*
Hemdsärmeligkeit
643, *2*
hemmen 857, *1*; 1369, *1*;
1820, *2*
hemmend 1021, *1*;
1660, *3*
Hemmklotz 858, *1*
Hemmnis 858, *2*
Hemmschuh 858, *1*
Hemmung 1763, *3*;
1900, *1*
Hemmungen 1763, *2*
Hemmungen, ohne 1121
hemmungslos 829, *2*;
1093, *3*
Hemmungslosigkeit
830; 1619, *2*
Hengst 1247; 1742, *1*
Henkel 812, *1*
herab 27
herab, von oben 840
herabblicken 1114, *1*
herabfallen 6, *3*; 581, *1*
herabgesetzt 312, *1*
herablassen, sich 531, *4*
herablassend 459, *2*;
840
Herablassung 460, *1*
herabmindern 509, *2*
Herabminderung
1092, *2*; 1348, *3*
herabplumpsen 6, *3*
herabsehen auf 430, *3*
herabsetzen 319, *2*;
509, *2*; **841**; 1149, *5*;
1764

herabsetzen, sich **841**
herabsetzend 239, *2*;
388
Herabsetzung 240; 1115;
1765
Herabsetzung, öffentli-
che 389, *1*
herabspringen 20, *2*
herabsteigen 21, *1*
herabwürdigen 841, *1*
Herabwürdigung 1765
herabziehen 1728, *5*
heranbilden 564
heranbringen an 1120, *1*
herangehen 1157, *1*
herangehen an 52, *3*
herangewachsen 1328, *2*
heranholen 274, *1*
herankommen 1157, *1*
herannahen 958, *1*;
1157, *1*
herannehmen 195, *3*
heranpirschen, sich
1157, *1*
heranreichen an 263, *3*
heranrufen 1354, *2*
heranschaffen 274, *1*
herantreten 1157, *1*
heranwachsen 510, *1*
heranwachsend 909, *1*
Heranwachsende 908, *3*;
1078, *2*
Heranwachsender
910, *2*
heranwagen, sich
1859, *2*
heranziehen 139, *1*;
245, *1*; 1951, *1*
heraufbeschwören
1710, *1*
heraufkommen 52, *2*
heraufrufen 526, *4*;
1710, *1*; 1910, *4*
heraufziehen 398, *4*;
1157, *2*; 1942, *3*
heraus, aus sich 646
herausarbeiten 528, *3*;
1729, *1*
herausbekommen
515, *3*; 761, *1*; 1066, *3*;
1305, *3*; 1730, *1*;
1793, *2*
herausbilden, sich
506, *4*
herausbringen 635;

1066, *3*; 1305, *3*;
1486, *2*; 1773, *1*
herausbringen, keinen
Ton 1438, *1*
herausfiltern 166, *1*
herausfinden 619, *1*;
1066, *3*; 1305, *3*;
1793, *2*; 1866, *1*
herausfordern 1334, *2*
herausfordernd 37, *1*;
842
Herausforderung 77, *2*;
843
Herausgabe 120, *5*;
1774, *2*
herausgeben 1773, *1*
heraushaben, Dreh
963, *1*; 1793, *2*
heraushängen lassen
430, *3*
heraushängen, zum Hal-
se 1039, *2*
heraushauen 213, *5*
herausheben 1729, *1*
herausheben, sich 174, *2*
herausholen 639, *2*;
761, *1*
herausholen, das Letzte
153, *2*; 391, *3*
herausholen, das Letzte
aus sich 1723, *2*
herauskehren 1063, *1*
herausklatschen 948, *2*
herauskommen 411, *3*;
506, *2*; 958, *3*
herauskriegen 1305, *3*
herauskristallisieren,
sich 506, *4*
herauslassen 11, *2*;
1214, *1*; 1776
herauslassen, Saum
1530, *2*
herauslaufen 1030, *5*
herauslösen 166, *1*;
1066, *1*
herauslügen, sich
1023, *2*
herausmeißeln 756
herausmogeln, sich
1023, *2*
herausnehmen 1168, *5*
herausnehmen, sich
531, *3*; 1859, *3*
herauspicken 166, *1*
herausplatzen 1009, *2*

herausputzen 167, *2*
herausputzen, sich
1292, *2*
herausragen 174, *2*;
1920, *2*
herausreden, sich
1023, *2*
herausrücken 304, *3*;
683, *4*
herausrücken, mit der
Wahrheit 1208, *3*
herausrufen 948, *2*
herausschlagen 153, *3*;
761, *1*
herausschreiben 175, *3*
herausschwindeln, sich
1023, *2*
herausspringen 1196, *1*
heraussprudeln 506, *3*;
1494, *3*
herausstehen 1920, *2*
herausstehend 381, *4*
herausstellen 50, *1*;
241, *2*; 1729, *1*
herausstellen, sich
619, *3*; 1934, *6*
herausstoßen 1494, *3*
herausstreichen 469, *1*;
1063, *1*
herausstreichen, sich
1269, *1*
heraussuchen 1549, *4*
heraustretend 1261
herauswachsen 1920, *1*
herauswinden, sich
1023, *2*
herausziehen 175, *2*;
1942, *3*
herauszüchten 1951, *1*
Herauszüchtung
1950, *1*
herb 31, *1*; **844**; 1293, *2*;
1495, *3*; 1960, *1*
herbeieilen 1157, *1*
herbeiführen 1710, *1*
herbeikommen 958, *1*
herbeilassen, sich
489, *1*; 531, *4*; 704, *2*
herbeirufen 1354, *2*
herbeischaffen 274, *1*
herbeizaubern 274, *1*
herbeizitieren 1354, *2*
Herberge 681, *2*; 833, *1*
Herbheit 1536, *2*
herbitten 446, *1*

herbstlich 13
Herd 845; 1119, *6*
Herde 1102, *3*
hereditär 55
hereinbrechen 216, *2*
hereinbrechen über
1618, *1*
hereinbringen 546
hereinfallen 901, *3*;
1383, *4*; 1767, *2*
hereingelegt 1659, *6*
hereinlassen 1214, *1*
hereinlassen, Luft 1069
hereinlegen 293, *1*
hereinplatzen 1522, *1*;
1620, *3*
hereinschauen 282, *1*
hereinschneien 282, *1*;
1620, *3*
herfallen über 60, *2*
herfallen, über das Essen
566, *1*
Hergang 630, *1*; 742, *2*;
1283, *2*
hergeben 683, *4*;
1819, *1*
hergeben, alles 1723, *2*
hergeben, das Letzte
1220, *1*
hergeben, nicht 811, *2*
hergeben, nichts mehr
1779, *3*
hergebracht 678, *1*;
968, *1*
hergehen 10, *2*
hergerichtet 1177, *4*
herhalten für 345
herhalten müssen 304, *3*
Hering 410, *3*
Heringe, wie die 380, *2*
herkommen 958, *1*
Herkommen 846, *1*
herkömmlich 365, *2*;
678, *1*; 968, *1*
Herkules 982
Herkulesarbeit 1020, *2*
Herkunft 846
Herkunft, von 686, *1*
herleiern 1851, *2*
herleiten 11, *3*; 1399, *3*
hermachen über, sich
60, *2*; 566, *1*
hermachen von, viel
217, *1*
Hermaphrodit 1113, *5*

Herme 1471
hermetisch 380, *1*
hernach 1482, *1*
hernehmen 237, *2*
Heroin 1311
heroisch 1139, *1*
Heroismus 1138
Heros 1464, *1*
Herr 272; 785, *1*; 849;
1084
Herr Zebaoth 785, *2*
Herr, alter 45, *2*; 1704, *2*
Herr, eigener 644, *1*
herrenlos 856, *4*
Herrgott 785, *1*
herrichten 167, *2*;
1249, *5*; 1834, *1*; 1949
herrichten, sich 98, *1*
herrichten, wieder
543, *1*
herrisch 459, *2*; 1535, *3*;
1908, *2*
herrlich 1268; 1412, *1*
herrlich und in Freuden
1327, *4*
Herrlichkeit 1414, *1*
Herrschaft 847; 1076, *3*
herrschaftlich 1506, *1*
Herrschaftsapparat
847, *1*
Herrschaftsbereich
436, *3*
Herrschaftsgewalt 847, *1*
Herrschaftssystem
847, *1*
herrschen 848
herrschend 670, *1*
Herrscher 849
Herrscher, absoluter 849
herrühren von 9, *4*
hersagen 1851, *2*
hersagen, mechanisch
1851, *2*
herstellen 102, *4*; 560, *3*;
1949
herstellen, Beziehung
1717, *1*
herstellen, Kontakt
1768, *2*
Hersteller 561; 1686, *1*
Herstellung 563, *2*
Herstellung, industrielle
563, *2*
Herstellungskosten
978, *2*

herumalbern 1681, *4*

herumdrehen, sich
395, *7*

herumdrucksen 1947

herumfahren 1331, *1*

herumfragen 639, *1*

herumführen, an der
Nase 1491, *1*

herumgehen um 172, *1*

herumgehen, im Kopf
266; *3*

herumgekommen 516, *1*

herumgondeln 1331, *1*

herumjagen 195, *3*

herumkommen 729, 2;
948, *1*; 1331, *1*

herumkriegen 1626, *1*

herumkutschieren
1331, *1*

herumlaborieren 1040, *3*

herumlungern 524, *3*

herumpusseln 188

herumraten 1305, *2*

herumrätseln 371, 2;
1305, *2*

herumschlagen, sich mit
dem Gedanken
371, *2*

herumschwenken 395, *1*

herumsprechen, sich
411, *3*; 948, *1*

herumstreifen 703, *2*

herumstreuen 1796, *2*

herumsuchen 1549, *1*

herumtragen 948, *1*

herumtragen, mit sich
266, *2*

Herumtreiber 1332, *2*

herunter 27

herunterbeten 1851, *2*

herunterbringen 1723, *3*

herunterfallen 6, *3*

heruntergehen 1149, *5*

heruntergekommen
107, 2; **850**

herunterhandeln 815, *3*

herunterhaspeln 1851, *2*

herunterhauen, eine
1394, *1*

herunterholen 546

herunterkommen
1728, *3*

herunterleiern 1851, *2*

heruntermachen 319, 2;
1764; 1809, *2*

herunternehmen 12, 2;
546

herunterputzen 1553, *2*

herunterrattern 1851, *2*

herunterreißen 484, *1*

herunterreißen, Maske
319, *3*

herunterschneiden
1409, *1*

herunterschnurren
1851, *2*

herunterspielen 268

heruntersteigen 21, *1*

herunterwirtschaften
1939, *1*

herunterziehen 1728, *5*

hervorbrechen 506, *2*

hervorbringen 560, *1*;
1710, *1*

hervorgehen 506, *4*

hervorheben 241, 2;
1729, *1*

Hervorhebung 1144

hervorkommen 506, *2*

hervorragen 1920, *2*

hervorragend 149, *1*;
791, *4*

hervorrufen 560, *1*;
1710, *1*; 1910, *4*

hervorsprudeln 506, *3*

hervorstechen 174, *2*

hervorstechend 163, *1*;
1625

hervortreten 174, 2;
506, *3*; 958, *3*; 1920, *1*

hervortretend 1261

hervortun, sich 174, *2*

Herz 468, *3*; 693, *1*;
1119, *1*; 1138

Herz und eine Seele, ein
443, *1*; 1962

Herz und Nieren, auf
722, *3*

herzbetörend 1335

herzbewegend 600, *2*

Herzblatt 713

Herzblut 1025, *3*

herzbrechend 1293, *2*

herzeigen 1934, *2*

Herzeleid 1057; 1403, *1*

herzen 1056, *3*

Herzen, im 888, *2*

Herzen, nach dem 57, *2*

Herzen, nach jmds.
691, *1*

Herzen, von 738, *2*

Herzensbrecher 1742, *1*

Herzensdame 713

Herzensergießung
1209, *2*

Herzensfreude 650, *2*

Herzensfreund 652

Herzensfreundin 653

herzensgut 804, *1*

Herzensgüte 805

herzensklug 890, *2*

Herzenslust, nach 242;
1225, *3*

herzensträge 1645, *1*

herzenswarm 1054, *4*

Herzenswärme 805

Herzenswunsch 880, *3*;
1943, *3*

herzerfreuend 781, *3*

herzerhebend 600, *2*

Herzflimmern 549, *1*

herzhaft 981, *1*; 1158;
1225, *3*

herziehen über 1764

herziehen, hinter sich
1942, *1*

herzig 869

Herzklopfen 62, 2;
549, *1*

Herzklopfen, mit 548, *1*

herzlich 654, *1*; 1054, *4*

herzlos 820, 2; 914, *4*;
1504, *1*; 1540, *4*

Herzschmerz 1057

Herzseite, auf der
1059, *1*

Herzstück 823; 1119, *1*

Herzweh 1057; 1403, *1*

herzzerreißend 1293, *2*

Hetäre 1280

heterogen 648, *1*

heteronom 1783, *1*

Hetze 367; 427, *1*; 904

hetzen 195, *3*; 391, 2;
428, *1*; 539, *1*; **851**;
1334, 2; 1740, *1*

Hetzer 366

Hetzerei 427, *1*

hetzerisch 368

Hetzjagd 61, 2; 427, *1*;
904

Hetzpropaganda 367

Heu 712, *3*

Heuchelei 584, *1*;
1576, *3*

heucheln 1072; 1401
Heuchler 852; 1402, *1*
heuchlerisch 583, *4*
Heuer 1731, *1*
heuern 89, *1*
heulen 244, *1*; 316, *1*;
944, *3*
Heulen 734, *2*
heute 699, *1*; 1837
Heute 698, *1*
heute auf morgen, von
1263
heute oder morgen 180
heute so, morgen so
1649, *1*; 1698, *1*
heute, von 1126, *2*
heutig 699, *2*
heutzutage 699, *1*;
699, *2*
hexen 305, *2*
Hexeneinmaleins
1932, *2*
Hexenglaube 4
Hexenjagd 367
Hexenkessel 291, *3*;
1668, *4*
Hexer 1276
Hexerei 1932, *3*
Hiatus 1678, *1*
hic und da 1457, *2*
Hieb 81, *1*; 1393, *1*;
1490, *3*
hieb- und stichfest 1395;
1460, *4*
Hiebe 1393, *1*
Hiebwaffe 1858, *1*
hier 699, *3*; **853**
hier und da 1852, *1*
Hierarchie 779; 1303
hierauf 1482, *1*
hierbei 48
hierdurch 1124, *3*
hierin 504, *3*
hiermit 48
hiernach 1482, *1*
Hieroglyphe 337, *1*
hieroglyphenhaft
1692, *1*
hierzulande 853
hiesig 59, *1*
hieven 139, *2*
Hi-Fi-Turm 1609, *2*
high 250, *2*; 781, *1*
High-End-... 1829, *2*
Highlife 1683, *2*

Highlight 767, *5*
Highsnobiety 1201, *3*
Highsociety 1201, *2*
hijacken 487
Hijacking 488; 1724
Hilfe 495, *1*; 826, *2*;
838, *2*; **854**; 1604;
1770, *1*
Hilfe von, mit 1124, *3*
hilfebedürftig 856, *1*
Hilfeleistung 383, *2*;
854, *1*
Hilferuf 855
Hilfestellung 854, *1*
hilflos 856; 1042, *2*;
1762, *1*
Hilflosigkeit 1763, *3*
hilfreich 1197, *1*; 1606
Hilfsarbeiter 838, *2*
hilfsbedürftig 107, *2*;
856, *1*
Hilfsbedürftiger 1238
hilfsbereit 125, *2*; 491;
654, *1*; 1054, *4*; 1643
hilfsbereit sein 489, *1*
Hilfsbereitschaft 805;
1644
Hilfsmittel 550, *2*;
1123, *1*
Hilfsquelle 1123, *1*
Himmel, aus heiterem
1263
Himmel, im siebten
548, *3*; 781, *1*; 1766
Himmel, unter freiem
393, *1*
Himmelfaden 46
Himmelfahrtsnase 1161
himmelhoch 862, *3*
Himmelreich 1234
himmelschreiend
130, *2*
Himmelskörper 1513
Himmelskugel 994, *1*
Himmelslicht 1513
Himmelsstrich 685, *2*
Himmelstürmer 876, *1*
himmelwärts 138
himmlisch 100, *2*;
781, *3*; 1692, *4*
hin 265, *3*; 1585, *1*;
1886, *1*
Hin und Her 277, *3*;
1533, *2*; 1668, *1*;
1709, *2*; 1974, *3*

hin und her gerissen
1649, *1*; 1978
hin und wieder 1852, *1*
hinab 27
hinablassen 1184, *5*;
1184, *5*
hinabsinken 21, *1*;
581, *2*
hinabsteigen 21, *1*
hinabziehen 1728, *5*
hinan 138
hinauf 138
hinaufgehen 1508, *4*
hinaufschnellen 1508, *4*
hinaufschrauben
1715, *2*
hinausekeln 998, *2*;
1803, *2*
hinauslassen 1214, *1*
hinausschieben 1820, *1*;
1820, *1*
hinausweisend, über
sich 1649, *3*
hinauswerfen 30, *5*;
998, *2*
hinauswerfen, Geld zum
Fenster 1785, *1*
hinauswollen, hoch
1528, *2*
hinauszögern 1820, *1*
hinbegeben, sich 216, *1*
hinblättern 304, *3*
Hinblick, im 49
hinbringen, Leben
1024, *1*
hinderlich 1021, *1*;
1660, *3*
hinderlich sein 1522, *1*
hindern 857; 1522, *3*;
1728, *6*
Hindernis 858
hindeuten 861, *1*;
1934, *1*
hindurchschauen
1409, *5*
hindurchwinden, sich
1023, *1*
hineinbeißen 566, *4*
hineindenken, sich
1793, *3*
hineindringen 432, *4*
hineinfressen, in sich
1040, *4*
hineinfuchsen, sich
763, *2*

hineininterpretieren
1739, 1
hineinknien, sich 266, 2;
371, 4
hineinlachen, in sich
1009, 1
hineinlegen 1739, 1
hineinpressen 674, 2
hineinpumpen 522, 3;
837, 3
hineinschauen 1050, 1
hineinschicken, sich
1819, 1
hineinsehen 1739, 1
hineinsteigen 456, 1
hineinstellen 519, 6;
519, 6; 1226, 2
hineinverwickelt 1564, 2
hinfallen 6, 3; 581, 1
hinfällig 1042, 2;
1397, 6; 1432, 2; 1666
hinfällig werden 1149, 4
Hinfälligkeit 984, 1
hinfliegen 581, 1
hinfort 1482, 2
Hingabe 1818, 2
Hingabe, mit 423
Hingang 1581, 1
hingeben 1220, 1
hingeben, sich 1220, 1
hingebungsvoll 423
hingegen 3
hingehen lassen 531, 1
hingehen, oft 282, 3
hingehören 503, 3
hingekommen sein
1024, 2
hingerichtet werden
1512, 5
hingerissen 548, 3;
781, 1; 1766
hingerissen sein 219, 2
hingeworfen 1199, 3
hinhalten 172, 2; 683, 1;
1820, 2
hinhalten, Buckel 345
hinhalten, Kehle 122, 3
hinhalten, Kopf 339, 2;
345
hinhaltend 1649, 1
hinhauen 715, 1; 1592, 7
hinhocken, sich 296, 2
hinhören 868, 2
hinhören, nicht 1409, 5
hinken 703, 2

hinknallen 581, 1
hinkommen 729, 2
hinkriegen 715, 1;
1226, 3; 1814, 1
hinlänglich 728; 1091, 2
hinlegen 304, 3; 475, 1;
1392, 4
hinlegen, sich 1356, 1
hinlenken auf 75, 1
hinmorden 918, 3
Hinnahme 532, 1
hinnehmen 531, 1;
704, 2; 1040, 2;
1819, 1
hinneigen zu 1127, 2
hinnen, von 1886, 1
hinpurzeln 581, 1
hinreichen 683, 1;
729, 1
hinreichend 728
hinreißen 219, 1; 305, 1;
691, 2
hinreißend 1335
hinrichten 1586, 2
Hinrichtung 1587, 2
hinscheiden 1512, 1
Hinscheiden 1581, 1
hinschieben 683, 1
hinschlachten 918, 3
hinschlagen 581, 1
hinschlagen, der Länge
nach 581, 1
hinschlagen, lang 581, 1
hinschwinden 12, 1;
1749, 1
hinsehen 247, 1
hinsehen, nicht 1236, 3
hinsetzen 1511, 1
hinsetzen, sich 1184, 2;
1469, 1
Hinsicht, in jeder 679, 2
hinsichtlich 49; 290;
1888
hinstellen 22, 1; 226, 1;
560, 4; 1511, 1
hinstellen, sich 523, 1
hinsteuern 1259, 2;
1922, 1
hinstrecken 683, 1
hintanhalten 1820, 2
hintansetzen 1114, 1
Hintansetzung 1115
hintanstellen 1114, 1
hinten 477, 3
hinten, nach 1352

hintenherum 834, 1;
1124, 2
hintennach 1153
hintenrum 323, 2
hintenüber 1352
hintenüberfallen 581, 1
hinter sich lassen
1394, 3
Hinterausgang 1215, 1
Hinterbliebener 513, 3;
1219, 2
hinterbringen 948, 1;
1120, 3; 1776
hinterfotzig 323, 2
Hinterfotzigkeit 584, 1
hinterfragen 371, 2;
635
hintergangen 1659, 6
Hintergedanke 859, 2;
1258, 1
Hintergedanken, ohne
131
hintergehen 293, 1
hintergehen, jmdn.
293, 3
Hintergehung 292
Hintergrund 846, 1;
859; 1301, 2
hintergründig 310, 2;
407, 4; 1579
Hintergrundmusik
859, 1; 1133, 3
Hinterhalt 1060, 1
hinterhältig 323, 2;
583, 4; 754
Hinterhältigkeit 584, 1;
755
Hinterhand haben, in
der 123, 3
hinterher 1153; 1482, 1
hinterher sein 392;
1549, 2
hinterherkommen
631, 1; 1820, 3
hinterherrennen 1740, 3
hinterhersetzen 1740, 1
hinterhertrotten 631, 1
hinterherzockeln 631, 1
hinterlassen 280, 4;
1120, 4; 1621, 2
hinterlassen, Lücke
598, 2
hinterlassen, Spur 447, 2
Hinterlassenschaft
513, 1

hinterlegen 22, 3;
339, 2; 1120, 4
Hinterlegung 342, 2
Hinterlist 584, 1
hinterlistig 323, 2
Hintermann 897;
1143, 3
Hintern 1350
hinterrücks 323, 2;
834, 1
Hinterseite 1350
Hintersinn 202, 4; 232
hintersinnig 1579
Hinterteil 1350
hintertreiben 857, 3
Hintertreibung 858, 2
hintertückisch 323, 2
Hintertür 1215, 1
Hinterwäldler 340, 3;
405, 5
hinterwäldlerisch 1707
hinterziehen 293, 1
Hinterziehung 292
hinüber 1585, 1
hinüberführen 1298, 3
hinübergehen 1512, 1
hinübergelangen 1298, 2
hinunter 27
hinuntergehen 21, 1
hinunterlassen 1184, 5
hinunterschlingen
566, 1
hinunterschlucken
566, 4; 1040, 2;
1679, 3
hinunterspringen 20, 2
hinuntersteigen 21, 1
hinunterstürzen 1030, 3;
1600, 2
hinunterziehen 1728, 5
hinweggehen über
1714, 1
hinwegkommen über
1713, 1
hinwegkommen über,
nicht 1040, 4
Hinweis 470; **860**;
1304, 1; 1933, 3
hinweisen 861; 1120, 1;
1305, 1; 1934, 1
hinweisen auf 469, 1
hinwerfen 998, 1
hinwerfen, Fehdehand-
schuh 1334, 2
hinwerfen, Kram 475, 1

hinzeigen 1934, 1
hinziehen 145, 3;
1820, 1
hinziehen, sich 364, 2;
1530, 3; 1820, 3
hinziehend, sich 1013, 2
hinzielen 1259, 2;
1922, 1
hinzufügen 519, 1
Hinzufügung 520, 1
Hinzugewinn 1510, 3
hinzusetzen 519, 1
hinzutun 519, 1
Hiobsbote 1613, 3
Hiobsbotschaft 1658
hip 1126, 1
Hipgeneration 908, 2
Hippie 169
Hippies 1545, 2
Hirn 1789, 2
Hirngespinst 880, 1;
1071, 4
Hirni 405, 2
Hirnkasten 970, 1
hirnrissig 1777, 3
Hirnschädel 970, 1
hirnverbrannt 24;
1777, 3
hissen 139, 2
Historie 1744
Historiker 260, 2
historisch 1743
Hit 518, 4; 739, 2; 1079
hitchhiken 1331, 2
Hitze 1872, 1
hitzig 829, 2; 920
Hitzkopf 1272, 3
hitzköpfig 829, 3
Hitzköpfigkeit 830
Hobby 463, 4; 1172, 2;
1484, 2
hobeln 769, 3; 1326, 2
hobeln, glatt 769, 3
Hobo 1332, 2
hoch 791, 1; **862**; 1022;
1359, 3
Hoch 132; 400, 4; 801, 3
hoch gelegen 1070, 3
hoch geschätzt 58;
1054, 2
hoch gestellt 862, 2
hoch motiviert 423
hoch ragend 862, 3
hoch stehend 791, 4;
862, 2

hoch, zu 1692, 2
Hochachtung 35; 716, 3
Hochadel 36, 2
hochanständig 86, 3
hocharbeiten, sich 177
Hocharistokratie 36, 2
Hochbahn 579, 4
hochbetagt 44, 1
Hochbetrieb 291, 2
hochbinden 827, 1
hochblicken 827, 2;
1734, 1
hochbringen 106, 1;
129, 1
Hochburg 1119, 3
Hochdruck 427, 1
Hochdruck, mit 429, 3
Hochdruckgebiet 400, 4
Hochebene 620, 1
hocherfreulich 781, 3
hochexplosiv 690, 3
hochfahrend 84, 2
hochfliegend 421; 877, 1
Hochflut 765
Hochform, in 1489, 1
Hochgebirge 257, 2
Hochgefühl 549, 3
hochgehen 142, 1;
1262, 1; 1508, 4
hochgehen lassen 1776
hochgehen, Wände
106, 2; 1262, 2
Hochgenuss 730, 2; 979
hochgespannt 791, 5
hochgestimmt 548, 3;
781, 2
hochgestochen 84, 2;
766
hochgiftig 690, 5
hochgradig 1452, 1
hochhalten 420, 1;
1375, 1; 1734, 1
Hochhaus 824, 1
hochheben 123, 2;
827, 1
hochherzig 416, 3; 1643
Hochherzigkeit 1644
hochjagen 391, 2
hochjagen, Wände
106, 1
hochkarätig 414, 2;
1365, 2
hochkochen 75, 2
hochkommen 177;
523, 3

Hochkonjunktur 132; 1360
hochleben lassen, jmdn. 90, 6
höchlich 1452, 1
hochmodern 1126, 2
Hochmut 460, 1
hochmütig 459, 2
Hochmütigkeit 460, 1
hochnäsig 84, 2
hochnehmen 293, 1; 827, 1; 1491, 1
hochnotpeinlich 1243, 1
Hochplateau 620, 1
hochprozentig 891, 5
hochragen 1507, 2
hochrangig 862, 2
hochrappeln, sich 499, 2
Hochruf 801, 3
Hochrüstung 1858, 2
Hochschätzung 35
hochschießen 523, 2
hochschnellen 523, 2
hochschrauben, sich 1508, 3
Hochschüler 1428, 2
Hochschullehrer 1035, 1
Hochseilakrobat 111, 2
Hochspannung 549, 1; 1477, 1
hochspielen 1622, 4
Hochsprache 1493, 4
hochspringen 597, 1
höchst 1452, 1
Hochstapelei 292; 1071, 2
hochstapeln 1072; 1848
Hochstapler 2; 294, 2
hochsteigen 1508, 1; 1508, 3
höchstens 1194; 1452, 2
Höchster 785, 1
hochstilisieren 1547, 1
Hochstimmung 549, 4; 650, 3; 780, 2
Höchstleistung 554; 767, 3
Höchstmaß 767, 3
höchstpersönlich 1244, 2
Höchststand 767, 3
Höchststufe 767, 3
höchstwahrscheinlich 1460, 1
Höchstwert 767, 3

hochtönend 1624, 5
hochtrabend 84, 2
Hochwasser 1165, 2
hochwertig 975
hochwinden 139, 2
hochwirbeln 395, 1
hochwüchsig 791, 1
hochziehen 139, 2; 1942, 3
hocken 296, 2; 1469, 3; 1520, 1
Hocker 1470, 1
Höcker 257, 1; 1921, 1
höckrig 1642, 1
Hof 190
Hof machen 1741
Hofberichterstattung 269
Hoffart 460, 1
hoffärtig 459, 2
hoffen 466, 3; 1588, 5; 1590, 2
hoffen auf 555, 2
hoffentlich 863
Hoffnung 556, 1; 810, 2; 1222
Hoffnung sein, guter 1588, 5
Hoffnung, gescheiterte 508
Hoffnungsanker 556, 3
Hoffnungsfreude 1222
hoffnungslos 856, 2; 1246; 1659, 1; 1659, 5; 1664
Hoffnungslosigkeit 1665
Hoffnungsträger 874, 1
hoffnungsvoll 803, 1
Hofhund 871
hofieren 1401; 1741
höflich 125, 2; 654, 1; 864; 1175, 1
höflich sein 489, 1
Höflichkeit 85, 1; 490, 2
Höflichkeitsbesuch 281, 2
Hofmacher 1402, 1
Hofmeister 1035, 1
Hofschranze 1221
Hofstaat 66, 4
Höhe 146, 2; 767, 1
Höhe der Zeit, auf der 1126, 2
Höhe, auf der 516, 1;

757, 1; 835, 3; 1026, 3; 1829, 2
Höhe, auf gleicher 775
Höhe, in der 862, 1
Hoheit 36, 1; 792, 2; 1925, 1
Hoheitsgebiet 685, 1
Hoheitsgewalt 847, 1
hoheitsvoll 840; 1926, 1
Höhenflug 549, 4
Höhenkoller 460, 1
Höhenlage 1302, 1
Höhenrücken 257, 1
Höhenzug 257, 2
Hohepriester 671, 6
Höhepunkt 767, 2; 988, 1
höher gestellt 862, 2
hohl 182; 406, 5; 1028, 3
Höhle 1798, 1
höhlen 787, 1
Hohlkopf 405, 1
Hohlmaß 1089, 2
Hohlraum 1067, 1
Höhlung 1798, 1
hohlwangig 1042, 1
Hohlweg 481, 4
Hohn 1490, 3
höhnen 1491, 2
Hohngelächter 1490, 3
höhnisch 323, 1; 1492, 1
hohnlachen 1491, 2
Höker 816, 1
Hokuspokus 1932, 1
hold 71, 1; 1054, 2; 1766
holdselig 71, 1
Holdseligkeit 70
holen 274, 2
holen, Atem 115
holen, Kastanien aus dem Feuer 1220, 2
holen, Luft 115
holen, sich 236, 3
holen, sich eine Abfuhr 1383, 5
holen, tief Luft 499, 2
Hölle 1403, 2; 1689, 2
Hölle machen, Leben zur 1242, 1
Höllenfürst 1574
Höllenlärm 734, 3
Höllenpein 1403, 2
Höllenqualen 1403, 2

höllisch 1293, *1*; 1452, *1*
Holm 889
Holocaust 1090
holperig 1307, *1*;
  1642, *2*
holterdiepolter 429, *3*;
  1410, *1*
Holz 1868
Holzbank 184, *1*
holzen 1394, *2*
Holzerei 1393, *2*
hölzern 820, *1*; 1264, *1*
holzig 1602, *1*
Holzkopf 405, *1*
Holzschnitt 308, *2*
Holzschnitzer 309
Holzweg 29, *3*; 599, *3*;
  902, *1*; 1887, *1*
Holzweg sein, auf dem
  901, *5*
Homburg 971
Homecomputer 352, *2*
Homepage 97, *3*
Hommage 419, *2*
Homme de Lettre 1423
Hommes à Femmes
  1742, *1*
Homo 867
Homo sapiens 1103, *1*
Homoerotik 865
homoerotisch 866
Homogenität 442, *1*
homophil 866
Homophilie 865
Homosexualität 865
homosexuell 866
Homosexuelle(r) 867
honett 86, *2*
Honigmond 780, *2*
Honneurs 419, *2*; 801, *3*
Honorar 1731, *1*
Honoratioren 1201, *2*
honorieren 304, *2*
Honorierung 1930, *2*
honorig 86, *2*
Hooligan 1272, *1*
hopfenleicht 1036, *1*
hoppnehmen 1756
hopsen 597, *2*
Hopser 1496, *2*
hopsgehen 1512, *3*;
  1767, *1*
hörbar 1022; 1466, *1*;
  1498
hörbar, weithin 1022

horchen 128, *1*; 868, *1*
Horchposten 248, *2*
Horde 800, *5*
hören 515, *3*; 704, *1*;
  868; 1049, *2*; 1793, *1*;
  1866, *1*
hören auf, nicht 1114, *2*
hören können, nicht
  mehr 1039, *2*
hören und sehen, nichts
  1755, *2*
hören, Flöhe husten
  1866, *2*
hören, gern 691, *1*
hören, Gras wachsen
  1866, *2*
hören, läuten 515, *3*
Hörensagen, vom
  1124, *5*
Hörer 283, *3*; 1428, *2*;
  1565, *1*
Hörerschaft 283, *4*;
  1565, *1*
Hörerumfrage 1631
Hörfehler 599, *1*
hörig 1319; 1651, *1*
hörig sein 9, *2*
hörig sein, jmdm.
  1056, *2*
hörig werden 65, *2*
Höriger 66, *3*
Hörigkeit 706, *2*;
  1550, *1*
Horizont 317
Horizont, ohne 341, *3*;
  480, *2*
horizontal 768, *1*
Horizontlinie 1058, *2*
Hornberger Schießen
  1748
Hornochse 405, *4*
Hornvieh 405, *4*
Hörorgan 1217
Horoskop 1839
horrend 163, *1*; 862, *5*;
  1452, *1*
horribel 1420, *1*
Horror 62, *1*; 1420, *1*
Horrortrip 62, *2*; 1310, *2*
Horsd'œuvre 1080, *3*
Hort 833, *1*; 1461, *2*
horten 123, *1*; 1361, *2*;
  1478, *1*; 1788, *1*
Hortung 1362, *1*
Hörvermögen 1867, *2*

Hörweite 1156, *1*
Hörweite, in 1155, *2*
Hose, tote 1017, *2*
Hosenmatz 936, *1*
Hosenscheißer 603
Hosenträger 812, *2*
Hospital 983
Hospitant 1428, *4*
Hospiz 681, *2*
Hotel 681, *2*
Hotelier 1915, *1*
Housekeeper 826, *2*
Hovercraft 579, *6*
hubbelig 1642, *2*
hübsch 869
Hubschrauber 579, *7*
Hudelei 1251
hudeln 1252
Huf 778, *1*
Hüfthalter 812, *2*
Hügel 257, *1*
hügelig 1307, *1*;
  1642, *1*
Hügelland 257, *2*
Huhn, dummes 405, *4*
Huld 784, *3*
huldigen 174, *1*; 420, *1*;
  1056, *2*; 1734, *1*
Huldigung 419, *2*;
  1062, *2*
huldreich sein 531, *4*
huldvoll 840
Hülle 168, *3*; 223; **870**;
  949, *1*; 1198, *1*
Hülle und Fülle, in
  1327, *4*; 1823, *1*
Hülle, sterbliche 973, *2*
hüllen, sich in Schwei-
  gen 1438, *2*
hüllenlos 1154, *1*
Hülse 870, *8*
Hülsen 1340, *4*
human 793, *2*; 1104, *1*
Humanismus 1105
humanitär 1104, *1*
Humanitas 1105
Humanität 1105
Humanmedizin 1098, *1*
Humbug 1674, *1*
Hummeln im Hintern
  1671, *1*
Humor 650, *1*
humorig 835, *2*
humoristisch 835, *2*
humorlos 480, *2*; 545, *2*

Humorlosigkeit 481, 5;
1536, 4
humorvoll 835, 2
Hund 871
Hund und Katze, wie
695, 1
Hund, fauler 595
Hunde, den Letzten bei-
ßen die 1029
hundeelend 1042, 1
Hundekälte 915, 1
hundemüde 1130, 1
hundertachtzig, auf
322, 1
Hunderte 1825
Hunderten, zu 1823, 1
hundertprozentig
348, 2; 679, 2
hündisch 1690, 2
hundsgemein 323, 1;
1397, 5
hundsmiserabel 1042, 1
Hüne 1345
hünenhaft 791, 1
Hunger 1761, 1
Hunger haben 872, 1
Hungerkur machen
872, 3
hungern 482; 872
hungern nach 217, 2
hungernd 107, 1; 218, 2
Hungersnot 1190, 2

Hungerstreik sein, im
872, 3
hungrig 218, 2
Hunter 905, 1
hupen 1018, 2
hupfen 597, 2
hüpfen 597, 2
Hüpfer 910, 2; 1496, 2
Hürde 858, 4; 1419
Hure 641; 1280
huren 1279
Hurerei 1282
Hurrapatriotismus
1163, 1
Hurrikan 1542, 1
hurtig 1410, 1
Husarenritt 1860
Husarenstück 518, 2;
1685, 3
huscheln 1252
huschen 428, 1; 777, 1
Hut 971; 1248, 1;
1461, 2
Hut, alter 326, 2
Hut, auf der 1845, 3
Hütchen 971
hüten 123, 1; 873;
1249, 1; 1413, 1;
1788, 2
hüten, sich 128, 4
Hüter 1877
Hütte 824, 1

hutzelig 1602, 1
Hyäne 641
hybrid 390; 459, 2
Hybride 1113, 5
hybridisch 390
Hybris 460, 1
Hygiene 1248, 3;
1366, 1
hygienisch 1365, 1
hygroskopisch 99, 2
Hymne 739, 2; 1062, 3
hymnisch 548, 3
Hype 1079; 1897, 2
hyper 1452, 1
hyperkorrekt 1241, 1
Hypermacht 792, 3
hypersensibel 471, 3
hypertroph 1624, 2
Hypnose 436, 1;
1646, 3
hypnotisieren 208;
284, 1
hypnotisiert 1645, 2
Hypochonder 1245
Hypochondrie 62, 5
Hypothek 358; 986;
1020, 2
Hypothekenbank 184, 2
Hypothese 965, 3;
1033, 4; 1833
hypothetisch 1128, 1
hysterisch 720

I

IC = Intercity-Zug
579, 4
ICE = Intercity-Express
579, 4
Ich 442, 3
Ich, besseres 762
ichbezogen 1456
Ichbezogenheit 1455
ichgestört 708
Ichideal 874, 1
Ichmensch 417
ichschwach 856, 1
ichstark 981, 5
Ichstörung 709
Ichsucht 1455
ichsüchtig 1456
ideal 1265, 2; 1829, 1
Ideal 871
Idealbild 874, 3
Ideale, voller 877, 1
idealisieren 268,
1622, 2
Idealisierung 269
Idealismus 875
Idealist 876
idealistisch 877; 1643
Idealvorstellung 878, 1
Idee 77, 1; 222; **878**;
951, 2; 1847, 2
Idee, fixe 424, 4; 880, 1
ideell 879
Ideen haben 435, 2
Ideenkonferenz 1593, 2
ideenlos 182; 1653, 2
ideenreich 576, 1;
1231, 1; 1415
Ideenreichtum 1253
Identifikation 1616, 5
Identifikationsfigur
671, 6
Identifikationskarte
279, 1
identifizieren 614, 2
identifizieren, sich
173, 2
identisch 771, 1
Identität 442, 3; 1616, 1

Identitätsbescheinigung
279, 1
Ideologe 876, 2
Ideologie 375
ideologisch 455, 1;
877, 2; 879; 1504, 4
Idiolekt 1493, 4
Idiom 147, 1; 1256, 1;
1493, 4
idiomatisch 414, 1
Idiot 405, 4
idiotensicher 433, 1
Idiotie 709
idiotisch 708; 1777, 2
Idol 874, 2
Idolatrie 786
idolisieren 1734, 2
Idolisierung 35
Idyll 1234
idyllisch 835, 5; 1265, 2
idyllisieren 268
Idyllisierung 269
ignorant 403, 1; 1696, 2
Ignorant 384, 2; 405, 2
Ignoranz 404, 1; 1662
ignorieren 492, 1;
1409, 5; 1733, 2
Ikone 671, 6; 874, 2;
1500, 1
ikonisch 310, 1
illegal 1721
Illegalität 1669, 2
illegitim 1721
Illegitimität 1669, 2
illiberal 480, 2
illiquide 534, 2
Illiquidität 185
Illoyalität 1699, 3
Illumination 1052, 2
illuminieren 199; 241, 1;
590, 2; 1292, 1
illuminiert 839, 4
Illusion 880
Illusionen machen, sich
430, 2; 1590, 2
Illusionist 876, 2
illusionsfrei 1772, 4
illusorisch 583, 3; 1747
illuster 262, 2
Illustration 308, 4;
361, 1; 529, 2
illustrativ 78, 2
illustrieren 199; 270, 1;
528, 3; 931, 1
illustriert 591, 2

Illustrierung 308, 4;
361, 1; 529, 2
im Galopp 1410, 1
im Schweinsgalopp
1410, 1
Image 716, 2
Imagepflege 1758, 2
imaginär 879
Imagination 880, 1;
1253; 1847, 2
imaginieren 430, 1;
1846, 2
Imbiss 1080, 8; 1503, 1
Imitation 1142, 1
Imitator 1141
imitieren 881
imitiert 583, 3
immateriell 879
Immatrikulation 126, 2
immatrikulieren 127, 2
immens 163, 1; 791, 2
immer 365, 1; **882**
immer, auf 1013, 2;
1647, 2
immer, fast 1101
immer, für 882, 2
immer, nicht 1852, 1
immer, schon 882, 4
immerdar 882, 1
immerfort 882, 1
immergrün 365, 3
immerhin 3; 39
immerzu 882, 1; 1854
Immigrant 1107
immobil 59, 2
Immobilie 795
Immobilien 271, 2
Immobilienhai 1275
Immobilienhändler 741
immun 883
immunisiert 883, 2
Immunität 1461, 3
Immunschwäche 472, 1
Imperativ, kategorischer
762
Imperator 849
Imperium 792, 3
impertinent 642, 3
Impertinenz 643, 2
Impetus 1446, 2
impfen 208; 1430, 5
implantieren 1218
implementieren 519, 6
implizieren 493
impliziert 453

implizit 453
imponieren 884
imponierend 791, *3*;
 885; 1506, *1*
Imponiergehabe 460, *2*
Import 814, *3*
Importeur 741
importieren 437, *1*;
 815, *2*
imposant 791, *3*; 885;
 1506, *1*
impotent 1653, *3*
imprägnieren 1430, *5*
imprägniert 380, *1*
Imprägnierung 1501, *6*
Impression 693, *2*
improvisieren 1486, *6*
improvisiert 1695, *3*
Impuls 77, *1*; 878, *2*;
 1446, *2*
impulsiv 829, *2*; 1026, *3*
Impulsivität 478, *1*
imstande 576, *1*
imstande sein 963, *1*
in 243, *1*; 1126, *2*
in petto haben, etwas
 1786, *3*
inakkurat 1150, *1*
inaktiv 772, *3*; 1675, *2*
Inaktivität 1355, *3*;
 1676, *2*
Inauguration 438, *2*
inaugurieren 437, *4*
Inbegriff 567, *1*; 823;
 874, *1*; 1548
inbegriffen 453
Inbrunst 1144
inbrünstig 1145, *2*
indem 776; 1864
In-den-Boden-Sinken,
 zum 1243, *1*
indes 3; 1864
indessen 3; 1864
Index 1817, *1*
indezent 1555
Indian Summer 46
indifferent 772, *1*
Indifferentismus 1646, *2*
Indifferenz 1646, *2*
indigen 59, *1*
indigniert 322, *1*
Indikator 930, *1*
indirekt 1124, *1*
indiskret 895, *2*; 1555
indiskret sein 894, *3*

Indiskretion 1699, *2*
indisponiert 1042, *1*
Individualität 424, *1*;
 1103, *2*
Individualstil 1517, *2*
individuell 273, *3*; **886**;
 1244, *1*
Individuum 1103, *2*
Indiz 1497, *2*; 1933, *3*
indiziert 1721
Indoktrination 436, *1*
indoktrinieren 208
indolent 689, *2*; 772, *3*;
 1540, *3*
Indolenz 688, *2*; 1646, *2*
Industrieforschung
 636, *3*
Industriekapitän 1686, *2*
industriell 1096, *1*
Industrieller 1686, *1*
Industriemagnat 1686, *2*
induzieren 1710, *1*
ineinander 1962
infam 323, *1*
Infamie 240; 324; 584, *1*
infantil 909, *2*; 1670, *2*
Infekt 984, *1*
infektiös 690, *5*
inferior 312, *3*; 950, *2*;
 1690, *1*
infernalisch 323, *1*
Inferno 1403, *2*; 1689, *2*
infertil 1653, *3*
infiltrieren 208; 411, *1*;
 432, *3*
infizieren 208; 1621, *3*
infizieren, sich 236, *3*
infiziert 1042, *1*; 1397, *4*
Inflation 1348, *5*;
 1510, *2*
inflationär 182; 678, *3*
inflationieren 509, *3*
Info 1122
infolge 69, *2*; 1888
infolgedessen 43
Informant 248, *2*;
 260, *2*; 961
Information 164, *1*;
 529, *1*; 854, *1*; 1122
informativ 238, *1*;
 892, *2*
informieren 259; 837, *2*;
 1120, *1*
informieren, sich 639, *1*;
 1049, *1*

informiert 929
informiert sein 1793, *4*
Infotainment 1683, *2*
Infothek 306
ingeniös 1415
Ingenium 724, *2*
Ingredienz 1560, *3*
Ingrimm 105, *2*
ingrimmig 322, *1*
Inhaber 272
inhaftieren 1756
Inhaftierung 692, *1*
inhalieren 115
Inhalt 697, *3*; **887**; 1548
inhaltreich 1327, *3*
Inhaltsangabe 1299, *2*;
 1612, *1*
inhaltslos 182; 1028, *3*
inhaltsreich 1468, *2*
inhaltsschwer 1468, *2*;
 1899, *1*
Inhaltsverzeichnis
 900, *2*
inhibieren 857, *2*
inhuman 334
Inhumanität 335
Ini 800, *7*
Initialstadium 51, *1*
Initiant 1257, *2*
Initiation 438, *2*
initiativ 670, *2*
Initiative 478, *1*; 1446, *2*
Initiative, aus eigener
 646
Initiativgruppe 800, *7*
Initiator 561; 1257, *2*;
 1704, *3*
Initiatorin 1140, *3*
initiieren 52, *3*; 75, *1*;
 90, *5*; 1710, *1*
Injektion 112, *2*
Injurie 240
Inkarnation 361, *2*
Inkasso 1831
Inklination 1172, *3*
inklusive 117, *2*; 453
inkognito 834, *2*;
 1641, *1*
inkommodieren 1522, *1*
inkompatibel 695, *4*
Inkompatibilität 694, *2*
inkonsequent 583, *5*;
 1649, *1*
inkorrekt 583, *1*
Inkubus 1574

Inkunabel 976, *1*;
  1230, *1*
Inlandsmarkt 1086, *2*
inliegend 48
inmitten 809; 1119, *5*
innehaben 807, *1*
innehaben, Führung
  669, *2*
innehaben, Herrschaft
  848, *1*
innehaben, Macht
  848, *1*
innehalten 441, *1*;
  475, *1*; 811, *1*; 1356, *1*;
  1520, *1*
innen 888; 1059, *2*
Innenausstattung 168, *2*
Innenleben 693, *4*;
  1447, *1*
Innenseite 1350
Innenstadt 1499, *3*
Innenwelt 693, *4*
Innereien 439
Inneres 887, *2*; 1447, *1*
innerhalb 888, *1*; 1864
innerlich 888, *2*; 1357, *4*
Innerlichkeit 474
Innern, im 888, *1*
Innern, im tiefsten
  888, *2*
Innerste, das 1119, *1*
innewerden 668, *1*;
  1451; 1866, *1*
innewohnen 411, *4*; 493
innewohnend 888, *2*
innig 1054, *4*
innigst 1145, *2*
Innovation 1179, *1*
innovativ 892, *2*
Innung 1227, *2*
inoffiziell 834, *1*
Input 452, *1*
Inquisition 638, *3*
inquisitorisch 1535, *3*
insbesondere 273, *1*
Inschrift 529, *4*
Insel 889
Inselberg 257, *1*
Inselgruppe 889
Inselkette 889
Inserat 97, *1*; 470
inserieren 50, *2*; 1895, *1*
insgeheim 834, *1*
insgesamt 679, *3*
Insichgehen 445, *1*

Insider 573
Insidersprache 1493, *4*
Insignien 930, *2*
insistieren 391, *4*
insistierend 144; 1928, *1*
insofern 582
insolvent 534, *2*
Insolvenz 185
Inspektion 1285, *2*
Inspiration 77, *1*; 878, *2*
inspirieren 75, *2*
inspirierend 76, *3*
inspizieren 1284, *1*
Installation 449, *1*
installieren 1229, *1*
installieren, sich 448, *1*
Installierung 449, *1*
instand 538, *2*; 731, *1*
instand halten 1249, *3*;
  1681, *1*
Instandbesetzung 370, *1*
Instandhaltung 1248, *2*
inständig 1145, *2*
Inständigkeit 1144
Instandsetzung 544, *1*
Instanz 230
Instanz, moralische 762
Instanzenweg 634, *1*
Instinkt 408, *1*; 693, *3*;
  1598, *1*
instinktbedingt 1599, *1*
instinktiv 899; 1599, *1*
instinktlos 1555
Institution 449, *3*;
  1227, *2*
instruieren 1034, *2*
Instrukteur 1035, *2*
Instruktion 96, *2*;
  1033, *1*
instruktiv 238, *1*; 892, *2*
Instrument 733
instrumentalisieren
  153, *3*
Instrumentalisierung
  154, *3*
Instrumentalmusik
  1133, *3*
insuffizient 1655, *1*
Insuffizienz 1693, *1*
Insult 240
Insultation 240
Insurrektion 134, *1*
inszenieren 167, *2*;
  1259, *3*; 1269, *1*;
  1486, *2*; 1711, *2*

inszenieren, neu 1903, *3*
intakt 679, *1*
integer 86, *3*
Integralität 442, *1*
integrationsfähig, beruf-
  lich 757, *5*
integrieren 519, *1*;
  1717, *3*
Integrität 85, *2*; 613, *5*
Intellekt 1789, *1*
intellektuell 1772, *4*
Intellektueller 372; 1918
intelligent 890
Intelligenz 707, *1*;
  1789, *2*
Intelligenzler 372
Intendant 1047, *2*
Intendanz 1048, *1*
intendieren 1259, *1*;
  1922, *1*
intendiert 16
Intensität 788; 830;
  1144; 1501, *3*
intensiv 78, *1*; 125, *1*;
  285, *2*; 722, *3*; 829, *1*;
  891; 981, *4*; 1145, *2*;
  1564, *3*, 1912, *2*
intensivieren 371, *4*;
  1715, *1*
Intensivierung 1510, *1*
Intention 1258, *1*
intentional 16
Interaktion 1884
Interdependenz 1884
Interdikt 1720, *1*
interdisziplinär 40, *3*
interessant 238, *1*; 892
Interesse 202, *3*; 893;
  1147; 1172, *1*; 1178;
  1477, *1*; 1562, *1*
Interesse haben für
  894, *2*
Interesse, mit 738, *2*
interesselos 772, *1*
Interessen 580, *2*
Interessengebiet 1484, *1*
interessengeleitet 455, *1*
Interessengemeinschaft
  717, *2*
Interessent 95, *2*; 925
Interessenten 1565, *2*
Interessenvertreter
  1806, *3*
Interessenvertretung
  1227, *2*

interessieren 894
interessieren, sich 894
interessieren, sich für
    nichts 1016, 2
interessiert 125, 1;
    467, 2; 748, 2; 895;
    1026, 2; 1564, 2
interessiert sein 1563, 3
interessiert sein an
    245, 2; 894, 2
Interieur 168, 2; 449, 2
Interim 1678, 2; 1736, 1
interimistisch 1852, 2;
    1864
Interimslösung 550, 1
Interimszustand 1678, 2
Intermedium 1678, 2
Intermezzo 1678, 2;
    1981, 2
intern 888, 1; 1801
Internat 833, 2
international 40, 4; 896
Internet 966, 3; 1176, 3
interniert 1651, 2
Internierung 18, 1
Internierungslager 969
Interpellation 1678, 3
Interpret 360; 1134, 2
Interpretation 361, 2;
    529, 2; 1770, 2
interpretieren 241, 2;
    359, 4; 528, 3; 1768, 3
Interruption 1678, 1
Intersex 1113, 5
Intervall 1133, 1;
    1324, 1; 1678, 2; 1688
intervenieren 440;
    1768, 1
Intervention 1524;
    1770, 1
Interview 1631
interviewen 639, 2
Inthronisation 438, 2
intim 1801; 1802, 1
intim sein 1056, 3
Intimität 1055, 1
Intimus 652

Intimverkehr 1055, 3
intolerant 480, 2
Intoleranz 481, 5
Intonation 1493, 2;
    1583, 2
intonieren 1465, 1
intransigent 1504, 2
intrigant 323, 1; 583, 4
Intrigant 897
Intriganz 584, 1
Intrige 898; 1060, 2
Intrigenspiel 898
Intro 438, 1
introducen 1846, 1
Introducing 1847, 1
Introduktion 438, 1
introduzieren 437, 2
introvertiert 1357, 4
Intuition 468, 1; 468, 4;
    878, 2
intuitionssicher 467, 4
intuitiv 899
intus haben 1793, 2;
    1916
Invektive 240
Inventar 449, 2; 900;
    1817, 1
investieren 1196, 2
Investition 452, 1
Investitur 438, 2
Investment 452, 1
Investmentpapiere
    271, 3
involvieren 1564, 2
inwendig 888, 2
inzwischen 776; 1864
i-Punkt 767, 7
irdisch 1104, 2; 1745
irgendwann 1207, 7
irgendwie 242; 1652, 1;
    1952, 1
irisierend 718, 2
Ironie 1490, 3
Ironiker 990, 2
ironisch 1492, 1
ironisieren 1491, 3
ironisierend 1492, 3

irr 1777, 2
irrational 473
Irrationalität 474
irre 1777, 1
irre werden 1976
irreal 877, 2
irreführen 293, 1
irreführend 583, 3
Irreführung 1558, 1
irregehen 901, 1
irregulär 1783, 3
Irregularität 29, 5
irrelevant 1639
irremachen 1815, 2
irremachen lassen, sich
    nicht 1740, 2
irren 901
irren, sich 901
Irrenanstalt 1674, 3
Irrenhaus 1674, 3
irreparabel 265, 3
Irrfahrt 599, 3
Irrgarten 1668, 1
Irrglaube 4
irrig 583, 5; 903
irrigerweise 903
Irritation 552
irritieren 106, 1; 907, 1;
    1815, 2
irritierend 553
irritiert 1914, 2
Irrsinn 709
irrsinnig 708; 1777, 2
Irrtum 599, 3; 902
irrtümlich 583, 2; 903;
    1380
Irrweg 29, 3; 599, 3
Isis 785, 3
Isolation 18, 1; 451, 1
isolieren 17, 1; 1873, 2
isolieren, sich 17, 2
isoliert 450, 1
Isolierung 18, 1; 451, 1
ist doch so 43
Isthmus 481, 4
item 117, 1

J

ja 39
Jacht 579, *6*
Jacke wie Hose 772, *5*
Jackpot 780, *1*
Jagd 427, *1;* **904**
Jagdaufseher 905, *1*
Jagdhund 871
jagen 391, *2;* 428, *1;*
  851, *1;* 1740, *1*
jagen können mit 462
jagen, in die Luft 1939, *5*
jagen, ins Bockshorn
  398, *3*
Jäger 905
Jägerei 904
Jägerlatein 1071, *4*
Jägersmann 905, *1*
jäh 1263
Jahr und Tag, nach
  1481, *3*
Jahr und Tag, vor 666, *1*
Jahr, das ganze 882, *2*
Jahr, jedes 882, *2*
jahraus 882, *2*
Jahre 45, *1;* 1013, *2*
Jahre, hohe 45, *1*
jahrein 882, *2*
jahrelang 1013, *2*
Jahren, bei 44, *1*
Jahren, hoch an 44, *1*
Jahren, jung an 909, *1*
Jahren, nach 1481, *3*
Jahresabschluss 1316, *1*
Jahresfest 906
Jahrestag 906
Jahreszeit 1360
Jahreszeit, kalte 915, *1*
Jahrgang 1294, *2*
Jahrgang, derselbe
  771, *1*
Jahrhundertereignis
  1899, *3*
Jahrmarkt 291, *4;*
  1086, *1*
Jahrmarktskünstler
  111, *1*
Jahwe 785, *2*

Jähzorn 830
jähzornig 829, *3*
Jalousie 870, *6*
Jammer 943, *2;* 1403, *1*
Jammergeschrei 943, *2*
Jammerlappen 603
jämmerlich 107, *2;*
  1397, *5*
jammern 944, *3*
Jammern 943, *2*
jammerschade 1043;
  1659, *5*
Janmaat 1448
janusköpfig 390
jappen nach 217, *2*
japsen 115
Jargon 1493, *4*
Jasager 1221
jäten 1367, *4*
Jauche 156, *3*
jauchen 1715, *5*
jauchzen 651, *2*
Jauchzen 650, *3*
Jauchzer 650, *3*
jaulen 244, *1;* 944, *3*
Jause 1080, *6*
jawohl 39
Jawort 532, *1*
Jazz 1133, *3*
Jazzband 800, *4*
Jazzmusik 1133, *3*
je nachdem 205; 242;
  1128, *3;* 1894, *2*
jede 38, *1*
jede Stunde 882, *2*
jedenfalls 39
jeder 38, *1*
jedermann 38, *1;*
  1102, *6*
jederzeit 882, *2*
jedoch 3
jedwede(r) 38, *1*
Jeep 579, *2*
jegliche 38, *1*
jeher, von 882, *4*
Jehova 785, *2*
jenseitig 1692, *4*
jenseits 695, *2*
Jenseits 1234
Jerusalem, himmlisches
  1234
jesuitisch 1241, *2*
Jet 579, *7*
Jeton 350, *1*
Jetset 1201, *3*

jetten 428, *1*
jetzig 699, *2*
jetzt 699, *2;* 1008; 1837
Jetzt 698, *1*
jetzt an, von 1482, *2*
jetzt noch 699, *1*
jetzt oder nie 429, *3*
jetzt, bis 666, *2*
jetzt, eben 699, *1*
jetzt, erst 477, *2*
Jetztzeit 698, *1*
Jeunesse dorée 1201, *3*
Jingle 1897, *3*
jmd. sein 201, *3*
Job 101, *2*
Job, ohne 104
jobben 102, *1*
Jobber 816, *2*
Jobsharing 101, *3;*
  1595, *4*
Joch 101, *4;* 1020, *2;*
  1972, *1*
jodeln 1465, *2*
johlen 316, *1;* 1018, *1*
Johlen 734, *3*
Joint 1311
Jointventure 1963
Joker 1559
Jokus 650, *4;* 1683, *3*
Jolle 579, *6*
Jongleur 111, *2*
jonglieren 1023, *1*
Jota 951, *1*
Journaille 1271, *1*
Journalismus 1271, *1*
Journalist 260, *1*
Journalistenfrage 638, *2*
jovial 654, *1;* 840
Jovialität 784, *3*
Jubel 231; 650, *3*
Jubeljahre, alle 926, *1;*
  1457, *2*
jubeln 651, *2*
Jubelruf 650, *3*
Jubilar 45, *2*
Jubiläum 906
jubilieren 651, *2;*
  1465, *2*
Jubilieren 734, *5;* 739, *1*
jucken 907
Judas 1429, *2*
Jugend 908
Jugend von heute 908, *2*
Jugendalter 908, *1*
Jugendfreund 652

Jugendfreundin 653
Jugendjahre 908, *1*
jugendlich 660, *1*;
  909, *1*
Jugendliche 908, *3*;
  1078, *2*
Jugendsünde 1674, *3*
Jugendzeit 908, *1*
Jumbo-Jet 579, *7*
jung 660, *1*; **909**;
  1931, *1*
Jungborn 525, *2*
Jungbrunnen 525, *2*
Jungchen 910, *2*
Junge 910
jungen 682, *2*
Jünger 66, *2*; 1428, *3*

Jungfernfahrt 51, *2*
Jungfernrede 51, *2*
jungfräulich 934; 1177, *5*
Jungfräulichkeit 935
Junggeselle 1084
Junggesellin 640
Jüngling 910, *2*
jüngst 1008
Jüngste 1078, *1*
Jüngster 910, *1*
Junior 910, *1*
Junkie 397, *1*
Junktim 1718, *1*
Juno 641
junonisch 1506, *2*
Jura 912, *3*
Jurisdiktion 912, *1*

Jurisprudenz 912, *3*
Jurist 912, *2*
Juristerei 912, *3*
juristisch 751, *3*
Jury 911
Jus 912, *3*
just 1008; 1194
justieren 1226, *3*
Justitiar 912, *2*
Justiz 912
Justizirrtum 599, *3*
juvenil 909, *1*
Juwelen 976, *2*;
  1291, *1*
Jux 650, *4*; 1674, *2*;
  1683, *3*
juxta 1155, *2*

K

k. o. 534, 3; 1130, 2
Kabale 898; 1060, 2
Kabarett 1576, 1
Kabarettist 1682
kabarettistisch 1492, 2
Kabbala 701
Kabbelei 1533, 2
kabbeln 1534, 1
Kabel 1048, 3
Kabelfernsehen 609, 2
kabeln 1621, 6
Kabinett 1309, 1;
 1582, 1
Kabrio 579, 2
Kabuff 1309, 1
kacheln 676, 2
Kacke 156, 2
kacken 155
Kadaver 957, 1; 973, 2
Kadavergehorsam
 706, 2
Kaddisch 943, 2
Kader 672
Kadi 912, 1
Käfer 1078, 2
Kaff 1499, 2
Kaffee 759, 3
Kaffee, kalter 1017, 2;
 1707
Kaffeefahrt 578, 1
Kaffeehaus 681, 1
Kaffeesatz 1340, 3
Käfig 189, 2; 692, 2
kafkaesk 690, 1
kahl 913; 1028, 1;
 1204, 1
Kahlfraß 1940, 1
Kahlheit 1205, 1
kahlköpfig 913, 1
Kahlschlag 1053;
 1940, 1
Kahn 295; 579, 6
Kai 1629
Kairos 1935, 1
Kaiser 849
Kaiser-Wilhelm-Bart 187
Kajak 579, 6

Kakao 759, 3
kakophonisch 822, 2
Kalamität 1116; 1763, 1
Kalauer 1683, 4
kalauern 1681, 4
kalben 682, 2
kalbern 1681, 4
Kaldaunen 439
Kaleidoskop 1826, 2
Kalender 527, 3
Kalenderweisheit 374, 1
Kalesche 579, 1
Kaliber 110, 2; 792, 1;
 1501, 3
Kalif 849
Kalk 1186, 3
Kalkschicht 1186, 3
Kalkül 1258, 3
Kalkulation 1258, 3
kalkulieren 251, 1;
 1375, 2
Kalligraphie 1422, 2
kalorienreich 1158
kalt 31, 1; 820, 2; 914;
 1307, 5; 1373, 2;
 1504, 1
kalt lassen 773
kalt lassen, nicht 263, 2
kalt stellen 995, 1
Kaltblut 1247
kaltblütig 1357, 5
Kälte 915; 1646, 2
Kältegrad 788
Kälteperiode 1348, 7
kaltherzig 914, 3
Kaltherzigkeit 915, 2
kaltmachen 1586, 1
kaltschnäuzig 914, 4;
 1456
Kaltschnäuzigkeit
 643, 3; 1646, 2
kaltstellen 998, 2;
 1733, 1
Kamarilla 66, 4; 953
Kamellen, olle 1014
Kamera 916
Kamerad 66, 2; 652
Kameraderie 655, 1
Kameradin 653
Kameradschaft 655, 1
kameradschaftlich
 654, 3
Kameradschaftlichkeit
 655, 2
Kamm 257, 2; 767, 1

Kammer 1309, 1
Kammersänger 1363, 1
Kammersängerin
 1363, 2
Kammertenor 1363, 1
Kampagne 370, 1
Kämpe 66, 2
Kampf 917; 962, 1;
 1533, 2
Kampf gegen Windmüh-
 lenflügel 1748
Kampf um Marktanteile
 962, 3
Kampf um Märkte
 962, 3
Kampf, ohne 658, 2
Kampfabstimmung
 1861, 2
Kampfansage 843, 1
Kampfbahn 685, 3
Kämpfe 134, 1
kämpfen 918
kämpfen, auf verlorenem
 · Posten 1383, 3
kämpfen, mit sich 1947
Kämpfer 919
kämpferisch 37, 1; 842;
 920
Kämpfernatur 919, 2
kampfesfreudig 920
kampfesmutig 920
kampffähig 981, 1
Kampfgenosse 66, 2
Kampfgericht 911, 1
Kampfgetümmel 987, 1
Kampfhahn 1272, 2
Kampfhandlung 987, 1
kampflos 658, 2
Kampfplatz 1377
Kampfrichter 911, 2
kampfunfähig 534, 3
Kanaille 753
Kanal 760, 1; 1215, 8
Kanäle 1718, 3
kanalisieren 1226, 3
Kanapee 1470, 2
Kandare 1972, 1
Kandelaber 1012, 2
Kandidat 95, 2
kandidieren 303; 1511, 3
kandieren 522, 2
Kanister 223
kann sein 1128, 3
Kannegießer 1436
kannegießern 1269, 2

Kanon 739, 2
Kanonade 61, 1
Kanone 573
Kanone, unter aller
    1397, 1
Kanonenkugel 994, 2
Kanonenschuss 734, 3
kanonisch 751, 4
Kantate 739, 2
Kante 415, 2; 585, 1;
    685, 2; 1629
kantig 820, 1; 1373, 1
Kantilene 739, 2;
    1256, 3
Kantine 681, 1
Kantonist, unsicherer
    1221; 1698, 1
Kantor 1047, 2
Kanu 579, 6
Kanzelrede 1850
Kanzelredner 939, 1
Kanzlei 740, 3
Kanzleistil 1493, 4
Kanzone 739, 2
Kaolit 1583, 6
Kapazität 573; 1500, 2;
    1501, 4
Kapelle 800, 3; 938, 2
Kapellmeister 1047, 2
kapern 19; 761, 2
Kaperung 267
kapieren 1793, 2
kapital 1506, 1
Kapital 271, 1
Kapital, flüssiges 271, 3
Kapitalanlage 452, 1
Kapitale 1499, 1
Kapitalien 271, 3
Kapitalist 1686, 1
kapitalkräftig 1327, 1
Kapitalverbrechen 1724
Kapitalverbrecher
    1725, 2
Kapitel 1560, 1
Kapitulation 1183, 1
kapitulieren 122, 3;
    1383, 3
Käppchen 971
Kappe 971
Kappe, neben der
    1777, 1
kappen 1007, 1
Kaprice 1519, 2
Kapriolen 1674, 3
kaprizieren, sich 1922, 2

kapriziös 273, 3; 425
Kapsel 223
Kaptur 267
kaputt 265, 3
kaputtgehen 329, 1;
    1939, 4
kaputtlachen, sich
    1009, 2
kaputtmachen 1939, 3
Kapuze 971
Kapuzinerpredigt
    1385, 1
Karacho 427, 2
Karacho, mit 429, 3
Karambolage 1650
kardätschen 1292, 3
Kardinalpunkt 823
Karenzzeit 1821, 3
karg 31, 1; 410, 3;
    954, 1; 1005, 2;
    1204, 1; 1653, 1
kargen 1478, 2
Kargheit 1205, 1
kärglich 107, 2; 954, 2
karieren 1137, 1
kariert 718, 1
Karikatur 1490, 4
karikieren 359, 5;
    1491, 3
karikierend 310, 2
karitativ 1643
Karneval 1558, 3
Karo 1136, 5
Karosse 579, 1
Karre 579, 1
Karriere 135, 1
Karriere machen 177
karrierebetont 421
karrierefixiert 421
Karrierefrau 640
karrieregeil 421
karrieresüchtig 421
Karrierist 1529
karrieristisch 421
Karst 1205, 4
Kartause 952
Karte 1577
Kartei 1817, 3
Kartell 1718, 6
Kartellierung 1718, 6
karteln 1486, 5
Kartenlegerin 1276
Kartentelefon 1567
Kartoffel 1161
Kartoffelchip 350, 3

Kartoffelschnitzel 350, 3
Kartoffelstäbchen
    350, 3
Kartografie 615, 2
kartografieren 614, 3
Kartothek 1817, 3
Kaschemme 681, 1
kaschen 588, 2
kaschieren 1714, 1
Kaschmirkinder 1201, 3
Kasematte 211, 4
käseweiß 592, 1
käsig 592, 1
Kasino 681, 2
Kaskade 1881, 1
Kasperle 1384, 1
Kassandra 1276
Kassandraruf 1875
Kasse 921; 1316, 1
Kasse, bei 1327, 1
Kasse, schwarze 921, 1
Kassenautomat 921, 2
Kassenmagnet 767, 5;
    1079
Kassenschalter 921, 2
Kassensturz 1316, 1
Kassenzettel 279, 2
Kassette 922
Kassettenrecorder 733
kassieren 458, 1; 509, 1;
    998, 2
Kästchen 922, 1
Kastell 211, 4
Kasten 223; 1418
Kasten, im 610, 1
Kastrat 1363, 1
kasuistisch 1241, 2
Kasus 580, 2
Katakombe 657
Katalog 1817, 3
katalogisieren 1226, 2;
    1361, 4
Katarakt 1881, 1
katastrophal 1420, 1;
    1659, 4
Katastrophe 1940, 1
Kate 824, 1
Katechismus 1032
kategorial 879
Kategorie 110, 2; 222
kategorisch 820, 3;
    1373, 4
Kater haben, morali-
    schen 256
Kater, moralischer 1118

Kateridee 1519, 2;
  1674, 3; 1778, 2
Katharsis 445, 1
Kathedrale 938, 2
Katz, für die 1747
katzbuckeln 1401
Katze aus dem Sack las-
  sen 1208, 3; 1729, 2;
  1776
Katzenaugen 141
Katzenjammer 1118
Katzenkopf 1393, 1
Katzenpfoten, auf 1044
Katzensprung 1155, 2
Katz-und-Maus-Spiel
  1558, 1
Kauderwelsch 1493, 4;
  1674, 1
kauderwelschen
  1494, 3
kauen 566, 4
kauen an 266, 2; 371, 2
kauen, mit vollen Ba-
  cken 566, 1
kauern 296, 2; 1469, 3
Kauf 275, 1; **923**
Kaufabschluss 923
Kaufbesessener 925
kaufen 274, 2; **924**;
  1788, 1
kaufen lassen, sich
  1760, 5
kaufen und verkaufen
  815, 2
kaufen, auf Abschlag 34
kaufen, Katze im Sack
  901, 5
kaufen, sich 1045, 2
Käufer 925; 1000, 1
Käuferanalyse 1087
Käuferbefragung 1087
Käuferinteresse 1147
Kaufhalle 740, 5
Kaufhaus 740, 5
Kaufinteresse 1147
kaufkräftig 1327, 1
Kaufladen 740, 2
käuflich 754; 1838, 1
Käuflichkeit 755
kauflustig 218, 4
Kaufmann 741; 816, 1
kaufmännisch 959
Kaufmannswort 1787, 1
Kaufpreis 1270, 3
kaufversessen 218, 4

kaum 926; 1199, 3;
  1457, 2; 1639
Kautel 454, 3
Kaution 342, 1
Kauz 160, 1; 1230, 2
Kauz, lustiger 1384, 1
kauzig 1254, 3
Kavalier 714; **927**
Kavaliersdelikt 1669, 1
Kaventsmann 1345;
  1539, 6
keck 642, 1
Keckheit 643, 1
keep smiling 226, 2
Kegel 257, 1
Kegelklub 800, 8
Kehle 481, 4
Kehle, aus voller 1022
Kehle, durstige 218, 2
Kehle, trockene 1761, 1
Kehraus 1400, 2
Kehraus machen 1030, 1
Kehre 1004
kehren 1367, 1
kehren, das Unterste zu-
  oberst 1549, 1;
  1708, 1; 1813, 1
kehren, mit eisernem Be-
  sen 412
kehren, unter den Tep-
  pich 1714, 1
Kehricht 5, 1
Kehrseite 599, 2; 694, 1;
  1350
kehrtmachen 395, 6;
  485, 1
keifen 1391, 2
Keil 452, 3
Keile 1393, 1
keilen 1394, 2
Keilerei 1393, 2
Keilschrift 337, 2
Keim 51, 1
Keime 985
keimen 506, 2
keimfrei 574, 2; 1365, 1
keimfrei machen 522, 2;
  1367, 5; 1586, 4
keimhaft 53, 2
keiner 1188
keinerlei 1180, 1
keinesfalls 1173; 1664
keineswegs 1173
Keller, im 1659, 1;
  1677, 2

kellerhaft 406, 1
Kellner 204, 3
Kellnerin 204, 3
Kemenate 1309, 1
kennen 928; 1793, 4;
  1916
kennen lernen 515, 1
kennen, auseinander
  1687, 1; 1701, 3
kennen, die Menschen
  516, 2
kennen, nicht mehr
  1409, 5
kennen, seinen Stil 98, 2
Kennenlernen 966, 2
Kenner 573; 726, 1
kennerhaft 572, 2; 727
kennerisch 84, 1
Kennerschaft 746, 1;
  1792, 2
Kennkarte 279, 1
Kenntnis 1917, 1
Kenntnis haben 1916
kenntnisreich 929
Kennwort 930, 5
Kennzahl 930, 5
Kennzeichen 424, 2;
  930; 1933, 2
kennzeichnen 931
kennzeichnend 348, 1
Kennzeichnung 930, 2
Kennziffer 930, 5
kentern 581, 1
Kerbe 585, 2; 1798, 3
kerben 1409, 3
Kerbholz 1424, 1
Kerbholz haben, auf
  dem 1425, 3
Kerker 692, 2
Kerker, im 1651, 2
Kerl 714; 1084
Kerl, ungehobelter
  1272, 1
Kerlchen 910, 2
Kern 567, 1; 823; 887, 1;
  1119, 6; 1548
Kern, im 1119, 5
Kernfrage 638, 4
kerngesund 757, 1
kernig 376, 1; 981, 1
Kernproblem 638, 4
Kernpunkt 823
Kernschatten 408, 2
Kernspruch 374, 1
Kernstück 823

Kernwaffen 1858, *1*
kerzengerade 732, *1*
Kerzenleuchter 1012, *2*
Kerzenlicht 1052, *2*
Kerzenschein 1052, *2*
kess 642, *1*; 1065, *5*
Kesselstein 1186, *3*
Kesseltreiben 367
Kette 858, *1*; 1329, *1*
ketten, aneinander
    1979, *3*
Kettenhund 871
Kettenraucher sein 1308
Kettenreaktion 630, *2*
Ketzer 932
ketzerisch 842; **933**
keuchen 115
Keule 955
keulen 1586, *1*
keusch 934
Keuschheit 935
Keyboarder 1134, *2*
kichern 1009, *2*
Kick 77, *2*; 1310, *2*
kicken 1526
kidnappen 487
Kidnapper 1725, *2*
Kidnapping 488; 1724
Kids 908, *3*
Kiebitz 248, *2*
kiebitzen 247, *2*
Kieker haben, auf dem
    1959, *1*
Kielwasser 1497, *1*
Kies 712, *3*
Kiez 1499, *3*
kiffen 284, *4*; 1308
Kiffer 397, *1*
killen 1586, *1*
Killer 1725, *2*
Kind 910, *2*; **936**;
    1078, *2*
Kind machen, sich lieb
    1401
Kind mehr, kein 1328, *2*
Kind und Kegel 38, *1*
Kind von Traurigkeit,
    kein 1036, *4*
Kind, außereheliches
    936, *2*
Kind, uneheliches 936, *2*
Kindbett 687
Kinderbetreuer 826, *3*
Kinderbett 295
Kinderei 1674, *1*

Kinderfrau 826, *3*
Kinderfräulein 826, *3*
Kinderglaube 4
Kinderheim 833, *2*
Kinderjahre 908, *1*
kinderleicht 1036, *2*
Kindermädchen 826, *3*
Kinderprostitution 1458
Kinderschuhen, aus den
    1328, *2*
Kindersegen 936, *2*
Kinderspiel 951, *4*;
    1036, *2*
Kinderstube 85, *1*; 565
Kindertage 908, *1*
Kinderzeit 908, *1*
Kindesalter 908, *1*
Kindesbeinen an, von
    882, *4*
Kindesentführung 488
Kindesmissbrauch 1458
Kindesraub 488
kindhaft 433, *2*; 909, *1*;
    1670, *2*
Kindheit 908, *1*
kindisch 24; 403, *3*;
    909, *2*; 1670, *2*
kindlich 433, *2*; 909, *1*;
    1159
Kindskopf 405, *1*
Kinemathek 1483, *3*
Kinkerlitzchen 940, *1*;
    1291, *3*
Kinnbart 187
Kinnhaken 1393, *1*
Kino 937; 1683, *6*;
    1847, *3*
Kinofilm 618, *3*
Kintopp 937
Kiosk 740, *4*
Kippe, auf der 690, *1*
kippeln 1435, *1*
kippen 581, *1*; 857, *3*;
    1030, *3*; 1600, *2*
Kirche 938
Kirchengemeinde 938, *5*
Kirchenlied 739, *2*
Kirchenmann 939
Kirchenmaus, arm wie
    eine 107, *1*
Kirchhof 657
Kirchspiel 938, *5*
Kirchturm 1609, *1*
Kirchturmpolitiker
    340, *3*

kirre machen 1815, *2*
Kismet 1389, *1*
Kiste 223
Kitsch 940
kitschig 633, *2*; **941**
Kitt 211, *3*
Kittchen 692, *2*
kitten 210, *1*; 543, *2*
Kitzel 1333
kitzeln 330, *3*; 907, *1*;
    1242, *4*
Kitzler 942
Klacks 951, *2*
Kladde 828, *1*
klaffen 1214, *4*
kläffen 244, *1*; 1391, *2*
Kläffen 734, *4*
klaffend 1207, *1*
Kläffer 871
klaftertief 1578, *2*
Klage 943
Klagegesang 943, *2*
Klagelied 943, *2*
klagen 196; **944**
klagen haben, nichts zu
    807, *2*
klagen haben, zu
    1040, *1*
klagen können, nicht
    807, *2*
klagen über 1040, *3*
klagen, sein Leid 944, *3*
klagend 1182, *2*
Klagesache 1283, *1*
Klageweg 1283, *1*
kläglich 107, *2*; 1432, *1*;
    1659, *3*
klaglos 689, *2*; 1357, *3*
Klamauk 1674, *2*
klamm 914, *1*
Klamm 481, *4*
Klammer 211, *2*; 812, *1*
klammheimlich 834, *1*
Klamotte 960
Klamotten 5, *2*; 949, *1*
klandestin 834, *1*
Klang 734, *1*; 1133, *1*;
    1493, *2*; 1583, *1*
Klangart 1583, *2*
Klangfarbe 1583, *2*
klanglos 406, *5*
Klangverhältnisse
    1583, *5*
klangvoll 1827, *4*
Klangwirkung 1583, *5*

Klappbett 295
Klappe 295; 1131;
    1215, 6; 1784, 1
klappen 715, 1
klapperdürr 410, 2
klappern 1018, 2;
    1584, 2
Klappern 734, 2
klappern, mit den Zäh-
    nen 659, 1; 1946, 1
Klappladen 870, 6
Klappmesser 1106
klapprig 44, 3; 1432, 2
Klappstuhl 1470, 1
Klaps 424, 4; 1393, 1;
    1778, 1
Klapsmühle 1674, 3
klar 87; 378, 2; 839, 3;
    945; 1225, 1; 1317, 2;
    1358, 2; 1365, 2;
    1373, 5; 1772, 3;
    1790, 1
klar blickend 890, 2
klar werden 1934, 6
klar werden, sich
    1793, 2
klären 261, 1; 501, 3;
    614, 2; **946**; 1226, 1
klären, sich 946
Klarheit 434, 3; **947**;
    1791
Klarinettist 1134, 2
klarkriegen 946, 1
klarlegen 528, 1; 946, 1;
    1208, 1
klarmachen 528, 1;
    1729, 1
klarmachen, Standpunkt
    1729, 2
Klarsicht 1700, 2;
    1789, 2
klarsichtig 890, 2;
    1772, 2
klarspülen 946, 3
klarstellen 946, 1
Klarstellung 947, 4;
    1716, 1
Klärung 529, 1; 947, 4;
    1330, 2; 1736, 1
Klasse 110, 2; 554;
    1089, 5; 1294, 2;
    1302, 1
Klasse, besitzende
    1201, 1
Klasse, große 554

Klasse, herrschende
    1201, 1
Klasse, politische
    1201, 1
Klassenprimus 1529
klassifizieren 1226, 2
klassifiziert 731, 3
klassisch 299; 1412, 1
Klatsch 737, 1
Klatschbase 1436
klatschen 948; 1584, 2
Klatschen 231; 734, 2
klatschen, Beifall 948, 2
Klatscherei 737, 1
Klatschgeschichte
    737, 1
Klatschlust 1178
Klatschmaul 1436
klatschnass 1162, 1
klatschsüchtig 323, 1
Klatschweib 1436
Klaue 778, 1; 1422, 1
klauen 1168, 2
Klause 1309, 1
Klausel 207, 1, 454, 3;
    520, 2; 1833
Klausner 939, 2
Klausnerin 1189
Klaustrophobie 62, 6;
    481, 2
klaustrophobisch 480, 1
Klausur 451, 1; 1285, 1
Klavierspieler 1134, 2
kleben 210, 1; 1469, 3;
    1520, 1
kleben bleiben 1520, 1
klebend 1928, 3
klebrig 1928, 3
Klebstoff 211, 3
kleckern 1808
kleckerweise 1015, 2
Klecks 951, 2
Kleckschen 951, 2
Kleckse 1406, 2
klecksen 1252; 1421, 4
Kleckser 1083, 2
Kleckserei 1251
Kleid 1198, 1
kleiden 1507, 4
kleiden, sich 98, 2
kleiden, sich mit 1588, 2
Kleider 949, 1
kleidernärrisch 459, 1
Kleiderordnung 326, 3
Kleiderpracht 1286, 1

Kleiderreinigung
    1330, 1
Kleiderschrank 1418
kleidsam 803, 3
Kleidung 949
Kleidungsstücke 949, 1
klein 480, 1; 909, 1;
    950; 1005, 1; 1639
klein auf, von 882, 4
klein machen, sich
    841, 2
Kleinbahn 579, 4
Kleinbildkamera 916, 1
Kleinbourgeoisie 340, 2
Kleinbürger 340, 1
kleinbürgerlich 341, 2
Kleinbürgertum 340, 2
Kleinbus 579, 4
Kleindarsteller 1347, 1
Kleine 1078, 2
Kleiner 910, 2
kleiner werden 1723, 4
Kleines 936, 1
Kleines, über ein 180
Kleingedrucktes 454, 3
Kleingeist 340, 3
Kleingeld 712, 1
kleingläubig 64, 2
Kleingläubigkeit 62, 4
Kleinigkeit 951
Kleinigkeit, keine
    1823, 3
Kleinigkeitskrämer
    1239, 1
kleinkariert 480, 2;
    1241, 3
Kleinkind 936, 1
Kleinkram 951, 1;
    951, 4
kleinkrämerisch 1241, 3
kleinkriegen 1394, 2;
    1723, 1
Kleinkunstbühne
    1576, 1
kleinlaut 1762, 2
Kleinlebewesen 985
kleinleutemäßig 341, 3
kleinlich 341, 3; 480, 2;
    1241, 1; 1241, 3;
    1479, 1
kleinlich, nicht 793, 1
Kleinlichkeit 481, 5;
    1480
Kleinlichkeitskrämerei
    1240, 1

Kleinmut 62, *4*
kleinmütig 64, *2*;
1182, *2*
Kleinod 976, *1*
Kleinstadt 1499, *1*
Kleinstwagen 579, *2*
Kleinwagen 579, *2*
Kleinwohnung 1919, *2*
Kleister 211, *3*
kleistern 210, *1*
kleistrig 1928, *2*
Klemme 812, *1*; 988, *2*;
1763, *1*
Klemme, in der 856, *2*
klemmen 1168, *2*
Klepper 1247
Kleriker 938, *4*; 939, *1*
Klerus 938, *4*
Klettband 1784, *2*
klettern 1508, *2*
Klient 1238; 1431
Klientel 1000, *2*
Klienten 1000, *2*
Klima 1301, *2*
Klimaanlage 1068, *2*
Klimakatastrophe
1348, *7*
Klimasturz 1348, *7*
Klimawechsel 1882, *2*
Klimax 767, *2*
Klimbim 291, *4*; 1291, *3*
klimmen 1508, *2*
klimpern 1252; 1486, *3*
Klinge 1106
klingeln 1584, *2*
Klingeln 734, *2*
klingen 1584, *5*
klingend 1827, *4*
klingend, falsch 822, *2*
klingend, hell 839, *5*
Klinik 983
Klinikum 983
Klinke 812, *1*
Klipp 812, *1*
klipp und klar 378, *1*;
945, *2*; 1207, *2*
Klippe 399, *2*; 1763, *1*
Klipper 579, *6*
Klips 812, *1*
klirren 1018, *2*; 1584, *2*
Klirren 734, *2*
Klischee 1256, *1*; 1853
klischeehaft 941; 968, *1*
klischiert 941
Klitoris 942

klittern 268; 590, *5*;
1739, *1*
Klitterung 269; 1113, *4*
klitzeklein 950, *1*
Klo 1582, *1*
Kloben 1272, *1*; 1539, *6*
klobig 1264, *1*
Klon 1811, *2*
klonen 1810
klönen 1681, *3*
klopfen 1018, *2*; 1367, *2*
Klopfen 734, *2*
klopfen, auf den Busch
639, *1*
Klopfer 955
Kloppe 1393, *1*
Klosett 1582, *1*
Kloster 952
Klosterbruder 939, *2*
Klosterfrau 1189
klösterlich 450, *2*;
1357, *1*
klötern 1584, *2*
Klotz 1102, *2*; 1272, *1*;
1539, *6*
klotzig 1264, *1*; 1823, *1*
Klub 800, *1*; 1227, *2*
Kluft 486, *1*; 858, *4*;
949, *2*; 1688; 1798, *1*
klug 803, *1*; 890, *1*; 929;
1197, *3*; 1260, *1*;
1554, *1*; 1772, *2*
klug werden aus 1793, *2*
Klugheit 707, *2*; 1789, *2*
Klugschwätzer 1239, *1*;
1436
klumpen 551, *3*
Klumpen 1102, *2*
klumpig 1642, *3*
Klüngel 800, *6*; 953
klüngeln 293, *2*; 298, *1*
Klunker 1291, *1*;
1291, *4*
knabbern 566, *3*
Knabe 910, *2*
Knabe, alter 45, *2*
knabenhaft 410, *2*
knacken 329, *1*; 1066, *3*;
1214, *1*; 1262, *1*
Knacker, alter 45, *2*
knackig 909, *3*; 1495, *1*
Knackpunkt 638, *4*
Knacks 709; 1496, *1*;
1778, *1*
knacksen 329, *1*

Knall 143, *1*; 734, *3*;
1778, *1*
Knall auf Fall 1263
knallbunt 591, *1*
Knalleffekt 767, *5*
knallen 1018, *3*; 1262, *1*
knallen, eine 1394, *1*
knalleng 480, *3*
knallig 591, *1*; 1912, *2*
Knallkopf 405, *1*
knapp 410, *3*; 480, *1*;
480, *3*; 926, *1*; **954**;
1005, *2*; 1655, *1*
knapp halten 1478, *2*
knapp sein 598, *2*
knapp sitzend 480, *3*
knapp, nicht zu 1225, *3*
Knappheit 481, *1*;
1190, *1*
knapsen 1478, *2*
knarrend 1307, *3*
Knast 692, *2*
Knatsch 105, *3*; 1477, *2*;
1533, *1*
knatschen 944, *3*
knattern 1018, *2*
Knäuel 994, *1*
Knauf 812, *1*
Knauser 710
Knauserei 1480
knauserig 1479, *1*
Knauserigkeit 1480
knausern 1478, *2*
knautschen 586, *3*
Knebel 1784, *2*
Knebelbart 187
knebeln 857, *1*; 1979, *2*
Knebelung 858, *2*
knechten 1679, *1*
knechtisch 1690, *2*
Knechtschaft 1972, *1*
kneifen 172, *2*; 402, *4*;
1242, *4*
Kneipe 681, *1*
Kneipenwirt 1915, *1*
Kneipier 1915, *1*
knetbar 622, *1*; 1261;
1890, *1*
Knete 712, *3*
kneten 756; 1112, *1*
Knick 415, *1*; 585, *1*;
1004; 1496, *1*
knicken 329, *1*; 496;
586, *2*
Knicker 710

Knickerigkeit 1480
knickern 1478, 2
knickrig 1479, 1
Knicks 801, 2
knicksen 802, 1
Knickung 1004
Knie 415, 2
Kniefall 801, 2
Kniefall machen 704, 3
kniefällig 1145, 2;
    1690, 2
Kniff 585, 1; 1597
kniffen 586, 2
knifflig 1441, 2
knipsen 1, 2; 509, 1;
    931, 3
Knirps 910, 2
knirschen 1584, 3
Knirschen 734, 2
knistern 330, 1; 1584, 2
Knistern 734, 2
Knitter 585, 2
knitterarm 768, 7
knitterfrei 768, 7
knittern 586, 3
knittrig 44, 2; 587, 2
knobeln 371, 2; 1305, 2
Knochengerüst 810, 4;
    973, 1
knochenlos 1432, 1
Knochenmann 1581, 3
knochentrocken
    1602, 1
knochig 410, 2
knock-out 534, 3
Knollennase 1161
knollig 1642, 3
Knopf 812, 1; 1784, 2
knöpfen 210, 1
knorrig 1642, 3
knospen 506, 2
knoten 210, 1; 1717, 2
Knoten 1784, 2
Knotenpunkt 1119, 6;
    1593, 3
knottern 1391, 1
Know-how 1917, 3
knuffen 1526
knüllen 586, 3
Knüller 742, 3; 1079
Knüpfarbeit 813, 2
knüpfen 102, 4; 313, 4;
    1717, 2
knüpfen, Beziehung
    437, 2; 1157, 4

knüpfen, Verbindung
    1717, 1; 1834, 5
Knüppel 955
knüppeldick 1823, 1
knüppelhart 820, 1
knurren 244, 1; 1391, 1
knurrig 1117
knuspern 566, 3
knusprig 869; 1495, 1
Knute 101, 4; 955
Knute, mit der 334
Knute, unter der 1651, 3
knuten 1679, 1
Knüttel 955
koalieren 1717, 3
Koalition 1718, 6
Kobold 707, 3
kobolzen 597, 2
kochecht 363, 1
kochen 106, 2; **956;**
    1376, 1; 1445, 1; 1949
kochen, gar 956, 2
kochend 1871, 2;
    1905, 4
Kocher 845
Köcher 870, 8
kochfest 363, 1
Kochgelegenheit 845;
    993
Kochherd 845
Köchin 826, 2
Kochkunst 730, 3; 993
Kochkünstler 726, 2
Kochnische 993
Koda 1400, 2
kodderig 1042, 1
Köder 957; 1060, 1
ködern 588, 3; 1334, 4;
    1895, 1
Kodex 1362, 3
kodieren 1621, 7
kodifizieren 1226, 2
Koffer 223; 870, 8
Kofferträger 1402, 1
Kognition 1789, 1
Kohl 1674, 1
Kohldampf 1761, 1
Kohle 712, 3
Kohleheizung 836
Kohleherd 845
kohlen 1072
Kohlen, auf glühenden
    1671, 1
Kohlkopf 405, 1
kohlschwarz 407, 1

koinzident 776
Koinzidenz 1616, 2
Koinzidenz der Fälle
    1389, 2
Koitus 1055, 3
Koje 295
Kokain 1311
Kokarde 930, 3
kokett 459, 1
Kokette 1742, 2
Koketterie 460, 1
kokettieren 1741
kokettieren mit 1486, 4
Kokolores 1674, 1
Kokon 870, 2
Kokotte 1280
Koks 712, 3; 1311
Kolben 812, 1; 1161
kollabieren 1964, 1
Kollaborateur 377
Kollaps 1780, 3
kollationieren 1754, 1
Kolleg 1850
Kollegbuch 828, 1
Kollege 1235, 2
kollegial 654, 3
Kollegialität 655, 2
Kollegium 800, 2
Kollegmappe 870, 8
Kollektion 171, 2;
    1125, 2
kollektiv 1962
Kollektiv 717, 1;
    800, 2
Kollektivierung 483
Kollektivität 717, 1
Koller 105, 2; 143, 2
kollern 1391, 1; 1584, 3
kollidieren 1592, 2
Kollision 1650
Kolloquium 1593, 2
Kolonne 442, 2; 1329, 3
kolorieren 590, 2
koloriert 591, 2
Kolorierung 589, 1
Kolorit 589, 1; 1583, 2
Koloss 1345
kolossal 791, 1
Kolportage 737, 2
kolportieren 1120, 3
Kolumbus 1257, 2
Kolumne 8, 1
Kolumnist 260, 1
kombattant 920
Kombattant 66, 2

Kombination 556, 2; 1329, 2; 1718, 1

Kombinationsgabe 1789, 2

kombinieren 371, 2; 1399, 3; 1717, 2

Kombüse 993

Komfort 249, 1

komfortabel 719

Komiker 1384, 1

komisch 119, 2; 835, 4; 1231, 3; 1492, 2

Komitee 911, 1; 1304, 2

kommandieren 72, 1; 848, 1

Kommanditist 1235, 1

Kommando 209, 1

komme, was da wolle 1640, 1

kommen 67, 1; 435, 1; **958**; 1157, 1

Kommen 68, 1

kommen lassen 72, 1; 280, 1

kommen lassen, sich etwas zuschulden 1425, 3; 1749, 8

kommen lassen, zum Äußersten 1622, 1

kommen um 1767, 1

Kommen und Gehen 291, 2

kommen von 9, 4

kommen, abhanden 1767, 1

kommen, an den Bettelstab 1728, 3

kommen, an den Tag 411, 3

kommen, an die Oberfläche 523, 3

kommen, an die Reihe 631, 4

kommen, angestiefelt 67, 1

kommen, ans Licht 411, 3; 506, 3; 1208, 2

kommen, ans Ruder 1463, 1

kommen, ans Ziel 411, 5; 1828

kommen, auf den Gedanken 435, 1

kommen, auf den Geschmack 763, 2

kommen, auf den Hund 1728, 3

kommen, auf den Punkt 1729, 1

kommen, auf die Beine 723, 1

kommen, auf die Idee 435, 1

kommen, auf die Schliche 619, 2

kommen, auf die Spur 619, 2

kommen, auf einen Sprung 282, 1

kommen, auf keinen grünen Zweig 1383, 2

kommen, aus der Mode 1749, 6

kommen, auseinander 1534, 1

kommen, eins zum anderen 1509, 3

kommen, gelegen 691, 1; 1592, 7

kommen, grob 1391, 1

kommen, in Berührung 1157, 4

kommen, in den Sinn 435, 1

kommen, in die Quere 1522, 1

kommen, in Fahrt 219, 2

kommen, in Gang 52, 2

kommen, in schlechten Ruf 1767, 1

kommen, in Sicht 523, 3

kommen, in Umstände 466, 3

kommen, ins Gehege 1522, 1

kommen, ins Gerede 90, 4

kommen, ins Gespräch 52, 3

kommen, ins Kindbett 682, 1

kommen, mit dem Gesetz in Konflikt 1749, 8

kommen, mit sich ins Reine 499, 2

kommen, näher 1157, 1

kommen, nicht 598, 1

kommen, nicht vom Fleck 1520, 1

kommen, nicht vorwärts 1520, 1

kommen, nicht zum Zuge 1369, 4

kommen, sich nahe 1157, 4

kommen, sich näher 1157, 4

kommen, über Kreuz 1534, 1

kommen, unerwartet 1620, 3

kommen, ungelegen 1522, 1

kommen, unter die Räder 1728, 3

kommen, verquer 1522, 1

kommen, vom Hundertsten ins Tausendste 28, 3

kommen, vom Regen in die Traufe 1369, 4

kommen, von Hölzchen auf Stöckchen 28, 3

kommen, vorwärts 177; 510, 4; 715, 2

kommen, zu Besuch 282, 1

kommen, zu Bewusstsein 1793, 2

kommen, zu dem Schluss 1399, 3

kommen, zu der Erkenntnis 1793, 2

kommen, zu Ehren 177

kommen, zu etwas 715, 2

kommen, zu Fall 581, 1; 1383, 2

kommen, zu Geld 715, 2

kommen, zu kurz 1369, 4

kommen, zu nichts 1383, 2

kommen, zu Ohren 515, 3; 868, 1

kommen, zu Schaden 1369, 3

kommen, zu sich 228; 371, 3; 1361, 5; 1713, 1

kommen, zu spät 1782, 2; 1820, 3

kommen, zu Tode
1512, 2
kommen, zugute 1196, 1
kommen, zum Durch-
bruch 142, 1
kommen, zum Ent-
schluss 499, 2
kommen, zum Erliegen
475, 2
kommen, zum Stehen
811, 1
kommen, zum Stillstand
475, 2
kommen, zum Vorschein
506, 2; 958, 1; 1208, 2
kommen, zupass 691, 1;
1592, 7
kommen, zur Einsicht
1049, 4; 1793, 5
kommen, zur Räson
1793, 5
kommen, zur Ruhe
261, 2; 475, 2;
1356, 1; 1361, 5
kommen, zur Sache
1729, 2
kommen, zur Welt 67, 2
kommen, zurande 715, 1
kommen, zustande
506, 4
kommen, zustatten
1196, 1
kommend 1155, 3;
1482, 3
kommensurabel 771, 4
Komment 326, 3
Kommentar 164, 1
Kommentator 260, 1
kommentieren 241, 2;
528, 3
Kommentierung 529, 2
Kommers 711
Kommerz 814, 1
kommerzialisieren
437, 1; 1760, 1
kommerziell 959
Kommiss 1111, 2
Kommissariat 1266, 2
kommissarisch 1852, 2
Kommission 911, 1;
1304, 2
Kommissionär 1806, 1
Kommisskopf 1111, 1
kommod 57, 1; 719
Kommode 1418

kommt nicht in Frage
1664
kommt teuer 1573
kommt vor 926, 1
kommt, wie es 1667, 2
kommun 678, 1
Kommunikation 966, 2
Kommunikation, sprach-
liche 1493, 1
Kommunikationsme-
dien 1097; 1212, 4
kommunikativ 1121
Kommuniqué 258, 1
kommunistisch 1059, 3
Kommunität 717, 1
kommunizieren 528, 1;
1494, 2; 1793, 6
kommunizierend 1727, 2
Komödiant 360
Komödie 960; 1378, 1
Kompagnon 1235, 1
kompakt 380, 2; 981, 3
Kompaktanlage 1609, 2
Kompaktkamera 916, 1
kompatibel 504, 1;
1615, 1
Kompatibilität 1616, 1
Kompendium 1032;
1299, 2
Kompensation 498, 1;
1546
kompensieren 151, 4;
345; 497, 2; 1547, 2;
1733, 2
kompetent 1967, 1
Kompetenz 1968, 1
Kompetenzbereich 121;
436, 3
kompilieren 1361, 1
komplementär 695, 3
Komplementär 1235, 1
komplett 679, 1;
1827, 2; 1829, 1
komplettieren 519, 1
Komplettierung 520, 1
komplex 1441, 2
Komplex 1227, 1;
1763, 2
Komplikation 1763, 1
Komplikationen, ohne
768, 5
Komplize 961
komplizenhaft 1727, 1
kompliziert 1441, 1
Komplott 898; 1060, 2

Komponente 192, 1;
463, 3; 1560, 3
Komponierung 779
Komponist 1134, 1
Komposition 779;
1133, 2
kompostieren 1715, 5
komprimieren 198, 2;
1007, 4
komprimiert 380, 2;
1005, 3
Komprimierung 1299, 2
Kompromiss 150, 4;
444; 656, 1; 1736, 1;
1753, 3
kompromissbereit
658, 1
kompromissbereit, nicht
605
kompromissfähig 658, 1
kompromisslos 820, 3;
1300; 1535, 1
Kompromisslosigkeit
1536, 1
kompromittieren, sich
319, 1; 841, 2
kompromittierend
31, 2
kompromittiert 534, 3
Kompromittierung
1372, 1
kondensieren 522, 2;
1007, 4
Kondition 207, 1; 1833
kondolieren 1563, 3
Konferenz 1593, 2
konferieren 276, 3;
1592, 1
Konfession 1337, 1
Konfessionen 176
Konfiguration 779
Konfirmation 438, 2
konfirmieren 278, 1;
437, 4
Konfiskation 267
konfiszieren 458, 1;
1168, 3
Konfiszierung 267
Konflikt 917, 1; 1533, 1;
1763, 1; 1974, 1
Konflikt, bewaffneter
987, 1
konfliktfähig 920; 981, 5
konfliktfreudig 842
konföderieren 1717, 3

konform 341, 3; 443, 1;
504, 1; 771, 1; 1615, 2
Konformismus 74, 2
Konformität 1616, 5
Konfrontation 917, 2;
1533, 2; 1753, 1
konfrontieren 1754, 1
konfus 1638, 1; 1914, 2
Konfusion 1668, 1
kongenial 771, 4;
1812, 2
Kongenialität 1616, 4;
1813, 2
kongenital 55
Konglomerat 1113, 1
Kongregation 1718, 4
Kongress 1593, 2
kongruent 504, 1;
1615, 1
Kongruenz 1616, 1
kongruieren 1614, 1
König 849
konjugieren 296, 3
Konjunktur 132
Konjunkturritter 1221
konkav 992, 1
Konklave 1593, 2
Konklusion 1400, 3
Konkordat 1736, 2
konkret 78, 2; 1911, 2
konkretisieren 528, 3;
614, 2; 1729, 1
Konkretisierung 529, 2
Konkurrent 95, 2;
700, 3
Konkurrenz 962
konkurrenzfähig 775
Konkurrenzfähigkeit
1616, 3
Konkurrenzkampf
962, 3
konkurrenzlos 163, 1;
554
Konkurrenzneid 1169
konkurrieren 918, 2;
1511, 3
konkurrieren, mit jmdm.
1754, 3
Konkurs 185; 1116
können 963
Können 229, 2; 577;
611; 980, 1; 1501, 1
Könner 573
Konnex 966, 1
Konnotation 202, 4

Konsekration 438, 2
Konsens 444; 1616, 5;
1736, 1
konsequent 479; 1300;
1535, 1; 1640, 2
Konsequenz 613, 3;
630, 3; 1400, 3;
1536, 1
konservativ 341, 3;
1320, 2; 1971, 2
Konserve, keine 1663, 5
konservieren 522, 2;
522, 4; 1249, 3;
1603, 3
konserviert 363, 2
Konservierung 1248, 2
Konservierungsstoffe,
ohne 1166, 1
konsistent 1928, 2
Konsistenz, ohne 410, 4
Konsole 331, 2
konsolidieren 210, 2;
1462, 1
Konsolidierung 1503, 3
Konsorte 961
Konspiration 898;
1060, 2
konspirieren 1717, 4
konstant 144; 365, 1;
882, 3
Konstante 792, 1
konstatieren 614, 2
Konstatierung 615, 1
Konstellation 580, 2;
1010, 3
konsternieren 1620, 1
konsterniert 1504, 3
konstituieren 52, 3
Konstitution 1966
konstruieren 560, 4;
756; **964**
konstruiert 1702
Konstrukt 965, 3
Konstrukteur 561
Konstruktion 563, 3;
632, 1; **965**; 1538
konstruktiv 1197, 1
Konsul 387, 1
Konsulent 912, 2
Konsultation 277, 1;
1304, 3
konsultieren 639, 1
Konsum 1722, 1
Konsumansprüche 82, 2
Konsument 925

konsumgeil 808
Konsumgut 562
konsumieren 1723, 1
konsumiert 1028, 1
Konsumkultur 997, 3
konsumorientiert 218, 4;
808
Konsumrausch 1310, 1
Konsumrausch, im
218, 4
Konsumsucht 1550, 4
Konsumterror 1972, 2
Konsumtion 1722, 1
Konsumtrip 1310, 1
konsumversessen 808
Konsumzwang 1972, 2
Kontakt 966; 1718, 1
Kontakt, ohne 450, 1
kontaktarm 450, 1
Kontaktarmut 451, 1
Kontaktaufnahme
966, 2
Kontakter 1897, 4
kontaktfähig 748, 2
Kontaktfähigkeit 749, 1
Kontaktfreude 749, 1
kontaktfreudig 748, 2;
1121
Kontakthof 320
Kontaktlinsen 550, 3
kontaktlos 450, 1
Kontaktperson 1769
Kontaktpflege 1897, 1
kontaktscheu 450, 2;
1960, 1
Kontaktscheu 451, 1
kontaminieren 1808;
1939, 10
kontaminiert 1397, 4
Kontemplation 1355, 2;
1676, 2
kontemplativ 1357, 4
kontemporär 699, 2
Konterfei 308, 2
konterfeien 1, 2
konterkarieren 857, 3
kontern 557, 2; 1313
Konterrevolution
1314, 2
Kontinent 1892, 1
Kontingent 1295, 2
kontingentieren 1561, 2
kontinuierlich 365, 1
Kontinuität 362, 2
Kontor 740, 3

Kontradiktion 694, *2*
kontradiktorisch 695, *4*
Kontrahent 700, *1*
Kontraindikation 694, *2*
kontraindikativ 695, *4*
Kontrakt 1736, *2*
kontraproduktiv 695, *4*
Kontraproduktivität
    694, *2*
kontrapunktieren
    1754, *1*
konträr 695, *3*
Kontrast 1688
kontrastieren 967;
    1687, *2*; 1754, *1*
Kontrastierung 1753, *1*
Kontribution 1514, *2*
Kontrolle 133, *1*;
    1048, *1*; 1285, *2*
Kontrolleur 133, *2*
kontrollierbar 1211, *2*
Kontrollierbarkeit
    1212, *2*
kontrollieren 12, *4*;
    1284, *1*; 1626, *2*
Kontroverse 277, *3*;
    1553, *1*
Kontur 110, *1*; 159;
    632, *3*; 1058, *2*
konturieren 1729, *1*
konturiert 378, *2*
Konvenienz 326, *2*
konvenieren 503, *1*;
    691, *1*
Konvent 952
Konvention 326, *2*;
    1322, *2*; 1736, *2*
konventionell 182;
    678, *1*; **968**
Konvergenz 1616, *5*
konvergieren 974, *2*;
    1614, *2*
konvergierend 1615, *1*
Konversation 1683, *1*
Konversation machen
    1681, *3*
Konversationslexikon
    1032
Konversion 1882, *2*
konvertierbar 775
Konvertierbarkeit
    1616, *3*
konvertieren 20, *1*;
    1618, *2*
konvex 992, *1*

Konvoi 579, *6*
konzedieren 531, *2*
Konzentrat 567, *2*
Konzentration 1362, *5*;
    1501, *3*
**Konzentrationslager
969**
konzentrieren 1007, *4*;
    1361, *3*
konzentrieren, sich
    371, *4*; 1361, *5*
konzentriert 125, *1*;
    380, *2*; 891, *2*; 891, *5*;
    895, *1*
Konzept 965, *2*; 1187, *1*;
    1258, *2*
Konzept machen
    1259, *3*
Konzeption 1258, *2*
Konzern 1685, *1*;
    1718, *6*
Konzert 1712, *2*
konzertieren 1486, *3*
konzertiert 819, *1*
Konzertierung 779
Konzertmeister 1047, *2*
Konzertsaison 1360
Konzertsänger 1363, *1*
Konzertsängerin
    1363, *2*
Konzession 490, *1*;
    532, *2*
Konzessionen machen
    704, *2*
Konzil 1593, *2*
konziliant 491; 654, *1*
Konzilianz 490, *1*
konzipieren 756;
    1259, *3*; 1421, *2*
Konzipierung 1258, *2*
Kooperation 1963
kooperieren 1229, *3*;
    1717, *3*
koordinieren 1226, *2*;
    1229, *1*
Koordinierung 779
Kopf 671, *1*; 970;
    1048, *1*; 1789, *2*
Kopf an Kopf 954, *2*
Kopf bis Fuß, von 679, *2*
Kopf haben, auf dem
    1588, *2*
Kopf haben, im 526, *5*
Kopf stellen, auf den
    1708, *1*

Kopf, am 1840, *1*
Kopf, aus dem 1695, *3*
Kopf, kluger 372
Kopf, kühler 1315
Kopf, roter 1763, *3*
Kopfarbeit 101, *3*
Kopfarbeiter 372
Kopfbedeckung 971
Köpfchen 707, *2*;
    1789, *2*
Köpfchen, mit 890, *1*
Kopfgeburt 879
Kopfhaar 806, *1*
Kopfhänger 1245
kopfhängerisch 1246
kopflastig 1602, *3*
kopflos 1638, *1*; 1777, *1*;
    1914, *2*
Kopflosigkeit 33, *2*;
    62, *1*; 427, *3*
Kopfnicker 1221
Kopfnuss 1393, *1*
kopfscheu 1914, *3*
kopfscheu machen
    1815, *2*
kopfschütteln 1934, *1*
Kopfsprung 1496, *2*
Kopftuch 971
Kopfzerbrechen 1321
Kopie 972, 1142, *1*;
    1811, *2*
kopieren 1, *3*; 881, *1*;
    1621, *8*; 1810
Kopierer 916, *3*
Kopist 1141
koppeln 1717, *2*
Koppelung 1718, *1*
Koproduktion 1963
Koprolalie 1493, *4*
Korb 223; 1116
Körbchen 295
Kordel 575, *1*
kordial 654, *1*
Kordon 858, *4*
Korinthenkacker
    1239, *1*
Korken 1784, *1*
Korn 951, *2*
Körnchen 951, *2*
Körnchen Wahrheit, ein
    1863
Korona 800, *5*
Körper 697, *1*; 973
Körper, toter 973, *2*
Körperbau 159; 973, *1*

Körperertüchtigung 1487
Körpererziehung 1487
Körperfülle 673, *2*
körperhaft 1261; 1911, *2*
Körperkraft 980, *1*
Körperkultur 1487
körperlich 1026, *1*;
  1228, *1*; 1911, *2*
Körperlichkeit 589, *2*;
  973, *1*
Körpermaß 792, *1*
Körperpflege 1248, *3*
Körperschaft 1227, *2*
Körperteil 778, *1*
Körpertheater 1576, *1*
Körperübung 1487
Körperumfang 1630
Korporation 1227, *2*
korpulent 381, *1*;
  1506, *2*
Korpulenz 673, *2*
Korpus 973, *1*; 1575
Korpuskel 192, *2*
korrekt 86, *3*; 722, *1*;
  968, *2*
Korrektor 133, *3*
Korrektur 225, *2*;
  1716, *1*
Korrekturabzug 147, *3*
Korrelat 505, *1*
Korrelation 1884
korrelieren 503, *3*
Korrespondent 260, *1*
Korrespondenz 966, *3*;
  1616, *4*
korrespondieren 503, *3*;
  974; 1614, *1*
korrespondierend
  504, *1*; 1615, *1*;
  1727, *2*
Korridor 1842, *1*
korrigieren 198, *2*;
  946, *5*; 1715, *1*
korrodieren 1728, *2*
korrumpieren 924, *3*
Korrumpierung 436, *2*
korrupt 349; 754
Korruptheit 755
Korruption 436, *2*
Korsar 2
Korso 1329, *3*
Koryphäe 573; 1500, *2*
kosen 1056, *3*
Kosen 1055, *3*

Kosmetik 1248, *3*
kosmetisch 757, *4*
Kosmopolit 340, *4*
kosmopolitisch 341, *4*
Kosmos 1892, *2* .
Kost 542, *1*
Kost, leichte 379, *2*
kostbar 416, *1*; **975**;
  1457, *1*
Kostbarkeit 976
Kostbarkeiten 1291, *1*
koste es, was es wolle
  1640, *1*
kosten 977
Kosten 978
kosten, Schweiß 539, *1*
Kostenaufstellung 82, *3*;
  1258, *3*
Kostendämpfung 454, *1*
Kostenexplosion 1510, *2*
kostengünstig 312, *1*
kostenlos 1634, *1*
Kostenplan 1258, *3*
Kostenpunkt 978, *1*
Kostenvoranschlag
  1258, *3*
köstlich 100, *2*; 109;
  835, *2*; 835, *4*
Köstlichkeit 979;
  1414, *1*
Kostprobe 556, *1*;
  951, *2*; 1794, *2*
kostspielig 1573
kostümieren 1714, *2*
Kostümierung 1558, *2*
Kostverächter, kein
  726, *2*
Kot 156, *2*
Kotau 801, *2*
Kotau machen 1401
Köter 871
kotig 1408
Kotzbrocken 1386
kotzen 329, *3*
Krabbe 1078, *2*
krabbeln 777, *2*
Krach 105, *3*; 734, *3*;
  1385, *1*; 1533, *2*
Krach machen 1018, *1*
krachen 329, *1*; 1018, *2*;
  1262, *1*; 1534, *2*
Krachen 734, *2*
Kracher, alter 45, *2*
krachig 1495, *1*
Krachmacher 1272, *2*

krächzen 944, *3*
krächzend 406, *5*;
  1307, *3*
kraft 1124, *3*; 1888
Kraft 463, *1*; 478, *1*;
  577; 826, *2*; 830; **980**;
  1501, *1*
Kraft sein, in 201, *4*
Kraft, mit aller 829, *1*;
  891, *2*
Kraft, mit letzter 477, *2*
Kraft, schöpferische
  724, *2*
Kraft, treibende 478, *3*;
  794, *1*
Kraftakt 917, *1*
Kraftausdruck 627
Kräften, bei 757, *2*
Kräfteverfall 540, *2*;
  1348, *4*
kräftezehrend 1293, *3*
Kraftfahrzeug 579, *2*
kräftig 109; 376, *1*;
  829, *1*; 891, *3*; **981**;
  1077, *1*; 1158; 1225, *3*;
  1364, *3*; 1489, *1*;
  1506, *1*
kräftigen, sich 524, *1*;
  524, *2*; 723, *3*; 1502, *1*
kräftigend 757, *3*; 1158
Kräftigung 525, *2*;
  1503, *4*
kraftlos 856, *1*; 1432, *1*
kraftlos werden 539, *2*;
  1149, *4*
Kraftlosigkeit 1433, *1*
Kraftmeier 982
Kraftmeierei 460, *1*
kraftmeierisch 459, *2*
Kraftmensch 982
Kraftprobe 1794, *3*
Kraftquelle 478, *3*
Kraftrad 579, *2*
Kraftstoff 478, *2*
kraftstrotzend 981, *1*
kraftvoll 479; 829, *1*;
  981, *1*; 1077, *1*
Kraftwort 627
kragen 1920, *2*
krähen 1584, *3*
Krähenfüße 585, *2*
Krähwinkler 340, *3*
Krakeel 734, *3*; 1533, *2*
krakeelen 1018, *1*
Krakeeler 1272, *2*

krakeln 1421, *4*
Kralle 778, *1*
Kram 5, *1*; 951, *4*
kramen 1549, *1*
Krämer 816, *1*
Krämerladen 740, *2*
Krämerseele 340, *3*; 710;
    1239, *1*
Krampf 1674, *1*
krampfig 766; 1624, *4*
Kran 579, *5*
krank 856, *1*; 1042, *1*
krank machen 539, *1*;
    1369, *5*
krank sein 1040, *3*
krank werden 530
krank, chronisch
    1042, *1*
krank, psychisch 1042, *4*
krank, psychosomatisch
    1042, *4*
krank, unheilbar 1042, *1*
krank, unrettbar 1042, *1*
kränkeln 12, *1*; 530;
    1040, *3*
kranken 1040, *3*
kränken 257, *3*; 841, *1*;
    1242, *2*; 1592, *6*
kränkend 239, *1*;
    1293, *2*
Krankenhaus 983
Krankenkasse 921, *4*
Krankenkost 379, *2*
Krankenversicherung
    921, *4*
Kranker 1238
krankfeiern 602, *3*
krankhaft 1237; 1624, *4*
Krankheit 984; 1041, *1*;
    1658
Krankheitsangst 62, *5*
Krankheitserreger 985
Krankheitswahn 62, *5*
Krankheitszeichen
    1933, *2*
kranklachen, sich
    1009, *2*
kränklich 1042, *1*;
    1432, *2*
Kränkung 240
Kranz 343, *2*
Kränzchen 800, *8*
kränzen 174, *1*
krass 376, *2*; 1624, *2*
Krater 1798, *1*

kratzbürstig 31, *1*; 425
kratzen 907, *2*; 1326, *1*
kratzen, Kurve 485, *1*
Kratzer 1496, *1*; 1923
Kratzfuß 801, *2*
kratzig 844, *2*; 1307, *3*
krauchen 777, *2*
kraulen 1442, *1*
kraus 587, *1*; 992, *4*;
    1441, *1*; 1914, *2*
Krause 585, *1*
kräuseln 395, *3*; 586, *2*
Krauter 189, *1*
Kräutlein 471, *4*
Krawall 734, *3*
Krawalle 134, *3*
Krawatte 1291, *7*
kraxeln 1508, *2*
Kreation 563, *3*;
    1125, *2*; 1416, *2*
kreativ 1415
Kreativität 1253
Kreatur 66, *3*; 747, *1*;
    747, *2*; 1402, *1*
Krebs 1658
Krebsgang 1348, *1*
Krebsgeschwür 1658
kredenzen 50, *3*
Kredit 358; 716, *2*; **986**
Kreditanstalt 184, *2*
Kredithai 1275
kreditieren 321, *2*
Kreditinstitut 184, *2*
Kreditnehmer sein
    1425, *1*
Kredo 1100, *1*
kregel 835, *3*; 1026, *3*
Kreide, in der 1426, *1*
kreidebleich 592, *1*
kreieren 560, *1*; 756;
    1486, *1*
kreiert werden 506, *1*
Kreis 685, *1*; 800, *1*;
    1346
kreischen 1018, *1*;
    1584, *2*
Kreise 340, *2*
Kreise, im engsten
    1244, *3*
kreiseln 395, *1*
kreiselnd 1026, *5*
kreisen 395, *1*; 1437, *1*
Kreisen, aus gut unter-
    richteten 1213, *1*;
    1460, *4*

kreisförmig 1827, *3*
Kreismesser 1058, *1*
Kreissäge 971
kreißen 682, *1*
Kreisstadt 1499, *1*
kremieren 233, *1*
Krempel 5, *1*
krepieren 1512, *3*
Kreszenz 1294, *2*
Krethi und Plethi 38, *2*
Kretin 405, *4*
Kreuz 1020, *2*; 1658
kreuz und quer 1611, *1*
kreuzbrav 328, *2*
kreuzen 1112, *3*;
    1298, *1*; 1951, *1*
kreuzen, sich 1409, *6*
Kreuzfeuer 638, *3*
Kreuzung 415, *1*;
    1593, *3*; 1950, *3*
kreuzunglücklich
    1659, *1*
Kreuzverhör 638, *3*
Kreuzweg 1887, *1*
kribbelig 548, *1*
kribbeln 907, *1*
kriechen 777, *2*; 1401
kriechen, auf den Leim
    901, *3*
kriechen, zu Kreuze
    704, *2*
kriechend 1015, *1*
Kriecher 1221; 1402, *1*
kriecherisch 1690, *2*
Krieg 987
Krieg der Sterne 987, *2*
kriegen 236, *1*; 522, *1*;
    588, *1*; 918, *5*;
    1730, *1*
kriegen, heulendes
    Elend 1822, *2*
kriegen, in den falschen
    Hals 106, *3*
kriegen, in die Gänge
    1710, *2*
kriegen, sich in die Haa-
    re 1534, *2*
kriegen, Ständer 523, *4*
kriegen, zu fassen 588, *2*
kriegen, zu viel 106, *2*;
    1262, *2*
Krieger 919, *1*
kriegerisch 37, *2*
Kriegserklärung 843, *1*
Kriegsführer 671, *2*

Kriegsfuß, auf 605
Kriegsgefangenschaft
692, 2
Kriegsgewinnler 2; 1275
Kriegshandlung 987, 1
kriegslüstern 37, 2
kriegstreiberisch 37, 2
Kriegsverbrechen 1724
Kriegsverbrecher
1725, 2
Kriegsvorbereitung
1835, 2
Kriegszug 987, 1
kriminell 1397, 5
Krimineller 1725, 1
Krimskrams 5, 2; 951, 4;
1291, 3
Kringel 1136, 5; 1346
kringeln 395, 3
kringeln, sich 395, 3;
1009, 2
Krise 399, 2; **988;**
1348, 5
Krise, in einer 401
kriseln 398, 4
krisenfest 1460, 2
krisenhaft 690, 1
Krisenzeichen 1933, 2
Krisis 988, 1
kristallen 945, 1
kristallisieren 551, 3
Kristallleuchter 1012, 2
Kriterium 930, 1
Kritik 277, 4; **989;**
1271, 3; 1700, 1
Kritik, gute 989, 3
Kritik, unter aller
1397, 1
Kritikaster 990, 2;
1239, 1
Kritikastertum 989, 4
Kritiker 990
Kritikfähigkeit 1789, 2
kritiklos 318, 4; 403, 2;
433, 2; 1971, 1
Kritiklosigkeit 991
kritisch 31, 2; 84, 1;
545, 4; 690, 1;
1243, 2; 1273, 1;
1772, 4
kritisieren 196; 276, 2;
1701, 1
kritisieren, schlecht
1809, 2
Krittelei 989, 4

krittelig 31, 2; 238, 2
kritteln 196; 1553, 1
Krittler 990, 2; 1239, 1
kritzeln 1421, 4
Krokodilstränen 1558, 1
Krone 554; 767, 1
Krone, einen in der
250, 1
krönen 174, 1
krönen, das Werk 1828
Kronleuchter 1012, 2
Kronprinz 95, 2; 1431
Krönung 419, 2; 767, 5
Kroppzeug 753
krosch 1495, 1
kross 1495, 1
Krösus 1686, 3
Kröten 712, 3
krude 334; 376, 2;
642, 3; 1661, 2
Krudität 643, 2
Krug 681, 1
Krume 794, 3
Krümel 1289; 1340, 1
krümelig 1132, 2;
1495, 2
krümeln 329, 1
krumm 992
krummbeinig 992, 5
krümmen 296, 1; 395, 4
krümmen, sich 395, 4
krummlachen, sich
1009, 2
Krümmung 1004
krumpelig 1150, 4
krumpeln 586, 3
krumplig 44, 3
Kruscht 5, 1
Kruste 870, 2
Krypta 657
kryptieren 1621, 7
kryptisch 407, 4
Küche 993
Küche, feine 730, 3
Küchenbüffet 1418
Küchenherd 845
Küchenhilfe 826, 2
Küchenmesser 1106
Küchenschrank 1418
Küchenstuhl 1470, 1
Küchentisch 1580
Kuddelmuddel 1668, 2
Kugel 994
Kugelfeuer 617, 3
kugelig 381, 4

kugeln 395, 1
kugeln, sich 1009, 2
kugelrund 381, 1;
1827, 3
kugelsicher 1460, 6
Kugelwechsel 917, 2
Kuh, dumme 405, 4
Kuhaugen 141
kühl 31, 1; 772, 1;
914, 1; 914, 3; 968, 2
Kuhle 1798, 1
Kühle 915, 1; 1536, 2;
1646, 2
kühlen 995
kühlend 757, 4
Kühlschrank 1418
kühn 920; 1139, 1
Kühnheit 1138
Kujon 186
kujonieren 1242, 1
Küken 1078, 2
kulant 491; 793, 1
Kulanz 490, 1
kulinarisch 100, 2; 727
Kulisse 859, 1; 1558, 2
Kulissen, hinter den
834, 1
kullern 395, 1; 625
Kulmination 767, 2
Kulminationspunkt
767, 2
Kult 326, 3; 938, 3
Kult machen um 1734, 2
Kultfigur 874, 2; 1500, 1
Kultfilm 618, 3
Kultgegenstand 976, 3
Kulthandlung 601, 2;
938, 3
kultivieren 198, 3;
560, 5; 1715, 1;
1715, 2; 1951, 1
kultiviert 996
Kultivierung 1716, 2
Kultobjekt 976, 3
Kultstätte 938, 2
Kultur 746, 1; **997**
Kultur, altersspezifische
1545, 1
Kultur, in einer anderen
648, 3
Kultur, schichtspezifi-
sche 1545, 1
Kultur, zweite 1545, 1
Kulturbanause 186;
340, 3

Kulturbeutel 870, *8*
Kulturen, andere 649, *1*
Kulturereignis 1712, *3*
Kulturkomplex 997, *1*
Kulturkreis 997, *1*
Kulturmeile 1499, *3*
Kulturproduktion 997, *3*
Kulturrevolution
  1343, *2*
Kulturtechniken 796, *4*
kulturvoll 996, *2*
Kultus 938, *3*
kümmeln 1600, *2*
Kümmelspalter 710;
  1239, *1*
Kummer 1403, *1*; 1473;
  1591
Kummer machen
  1404, *2*
Kummer machen, sich
  63, *2*
Kümmerer 927
kümmerlich 107, *2*;
  954, *2*; 1653, *1*
Kümmerling 603
kümmern 1149, *4*;
  1603, *6*
kümmern, sich 1788, *2*
kümmern, sich um 873
Kümmernis 1591
Kümmernisse 1473
kummervoll 1293, *2*;
  1659, *1*
Kumpan 652; 961
Kumpanei 655, *1*
Kumpel 652
kumpelhaft 654, *3*
Kunde 925; 1000, *1*;
  1917, *1*
Kundenberatung
  1304, *3*
Kundendienst 204, *4*;
  383, *2*
Kundenfänger 1896
Kundenkreis 1000, *1*
Kundenwerbung 1897, *1*
Künder 1276
Kundgabe 1122; 1209, *1*
kundgeben 1120, *3*
Kundgebung 370, *1*
kundig 516, *1*; 727; 929
kündigen 122, *2*; **998**;
  1733, *1*
Kundigkeit 517, *2*
Kündigung 120, *3*; **999**

kundmachen 1120, *3*;
  1773, *2*
Kundschaft 1000
Kundschafter 248, *2*
kundtun 162, *1*; 1120, *3*;
  1208, *2*
kundwerden 411, *3*
künftig 1482, *2*
Kunst, schwarze 1932, *3*
Kunstbanause 186
Kunstdichtung 1061
kunsteifrig 385, *1*
kunstempfänglich
  996, *2*
Kunstexperte 1003, *1*
Kunstfahrer 111, *2*
Kunstfehler 599, *3*
kunstfertig 744, *1*; 1001
Kunstfertigkeit 611
Kunstform 1517, *2*
Kunstfreund 384, *1*;
  1003, *1*
Kunstgegenstand
  1046, *2*
kunstgerecht 572, *1*;
  817, *1*; **1001**
Kunstgewerbe 813, *1*
Kunstgriff 1597
Kunsthaar 806, *3*
Kunsthalle 1362, *2*
Kunsthandwerk 813, *1*
Kunstkenner 1003, *1*
Kunstkritiker 990, *1*
Künstler 573
künstlerisch 996, *2*;
  1001; 1265, *2*
Künstlername 1288
Künstlerwerkstatt 114
künstlich 1002
Kunstliebhaber 1003;
  1095
Kunstlied 739, *2*
kunstlos 433, *2*
Kunstmaler 1083, *1*
Kunstmeile 1499, *3*
Kunstrichter 990, *1*
Kunstrichtung 1517, *2*
Kunstsammlung 1362, *2*
Kunstsinn 746, *1*
kunstsinnig 996, *2*
Kunststück 1597;
  1685, *3*
Kunststück, kein
  1036, *2*
kunstverliebt 385, *1*

kunstvernarrt 385, *1*
Kunstverstand 746, *1*
kunstverständig 996, *2*
Kunstverständnis
  746, *1*
Kunstwerk 1046, *2*;
  1416, *2*
kunterbunt 591, *1*;
  1914, *1*
Kupidität 1073, *3*
kupieren 1007, *1*
kupiert 1005, *1*
Kuppe 257, *1*; 767, *1*
Kuppel 1921, *3*
Kuppler 1954
Kur 525, *1*
Kur machen 723, *3*
kurant 678, *4*
Kuratel 1048, *2*
Kuratorium 911, *1*;
  1304, *2*
Kurbad 178, *3*
Kurbel 812, *1*
kurbeln 395, *2*
Kürbis 970, *1*
kuren 723, *3*
Kurgast 1332, *1*
Kurier 1613, *2*
kurieren 831, *2*
kurierend 757, *4*
kurios 119, *2*; 1254, *3*
Kuriosität 424, *3*;
  1484, *4*
Kuriositätensammlung
  1362, *2*
Kuriosum 424, *3*
Kurklinik 983
Kurort 178, *3*
Kurpfuscher 294, *3*;
  384, *2*
Kurs 716, *4*; 1033, *2*;
  1537, *1*; 1887, *3*;
  1898, *2*
Kurs, außer 1397, *6*
kursieren 1633, *4*
kursiv 1417, *1*
Kurssturz 1348, *5*
Kursteilnehmer 1565, *2*
Kursus 1033, *2*
Kurtisane 1742, *2*
Kurve 29, *2*; 396, *1*;
  1004
kurven 395, *4*
kurvenreich 992, *1*
kurvig 992, *1*

kurz 477, *1*; **1005**
kurz halten 1478, *2*
kurz oder lang, über
   180; 1482, *2*
kurz treten 1413, *4*;
   1478, *4*
kurz und bündig
   1005, *3*
Kurzatmigkeit 481, *2*
Kürze 1006
Kürze, in 180
Kürze, in aller 1005, *3*
Kürzel 1933, *2*
kurzem, binnen 180
kurzem, seit 1008
kurzem, vor 1008
kürzen 198, *2*; **1007**;
   1409, *2*

kürzer treten 1413, *4*;
   1478, *4*
kurzerhand 87; 771, *3*
kurzfristig 180; 1005, *4*
Kurzgeschichte 559, *2*
kurzlebig 1005, *4*; 1745
Kurzlebigkeit 1006, *2*;
   1746, *1*
kürzlich 1008
Kurzschlusshandlung
   549, *5*
kurzsichtig 480, *2*
kurzum 87
Kürzung 454, *1*; 1299, *2*
kurzweg 87; 1005, *3*
Kurzweil 291, *4*
kurzweilig 835, *2*;
   892, *1*

kurzzeitig 1005, *4*
kuschelig 1890, *3*
kuschen 704, *1*
Kuss 801, *2*; 1055, *3*
küssen 1056, *3*
Kusshand, mit 738, *2*
Kussmund 1131
Küste 1629
Küster 838, *2*; 939, *3*
Kutsche 579, *1*
kutschieren 300, *4*
Kutte 949, *2*
Kuttenträger 939, *2*
Kutter 579, *6*
Kuvert 870, *4*
kuvertieren 1233, *4*
KV 867
KZ 969

L

La Ola 231
labberig 574, *1*; 1890, *4*
Labe 979
Label 930, *3*
laben 50, *3*; 1502, *2*
laben, sich 524, *1*;
   566, *3*; 1600, *1*
labern 1494, *3*
Labertante 1523
labil 349; 471, *2*;
   1432, *2*; 1649, *1*;
   1698, *1*
Labilität 1433, *1*;
   1699, *1*
Labor 740, *3*
Labor, aus dem 1002
Laboratorium 740, *3*
laborieren 1795, *2*
Labsal 730, *1*; 1004
Labung 1503, *1*
Labyrinth 1668, *1*
Lache 650, *3*; 760, *2*
lächeln 651, *2*; 1009, *1*
Lächeln 650, *3*
lächelnd 654, *4*; 835, *1*
lächelnd, kalt 914, *4*
lachen 651, *2*; **1009**
Lachen 650, *3*; 734, *2*
lachen haben, nichts zu
   92, *4*
lachen, aus vollem Halse
   1009, *2*
lachen, in den Bart
   1009, *1*
lachen, schallend
   1009, *2*
lachen, sich ins Fäust-
   chen 1491, *1*
lachen, sich scheckig
   1009, *2*
lachen, Tränen 1009, *2*
Lachen, zum 835, *2*
lachend 654, *4*; 835, *1*
lächerlich 24; 119, *2*;
   403, *3*; 835, *4*
lächerlich machen
   1491, *2*

lächerlich machen, sich
   319, *1*
Lächerlichkeit 424, *4*;
   951, *1*
lächern 651, *1*
Lachfalte 585, *2*
lachhaft 24; 119, *2*;
   403, *3*
Lachkabinett 170, *3*
Lachlust 650, *3*
Lachnummer 951, *1*
Lachsalve 650, *3*
Lackaffe 1544
Lackel 1544
lacken 769, *3*
lackieren 590, *2*;
   769, *3*
Lackierer 1083, *2*
lackiert 768, *2*
lackmeiern 293, *1*
Lade 571, *1*
Ladehemmung 1780, *2*
laden 280, *3*; 446, *1*;
   674, *2*; 1834, *4*
Laden 740, *2*; 870, *6*
laden, Schuld auf sich
   1425, *3*
laden, voll 237, *1*
Ladenbesitzer 741
Ladenhüter 5, *2*; 1627, *1*
Ladeninhaber 741
Ladenkasse 921, *1*
Ladenkette 1977, *1*
Ladenpreis 1270, *3*
Ladenstraße 740, *5*
lädieren 264
lädiert 265, *1*
Ladung 1020, *1*; 1589, *2*
Lady 640
Ladykiller 1742, *1*
ladylike 864; 1841
Lady's Man 1742, *1*
Laffe 1544
Lage 1010; 1294, *2*;
   1295, *1*; 1966
Lage sein, in der 963, *1*
Lage, in der 576, *2*
Lager 800, *6*; 900, *1*;
   1011
Lager haben, auf 807, *1*
Lager, am 1838, *1*
Lager, auf 1838, *1*
Lager, im feindlichen
   605
Lagerbestand 900, *1*

Lagerhaus 1483, *2*
lagern 22, *3*; 123, *1*;
   1361, *2*
Lagerplatz 1011, *1*
Lagerung 1538
lahm 1017, *2*; 1432, *1*
lahm legen 496; 857, *1*;
   1434; 1522, *3*
lähmen 496; 1434;
   1679, *1*
Lähmung 858, *2*
Laie 384, *1*
Laienarbeit 386
laienhaft 385, *2*
Laienhaftigkeit 386
Laienrichter 911, *2*
Laienschwester 1189
laizistisch 369
Lakai 1221
lakaienhaft 1690, *2*
Lake 1476
lakonisch 1005, *2*
Lakune 1067, *1*
lallen 1494, *3*
lamentieren 944, *3*
Lamentieren 943, *2*
Lamento 943, *2*
laminieren 769, *3*
lammfromm 328, *1*;
   689, *2*
Lammsgeduld 688, *2*
Lampe 1012
Lampenfieber 62, *2*;
   549, *1*; 1477, *1*
Lampion 1012, *1*
lancieren 298, *1*; 437, *1*;
   1834, *5*
Land 794, *3*; 1234
Land unter 1165, *2*
Land, Gelobtes 1234
Land, im ganzen 1611, *1*
Landadel 36, *2*
Landarbeiter 189, *1*
landauf, landab 1611, *1*
Landbesitz 795
Lände 333
Landebahn 1887, *2*
Landei 405, *5*
landen 67, *1*; 811, *1*;
   1184, *1*
Landenge 481, *4*
Länder, ferne 649, *1*
Länder, unbekannte
   649, *1*
Länderei 795

Landes, außer 393, *2*
Landesgrenze 790
Landesherr 849
Landessitte 326, *1*
Landessprache 1493, *4*
Landesteil 685, *2*
landesüblich 678, *1*
Landesverweis 1804
Landgut 190
Landhaus 824, *1*
landläufig 678, *1*
ländlich 376, *3*; 433, *3*;
  835, *5*
Ländlichkeit 434, *4*
Landmann 189, *1*
Landpartie 578, *1*
Landplage 1523; 1658
Landplage werden, zur
  145, *4*
Landpomeranze 405, *5*
Landregen 1186, *1*
Landschaft 685, *2*
Landschaft, unberührte
  1164, *2*
Landser 1111, *1*
Landsknecht 1111, *1*
Landsmannschaft
  1718, *4*
Landstadt 1499, *1*
Landstraße 1527
Landstreicher 1332, *2*
Landstrich 685, *2*
Landung 68, *1*
Landungsbrücke 333
Landungssteg 333
Landweg 1887, *4*
Landwirt 189, *1*
Landwirtschaftsbetrieb
  190
lang 791, *1*; **1013**
lang dauernd 1013, *2*
lang ziehen 1530, *2*
lang, ungleich 1642, *4*
langatmig 722, *4*;
  1017, *1*
lange 1013, *2*
Länge 146, *2*
lange her 666, *1*; 1743
lange her, noch nicht
  1008
lange, nicht mehr 699, *1*
lange, schon 1411
langem, seit 1411
langen 729, *1*
längen 1530, *2*

langen, eine 1394, *1*
Längenmaß 1089, *2*
länger machen 152, *4*;
  1530, *2*
Langeweile 1014
langfristig 1013, *2*
langjährig 1013, *2*
langlebig 363, *1*
Langlebigkeit 362, *3*
langlegen, sich 1356, *1*
länglich 1013, *1*
langmachen, sich
  1356, *1*
Langmut 688, *1*
langmütig 689, *1*
längs 1155, *1*
langsam 1015
Langschläfer 595
längst 1411
längstens 1452, *2*
langweilen 1016
langweilen, sich 1016
Langweiler 1239, *1*;
  1255
langweilig 574, *2*;
  592, *2*; **1017**; 1602, *3*
Langweiligkeit 593
langwierig 1013, *2*;
  1021, *3*
lapidar 1005, *3*
Lappalie 951, *1*
Lappen 5, *1*; 712, *3*;
  1340, *1*; 1539, *2*
Läpperei 951, *1*
läppern, sich 1509, *3*
lappig 1890, *4*
läppisch 403, *3*
Lapsus 599, *4*; 902, *1*
Laptop 352, *2*
Larifari 737, *2*
Lärm 734, *3*
Lärm machen 1018, *1*
lärmen 1018
lärmend 1022
larmoyant 1182, *2*
Larve 1558, *2*
Larvierung 1558, *2*
lasch 772, *4*; 1432, *3*;
  1890, *5*
lasieren 769, *3*
lasiert 768, *2*
lassen 329, *2*; **1019**;
  1782, *1*; 1819, *1*
lassen können, nicht
  1903, *2*

lassen, einander 485, *5*
lassen, offen 1214, *1*
lässig 633, *3*; 772, *4*;
  1150, *3*
Lässigkeit 1151
Last 400, *2*; **1020**; 1250;
  1589, *2*; 1658
lasten 402, *1*
Lastenaufzug 140, *1*
Lastenausgleich
  498, *3*
lastend 1440, *1*
Laster 579, *3*
Lästerei 737, *1*
Lästerer 990, *2*
lasterhaft 91, *2*
Lästermaul 990, *2*
lästern 628; 1391, *2*;
  1764
Lästerung 627
Lästerzunge 990, *2*
lästig 1021; 1243, *1*;
  1627, *1*; 1637, *1*;
  1660, *1*
Lastwagen 579, *3*
lasziv 91, *3*; 1074
Laszivität 662, *2*;
  1073, *3*
Latein am Ende, mit
  dem 856, *2*
latent 1357, *6*; 1719, *1*
Laterne 1012, *1*
Lateshow 1459
Latifundien 190
Latin Lover 1075
Latrine 1582, *1*
Latrinenparole 737, *2*
latschen 703, *2*
Latte 331, *1*
lau 1091, *3*; 1109, *1*;
  1871, *1*
Laubwald 1868
Laudatio 1062, *3*
lauern 247, *2*; 1876, *1*
Lauf 302, *1*; 630, *1*;
  742, *2*; 1283, *2*;
  1887, *3*
Lauf lassen, freien
  531, *1*; 1019, *1*
Lauf lassen, seinen
  Gefühlen freien
  1208, *3*
Laufbahn 135, *1*
Laufbursche 1613, *1*
Laufe von, im 1864

laufen 428, *1*; 625;
703, *2*; 715, *1*; 1870
laufen lassen 1019, *1*;
1486, *7*
laufen nach 216, *1*
laufen, aus dem Ruder
28, *1*
laufen, auseinander
1066, *2*; 1594, *1*;
1796, *3*
laufen, Gefahr 1859, *2*
laufen, ins offene Messer
1369, *4*
laufen, leer 1030, *5*
laufen, nicht mehr
1779, *3*
laufen, parallel 1614, *1*
laufen, sich warm
1873, *2*
laufen, Sturm gegen
124, *2*
laufen, voll Wasser
1618, *1*
laufen, von Pontius zu Pilatus 92, *?*
laufend 410, *4*; 882, *1*
laufend, gleich 776
Laufenden sein, auf dem
1793, *4*
Läufer 1571; 1613, *2*
Lauferei 291, *2*
Lauffeuer, wie ein
1410, *1*
Laufschritt, im 1410, *1*
Laune 650, *1*; 1073, *1*;
1519, *1*; 1519, *2*
Laune, gute 650, *1*
Laune, schlechte 105, *1*;
1118
launenhaft 1698, *1*
Launenhaftigkeit
1699, *1*
launig 835, *3*
launisch 1698, *1*
Launischkeit 1699, *1*
Lausbub 1384, *2*
Lausbüberei 1674, *2*
lauschen 128, *1*; 868, *1*
Lauscher 248, *2*; 1217
lauschig 719
Lausebengel 1384, *2*
Lausejunge 1384, *2*
Lausekälte 915, *1*
lausig 1397, *1*
lausig kalt 914, *1*

laut 504, *4*; **1022**; 1888;
1912, *2*
Laut 734, *1*; 1493, *1*;
1583, *1*
laut werden 411, *3*;
506, *5*
laut werden lassen
1494, *2*
lauten 1174, *3*; 1584, *1*
läuten 1584, *2*
Läuten 734, *2*
lautend, gleich 771, *1*
lauter 86, *3*; 945, *1*;
1365, *2*
Lauterkeit 85, *2*
läutern 946, *3*
Läuterung 445, *1*;
1330, *2*
lauthals 1022
lautlos 1044; 1357, *1*
Lautlosigkeit 1355, *1*
Lautschrift 1422, *2*
lautstark 1022
Lautstärke 1089, *5*
Lautstärke, mit voller
1022
lauwarm 772, *4*; 1091, *3*
Lavallière 1291, *7*
lavieren 172, *2*; **1023**
lax 772, *4*; 1037, *2*;
1150, *3*
Laxheit 1151
layouten 756
Lazarett 983
Leader 671, *1*
lean 1479, *2*
learning by doing
1049, *3*
leasen 924, *2*
Leasing 923
leben 115; 212, *3*; **1024**
Leben 570; **1025**;
1446, *2*
Leben haben, etwas vom
725
leben können, nicht
ohne 9, *1*
Leben lang, ein 882, *1*
leben lernen 510, *5*
Leben sein, am 1024, *1*
leben von 522, *3*
leben, als Eremit 17, *2*
Leben, am 1026, *1*
leben, auf großem Fuß
1287, *1*; 1785, *1*

leben, auf Pump 1425, *1*
leben, einsam 17, *2*
leben, elend 482
leben, gut 807, *2*
leben, im Abseits 17, *2*
leben, im Elfenbeinturm
17, *2*
leben, im Luxus 1287, *1*
leben, im Schnecken-
haus 17, *2*
leben, in Armut 482
leben, in den Tag 594
leben, in guten Verhält-
nissen 807, *2*
leben, in Saus und Braus
1785, *1*
Leben, öffentliches
1212, *1*
leben, sich auseinander
485, *5*
leben, über seine Verhältnisse 1785, *1*
leben, unter einem Dach
1965, *2*
leben, von der Hand in
den Mund 482
leben, zurückgezogen
17, *2*
lebend 1026, *1*
lebend, getrennt 457, *3*
lebendig 78, *1*; 301, *1*;
660, *1*; **1026**
lebendig machen 270, *1*;
1486, *1*
lebendig machen, Ver-
gangenheit 526, *1*
lebendig sein 526, *5*;
1024, *1*
Lebendigkeit 589, *2*;
1025, *6*
Lebensabend 45, *1*
Lebensabschnittspart-
ner 1235, *3*
Lebensader 823
Lebensalter 45, *1*
Lebensansprüche 82, *2*
Lebensart 746, *1*
Lebensbahn 1025, *2*
Lebensbedingungen
1025, *4*
lebensbejahend 1036, *4*;
1224
Lebensbejahung 1222
Lebensbereich 1301, *2*;
1635, *2*

Lebensbericht 176
Lebensbeschreibung 176
Lebensdauer 1025, *1*
Lebensdrang 1025, *5*
lebensecht 1026, *4*
Lebensende 1581, *1*
Lebensenergie 1025, *6*
Lebensentwurf 1025, *4*
lebenserfahren 516, *1*
Lebenserfahrung 517, *2*
Lebenserinnerungen 176
Lebensfaden 823;
    1025, *3*
lebensfähig 981, *1*
lebensfern 1602, *3*
Lebensform 997, 2;
    1025, *4*; 1517, *3*
Lebensfrage 1899, *2*
lebensfremd 877, *2*
Lebensfreude 650, 2;
    1222
lebensfroh 835, *1*;
    1036, *4*; 1224
Lebensfrühling 908, *1*
Lebensführung 1025, *4*
Lebensfülle 1025, *6*
Lebensfunke 1025, *6*
Lebensgefahr 399, *2*
Lebensgefahr, in 1042, *1*
lebensgefährlich 690, *5*
Lebensgefährte 1235, *3*
Lebensgefühl 1025, *4*
Lebensgeister 1025, *6*
Lebensgemeinschaft
    1718, *5*
Lebensgenuss 650, *2*
Lebensgeschichte 176;
    1025, *2*
Lebensgestaltung
    1025, *4*
Lebensgewohnheit
    1025, *4*
lebensgierig 218, *3*
Lebensgrundlage
    1027, *2*
Lebenshaltung 1025, *4*
Lebenshaltungskosten
    978, *1*; 1027, *1*;
    1680, *1*
Lebensherbst 45, *1*
Lebenshöhe 1119, *4*
lebenshungrig 218, *3*
lebensklug 516, *1*;
    1328, *4*; 1772, *4*
Lebensklugheit 517, *2*

Lebenskraft 1025, *6*
lebenskräftig 981, *1*
Lebenskreis 1635, *2*
Lebenskrise 1709, *4*
lebenskundig 1328, *4*
Lebenskünstler 2; 726, *1*
Lebenslage 1010, 3;
    1025, *4*
lebenslang 1013, *2*
lebenslänglich 882, *1*;
    1013, *2*
Lebenslauf 1025, *2*
Lebenslicht 1025, *3*
Lebenslust 650, 2; 1222
lebenslustig 835, *1*;
    1037, *2*
Lebensmitte 1119, *4*
Lebensmittel 542, *2*
Lebensmorgen 908, *1*
lebensmüde 1182, *1*
lebensmüde sein 1039, *2*
Lebensmut 1222
lebensnah 78, *2*; 1772, *4*
Lebensnähe 589, *2*
Lebensneige 45, *1*
Lebensnerv 1025, *6*
lebensnotwendig 1191, *1*
Lebensnotwendiges
    1680, *1*
Lebenspartner 1235, *3*
Lebensplan 1025, *4*
Lebenspraxis 517, *2*
Lebensraum, kultureller
    1635, *2*
Lebensraum, natürlicher
    1635, *1*
Lebensreise 1025, *2*
Lebensrückblick 176
Lebenssaft 1025, *3*
Lebenssphäre 1301, 2;
    1635, *2*
Lebensstandard 1025, *4*
Lebensstellung, in
    1460, *2*
Lebensstil 997, 2;
    1025, *4*; 1517, *3*
Lebenstrabant 652
Lebenstrabantin 653
lebenstüchtig 576, *1*
Lebensüberdruss 1591
lebensunfroh 1246
Lebensunterhalt 1027;
    1680, *1*
Lebensvertrauen 1222;
    1800

lebensvoll 981, *2*;
    1026, *2*
Lebenswandel 1025, *4*
Lebensweg 1025, *2*
Lebensweise 1025, *4*;
    1517, *3*
Lebensweisheit 374, *1*
Lebenswende 1709, *4*
lebenswichtig 1191, *1*;
    1899, *1*
Lebenswünsche 82, *2*
Lebenszeit 1025, *1*
Lebensziel 1943, *3*
Lebenszuschnitt
    1025, *4*; 1517, *3*
Lebenszuversicht 1222
Lebewesen 747, *1*
Lebewohl 486, *3*;
    801, *1*
lebhaft 78, *1*; 301, *1*;
    660, *1*; 981, *4*; 1026, *2*
Lebhaftigkeit 1446, *2*
leblos 1096, 3; 1504, *1*;
    1585, *2*
Lebtag, mein 882, *4*
lechzen 217, 2; 1528, *1*
lechzend 218, *1*
leck 265, *1*
Leck 1215, *3*
lecken 411, 2; 1942, *4*
lecker 100, *2*
Leckerbissen 979;
    1484, *3*
Leckerei 979
leckerhaft 218, *2*
Leckermaul 726, *2*
leckern 566, *3*
ledern 1017, *1*; 1602, *3*;
    1928, *4*
ledig 457, *3*
ledig, aller Bande 644, *5*
lediglich 1194
leer 459, *3*; 574, *1*;
    644, *4*; 1017, *2*; **1028**;
    1204, *1*; 1207, *5*;
    1585, *2*; 1639; 1697
leer ausgehen 1029
leer stehend 1028, *4*
leer werden 1030, *5*
Leere 33, *1*; 1181, *1*
Leere, innere 1014
leeren 1030
leeren, Glas 1600, *1*
leeren, sich 1030
Leerlauf 1014

Leerstelle 1067, 1
Leerung 486, 2; **1031**
legal 252, 1; 731, 2;
  751, 2; 1317, 3
legalisieren 1226, 4
Legalität 1318, 2
Legat 387, 1; 513, 4
legen auf, die Hand 1339
legen auf, keinen Wert
  mehr 122, 2
legen auf, Wert 217, 1
legen, ad acta 475, 1
legen, an den Tag 162, 3
legen, ans Herz 215;
  1081, 2
legen, auf die hohe Kan-
  te 1478, 1
legen, auf Eis 995, 1;
  1820, 1
legen, aufs Kreuz 293, 4
legen, aus der Hand
  1828
legen, auseinander
  528, 1
legen, beiseite 166, 1;
  475, 1; 1478, 1
legen, Finger auf die
  Wunde 1242, 6
legen, Fußboden 200
legen, Grundstein 547, 1
legen, Hand an sich
  1586, 5
legen, Hand ins Feuer
  339, 1; 1786, 1
legen, Hände in den
  Schoß 594; 1356, 1
legen, Handwerk 857, 3
legen, in Schutt und
  Asche 1939, 5
legen, in Trümmer
  1939, 7
legen, ineinander 586, 1
legen, ins Bett 1392, 4
legen, lahm 496; 857, 1;
  1434; 1522, 3
legen, nahe 75, 1; 315, 1;
  861, 1; 1305, 1
legen, offen 1208, 1
legen, Parkett 200
legen, Rechnung 494, 4
legen, schlafen 1392, 4
legen, sich auf die faule
  Haut 594
legen, sich ins Bett
  1392, 1

legen, sich ins Geschirr
  92, 3
legen, sich ins Mittel
  440; 1768, 1
legen, sich ins Zeug
  92, 2
legen, sich quer 124, 2
legen, Steine in den Weg
  857, 2
legen, übers Knie
  1394, 1
legen, zu den Akten
  533, 1
legen, zur Last 944, 1;
  1855
legen, zur Seite 475, 1
legendär 1673, 3
Legende 529, 4; 559, 2
Legendenbildung
  1071, 5
legendenumwoben
  1673, 3
leger 633, 3; 1150, 3;
  1489, 2
legieren 313, 6; 1112, 2
Legierung 1113, 2
Legionär 1111, 1
Legionen 1102, 3
legitim 731, 2; 751, 4;
  1317, 3
legitimieren 531, 2;
  1226, 4
legitimieren, sich 173, 2
legitimiert 252, 2
Legitimität 1318, 2
Lehm 1551, 1; 1583, 6
lehmig 1408
Lehne 5, 4; 810, 5
Lehranstalt 1427, 1
Lehrauftrag 1353, 1
Lehrbuch 1032
Lehre 1033; 1751, 1
lehren 1034
lehren, Mores 1553, 2
Lehrer 1035
Lehrgang 1033, 2
Lehrgebäude 1033, 4;
  1552, 3
lehrhaft 238, 2
Lehrjahre 1033, 2
Lehrkassetten 1032
Lehrkraft 1035, 1
Lehrling 1428, 4
Lehrmeinung 798, 2;
  1033, 4

Lehrmeister 1035, 3
lehrreich 238, 1; 892, 2
Lehrsatz 798, 2; 1033, 4
Lehrstoff 120, 6
Lehrstück 1378, 1
Lehrwerk 1032
Lehrzeit 1033, 2
Leib 973, 1
Leib- und Magengericht
  1484, 3
Leib und Seele, mit
  679, 2
leibarm 410, 2
Leibe haben, am
  1588, 2
leibeigen 1319; 1651, 3
Leibesfülle 673, 2
Leibesübung 1487
Leibgericht 1484, 3
leibhaftig 1026, 1;
  1244, 2; 1911, 2
Leibhaftige, der 1574
leiblich 1228, 1
Leiblichkeit 973, 1
Leibspeise 1484, 3
leibt und lebt, wie er
  771, 1
Leibwächter 1877
Leibwäsche 1879
Leiche 973, 2
Leiche im Keller 1426, 2
Leichenbegängnis
  234, 1
Leichenbittermiene, mit
  1659, 2
leichenblass 592, 1
Leichnam 973, 2
leicht 71, 2; 757, 3;
  1036; 1931, 1
leicht fallen 963, 3
leicht tun, sich 963, 3
Leichtathlet 1488
leichtblütig 1037, 2
leichtfertig 91, 2; **1037**
Leichtfertigkeit 1038, 2
leichtfüßig 71, 2; 301, 1;
  1036, 5
Leichtgewicht 1036, 1
leichtgläubig 403, 2;
  433, 2
Leichtgläubigkeit
  404, 2; 434, 2; 991
leichtherzig 1036, 4
leichthin 1150, 1;
  1167, 2; 1199, 2

Leichtigkeit 70; 645, 3;
1038, 1
leichtlebig 1037, 2
Leichtlebigkeit 1038, 1
Leichtsinn 1038
leichtsinnig 1037, 2
leid 1364, 4
Leid 1403, 1; 1591
leid sein 1039
leid sein, es 106, 2
Leid tun 256; 364, 4;
1404, 2
leid werden 1039, 1
leiden 1040; 1588, 3
Leiden 984, 1; **1041**;
1403, 2
leiden an 1040, 3
leiden haben, zu
1040, 4
Leiden, chronisches
984, 1
leiden, Mangel 482
leiden, Not 482;
872, 1
Leiden, süßes 1041, 2
Leiden, vergnügtes
1041, 2
leidend 772, 3; 856, 1;
1042; 1659, 1
leidend, Not 107, 1
Leidender 1238
Leidenschaft 463, 4;
549, 4; 830; 1055, 2;
1073, 3
leidenschaftlich 423;
548, 3; 829, 2; 1074;
1466, 3; 1766
Leidenschaftlichkeit
830
leidenschaftslos 772, 1;
914, 3; 1358, 1
Leidenschaftslosigkeit
1646, 2
Leidensgenosse 652
Leidenskelch 1041, 1
Leidenslust 1041, 2
Leidensweg 1041, 1
leider 1043
leidig 1637, 1
leidlich 1091, 2; 1336;
1945
leidtragend 1659, 1
Leidtragender 1219, 2
leidvoll 1293, 2;
1659, 1; 1659, 3

Leidwesen, zu jmds.
1043
Leier 326, 2
Leier, alte 42, 2; 1014;
1017, 2
leiern 1465, 1; 1494, 3;
1851, 2
leiern, sich aus den Rip-
pen 92, 3
Leihbibliothek 306
leihen 321, 1
Leihgabe, als 1852, 4
Leihmutter 1140, 1
leihweise 1852, 4
Leim 211, 3
leimen 210, 1; 543, 2
leimig 1928, 3
Leine 575, 1; 1048, 2
Leine, an der 1651, 3
Leinen 1521, 3
Leinwand 1521, 3
leise 1044; 1357, 1;
1931, 2
leise machen 777, 1
Leisetreter 852;
1402, 1
Leiste 331, 1; 1301, 1
leisten 102, 3; **1045**;
1207, 4; 1828
leisten, Abbitte 345;
501, 1
leisten, Arbeit 102, 1
leisten, Beistand 837, 1
leisten, Folge 441, 3;
704, 1
leisten, Gehorsam
704, 1
leisten, Gesellschaft
1681, 2
leisten, gute Dienste
382, 2; 1196, 1
leisten, Hilfe 837, 1
leisten, mehr 1509, 2
leisten, Militärdienst
382, 1
leisten, Schadenersatz
345; 497, 2
leisten, Service 203, 2
leisten, sich 1045
leisten, Verzicht 1220, 1
leisten, Wehrdienst
382, 1
leisten, Widerstand
124, 2; 226, 3; 918, 3
Leistung 101, 1; **1046**;

1195, 3; 1685, 2;
1731, 3
leistungsbetont 421
leistungsfähig 576, 1;
981, 1
Leistungsfähigkeit
1274, 2
leistungsfixiert 421
Leistungsprämie 1956
Leistungssport 1487
Leistungsvermögen
980, 1; 1274, 2
leistungswillig 421
Leitartikler 260, 1
Leitbild 874, 1
Leite 5, 4
leiten 669, 1
leiten, in die Wege 52, 3;
1684, 2; 1710, 2;
1834, 5
leitend 670, 1; 1840, 1
Leiter 1047
Leitfaden 823; 1032
Leitgedanke 798, 1; 823
Leithund 871
Leitlinie 798, 1
Leitmotiv 798, 1; 1904
Leitsatz 374, 1; 798, 1
Leitstern 874, 1
Leitung 672; 970, 2;
1048
Leitung, lange 403, 1
Leitungsnetz 1176, 2
Leitwerk 1514, 1
Lektion 120, 6; 1033, 3;
1385, 1
Lektüre 336, 3; 1061
Lemuren 707, 3
lendenlahm 1432, 1
lenkbar 705
Lenkbarkeit 706, 1
lenken 625; 669, 1;
1515, 1; 1944, 2
lenkend 670, 1
Lenker 1514, 1
Lenkrad 1514, 1
lenksam 705
Lenkstange 1514, 1
Lenkung 204, 1; 436, 1;
1048, 1
lento 1015, 1
Lenz 667; 908, 1
Lenz machen, sich einen
594
Lenze 45, 1

lernbar 1790, *1*
Lernbegierde 893
lernbegierig 895, *1*
Lerneifer 893
lerneifrig 621
lernen 1049; 1793, *2*
lernen von 881, *1*
lernen, auswendig 1610
Lernen, computerge-
stütztes 1049, *3*
lernen, kennen 515, *1*
lernen, leben 510, *5*
lernen, sich kennen
1157, *4*
lernfähig 301, *1*; 890, *1*
Lernfähigkeit 1789, *2*
Lernprozess 1283, *3*
Lernstoff 120, *6*
Lesart 1703
lesbar 945, *4*
Lesbe 867
lesbisch 866
Lese 1362, *1*
lesen 546; 811, *3*;
1034, *1*; **1050**;
1851, *1*
lesen, den Text 1391, *1*
lesen, diagonal 1050, *1*
lesen, Leviten 1553, *2*
lesenswert 892, *2*
leserlich 945, *4*
Leserumfrage 1631
Lesestoff 336, *3*; 1061
Lesezeichen 527, *3*
Lesung 1712, *2*; 1850
Lethargie 1646, *4*;
1676, *2*
lethargisch 406, *4*;
772, *3*; 1540, *3*
Letter 337, *1*
Letzt, zu guter 477, *1*
letztens 1008
letzterdings 477, *1*
letzthin 1008
letztklassig 1397, *1*
letztlich 477, *1*
Leuchte 573; 1012, *1*
leuchten 651, *2*; 1287, *2*;
1381, *2*
Leuchten 617, *1*; 1052, *2*
leuchtend 591, *1*; 839, *2*;
981, *4*; 1364, *3*
Leuchter 1012, *2*
leuchtkräftig 891, *3*
Leuchtreklame 1897, *3*

leugnen 1051
leugnen, nicht zu
1460, *1*
Leumund 716, *2*;
1353, *3*
Leumund, übler 1372, *1*
Leute 1102, *6*
Leute, die 1212, *1*
Leute, die reichen
1201, *2*
Leute, junge 908, *2*
leutescheu 450, *2*
leutselig 748, *2*; 840
Leutseligkeit 749, *1*
Leviathan 1574
Lex 750, *1*
Lexikon 1032
Liaison 1055, *4*
liberal 341, *4*; 369;
644, *3*
Liberaler 340, *4*
Liberalität 645, *1*
libertär 644, *3*
Libertin 1742, *1*
libidinös 91, *3*; 1074
Libido 1073, *3*; 1761, *1*
licht 839, *1*; 954, *1*
**Licht 617, *1*; 1012, *1*;
1052**
Licht, großes 573
Licht, schwindendes
408, *1*
lichtarm 407, *3*
Lichtbild 126, *1*;
308, *3*
Lichtblick 165, *2*;
556, *3*; 1604
lichtecht 363, *1*
Lichteffekt 1052, *2*
lichten 1007, *2*
lichten, Dunkel 1208, *1*
lichten, sich 946, *4*
Lichter 141
lichterfüllt 839, *1*
Lichterkette 370, *1*
Lichtermeer 1052, *2*
lichtfest 363, *1*
Lichtgestalt 671, *6*
Lichtkegel 1052, *2*
lichtlos 407, *1*
Lichtlosigkeit 408, *1*
Lichtpause 1811, *2*
Lichtquelle 1012, *1*
Lichtreflex 1052, *2*
Lichtschacht 1215, *5*

Lichtschein 1052, *2*
Lichtspiele 937
Lichtspielhaus 937
Lichtspieltheater 937
Lichtung 1053
lichtvoll 839, *1*
**lieb 57, *1*; 299; 328, *1*;
654, *2*; 1054**
lieb geworden 1054, *2*
lieb haben 1056, *1*
lieb und teuer 975; 1573
liebäugeln 1741
liebäugeln mit 1486, *4*
Liebe 1055
Liebe auf den ersten
Blick 1055, *1*
Liebe machen 1056, *3*
Liebe, gleichgeschlechtliche 865
Liebe, körperliche
1055, *3*
liebebedürftig 1659, *3*
Liebediener 1402, *1*
liebedienerisch 1690, *2*
liebedienern 1401
liebeleer 914, *3*
Liebelei 1055, *4*
lieben 1056; 1127, *1*;
1734, *1*
lieben, sich 1056, *3*
liebenswürdig 71, *1*;
491; 654, *1*; 864;
1175, *1*
liebenswürdigerweise
314, *1*
Liebenswürdigkeit
490, *2*; 805
Liebesbande 1055, *1*
Liebesbeziehung 1055, *4*
Liebesbund 1055, *4*
Liebesdienst 383, *2*
Liebesentzug 512, *2*
liebesfähig 1054, *4*
Liebesgabe 677, *1*
Liebesgeschichte
1055, *4*
Liebesglut 1055, *2*
liebeshungrig 1074
Liebeskummer 1057
Liebeskunst 1055, *2*
Liebesleid 1057
Liebesmüh, verlorene
1748
Liebesnöte 1057
Liebespartner 1235, *3*

Liebespein 1057
Liebesschmerz 1057
Liebestat 1219, *1*
liebestoll 1074; 1766
Liebestollheit 1073, *3*
Liebestrank 1932, *2*
Liebesvereinigung
    1055, *3*
Liebesvollzug 1055, *3*
Liebeswut 1073, *3*
liebevoll 1054, *4*
Liebhaber 714; 1003, *2*
Liebhaber der Künste
    384, *1*
Liebhaberei 386;
    1484, *2*
Liebhaberin 713
liebkosen 1056, *3*
Liebkosung 1055, *3*
lieblich 71, *1*
Lieblichkeit 70
Liebling 713; 782;
    1431
Liebling der Götter
    724, *1*; 782
Lieblingsbeschäftigung
    463, *4*; 1484, *2*
lieblos 323, *1*; 820, *2*;
    914, *3*
Lieblosigkeit 324; 1151
Liebreiz 70; 1414, *1*
liebreizend 71, *1*
Liebschaft 1055, *4*
Liebste 713
Liebster 714
Lied 739, *2*
Lieddichtung 739, *2*
liederlich 91, *2*; 1408
Liederlichkeit 1668, *2*
Liedermacher 1363, *1*
Liedermacherin 1363, *2*
Liedtext 1575
Lieferant 1613, *1*
lieferbar 1838, *1*
liefern 533, *3*; 1388, *3*
liefern, ans Messer
    1939, *1*
Liefertag 1572
Lieferung 1295, *1*;
    1589, *1*; 1589, *2*
Lieferwagen 579, *3*
Liege 295
liegen 212, *1*; 233, *2*;
    1356, *1*
liegen an 9, *3*

liegen bleiben 6, *2*;
    524, *1*
liegen lassen 1752, *2*
liegen lassen, links
    1409, *5*
liegen müssen 1040, *3*
liegen, auf der faulen
    Haut 524, *3*
liegen, auf der Lauer
    247, *2*
liegen, auf der Nase
    1040, *3*
liegen, auf der Tasche
    237, *3*
liegen, auf Eis 1356, *3*
liegen, begraben 233, *2*
liegen, darunter 6, *4*
liegen, im Schlaf
    1392, *2*
liegen, in den Haaren
    1534, *1*
liegen, in den Ohren
    315, *1*; 391, *4*
liegen, in der Luft
    398, *4*
liegen, in Wehen 682, *1*
liegen, lahm 1356, *3*
liegen, nah 1632, *3*
liegen, offen 1208, *2*
liegen, offen zutage
    1208, *2*
liegen, richtig 1592, *3*
liegen, schief 901, *5*
liegen, zu Füßen
    1056, *2*; 1734, *1*
liegen, zugrunde 1832
liegend, auf der Hand
    945, *3*; 1790, *2*
liegend, fern 1639
liegend, nahe 1790, *2*
Liegenschaft 795
Liegenschaften 271, *2*
Liegestatt 295
Lifestyle 997, *2*
Lift 140, *1*; 579, *9*
liften 827, *1*
Liga 1718, *6*
liieren 1717, *3*
liiert 1727, *1*
limitieren 1735
Limonade 759, *3*
Limousine 579, *2*
lind 1109, *1*; 1871, *1*
lindern 1605, *1*
lindernd 757, *4*; 1606

Linderung 525, *2*;
    1092, *2*; 1604
linear 732, *2*
Lingam 778, *2*
Lingua franca 1493, *4*
Linie 1058; 1329, *1*;
    1497, *3*
Linie, in erster 53, *1*;
    273, *1*; 1625
Linie, schlanke 1058, *5*
Linienflugzeug 579, *7*
Linienführung 1497, *3*;
    1517, *1*
linientreu 1971, *1*
Linientreuer 66, *2*
link 323, *1*
Linken, zur 1059, *1*
linkisch 1657, *1*
links 1059
linkshändig 1059, *1*
linksseitig 1059, *1*
linsen 247, *2*
Lippen 1131
Lippenbart 187
Lippenbekenntnis
    584, *1*; 1558, *1*
Lippenpaar 1131
Liquidation 185
liquidieren 122, *1*;
    1586, *1*
Liquidierung 120, *2*;
    185
lispeln 629
Lispeln 734, *2*
List 898; 1060; 1558, *1*
Liste 1817, *1*
Listenplatz 1302, *1*
Listenpreis 1270, *3*
listig 1396, *1*
Listigkeit 743, *2*
literarisch 1265, *1*
Literat 1423
Literatur 336, *3*; 1061
Literatur, schöne 1061
Literaturkritiker 990, *1*
Literatursprache
    1493, *4*
Lithographie 308, *2*
Litze 1291, *4*
live 1663, *5*
livriert 771, *2*
Lizenz 532, *2*; 1318, *1*
lizenzieren 531, *2*
Lizenzierung 532, *2*
LKW 579, *3*

Lob 231; 470; 989, 3;
  1062
Lobby 1227, 2; 1842, 3
loben 288; 420, 1;
  469, 1; **1063**
loben, über den grünen
  Klee 469, 1; 1063, 1
lobend 803, 2
lobenswert 1732
Lobgesang 1062, 3
Lobhudelei 1062, 4
lobhudeln 1401
löblich 1732
Loblied 1062, 3
lobpreisen 288;
  1063, 1
Lobrede 1062, 3
Lobredner 1402, 1
lobsingen 1063, 1
Location 1232, 2
Loch 692, 2; 1215, 3;
  1798, 1
lochen 509, 1; 931, 3;
  1214, 1
löchern 315, 1; 391, 4;
  639, 2; 1522, 1
löchrig 265, 1
locken 98, 3; 395, 3;
  1741
Locken 806, 1
locken, auf die falsche
  Fährte 293, 2
locken, in den Hinterhalt
  293, 4
löcken, wider den Sta-
  chel 1334, 2
lockend 1335
locker 91, 2; 1036, 3;
  1037, 2; 1065, 1;
  1132, 2; 1931, 1
lockerlassen 1019, 1
lockerlassen, nicht
  226, 2; 1922, 2
lockermachen 304, 3
lockern 1066, 4; 1066, 6
Lockerung 1595, 1
lockig 992, 4
Lockmittel 957, 1
Lockspeise 957, 1
Lockspitzel 957, 1
Lockvogel 957, 1
Loddel 1954
lodern 330, 1; 1381, 2
lodernd 1026, 5
Löffel 1217

löffeln 566, 1
Loft 1919, 2
Loge 1718, 4
Loggia 181
Logierbesuch 283, 1
logieren 282, 2; 1024, 2
Logik 947, 2
Logis 1919, 1
logisch 945, 3; 1317, 2;
  1358, 2; 1395; 1772, 3
logischerweise 43
Logistik 1258, 5
logistisch 1554, 1
Logo 930, 3; 1897, 3
Logorrhöe 1210, 2
Logos 707, 1; 1789, 1
Lohe 617, 1
lohen 330, 1
Lohen 617, 1
lohend 1026, 5
Lohn 356; 498, 1;
  1449, 2; 1731, 1
Lohnabhängiger 103
Lohnarbeit 101, 3
Lohnempfänger 103
lohnen 1750, 3
lohnen 304, 3
lohnen, Mühe 1196, 1
lohnen, sich 1196, 1
lohnend 355, 2; 664;
  892, 2; 1197, 2;
  1327, 3
lohnend, nicht 1653, 1
Lohnsteuer 1514, 2
Loipe 1497, 3
lokal 205
Lokal 681, 1
Lokalbahn 579, 4
lokalisieren 614, 3;
  857, 1
Lokalität 1232, 2
Lokalpatriotismus
  1163, 1
Lokführer 671, 3
Lokus 1582, 1
Lolita 641
Lonely Cowboy 451, 1
long ago 1743
Longseller 362, 4
Look 159; 806, 2;
  1517, 4
Look, neuester 1125, 1
Looping 1347, 3
Lorbeeren 1062, 2
los 1886, 3

Los 1389, 1
los sein 1767, 1
los und ledig 644, 5;
  768, 4
lösbar 1128, 1
losbinden 213, 1;
  1066, 1
losbrechen 142, 1
löschen 151, 2; 1030, 1;
  1064
löschen, Daten 1064, 3
löschen, Durst 1600, 1
Löschung 486, 2; 1031
lose 91, 2; 1037, 2; **1065**
Lösegeld 150, 3
loseisen 213, 1
losen 499, 1; 1486, 5
lösen 213, 3; 946, 2;
  1066; 1305, 3
lösen können 1066, 3
lösen können, sich nicht
  1520, 1
lösen, sich 6, 3; **1066**;
  1594, 1
lösend 757, 1
Loser 1781
losgehen 52, 1; 60, 2;
  485, 1; 1066, 7;
  1262, 1
losgehen, auf jmdn.
  60, 1
Losgewinn 1270, 4
loshaben 963, 1; 1916
Loskauf 150, 3
loskommen 213, 1
loskommen, nicht
  1520, 1
loslachen 1009, 2
loslassen 213, 1; 1019, 1
loslassen, nicht 65, 2;
  266, 3; 811, 2
loslassend, nicht 892, 1
loslegen 52, 3
loslösen 213, 1; 1066, 1
loslösen, sich 1066, 5;
  1594, 1
Loslösung 1595, 1
losmachen 12, 2; 213, 1;
  1066, 1
losmachen, sich 485, 5;
  1594, 1
losplatzen 142, 2;
  1009, 2
losprusten 1009, 2;
  1009, 2

losreißen, sich 1594, *1*
lossagen, sich 6, 5;
  20, *1*; 1594, *1*; 1819, *2*
Lossagung 5, 5
losschlagen 60, 2;
  1760, 3
losschreien 142, 2
lossteuern, auf jmdn.
  1157, *1*
lostreten 90, 5
Losung 156, 2; 374, 2
Lösung 521; 675, 2;
  1595, *1*
Lösung, diplomatische
  656, *1*
Losungswort 930, 5
loswerden 213, *1*;
  533, *1*; 1767, *1*
losziehen 175, *1*; 485, 3
Lot, im 731, *1*; 1225, *1*
loten 614, 3
löten 210, *1*; 543, 2
lotrecht 732, 2
Lotse 671, 6; 1448
lotsen 669, 2; 1515, *1*;
  1944, 2
lottelig 1065, *1*
lotteln 524, 3
Lotterie 783
lotterig 1150, *4*
Lotterleben 1668, 2;
  1676, *1*
Lotterwirtschaft 1668, 2
Lotto 783
Lottogewinn 780, *1*
Lotung 615, 2
Louis 1954
Love-in 370, *1*
Loveparade 370, *1*
Lover 713; 714
Lovestory 1055, *4*
Löwenanteil 1102, 5
löwenherzig 1139, *1*
Löwenmut 1138
loyal 1971, *1*
Loyalität 613, 5
LSD 1311
Luchsaugen 141
luchsen 247, 2
Lücke 33, *1*; 599, 2;
  1067; 1215, 3; 1678, *1*;
  1780, 2
Lückenbüßer 1806, *4*
lückenhaft 265, *1*;
  1655, *1*; 1694, *1*

Lückenhaftigkeit
  1693, 2
lückenlos 679, *1*
lucky 781, 2
Lude 1954
Luder 405, *4*; 957, *1*
Luft 1068; 1309, 2
Luft machen, sich
  129, 5; 494, *1*
Luft, an der 393, *1*
Luft, aus der 862, *1*
Luft, dicke 105, 3;
  399, 2; 690, *4*; 1118
Luft, heiße 737, 2
Luft, hoch in der 862, *1*
Luft, schlechte 406, *1*
Luftaufnahme 308, 3
Luftbad 178, *4*
lüftbar 1070, 3
Lüftchen 1909
luftdicht 380, *1*
lüften 1069
lüften, Geheimnis 319, 3
lüften, Hut 802, *1*
Lufthülle 1068, *1*
luftig 1036, 3; **1070**
Luftikus 2
Luftkissenbahn 579, *4*
Luftkrieg 987, *1*
Luftkurort 178, 3
Luftlinie, in 1663, 2
Luftloch 1215, 5
Luftpirat 1725, 2
Luftschiff 579, 7
Luftschloss 880, 3
Luftspiegelung 880, 2
Luftsprung 1496, 2
Luftstrom 1068, 2
Luftströmung 1068, 2
Lüftung 1068, 2
Luftveränderung 525, *1*
Luftwechsel 525, *1*
Luftweg 1887, *4*
Luftwirbel 1909
Luftzufuhr 1068, 2
Luftzug 1068, 2
Lug 1558, *1*
Lug und Trug 1071, *4*
Lüge 1071
Lüge, fromme 1071, *4*
lugen 247, 2; 1451
lügen 1072
Lügenbeutel 852
Lügengewebe 1071, 2
lügenhaft 583, 2

Lügenmärchen 1071, *4*
Lügenmaul 852
Lügner 852
lügnerisch 583, 2
Luke 1215, 3
lukrativ 1197, 2
Lukull 726, 2
lukullisch 727
Lulatsch, langer 1345
lumbecken 313, 7
Lümmel 1272, *1*
lümmelhaft 642, 3;
  1661, 2
lümmeln 524, 3
Lump 1429, *1*
Lumpen 5, *1*
Lumpengesindel 753
Lumpenpack 753
lumpig 107, 2
Lunch 1080, *4*
lunchen 566, 2
Lunge, grüne 680
lupenrein 414, 2;
  1365, 2; 1829, *1*
lupfen 827, *1*
Lusche 1781
Lust 650, 2; 730, *1*;
  1073; 1172, *1*; 1467;
  1519, 2; 1761, *1*
Lust haben auf 217, 2;
  1127, *1*
Lust haben zu 1922, *1*
Lustbarkeit 291, *4*;
  1683, 2
lustbetont 1466, 2
Lüster 1012, 2
lüstern 218, *1*; **1074**;
  1466, 3
Lüsternheit 1073, 3;
  1467; 1761, *1*
Lustgarten 680
Lustgefühl 1073, 2
Lustgreis 1742, *1*
lustig 835, 2
lustig machen, sich
  1491, *1*
Lustigkeit 650, *1*
Lustknabe 1281;
  1742, *1*
Lüstling 726, 3; 1742, *1*
lustlos 1117; 1652, 2;
  1659, *1*
Lustlosigkeit 1118
Lustmolch 1742, *1*
Lustspiel 960

lustvoll 727
lustwandeln 703, *2*
lutschen 1942, *4*
luxuriös 84, *1*
Luxus 137, *2*; 673, *1*;
   1286, *1*

Luxusliner 579, *6*
luzide 839, *1*
Luzidität 947, *1*
Luzifer 1574
lynchen 1586, *1*

Lynchjustiz 1724
Lynchmord 1724
Lyrik 1061
Lyriker 1423
lyrisch 473; 1265, *1*

M

mäandern 395, *4*
Maat 1448
Machart 632, *3*
machbar 1128, *1*
machbar, nicht 1664
Machbarkeit 1129
machen 437, *1*; 533, *1*;
    560, *3*; 815, *1*; 977, *1*
machen lassen 280, *1*
machen, sich 510, *1*;
    524, *2*; 761, *3*
Machenschaft 292; 898
Machenschaften 1060, *2*
Macher 671, *6*
Machination 898;
    1060, *2*
Machist 1075
Macho 1075
Macht 229, *3*; 847, *1*;
    1076; 1501, *1*
Macht haben 963, *2*
Macht sein, in jmds. 9, *1*
Macht, bewaffnete
    1111, *2*
Macht, mit aller 829, *1*
Machtbefugnis 1076, *1*
Machtbereich 436, *3*
machtbesessen 421
Machtbesessenheit
    1076, *2*
Machtdrang 1076, *2*
Machtgier 1076, *2*
machtgierig 421
Machthaber 849
Machthunger 1076, *2*
mächtig 791, *1*; **1077**;
    1158; 1452, *1*
mächtig sein, einer Sa-
    che 963, *1*
machtlos 1432, *5*
Machtlosigkeit 1433, *3*
Machtmittel 1123, *3*;
    1972, *1*
Machtprobe 1285, *3*;
    1794, *3*
Machtsphäre 436, *3*
Machtspruch 209, *1*

Machtstellung 1076, *1*
Machtstreben 1076, *2*
machtvoll 1077, *1*
Machtwahn 1076, *2*
Macke 424, *4*; 599, *2*;
    1778, *1*
Macker 714; 1075
Madame 640
Mädchen 826, *2*; **1078**
Mädchen für alles 838, *2*
Mädchenhandel 1458
Mädchenhändler 1954
Mädel 1078, *2*
madig 1397, *3*
madig machen 496
Madonna 641
Madrigal 739, *2*
Mafia 953; 1689, *1*
Magazin 740, *2*; 1483, *2*
magazinieren 1361, *4*
mager 410, *2*; 954, *2*
mager werden 12, *1*
Magersucht 1550, *4*
Magie 701; 1932, *3*
Magier 1276
magisch 407, *4*
Magister 1035, *1*
Magna Mater 785, *3*
Magnet 957, *2*; **1079**
Magnetbahn 579, *4*
magnetisch 99, *2*; 1335
Magnetismus 1333
mähen 546; 1584, *3*
Mahl 1080, *10*
mahlen 1937
Mahlzeiten 1080
Mahnbrief 1082, *1*
Mähne 806, *1*
mahnen 1081; 1874
Mahner 1276
Mahnmal 373
Mahnung 1033, *3*; **1082**;
    1304, *1*; 1385, *2*
Mahnverfahren 1082, *1*
Mahnwache 370, *1*
Mahr 707, *3*
Mähre 1247
Maienzeit 667
mailen 974, *1*; 1120, *4*;
    1621, *6*
Mailing 1897, *3*
Mailorder 1759, *1*
Mainliner 397, *1*
Mainstream 1125, *1*
Majestät 792, *2*; 1925, *1*

majestätisch 600, *3*;
    791, *3*; 885; 1926, *2*
majorisieren 1979, *1*
Majorität 1102, *5*
Majuskel 337, *1*
makaber 407, *7*
Makel 599, *5*; 1372, *1*;
    1424, *1*
Mäkelei 989, *4*
mäkelig 31, *2*; 1697
makellos 1412, *1*;
    1829, *1*
Makellosigkeit 1830
mäkeln 1553, *1*
Makler 741; 1769
Mäkler 990, *2*
Makrokosmos 1892, *2*
Makulatur 5, *2*; 1674, *1*
Mal 1933, *2*
Mal, alle 882, *1*
Mal, einige 1216
Mal, jedes 882, *2*
Mal, unzählige 1216
Mal, zum ersten 53, *3*
malade 1042, *1*
Malaise 1190, *2*
male 1085
Male, mit einem 1263
Male, viele 1216
malen 359, *1*; 590, *2*;
    1421, *4*
malen, in Öl 359, *1*
malen, schwarz 496
Maler 1083
malerisch 78, *2*; 835, *5*;
    1405
Malermeister 1083, *2*
Malheur 1658; 1763, *3*
Malice 1490, *3*
maliziös 323, *1*; 1492, *1*
malnehmen 1929, *1*
Maloche 101, *4*; 1020, *2*
malochen 92, *3*; 102, *3*
malträtieren 1242, *1*
Mama 1140, *2*
Mami 1140, *2*
Mammae 344
mampfen 566, *1*
Management 672;
    1048, *1*
managen 1229, *1*;
    1684, *1*; 1710, *2*;
    1711, *2*
Manager 672
manche 1825

mancherlei 1823, *2*

manches 1823, *2*

manchmal 926, *1*;
1852, *1*

manchmal, nur 1457, *2*

Mandant 1431

Mandanten 1000, *2*

Mandarine 1201, *2*

Mandat 136, *3*

Mandelaugen 141

Mandorla 832

Manege 685, *3*; 1377

Mangel 599, *5*; 1190, *1*;
1780, *2*

Mängel 1693, *2*

Mangel an Abwehrkraft
472, *1*

mangelhaft 265, *1*;
1655, *1*; 1694, *2*

mangeln 598, *2*; 769, *2*

mangels 161, *1*

manichäisch 695, *4*

Manichäismus 694, *2*

Manie 721; 1550, *1*

Manier 110, *3*; 632, *2*

Manieren 85, *1*; 1750, *2*

Manieren, schlechte
643, *2*

manieriert 766; 1624, *2*

manieristisch 1624, *2*

manierlich 328, *1*

manifest 945, *3*

Manifest 529, *5*

manifest werden 142, *1*

Manifestation 370, *1*;
1209, *1*

manifestieren 162, *3*

manifestieren, sich
1208, *2*

maniküren 1249, *5*

Manipulation 204, *1*;
436, *1*

manipulieren 203, *1*;
208

manipulieren, genetisch
1951, *1*

manisch 720; 1093, *3*

manisch-depressiv 720

Manitu 785, *2*

Manko 599, *2*

Mann 1084; 1235, *4*

Mann an Bord, alle 38, *2*

Mann auf der Straße
1102, *6*

Mann der Feder 1423

Mann für Mann 38, *1*

Mann sein lassen, den lieben Gott einen guten
594

Mann und Frau 1235, *4*

Mann und Maus, mit
38, *2*

Mann von Welt 1084

Mann, alle 38, *2*

Mann, allein stehender
1084

Mann, alter 45, *2*

Mann, junger 910, *2*

Mann, kleiner 1102, *6*

Mann, wie ein 38, *2*

Manna 979

Mannequin 360

Männerbündelei 655, *1*;
953

mannhaft 981, *1*

mannigfach 1783, *2*

mannigfaltig 1327, *2*;
1783, *2*

Mannigfaltigkeit 1826, *1*

männlich 1085

Männlichkeitsfanatiker
1075

Männlichkeitsprotz
1075

Mannsbild 1084

Mannschaft 800, *9*

Mannsperson 1084

mannstoll 1074

Manöver 898; 1060, *2*;
1628

Manöverkritik 1285, *4*

manövrieren 1023, *1*;
1795, *2*

Manpower 1274, *2*

Mansarde 1309, *1*

Mansardenwohnung
1919, *2*

manschen 1112, *1*

Manschette 1291, *9*

Manschetten haben vor
63, *2*; 624, *2*

Mantel 870, *3*

Mantik 1839

Mantra 1256, *1*

manuell 817, *2*

Manufaktur 813, *1*

Manuskript 1187, *1*;
1230, *1*

Mappe 223; 870, *8*

Märchen 559, *2*

märchenhaft 1254, *1*;
1412, *1*

Märchenland 1234

Märchenwelt 1234

Mardi gras 1558, *3*

Marge 1195, *2*; 1731, *2*

Marginal Man 160, *2*

Marginalie 520, *2*

marginalisiert 1677, *3*

Marginalisierung 389, *1*

Marginalität 951, *1*

Mariengarn 46

Marihuana 1311

Marinade 1476

marinieren 522, *2*

mariniert 363, *2*

Marionette 66, *3*; 747, *2*;
1221

Mark 567, *1*; 823; 1548

markant 348, *2*

Marke 930, *3*; 1294, *2*;
1933, *2*

Markenzeichen 930, *3*

markerschütternd 1022

markieren 931, *3*; 1848

Markierung 930, *3*;
1933, *2*

markig 981, *1*

Markise 870, *6*

marklos 1432, *1*

Marklosigkeit 1433, *1*

Markt 170, *2*; 814, *1*;
1086

Markt, internationaler
1086, *2*

Marktanalyse 1087

Marktbeobachtung 1087

Marktforschung 1087

Marktführer 671, *6*;
1686, *2*

marktgängig 678, *2*

Marktplatz 1086, *1*;
1119, *2*

Marktpreis 1270, *3*

marktschreierisch 1022;
1912, *2*

Marktwert 1270, *1*;
1898, *2*

marmoriert 718, *1*

marmorn 820, *1*;
1504, *1*

marode 1042, *1*; 1130, *2*

Marotte 424, *4*; 1519, *2*

marsch 1854

Marsch 1551, *1*

marschieren 703, 2;
1870
Marschstrecke 1887, 3
Marter 335; 1041, 1;
1403, 2
martern 1242, 7;
1404, 1
marternd 1293, 1
martialisch 1905, 1
Märtyrer 1219, 2
Martyrium 1041, 1;
1403, 2
Masche 1291, 6; 1597
Maschennetz 1176, 1
Maschenwerk 1176, 1
Maschine 478, 3; 579, 7;
1088
maschinell 1096, 1
Maschinengewehr, wie
ein 1823, 1
Maschinenlärm 734, 3
maschinenmäßig
1096, 1
Maschinensprache
1493, 5
Maschinerie 1088
Maserung 1136, 5; 1538
Maske 1558, 2
maskenhaft 1504, 1
Maskerade 1558, 2
maskieren 1714, 2
maskiert 1719, 1
Maskierung 1558, 2
Maskottchen 1932, 2
maskulin 1085
Masochismus 1041, 2
Maß 632, 4; **1089**;
1295, 1; 1322, 1
Maß und Ziel, ohne
1093, 3
Maß, gerüttelt 1823, 1
Maß, in hohem 1452, 1
Maß, menschliches 1105
Maß, mit zweierlei 1656
Maß, ohne 1093, 1
Massagesalon 320
Massaker 1090
massakrieren 1586, 1
Maßarbeit 813, 1;
1294, 3
Masse 257, 3; 673, 1;
1102, 2; 1521, 1;
1826, 1
Masse, breite 1102, 6
Masse, eine 1823, 1

Maße, in hohem 1625
Maßeinheit 1089, 3
Massel 780, 1
Massen 1825
Maßen, mit 1091, 1
Maßen, über alle 163, 1
Massenerhebung 134, 1
Massengeschmack
1125, 1
massenhaft 1823, 1
Massenhysterie 1668, 4
Massenkarambolage
1650
Massenkundgebung
370, 1
Massenmedien 1097;
1212, 4
Massenmord 1090
Massenmörder 1725, 2
Massensport 1487
Massenvernichtung
1090
Massenvernichtungsla-
ger 969
Massenversammlung
370, 1
Masseteilchen 192, 2
Maßgabe 207, 2
maßgebend 572, 2;
670, 2; 1077, 2;
1213, 1; 1899, 3;
1967, 1
maßgeblich 1213, 1;
1967, 1
Maßgeblichkeit 716, 1;
1968, 1
Maßhalten 1092, 1
massieren 1326, 3;
1361, 2
massig 1264, 1; 1440, 1;
1823, 1
mäßig 1091; 1397, 1;
1479, 1
mäßigen 261, 1; 857, 1;
1605, 1
mäßigen, sich 228
Massigkeit 673, 2
Mäßigkeit 1089, 1
Mäßigung 1092
massiv 363, 1; 380, 2;
381, 1; 829, 1;
1145, 1; 1264, 2
Massivität 1144
maßlos 1093; 1624, 1
Maßlosigkeit 1619, 2

Maßnahme 750, 1; **1094**
Maßregel 1094
maßregeln 1553, 2
Maßregelung 1385, 2
Maßstab 798, 1; 874, 1;
1089, 3; 1322, 1
maßstäblich 504, 1
maßvoll 1091, 1
Mast 810, 3
mästen 676, 1
Masterplan 1258, 1
Mastkur 379, 1
masturbieren 214, 2
Matador 919, 4; 1500, 1
Match 962, 2
Matchsack 870, 8
Mater 1136, 4
Material 733; 1123, 1;
1521, 2
Materialermüdung
1722, 2
materialgerecht 572, 1;
817, 1
Materialist 1315
materialistisch 808
Materie 463, 1; 1164, 1;
1521, 1; 1548
materiell 1911, 2
Mathematik, höhere
1692, 1
Matinee 1712, 2
Mätresse 713
Matrikel 1817, 1
Matrize 632, 3
Matrone 640
Matrose 1448
Matsch 1406, 1; 1551, 1
matschig 1408
matt 318, 2; 406, 5;
574, 1; 592, 1; 1130, 1;
1432, 1; 1540, 2
Matte 1571
Matthäi am Letzten
1400, 2
Mattheit 1205, 2
mattherzig 772, 4
mattiert 1540, 2
Mattigkeit 540, 1
Mattscheibe 33, 3; 311;
609, 1
mau 1042, 1; 1397, 1
Mauer 211, 4
Mauerblümchen 160, 1
Mauerkrone 767, 1
mauern 402, 4; 1779, 5

Maul 1131
Mäulchen 1131
maulen 1959, 2
Maulheld 1436
Maulschelle 1393, 1
maunzen 944, 3
Maus, grauc 160, 1
mauscheln 293, 1
mäuschenstill 1044;
  1357, 1
Mäuse 712, 3
mausen 1168, 2
mausern, sich 510, 1
mausetot 1585, 1
Mausoleum 657
Maut 7
maximal 1452, 2
Maxime 374, 3; 798, 1
Maximum 767, 3
Mayonnaise 1476
Mäzen 1003, 1; **1095**
mechanisch 1096
mechanisieren 1306
mechanisiert 1096, 1
Mechanisierung 1738
Meckerei 989, 4
Meckerer 990, 2;
  1239, 1
meckern 1553, 1
Medaille 930, 3; 1270, 4
medial 467, 6
Medialität 468, 4
Mediaman 1897, 4
Medien 1097; 1271, 2
Medien, in allen 262, 1
Medien, in den 1211, 1
Medien, neue 1097
Medienereignis 742, 3
mediengeil 218, 4
Mediengeilheit 460, 1
Medienhype 1271, 3
Medienkultur 997, 3
Medienschelte 989, 3
Medienstar 1500, 1
Medienzar 1686, 2
Medikament 112, 1;
  1098, 2
Medikus 113
medioker 1091, 2
Medisance 1765
medisant 323, 1
Meditation 1676, 2
meditativ 1675, 2
meditieren 371, 2
Medium 1769

Medizin 112, 1; **1098**
Mediziner 113
Medizinmann 1276
Meer 760, 4
Meerbusen 1798, 2
Meeresbeben 1165, 1
Meeresluft 1068, 3
Meeresspiegel 1198, 4
Meereswasser 1880, 2
Meerweib 707, 4
Meeting 1593, 2
mega 1452, 1
Megacity 1499, 1
Megalomanie 1076, 2
megaout 1707
Megäre 641
Megastar 1500, 1
Mehl 1289
mehlig 1938
mehr oder minder 1336
mehrdeutig 1975, 1
Mehrdeutigkeit 1824
mehren 1715, 2
mehren, sich 1509, 3
mehrend, sich 1958
mehrere 1025
Mehreres 1823, 2
mehrerlei 1823, 2
mehrfach 1216
Mehrfachbezug 1884
mehrfarbig 591, 1
Mehrheit 1102, 5
Mehrheit, schweigende
  1102, 6
mehrheitlich 369; 1625
mehrmals 1216
mehrstimmig 819, 1;
  1783, 2
Mehrwertsteuer 1514, 2
Mehrzahl 1102, 5
Mehrzahl der Fälle, in
  der 1101
Mehrzahl, in der 1625
meiden 172, 2; 624, 2;
  1409, 5; 1633, 1
Meile 1545, 1
meilenlang 1013, 2
Meilenstein 518, 3;
  742, 3; 1046, 2
meilenweit 1891, 2
Meineid 1071, 3
meinen 201, 1; 430, 1;
  770, 1; **1099**; 1494, 2;
  1771, 1
meinen, dasselbe 1614, 2

meinen, irrtümlich
  430, 2
meinen, wie 314, 2
Meinung 1100; 1700, 1
Meinung haben, hohe
  1734, 1
Meinung sein, anderer
  28, 4
Meinung sein, gleicher
  1614, 2
Meinung, einer 443, 1
Meinung, öffentliche
  1212, 1
Meinung, veröffentlichte
  1212, 1
Meinung, vorgefasste
  1853
Meinungsäußerung
  1100, 4
Meinungsaustausch
  277, 2; 1683, 1
Meinungsbildner
  1212, 4
Meinungsforschung
  636, 3
Meinungsfreiheit 645, 1
Meinungsführer 671, 6;
  1212, 4
Meinungsindustrie
  997, 3
Meinungslenker 1212, 4
Meinungsmacher 671, 6;
  1212, 4
Meinungsträger 1212, 4
Meinungsumfrage 1631
Meinungsverschieden-
  heit 1533, 1
Meise 424, 4; 1778, 1
meißeln 756
meist 1101
meisten, weitaus am
  1101
meistens 41; **1101**
meistens tun 1249, 2
meistenteils 1101
Meister 573; 1035, 3;
  1500, 2
Meister des Universums
  1559
Meisterbrief 1941, 1
Meisterdenker 372
meisterhaft 149, 1;
  572, 1
Meisterleistung 554;
  767, 3; 1046, 2

meisterlich 1829, *2*
meistern 963, *1*
Meisterschaft 767, *7*
Meistersportler 1488
Meisterstreich 518, *2*;
    1685, *3*
Meisterstück 518, *2*;
    554; 1046, *2*; 1685, *3*
Meisterwerk 554;
    1046, *2*
Mekka 1079
Melancholie 721; 1591
melancholisch 720;
    1246; 1659, *1*
Melange 1113, *1*
melden 244, *1*; 259;
    944, *1*; 1120, *1*
melden, sich 958, *2*;
    1511, *4*; 1934, *5*
melden, sich zu Wort
    162, *1*; 1934, *5*
Melder 1613, *2*
Meldung 258, *1*; 943, *1*;
    1122
melieren 1112, *2*
meliert 44, *1*; 718, *1*
Melioration 1716, *3*
meliorieren 1715, *5*
melken 153, *2*; 1030, *4*
Melodie 739, *2*; 1133, *1*
Melodramatik 1623, *1*
melodramatisch 473
Melone 970, *1*; 971
Melusine 707, *4*
Memento 1082, *2*
Memme 603
Memoiren 176
Memorabilia 176
Memorandum 94, *2*
Memorial 373
memorieren 526, *2*;
    1049, *1*; 1610
Menagerie 1948
Menetekel 1082, *2*;
    1875; 1933, *3*
Menge 257, *2*; 673, *1*;
    1102; 1295, *1*; 1826, *1*
Menge, eine 1823, *1*
Menge, jede 1327, *4*
mengen 1112, *1*
Mengen 1825
Mengen, in großen
    1823, *1*
Mensa 681, *1*
Mensch 1103

Mensch zu Mensch, von
    1244, *2*
Mensch, kein 1188
Mensch, neuer 1783, *1*
Mensch, träger 1255
Menschenansammlung
    481, *3*; 1102, *3*
Menschenfeind 604, *2*
menschenfeindlich 605
menschenfreundlich
    1104, *1*
menschengerecht
    1104, *1*
Menschengeschlecht
    1103, *1*
Menschengewimmel
    1102, *3*
Menschenhandel 1724
Menschenhasser 604, *2*
Menschenkenner
    387, *2*
Menschenkenntnis
    517, *2*
Menschenkenntnis ha-
    ben 516, *2*
Menschenlawine 1102, *3*
menschenleer 450, *3*;
    1028, *2*; 1905, *2*
Menschenliebe 1105
menschenliebend
    1104, *1*
Menschenmenge 1102, *3*
menschenmöglich
    1128, *1*
Menschenraub 488;
    1724
Menschenrecht 1318, *3*
menschenscheu 450, *2*
Menschenscheu 451, *1*
menschenverachtend
    334
Menschenverächter
    604, *2*; 1245
Menschenverachtung
    335
Menschenverstand, ge-
    sunder 1789, *2*
menschenwimmelnd
    1827, *3*
Menschenwürde 1105
menschenwürdig
    1104, *1*
Menschheit 1103, *1*
menschlich 1104;
    1244, *1*

menschlich, allgemein
    1104, *1*
menschlich, allzu
    1104, *2*
Menschlichkeit 1105
Menstruation 1322, *4*
mental 1772, *4*
Mentalität 375
Mentor 1035, *1*
Menü 1080, *9*
Mephisto 1574
Merchandiser 1897, *4*
Merchandising 1897, *5*
Mergel 1583, *6*
Meriten 1731, *3*
merkantil 959
merken 668, *1*; 1866, *1*
merken lassen 162, *3*;
    1934, *3*
merken lassen, nicht
    1679, *3*; 1714, *1*
merken, sich 526, *2*
Merkfähigkeit 527, *1*
Merkhilfe 854, *3*
merklich 378, *1*; 1498
Merkmal 424, *2*; 930, *1*;
    1933, *2*
Merkspruch 374, *1*;
    854, *3*
merkwürdig 119, *2*; 553;
    892, *2*
Merkzeichen 527, *3*
Merkzettel 527, *3*
meschugge 1777, *1*
Mesner 838, *2*; 939, *3*
Message 164, *3*
Messe 170, *2*; 681, *1*;
    1086, *1*
messen 614, *3*
messen, aneinander
    1754, *1*
messen, mit gleicher Elle
    735, *3*
messen, sich 1511, *3*;
    1754, *3*
messen, sich mit jmdm.
    918, *2*
Messer 1106
messerscharf 722, *2*
Messerspitze 951, *2*
Messerwerfer 111, *2*
Messias 671, *6*
Messopfer 1219, *3*
Messung 615, *2*
metaempirisch 879

metallen 820, *1*
Metapher 308, 5;
  1753, *2*; 1933, *1*
metaphorisch 310, 2;
  1265, *1*
metaphysisch 879;
  1692, *4*
Meteor 1513
meterlang 1013, *2*
Methode 110, 3; 1123, 2;
  1552, *2*
Methodik 1552, *2*
methodisch 731, 3;
  1260, *1*; 1468, *3*
Methusalem 45, *2*
Metier 101, *2*
Metro 579, *4*
Metrolinic 1058, *3*
Metropole 1499, *1*
Metzelei 1090
Meublement 449, *2*
Meuchelmord 116;
  1587, *1*
Meuchelmörder 1429, *2*
meucheln 1586, *1*
meuchlings 323, 2;
  834, *1*
Meute 800, *5*
Meuterer 919, *5*
meutern 124, *2*
Mezzosopran 1363, *2*
Michel 340, *3*
mickrig 107, 2; 410, 3;
  1639
Midlifekrise 988, *2*
Mief 108
miefen 1344, *2*
miefig 109; 406, *1*
Miene 147, 2; 752, *2*
Miene machen 162, *3*
Mienenspiel 147, *2*
mies 1042, *1*; 1117;
  1397, *1*
mies machen 496; 1764
miesepetrig 1117
Miesmacher 1245
Miethai 1275
Mietshaus 824, *1*
Mietskaserne 824, *1*
Mietwagen 579, *2*
Mietwohnung 1919, *2*
Migrant 1107
Migration 1108
Mikroben 985
Mikrocomputer 352, *1*

Mikrofiche 972
mikrofotografieren
  1361, *4*
Mikrokopie 972
Mikrokosmos 1892, *2*
Mikroorganismen 985
Mikroprozessorchip
  350, *2*
mikroskopisch 950, *1*
Mikrowelle 845
Mikrowellenherd 845
Milch 759, *3*
Milchbart 187; 910, *2*
Milchgesicht 910, *2*
milchig 407, *2*
Milchmädchenrechnung
  599, *3*
Milchstraße 1513
mild 467, 5; 1091, 3;
  1109; 1871, *1*; 1931, *2*
Milde 472, 3; 784, *1*;
  1110
mildern 261, *1*
mildernd 757, 4; 1606
Milderung 1092, *2*
mildherzig 1109, *4*
mildtätig 467, 5; 1643
Mildtätigkeit 1644
Milieu 1301, 2; 1635, *2*;
  1689, *1*
Milieusprache 1493, *4*
militant 37, *2*
Militanz 830
Militär 1111
Militarisierung 1835, *2*
militaristisch 37, *2*
Militärputsch 134, *2*
Militärschlag 987, *1*
Miliz 1111, *2*
Mime 360
mimen 359, 4; 1486, *1*;
  1848
Mimik 147, *2*
Mimikry 74, 2; 1142, *1*
mimisch 1439, *2*
Mimose 471, *4*
mimosenhaft 471, *3*
Minarett 1609, *1*
minder 950, 2; 1639
minderbemittelt 403, *1*
Minderheit 1102, *5*
mindern, Ansehen
  509, *2*
mindern, im Wert
  509, *2*

Minderung 454, *1*;
  1348, *3*
minderwertig 1397, *1*;
  1694, *1*
Minderwertigkeit
  1693, *2*
Minderwertigkeitsgefüh-
  le 1763, *2*
Minderzahl 1102, *5*
Mindeste, das 1893, *3*
Mindeste, nicht das
  1180, *1*
Mindesten, nicht im
  1173
Mindesten, zum 1893, *3*
mindestens 1893, *3*
Mine 1858, *1*
Minicomputer 352, *2*
Miniformat 1348, *9*
minimal 950, *1*; 1639
minimalisieren 1007, *2*
minimieren 1007, *2*
Minimum 951, *2*
Minne 1055, *2*
Minorität 1102, *5*
Minus 599, *2*
Minuskel 337, *1*
Minute 951, *3*
Minute, auf die 722, *1*;
  1290, *1*
Minute, in letzter 477, 2;
  1481, *2*
minuziös 722, *1*
mir nichts, dir nichts 87;
  1263
Mirakel 702, *1*
Misanthrop 604, *2*
mischen 1112
Mischling 871
Mischmasch 1113, *1*
Mischpoke 953; 1813, *1*
Mischung 1113; 1718, *1*
Mischwald 1868
miserabel 1042, *1*;
  1397, *1*; 1397, 5
Misere 1190, *1*; 1658
missachten 1114;
  1409, *5*
Missachtung 240; **1115**;
  1368, 2; 1372, *1*
Missbehagen 105, *1*;
  1041, *1*; 1118
missbilligen 196;
  1553, *1*
missbilligend 31, *2*

Missbilligung 989, *2*
Missbrauch 154, *2*
Missbrauch, sexueller
1458
missbrauchen 153, *3*
missbräuchlich 583, *3*
missdeuten 901, *4*
Missdeutung 599, *3*
missen können, nicht
327
Misserfolg 1116;
1183, *2*; 1368, *1*
Missetat 1724
missfallen 462; 821, *1*;
1383, *1*
Missfallen 14, *2*; 105, *1*
missfällig 31, *2*; 1637, *3*
missgelaunt 1117
Missgeschick 105, *3*;
1658
missgestimmt 322, *1*;
1117
missglücken 1383, *1*
missglückt 1397, *2*; 1747
missgönnen 1170
Missgriff 599, *3*; 902, *1*;
1658
Missgunst 606; 1169
missgünstig 323, *1*; 1171
missgünstig sein 1170
misshandeln 1242, *7*
Misshandlung 335; 1458
Misshelligkeit 105, *3*;
1533, *1*
Mission 120, *1*; 136, *3*
missionieren 1081, *3*;
1626, *1*
Missklang 1533, *1*
Misskredit 1372, *1*
Misskredit, in 534, *3*
Misslaune 1118
misslaunig 1117
misslich 1021, *2*;
1243, *1*; 1637, *1*;
1660, *3*
Misslichkeit 1190, *2*
missliebig 1637, *3*
missliebig sein 821, *1*
misslingen 1262, *3*;
1383, *1*
misslungen 1397, *2*;
1747
Missmut 1118
missmutig 322, *1*; **1117**;
1697

missraten 1383, *1*;
1397, *2*
Missstand 1190, *2*
Missstimmung 1118
misstönend 1417, *5*
misstönig 822, *2*
misstrauen 1976
Misstrauen 1974, *2*
Missvergnügen 105, *1*;
1118
missvergnügt 322, *1*;
1117; 1697
missverständlich
1692, *1*
Missverständlichkeit
1824
Missverständnis 599, *3*;
902, *1*
missverstehen 901, *4*
missverstehen, sich
901, *4*
misswillig 323, *1*
Mist 156, *3*; 1674, *1*
Miststück 1386
mit 117, *2*; 453; 1124, *3*
mit ansehen 515, *1*
Mitarbeit 1562, *2*
mitarbeiten 837, *2*;
1563, *2*
Mitarbeiter 103
Mitarbeiter, freier 644, *6*
mitbedenken 371, *2*
mitbekommen 515, *3*;
522, *1*; 1793, *1*
mitbenutzen 1563, *1*
mitbestimmen 1563, *1*
mitbeteiligt 1564, *2*
Mitbeteiligter 961
mitbetroffen 1564, *2*
mitbetroffen sein 289
mitbewerben, sich
1511, *3*
Mitbewerber 95, *2*
Mitbewohner 1143, *2*
mitbringen 274, *2*;
683, *2*
Mitbringsel 677, *2*
Mitbürger 340, *5*;
1143, *1*
miteinander 1962
Miteinander 717, *1*
mitempfinden 1563, *3*
Mitempfinden 1562, *1*
mitempfindend 1564, *1*
Miterbe 513, *3*

miterleben 515, *1*;
1563, *2*
miterwägen 1929, *2*
Mitfahrer 1565, *2*
Mitfreude 1562, *1*
mitfreuen, sich 1563, *4*
mitfühlen 1563, *3*;
1793, *3*
mitfühlend 467, *5*;
1054, *4*; 1564, *1*; 1643
mitführen 1588, *1*
mitgeben 683, *2*
Mitgefühl 468, *3*;
472, *3*; 1562, *1*
mitgehen 220, *1*; 631, *1*
mitgehen lassen 1168, *2*
mitgenommen 265, *1*;
1042, *1*; 1130, *2*
mitgerechnet 453
mitgerissen werden
219, *2*
Mitgift 168, *4*
Mitgiftjäger 2; 294, *2*
Mitglied 66, *2*
Mitglied werden
1229, *3*; 1717, *3*
Mitglieder 1565, *2*
Mitgliedschaft 1562, *2*
mithalten 1563, *2*
mithelfen 837, *2*
Mithilfe 854, *1*; 1770, *1*
mithin 43
mithören 1563, *2*
Mitinhaber 1235, *1*
Mitkämpfer 66, *2*
mitkommen 220, *1*;
631, *1*; 1793, *2*
mitkommen, nicht
1779, *4*
mitkönnen, nicht mehr
1149, *4*
mitkriegen 236, *1*;
515, *3*; 868, *1*; 1793, *1*
Mitläufer 66, *3*; 961;
1221
mitlebend 699, *2*
Mitleid 1562, *1*
mitleiden 1563, *3*
mitleidend 1564, *1*
mitleidig 467, *5*;
1564, *1*; 1643
Mitleidlosigkeit 335
mitleidsfähig 467, *5*
Mitleidsfähigkeit 468, *3*
mitleidslos 820, *2*

mitmachen 456, *2*;
   515, *1*; 837, *2*; 1563, *2*
mitmachen, nicht 402, *4*
Mitmensch 1143, *1*
mitmenschlich 1643
Mitmenschlichkeit 1644
Mitmieter 1143, *2*
mitmischen 1563, *1*
mitnehmen 129, *4*;
   220, *1*; 1168, *2*;
   1233, *1*; 1723, *3*
mitnichten 1173
mitrechnen 493; 1929, *2*
mitreden 162, *1*
mitreden können
   1563, *1*; 1793, *4*
Mitreisender 1332, *1*
mitreißen 219, *1*;
   1618, *1*
mitreißen lassen, sich
   219, *2*
mitreißend 479; 829, *2*;
   892, *1*; 1912, *2*
mitsammen 1962
mitschicken 519, *2*
mitschneiden 127, *5*
Mitschnitt 126, *1*;
   1187, *2*
mitschreiben 127, *5*
Mitschrift 1187, *2*
mitschuldig 1426, *2*
Mitschuldiger 961
mitschwingen 1443, *4*;
   1793, *3*
Mitschwingen 413, *1*
mitsingen 220, *2*;
   435, *3*; 1465, *1*
mitspielen 220, *2*
mitspielen, übel 1242, *1*
Mitspieler 1235, *2*;
   1565, *2*
mitsprechen 162, *1*
Mitstreiter 66, *2*
Mittag 1119, *4*
Mittagessen 1080, *4*
Mittagsbrot 1080, *4*
Mittagsmahl 1080, *4*
Mittagsruhe 525, *1*
Mittagsschlaf 525, *1*
Mittäter 961
Mitte 845; **1119**
Mitte des Weges 1119, *4*
Mitte, goldene 1119, *6*
Mitte, in der 809
mitteilbar, nicht 1719, *2*

mitteilen 259; 683, *2*;
   1120
mitteilsam 1121
mitteilsam, nicht
   1439, *1*
Mitteilsamkeit 1210, *2*
Mitteilung 258, *1*; 332;
   860, *1*; **1122**; 1209, *1*
mitteilungsbedürftig
   1121
mittel 1091, *2*
Mittel 112, *1*; **1123**;
   1299, *1*; 1521, *2*
Mittel und Wege 1123, *2*
mittelbar 1124
Mittelding 1113, *5*
Mitteleuropa 568, *1*
mitteleuropäisch 568, *2*
Mittelgebirge 257, *2*
Mittelklasse 340, *2*
mittellos 107, *1*
Mittellosigkeit 1190, *1*
Mittelmaß 1299, *1*;
   1322, *5*
mittelmäßig 1091, *2*
Mittelmäßigkeit 1322, *3*
Mitteln, mit friedlichen
   658, *2*
mittelprächtig 1091, *2*
Mittelpunkt 823;
   1119, *6*; 1500, *2*
Mittelpunkt, im 1119, *5*
mittels 1124, *3*
Mittelschicht 340, *2*;
   1387, *3*
Mittelsmann 1769
Mittelstand 340, *2*
mittelständisch 341, *2*
Mittelstreifen 1119, *4*
Mittelweg 1119, *6*
Mittelwert 1299, *1*
mittendrin 1119, *5*
mittendurch 1417, *4*
mitteninne 1119, *5*
mittenmang 1119, *5*
Mittler 1769
Mittlerrolle 1769
mittlerweile 776; 1864
mittrauern 1563, *3*
mittun 1563, *2*
mitunter 1852, *1*
Mitverschworener 66, *2*
Mitwelt 1635, *2*
mitwirken 837, *2*;
   1563, *2*

Mitwirkende 1565, *2*
Mitwirkung 698, *2*;
   854, *1*; 1562, *2*;
   1770, *1*
Mitwisser 961
mitzählen 493; 1929, *2*
mitziehen 1563, *2*
mixen 1112, *1*
Mixgetränk 1113, *1*
Mixtum 1113, *1*
Mixtum compositum
   1113, *3*
Mixtur 1113, *1*
Mneme 527, *1*
Mob 753
mobben 398, *3*; 1242, *1*
Mobbing 1972, *1*
Möbel 900, *1*
mobil 301, *1*; 1026, *2*
mobil machen 458, *2*
Mobile 1567
Mobiliar 168, *2*; 449, *2*;
   900, *1*
Mobilien 271, *2*; 449, *2*
mobilisieren 274, *1*;
   458, *2*
Mobilisierung 452, *2*
möblieren 448, *1*
Möblierung 168, *2*;
   449, *2*
Möchtegern 1436
Modalität 110, *3*
Modder 1551, *1*
Mode 326, *2*; **1125**;
   1537, *1*
Mode, aus der 1707
Mode, nach der 1126, *1*
modebewusst 1126, *1*
Model 360; 1136, *4*;
   1414, *2*
Modell 360; 632, *3*;
   813, *1*; 1136, *3*
modellierbar 622, *1*
modellieren 756
modelliert 1261
modeln 756
Modenarr 1544
Modenschau 170, *2*
Modepuppe 1544
Moder 596
moderat 1091, *1*
Moderator 1682; 1769
moderieren 1768, *2*
modern 699, *2*; **1126**;
   1728, *1*

modern, betont 1126, *2*
modernisieren 543, *3*
Modernisierung 544, *1*
modernistisch 1126, *2*
Modeschöpfer 561
Modeschöpfung 1125, *2*
Modesport 1487
modesüchtig 1126, *1*
modeunabhängig 363, *1*
Modevorführung 170, *2*
Modifikation 1703;
　1709, *1*
modifizieren 1708, *1*
modisch 243, *1*; 1126, *1*
modrig 406, *1*; 1162, *3*
Mods 1545, *2*
Modul 192, *1*
Modulation 1583, *2*;
　1703
modulieren 1708, *1*
Modus 110, *3*
Mofa 579, *2*
Mogelei 292
mogeln 293, *1*
mogeln, instand 543, *1*
Mogelpackung 292;
　1558, *2*
mögen 691, *1*; **1127**
mögen können, nicht
　mehr 1039, *2*
mögen, jmdn. 1056, *1*
mögen, jmdn. leiden
　1056, *1*
mögen, nicht 821, *1*
möglich 1128
möglich machen 538, *1*
möglich machen, es
　489, *1*
Mögliche, alles 1823, *2*
möglicherweise 1128, *3*
Möglichkeit 165, *2*;
　556, *3*; 1123, *2*; **1129**
Möglichkeit, nach
　1207, *6*
möglichst 314, *1*
Mogul 849; 1686, *2*
Moira 1389, *1*
Moiré 1136, *5*
moirieren 1381, *4*
moiriert 718, *2*
mokant 1492, *1*
mokieren, sich 1491, *1*
Mole 211, *4*
Molekül 1560, *3*
Molesten 105, *3*

molestieren 106, *1*
Mollenkopf 1272, *1*
mollig 381, *1*; 719;
　1871, *1*; 1890, *3*
Moloch 1499, *2*
Mom 1140, *2*
Moment 951, *3*; 1935, *1*
Moment, im 699, *1*
momentan 699, *1*; 1837
Momentaufnahme
　308, *3*
Monade 442, *1*
Monarch 849
Monasterium 952
Monate 1013, *2*
Monatsregel 1322, *4*
Mönch 939, *2*
Mond 1513
mondän 996, *3*
mondial 1829, *3*
Mondkalb 405, *2*
Moneten 712, *3*
monieren 196; 1081, *3*;
　1553, *1*
Monitor 311; 1877
Monitum 1082, *1*;
　1385, *2*
Monogramm 930, *2*
Monographie 8, *1*
monolateral 455, *2*
Monolog 1850
monologisch 253, *2*
monologisieren 1016, *1*;
　1494, *3*
monoman 1456
monomanisch 1504, *2*
Monopol 1318, *4*
monopolisieren 195, *2*
monoton 771, *2*; 1017, *1*;
　1204, *1*
Monotonie 42, *2*; 1014;
　1205, *2*; 1324, *2*
monströs 822, *1*
Monstrosität 1386
Monstrum 186; 1386
Montage 965, *1*
montieren 964, *1*;
　1717, *2*
Montur 949, *1*
Monument 373
monumental 885
Monumentalität 792, *2*
Mood 1519, *1*
Moor 1551, *1*
Moorbad 178, *4*

moorig 1162, *2*
Moos 712, *3*
Moped 579, *2*
Möpse 344
mopsen 1168, *2*
mopsen, sich 1016, *2*
Moral 85, *2*; 762;
　1400, *4*
Moralapostel 1239, *2*
moralinsauer 480, *2*;
　1241, *3*
moralisch 86, *2*
moralisieren 1081, *3*
moralisierend 480, *2*
Moralist 1239, *2*
Moralität 85, *2*
Moralprediger 1239, *2*
Moralpredigt 1082, *4*;
　1385, *1*
Morast 1406, *1*; 1551, *1*
morastig 1408
morbid 1132, *2*
Mord 1587, *1*; 1724
Mordanschlag 116
Mordbrenner 1429, *1*
Mordbube 186; 1429, *1*
morden 1586, *1*
Mörder 1725, *2*
Mördergrube machen,
　aus dem Herzen keine
　1208, *3*
mörderisch 334;
　1452, *1*
Mordgier 335
mordgierig 334
Mordlust 335
Mordseifer 422, *2*
mordsmäßig 1452, *1*
Mordtat 1587, *1*
Morgen 51, *3*; 1955
Morgen bis zum Abend,
　vom 882, *1*
Morgengabe 168, *4*
Morgengebet 684
Morgengrauen 51, *3*
Morgengrauen, im 665
Morgenimbiss 1080, *2*
Morgenkaffee 1080, *2*
Morgenlicht 51, *3*
Morgenluft 1068, *3*
Morgenröte 51, *3*
morgens 665
Moritat 739, *2*
Moritatensänger 1363, *1*
Morosität 1118

morsch 44, 3; 265, 1;
1132, 1
morsch werden 1066, 7
morsen 1621, 6
Mörtel 211, 3
Mosaik 1113, 3
Moschee 938, 2
Möse 1379, 1
Motel 681, 2
Motiv 697, 2; 794, 2;
1256, 3
Motivation 794, 2
motivieren 75, 2; 501, 3;
528, 4
motiviert 423
motiviert durch 49
motiviert, hoch 423
Motivierung 502, 1;
794, 2
Motor 478, 3; 794, 1;
1088
Motorboot 579, 6
Motorrad 579, 2
Motorroller 579, 2
Mottenkiste, aus der
1707
Motto 374, 2; 438, 1;
798, 1
motzen 1391, 1
moussieren 1376, 1
moussierend 76, 2
Movens 794, 1
Movie 618, 3
Mr. Nobody 1181, 2
Mucke 424, 4
mucken 1959, 2
Mucken 1778, 2
Mücken 712, 3
Mucker 852
muckerisch 480, 2
Muckertum 481, 5
muckschen 1959, 2
müde 1130; 1364, 4
müde machen 539, 1
müde sein 1039, 2
müde werden 539, 2
müde werden, nicht 392
Müdigkeit 540, 1
Muff 108
Muffel 1245
muffeln 1344, 2; 1959, 2
Muffensausen 62, 4
muffig 109; 341, 3;
406, 1; 1661, 1
mufflig 1005, 2

Mühe 137, 2; 1020, 2
Mühe haben 92, 4
Mühe machen 92, 1;
539, 1
Mühe und Not, mit
477, 2; 1091, 2
Mühe, mit 954, 2
mühelos 433, 1; 1036, 2
muhen 1584, 3
mühevoll 1021, 1;
1440, 2
Mühlstein 1020, 2
Mühsal 1020, 2; 1190, 2
mühsam 1021, 1;
1440, 2
mühselig 1021, 1
muksch 425
Mulde 1798, 1
Müll 5, 1
Müllabfuhr 486, 2
Mullah 939, 1
Mülldeponie 5, 3
Müllhalde 5, 3
Müllkippe 5, 3
mulmig 690, 4; 1243, 2;
1273, 2; 1975, 2
multiethnisch 896
Multikulti 1826, 1
Multikultur 1826, 1
multikulturell 1783, 2
Multimedia 352, 1;
1097
multimedial 1727, 2
multinational 896
Multiplikation 1811, 3
multiplizieren 1929, 1
Multitalent 1559
Mumie 973, 2
mumifizieren 522, 4
mumifiziert 363, 3
Mumm 980, 1; 1138
Mumm in den Knochen
981, 1
Mummenschanz 1558, 2
Mumpitz 1674, 1
Münchhausen 1384, 1
Mund 1131
Mund voll 951, 2
Mundart 1493, 4
Munde sein, in aller
948, 1; 1633, 4
Munde, in aller 262, 1
Mündel 936, 2; 1431
munden 691, 1
münden 475, 2

mundfaul 1005, 2;
1439, 1
Mundfaulheit 249, 2
mundfertig 253, 1
mundgerecht 610, 4
mündig 644, 1; 1328, 2
mündig werden lassen
564
Mündigkeitshilfe 565
mündlich 1244, 2;
1663, 4
Mundpropaganda
1897, 1
mundtot machen
1979, 1
Mündung 1400, 1;
1593, 3
Mundvorrat 542, 1
mundwässernd 100, 1
Mundwerk 1131
Mundwerk, böses 323, 1
munkeln 940, 1
Münster 938, 2
munter 660, 1; 757, 1;
835, 1; 835, 3; 1026, 2
munter machen 1885
Munterkeit 650, 1
Münze, in barer 1663, 3
Münzen 712, 1
mürbe 1132; 1495, 1
Murks 1251
murksen 1252
murmeln 629; 1584, 4
Murmeln 734, 2
murren 1391, 1; 1959, 2
mürrisch 1117
Murrkopf 1272, 1
Muschi 1379, 1
Muse 641
Musentempel 1576, 2
Museum 1362, 2
Museumsinsel 1499, 3
Musik 1133
Musik, elektronische
1133, 3
Musik, ernste 1133, 3
Musik, klassische
1133, 3
Musikant 1134, 2
Musiker 1134
Musikgruppe 800, 4
Musikkassette 922, 2
Musikkritiker 260, 1;
990, 1
Musikstück 1133, 2

Musikwerk 1133, 2
musisch 996, 2; 1265, 2;
1415
musizieren 1486, 3
Muskelkraft 980, 1
Muskelprotz 982
muskulös 981, 1;
1489, 1
Muss 1192, 2
Muße 525, 1; 647;
1355, 2; 1676, 2
müssen 1135
Mußestunde 525, 1
mußevoll 1675, 2
müßig 1028, 3; 1675, 1;
1747
müßig sein 594
Müßiggang 1676, 1
Müßiggänger 595
Muster 569; 874, 1;
1136
Muster, kulturelles
997, 1
Musterbeispiel 235
Musterfall 235
mustergültig 149, 2;
1829, 1
Mustergültigkeit 1830
musterhaft 1829, 2
Musterknabe 1529
mustern 80, 1; **1137**

mustern, sich 80, 3
Mustersammlung 171, 2
Mustersendung 1136, 2
Musterstück 1136, 2
Musterung 1136, 1;
1285, 2
Mustopf, aus dem 1159
Mut 1138
Mut haben, nicht den
1371, 2
Mut machen 541, 2
Mutes, guten 835, 3;
1224
mutieren 1708, 4
mutig 920; **1139**
mutlos 64, 2; 1182, 1;
1659, 1
mutlos werden 539, 2;
1822, 1
Mutlosigkeit 62, 4; 1591
mutmaßen 430, 1; 1099;
1771, 2
mutmaßlich 79; 863, 1
Mutmaßung 1100, 3
Mutprobe 1860
Muttchen 1140, 2
Mutter 1140
Mutter Natur 1164, 2
Mutter werden 682, 1
Mutter, allein erziehende
1140, 1

Mutter, Große 785, 3
Mutter, leibliche
1140, 1
Mütterchen 1140, 2
Mütterlein 1140, 2
mütterlich 654, 3
Muttermal 930, 5
mutterseelenallein
450, 1
Muttersöhnchen 603
Muttersprache 1493, 4
Mutterwitz 1789, 2
Mutti 1140, 2
mutuell 696
Mutwille 650, 4
mutwillig 16; 835, 3;
1656; 1908, 1
Mütze 971
Myriaden 1102, 3
Mystagogie 701
Mysterienspiel 1378, 1
mysteriös 407, 4;
1692, 4
Mysterium 702, 1
Mystifikation 1558, 2
mystifizieren 1714, 2
mystisch 407, 4;
1692, 4
Mythenbildung 1071, 5
mythisch 1673, 3
Mythos 559, 2

N

Nabel 1119, 6
Nabelschau 1455
Nabob 1686, 3
nach 504, 4; 1482, 1
nach und nach 1015, 2
nachäffen 881, 1
Nachäfferei 1142, 1
nachahmen 881, 1
nachahmend 1653, 2
nachahmenswert 149, 2
Nachahmer 1141
Nachahmung 1142
nacharbeiten 1148, 1
Nachbar 1143
nachbarlich 654, 2
Nachbarschaft 1143, 2;
  1156, 2
nachbarschaftlich
  1155, 4
nachbeben 1910, 3
Nachbereitung 1285, 4
nachbessern 519, 1;
  1715, 1
Nachbesserung 1716, 1
nachbeten 881, 1
Nachbeter 66, 3; 1141;
  1221; 1402, 1
nachbilden 1, 2; 881, 1
Nachbildung 1142, 1
nachbohren 391, 4; 635
nachdenken 371, 1
Nachdenken 1321
Nachdenken, ohne
  1695, 4
nachdenklich 1357, 2
Nachdenklichkeit 415, 1
nachdrängen 391, 1
**Nachdruck 1142, 1;
  1144; 1536, 1; 1904**
Nachdruck, mit 1145, 1
nachdrucken 881, 3;
  1810; 1903, 3
**nachdrücklich 600, 1;
  891, 4; 1145**
Nachdrücklichkeit 1144
nachdunkeln 409, 3
nacheifern 631, 3

nacheinander 457, 1;
  1015, 2
Nacheinander 630, 1
nachempfinden 1563, 3;
  1793, 3
Nachen 579, 6
nacherleben 526, 1
Nachfahren 936, 2
nachfassen 1284, 1
Nachfolge 513, 2
nachfolgen 65, 1; 514;
  631, 3
nachfolgend 1146
Nachfolger 66, 2; 95, 1;
  513, 3; 1428, 3
Nachfolger, designierter
  95, 2
nachformen 1, 2; 881, 1
nachforschen 536; 635;
  1549, 1
Nachforschung 537
**Nachfrage 638, 1; 893;
  1147**
nachfragen 659, 1
nachfühlbar 1790, 3
nachfühlen 1563, 3,
  1793, 3
nachfüllen 519, 1; 674, 1
nachgeahmt 583, 3
nachgeben 489, 2;
  704, 2
nachgehen 266, 3;
  631, 1; 635; 1233, 1;
  1740, 1
nachgehen, einer Be-
  schäftigung 102, 2
nachgehen, einer Sache
  1549, 1
nachgemacht 583, 3
nachgeordnet 950, 2;
  1639
nachgeraten 1614, 3
Nachgeschmack 232
nachgestaltend 1653, 2
nachgewiesen 1460, 4
nachgeworfen 312, 1
nachgiebig 467, 5;
  772, 3; 1432, 3;
  1890, 1; 1890, 2
Nachgiebigkeit 623, 1;
  1110
nachgießen 519, 1;
  674, 1
Nachglanz 527, 4
nachgraben 635; 1549, 1

nachgrübeln 371, 2
Nachhall 413, 1
nachhallen 526, 5;
  1485, 4
nachhaltig 891, 4; 1158;
  1498; 1912, 2
Nachhaltigkeit 1913, 1
nachhängen, Gedanken
  371, 3
Nachhauseweg 1349, 1
nachhelfen 298, 1;
  391, 2; 837, 3
nachher 1482, 1
Nachher 1955
Nachhinein, im 1153
nachhinken 1820, 3
nachholen 1148
Nachhut 1400, 2
nachjagen 851, 1;
  1549, 2; 1740, 1
Nachklang 413, 1; 527, 4
nachklappen 1820, 3
nachklingen 526, 5;
  1485, 4
Nachklingen 413, 1
Nachkomme 95, 1;
  513, 3; 936, 2
nachkommen 503, 2;
  631, 1
Nachkommen 1813, 1
nachkommen, Erwartun-
  gen 704, 1
nachkommen, nicht 6, 4
nachkommen, Wün-
  schen 214, 1
Nachkommenschaft
  936, 2
Nachlass 513, 1; 784, 1
**nachlassen 539, 2;
  723, 2; 1149; 1723, 4;
  1749, 3**
Nachlassen 1348, 1
nachlassen, nicht 226, 2;
  392
nachlassend 13
**nachlässig 633, 3;
  1037, 1; 1150; 1638, 1**
**Nachlässigkeit 249, 2;
  1038, 2; 1151; 1668, 2**
nachlaufen 65, 2; 1401;
  1740, 1; 1740, 3
Nachläufer 66, 3
nachleben 631, 3
nachlegen 1715, 1
nachlernen 1148, 1

nachlesen 546; 1284, *1*;
 1903, *1*
nachliefern 519, *2*
Nachlieferung 520, *3*
nachmachen 881, *1*
Nachmacherei 1142, *1*
nachmalig 1482, *1*
nachmals 1482, *1*
nachmessen 1284, *1*
Nachmittagskaffee
 1080, *6*
Nachnahme 1267, *3*
Nachname 930, *4*
nachordnen 1226, *2*
nachordnen, sich 704, *1*
nachplappern 881, *1*
nachprüfen 1284, *1*
Nachprüfung 1285, *2*
nachrechnen 1284, *1*;
 1929, *1*
Nachrede, üble 1372, *1*;
 1765
nachreden, übel 1764
nachrennen 1740, *3*
Nachricht 164, *1*; 332
nachrücken 514; 631, *4*;
 1805, *1*
Nachruf 527, *2*
Nachruhm 527, *4*
nachrühmen 1063, *1*
nachsagen 1764
nachsagen, Gutes
 1063, *1*
Nachsatz 520, *2*
nachschaffend 1653, *2*
nachschicken 519, *2*
Nachschlag 520, *7*
nachschlagen 1549, *4*;
 1614, *3*
Nachschlagewerk 1032
nachschnüffeln 247, *2*
nachschöpferisch
 1653, *2*
Nachschrift 520, *2*
Nachschub 520, *7*
nachschwätzen 881, *1*
nachsehen 501, *2*;
 531, *1*; 1284, *1*;
 1626, *2*
Nachsehen 508
Nachsehen haben 1029;
 1369, *4*; 1767, *2*
nachsehen, jmdm. 247, *1*
nachsenden 519, *2*
Nachsendung 520, *3*

nachsetzen 851, *1*;
 1740, *1*
Nachsicht 688, *1*; 784, *1*
nachsichtig 689, *1*;
 793, *2*; 1109, *4*
nachsinnen 371, *2*
Nachsinnen 1321
Nachsommer 46
Nachspeise 1080, *5*
Nachspiel 630, *3*;
 1400, *2*
nachspionieren 247, *2*
nachsprechen 1903, *1*
nachsprengen 1740, *1*
nachspringen 1740, *1*
nachspüren 536; 635
nachstehend 1146
nachsteigen 1334, *3*;
 1740, *3*
nachstellen 1740, *3*
Nächstenliebe 1644
nächstens 180
Nächster 1143, *1*
nächstmöglich 429, *3*
nachstreben 631, *3*
nachsuchen 303;
 315, *1*
Nacht 408, *1*
Nacht und Nebel, bei
 834, *1*
Nacht werden 409, *1*
Nacht, schwarze 407, *1*
Nacht, sinkende 408, *1*
Nacht, über 180; 1263
nachtblind 318, *1*
Nächte, schlaflose 1473
Nachteil 858, *5*; 1368, *1*
Nachteil sein, im 6, *4*
nachteilig 1660, *3*
nachteilig sein 1369, *5*
nachten 409, *1*
nächtens 407, *5*
Nachtessen 1080, *7*
Nachtgebet 684
Nachtgespenst 707, *3*
nächtig 407, *1*
nächtigen 282, *2*
Nachtisch 1080, *5*
nächtlich 407, *5*
Nachtlokal 681, *1*
Nachtluft 1068, *3*
Nachtmahl 1080, *7*
Nachtmahr 62, *2*
Nachtportier 1877
Nachtrag 520, *2*

nachtragen 519, *1*;
 1959, *1*
nachtragend 1152
nachtragend, nicht
 793, *2*
nachträglich 48; 1153
nachtrauern 217, *2*;
 944, *4*
Nachtruhe 525, *3*
nachts 407, *5*; 1481, *4*
Nachtschicht 1387, *2*
Nachtseite 702, *1*; 1350
Nachtspeicherheizung
 836
Nachttischlampe 1012, *1*
nachtun 631, *3*; 881, *1*
Nachtwache 1877
Nachtwächter 595; 1255
nachtwandlerisch 899
nachvollziehbar 1211, *2*;
 1790, *1*
Nachvollziehbarkeit
 1791
nachvollziehen können
 1793, *2*
nachwachsen 519, *3*
Nachwehen 630, *3*; 1118
nachweinen 944, *4*
Nachweis 279, *1*; 279, *6*;
 615, *1*
nachweisen 1399, *3*;
 1934, *4*
nachweislich 1460, *4*
Nachwelt 1955
nachwiegen 1284, *1*
nachwirken 1910, *3*
Nachwirkung 630, *3*;
 1913, *2*
Nachwort 520, *2*;
 1400, *2*
Nachwuchs 908, *2*;
 936, *2*
nachzahlen 519, *2*
nachzählen 1284, *1*
Nachzahlung 520, *3*
nachzeichnen 1, *2*;
 270, *1*
nachziehen 1148, *1*
nachzittern 1910, *3*
nachzotteln 1820, *3*
nackt 913, *2*; 1154
nacktbeinig 1154, *2*
Nadel im Heuhaufen
 1665
Nadelarbeit 813, *2*

Nadeln, auf 1671, *1*
Nadelöhr 1215, *3*
Nadelstich 1490, *3*
Nadelwald 1868
Nagel 211, *2*
Nagel auf den Kopf, den
  722, *2*
Nägel mit Köpfen ma-
  chen 412
nageln 210, *1*
nagelneu 1177, *1*
Nagelprobe 1285, *3*
nagen 566, *4*; 1242, *3*
nagen, am Herzen 256
nagen, am Hungertuch
  482; 872, *1*
nagend 1293, *1*
nah 1054, *2*; **1155**
nah noch fern, weder
  1180, *2*
nah und fern 1611, *1*
nah, ganz 1155, *2*
Nähe 1156
nahe gehen 263, *2*
nahe kommen, sich
  1157, *1*
nahe legen 75, *1*; 315, *1*;
  861, *1*; 1305, *1*
nahe liegend 1790, *2*
nahe sein, der Erschöp-
  fung 539, *2*
nahe stehend 1155, *4*;
  1802, *1*
Nähe, in der 1155, *2*
nahebei 1155, *2*
nahen 67, *1*; 398, *4*;
  958, *1*; 1157, *1*
nähen 102, *4*
näher kommen 1157, *1*
näher treten 1157, *1*
Näherkommen 966, *2*
nähern, sich 958, *1*;
  1157
nähernd, sich 774;
  1155, *3*
nahezu 1654, *1*
Nähfaden 575, *2*
Nährboden 796, *2*
nähren 676, *1*
nahrhaft 757, *3*; **1158**
Nährmutter 1140, *3*
nährstoffreich 1158
Nahrung 542, *1*
Nahrungsmittel 542, *2*
nahtlos 679, *1*; 1829, *1*

naiv 403, *2*; 433, *2*;
  1159
Naivität 404, *2*; 434, *2*;
  991
Naivling 405, *5*
Najade 707, *4*
Name 716, *2*; 930, *4*
Name, angenommener
  1288
Name, falscher 1288
Namedropping 460, *1*
Namen machen, sich ei-
  nen 174, *2*
Namen nach, dem
  1124, *5*
namenlos 163, *1*;
  1452, *1*; 1641, *1*
Namensgebung 930, *2*
Namenszeichen 930, *2*
Namenszug 930, *2*
namentlich 273, *1*
namhaft 262, *1*
nämlich 49; 69, *2*;
  1160
Nänie 739, *2*
narbig 718, *1*; 1307, *2*;
  1642, *2*
Narkose 1646, *3*
Narkose, unter 286
narkotisch 285, *1*
narkotisieren 284, *1*
narkotisierend 285, *1*
narkotisiert 286; 1645, *2*
Narr 405, *4*
narren 1491, *1*; 1848
Narrenfreiheit 645, *3*
Narrenhaus 1674, *3*
Narrenkleid 1558, *2*
Narretei 1674, *1*
Narrheit 1674, *1*
Närrin 405, *4*
närrisch 24; 119, *2*;
  835, *3*; 1254, *3*;
  1777, *1*
Narziss 417
Narzissmus 460, *1*; 1455
narzisstisch 459, *2*;
  1456
naschen 566, *3*; 977, *2*
naschhaft 218, *2*
Naschhaftigkeit 1761, *1*
Naschkatze 726, *2*
Naschwerk 979
Nase 415, *2*; 746, *2*;
  1161

Nase im Wind haben
  392
Nase nach, der 1663, *2*
Nase vorn 1840, *1*
Nase, feine 468, *1*;
  693, *3*
Nase, klassische 1161
Nase, vor der 1155, *2*
näseln 1494, *3*
Nasenlänge, nur eine
  954, *2*
Nasenstüber 1393, *1*
Naserümpfen 1115
naseweis 642, *2*
Naseweisheit 643, *1*;
  1178
nasführen 1491, *1*
naslang, alle 1216
nass 1162
Nass 1880, *1*
nass bis auf die Haut
  1162, *1*
nass machen 616, *1*
nass werden 616, *3*
Nassauer 1402, *2*
nassauern 153, *3*
Nässe 1186, *1*; 1880, *1*
nässen 616, *1*; 625; 1325
nassforsch 642, *3*
nasskalt 1162, *3*
Nasszelle 178, *1*
Nationalgefühl 1163, *1*
Nationalisierung 431;
  483
Nationalismus 1163
Nationalität 846, *2*
Nationalmannschaft
  171, *3*
Nationalpatriotismus
  1163, *1*
Nationalstolz 1163, *1*
nativ 59, *1*
Natur 346; **1164**
Natur, in der 393, *1*
Natur, nach der 1166, *4*
natura, in 1244, *2*
Naturalien 542, *2*
naturalisieren 127, *6*
Naturalisierung 431
naturalistisch 1166, *4*
Naturantrieb 1598, *1*
naturbelassen 1166, *1*
Naturell 346
Naturfarbe 589, *3*
naturgegeben 55

naturgemäß 1166, *1*
naturgetreu 1166, *4*
Naturgewalten 463, *2*
naturidentisch 1002
Naturkatastrophe 1165
natürlich 39; 87; 414, *1*;
433, *2*; 678, *1*; 738, *2*;
1026, *4*; 1159; **1166**
Natürlichkeit 434, *1*;
645, *3*
naturliebend 1166, *3*
naturnah 1166, *3*
Naturrecht 1318, *3*
Naturreich 1164, *2*
naturrein 1166, *1*;
1365, *2*
Naturreinheit 1366, *2*
Naturtrieb 1598, *1*
naturverbunden 1166, *3*
Naturverbundenheit
434, *4*
Naturwissenschaftler
1918
Naturzustand, im 633, *1*
Nebel 353, *2*; 1186, *1*
Nebelbank 353, *2*
nebelhaft 407, *3*; 1692, *2*
nebeln 354; 1308
Nebelschwaden 353, *2*
neben 1155, *1*
Nebenabsicht 859, *2*
nebenan 1155, *2*;
1155, *2*
Nebenarm 520, *5*;
1977, *3*
Nebenausgaben 137, *1*;
978, *1*
Nebenbedeutung 202, *4*;
232
Nebenbedingung 454, *3*
nebenbei 48; **1167**;
1852, *3*
Nebenbestimmung
454, *3*
Nebenbuhler 700, *3*
Nebenbuhlerschaft
962, *1*
nebeneinander 1155, *1*
nebeneinander stellen
1754, *1*
Nebeneinkünfte 520, *3*
Nebeneinnahme 520, *3*
Nebenfluss 520, *5*
Nebengeschmack 232
nebenher 48; 1852, *3*

Nebenklang 232
Nebenkosten 978, *1*
Nebenkultur 1545, *1*
nebenliegen 263, *3*
nebenliegend 1155, *2*
Nebenmann 1143, *3*
Nebenrolle 1347, *1*
Nebensache 951, *1*
nebensächlich 950, *2*;
1199, *1*; 1639
Nebensächlichkeit
951, *1*
Nebenschauplatz
1558, *1*
Nebensinn 202, *4*; 232
Nebenstelle 1185, *2*;
1977, *1*
Nebenstraße 1527
Nebenverdienst 520, *3*
Nebenweg 29, *2*
Nebenwirkung 520, *6*
Nebenzweck 859, *2*
neblig 407, *2*
nebst 117, *2*; 453
nebulos 407, *3*; 1692, *2*
necken 1491, *1*
neckend 1492, *2*
Neckerei 81, *1*; 1490, *1*
neckisch 459, *1*; 835, *3*
Neckname 1490, *5*
negativ 31, *3*; 1246
Negativ 618, *2*
Negativsymbol 1853
negieren 30, *3*; 1779, *1*
Negierung 32, *2*
Negus 849
nehmen 89, *1*; 280, *2*;
924, *2*; **1168**; 1233, *3*
nehmen, Abschied
485, *2*; 998, *1*;
1594, *1*
nehmen, Abstand
1019, *2*
nehmen, an die Kandare
857, *1*; 1979, *2*
nehmen, an sich 1168, *1*
nehmen, Anlauf 52, *3*;
499, *2*; 1834, *5*
nehmen, Anstoß 196
nehmen, Anteil 1563, *3*
nehmen, Arm 1543, *2*
nehmen, auf Band
127, *5*; 1361, *4*
nehmen, auf den Arm
1491, *1*

nehmen, auf die leichte
Schulter 1114, *2*
nehmen, auf die Schippe
1491, *1*
nehmen, auf die Schulter
1588, *1*
nehmen, auf seinen Eid
1786, *2*
nehmen, auf sich 50, *4*;
92, *2*
nehmen, aufs Korn
80, *2*; 1944, *1*
nehmen, auseinander
1561, *1*; 1936, *1*
nehmen, Bad 1367, *3*
nehmen, beim Schlafitt-
chen 1233, *3*
nehmen, beim Wickel
1233, *3*
nehmen, beim Wort
313, *2*
nehmen, Bezug 1729, *3*
nehmen, Deckung
1430, *4*
nehmen, den Mund voll
1269, *2*
nehmen, Drogen 284, *4*
nehmen, Einfluss 208
nehmen, Ende 475, *2*
nehmen, ernst 193, *1*
nehmen, es mit der
Wahrheit nicht genau
1072
nehmen, es nicht genau
1236, *3*
nehmen, etwas zu sich
1502, *1*
nehmen, Folgen auf sich
1040, *2*
nehmen, Fühlung 52, *3*;
1157, *4*; 1834, *5*
nehmen, für bare Münze
770, *2*
nehmen, ganze Hand
153, *3*
nehmen, gefangen
894, *1*; 1756
Nehmen, hart im 981, *1*
nehmen, Heft aus der
Hand 1679, *4*
nehmen, in Angriff 52, *3*
nehmen, in Anspruch
92, *1*; 195, *2*
nehmen, in Augenschein
80, *1*

nehmen, in Aussicht
1259, *1*
nehmen, in Beschlag
245, *1*; 266, *3*
nehmen, in die Hand
52, *3*; 263, *1*; 1168, *1*;
1684, *1*
nehmen, in die Mangel
198, *5*
nehmen, in Dienst 89, *1*
nehmen, in Empfang
466, *2*
nehmen, in Gebrauch
246
nehmen, in Gewahrsam
1756
nehmen, in Obhut
1788, *2*
nehmen, in Pflege
1788, *2*
nehmen, in Schutz
501, *3*
nehmen, in Verwahr
123, *1*
nehmen, ins Gebet
639, *2*; 1391, *1*
nehmen, ins Kreuzver-
hör 639, *2*; 1284, *3*
nehmen, ins Schlepptau
1942, *1*
nehmen, kein Blatt vor
den Mund 1729, *2*
nehmen, kein Ende
364, *2*
nehmen, keine Notiz
1409, *5*
nehmen, Konsequenzen
auf sich 345
nehmen, Kostprobe
977, *2*
nehmen, krumm 106, *3*;
1959, *1*
nehmen, Lust 496
nehmen, Nahrung zu
sich 566, *1*
nehmen, nicht ernst
1114, *1*
nehmen, nicht für voll
1114, *1*
nehmen, nicht zur Kennt-
nis 1409, *5*
nehmen, Platz 1184, *2*;
1469, *1*
nehmen, Quartier 21, *2*
nehmen, Rache 1750, *1*

nehmen, Rauschgift
284, *4*
nehmen, Reißaus 624, *1*
nehmen, Rücksicht auf
193, *2*
nehmen, Sache in die
Hand 669, *2*
nehmen, schwer
1040, *4*
nehmen, seine Zuflucht
zu 837, *6*
nehmen, seinen Hut
998, *1*
nehmen, seinen Lauf
216, *3*
nehmen, sich das Leben
1586, *5*
nehmen, sich die Freiheit
531, *3*
nehmen, sich in Acht
128, *4*
nehmen, sich zu Herzen
256; 1793, *5*
nehmen, Stellung
1701, *1*
nehmen, übel 106, *3*;
1959, *1*
nehmen, überhand
145, *4*
nehmen, unter Beschuss
60, *2*
nehmen, unter die Fitti-
che 538, *2*; 1430, *2*
nehmen, unter die Lupe
635; 1284, *1*
nehmen, unter Eid 89, *2*
nehmen, unters Messer
1218
nehmen, Urlaub 524, *1*
nehmen, Verpflichtung
auf sich 313, *3*
nehmen, vorlieb 1478, *4*
nehmen, Vorschuss
321, *1*
nehmen, wichtig 217, *1*
nehmen, Wind aus den
Segeln 496
nehmen, Witterung
1549, *3*
nehmen, Wohnsitz
1184, *1*
nehmen, Wohnung
1184, *1*
nehmen, Wort 162, *1*
nehmen, Zeit 1356, *2*

nehmen, zu Protokoll
127, *5*
nehmen, zu sich 1168, *5*;
1600, *2*
nehmen, zu wichtig
1622, *1*
nehmen, zum Teilhaber
287
nehmen, zum Thema
224, *3*
nehmen, zur Hand
1168, *1*
nehmen, zur Kenntnis
1793, *1*
Neid 606; **1169**
neiden 1170
neiderfüllt 1171
Neidhammel 710
neidig 1171
neidisch 1171
neidlos 793, *1*
neidzerfressen 1171
Neige 1340, *1*; 1400, *2*
Neige, bis zur 679, *3*
neigen 296, *1*; 1127, *2*
neigen, sich 6, *1*; 296, *1*;
475, *2*
neigen, sich vornüber
296, *1*
neigend, sich 1417, *2*
Neigung 5, *4*; 1055, *1*;
1073, *1*; **1172**; 1519, *2*;
1537, *1*; 1569, *1*;
1761, *1*
Neigung haben 1056, *1*
nein 1173
Nein 32, *2*
Neinsager 1245
Nekrolog 527, *2*
Nekropole 657
Nemesis 1751, *1*
nennen 931, *5*; **1174**;
1494, *1*; 1862, *2*
nennen, Kind beim Na-
men 1729, *2*
nennen, Ross und Reiter
1208, *3*
nennen, sein Eigen
807, *1*
nennenswert, nicht
1893, *1*
Nenner, kleinster gemein-
samer 444; 1736, *1*
Neonlicht 1012, *1*
Nepotismus 953

Nepp 292
neppen 293, *1*
Nerv 823
nerven 106, *1*
Nervenbündel 471, *4*
nervend 130, *2*
Nervenkitzel 1477, *1*
nervenkrank 720
Nervenkrankheit 721
Nervenkrieg 1533, *2*
Nervenkrise 1780, *3*
nervenleidend 1042, *4*
Nervenprobe 105, *3*;
1285, *3*; 1403, *2*
Nervensäge 1523
nervenschwach 64, *2*;
471, *3*
Nervenschwäche 472, *2*
nervenzermürbend
130, *2*
nervös 64, *1*; 548, *1*;
1671, *1*
nervös machen 106, *1*
nervös werden 106, *2*
Nervosität 62, *2*; 549, *1*;
1763, *2*
nervtötend 1017, *1*
Nervtüte 1523
Nervus Rerum 823
Nest 295; 824, *2*;
1296, *2*
nesteln 1549, *1*
Nesthäkchen 936, *1*;
1078, *1*
Nestor 45, *2*
Netsurfer 1545, *2*
nett 57, *1*; 125, *2*;
328, *1*; 491; 654, *1*;
869; **1175**
nett, ganz 1091, *2*
Nettigkeit 490, *2*
Nettoertrag 1195, *2*
Nettogewinn 1195, *2*
Nettopreis 1270, *3*
Network 1176, *3*
Netz 1060, *1*; **1176**
Netz, multimediales
1176, *3*
Netz, ohne 1139, *2*
Netz, soziales 1176, *4*
Netzcomputer 352, *2*
netzen 616, *1*
Netzwerk 1176, *2*;
1718, *3*
neu 648, *2*; 660, *2*;

745, *2*; 1126, *1*; **1177**;
1231, *2*
neu, wie 1177, *4*
neuartig 1177, *3*
Neuartiges 1179, *1*
Neuauflage 1904
Neubeginn 1343, *1*
Neubelebung 525, *2*;
544, *2*
Neubildung 1179, *1*
Neudruck 1179, *2*; 1904
Neue, aufs 1902
Neueinstudierung 1904
neuem, von 1902
neuerdings 699, *1*; 1008;
1902
Neuerer 1257, *1*
neuerlich 699, *1*; 1008;
1902
Neuerscheinung 1179, *2*;
1774, *1*
Neuerung 1179, *1*;
1709, *1*
Neuerwerbung 1179, *1*
Neues 1179, *1*
Neufassung 544, *3*
neugeboren 686, *2*;
1177, *1*; 1783, *1*
neugeboren, wie 1177, *4*
Neugeborenes 936, *1*
Neugeburt 525, *2*;
544, *2*
Neugestaltung 544, *1*;
1343, *1*
Neugier 893; 1178;
1477, *1*
Neugierde 1178
neugierig 895, *2*; 1555
neugierig sein 894, *3*
neugierig werden 894, *2*
Neuheit 1179
Neuigkeitskrämer 1436
neulich 1008
neumodisch 1126, *2*
neunmalklug 642, *2*;
1396, *2*
Neuordnung 1343, *1*
neureich 1327, *1*
Neurose 721
neurotisch 720
neutönerisch 670, *2*
neutral 735, *1*; 772, *1*;
1358, *1*
neutralisieren 151, *5*
Neutralisierung 150, *4*

Neutralität 736; 1646, *2*
Neutrum 593
Neuverfilmung 544, *3*
Neuwerdung 544, *2*
neuwertig 1177, *1*
neuzeitlich 1126, *2*
Neuzüchtung 1950, *1*
Newsjockey 1682
Nexus 1718, *1*
Nibelungentreue 613, *5*
nicht 1173
nicht anders als 1901, *1*
nicht doch 1173
nicht gut drauf 1659, *1*
nicht haben 482
nicht mehr können
539, *2*; 1779, *3*
nicht tun 1019, *2*
nicht wissen, was man
tut 1752, *3*
nicht wissen, wo einem
der Kopf steht 1815, *3*
nicht zu machen 1664
nicht zufrieden stellend
1655, *1*
nicht, auch 1173
nicht, durchaus 1173
nicht, fast gar 1457, *2*
nicht, ganz und gar 1173
nicht, überhaupt 1173
Nichtachtung 1115
Nichtbeachtung 1115
Nichtbegreifen 1662
Nichtfachmann 384, *1*
nichtig 312, *3*; 459, *3*;
950, *2*; 1028, *3*;
1397, *1*; 1639
Nichtigkeit 951, *1*
Nichtkundiger 384, *1*
nichts 1180
Nichts 1181
nichts als 1194
nichts daraus machen,
sich 1114, *2*
nichts haben 482
nichts mehr zu machen
534, *1*
nichts sagend 182;
312, *3*; 968, *2*; 1017, *2*;
1028, *3*; 1199, *2*; 1639
nichts tun 524, *3*; 594;
1356, *1*
nichts und wieder nichts,
für 1747
nichts zu machen 476

nichts zu tun haben
1016, 2
nichts, fast 951, 2
nichts, fast gar 926, 1
nichts, gar 1180, 1
nichts, nach 574, 1
nichtsdestotrotz 1607, 2
nichtsdestoweniger 3;
1607, 2
Nichtsesshafter 1332, 2
Nichtskönner 384, 2;
1781
Nichtsnutz 1781
Nichtsnutzigkeit 1398
Nichtstuer 595
Nichtstun 525, 1;
1676, 1
nichtswürdig 1397, 5
Nichtswürdigkeit 1398
nicken 278, 2; 802, 1;
1392, 2; 1934, 1
Nickerchen 525, 3
nie und nimmer 1664
nie, so gut wie 926, 1
nieder 950, 3
niederbrennen 1749, 5;
1939, 5
Niederbruch 1940, 1
niederbücken, sich
296, 2
niederdrücken 402, 1;
496
niederdrückend
1659, 5
Niedergang 1348, 1
niedergebeugt 1659, 1
niedergedrückt 1182, 1
niedergehen 1184, 4
niedergehend 13
niedergeschlagen 1182
Niedergeschlagenheit
1591
niedergeschmettert
1182, 1
niedergleiten 1184, 4
niederhalten 402, 3;
1679, 1; 1733, 2
niederkommen 682, 1
Niederkunft 68, 2; 687
Niederlage 1116; **1183**
niederlassen 52, 3;
1184
niederlassen, sich
458, 3; 547, 1; **1184**;
1469, 1

niederlassen, sich häus-
lich 1184, 2
Niederlassung 51, 2;
1185
niederlegen 127, 5;
475, 1; 1421, 1;
1939, 7
niederlegen, Amt 998, 1
niederlegen, Arbeit
1532, 1
niederlegen, Posten
998, 1
niederlegen, sich
1356, 1
Niederlegung 120, 2
niedermachen 918, 3;
1809, 2
niedermähen 1939, 8
niedermetzeln 1586, 1;
1939, 8
niederreißen 1214, 1;
1939, 7
niederringen 1463, 2
niederschießen 1586, 1
Niederschlag 1186;
1880, 1; 1913, 2
niederschlagen 496;
1394, 2
niederschlagen, Augen
1371, 1
niederschlagen, sich
1184, 6
niederschlagsarm
1602, 4
niederschmettern 496
niederschmetternd
1440, 2; 1659, 5
niederschreiben 1421, 1
Niederschrift 8, 1; **1187**
niedersetzen 22, 1
niedersinken 581, 2
niederstellen 22, 1;
1511, 1
niederstimmen 496;
1979, 1
niederstürzen 581, 1
Niedertracht 1398
niederträchtig 323, 1;
349; 1397, 5
Niederträchtigkeit 324
Niederung 620, 1
Niederwald 343, 1
niederwalzen 1939, 8
niederwärts 27
Niederwasser 1348, 8

niederwerfen 1394, 2;
1463, 2
niederziehen 509, 2;
841, 1
niederziehend 1659, 5
niederzwingen 1394, 2
niedlich 71, 2; 869
niedrig 950, 3; 1397, 5
Niedrigwasser 1348, 8
niemand 1188
Niemand 1181, 2
niemand als 1194
niemand sonst 1194
nieseln 1325
Nieselregen 1186, 1
Nießbrauch 154, 1
nießnutzen 246
niet und nagelfest
1460, 4
Niete 1116; 1781
Nightclub 681, 1
Nikotinentzug 512, 2
Nikotinsucht 1550, 3
Nimbus 716, 3; 832
Nimmerleinstag, am
1664
nimmermüde 621
nimmersatt 218, 2;
1624, 1
Nimmersatt 726, 3
nimmt alles für bare
Münze 403, 2
nimmt den Mund voll
1698, 2
Nimrod 905, 1
nippen 977, 2; 1600, 2
Nippes 940, 1
nirgends 1180, 2
nirgendwo 1180, 2
Nische 1545, 1; 1798, 2
nisten 1024, 2; 1184, 1
Niveau 85, 1; 1294, 2;
1302, 1
niveaulos 941
niveauvoll 84, 1; 996, 2
nivellieren 151, 1;
769, 1; 1737
nivellierend 771, 2
Nivellierung 150, 1;
1616, 5; 1738
Nixe 707, 4
nobel 416, 3; 793, 1;
1841
Nobilität 36, 2
nobilitieren 420, 1

Noblesse 36, *1*; 607, *1*
noch 117, 3
noch nicht 418; 1482, *1*
nochmals 1902
nolens volens 1652, 2
Nom de Guerre 1288
Nom de Plume 1288
Nomenklatur 1493, 5;
    1817, 3
Nomenklatura 847, *1*;
    1203
nominell 54
nominieren 1174, 2;
    1862, 2
Nominierung 1861, 3
non plus ultra 554
No-Name 1641, *1*
nonchalant 633, 3;
    1150, 3
Nonkonformist 169; 932
nonkonformistisch 933
Nonne 1189
Nonplusultra 767, 7
Nonsens 1674, *1*
nonstop 882, *1*
Nonvalenz 185
Nordeuropa 568, *1*
nordeuropäisch 568, 2
Nordlicht 1513
Nörgelei 989, *4*
nörgeln 196; 1553, *1*
Nörgler 990, 2; 1239, *1*
Norm 750, 2; 1089, 3;
    1322, *1*
normal 678, *1*; 757, *1*
Normale, das 1322, 2
Normalfall 1322, 2
normalisieren 261, *1*
Normalität 1322, 2
normen 614, 3
normieren 1737
Normierung 1616, 5;
    1706; 1738
Normung 1738
normwidrig 1783, 3
Normwidrigkeit 29, 5
Norne 1276
Nostalgie 474; 1761, 2
nostalgisch 473
Nostrifikation 431
nostrifizieren 127, 6
Not 1190
Not tun 598, 2
Not, in 107, *1*; 856, 2
Not, mit knapper 954, 2

Notabeln 1201, 2
Notar 912, 2
notariell 1213, 3
Notat 1187, *1*
Notausgang 1215, *1*
Notbehelf 550, *1*
Notbett 295
Notbremse 854, 2
notdürftig 954, 2;
    1655, *1*
Note 159; 424, 2;
    1700, *1*
Notebook 352, 2
Nöten, in 401; 856, 2
Noten, ohne 1695, 3
Notfall 1190, 2
notfalls 582
notgedrungen 1652, 2
Nothelfer 838, *1*
notieren 127, 5; 614, 2;
    1421, *1*
nötig 1191, *1*
nötig haben 327
nötig sein 598, 2
nötig, nicht mehr 1666
nötigen 50, 3; 313, 2;
    391, *4*; 1979, *1*
nötigen lassen, sich
    807, 3; 1371, *1*
nötigenfalls 582
Nötigung 399, *1*; 400, 3;
    1972, *1*
Nötigung, sexuelle 1458
Notiz machen 1421, *1*
Notizen 1187, *1*
Notizheft 828, *1*
Notizzettel 527, 3
Notlage 1190, 2; 1763, *1*
Notlage, in einer 401
Notlösung 550, *1*
Notlüge 502, 2
Notruf 855
Notschrei 855
Notsignal 855
Notstand 399, 2; 1190, 2
Notvorrat 550, *1*
notwendig 1191; 1899, *1*
notwendigerweise
    1191, 2
Notwendigkeit 1192;
    1250; 1389, 2
Notzeit 1190, 2
Nouveauté 1179, *1*
Novelle 520, 2; 559, 2
Novellist 1423

Novität 1179, *1*
Novum 1179, *1*
Nu, im 429, 2; 1410, 2
Nuance 23, *1*; 232; **1193**
nuanciert 1026, *4*
Nuanciertheit 607, 2
Nuancierung 23, *1*
nüchtern 182; 545, *1*;
    1017, *1*; 1358, 2;
    1602, 3; 1772, *4*
Nüchternheit 947, 3;
    1789, 2
nudeln 676, *1*
Nukleus 1119, 6
null 1180, *1*
Null 1181, 2; 1781
null und nichtig 1397, 6
nullachtfünfzehn
    678, 3
Nulldiät 379, *1*
Null-Null 1582, *1*
Nullpunkt 1181, *1*;
    1400, 2; 1518
Nulltarif, zum 1634, *1*
Nulpe 405, 2; 1781
Numen 785, *1*
numinos 1692, *4*
Nummer 569; 580, 2;
    930, 6; 1055, 3;
    1089, 5; 1712, 2;
    1847, 3
Nummer eins 1464, *1*
Nummer haben 201, 3
Nummer Sicher 692, 2
Nummer Sicher, auf
    1651, 2
Nummer, große 573
nummerieren 931, 3;
    1226, 2; 1929, *1*
Nummernschild
    930, 2
nun 699, *1*; 1472
nun gerade 16
nunmehr 699, *1*
Nuntius 387, *1*
nur 3; 157; 926, *1*;
    1194
nur eben 954, 2
nuscheln 1494, 3
Nuss, doofe 405, 2
Nuss, harte 1763, *1*
Nuss, taube 1781
nussbraun 407, 6
Nutte 1280
Nutzanwendung 1400, *4*

nutzbar machen 246;
547, 3
Nutzbarkeit 1195, 4
nutzbringend 1197, 2
nutze 1197, 1
nütze sein 1196, 1
nutzen 153, 1; 246;
1196, 2
Nutzen 154, 1; 893;
1195; 1849, 2; 1898, 1

nützen 214, 1; 382, 2;
1196; 1588, 4; 1910, 2
Nutzen sein, von 1196, 1
nutzen, Gelegenheit
1196, 2
Nutzgarten 680
nützlich 355, 2; 757, 4;
1197; 1912, 1; 1973, 1
nützlich machen, sich
837, 1

nützlich sein 1196, 1
Nützlichkeit 1195, 4
nutzlos 1397, 1; 1634, 2;
1653, 1; 1747
Nutzlosigkeit 1748
Nutznießer 782;
1402, 2
Nutznießung 154, 1
Nutzung 154, 1
Nymphe 707, 4

O

o. k. 804, 2
ob 69, 2; 1888
ob auch immer 1202
Obacht 1474, 2
Obdach 833, 1
obdachlos 393, 3; 850, 1
Obdachlosenheim
833, 2
Obdachloser 1332, 2
obduzieren 1936, 2
O-beinig 992, 5
Obelisk 373
oben 862, 1; 1840, 1
oben bis unten, von
679, 2
oben ohne 1154, 2
oben, ganz 862, 4
oben, nach 138
oben, von 862, 1
obenan 554; 1840, 1
obenan stellen 298, 2
obenauf 835, 3; 862, 4;
1840, 1
obendrein 117, 3
obenhin 1037, 1;
1150, 1; 1167, 2;
1199, 3
Ober 204, 3
oberaffengeil 1254, 1
Oberaufsicht 1048, 2
oberfaul 1975, 1
Oberfläche 1198
Oberfläche, auf der
393, 4
Oberfläche, unter der
1677, 4; 1719, 1
oberflächlich 182;
1037, 1; **1199**
Oberflächlichkeit 1151;
1200
obergescheit 1396, 2
Oberguru 671, 6
oberhalb 862, 1
Oberhand 1849, 1
Oberhand haben 669, 2
Oberhaupt 671, 1
Oberin 1047, 2; 1140, 3

Oberkellner 204, 3
oberlehrerhaft 238, 2
Oberlicht 1215, 5
Oberschicht 1201;
1387, 3
oberschlau 1396, 2
Oberschüler 1428, 1
Oberstübchen 970, 1
Oberstübchen, nicht
richtig im 1777, 1
Oberwasser 1849, 1
Oberwasser haben
761, 2
obgleich 1202; 1607, 1
Obhut 1248, 1; 1461, 2
Objekt 697, 1
Objektangst 62, 6
objektiv 735, 1; 1358, 1
Objektivität 736
obliegen 1135
Obliegenheit 120, 1;
383, 1
obligat 1191, 2
Obligationen 271, 3
obligatorisch 751, 5;
1980, 2
Obligo 342, 1
Obolus 7; 677, 1
Obrigkeit 1203
obschon 1202; 1607, 1
observieren 247, 2
obsessiv 1504, 2
obsiegen 1394, 2;
1463, 2
obskur 407, 4; 1975, 3
obsolet 1707
Obstgarten 680
obstinat 425
obszön 91, 3
Obszönität 662, 2
Obus 579, 4
obwohl 1202; 1607, 1
obzwar 1202
ochsen 1049, 1
Odaliske 1280
öde 182; 574, 1; 1017, 2;
1204; 1307, 5; 1585, 2;
1653, 1
Öde 42, 2; 1014; **1205**;
1324, 2
öden, sich 1016, 2
oder 1206
oder aber 1206
oder auch 1206
Odeur 108

odiös 1637, 3
Odium 599, 5
Ödland 1205, 4
Odyssee 599, 3
Œuvre 1046, 1; 1416, 2
Ofen 845
ofenfrisch 1495, 1
Ofenheizung 836
Ofenschirm 870, 7
off limits 1721
offen 131; 369; 433, 2;
467, 2; 644, 2; 644, 3;
644, 4; 1065, 3; 1121;
1159; **1207**; 1649, 3;
1673, 1
offen lassen 152, 1;
172, 2; 1019, 3
offen legen 1208, 1
offen stehen 88, 1;
1214, 4
offen stehend 1207, 4
offenbar 79; 945, 3
offenbar werden
1208, 2
offenbaren 162, 3; **1208**;
1729, 1; 1773, 2;
1934, 3
offenbaren, sich 1208
Offenbarung 1209;
1839
Offenbarungseid 185
Offenheit 434, 1;
468, 2; **1210**
offenherzig 1121;
1207, 2
Offenherzigkeit 1210, 1
offenkundig 945, 3;
1460, 4
Offenlegung 1209, 1
offensichtlich 945, 3
offensiv 37, 1
Offensive 61, 1
öffentlich 1211; 1244, 3
öffentlich machen
1773, 2
öffentlich, nicht 745, 3
öffentliche Einrichtung
1227, 2
Öffentlichkeit 1212
Öffentlichkeit, in aller
1211, 1
Öffentlichkeitsarbeit
1897, 1
offerieren 50, 1; 307;
1844, 1

Offerte 470; 1843
offiziell 968, 2; **1213**;
   1460, 4
Offizier 1111, 1
offiziös 1213, 1
öffnen 1214
öffnen, alle Schleusen
   1208, 3
öffnen, Augen 1208, 2
öffnen, gewaltsam
   1214, 1
öffnen, sich 1214
öffnen, Ventil 11, 2
Öffnung 1215
oft 1216
öfter 1216
Öfteren, des 1216
öfters 1216
oftmalig 1216
oftmals 1216
ohne 161, 1; 1154, 1
ohne, nicht 804, 2
ohnedem 117, 2
ohnedies 117, 2
ohnegleichen 163, 1
ohnehin 1167, 1
Ohnmacht 1433, 3;
   1646, 3
ohnmächtig 856, 1;
   1432, 5; 1645, 2
ohnmächtig werden
   1964, 1
Ohr 1217
Öhr 1215, 3
Ohr, feines 468, 1
Ohren, bis über die
   1452, 1
Ohren, nicht trocken hin-
   ter den 1670, 2
ohrenbetäubend 1022
Ohrenbläser 1402, 1
Ohrenbläserei 898
Ohrenschmaus 730, 1
Ohrensessel 1470, 2
Ohrfeige 1393, 1
ohrfeigen 1394, 1
Ohrwaschel 1217
Ohrwurm 739, 2
okay 804, 2
okkult 407, 4; 1719, 2
Okkultismus 701
Ökobank 184, 2
ökologisch 1636, 1
Ökonomie 1480
ökonomisch 959;

1197, 2; 1479, 2;
   1973, 2
oktroyieren 1979, 1
okulieren 1951, 1
Okzident 568, 1
okzidental 568, 2
Öl 478, 2
olber 1264, 1
Ölbild 308, 2
Oldtimer 579, 2
ölen 769, 4
Ölfilm 618, 1
Ölheizung 836
ölig 768, 6
oll 44, 3
Öllampe 1012, 1
Ölofen 845
Olymp 1234; 1302, 2
Olympiade 962, 2
Olympiasieger 1464, 1
Olympiateilnehmer
   1488
olympiaverdächtig
   1489, 1
olympisch 600, 2
Oma 1140, 2
Ombudsmann 911, 2
Omen 1933, 3
ominös 1975, 1
Omnibus 579, 4
omnipotent 1077, 3
Omnipotenz 1076, 1
omnipräsent 1611, 1
on dit 54
onanieren 214, 2
Ondit 737, 1
One-Night-Stand
   1055, 4
onkelhaft 840
online 1727, 2
Online 1097
Ontogenese 511, 3
opalisierend 718, 2
Open End 882, 1;
   1647, 2
Oper, komische 960
Operation 1685, 2
operationalisieren
   1936, 1
Operator 1769
Operette 960
Operettensänger 1363, 1
Operettensängerin
   1363, 2
operieren 815, 1; **1218**

Opernhaus 1576, 2
Opernsänger 1363, 1
Opernsängerin 1363, 2
Opfer 1219; 1818, 2
opferbereit 1643
Opferbereitschaft
   875, 1; 1644
Opferdienst 1219, 3
Opfergabe 677, 1
Opferhandlung 1219, 3
Opfermut 1644
opfern 1220; 1819, 1
opfern, sich 1220
Opferung 1219, 3
opferwillig 1643
Opiat 1311
Opinionleader 1212, 4
Opponent 700, 1
opponieren 124, 2
opportun 803, 1
Opportunismus 755;
   1699, 3
Opportunist 1221
opportunistisch 754
Opportunität 1129
Opposition 694, 1;
   1900, 2
oppositionell 695, 3
Oppositioneller 700, 2
optieren 1862, 3
optimal 554; 1452, 2
optimieren 1715, 2
Optimismus 1222
Optimist 876, 1; **1223**
optimistisch 835, 1;
   1036, 4; **1224**
Optimum 767, 3
Option 500, 1; 1861, 2
opulent 1327, 4
Opulenz 673, 1
Opus 1046, 1; 1416, 2
Opus magnum 1046, 2
Orakel 1839
orakelhaft 407, 4; 1277
orakeln 1278
Orakelwesen 1
Orbitalstation 579, 10
Orchester 800, 3
Orchesterleiter 1047, 2
Orchestermusiker
   1134, 2
orchestrieren 73, 1;
   198, 6
Orchestrierung 818, 1
Orden 419, 2; 1718, 4

Ordensfrau 1189
Ordensmann 939, *2*
Ordensschwester 1189
ordentlich 86, *3*; 328, *2*;
341, *1*; 722, *1*; 731, *2*;
1225; 1971, *2*
Order 209, *1*; 750, *1*
ordern 280, *1*
ordinär 91, *4*; 312, *3*
Ordination 438, *2*;
740, *3*
ordnen 946, *1*; **1226**;
1834, *1*
Ordnung 779; 947, *2*;
1226, *1*; 1322, *1*
Ordnung machen 484, *2*
Ordnung, in 312, *2*;
534, *1*; 610, *1*; 731, *1*;
804, *2*; 1225, *1*;
1317, *1*
Ordnung, zweiter 950, *2*
Ordnungsfanatismus
1240, *1*
ordnungsgemäß 731, *2*;
751, *4*; 1317, *2*
Ordnungsliebe 1240, *1*
ordnungsliebend
1225, *2*
ordnungsmäßig 731, *2*
Ordnungsprinzip
1552, *2*
Ordnungsruf 1082, *3*;
1385, *2*
Ordnungsversessenheit
1240, *1*
ordnungswidrig 1721
Organ 1227, *2*
Organ für 468, *1*
Organe, innere 439
Organisation 449, *3*;
632, *1*; **1227**; 1538
organisch 731, *3*;
1166, *1*; **1228**; 1468, *3*
organisieren 274, *1*;
1168, *2*; 1226, *1*; **1229**;
1259, *3*; 1684, *1*;
1711, *2*; 1834, *2*
organisieren, sich 1229
organisiert 731, *3*;
1727, *1*; 1901, *3*
Organisierung 1712, *1*

Organismus 973, *1*;
1915, *2*
Orgasmus 767, *2*
orgiastisch 548, *3*;
1093, *3*
Orgie 711; 1619, *2*
orientieren 528, *4*;
1034, *1*; 1208, *2*;
1729, *1*
orientieren, sich an
631, *3*
orientiert, praktisch
1358, *2*
Orientierung 1569, *2*
original 414, *1*; 1166, *1*;
1663, *4*
Original 160, *1*; **1230**;
1296, *3*
Originalausgabe 1230, *1*
originalgetreu 414, *1*
Originalität 424, *2*;
1253; 1274, *1*
Originaltext 1230, *1*
Originalton 1230, *1*
originell 273, *3*; 1177, *3*;
1231; 1415
Orkan 1542, *1*
Orkus 1689, *2*
Orlog 987, *1*
Ornament 1136, *1*;
1291, *2*
Ornat 949, *2*
Orplid 1234
Ort 1010, *1*; **1232**;
1499, *1*
Ort der Handlung 1377
Ort des Geschehens
1377
Ort und Stelle, an
1225, *1*
Ort, an diesem 853
Ort, an keinem 1180, *2*
Ort, vor 1840, *1*
Örtchen 1582, *1*
orten 614, *3*
orthodox 663
örtlich 205
Örtlichkeit 1232, *1*
Ortschaft 1232, *1*;
1499, *1*

ortsfest 59, *2*
ortsfremd 648, *2*
ortsgebunden 59, *2*
Ortsgrößen 1201, *2*
Ortsveränderung 302, *2*;
486, *5*
Ortswechsel 486, *5*
Ortung 615, *2*
Oschi 1539, *6*
Öse 211, *2*; 1215, *3*;
1784, *2*
ostentativ 16; 842;
1145, *1*
Osteuropa 568, *1*
osteuropäisch 568, *2*
Oszillation 302, *4*
oszillieren 1443, *4*
Oszillieren 1444
Otium 1676, *2*
Otterngezücht 753
Otto Normalverbrau-
cher 1102, *6*
Ottomane 1470, *2*
out 1707; 1743
Outcast 160, *2*
outdoors 393, *1*
outen 1208, *1*
outen, sich 1208, *3*
Outfit 168, *3*; 1517, *4*
Outing 1209, *1*
Outlaw 160, *2*
Output 1046, *1*
outriert 548, *1*; 1093, *3*;
1624, *2*
Outriertheit 1623, *1*
Outsider 160, *2*
outsourcen 1621, *1*
Outsourcing 120, *2*
Ouvertüre 51, *2*; 438, *1*
Ovation 231; 419, *2*
over 1624, *1*
overdressed 1624, *3*
Overkill 1858, *2*
overprotecting 1475, *2*
Overstatement 1623, *1*
overstyled 1624, *3*
oxidieren 1728, *2*
Ozean 760, *4*
Ozeandampfer 579, *6*
Ozeanriese 579, *6*

P

Paar 1235, *4*
paar, ein 1893, *2*
paaren 1717, *2*
paarig 390
paarweise 390
Pack 753; 1295, *1*
Päckchen 1267, *3*
packen 60, *2*; 75, *2*;
219, *1*; 588, *1*; 674, *2*;
894, *1*; 1168, *1*; **1233**
Packen 1020, *1*; 1295, *1*
packen, bei der Ehre
1081, *3*
packen, beim Kragen
1233, *3*
packen, Chance beim
Schopfe 1196, *2*
packen, in Watte 1810, *1*
packen, Koffer 1233, *2*
packen, voll 237, *1*;
674, *2*
packend 130, *1*; 600, *2*;
892, *1*
Packmaterial 870, *1*
Packpapier 870, *1*
Packung 1295, *1*
Pädagoge 1035, *1*
pädagogisch 238, *2*
paddeln 300, *4*
paffen 1308
Page 826, *4*
Pagina 1539, *7*
paginieren 931, *3*;
1929, *1*
Paket 1267, *3*; 1295, *1*
Pakt 1736, *2*
paktieren 1717, *3*
Paladin 66, *2*
Palais 824, *1*
Palast 824, *1*
Palastrevolution 134, *2*
Palaver 277, *3*; 737, *2*
palavern 276, *3*;
1494, *3*; 1681, *3*
palen 1066, *10*
Palette 1826, *2*
paletti 768, *4*

Palimpsest 702, *1*
Pall-Mall 740, *5*
Pamphlet 989, *3*
pampig 642, *3*; 1661, *2*
Panama 971
Paneel 870, *3*
paneelieren 200; 676, *2*
Panik 62, *1*; 1668, *4*
Panikmache 1623, *2*
panisch 64, *1*; 1914, *2*
Panne 1116; 1368, *1*;
1780, *2*
Panoptikum 170, *3*
Panorama 165, *1*; 308, *1*
panschen 1739, *2*
Panscherei 1113, *1*
Pantheon 373; 657
Pantoffel, unter dem
1651, *3*
Pantoffelheld 603
Pantoffelkino 609, *1*
Pantomime 111, *2*
pantomimisch 1439, *2*
Panzer 870, *2*
Panzerschrank 921, *1*
Papa 1704, *2*
Papagallo 1075
Papagei 1141
Paper 796, *5*
Paperback 336, *2*
Papi 1704, *2*
Papier 870, *1*
Papier, auf dem 722, *5*
Papierbogen 1539, *7*
Papiergeld 712, *1*
Papierkram 634, *1*
Papierkrieg 634, *1*
Papiersack 870, *10*
Papiertiger 1436
Pappdeckel 870, *1*
Pappe 870, *1*
päppeln 676, *1*
pappen 210, *1*
Pappenstiel 951, *1*
Pappenstiel, für einen
312, *1*
Pappenstiel, kein
1823, *3*
pappig 1928, *3*
Pappkamerad 1806, *4*
pappsatt 1364, *1*
Parabel 308, *5*; 559, *2*;
1933, *1*
parabolisch 310, *2*
Parade 1286, *1*

Paradebeispiel 235
paradieren 1269, *1*;
1287, *1*
Paradies 1234
paradiesisch 781, *3*
Paradigma 235
paradox 24
Paragraph 750, *1*
Paragraphen, nach den
751, *3*
Paragraphenreiter
1239, *1*
parallel 504, *1*
Parallelaktion 1142, *1*
Parallele 505, *1*
Parallelismus 1616, *1*
Parallelität 1616, *1*
paralysieren 1434;
1679, *1*
Parameter 792, *1*
Paranoia 709
paranoid 708
paranoisch 708
Paraphe 279, *4*
paraphieren 278, *3*
Paraphierung 279, *4*
Parasit 1402, *2*
parat 254, *2*; 610, *3*;
1838, *1*
Paravent 870, *7*
pardon 314, *2*
Pardon 495, *2*; 784, *1*
Parentel 1813, *1*
Parenthese 520, *4*
Parenthese, in 1167, *2*
parenthetisch 1167, *2*
Parfüm 108
parfümieren 1927, *1*
Paria 160, *2*
parieren 704, *1*; 1430, *3*;
1511, *3*
Parität 1616, *3*
paritätisch **775**
Park 680
Parkanlage 680
parken 22, *3*
parkettsicher 744, *2*
Parklücke 1067, *2*
Parkverbot 1720, *2*
Parlamentarier 1806, *3*
Parlando 1850
parlieren 1681, *3*
Parochie 938, *5*
Parodie 1490, *4*
parodieren 1491, *3*

parodistisch 1492, *2*
Paroxysmus 549, *1*
Part 1347, *1*
Partei 1227, *2*
Parteibuch, richtiges 1718, *3*
Parteifreund 652
Parteigänger 66, *2*
Parteigenosse 66, *2*
parteiisch 455, *1*; 1570; 1656
Parteiklüngel 953
parteilich 1570
Parteiprogramm 529, *5*
Parteitag 1593, *2*
Parteiwechsel 1882, *2*
parterre 1677, *2*
Partie 578, *1*; 1295, *1*; 1347, *1*; 1560, *1*
Partie, gute 1327, *1*
partiell 455, *2*; 1566
Partikel 192, *1*; 1560, *3*
partikular 205
Partikulation 18, *2*
Partisan 919, *5*
Partisanenkrieg 987, *2*
Partizipation 1562, *2*
partizipieren 1563, *1*
partizipieren lassen 287
Partner 1235
Partnerarbeit 1963
Partnerlook 771, *2*
Partnerschaft 655, *1*; 1718, *5*
Partnerwechsel 1882, *2*
partout 1640, *1*
Partus 68, *2*; 687
Party 749, *2*
Partylöwe 1742, *1*
Parzelle 795; 1560, *1*
parzellieren 1561, *2*; 1936, *1*
Parzen 1389, *1*
Pascha 1075
Pasquill 1490, *4*
Pass 279, *1*; 1215, *4*
passabel 1091, *2*; 1945
Passage 578, *3*; 740, *5*; 1215, *4*; 1256, *3*; 1560, *1*
Passagier 283, *2*; 1332, *1*
Passagier, blinder 1332, *1*
Passagierflugzeug 579, *7*

Passagierschiff 579, *6*
passé 1707; 1743
passen 122, *3*; 503, *3*; 691, *1*; 1469, *4*; 1592, *7*
passen zu 1507, *4*
passend 57, *1*; 86, *1*; 504, *1*; 775; 803, *3*; 1907; 1973, *1*
passend, genau 722, *6*
passend, nicht 1397, *2*
Passepartout 279, *1*
Passform haben, gute 1469, *4*
passieren 216, *2*; **1236**; 1937
passieren lassen 1236, *3*
passieren lassen, Revue 526, *1*
passieren, etwas 1512, *4*
Passierschein 279, *1*
Passion 463, *4*; 549, *4*; 1055, *2*
passioniert 548, *3*; 829, *2*
Passionsspiel 1378, *1*
passiv 772, *2*; 1645, *1*; 1675, *2*
Passiva 1424, *2*
Passivität 1355, *3*; 1646, *2*; 1676, *2*
Passus 1560, *1*
Passwort 930, *5*
Pastell 308, *2*
pasteurisieren 522, *2*
Pastor 939, *1*
pastoral 600, *3*
Pate 338
patent 576, *1*
Patent 279, *1*; 1941, *1*
patentieren 1462, *2*
patentiert 1460, *5*
Paternoster 140, *1*; 579, *9*
Pathetik 1623, *1*
pathetisch 600, *3*; 1145, *2*
pathologisch 1237
Pathos 1144
Pathos, hohles 1256, *2*
Patient 1238
Patienten 1000, *2*
Patina 1186, *3*
Patriarch 45, *2*
Patriotismus 1163, *1*

Patriziat 36, *2*
Patron 1047, *2*
Patronage 1461, *2*
Patrone 994, *2*
Patrouille 1285, *2*
Patsche 1763, *1*
Patsche, in der 856, *2*
patschen 1394, *1*
patschnass 1162, *1*
patt 1649, *2*
Patt 1616, *3*
Pattern 1758, *1*
Patterndrill 1628
patzen 1252
Patzer 599, *1*; 1251
patzig 642, *3*; 1661, *2*
pauken 1034, *1*; 1049, *1*; 1486, *3*; 1610
Pauker 1035, *1*
pauschal 679, *3*
Pauschale 1731, *1*
Pauschalurteil 1853
Pause 525, *1*; 810, *6*; 1518; 1678, *1*
Pause machen 524, *1*
pausenlos 882, *1*
pausieren 441, *1*; 524, *1*; 1356, *1*
Pavillon 740, *4*
Pay-TV 609, *2*
Pazifismus 656, *2*
pazifistisch 658, *1*
PC 352, *2*
Peanuts 1639
Pech 1116; 1368, *1*; 1658; 1763, *1*
Pech haben 1369, *4*; 1383, *2*
pechschwarz 407, *1*
Pechsträhne 1763, *1*
Pechvogel 1219, *2*
Pedant 1239
Pedanterie 1240
pedantisch 1017, *1*; **1241**
Pedicab 579, *8*
pediküren 1249, *5*
peelen 769, *3*
Peepshow 1459
peilen 1944, *1*
peilen, über den Daumen 1375, *2*
Pein 1041, *1*; 1403, *2*
peinigen 1242
peinigen, sich 1242
peinigend 1293, *1*

Peinigung 335; 1403, 2
peinlich 722, 1; **1243;**
  1475, 1; 1637, 1
peinvoll 1293, 2
Peitsche 955
peitschen 1242, 7
pejorativ 31, 2
Pelemele 1113, 3
Pelle 870, 2
pellen 1066, 10
Pelz 806, 1; 870, 2
pelzig 1602, 1
Pelzjäger 905, 1
Pendant 505, 1
Pendelbewegung 302, 4;
  1444
pendeln 1443, 2
Pendeln 302, 4
penetrant 891, 1;
  1021, 3; 1373, 3
penetrieren 432, 4
penlbel 722, 1; 1223, 1;
  1241, 1
Penibilität 1240, 1
Penis 778, 2
Pennäler 1428, 1
Penne 1427, 1
pennen 1392, 2
Penner 1781
Pension 45, 3; 681, 2;
  1338, 3
Pensionär 45, 2
pensionieren 998, 4
pensionieren lassen, sich
  998, 1
pensioniert 44, 6
Pensionierung 45, 3;
  999, 1
Pensum 120, 6; 1295, 2
Penthaus 1919, 2
Penunze 712, 3
Pep 1446, 2
per 1124, 3
Percussionist 1134, 2
perdu 1886, 1
perennierend 365, 3
perfekt 534, 1; 679, 1;
  1829, 1
Perfektion 767, 7; 1830
Perfektionierung 520, 1
Perfektionist 1529
perfektionistisch 722, 1
perfide 323, 1; 1397, 5
Perfidie 584, 1; 1398
perforieren 1214, 1

Performance 716, 2;
  1576, 1; 1712, 2
pergamenten 44, 2
Periode 1322, 4; 1935, 1
Periodika 1271, 2
periodisch 1323, 1;
  1852, 1
periodisieren 1226, 2
Periodizität 1324, 1
Peripetie 988, 1
peripher 1199, 1; 1639
Peripherie 1346; 1499, 4
Peristase 1635, 1
Perle 826, 2
perlen 625; 1376, 1
Perlen 976, 2
perlend 76, 2
perlmuttern 410, 1
permanent 365, 1;
  882, 1
Permanenz 362, 2
Permission 532, 2
Perpetuum mobile 1665
perplex 1504, 3
Perser 1571
Persiflage 1490, 4
persiflieren 359, 5;
  1491, 3
persiflierend 310, 2
Person 1103, 2
Person, in 1244, 2
Person, in eigener
  1244, 2
Person, männliche 1084
Person, weibliche 640
personabhängig 886, 2
Personalausweis 279, 1
Personalcomputer
  352, 2
Personalien 930, 2
personaliter 1244, 2
Personenaufzug 140, 1
personenbezogen 886, 2
Personenwagen 579, 2
Personenzug 579, 4
Personifikation 361, 2;
  1933, 1
personifizieren 1486, 1
Personifizierung 361, 2
persönlich 239, 1;
  273, 3; 886, 1; **1244;**
  1663, 4
persönlich, nicht 1124, 5
Persönlichkeit 346;
  424, 1; 1103, 2

Persönlichkeit sein
  201, 3
Persönlichkeit, schöpferische 724, 1
Persönlichkeitsentwick-
  lung 565
persönlichkeitsgestört
  708
Persönlichkeitsstörung
  709
Perspektive 165, 2;
  1100, 2
perspektivisch 1261
Perücke 550, 3; 806, 3
pervers 91, 4; 334
Perversität 335; 662, 3
pervertiert 1237
Perzeption 1867, 1
perzipieren 1866, 1
pesen 428, 1
Peseten 712, 3
Pessimist 1245
pessimistisch 1246
pestilenzartig 461, 2
Petent 95, 3
Petitesse 951, 1
Petition 94, 2
petitionieren 197
petrifizieren 551, 3
Petting 1055, 3
petzen 1776
peu à peu 1015, 2
Pfad 1887, 1
Pfaffe 939, 1
Pfahl 810, 3
Pfahl im Fleisch 1403, 2;
  1637, 3
Pfahlbürger 340, 3
Pfand 342, 1
Pfandbrief 271, 3
pfänden 458, 1
Pfändung 267; 1831
Pfanne haben, auf der
  1916
Pfarrer 939, 1
Pfarrherr 939, 1
pfeffern 1443, 1; 1927, 1
Pfeife 1781
pfeifen 1465, 3; 1486, 3
Pfeifen 739, 1
pfeifen auf 1114, 2
pfeifen, aus dem letzten
  Loch 122, 3
Pfeifenkopf 405, 1
Pfeil 930, 3

Pfeiler 613, *6*; 810, *3*
Pfennigfuchser 710
Pfennigfuchserei 1480
pferchen 391, *1*
Pferd 1247
Pferdefuß 599, *2*
Pferdestehlen, zum
   654, *3*
Pfiff 1597
Pfiff, mit 273, *3*
Pfifferling 951, *1*
pfiffig 835, *3*; 1396, *1*
Pfiffigkeit 743, *2*
Pfiffikus 387, *2*
pflanzen 560, *5*
Pflanzenwelt 1164, *2*
Pflanzung 190; 680
Pflaster 1499, *2*
pflastern 179, *1*; 769, *1*
Pflaume 1781
pflaumenweich 1432, *1*
Pflege 1248
pflegebedürftig 856, *1*;
   1042, *2*
Pflegebedürftiger 1238
Pflegeeltern 464
Pflegefall 1238
Pflegekind 936, *2*; 1431
pflegeleicht 57, *1*; 433, *2*
pflegeleicht, nicht
   1441, *3*
Pflegemutter 1140, *1*
pflegen 560, *5*; 873;
   1249; 1788, *2*
pflegen, sich 1249;
   1413, *4*
pflegen, Umgang
   1633, *2*
pflegen, zu tun 763, *2*;
   1249, *2*
pflegend 757, *4*
Pflegevater 1704, *1*
pfleglich 1475, *1*
Pflegling 1431
Pflicht 1192, *2*; **1250**
pflichtbewusst 1971, *2*
pflichtschuldigst 1652, *2*
Pflichtteil 513, *1*
pflichttreu 1971, *2*
pflichtvergessen 1698, *2*
Pflichtvergessenheit
   1780, *1*
Pflock 211, *2*; 810, *3*;
   1784, *1*
pflücken 546

pflügen 787, *1*
Pforte 1215, *1*
Pförtner 826, *5*
Pfosten 810, *3*
Pfote 778, *1*; 1422, *1*
Pfriem 211, *2*
pfropfen 1951, *1*
Pfropfen 1784, *1*
pfropfen, voll 674, *2*
Pfründe 1338, *1*
Pfuhl 156, *3*; 1406, *1*;
   1551, *1*
Pfusch 1251
Pfuscharbeit 1251
pfuschen 1252
Pfuscher 384, *2*
Pfuscherei 1251
Pfütze 760, *2*
Phäake 726, *1*
Phalanx 1329, *3*
Phallus 778, *2*
Phänomen 697, *1*; 724, *1*
Phänomen, unerklärli-
   ches 702, *1*
phänomenal 163, *1*; 553
Phänotyp 1136, *4*
Phantasie 1253; 1274, *1*
Phantasie, ohne 1653, *2*
phantasiebegabt 1231, *1*
Phantasiegebilde 880, *1*
phantasielos 182;
   1540, *3*; 1653, *2*
Phantasielosigkeit 183, *1*
phantasieren 371, *2*;
   1040, *3*; 1590, *2*
phantasievoll 1231, *1*;
   1415
Phantasma 880, *1*
Phantasmagorie 880, *1*
phantasmagorisch
   1254, *2*
Phantast 876, *2*
phantastisch 877, *2*;
   1254
Phantom 707, *3*
Phantomschmerz 880, *1*
Pharisäer 852
Pharisäertum 584, *2*
pharisäisch 583, *4*
Pharmakon 112, *1*;
   1098, *2*
Pharmazeutikum
   1098, *2*
Phase 1935, *1*
philantropisch 1104, *1*

Philippika 1385, *1*
Philister 340, *3*; 1239, *2*
philisterhaft 341, *3*;
   1241, *3*
Philistertum 1240, *3*
philiströs 341, *3*; 480, *2*;
   1241, *3*
Philosoph 372
philosophieren 371, *2*
Phlegma 1255; 1355, *3*;
   1646, *2*; 1676, *2*
Phlegmatiker 1255
phlegmatisch 772, *3*;
   1357, *3*; 1540, *3*;
   1675, *2*
Phobie 62, *6*
Phobiephobia 62, *6*
phobisch 64, *1*
phosphoreszieren
   1381, *4*
Phrase 183, *1*; **1256**
Phrasendrescher 1436
Phrasendrescherei
   737, *2*
phrasenhaft 182
phrasenlos 945, *2*
phrasieren 1226, *2*
Phrenesie 709
Phylogenese 511, *4*
Physiognomie 147, *2*;
   752, *1*
Physis 973, *1*
physisch 1228, *1*
pianissimo 1044
Pianist 1134, *2*
piano 1044
Piazza 1119, *2*
picheln 1600, *2*
picken 566, *3*
Picknick 1080, *8*
picobello 1365, *1*
Piedestal 796, *1*
pieken 1409, *4*
pieksauber 1365, *1*
piepe 772, *5*
piepen 1465, *3*
Piepen 712, *3*
piepsen 629; 1584, *2*
Piepsen 734, *2*
piepsig 410, *3*
piesacken 1242, *1*
Pietät 1961, *1*
pietätlos 1555
pietätvoll 1960, *2*
Pigmentierung 589, *1*

Pik 767, *1*
pikant 91, *1*; 100, *2*; 109;
  844, *2*
Pikanterie 662, *1*; 979
Pike auf, von der 722, *3*
pikieren 198, *3*
pikiert 322, *2*
Piktogramm 930, *3*
Pilaster 810, *3*
Pilger 1332, *1*
pilgern 1331, *1*; 1870
Pille 112, *2*
Pille, bittere 508
Pilotfilm 1794, *2*;
  1897, *3*
PIN 930, *5*
Pinakothek 1362, *2*
pingelig 722, *1*; 1241, *1*
pinkeln 155
pinnig 1241, *1*
Pinnwand 97, *3*; 1817, *2*
Pinsel 405, *3*
pinselig 1241, *1*
pinseln 590, *2*; 1421, *4*
Pinselstrich 1517, *1*
Pinsler 1083, *2*
Pinte 681, *1*
Pinzette 812, *1*
Pionier 1257
Pipeline 1048, *3*
Pirat 2
Pirouette 396, *1*
Pirsch 904
pirschen 851, *1*
Pisse 156, *1*
pissen 155
Pissoir 1582, *1*
Piste 1887, *2*
Pistolenkugel 994, *2*
pittoresk 78, *2*
Pizzeria 681, *1*
PKW 579, *2*
placken 1242, *1*
placken, sich 92, *3*;
  539, *2*
Plackerei 1020, *2*
pladdern 1325
plädieren 501, *3*
plädieren für 215
Plage 105, *3*; 1020, *2*;
  1041, *1*; 1403, *2*; 1658
Plagegeist 1523
plagen 539, *1*; 1242, *1*
plagen, sich 92, *3*;
  1049, *1*

Plagiat 1142, *1*
Plagiator 1141
plagiatorisch 1653, *2*
plagiieren 881, *3*
Plakat 97, *3*
plakatieren 1773, *2*
plakativ 1912, *2*
Plakette 350, *1*; 930, *3*
plan 768, *1*
Plan 671, *5*; 779; 965, *2*;
  1136, *3*; **1258**; 1817, *2*;
  1906, *1*
Plan machen 1259, *1*
Plan, nach 1260, *1*
Plänemachen 1258, *4*
planen 964, *1*; 1229, *1*;
  1259
Planen 1258, *4*
Planer 672
Planet 1513
plangemäß 1260, *2*
planieren 179, *1*
Planke 331, *1*
Plänkelei 1055, *4*
plänkeln 1741
planlos 1667, *2*; 1695, *2*
Planlosigkeit 1668, *1*
planmäßig 731, *3*; **1260**;
  1468, *3*
Planmäßigkeit 1552, *2*
planschen 1325; 1442, *1*
Planspiel 1258, *2*
Plantage 190
Planung 1048, *1*;
  1258, *4*; 1835, *1*
planvoll 1260, *1*;
  1468, *3*; 1554, *1*;
  1973, *2*
plapperhaft 253, *2*
plappern 1494, *3*
plapprig 1121
plärren 944, *3*; 1465, *2*
Pläsier 650, *2*; 1683, *2*
pläsierlich 835, *2*
Plastik 1471
Plastikbeutel 870, *10*
Plastiker 309
Plastikgeld 712, *1*
Plastiktüte 870, *10*
plastisch 78, *1*; **1261**
Plastizität 589, *2*; 623, *1*
Plateau 620, *1*
Platin 976, *2*
platinblond 839, *6*
platonisch 934

plätschern 625; 1325
platt 182; 768, *1*; 941;
  1504, *3*
Platt 1493, *4*
platt machen 857, *3*
Plättchen 350, *2*
Platte 331, *1*; 845;
  1784, *1*
plätten 769, *2*
Plattensammlung
  1362, *2*
Plattform 620, *1*; 796, *1*;
  1212, *1*; 1232, *3*;
  1301, *2*
Plattheit 183, *1*; 620, *2*;
  940, *1*
Plattitüde 183, *1*;
  1256, *1*
Plattkopf 405, *1*
Platz 101, *2*; 685, *1*;
  685, *3*; 1232, *2*;
  1302, *1*; 1309, *2*
Platz machen 172, *1*;
  1030, *1*
Platz, alles am rechten
  1225, *1*
Platz, unbesetzter
  1067, *2*
Platz, voll bis auf den
  letzten 1827, *2*
Platzangst 62, *6*; 481, *2*
Platze, am 699, *3*
platzen 1214, *3*; **1262**;
  1383, *1*; 1391, *2*
platzen vor 1827, *2*
platzen, vor Neid 1170
Platzen, zum 1827, *2*
Platzhalter 1806, *2*
Platzhirsch 95, *2*
platzieren 22, *3*; 1511, *1*
Platzierung 1302, *1*
Platzmangel 481, *1*
Platzmieter 1000, *3*
platzraubend 1660, *2*
Platzregen 1186, *1*
Platzverweis 1720, *2*
Plauderei 1683, *1*
Plauderer 927
plauderhaft 253, *2*; 1121
Plauderhaftigkeit
  1210, *2*
plaudern 1494, *3*;
  1681, *3*
plaudern, aus der Schule
  1776

Plaudertasche 1436
Plausch 1683, *1*
plausibel 1790, *1*
Plausibilität 1791
Plauze 439
Playback 1558, *2*
Playboy 1742, *1*
Playgirl 1742, *2*
Playmate 1742, *2*
Plaza 1119, *2*
Plazet 532, *1*
Plebiszit 1861, *2*
Plebs 753
pleite 107, *1*
Pleite 185; 508; 1116;
   1368, *1*; 1940, *1*
Pleite machen 1939, *11*
Plenum 38, *1*
Pleonasmus 1616, *6*
Pli 1758, *2*
Plissee 585, *1*
plissieren 586, *2*
plissiert 587, *1*
Plombe 930, *3*; 1784, *2*
plombieren 543, *2*;
   674, *1*; 1399, *2*
plombiert 745, *2*
Plörre 759, *1*
Plot 697, *3*
plotten 359, *1*
plötzlich 1263
pluderig 587, *1*
Plumeau 870, *9*
plump 822, *1*; **1264**;
   1555
Plumpheit 599, *4*
Plumps 580, *1*
plumpsen 581, *1*
Plunder 5, *2*
plündern 1168, *3*
Pluralität 1826, *1*
plus 117, *3*; 453
Plus 1195, *2*; 1849, *1*;
   1857, *2*
Plutokrat 1686, *3*
Po 1350
Pöbel 753
Pöbelei 240
pöbelhaft 91, *4*
Pöbelhaftigkeit 662, *3*
pochen 1018, *2*; 1404, *1*
Pochen 734, *2*
pochen auf 195, *1*
Pocketkamera 916, *1*
Podium 1377

Poesie 1061
poesielos 182; 1358, *2*
Poet 1423
poetisch 1265; 1415
pofen 1392, *2*
Pogrom 367
Pointe 823
pointieren 241, *2*;
   1729, *1*
pointiert 1145, *1*
Pokal 1270, *4*
Poker 783
Pol 823
polar 695, *3*; 914, *1*
polarisiert 695, *3*
Polarität 694, *1*
Polarlicht 1513
Polaroidkamera 916, *1*
Polemik 240; 989, *3*;
   1533, *2*
polemisch 31, *3*
polemisieren 1534, *2*
Polente 1266, *2*
Polier 1047, *2*
polieren 769, *3*
poliert 768, *2*
Poliklinik 983
Politbarometer 1631
Politesse 133, *2*
Politgangster 849
Political Correctness
   1616, *5*
Politik, feministische
   608
Politiker 387, *2*
Politikum 742, *3*
politisieren 276, *3*
Polizei 1266
Polizeibeamter 1266, *1*
Polizeibehörde 1266, *2*
Polizeihund 871
Polizeikräfte 1266, *2*
Polizeirevier 1266, *2*
Polizeiwache 1266, *2*
Polizist 133, *2*; 1266, *1*
Polstermöbel 1470, *2*
polstern 597, *3*; 676, *2*
Polsterstuhl 1470, *1*
Polsterung 870, *3*
Polterer 1272, *2*
poltern 1018, *1*; 1391, *2*
Poltern 734, *2*
polternd 1022
polychrom 591, *1*
Polyp 1266, *1*

polyphon 819, *1*; 1783, *2*
Polysemie 1824
polyvalent 369
pomadig 1015, *1*
Pomp 137, *2*; 1286, *1*
pompös 1268; 1506, *1*
Pony 1247
Popanz 1386
Pope 939, *1*
Popgeneration 908, *2*;
   1545, *2*
Popgruppe 800, *4*
Popmusik 1133, *3*
Popo 1350
Poppers 1311; 1545, *2*
poppig 591, *1*
Popsänger 1363, *1*
Popstar 1500, *1*
populär 243, *1*; 262, *1*;
   1790, *1*
popularisieren 1737
Popularisierung 1738
Popularität 716, *3*
Population 297
Populismus 367
Populist 366
populistisch 368
Pore 1215, *3*
Pornographie 662, *2*
pornographisch 91, *3*
pornophil 1074
Pornophilie 1073, *3*
porös 1065, *2*
Portable 609, *1*
Portal 1215, *1*
Portemonnaie 921, *3*
Portfolio 171, *2*
Portier 826, *5*
Portiere 870, *6*
Portion 1295, *2*; 1560, *1*
portionenweise 1015, *2*
Porträt 308, *2*
porträtieren 1, *2*; 359, *1*
Porträtist 1083, *1*
posaunen 316, *2*;
   1486, *3*
Posaunist 1134, *2*
Pose 1758, *3*
posieren 1269, *1*
Position 101, *2*; 1010, *1*;
   1232, *3*; 1302, *1*
positiv 803, *2*; 1036, *4*;
   1224; 1970
Positiv 618, *2*
Positur 1758, *3*

Posse 960
Possen 1674, *1*
possenhaft 835, *4*
Possenreißer 1384, *1*
Possenspiel 960
possierlich 835, *4*
Post 332; **1267**
Post, elektronische
   966, *3*; 1267, *4*
Post, mit gleicher 48
Postament 796, *1*
Postamt 1267, *1*
Postbote 1613, *1*
Postbus 579, *4*
Postdienststelle 1267, *1*
Posteingang 1267, *2*
Posten 101, *2*; 1102, *1*;
   1295, *1*
Posten bleiben, auf dem
   226, *2*
Posten, auf dem 757, *1*
Posten, immer auf dem
   1556, *1*
Postenjäger 1529
Poster 97, *3*; 308, *3*
Postgeheimnis 702, *2*
Postgut 1267, *2*
postieren 1226, *3*;
   1511, *1*
Postsendung 1267, *2*
Postskriptum 520, *2*
Poststelle 1267, *1*
Postulat 798, *2*
postulieren 195, *1*
postum 1481, *3*
postwendend 771, *3*;
   1290, *2*
potent 1077, *2*
Potentat 849
Potential 577; 980, *1*;
   1274, *2*
Potentialität 1129
potentiell 1128, *1*
Potenz 577; 980, *1*;
   1076, *1*; 1274, *2*
potenzieren 1929, *1*
potenzieren, sich
   1509, *3*
Potenzierung 1510, *3*
Potpourri 1113, *3*
potthässlich 822, *1*
Power 478, *1*
PR 1897, *1*
Präambel 438, *1*
Pracht 1286, *2*; 1414, *1*

Prachtentfaltung 1286, *1*
prächtig 1268
Prachtstraße 1527
Prachtstück 976, *1*
prachtvoll 1268
Prädestination 1389, *2*
prädestiniert 1390
prädestiniert für 576, *1*
Prädikat 1700, *1*
prädisponiert 471, *2*
Prädisposition 472, *1*
Präferenz 1857, *1*
prägen 447, *2*; 756;
   931, *3*
Pragmatiker 1223; 1315
pragmatisch 1358, *2*
prägnant 78, *1*; 348, *2*;
   378, *2*; 722, *2*; 1005, *3*
Prägnanz 947, *2*; 1006, *1*
Prägung 632, *2*
Prähistorie 1744
prahlen 1269
Prahlerei 460, *1*
prahlerisch 459, *2*
Prahlhans 1436
Präjudiz 1853
präjudizieren 93
praktikabel 1128, *1*;
   1973, *1*
praktikabel, nicht 1664
Praktikant 1428, *4*
Praktiken, magische 701
Praktiken, mystische 701
Praktiker 573
Praktikum 1033, *2*
praktisch 57, *1*; 576, *1*;
   744, *1*; 1654, *1*;
   1973, *1*
praktizieren 1814, *1*
Präliminarien 438, *1*
prall 78, *2*; 381, *1*;
   1026, *4*; 1359, *1*
prallen 597, *1*
präludieren 437, *2*
Präludium 438, *1*
Prämie 677, *2*; 1956
prämiieren 174, *1*
prämiiert 149, *2*
Prämisse 207, *1*; 859, *3*;
   1833
prangen 1287, *2*
prangend 1268
Pranke 778, *1*
Präparat 112, *1*; 562;
   1098, *2*

präparieren 522, *2*;
   538, *2*; 1834, *2*
präparieren, sich
   1049, *1*
präpariert 363, *3*
Präpotenz 643, *2*
präsent 125, *1*; 699, *3*;
   1838, *2*
Präsent 677, *2*
präsent sein 526, *5*
Präsentation 1847, *1*
präsentieren 802, *2*;
   1846, *1*; 1934, *2*
Präsenz 698, *2*
Präsenzbibliothek 306
Präsident 849
präsidieren 669, *1*
prasseln 1325; 1584, *2*
Prasseln 734, *2*
prasselt nur so, es
   1823, *1*
Prasser 726, *3*
Prasserei 711; 730, *2*
prasserisch 727; 1093, *3*
präsumieren 1771, *2*
Prätendent 95, *2*
prätendieren 195, *1*
prätentiös 84, *2*; 766
präventiv 1845, *4*
Praxis 326, *2*; 517, *2*;
   611; 740, *3*
Praxis, in der 1840, *1*
praxisfern 1602, *3*
praxisnah 78, *2*
Präzedenzfall 235
Präzeptor 1035, *1*
präzis 378, *2*; 722, *2*;
   945, *2*; 1005, *3*
präzisieren 614, *2*;
   1729, *1*
Präzisierung 1738
Präzision 1006, *1*;
   1474, *1*
Präzisionsarbeit 1294, *3*
predigen 1081, *3*
predigen, tauben Ohren
   1383, *6*
predigen, unermüdlich
   447, *1*
Prediger 939, *1*
Predigt 1082, *4*; 1850
Preis 677, *2*; 1062, *2*;
   1270
Preis haben 977, *1*
Preis, um jeden 1640, *1*

Preisempfehlung
1270, 3
preisen 288; 420, 1;
469, 1; 1063, 1
preisen, sich glücklich
357, 2; 781, 5
Preiserhöhung 1510, 2
Preisgabe 120, 5
preisgeben 1220, 1;
1220, 3
preisgeben, der Lächer-
lichkeit 1491, 2
preisgeben, sich 319, 1
preisgegeben 856, 3
preisgekrönt 149, 2
Preisgekrönter 1464, 1
Preisgericht 911, 1
preisgünstig 312, 1
preiskrönen 174, 1
Preislage 1294, 2
Preisrichter 911, 2
Preisrichterkollegium
911, 1
Preissteigerung 1510, 2
Preisträger 1464, 1
Preistreiberei 1510, 2
preiswert 312, 1; 803, 3
preiswürdig 149, 2
prekär 1243, 2
Prellbock 1806, 4
prellen 293, 1; 1114, 1
prellen, Zeche 293, 4
Preller 294, 2
Prellung 1923
Premiere 51, 2
preschen 428, 1
pressant 429, 3
Presse 1271
Presse, gute 243, 3
Presseecho 1271, 3
Pressefreiheit 645, 1
pressen 391, 1; 402, 2;
447, 2
pressen zu 1979, 1
Presserummel 1271, 3
Pressesprecher 260, 3
Pressestelle 260, 3
Pressewesen 1271, 1
pressieren 428, 3
Pression 1972, 1
Prestige 716, 2
Prestigeverlust 1348, 3
Prêt-à-porter 1125, 2
Pretiosen 976, 2; 1291, 1
Preview 1794, 2

prickeln 330, 3; 907, 1;
1376, 1
prickelnd 76, 2; 100, 2;
844, 2
Priester 939, 1
Priesterschaft 938, 4
Priesterstand 938, 4
prima 149, 1; 554;
804, 2
prima vista 1695, 3
Primaballerina 1500, 1
Primadonna 1500, 1
primär 53, 1
Primärwirt 1915, 2
Primat 1857, 1
primitiv 312, 3; 406, 3;
433, 3
Primitivität 434, 4;
1646, 4
Primitivling 1272
Primus 1529
Printmedien 1097;
1271, 2
Prinzessin auf der Erbse
471, 4
Prinzip 750, 2; 798, 2;
1322, 1
Prinzipal 671, 6
prinzipiell 799
prinzipienlos 754
Prinzipienlosigkeit 755
Prinzipienreiter 1239, 1
Priorität 1857, 1
Prise 951, 2
Pritsche 295
privat 745, 3; 1244, 3
Privatbank 184, 2
privatim 1244, 3; 1801
privatisieren 17, 2
Privatsammlung 1362, 2
Privatsender 609, 2
Privatsphäre 824, 2
Privileg 532, 2; 1318, 4;
1857, 1
privilegieren 298, 3;
531, 2
privilegiert 252, 2
pro forma 1380
pro loco 1505
Pro und Contra 1974, 3
probat 299; 1912, 1
Probe 569; 1136, 2;
1285, 3; 1628; 1794, 1
Probe, auf 1852, 2
Probedruck 1811, 1

proben 1610
probeweise 1852, 2
Probezeit 1821, 3
probieren 977, 2;
1284, 2; 1610; 1795, 1
Problem 120, 4; 580, 2;
638, 4; 697, 2; 1763, 1
Problem, juristisches
1283, 1
problematisch 1273;
1441, 2; 1975, 2
Problemlösung 636, 2
Problemstellung 638, 4;
697, 2
Problemstoffe 5, 1
Producer 1686, 1
Produkt 518, 5; 562;
1046, 1
Produktanalyse 1087
Produktion 563, 2
Produktionskosten
978, 2
Produktionsprozess
1283, 3
produktiv 664; 1415
Produktivität 1274
Produktivkraft 1274, 2
Produktplatzierung
1897, 5
Produzent 561; 1686, 1
produzieren 102, 3;
560, 3
produzieren, sich 359, 3
profan 182
profanieren 509, 3
Profanierung 183, 1
Profanität 183, 1
Profession 101, 2
professionell 572, 2; 959
Professor 1035, 1
professoral 238, 2
Profi 573; 1488
Profil 159; 424, 1;
1058, 2; 1302, 1
profilieren 1729, 1
profilieren, sich 174, 2;
861, 2
profiliert 378, 2
Profilierungssucht
460, 2
profilierungssüchtig 421
Profilneurose 460, 2
Profisport 1487
Profit 1195, 1; 1731, 2;
1849, 2

Profit machen 761, *1*
Profitgeier 1275
profitieren 761, *1*;
   1196, *2*; 1730, *1*
profitorientiert 959
profund 722, *3*; 1579
Prognose 1839
Programm 352, *1*;
   529, *5*; 1258, *1*;
   1258, *5*; 1552, *2*
programmgemäß
   1260, *2*
programmieren 208;
   1834, *4*
Programmiersprache
   1493, *5*
programmmäßig 1260, *1*
Progress 637
Progression 637; 1510, *4*
progressistisch 670, *2*
progressiv 670, *2*; 1958
Prohibition 1720, *2*
Projekt 1258, *1*
Projektforschung 636, *3*
Projektgruppe 800, *2*
projektieren 1259, *1*
Projektil 994, *2*
Projektion 308, *3*
Projektmanagement
   1048, *1*
Projektstudium 1033, *2*
projizieren 1, *3*; 1621, *5*;
   1739, *1*
Proklamation 1122
proklamieren 1120, *4*;
   1773, *2*
Prokura 532, *2*; 1807
Prokurator 1806, *2*
Prokurist 1047, *2*;
   1806, *2*
Proll 1272, *1*
Prolo 1272, *1*
Prolog 438, *1*
prolongieren 1541
Promenade 1527
Promenadenhengst 1544
Promenadenmischung
   871; 1113, *1*
promenieren 703, *2*
prominent 262, *2*;
   791, *4*; 1899, *3*
Prominente(r) 1500, *2*
prominentengeil 218, *4*
Prominenz 202, *2*;
   1201, *3*

Promis 1201, *3*
promoten 437, *1*;
   1895, *3*
Promotion 1897, *1*
prompt 1290, *2*; 1410, *1*
Proms 1201, *3*
prononciert 1145, *1*
Propaganda 1897, *1*
Propagandafeldzug
   1897, *2*
propagieren 437, *1*;
   1895, *1*
proper 100, *3*; 869;
   1365, *1*
Prophet 1276
Prophetie 1839
prophetisch 1277
prophezeien 93; **1278**
Prophezeiung 1839
prophylaktisch 1845, *4*
Prophylaxe 1461, *3*
Proportion 632, *4*;
   1089, *4*
Proportion, gute 818, *2*
proportional 504, *1*
Proportionen 746, *1*
prosaisch 182; 1358, *2*
Prosaist 1423
Prosaschriftsteller 1423
Proselyt 66, *2*
Prospekt 859, *1*; 1897, *3*
prosperieren 510, *4*
Prosperität 132
prostituieren, sich
   319, *1*; **1279**
Prostituierte 1280
Prostituierter 1281
Prostitution 1282
Protagonist 1347, *1*
Protegé 1431
protegieren 179, *2*;
   298, *1*; 538, *2*; 1430, *2*
Protektion 1461, *2*
Protektor 1095
Protest 1900, *2*
Protestaktion 370, *1*
Protestbewegung
   1545, *1*
protestieren 30, *3*;
   124, *2*; 557, *2*
Protestkundgebung
   370, *1*
Protestmarsch 370, *1*
Protestversammlung
   370, *1*

Prothese 550, *3*
Protokoll 326, *3*; 1187, *2*
protokollarisch 1213, *3*
protokollieren 127, *5*
protzen 1269, *1*;
   1622, *5*
Protzerei 460, *1*
protzig 1268
Proviant 542, *1*
Providenz 1389, *2*
Provinzialität 481, *5*
provinziell 480, *2*
Provinzstadt 1499, *1*
Provision 1731, *1*
provisorisch 1852, *2*;
   1957
Provisorium 550, *1*;
   1678, *2*
provokant 37, *1*; 842
Provokation 843, *1*
provokativ 37, *1*; 842
provokatorisch 842
provozieren 1334, *2*
provozierend 37, *1*
Prozedur 1283, *2*
Prozess 511, *1*; **1283**
Prozess machen 944, *2*
Prozess machen, kurzen
   412
Prozesshansel 1272, *2*
prozessieren 944, *2*;
   1534, *2*
Prozession 1329, *3*
prüde 328, *3*; 1495, *3*
Prüderie 1536, *3*
prüfen 12, *4*; 80, *1*;
   276, *1*; 371, *2*; 639, *2*;
   1137, *2*; **1284**; 1375, *2*;
   1795, *1*
prüfen an 1754, *1*
prüfen, auf Herz und
   Nieren 1284, *1*
prüfen, auf Tauglichkeit
   1284, *1*
prüfen, sich 80, *3*;
   1485, *1*
Prüfer 133, *3*; 911, *2*
Prüfstein 930, *1*
Prüfung 989, *1*; **1285**;
   1658
Prüfungsausschuss
   911, *1*
Prüfungskollegium
   911, *1*
Prüfungszeit 1821, *3*

Prügel 955; 989, 3; 1393, 1
Prügelei 1393, 2
Prügelknabe 1806, 4
prügeln 1394, 1
Prunk 137, 2; **1286**
prunken 1287
prunkend 1268
prunkhaft 1268
prunklos 433, 3
Prunkstück 976, 1
prunksüchtig 459, 1
prunkvoll 1268
prusten 115; 1009, 2
Psalm 739, 2
psalmodieren 1465, 1
pseudo 941
Pseudofrage 638, 2
pseudonym 834, 2
Pseudonym 1288
Psyche 693, 4; 1447, 1
Psychedelikum 1311
psychedelisch 250, 2
Psychiatrie 983
psychisch 888, 2
Psychopathie 721
psychopathisch 720; 1777, 2
Psychospiel 1683, 5
Psychoterror 1972, 1
psychotisch 720
pubertär 909, 2; 1670, 2
Pubertät 908, 1
pubertieren 1708, 4
Public Relations 1897, 1
Publicity 1212, 3; 1897, 1
publik 262, 1; 1211, 1
publik machen 1120, 3; 1773, 2
publik werden 411, 3; 1262, 3
Publikation 336, 1; 1122; 1774, 1
Publikum 283, 4; 1212, 1; 1565, 1
Publikumsumfrage 1631
publizieren 1120, 3; 1773, 1

Publizierung 1122
Publizist 260, 1
Publizität 1212, 3
Puck 707, 4
Pudel 156, 3
Pudel, wie ein begosse-ner 1762, 2
pudelnackt 1154, 1
pudelnass 1162, 1
Pudels Kern 823
pudelwohl 719; 757, 1
Puder 1289
pudern 1249, 4
Puff 320; 1525
puffen 1526
Puffer 1806, 4
Pulk 800, 5; 1102, 3
pulsieren 1443, 4
Pult 1580
Pulver 112, 2; 712, 3; **1289**
Pulverfass 690, 3
pulverförmig 1938
pulverisieren 1937
pulverisiert 1938
Pulverschnee 1186, 2
pulvertrocken 1602, 1
pulvrig 1938
pummelig 381, 1
Pump 358; 986
Pump, auf 1852, 4
pumpen 321, 1
pumpen, leer 1030, 4
puncto, in 49; 290; 504, 3
Punk 169; 1545, 2
Punkt 697, 2; 1010, 1; 1232, 2
Punkt für Punkt 457, 4
Punkt machen 475, 1; 857, 3
Punkt und Komma, ohne 253, 2; 882, 1
Punkt, als letzten 477, 1
Punkt, auf den 722, 2
Punkt, dunkler 1372, 1
Punkt, hochsensibler 843, 2

Punkt, in diesem 504, 3
Punkt, kritischer 638, 4
Punkt, springender 567, 1; 823
Punkt, strittiger 638, 4
Punkt, toter 1518
Punkt, wunder 599, 2
Pünktchen 1136, 5
Punkte 1136, 5
punktgenau 722, 2
punktgleich 1649, 2
punktieren 931, 3
pünktlich 722, 1; **1290**
Punktstrahler 1012, 1
Punktum 476
punktweise 457, 4
Puppe 747, 2; 1078, 2
puppig 766
pur 414, 2; 1365, 2
purgieren 1367, 5
Purgierung 1330, 4
Purismus 875, 2
Purist 876, 2
puritanisch 1535, 2
Purzelbaum 1347, 3
purzeln 581, 1
Pusher 1312
pusseln 188
Pussi 1379, 1
pusten 316, 1; 995, 2
Pute 405, 4
Putsch 134, 2
Putschist 919, 5
Putz 168, 3; 949, 1; 976, 2; 1286, 1; **1291**
putzen 167, 2; **1292**; 1367, 1
putzen, sich 1292
putzend 1405
Putzfrau 826, 2
Putzhilfe 826, 2
putzig 835, 4; 950, 1
Putzsucht 460, 1
putzsüchtig 459, 1
Puzzle 1113, 3
Pyrrhussieg 902, 2; 1748

Q

quabbelig 1890, *4*
Quacksalber 294, *3*;
384, *2*
quacksalbern 1252
Quadratschädel 405, *1*
Quadratur des Kreises
1665
quaken 1584, *3*
quäken 944, *3*
quäkend 1307, *3*
Qual 1020, *2*; 1403, *2*
Qualen 1041, *1*
quälen 237, *5*; 1242, *7*;
1404, *1*
quälen, sich 63, *2*; 92, *3*;
1040, *4*
quälend 1293
Quäler 186
Quälerei 335; 1403, *2*
Quälgeist 1523
Qualifikation 229, *2*;
577
qualifizieren 931, *1*
qualifizieren, sich
1049, *1*
qualifiziert 516, *1*;
572, *2*; 576, *1*; 981, *1*
Qualität 110, *1*; 424, *2*;
1294; 1857, *2*; 1898, *1*
Qualität, erste 554
Qualitätsarbeit 1294, *3*
Qualitätsgefühl 746, *1*
qualitätsvoll 363, *1*;
414, *2*
Qualitätsware 1294, *3*
quallig 1890, *4*
Qualm 353, *1*
qualmen 354; 1308

qualvoll 1659, *4*
Quäntchen 951, *2*
Quantität 1102, *1*;
1295, *2*
Quantum 1102, *1*; **1295**
Quarantäne 18, *1*
Quark 951, *1*
quarren 1584, *3*
Quartalssäufer 1601
Quartier 1499, *3*;
1919, *1*
Quartiermacher 66, *2*
quasi 310, *3*; 774
quasselig 1121
quasseln 1494, *3*
Quasselstrippe 1436
Quaste 1291, *4*
Quatsch 1674, *1*
Quatsch machen 1681, *4*
quatschen 1494, *3*;
1681, *3*
quatschen, voll 1626, *1*
Quatscherei 737, *1*
quatschig 1890, *4*
Quatschkopf 405, *1*
Quecksilber 1671, *3*
quecksilbrig 1026, *3*;
1671, *1*
Quell 1296, *1*
Quelle 51, *1*; 760, *1*;
1296
Quelle, aus erster
1663, *1*
Quelle, aus sicherer
1460, *4*
quellen 625; **1297**
quellend 1026, *4*;
1327, *4*; 1905, *4*
Quengelei 943, *2*
quengelig 1117
quengeln 196; 944, *3*
Quengler 1239, *1*
quer 1199, *3*; 1417, *1*
quer schießen 1522, *2*
querbeet 1417, *4*
Querdenker 1257, *2*

querdenkerisch 467, *2*;
842; 1783, *3*
Querele 1533, *1*
queren 1298
querfeldein 1417, *4*;
1663, *2*
Querkopf 1272, *3*
querköpfig 425
querlesen 1050, *1*
Querschnitt 1299;
1612, *1*
Querulant 990, *2*
Quetsche 1427, *1*
quetschen 391, *1*;
402, *2*
Quetschung 1923
quick 1026, *3*
Quickie 1055, *3*
quicklebendig 1026, *3*
quieken 1584, *3*
quieksen 1584, *3*
quietschen 1584, *2*
Quietschen 734, *2*
quinkelieren 1165, *3*
Quinquilieren 734, *5*
Quintessenz 567, *1*; 823;
1299, *2*; 1400, *4*
Quirl 1671, *3*
quirlen 1584, *4*
quirlend 1905, *4*
quirlig 1026, *3*
Quisling 377
Quisquilien 951, *1*
quitt 534, *1*; 768, *4*
quittieren 278, *1*;
1750, *1*
quittieren, Dienst 998, *1*
Quittung 279, *2*; 1751, *1*
Quivive sein, auf dem
392
Quivive, auf dem 125, *1*;
1845, *3*
Quizshow 1459
Quodlibet 1113, *3*
Quote 1295, *2*

R

Rabauke 1272, 2
Rabbi 939, 1
Rabbiner 939, 1
Rabe, weißer 424, 3
rabenschwarz 407, 1
rabiat 322, 1; 334
Rabulist 1239, 1
Rabulistik 1240, 2
rabulistisch 1241, 2
Race 962, 2
Rache 1751, 1
rachedurstig 1152
Rachefeldzug 1751, 1
rachegierig 1152
rächen 1750, 1
Rachgier 606
Rachsucht 606
rachsüchtig 1152
Racker 1384, 2
Rad 579, 2
Rad ab, ein 1777, 1
Rad fahren 300, 4
Radau 734, 3; 1018, 1
radebrechen 1494, 3
radeln 300, 4
Rädelsführer 671, 2
Radfahrer 1221; 1529
Radiator 836
Radierung 308, 2
radikal 679, 2; 1300;
    1912, 2
Radikalinski 1436
Radikalität 830
Radius 317; 1058, 1
radizieren 1929, 1
raffeln 1326, 2; 1937
raffen 586, 2; 827, 1
Raffgier 1761, 3
raffgierig 808
Raffinement 607, 2
Raffinesse 607, 2; 743, 2
raffinieren 198, 4;
    946, 3
raffiniert 84, 1; 100, 2;
    416, 1; 1365, 2;
    1396, 1; 1554, 2
Raffinierung 1330, 2

Rage 105, 2
ragen 1507, 2
ragend 732, 2
ragend, hoch 862, 3
Ragout 1113, 3
rahmen 1632, 1
Rahmen 859, 1; **1301**
Rahmen, im 678, 1
Rain 5, 4
Rallye 962, 2
Rambo 982
Rampenlicht 1052, 2;
    1212, 3
Rampenlicht, im 1211, 1
ramponieren 264
ramponiert 265, 1
Ramsch 5, 2; 940, 1
ramschen 924, 2
Ranch 190
Rancher 189, 1
Rand 790; 1131; 1629
Rand und Band, außer
    835, 3
Randale 134, 3
randalieren 1018, 1
Randbemerkung 164, 2;
    520, 2
Rande des Abgrunds, am
    690, 1
Rande, am 1130, 2;
    1167, 1
rändern 1632, 1
Randerscheinung 520, 6
Randexistenz 160, 2
Randfigur 520, 6
Randgebiet 1499, 4
Randnote 520, 2
Randseiter 160, 1
randvoll 1827, 1
Rang 202, 3; 716, 1;
    788; 1294, 2; **1302**;
    1925, 2
Range 910, 2
Rangerhöhung 135, 1
Rangfolge 1303
ranggleich 775
rangieren 300, 3
Rangordnung 1303
Rangstufe 1302, 1
Rangtabelle 1303
ranhalten, sich 392
rank 732, 2
rank und schlank 410, 2
Ränke 898; 1060, 2
Ränkeschmied 897

Ränkespiel 898
ränkesüchtig 323, 1
Ranküne 606; 898
Ranzen 223; 673, 2
ranzig 1397, 3
ranzig werden 1728, 1
rapid 1410, 1
Rappe 1247
Rappel 143, 2; 424, 4;
    1778, 1
rappeln 1018, 2; 1526
rappelvoll 1827, 2
Rapport 258, 1; 1850
rapportieren 259
Raptus 143, 2
rar 975; 1457, 1
Rarissima 976, 1
Rarität 976, 1
Raritätensammlung
    1362, 2
rasant 1410, 1
Rasanz 427, 2
rasch 301, 1; 1290, 2;
    1410, 1
rasch machen 428, 2
rascheln 316, 1; 629;
    1584, 2
Rascheln 734, 2
Raschheit 427, 2
rasen 316, 1; 428, 1;
    1391, 2
Rasen 685, 3
rasend 548, 3; 829, 3;
    1905, 1
rasend machen 106, 1
Raserei 105, 2; 143, 2;
    427, 2; 830
rasieren 769, 3; 1249, 5
räsonieren 1553, 2
raspeln 1326, 2; 1937
raspeln, Süßholz 1401
Rasse 110, 2
Rassehund 871
rasseln 1018, 2
Rasseln 734, 2
rasseln, mit dem Säbel
    398, 3
Rassentrennung 389, 2
rassig 416, 1
Rassismus 389, 2;
    1163, 2
rassistisch 388
Rast 524, 1; 525, 1
rasten 524, 1; 1356, 1
Raster 1538

Rasthaus 681, 2
rastlos 423; 429, 1; 621;
  1556, 1; 1599, 2;
  1671, 1
Rastlosigkeit 427, 1
Raststätte 681, 2
Rat 77, 1; 96, 1; 470;
  911, 1; **1304**; 1843
Rate 1295, 2; 1930, 3
raten 1066, 3; **1305**;
  1844, 2
Raten, in 1015, 2
Ratenkauf 923
ratenweise 1015, 2
Ratenzahlung 1930, 3
Ratespiel 1683, 5
Ratgeber 671, 5; 1032
ratifizieren 278, 3;
  1969, 2
Ratifizierung 279, 4
Ratio 1789, 1
Ration 1295, 2
Ration, eiserne 550, 1;
  1011, 2
rational 1260, 1;
  1358, 2; 1772, 3
rationalisieren 1306;
  1733, 2
Rationalisierung 454, 1
Rationalist 1315
rationell 1197, 2;
  1479, 2; 1973, 2
rationieren 1478, 3;
  1561, 2
rätlich 803, 1
ratlos 856, 2; 1762, 1;
  1914, 2; 1978
ratlos sein 1520, 3
Ratlosigkeit 1763, 1
ratsam 803, 1; 1197, 3;
  1468, 1; 1973, 3
ratschen 1681, 3
Ratschlag 1033, 3;
  1304, 1; 1843
Ratschluss 500, 1
Rätsel 120, 4; 702, 1
rätselhaft 407, 4;
  1692, 1
Rätselhaftigkeit 408, 3
rätseln 1305, 2
Ratsversammlung
  1304, 2
Rattenfänger 294, 3
Rattenschwanz 630, 3
rattern 1018, 2

ratzen 1392, 2
rau 376, 2; 820, 3;
  1307; 1373, 2; 1495, 2
Raubbau 154, 2
Raubein 1272, 1
raubeinig 376, 2
Raubeinigkeit 643, 2
rauben 1168, 2
rauben, Hoffnung 496
Räuber 1725, 2
Räuberpistole 1071, 4
Raubkopie 972
Raubmord 1724
Raubmörder 1725, 2
Rauch 353, 1
rauchen 354; **1308**
rauchen, Friedenspfeife
  261, 3
Raucher sein 1308
räuchern 522, 2; 1308
Rauchfahne 353, 1;
  1497, 1
Rauchwolken 353, 1
räudig 1307, 2
rauen 1326, 4
Raufbold 1272, 2
raufen, Haare 1822, 2
raufen, sich 1394, 2
Rauferei 1393, 2
Rauheit 1205, 1
Raum 685, 1; **1309**
Raum, gewerblicher
  740, 3
Raum, im 888, 1
Raum, luftleerer 1181, 1
räumen 175, 1; 1030, 1;
  1760, 3; 1803, 1
räumen lassen 173, 1
räumen, beiseite 1226, 1
räumen, Feld 485, 2
räumen, Lager 1760, 3
räumen, Steine aus dem
  Weg 837, 1
Raumfähre 579, 10
Raumfahrt 578, 4
Raumfahrzeug 579, 10
Raumkapsel 579, 10
Raumknappheit 481, 1
Raumlaboratorium
  579, 10
räumlich 1261
Räumlichkeit 1309, 1
Raummangel 481, 1
Raumnot 481, 1
Raumschiff 579, 10

Raumsonde 579, 10
Raumstation 579, 10
Räumung 486, 2; 1804
Räumungsverkauf
  1759, 2
raunen 629; 948, 1
Raunen 737, 1
raunzen 1391, 1
Raupenfahrzeug 579, 5
Raureif 1186, 2
Rausch 549, 3; 1055, 2;
  1310; 1646, 3
Rausch, im 250, 1
Rauschebart 187
rauschen 316, 1; 625;
  1376, 1; 1584, 4
Rauschen 734, 2
Rauschgift 1311;
  1521, 5
Rauschgiftabhängiger
  397, 1
Rauschgifthändler 1312
rauschhaft 548, 3
Rauschmittel 1311
rauslassen, die Sau
  1785, 1
Rausschmiss 999, 3
Raver 1545, 2
reagieren 1313; 1757, 1
Reaktion 630, 3; **1314**;
  1758, 1
real 1026, 1; 1358, 2;
  1838, 2; 1911, 1
Realisation 1759, 1
realisieren 1760, 1;
  1793, 1; 1814, 1
Realisierung 518, 5
Realismus 589, 2
Realist 1315
Realistik 1789, 2
realistisch 1358, 2;
  1772, 4
Realität 1557, 2; 1865
Realität, fiktionale 1382
Realität, virtuelle 1382
Realitätsverlust 991
Realschule 1427, 1
Rebell 919, 5; 932
rebellieren 124, 2
Rebellion 134, 1
rebellisch 842; 933
Rechenautomat 352, 1
Rechenfehler 599, 1
Rechenmaschine 352, 1
Rechenschaft 1316

Rechenschaftsbericht
258, 3; 1316, 2
Recherche 537
recherchieren 536;
1549, 1
rechnen 251, 1; 1478, 3;
1929, 1
rechnen auf 251, 2;
555, 1
rechnen mit 555, 1;
1099
Rechnen, genaues 1480
rechnen, sich 1196, 1
Rechner 352, 1
rechnerisch 722, 5
Rechnung 82, 3
Rechnung ohne den Wirt
machen 901, 3
Rechnungslegung
1316, 1
recht 57, 1; 1054, 1;
1317; 1907; 1945
Recht 82, 1; 532, 2;
750, 1; **1318**
Recht haben auf, ein
88, 2; 195, 1
recht machen, es 214, 1
recht sein 691, 1
recht und billig 312, 2;
1317, 3
Recht und Gesetz, nach
751, 4
Recht, mit 751, 4;
1317, 3
Recht, positives 1318, 3
Recht, zu 751, 4
rechten 1534, 2
Rechten, zur 1320, 1
rechtens 252, 1; 751, 4;
1317, 3
rechtfertigen 501, 3;
1805, 2
rechtfertigen, sich
494, 3
rechtfertigen, zu 1790, 3
Rechtfertigung 495, 2;
502, 1; 1316, 2
rechtgläubig 663
Rechthaber 1239, 1
Rechthaberei 1240, 2
rechthaberisch 425;
1241, 2
rechtlich 751, 1; 1317, 3
rechtlos 856, 3; **1319**
Rechtloser 160, 2

rechtmäßig 252, 1;
504, 1; 731, 2; 751, 4;
1317, 3
rechtmäßig machen
1226, 4
Rechtmäßigkeit 1318, 2
rechts 1320
Rechts wegen, von
426, 1; 751, 4
Rechtsangelegenheit
1283, 1
Rechtsanwalt 912, 2
Rechtsbehörde 912, 1
Rechtsbeistand 912, 2
Rechtsberater 912, 2
Rechtsbeugung 1669, 2
Rechtsbrecher 1725, 1
Rechtsbruch 1669, 2
rechtschaffen 86, 3;
328, 2
Rechtschaffenheit 85, 2
Rechtschreibfehler
599, 1
Rechtsextremismus
1163, 2
Rechtsfall 580, 2;
1283, 1
Rechtsfrage 1283, 1
Rechtsgelehrter 912, 2
rechtsgültig 751, 2
Rechtshandel 1283, 1
rechtshändig 1320, 1
rechtskräftig 751, 2
Rechtskunde 912, 3
rechtskundig 751, 3
rechtslastig 1320, 2
Rechtslehre 912, 3
Rechtspflege 912, 1
Rechtspfleger 912, 2
Rechtsprechung 912, 1
Rechtssache 580, 2;
1283, 1
rechtsseitig 1320, 1
Rechtsspruch 1700, 3
rechtsstaatlich 369
Rechtsstreit 1283, 1
rechtsverbindlich 751, 2
Rechtsverdrehung
1669, 2
Rechtsverfahren 1283, 1
Rechtsverletzung
1669, 2
Rechtsvertreter 912, 2
Rechtsvorgang 1283, 1
Rechtsweg 1283, 1

Rechtswesen 912, 1
rechtswidrig 1721
Rechtswidrigkeit
1669, 2
Rechtswissenschaft
912, 3
rechtswissenschaftlich
751, 3
rechtwinklig 732, 2
rechtzeitig 1290, 1
Recke 1464, 1
recken 1530, 2; 1942, 2
recken, sich 1530, 4
Recorder 733
recyceln 198, 4
Redakteur 260, 1
Redaktion 225, 2;
260, 3
Redaktionsstab 260, 3
Rede 1850; 1851, 1
Rede, in direkter 1663, 4
Redebeitrag 164, 1
Redeblume 1256, 2
Redefluss 1493, 3
redefreudig 1121
Redegabe 1493, 3
redegewandt 253, 1
Redekunst 1493, 3
reden 162, 1; 1494, 1
reden lassen, mit sich
489, 1
reden machen, von sich
90, 4; 174, 2
reden, besoffen 1494, 3
reden, Blech 1494, 3
reden, deutsch 1729, 2
reden, drumherum
1023, 2
reden, dummes Zeug
1494, 3
reden, durcheinander
1494, 3
reden, Fraktur 1729, 2
reden, große Töne
1269, 2
reden, in den Wind
1383, 6
reden, ins Gewissen
1081, 1
reden, klug 1494, 3
reden, mit zwei Zungen
1072
reden, ohne Punkt und
Komma 1494, 3
reden, Tacheles 1729, 2

reden, Unsinn 1681, *4*
reden, zu Gefallen 1401
Redensart 1256, *1*
redensartlich 182;
  968, *1*
Rederei 737, *1*
Redeschwall 1881, *2*
Redeweise 1493, *2*
Redewendung 147, *1*;
  1256, *1*
redigieren 198, *2*
redlich 131; 328, *2*
Redlichkeit 85, *2*
Rednergabe 1493, *3*
Redoute 211, *4*
redselig 253, *2*; 1121
Redseligkeit 1210, *2*
Reduktion 454, *1*;
  1348, *3*
redundant 182; 1017, *2*;
  1627, *1*
Redundanz 183, *1*;
  1619, *1*
reduzieren 841, *3*;
  1007, *2*
reduziert 512, *1*; 1540, *3*
Reduzierung 454, *1*;
  1348, *3*
Reede 211, *4*
reell 86, *3*; 312, *2*;
  414, *2*; 1317, *2*
Referat 8, *2*; 121; 258, *1*;
  1850
Referent 260, *2*
Referenz 1718, *2*
Referenzen 470
referieren 259; 1120, *1*;
  1851, *1*
reflektieren 371, *1*;
  555, *1*; 1485, *2*
reflektieren auf 894, *4*;
  1528, *1*
reflektiert 1772, *4*
Reflex 1314, *1*
reflexartig 1695, *4*
reflexhaft 1652, *1*
Reflexion 1321
Reflexionskraft 707, *1*
Reform 1709, *1*
Reformator 1257, *1*
Reformer 1257, *1*
reformerisch 467, *2*
reformieren 543, *3*;
  1708, *1*
reformorientiert 467, *2*

reformulieren 1708, *1*
Refrain 1904
Refugium 889
Regal 331, *2*
Regatta 962, *2*
rege 301, *1*; 1026, *2*;
  1556, *2*
Regel 326, *2*; 750, *2*;
  1033, *3*; **1322**
Regel, goldene 374, *1*;
  798, *1*
Regel, in der 41; 799
Regelblutung 1322, *4*
regelgerecht 751, *4*
Regelhaftigkeit 1552, *1*
regellos 1093, *2*; 1667, *2*
regelmäßig 882, *3*; **1323**
Regelmäßigkeit 42, *2*;
  613, *4*; 750, *2*; **1324**
regeln 946, *1*; 1226, *1*
Regeln der Kunst, nach
  allen 1001
regelrecht 1317, *2*
Regelung 1094
Regelverstoß 29, *5*
regelwidrig 1703, *3*
Regelwidrigkeit 29, *5*
Regen 1186, *1*; 1880, *1*
regen, sich 102, *3*;
  300, *1*
regen, sich nicht 1356, *1*
regenarm 1602, *4*
Regenbogenpresse
  1271, *2*; 1406, *3*
Regeneration 525, *1*;
  544, *2*
regenerieren, sich
  519, *3*; 524, *2*
Regenfälle 1186, *1*
regenlos 1602, *4*
regenreich 1162, *3*
Regent 849
Regentschaft 847, *1*
Regie 847, *2*; 1048, *1*
regieren 848, *1*
Regierung 1203
Regierungserklärung
  529, *5*
Regierungsform 1552, *4*
Regierungsgewalt 847, *1*
Regierungsvertreter
  387, *1*
Regime 847, *1*
Regimekritiker 700, *2*
Regiment 847, *2*

Region 685, *2*
regional 205
Register 900, *2*; 1817, *1*
registrieren 614, *2*;
  1866, *1*
Registrierkasse 921, *1*
Registrierung 126, *2*
Reglement 1322, *2*
reglementieren 72, *1*;
  1226, *2*
reglos 1357, *7*; 1504, *1*
Reglosigkeit 1355, *4*
regnen 1325
regnerisch 407, *2*;
  1162, *3*
regnet, es 1823, *1*
regressiv 13
regsam 621; 1026, *2*;
  1556, *2*
Regsamkeit 422, *1*
regulär 678, *1*; 1317, *3*
regulieren 203, *1*;
  1226, *3*
Regulierung 204, *1*
Regung 302, *4*; 1073, *1*;
  1172, *1*; 1519, *2*
regungslos 1357, *7*;
  1504, *3*
Rehabilitation 495, *2*;
  525, *2*
Rehabilitationsstätte
  983
rehabilitieren 831, *2*;
  946, *5*
rehabilitieren, sich
  494, *3*
rehabilitiert werden
  723, *3*
Rehabilitierung 495, *2*
rehhaft 71, *2*
Reibach 1731, *2*
reiben 907, *2*; **1326**;
  1367, *2*; 1937
reiben, blank 1367, *2*
reiben, sich 1534, *1*
reiben, wund 1326, *4*
Reiberei 1533, *1*;
  1533, *2*
Reibung 1533, *1*;
  1900, *1*
Reibungen 1533, *2*
reibungslos 768, *5*
reich 1327
Reich 792, *3*; 833, *1*
reich werden 715, *2*

Reiche 1201, *2*
reichen 50, *3*; 683, *1*;
    729, *1*
reichen, Hand 802, *1*
reichend, weit 791, *5*;
    1912, *2*
reichhaltig 1327, *2*
Reichhaltigkeit 1826, *1*
reichlich 1327, *4*;
    1627, *2*; 1823, *1*
Reichswehr 1111, *2*
reicht, es 728
Reichtum 673, *1*;
    1286, *2*; 1826, *1*
Reichtümer 271, *2*
Reichweite 146, *2*; 317;
    685, *1*; 1156, *1*
reif 516, *1*; **1328**
Reif 1186, *2*; 1346
reif für die Insel 1130, *2*
reif, halb 1670, *1*
reif, noch nicht 1670, *1*
Reife 1830
reifen 510, *5*
Reifen 511, *1*
Reifenspur 1497, *1*
Reifeprüfung 1285, *1*
reiflich 722, *3*
Reifung 1709, *3*
Reihe 630, *2*; **1329**
Reihe sein, an der 88, *1*
Reihe, außer der 1852, *3*
Reihe, nach der 1015, *2*
reihen 102, *4*; 586, *2*
Reihenfolge 630, *1*
Reihenhaus 824, *1*
reihenweise 1823, *1*
reihern 329, *3*
Reihung 1329, *1*
reimen 503, *3*
rein 414, *2*; 416, *1*;
    839, *3*; 1365, *2*
rein machen 1367, *1*
Reinemachen 1330, *3*
Reinemachfrau 826, *2*
Reinfall 508; 599, *3*;
    1116
Reingewinn 1195, *2*
Reinheit 1366, *1*; 1830
reinigen 946, *3*; 1367, *1*
Reinigung 486, *2*; **1330**
Reinkarnation 544, *2*
Reinkultur, in 348, *2*;
    679, *2*
Reinlichkeit 1366, *1*

reinreden 1522, *2*
Reis 1598, *2*
Reise 578, *1*
Reise machen 1331, *1*
Reiseanimateur 1682
Reisebekanntschaft
    1332, *1*
reisefertig 610, *2*
Reisefieber 62, *2*
Reiseführer 671, *4*
Reisegefährte 1332, *1*
Reisegenosse 1332, *1*
Reisekoffer 870, *8*
Reiseleiter 671, *4*
reiselustig 1026, *2*
reisen 300, *4*; **1331**
reisen nach 216, *1*
Reisen, auf 393, *2*
Reisende 649, *2*
Reisender 283, *2*; **1332**;
    1806, *1*
Reisepass 279, *1*
Reisevertreter 1806, *1*
Reiseweg 1887, *3*
Reisezeit 1360
Reiseziel 1943, *2*
reißen 329, *1*; 1530, *2*;
    1723, *3*; 1942, *2*
reißen, an sich 195, *1*;
    1233, *3*
reißen, auseinander
    1594, *2*
reißen, in Fetzen 1939, *6*
reißen, in Stücke 1939, *6*
reißen, ins Verderben
    1728, *5*
reißen, sich am Riemen
    228
reißen, sich in Stücke
    1561, *3*
reißen, sich um 217, *1*;
    1528, *1*
reißen, voneinander
    1594, *2*
reißend 1905, *4*
Reißer 1079
reißerisch 1912, *2*
Reißverschluss 1784, *2*
reiten 300, *4*
reiten, Attacke gegen
    60, *2*
reiten, Extratour 118
reitend, Paragraphen
    1241, *2*
Reitpferd 1247

Reiz 70; 893; **1333**
reizbar 829, *3*
reizbar, leicht 471, *3*
Reizbarkeit 472, *2*; 830
reizen 75, *3*; 98, *3*;
    106, *1*; 330, *3*; 907, *1*;
    1334
reizend 71, *1*; 654, *1*;
    869; 1335; 1412, *1*
reizlos 574, *2*; 592, *2*;
    1017, *2*
Reizlosigkeit 593
Reizmittel 957, *1*
Reizthema 843, *2*
Reizüberflutung 1619, *1*
reizvoll 76, *1*; 99, *1*;
    892, *1*; **1335**; 1412, *1*
Rekapitulation 1612, *2*;
    1904
rekapitulieren 1399, *3*;
    1903, *1*
rekeln, sich 524, *3*;
    1530, *4*
Reklamation 989, *2*;
    1082, *1*
Reklame 1897, *1*
Reklame machen
    1895, *1*
Reklamefeldzug 1897, *2*
Reklameschlacht 1897, *2*
reklamieren 195, *1*; 196;
    1081, *3*; 1553, *1*
rekognoszieren 635
rekompensieren 497, *2*
rekonstruieren 526, *1*;
    528, *1*; 543, *1*
Rekonstruktion 544, *1*;
    1142, *1*
Rekonvaleszenz 525, *2*
rekonvaleszieren 723, *1*
Rekord 767, *3*; 1046, *1*
Rekrut 1111, *1*
rekrutieren 458, *2*
Rektor 1047, *2*
Relation 1718, *1*
relativ 1336
relativieren 1708, *1*
Relativität 206
Relaunch 1897, *2*
relaxen 524, *3*
Relegation 1720, *1*
relevant 1899, *2*
Relevanz 202, *3*
Relief 308, *2*
reliefartig 1261

Religion 1337
Religionsgemeinschaft
938, 1
religiös 663
Religiosität 1337, 2
Relikt 1340, 3
Reling 1419
Reliquie 976, 1
Remake 544, 3; 1142, 1
Remake machen 198, 6
Remedium 1098, 2
Reminiszenz 527, 1
remis 1649, 2
Remis 1616, 3
remittieren 30, 2
Remix machen 198, 6
Rempelei 1525
Rendezvous 1593, 1
Rendite 1195, 2; 1731, 2
renitent 425
Renkontre 1533, 2
Rennbahn 1377; 1887, 2
rennen 428, 1; 703, 2;
831, 2
Rennen machen 1463, 1
rennen, ins Unglück
1383, 2
rennen, über den Haufen
1526
Rennpferd 1247
Rennrad 579, 2
Rennstrecke 1887, 2
Rennwagen 579, 2
Renommee 716, 2
renommieren 1269, 1
renommiert 58; 262, 1
Renommist 1436
renovieren 543, 1
renoviert 1177, 4
Renovierung 544, 1
rentabel 1197, 2
Rentabilität 1195, 1
Rente 1338
rentieren, sich 1196, 1
Rentner 45, 2
reorganisieren 543, 3
reparabel 1128, 2
Reparationen 498, 3
Reparatur 544, 1
reparaturbedürftig
850, 4
reparieren 543, 1
repariert 731, 1
repatriieren 1803, 1
Repatriierung 1804

Repertoire 1826, 2
repetieren 1903, 1
Repetition 1904
Repetitorium 1032
Replik 558, 2
replizieren 557, 2
Report 258, 1
Reportage 8, 1; 258, 1
Reporter 260, 1
repräsentabel 1506, 1
Repräsentant 1806, 3
Repräsentanz 1807
Repräsentation 1807
repräsentativ 348, 1;
735, 1; 885
repräsentieren 201, 1;
359, 3; 1805, 1
Repressalie 1751, 1;
1972, 1
Repression 1972, 1
repressionsfrei 369
Reprise 1349, 2
Reproduktion 1142, 1;
1811, 2
reproduktiv 1653, 2
reproduzieren 1, 3; 1810
Reputation 716, 2
reputierlich 86, 2
requirieren 458, 1;
1168, 3
Research 1087
Reserve 796, 3; 1011, 2;
1961, 1
Reservemann 550, 4
Reserven 271, 3
reservieren 1339
reserviert 31, 1; 1439, 1;
1960, 1
Reserviertheit 1961, 1
resezieren 1218
Residenz 1499, 1
Residenzstadt 1499, 1
residieren 1024, 2
Residuum 1340, 3
Resignation 688, 2;
1818, 2
resignieren 122, 3;
1040, 2; 1819, 1
resigniert 689, 2
resistent 403, 1; 883, 1;
981, 1
Resistenz 613, 1;
1501, 2; 1900, 2
resistieren 226, 3
resolut 479

Resolutheit 478, 1
Resolution 500, 2
Resonanz 413, 1;
1583, 5; 1913, 2
resorbieren 127, 3
Respekt 35; 1961, 1
respektabel 86, 2;
1899, 2
respektieren 193, 2;
1734, 1
respektiert 58
respektive 1206
respektlos 642, 1;
1661, 2
Respektlosigkeit 643, 1
respektvoll 1960, 2
respirieren 115
Ressentiment 14, 1; 606;
1853
ressentimentgeladen
1152
Ressort 121; 571, 2;
1968, 1
Ressortleiter 1047, 2
Ressourcen 271, 3
Rest 5, 1; 1340; 1539, 2
restant 1426, 1
Restanten 1424, 2
Restaurant 681, 1
Restauration 681, 1;
1314, 2
restaurativ 1320, 2
restaurieren 543, 1
restauriert 1177, 4
Restaurierung 544, 1
Restbestand 1340, 2
Restbetrag 1340, 2
Restform 1340, 3
restieren 6, 2; 88, 1
restlich 1627, 1
restlos 679, 3
Resto 681, 1
Restposten 1340, 2
Restriktion 454, 1
Restrisiko 1340, 2
Resultat 521; 615, 1;
630, 3
resultatlos 1747
resultieren aus 9, 4
Resümee 521; 1299, 2
resümieren 1399, 3
Retardation 1821, 1
retardieren 1820, 1
Retorte, aus der 1002
retour 1352

Retourkutsche 558, 2; 1751, 1
retournieren 30, 2
retrospektiv 1153
retten 837, 4
retten, sich 492, 4
rettend 757, 4
Retter 838, 1
Rettung 854, 2
Rettungsinsel 889
Retusche 225, 2; 269; 1716, 1
retuschieren 268; 1715, 1
Retuschierung 269
Reue 1341; 1370, 1
Reue, tätige 1341
Reuegefühl 1341
reuen 256; 1404, 2
reuevoll 1342
reuig 1342
reumütig 1342
Reumütigkeit 1341
reüssieren 226, 2; 715, 2
Revanche 498, 1; 1751, 1
revanchieren, sich 497, 1; 1750, 3
Reverenz 419, 2; 801, 2
Revers 1291, 9; 1350
revidieren 946, 5; 1284, 1
Revier 685, 1; 1266, 2
Revirement 1882, 1
Revision 1285, 2
Revisor 133, 3
revitalisieren 543, 5
Revival 544, 2
Revolte 134, 1
revoltieren 124, 2; 523, 5
Revolution 1343; 1709, 2
Revolution, digitale 1343, 2
Revolution, industrielle 1343, 2
Revolution, samtene 1343, 2
Revolution, sexuelle 1343, 2
Revolution, technische 1343, 2
Revolution, wissenschaftliche 1343, 2

revolutionär 670, 2
Revolutionär 919, 5
revolutionieren 543, 3; 1708, 1
Revolutionskrieg 987, 2
Revoluzzer 1436
revozieren 1051, 2
Revue 1459
Rezensent 990, 1
rezensieren 276, 2; 1701, 1
Rezension 277, 4; 989, 1; 1271, 3
rezent 844, 2
Rezept 96, 2
Rezeption 126, 4; 465, 3
rezeptiv 467, 3
Rezeptur 96, 2
Rezession 988, 3
rezessiv 13
Rezidiv 1349, 2; 1904
rezipieren 127, 3; 1713, 2
reziprok 696
Reziprozität 1884
Rezitation 1850
rezitieren 1851, 1
Rhapsodie 739, 2
rhapsodisch 1694, 1
Rhetorik 1493, 3
Rhinozeros 405, 4
rhythmisch 1323, 1
Rhythmus 1089, 3; 1324, 1
richten 1226, 1; 1249, 5; 1515, 2; 1701, 2; 1834, 1
richten, Augenmerk auf 894, 3
richten, bankrott 1939, 1
richten, Blick gen Himmel 827, 2
richten, den Blick auf 80, 2
richten, es sich 715, 2
richten, gerade 1226, 1
richten, sich nach 441, 3; 631, 3
richten, sich zugrunde 1939, 11
richten, zugrunde 1939, 1
Richter 912, 2
richterlich 751, 1

Richterspruch 1700, 3
richtig 572, 1; 803, 1; 1197, 3; 1225, 3; 1317, 2; 1863
richtig stellen 946, 1
richtiger 3
richtiggehend 1452, 1
Richtigkeit 1865
Richtigstellung 164, 2; 947, 4
Richtlinie 750, 1; 798, 1; 1094; 1322, 1
Richtmaß 798, 1; 1089, 3
Richtpreis 1270, 3
Richtsatz 798, 1
Richtschnur 798, 1; 1033, 3; 1089, 3; 1322, 1
Richtung 1033, 4; 1537, 1; 1569, 1
Richtungsänderung 29, 2; 1004
Richtungsanzeiger 930, 3
richtungweisend 670, 2
riechen 1344; 1866, 1
riechen können, nicht 821, 1
riechen nach 158
riechen, Braten 668, 1; 1771, 2; 1866, 2
riechen, Lunte 1771, 2; 1866, 2
riechend, übel 461, 2
Riecher 468, 1; 693, 3; 1161
Riechkolben 1161
Riechorgan 1161
Ried 1551, 1
Riefe 585, 2; 1798, 3
riefen 447, 2; 789
Riege 800, 9; 1329, 3
Riegel 1784, 2
Riemen 812, 2
Riese 1345
rieseln 625; 1325
Rieseln 734, 2
Riesenkerl 1345
Riesenmenge 1102, 3
riesig 163, 1; 791, 1
riestern 543, 2
rigide 1504, 2
Rigidität 1536, 1
Rigorismus 1536, 1

rigoros 820, 3; 1535, 1
Rigorosum 1285, 1
Rikscha 579, 8
Rille 585, 2; 1798, 3
rillen 447, 2; 789
Rinde 870, 2
Rindvieh 405, 4
Ring 685, 3; 800, 1;
   1346; 1377
ringeln 395, 3; 1137, 1
ringen 918, 2
Ringen 917, 1
ringen um 918, 1
ringen, Hände 1822, 2
ringen, mit dem Tode
   1040, 3
ringen, mit sich 371, 2;
   1435, 2
ringen, nach Atem 115
Ringen, zähes 1533, 2
ringförmig 1827, 3
Ringkampf 917, 3
rings 1611, 2
Ringstraße 1527
ringsum 1611, 2
ringsumher 1611, 2
Rinne 585, 2; 1215, 7;
   1798, 3
rinnen 625; 1325
rinnend 410, 4
Rinnsal 760, 1
Rippenstoß 1082, 1;
   1525
Risiko 399, 2; 1860
risikofreudig 1139, 2
risikolos 1460, 2
riskant 690, 2
riskieren 1795, 2;
   1859, 1
riskieren, Lippe 531, 3
Riss 1136, 3; 1215, 3;
   1258, 2; 1496, 1; 1923
rissig 1132, 1; 1307, 4;
   1495, 2; 1642, 2
Ritter 927
ritterlich 86, 3; 416, 3;
   864
Ritterlichkeit 490, 2
Ritterschlag 438, 2
Ritual 326, 3; 938, 3
Ritus 326, 3; 938, 3
Ritz 1215, 3; 1496, 1
Ritze 1067, 1
ritzen 789
Rivale 700, 3

rivalisieren 918, 2;
   1511, 3
Rivalität 917, 1; 962, 1
Roadster 579, 2
robben 777, 2
Robe 949, 2
robust 363, 1; 376, 1
Robustheit 613, 1
Rochade 1882, 1
rocher de bronze 347, 2
Rockband 800, 4
Rockheroe 1500, 1
Rocksänger 1363, 1
Rockshow 1459
Rockstar 1500, 1
roden 175, 2; 1367, 4
Rodung 1053
roh 334; 633, 1
Rohbau, im 53, 2
Rohheit 335
Rohling 186
Rohmaterial 1521, 2
Rohr 778, 2; 1516, 1;
   1551, 1
Rohr im Wind 1221
Rohr, schwankendes
   1221
Röhre 223; 1363, 1
röhren 1384, 3
Rohrkrepierer 1116
Rohrleitung 1048, 3
Rohstoff 1521, 2
Rollback 1314, 2
Röllchen 1347, 2
Rolle 120, 1; **1347**
Rolle, führende 847, 2
Rolle, stumme 1347, 1
Rolle, tragende 1347, 1
Rolle, zentrale 1347, 1
rollen 395, 1; 1018, 2;
   1435, 1
rollen, sich 395, 5
Rollentext 1575
Rollladen 870, 6
Rollo 870, 6
Roman 559, 2
Romancier 1423
Romanschriftsteller
   1423
Romantik 875, 2
Romantiker 876, 2
romantisch 473; 877, 2;
   1265, 2
Romanze 1055, 4
Römernase 1161

Rondell 680
rösch 1495, 1
Rosenkrieg 1533, 3
rosig 660, 1; 803, 1
Rosinante 1247
Rosinen im Kopf haben
   430, 3
Ross 1247
rosten 1728, 2
rösten 325, 1; 1603, 3
rostfrei 363, 1
röstfrisch 660, 2
rostig 265, 1
rot 1059, 3
rot werden 1371, 1
Rotation 396, 1; 1882, 1
Rotel 681, 2
röten 590, 1
rotieren 106, 2; 395, 1
Rotlichtbezirk 320
Rotte 800, 5
Rotunde 1921, 3
Rotwelsch 1493, 4
Rotz 156, 1
rotzfrech 642, 3
rotzig 642, 3
Rotzlöffel 1272, 1
Rotznase 1161; 1272, 1
Roué 1742, 1
Roulette 783
Roulette, russisches
   1860
Route 1887, 3
Routine 517, 2; 611
Routineangelegenheit
   634, 1
Routinier 573
routiniert 516, 1; 572, 2;
   744, 1; 1829, 2
Rowdy 1272, 1
rubbeln 1326, 1
Rübe 970, 1
Rubel 712, 3
rüberbringen 1768, 3
Rubikon 790
rubrizieren 1226, 2;
   1561, 1
Ruch 1353, 3
ruchbar 411, 3
ruchlos 1397, 5
Ruck 1525
ruckartig 1263
Rückäußerung 558, 1
Rückbildung 1348, 1
Rückblende 527, 1

rückblenden 1148, *2*
rückblendend 1153
Rückblick 527, *1*;
1400, *2*; 1612, *2*
rückblickend 1153
rucken 1526
Rücken 1350
rücken, auf den Leib
60, *2*; 391, *5*
rücken, gerade 1226, *1*
rücken, näher 1157, *4*
Rückendeckung 1787, *2*
rückenfrei 1154, *2*
Rückenstärkung 279, *5*
Rückenwind haben
761, *2*
Rucker 1525
rückerstatten 497, *1*
Rückerstattung 498, *2*
Rückfall 1348, *1*;
1349, *2*
rückfällig 1691
rückfällig werden
1903, *2*
Rückfrage 638, *2*
Rückgabe 498, *2*
Rückgang 454, *1*; **1348**
rückgängig machen
122, *2*
Rückgrat 613, *3*; 810, *4*;
1119, *6*
Rückgrat, ohne 349
rückgratlos 349; 754;
1432, *3*
Rückgratlosigkeit 755;
1433, *1*
Rückhalt 810, *2*
Rückhalt, ohne 1673, *2*
rückhaltlos 1121
Rückhaltlosigkeit
1210, *1*
Rückkehr 1349
Rückkunft 1349, *1*
Rücklage 796, *3*;
1011, *2*
Rücklagen 271, *3*
Rücklauf 396, *1*
rückläufig 13
rücklings 1352
Rückprall 1314, *1*
Rückreise 1349, *1*
Rückruf 1353, *2*
Rückschall 413, *1*
Rückschau 527, *1*;
1612, *2*

Rückschlag 1116;
1348, *1*
Rückschritt 1348, *1*
Rückschrittlichkeit
1314, *2*
Rückseite 1059, *2*; **1350**
Rücksicht 1351
Rücksicht auf, mit 49
rücksichtlich 49
Rücksichtnahme 1351
rücksichtslos 334;
820, *3*; 1300; 1456;
1555; 1638, *2*; 1661, *1*
Rücksichtslosigkeit 335
rücksichtsvoll 125, *2*;
864; 1845, *1*
Rückstand 5, *1*; 1340, *3*;
1424, *2*; 1821, *1*
Rückstand sein, im
1425, *1*; 1820, *3*
Rückstand, im 1426, *1*;
1481, *1*
rückständig 1426, *1*;
1707
rückstandsfrei 1365, *2*
Rückstoß 1314, *1*
Rücktritt 999, *1*
rückvergüten 497, *2*;
1750, *3*
Rückvergütung 498, *2*
rückversichern, sich
1786, *3*
Rückversicherung
1787, *2*
rückwärts 1352
Rückweg 1349, *1*
rückwirkend 1153
Rückwirkung 1314, *1*
Rückzahlung 150, *3*;
498, *2*
Rückzieher machen
704, *2*; 1051, *2*
Rückzug 486, *4*
Rückzugsgefecht
1900, *2*
rüde 376, *2*; 642, *3*;
1661, *2*
Rüde 871
Rudel 1102, *3*
Ruder 1514, *1*
Ruder, am 1840, *1*
Ruderboot 579, *6*
rudern 300, *4*
Rudiment 1340, *3*;
1560, *2*

rudimentär 1694, *1*
Ruf 136, *3*; 716, *2*;
1353
Ruf haben 201, *3*
rufen 1174, *1*; **1354**
rufen nach 1354, *1*
rufen, ans Licht 560, *1*
rufen, ins Gedächtnis
1081, *3*
rufen, ins Leben 52, *3*;
1710, *1*
rufen, um Hilfe 1354, *1*
rufen, vor den Vorhang
948, *2*
rufen, zur Ordnung
1081, *3*; 1553, *2*
Rufer 1276
Rüffel 1385, *2*
rüffeln 1553, *2*
Rufmord 989, *3*
Rufname 930, *4*
Rufschädigung 1765
Rufweite 1156, *1*
Rufweite, in 1155, *2*
Rüge 1082, *4*; 1385, *2*
rügen 196; 1553, *2*
Ruhe 525, *1*; 656, *1*;
1355
Ruhe haben, keine
428, *2*
Ruhe lassen, in 1019, *1*
Ruhe selbst, die 1255
Ruhe vor dem Sturm
988, *1*
ruhebedürftig 1130, *1*
Ruhebett 295
Ruhegehalt 1338, *2*
Ruhegeld 1338, *2*
ruhelos 548, *1*; 1671, *1*
Ruhelosigkeit 549, *1*
ruhen 524, *1*; **1356**
ruhen, in sich 1356, *2*
ruhend 1357, *1*; 1357, *6*
Ruhepause 525, *1*;
1678, *1*
Ruhestand 45, *3*
Ruhestand, im 44, *6*
Ruhestätte 657
Ruhestätte haben, letzte
233, *2*
Ruhestätte, letzte 657
Ruhestörer 1523
Ruhetag 647
ruhig 1044; **1357**
Ruhm 518, *3*; 716, *3*

rühmen 420, *1*; 469, *1*;
  1063, *1*
rühmen, sich 1269, *1*
rühmenswert 1732
ruhmgierig 421
rühmlich 149, *2*; 1732
ruhmredig 459, *2*
rühren 263, *2*; 1112, *1*;
  1233, *1*
rühren an 861, *1*
rühren, sich 102, *3*;
  300, *1*
rühren, zu Tränen
  1233, *1*
rührend 130, *1*
rührig 423; 479; 621;
  1026, *2*; 1556, *2*
Rührigkeit 422, *1*
Rührmichnichtan 471, *4*
rührselig 473; 941
Rührseligkeit 474;
  940, *3*
Rührstück 940, *2*
Rührung 549, *2*; 1562, *1*
Ruin 185; 1940, *1*
ruinieren 1939, *1*
ruinieren, sich 1939, *11*
ruiniert 265, *3*; 534, *2*
rumhängen 594
rumkommen 300, *4*
Rummel 291, *4*; 1683, *2*
Rumor 291, *2*; 734, *3*
rumoren 1018, *1*;
  1633, *3*
Rumpelkammer 1483, *1*
rumpeln 1018, *2*

rümpfen 586, *3*
rümpfen, Nase 1114, *1*
Run 518, *3*; 1310, *2*;
  1542, *2*
rund 381, *1*; 679, *1*;
  1654, *1*; 1827, *3*;
  1829, *1*
Rund 1346
Rundbau 1921, *3*
Rundblick 165, *1*
Runde 800, *1*; 1295, *1*;
  1346
Runde machen 1633, *4*
runden 519, *1*; 769, *3*;
  1828
runden, sich 1920, *1*
rundend, sich 1958
runderneuern, sich
  1708, *6*
runderneuert 1177, *4*
Rundfunk 1097
Rundgang 1285, *2*
rundheraus 1207, *2*
rundherum 1611, *2*
rundlich 381, *1*;
  1506, *2*
Rundschau 165, *1*;
  1612, *1*
Rundschreiben 258, *2*
rundum 1611, *2*
Rundung 1346;
  1921, *3*
rundweg 1207, *2*
Rune 337, *1*; 585, *2*
Running Gag 518, *4*
runterbringen 496

runterfahren 1478, *4*
runterholen, sich einen
  214, *2*
runterkommen 261, *2*
runterladen 1810
runterputzen 1553, *2*
runterreißen 496
Runzel 585, *2*
runzeln 586, *3*
runzlig 44, *2*; 587, *2*
Rüpel 1272, *1*
Rüpelei 643, *2*
rüpelhaft 642, *3*
rupfen 153, *2*; 1168, *3*;
  1942, *2*
rupfen, Hühnchen
  1391, *1*
ruppig 1307, *2*; 1661, *2*
Rüsche 585, *1*
Rushhour 767, *4*
rußbedeckt 1408
Rüssel 1161
rußig 1408
Rüste 1400, *2*
rüsten 1834, *1*
rüstig 757, *1*; 981, *2*
Rüstigkeit 758
rustikal 376, *3*
Rüstungsspirale 1858, *2*
Rute 778, *2*; 955
Rutsch 578, *1*; 580, *1*
Rutsch machen 1331, *1*
rutschen 581, *1*; 777, *1*
rutschig 768, *6*
rütteln 1018, *2*; 1437, *1*;
  1526

S

Saal 1309, *1*
Saaltochter 204, *3*
Saat 563, *4*
Säbelrasseln 399, *1*
sabotieren 857, *3*;
   1369, *1*; 1522, *3*
Sacharin 940, *3*
Sachbereich 121
sachbezogen 1358, *2*
Sachbuch 1032
sachdienlich 1197, *1*;
   1973, *1*
Sache 580, *2*; 697, *1*
Sache machen, gemeinsa-
me 287; 293, *2*;
   1965, *3*
Sache sein, bei der
   894, *2*
Sache sein, nicht bei der
   1392, *3*; 1590, *3*
Sache, bei der 125, *1*
Sache, beschlossene
   534, *1*
Sache, nicht bei der
   1638, *1*
Sachen, scharfe 759, *2*
Sachgebiet 121; 571, *2*
sachgemäß 572, *1*;
   1317, *2*
sachgerecht 817, *1*
Sachinhalt 887, *1*
Sachkenner 573
Sachkenntnis 1917, *3*
sachkundig 516, *1*;
   572, *1*; 929
Sachlage 1010, *2*;
   1557, *1*
sachlich 545, *1*; 735, *1*;
   1358; 1772, *4*
Sachlichkeit 736;
   1789, *2*
Sachschaden 1368, *1*
Sachstand 1010, *2*
sacht 1109, *1*; 1931, *2*
sachte 1015, *1*
sachte tun 777, *1*
Sachtext 1575

Sachtheit 1110
Sachverhalt 1010, *2*;
   1557, *1*
Sachverstand 1792, *2*;
   1917, *3*
sachverständig 516, *1*;
   572, *2*
sachverständig sein
   1793, *4*
Sachverständiger 573
Sachverständnis
   1792, *1*
Sachwalter 1806, *2*
Sachwerte 271, *2*
Sack 223; 870, *8*
Sack lassen, Katze aus
   dem 1208, *3*; 1729, *2*;
   1776
Sack und Asche, in
   1659, *1*
Sack, fauler 595
Sackgasse 902, *1*; 1527;
   1763, *1*
Sackgasse, in einer
   856, *2*
Sadismus 335
Sadist 186
sadistisch 334
säen 560, *5*; 1796, *2*
säen, Hass 851, *3*
säen, Zwietracht 1594, *2*
Safari 578, *2*
Safe 921, *1*
Saft 759, *3*
saftig 78, *2*; 376, *2*;
   981, *4*; 1026, *4*; **1359**
saftlos 574, *1*; 1432, *1*;
   1602, *3*
saftstrotzend 1359, *1*
safttriefend 1359, *1*
Sage 559, *2*
sage und schreibe
   1911, *3*
sagen 162, *1*; 280, *4*;
   1120, *1*; 1494, *1*
sägen 1392, *2*
Sagen haben 848, *1*
sagen haben, sich nichts
   mehr zu 485, *5*
sagen lassen, sich 868, *1*
sagen lassen, sich nicht
   zweimal 1168, *4*
sagen wir 1654, *1*
sagen wollen 201, *1*;
   1494, *2*

sagen, auf Wiedersehen
   469, *3*; 485, *2*
sagen, Dank 357, *1*
sagen, guten Tag 282, *1*
sagen, hallo 802, *1*
sagen, ins Ohr 629
sagen, Lebewohl 485, *2*
sagen, nein 30, *3*
sagen, nichts 1438, *2*
sagen, Unwahrheit 1072
sagend, nichts 182;
   312, *3*; 968, *2*; 1017, *2*;
   1028, *3*; 1199, *2*; 1639
sagend, viel 1468, *2*;
   1579; 1975, *2*
sagenhaft 1254, *1*;
   1673, *3*
sagenumwoben 1673, *3*
Sahne, erste 554
Sahnehäubchen 767, *7*
Saison 1360
saisonbedingt 205;
   1852, *1*
Sakrifizium 1219, *3*
Sakristan 939, *3*
sakrosankt 1721
Säkularisation 483
Salär 1731, *1*
Salat 630, *3*
Salatsoße 1476
salbadern 1269, *2*
Salbe 112, *2*
salben 769, *4*; 1249, *4*
salbungsvoll 600, *3*
saldieren 251, *1*
Saldierung 1316, *1*
Sale 1759, *2*
Salon 1309, *1*
salonfähig 86, *1*
salonfähig, nicht 91, *1*
Salonlöwe 927
salopp 633, *3*; 719;
   1150, *3*
Salto 1496, *2*
Salto mortale 1496, *2*
Salut 419, *2*; 801, *3*
salutieren 802, *2*
Salve 617, *3*
salvieren 501, *3*
salvieren, sich 494, *3*
salzen 1927, *1*
salzig 844, *2*
salzlos 574, *1*
Salzsäule, wie eine
   1504, *3*

Salzwasser 1880, *2*
Samariter 838, *1*
Samen 51, *1*
sämig 1928, *2*
sämig machen 313, *6*
Sammelband 1362, *3*
Sammelbecken 1119, *3*
Sammelbehälter 223
sammeln 123, *1*; **1361**
sammeln, Gedanken
    371, *3*; 1361, *5*
sammeln, neue Kräfte
    524, *3*
sammeln, sich 371, *3*;
    1361
Sammelpunkt 1119, *3*
Sammelstelle 1119, *3*
Sammelsurium 1113, *3*
Sammelwerk 1362, *3*
Sammler 1003, *1*; 1095
Sammlung 445, *1*;
    1329, *2*; **1362**
Sammlung, innere
    1362, *5*
Sample 1136, *2*
Sampler 1362, *3*;
    1483, *4*
Samson 982
samt 117, *2*; 453
Samt 1521, *3*
samt und sonders 38, *1*;
    679, *2*
Samtband 1291, *6*
samten 1931, *1*
Samthandschuhen, mit
    1845, *1*
samtig 1890, *3*
sämtliche 38, *1*
Samtpfoten, auf 1044
samtweich 1890, *3*
Sanatorium 983
Sand 1289
Sand am Meer, wie
    1823, *1*; 1825
sandig 1408; 1602, *1*
Sandsturm 1542, *1*
sanft 1109, *1*; 1931, *2*
Sänfte 579, *8*
Sanftheit 1110
Sanftmut 1110
sanftmütig 1109, *4*
Sanftmütigkeit 1110
Sang 739, *2*
Sänger 360
Sänger(in) 1363

sanieren 837, *4*
Sanktion 279, *3*;
    1751, *2*; 1972, *1*
sanktionieren 278, *5*;
    531, *2*
Sanktionierung 532, *3*
Sanktionsgewalt
    1076, *1*
Sardinenbüchse, wie in
    der 380, *2*
sardonisch 323, *1*;
    1492, *1*
Sarkasmus 1490, *3*
sarkastisch 1492, *1*
Satan 1574
satanisch 323, *1*
Satansgelichter 753
Satanskerl 919, *2*
Satellit 66, *3*; 1402, *2*
Satellitenaufnahme
    308, *3*
satinieren 769, *3*
satiniert 768, *2*
Satire 1490, *4*
Satiriker 990, *2*
satirisch 1492, *1*;
    1492, *2*
Satisfaktion 498, *2*
satisfaktionsfähig 775
Satrap 1806, *2*
satt 591, *1*; 728; 981, *4*;
    1359, *1*; **1364**; 1827, *4*
satt haben, es 106, *2*;
    1039, *2*
sattelfest 516, *1*; 929
sattelfest sein 963, *1*
Sattheit 1014
sättigen 676, *1*
sättigen, sich 411, *1*;
    566, *1*
sättigend 1158
sattsam 728; 1327, *4*;
    1627, *2*
saturiert 83, *2*; 1364, *2*
Satyr 1742, *1*
Satz 1329, *2*; 1496, *2*
Satzung 750, *1*
Satzvorlage 1187, *1*
Sau 1407
Saubär 1407
sauber 86, *3*; 100, *3*;
    869; 945, *1*; **1365**
sauber machen 1226, *1*;
    1292, *4*; 1367, *1*
sauber, peinlich 1365, *1*

Sauberkeit 947, *1*;
    1248, *3*; **1366**
säubern 1292, *4*; **1367**
säubern, sich 1367
Säuberung 178, *5*;
    486, *2*; 1330, *3*
saublöd 403, *1*
saudumm 403, *1*
sauer 322, *2*; 844, *1*;
    1670, *1*
sauer geworden 1397, *3*
sauer machen 106, *1*
sauer werden 106, *2*
Sauerei 662, *3*; 1406, *2*
säuerlich 322, *2*; 844, *1*
sauertöpfisch 1117; 1697
Saufbruder 1601
saufen 284, *3*; 1600, *2*
Säufer 1601
Sauferei 711
Saufgelage 711
Saufkumpan 1601
sauflustig 727
saugen 1942, *4*
säugen 676, *1*
saugen, sich voll 411, *1*;
    1297
saugfähig 1065, *2*
Säugling 936, *1*
säuisch 91, *4*
Säule 373; 810, *3*
Saum 1629
saumäßig 1397, *1*
säumen 1632, *1*;
    1820, *1*; 1820, *3*; 1947
säumen, Straße 220, *1*
säumig 1150, *2*; 1481, *1*
Säumigkeit 1151;
    1699, *2*
saumselig 1481, *1*;
    1675, *1*
Saumseligkeit 1780, *1*;
    1821, *2*
Säunickel 1407
Sauregurkenzeit 1518
Sause 749, *2*
säuseln 316, *1*; 629
sausen 316, *1*; 428, *1*
Sausen 734, *2*
sausen lassen 122, *3*
Saustall 1668, *2*
Saxophonist 1134, *2*
scannen 1621, *8*
Scanner 916, *3*
schaben 1326, *2*; 1937

Schabernack 1490, *1*;
1674, *2*
schäbig 44, *3*; 107, *2*;
265, *1*; 1479, *1*
schäbig werden 1066, *8*
Schablone 1136, *4*
schablonenhaft 771, *2*
schablonisieren 1737
Schablonisierung 1738
Schacherer 1275
schachern 815, *3*
Schachfigur 747, *2*
schachmatt 534, *3*;
1130, *2*
Schacht 1798, *1*
Schachtel 223
schachteln 1361, *2*
Schächten 1587, *2*
Schachzug 1060, *1*
schade 1043; 1659, *5*
Schädel 970, *1*
schaden 1369; 1733, *1*
Schaden 1368
schaden, sich 1369;
1409, *7*
Schadenersatz 498, *3*
Schadenfreude 584, *1*;
1490, *3*
schadenfroh 323, *1*
Schadensbegrenzung
1092, *2*
schadenspflichtig
1775, *1*
schadhaft 265, *1*;
1694, *1*
Schadhaftigkeit 1693, *2*
schädigen 1369, *1*;
1723, *3*
schädigen, Ruf 1369, *1*
schädigen, sich 1369, *3*
Schädigung 1368, *1*
schädlich 1660, *3*
schädlich sein 1369, *5*
Schädling 1402, *2*
schadstoffarm 1636, *2*
schadstofffrei 1636, *2*
schadstoffreduziert
1636, *2*
Schaf 405, *4*
Schaf, schwarzes 1781
Schäferstündchen
1055, *4*
schaffen 560, *1*; 715, *1*;
756; 1045, *1*; 1684, *1*
Schaffen 101, *1*

schaffen machen, zu
92, *1*; 129, *4*; 256;
266, *3*; 1404, *2*
schaffen, Abhilfe 22, *4*;
837, *4*
schaffen, Ablauf 11, *2*
schaffen, aus dem Weg
1586, *1*
schaffen, aus der Welt
484, *4*; 946, *1*
schaffen, beiseite 293, *1*
schaffen, es 715, *2*; 1828
schaffen, etwas 102, *1*
schaffen, klare Bahn
946, *1*
schaffen, Platz 484, *2*
schaffen, Raum 1030, *1*
schaffen, Remedur 412;
1226, *1*
schaffen, vom Halse
213, *1*
schaffen, Voraussetzung
538, *2*; 1834, *1*
schaffend 1415
Schaffensdrang 1274, *1*
Schaffensfreude 1274, *1*
Schaffenskraft 1274, *1*
Schaffenslust 422, *2*;
1274, *1*
schaffig 621; 1556, *1*
Schafskopf 405, *1*
Schaft 812, *1*; 1516, *1*
Schäker 1384, *1*
Schäkerei 1055, *4*
schäkern 1741
schal 182; 574, *1*
Schal 1291, *7*
schal werden 1749, *4*
Schale 168, *3*; 223;
870, *2*; 949, *1*; 1198, *1*
schälen 1066, *10*
Schalk 1384, *1*
schalkhaft 835, *3*
Schall 413, *1*; 734, *1*;
1583, *1*
Schall und Rauch
1028, *3*; 1639; 1746, *2*
schallen 1018, *2*; 1584, *1*
schallend 1022
Schallpegel 1089, *5*
Schallwirkung 1583, *5*
schalten 203, *1*; 1313;
1768, *2*; 1793, *2*
schalten, Anzeige 50, *2*;
1895, *1*

schalten, auf Stand-by
89, *3*
schalten, hin und her
1883, *1*
schalten, synchron 73, *1*
Schalter 1215, *4*
Schaltung 204, *1*
Schaluppe 579, *6*
Scham 1341; 1370
schämen, sich 256; 1371
Schamesröte 1370, *1*
Schamgefühl 1370, *1*
Schamhaftigkeit 1370, *1*
Schamhügel 1370, *2*
schamlos 91, *3*
Schamlosigkeit 662, *2*
schamrot 1762, *2*
schandbar 239, *2*;
1397, *5*
Schandbarkeit 1398
Schande 1372
schänden 509, *4*
Schandfleck 1372, *2*
schändlich 239, *2*;
1397, *5*
Schändlichkeit 1398
Schandmal 1372, *2*
Schandtat 1724
Schändung 1372, *2*
Schankstube 681, *1*
Schankwirt 1915, *1*
Schanze 211, *4*
schanzen 787, *1*
Schar 442, *2*; 800, *5*
Schäre 889
Scharen 1102, *3*
Scharen, in hellen 1825
scharenweise 1825
**scharf 31, *2*; 378, *2*;
844, *2*; 891, *1*; 1022;
1074; 1307, *5*; 1373;
1492, *1*; 1535, *1***
scharf auf 218, *1*
scharf machend 91, *3*
scharf, nicht 1109, *3*
Scharfblick 1789, *2*
Schärfe 643, *3*; 947, *1*;
1144; 1474, *1*; 1536, *2*
schärfen 1374
schärfen, Blick 1374, *3*
scharfkantig 1373, *1*
scharfmachen 851, *3*;
1741
Scharfmacher 366
Scharfmacherei 367

Scharfsicht 1700, *2*
scharfsichtig 890, *2*
Scharfsinn 707, *2*;
   1789, *2*
scharfsinnig 890, *1*
scharfzüngig 1492, *1*
Scharlatan 294, *3*
Scharlatanerie 1558, *1*
scharmieren 1741
Scharmützel 987, *1*;
   1533, *2*
scharmutzieren 1741
Scharnier 211, *2*
scharren 907, *2*; 1326, *1*
Scharte 1798, *3*
Scharteke 336, *1*
schartig 1373, *1*; 1540, *1*
scharwenzeln 1401
schassen 998, *2*
Schatten 66, *2*; 408, *2*;
   1193; 1221
Schatten seiner selbst
   850, *3*
Schatten, nicht ein 1188
schattenboxen 1848
schattenhaft 1692, *2*
schattenlos 781, *2*
Schattenreich 1689, *2*
Schattenriss 1058, *2*
Schattenseite 599, *2*;
   1350
Schattenwelt 1689, *2*
schattieren 590, *2*
Schattierung 23, *1*; 1193
schattig 407, *2*
Schatulle 922, *1*
Schatz 271, *1*; 713;
   976, *1*; 1362, *1*
Schatz, größter 976, *3*
Schatzbrief 271, *3*
schätzen 251, *1*;
   1056, *1*; 1127, *1*; **1375**;
   1734, *1*; 1771, *1*
schätzen, gering 1114, *1*
schätzen, hoch 1734, *1*
schätzen, sich glücklich
   781, *5*
schätzenswert 149, *2*
Schatzkammer 1483, *2*
Schatzsucher 2
Schätzung 1700, *1*
Schau 170, *2*
Schaubild 308, *2*
Schaubühne 1576, *1*
Schauder 14, *2*; 62, *1*

schauderhaft 1420, *1*
schaudern 63, *1*; 659, *1*;
   1946, *1*
schaudernd 914, *2*
schaudervoll 1420, *1*
schauen 1451
schauen, hinter sich
   1549, *1*
schauen, in alle Richtun-
   gen 1549, *1*
schauen, zu tief ins Glas
   284, *3*
schauend, weit 890, *2*
Schauer 62, *1*; 1186, *1*
schauerlich 822, *1*;
   1420, *2*
schauern 1325; 1946, *1*
schaufeln 787, *1*
schaufeln, sich sein eigenes Grab 1369, *4*
Schaufenster 170, *1*
Schaufrau 1414, *2*;
   1500, *1*
Schaukasten 170, *1*
schaukeln 715, *1*;
   1435, *1*; 1437, *1*;
   1443, *2*
Schaukelstuhl 1470, *2*
Schaulust 1178
schaulustig 895, *2*
Schaulustiger 248, *1*
Schaum 1746, *2*
schäumen 106, *2*; **1376**;
   1508, *1*
schäumend 322, *1*;
   1905, *4*
schaumig 1036, *3*
Schaumschläger 1436
Schaumschlägerei 737, *2*
Schauplatz 1377
schaurig 407, *7*; 822, *1*;
   1420, *2*
Schauseite 1836, *1*
Schauspiel 1378
schauspielen 1486, *1*
Schauspieler 360
schauspielern 1848
Schauspielhaus 1576, *2*
Schaustellung 1286, *1*
Schaustück 976, *1*
Scheck 1930, *4*
Scheck, per 1124, *4*
Schecke 1247
scheckig 265, *1*; 718, *1*
Scheelsucht 1169

scheelsüchtig 1171
Scheffel 1295, *1*
scheffeln 1361, *2*
scheffeln, Geld 761, *1*
scheffelweise 1327, *4*;
   1823, *1*
scheibchenweise 1015, *2*
Scheibe 1539, *3*
scheibenförmig 1827, *3*
Scheich 714; 849
Scheide 223; 790; **1379**
Scheidemünze 1379, *2*
scheiden 485, *2*;
   1594, *1*; 1936, *1*
Scheiden 486, *3*;
   1595, *1*
scheiden lassen, sich
   1594, *1*
scheiden, aus dem Amt
   998, *1*
scheiden, aus dem Leben
   1512, *1*
Scheidewand 1379, *2*
Scheideweg 1887, *1*;
   1974, *3*
Scheideweg, am 1649, *1*
Scheidung 1595, *1*
Schein 1052, *2*; 1198, *3*;
   1558, *2*
Schein, zum 1380
scheinbar 79; **1380**
scheinbegründen
   1733, *2*
scheinen 158; **1381**
scheinend 839, *2*
Scheinfrage 638, *2*
scheinfromm 583, *4*
Scheingrund 502, *2*;
   1071, *2*
scheinheilig 583, *4*
Scheinheiligkeit 584, *2*
Scheinsieg 902, *2*
Scheinwelt 880, *4*; **1382**
Scheinwerfer 1012, *1*
Scheiße 156, *2*
scheißegal 772, *5*
scheißen 155
scheißfreundlich 583, *4*
Scheißhaus 1582, *1*
Scheit 1539, *6*
Scheitan 1574
Scheitel 767, *1*; 1119, *6*
Scheitelpunkt 767, *2*
scheitern 1383; 1728, *3*;
   1767, *3*

Scheitern 1183, *2*

schellen 1584, *2*

Schellen 734, *2*

Schelm 1384; 1429, *1*

Schelmenstreich 1674, *2*

Schelmenstück 1674, *2*

schelmisch 835, *3*

Schelte 1082, *4*; **1385**

schelten 1391, *1*

Scheltworte 1385, *1*

Schema 1322, *3*

Schema F, nach 771, *2*; 1653, *2*

schematisch 771, *2*; 1653, *2*

schematisieren 1226, *2*; 1705; 1737

Schematisierung 1706; 1738

Schemel 1470, *1*

Schemen 707, *3*

schemenhaft 1692, *2*

Schenke 681, *1*

schenken 683, *2*; 1064, *2*

schenken lassen, sich 1168, *4*

schenken, Beachtung 193, *2*; 894, *2*

schenken, Gehör 868, *2*

schenken, Glauben 770, *2*

schenken, Leben 682, *1*

schenken, sich 1782, *1*

schenken, Vertrauen 1799, *1*

Schenkung 513, *4*

scheppern 1018, *2*; 1584, *2*

scheppernd 406, *5*

Scherben 5, *1*

Scherben, in 265, *3*

scheren 1292, *3*

scheren, den Teufel 773

scheren, sich nicht 773

scheren, über einen Kamm 1737

Schererei 105, *3*

Scherereien machen 106, *1*

Scherflein 677, *1*

Scherz 1683, *3*

Scherz, im 1492, *2*

Scherz, kein 545, *3*

scherzen 651, *2*; 1681, *4*

Scherzfrage 638, *2*

scherzhaft 1492, *2*

Scherzname 1490, *5*

Scherzzeichnung 1490, *4*

scheu 1673, *5*; 1762, *1*

Scheu 35; 1370, *1*; 1763, *2*; 1961, *1*

Scheu, ohne 644, *2*

scheuchen 391, *2*; 851, *1*; 1803, *1*

scheuen 624, *2*; 1924, *3*

scheuen, keine Mühe 92, *2*

scheuen, Menschen 17, *2*

scheuen, sich 1371, *2*

scheuen, sich nicht 531, *3*

Scheuer 1483, *2*

scheuern 1326, *1*; 1367, *1*

Scheuklappen 481, *5*; 1853

Scheune 1483, *2*

Scheusal 186; **1386**

scheußlich 461, *1*; 822, *1*

Scheußlichkeit 335

Schibboleth 930, *5*

Schicht 1295, *1*; **1387**

Schicht, soziale 1387, *3*

schichten 1361, *2*

schichten, aufeinander 1361, *2*

Schichtung 1538

schick 626

Schick 746, *1*

schicken 1388

schicken, in die Verbannung 173, *1*

schicken, sich 73, *2*; 88, *2*; 448, *2*; 704, *2*; 1040, *2*

schicker 250, *1*

Schickeria 1201, *3*

Schickimicki 1201, *3*

schicklich 86, *1*

Schicklichkeit 85, *2*

Schicksal 1192, *3*; **1389**

schicksalhaft 1390; 1659, *4*; 1980, *3*

schicksalsbedingt 1390

Schicksalsgöttin 1276

Schicksalskünderin 1276

Schicksalsschlag 1393, *3*; 1658

Schickung 1389, *1*

schieben 293, *2*; 300, *3*; 391, *1*

schieben, auf die lange Bank 1782, *1*; 1947

schieben, auf ein totes Gleis 998, *2*

schieben, beiseite 1733, *1*

schieben, in den Mund 566, *4*

schieben, in die Schuhe 1855

schieben, ruhige Kugel 594

schieben, sich in den Vordergrund 861, *2*

schieben, sich nach vorn 411, *5*

schieben, Wache 128, *3*

schieben, zur Seite 1733, *1*

Schieber 294, *1*; 1275

Schiebung 292

schiech 822, *1*

schiedlich 658, *2*

Schiedsgericht 911, *1*

Schiedsmann 911, *2*

Schiedsrichter 911, *2*

Schiedsspruch 500, *2*; 1700, *3*

schief 583, *1*; 992, *2*

schief gegangen 1397, *2*

schief gehen 1383, *1*

schief gewickelt sein 901, *5*

schieflachen, sich 1009, *2*

Schieflage 1668, *3*

Schielaugen 141

schielen nach 1170

Schiene 810, *3*; 1718, *1*

Schienen 1497, *3*

Schienennetz 1176, *2*

Schienenstrang 1497, *3*

schier 414, *2*; 1365, *2*; 1654, *1*

schießen 918, *4*; 924, *2*; 1018, *3*; 1586, *3*

schießen, Bock 901, *3*

schießen, durch den Kopf 435, *1*

schießen, Eigentor
901, 5
schießen, ins Kraut
145, 4
schießen, quer 1522, 2
schießen, sich 918, 6
Schießen, zum 835, 4
Schießerei 987, 1
Schießpulver 1289
Schießscheibe 1943, 4
Schiff 579, 6
Schiffbruch 1116; 1650
Schiffbrücke 333
schiffen 1325
Schiffer 1448
Schiffsjunge 1448
Schiffskapitän 671, 3
Schiffsverband 579, 6
Schikane 324
Schikanen 105, 3
schikanieren 1242, 1
schikanös 323, 1
Schild 930, 3
Schildbürger 340, 3
Schildbürgerstreich
1674, 2
schildern 270, 1;
931, 1
Schilderung 258, 1;
559, 1
schilfrig 1495, 2
Schilift 579, 4
schillern 1381, 2;
1381, 4
schillernd 591, 1; 718, 2;
1783, 2
Schimäre 707, 3
Schimmel 596; 1247
schimmelig 406, 1;
1397, 3
schimmeln 1728, 1
Schimmer 1052, 2; 1193
schimmerlos 1696, 1
schimmern 1381, 2
schimmernd 768, 2;
839, 2
Schimpf 1372, 1
Schimpfe 1385, 1
schimpfen 244, 2; 628;
1391; 1534, 1
Schimpferei 1385, 1
Schimpfkanonade
143, 2
Schimpfkanonaden
1385, 1

schimpflich 239, 2;
1397, 5
Schimpfwort 627
Schimpfworte 1385, 1
schinden 153, 3; 1242, 7
schinden, sich 92, 3
Schinderei 1020, 2
Schindmähre 1247
Schinken 336, 1
schippen 787, 1
Schirm 311
schirmen 1430, 1
Schirmherr 1095
Schisma 1595, 1
Schiss 62, 4
Schisser 603
Schiwa 785, 2
schizophren 708
Schizophrenie 709
schlabberig 1890, 4
Schlacht 987, 1; 987, 1;
1090
schlachten 1586, 3
Schlachten 1587, 2
Schlachtenbummler
66, 5
Schlächterei 1090
Schlachtopfer 1219, 3
Schlacke 5, 1; 1340, 1
schlackend 1065, 4
schlackenlos 1365, 2
schlackern 1946, 1
Schlackerschnee 1186, 2
Schlaf 525, 3; 1646, 3
Schlaf, ewiger 1581, 1
Schlaf, im 1036, 2;
1829, 2
Schlaf, ohne 1671, 1
Schlafbedürfnis 540, 1
schlafbedürftig 1130, 1
Schläfchen 525, 3
schlafen 1392
schlafen legen 1392, 4
schlafen, fest 1392, 2
schlafen, miteinander
1056, 3
schlafen, tief 1392, 2
schlafend 1357, 1
schlafend, mit offenen
Augen 1130, 1
schlaff 1065, 4; 1432, 1;
1890, 5
Schlaffheit 540, 1
schlaflos 1671, 1
Schlaflosigkeit 549, 1

Schlafmittelabhängig-
keit 1550, 3
Schlafmütze 595; 1255
schlafmützig 1540, 3;
1675, 1
schläfrig 1017, 2;
1130, 1; 1638, 1;
1675, 1
Schläfrigkeit 540, 1
Schlafstadt 1499, 4
Schlafstelle 295
Schlaftablette 1255
schlaftrunken 1130, 1;
1914, 3
schlafwandlerisch 899
Schlag 110, 2; 734, 3;
1295, 1; **1393**; 1525;
1813, 1
Schlag ins Kontor 1116
Schlag ins Wasser 508;
1116; 1748
Schlag, auf einen 776
Schlag, harter 1658
Schlag, mit einem 1263
Schlaganfall 1393, 4
schlagartig 1263
Schlagbaum 790
Schläge 1393, 1
schlagen 179, 1; 1112, 1;
1242, 7; 1394, 4;
1394; 1465, 3
Schlagen 734, 5
schlagen, an die Brust
256
schlagen, auf den Tisch
412
schlagen, aus dem Feld
1733, 1
schlagen, Bresche
213, 5
schlagen, Brücke 1717, 1
schlagen, in Bann 305, 1
schlagen, in den Wind
1114, 2
schlagen, in die Flucht
1803, 1
schlagen, klein 1937
schlagen, knock-out
1394, 2
schlagen, kurz und klein
1939, 3
schlagen, nicht zu 554;
1840, 1
schlagen, Schnippchen
1491, 2

schlagen, sich 918, 6;
    1394
schlagen, sich auf jmds.
    Seite 1969, 2
schlagen, sich durchs Le-
    ben 522, 3
schlagen, sich in die Bü-
    sche 624, 1
schlagen, über die Strän-
    ge 1785, 1
schlagen, Wunden
    1242, 2
schlagen, Wurzeln
    1184, 1
schlagen, zu Boden
    1394, 2
schlagen, zwei Fliegen
    mit einer Klappe
    715, 2
schlagend 722, 2; **1395**;
    1980, 1
Schlager 739, 2; 1079
Schläger 1272, 2
Schlägerei 1393, 2
Schlagersänger 1363, 1
schlagfertig 253, 1
Schlagfertigkeit 707, 2
Schlagfluss 1393, 4
Schlagkraft 947, 2
schlagkräftig 576, 3;
    981, 1; 1395; 1912, 2
Schlagschatten 408, 2
Schlagseite 250, 1
Schlagseite haben
    1435, 1
Schlagseite, mit 1673, 4
Schlagwort 183, 1;
    374, 2; 930, 5; 1256, 1
Schlagzeile 930, 7
Schlagzeilen machen 118
Schlagzeuger 1134, 2
Schlamassel 105, 3;
    1763, 1
Schlamm 1406, 1;
    1551, 1
schlammig 1408
Schlammschlacht
    1533, 2
Schlampe 1407
schlampen 1252
Schlamper 1407
Schlamperei 1668, 2
schlampig 1150, 4
Schlange 1329, 3;
    1821, 3

Schlange, die alte 1574
schlängeln 395, 4
schlängeln, sich 395, 4
Schlangenbrut 753
Schlangenfraß 1080, 1
Schlangenlinie 1004
Schlangenmensch
    111, 2
schlank 410, 2; 732, 1
Schlankheit 1058, 5
Schlankheitskur 379, 1
schlankweg 87
schlapp 1130, 1; 1432, 1
Schlappe 1116
schlappmachen 539, 2;
    1779, 3; 1964, 1
Schlappohren 1217
Schlaraffe 726, 1
Schlaraffenland 1234
schlaraffisch 727
schlau 1396; 1554, 2
schlau machen, sich
    1049, 1
Schlauberger 387, 2
Schlauch 870, 10;
    1020, 2
Schlauch, auf dem
    403, 1
schlauchen 153, 2;
    237, 2; 539, 1
Schlauchleitung 1048, 3
Schläue 743, 2
Schlaufe 812, 2
Schlauheit 743, 2
Schlaukopf 387, 2
Schlaumeier 1239, 1
Schlawiner 1781
schlecht 322, 3; 1042, 1;
    1397
schlecht gehen 1040, 3
schlecht geworden
    1397, 3
schlecht machen 319, 2;
    509, 2; 948, 1; 1764
schlecht machen, sich
    319, 1
schlecht sitzend 1397, 2
schlecht stehen 398, 2
schlecht und recht
    1091, 2; 1945
schlecht, nicht 804, 2
schlechter sein 6, 4
schlechterdings 1640, 1
schlechthin 1640, 1
Schlechtigkeit 1398

Schlechtwetterzone
    400, 4
schlecken 1942, 4
Schleckerei 979
schleckern 566, 3
schleckig 727
schleckrig 218, 2
schleichen 703, 2; 777, 1
schleichend 1015, 1;
    1044
Schleicher 852
Schleichhändler 294, 4
Schleichweg 29, 2
Schleichwegen, auf
    834, 1; 1124, 2
Schleichwerbung
    1897, 5
Schleier 353, 2
schleierdünn 1931, 1
schleierhaft 1692, 2
Schleife 1004; 1291, 6
schleifen 198, 2; 769, 3;
    777, 1; 1374, 1; 1610;
    1939, 7; 1942, 1
schleifen lassen 1252
Schleim 156, 1
schleimig 768, 6
Schleimscheißer 1221
schleißen 1723, 3
Schlemihl 1781
schlemmen 725
Schlemmer 726, 2
Schlemmerei 730, 2
schlemmerhaft 727
Schlemmerküche 730, 3
schlendern 703, 2
Schlendrian 326, 2
schlenkern 1443, 2
schleppen 1588, 1;
    1942, 1
schleppend 1015, 1
Schlepper 294, 4;
    579, 6; 1954
Schleppfahrzeug 579, 5
Schlepptau, im 1652, 2
Schleppzug 579, 6
schleudern 1443, 1
Schleuderware 5, 2
schleunigst 429, 3;
    1410, 1
Schleuse 1215, 4
Schleuser 294, 4
Schliche 898
schlicht 83, 1; 433, 2;
    678, 1

schlichten 261, *1*;
1768, *1*
Schlichtheit 434, *1*
Schlichtung 150, *4*
Schlick 1551, *1*
schliddern 777, *1*
Schlieren 1406, *1*
Schließe 1784, *2*
schließen 22, *2*; 122, *1*;
475, *1*; **1399**
schließen, Augen
1512, *1*
schließen, Bekanntschaft
1157, *4*
schließen, Deckel
1399, *2*
schließen, die Läden
1399, *4*
schließen, Ehe 1717, *5*
schließen, Freundschaft
1157, *4*
schließen, Frieden
261, *3*
schließen, ins Herz
1056, *1*
schließen, kein Auge
63, *2*
schließen, Kompromiss
1735
schließen, sich 1399, *5*
schließen, Vertrag
313, *3*; 1735
schließen, Vorhang
1399, *4*
Schließfach 921, *1*
schließlich 477, *1*
schließlich und endlich
477, *1*
Schließung 120, *2*;
1400, *1*
Schliff 85, *1*; 565; 1628
Schliff, letzter 767, *7*
schlimm 322, *3*; 690, *5*;
1293, *2*; 1397, *4*;
1659, *4*
Schlinge 211, *2*; 1004;
1060, *1*; 1784, *2*
Schlingel 1384, *2*
schlingen 566, *4*; 1717, *2*
schlingern 1435, *1*
Schlips 1291, *7*
Schlitten 579, *2*
Schlitz 1215, *3*
Schlitzohr 852; 1429, *1*
schlitzohrig 1396, *1*

schlohweiß 44, *1*
Schloss 824, *1*; 1784, *2*
Schloss und Riegel, hin-
ter 1651, *2*
schlotterig 1065, *1*
schlottern 63, *1*; 659, *1*;
1946, *1*
schlotternd 64, *2*;
914, *2*; 1065, *4*
schlotzen 1942, *4*
Schlucht 481, *4*; 1798, *1*
schluchzen 944, *3*
schluchzend 1659, *2*
Schluck 759, *1*; 951, *2*
Schlückchen 1340, *1*
schlucken 566, *4*;
1040, *2*; 1600, *1*
Schluckspecht 1601
Schluderei 1251
schludern 1252
schludrig 1150, *1*
Schludrigkeit 1151
Schlummer 525, *3*
schlummern 1392, *2*
Schlund 1798, *1*
Schlunze 1407
schlunzig 1150, *4*
schlüpfen 510, *1*; 777, *1*
schlüpfen, in die Kleider
98, *1*
Schlupfloch 1215, *1*
schlüpfrig 91, *1*; 768, *6*
Schlüpfrigkeit 662, *1*
schlurfen 703, *2*
schlürfen 566, *5*;
1600, *2*
Schluss 534, *1*; **1400**
Schluss machen 475, *1*;
1586, *5*; 1594, *1*
Schluss machen mit
329, *2*
Schluss mit lustig
1772, *1*
Schluss, am 477, *3*
Schluss, zum guten
477, *1*
Schlussabrechnung
1316, *1*
Schlussakkord 1400, *2*
Schlussakt 1400, *2*
Schlüssel 675, *2*
Schlüssellochguckerei
1178
Schlüsselstellung
1048, *1*

schlussendlich 477, *1*
Schlussfolgerung
1400, *3*
schlüssig 945, *3*; 1395;
1772, *3*
schlüssig werden, sich
499, *2*
Schlüssigkeit 947, *2*
Schlusspunkt 1400, *2*;
1943, *2*
Schlussrechnung 1316, *1*
Schlussrunde 1400, *5*
Schlusssatz 1400, *2*
Schlussstrich 1595, *1*
Schlussteil 1400, *1*
Schlussverkauf 1759, *2*
Schlusswort 1400, *2*
Schmach 1372, *1*
schmachten 217, *2*;
872, *2*
schmachten nach 217, *2*
Schmachtfetzen 940, *2*
schmächtig 410, *3*
schmackhaft 100, *2*; 109
schmackhaft machen
208
Schmackhaftigkeit 108;
746, *3*
schmähen 841, *1*; 1764;
1764
schmählich 239, *2*
Schmährede 989, *3*
Schmähredner 990, *2*
Schmähung 240; 627;
989, *3*; 1765
schmal 410, *2*; 480, *1*
schmalbrüstig 954, *2*
schmälern 1007, *2*
Schmälerung 454, *1*;
1348, *3*; 1722, *2*
Schmalfilmkamera
916, *2*
Schmalspurkonsens
444; 1736, *1*
schmalzig 941
Schmankerl 979
schmarotzen 153, *3*
Schmarotzer 985;
1402, *2*
Schmarre 1923
Schmarren 737, *2*;
940, *2*; 1674, *1*
schmatzen 566, *5*
Schmauch 353, *1*
schmauchen 1308

Schmaus 730, 2; 1080, 1
schmausen 566, 3
schmecken 691, 1;
977, 2
schmecken lassen, es
sich 725
Schmeichelei 1062, 4
Schmeichelkatze
1402, 1
schmeicheln 1401;
1507, 4
Schmeichler 1402
Schmeichlerin 1402, 1
schmeichlerisch 583, 4
schmeißen 715, 1;
1226, 3; 1443, 1;
1814, 1
schmeißen, sich in Scha-
le 1292, 2
Schmelze 1746, 2
schmelzen 152, 3;
531, 4; 1066, 2
Schmerbauch 673, 2
schmerbäuchig 381, 1
Schmerz 1341; **1403**;
1591
schmerzbewegt 1659, 1
Schmerzempfinden
1403, 2
schmerzempfindlich
471, 2
Schmerzempfindlich-
keit 472, 1
schmerzen 256; 330, 3;
364, 4; **1404**
Schmerzen 1041, 1;
1403, 2
Schmerzen haben
1040, 1
schmerzend 1293, 1
Schmerzensgeld 498, 3
Schmerzensschrei
943, 2
schmerzerfüllt 1659, 1
schmerzfrei 286
Schmerzgefühl 1403, 2
Schmerzgefühl, ohne
286
Schmerzgeplagter 1238
schmerzhaft 1293, 1
schmerzlich 1452, 1;
1498; 1659, 4
schmerzlindernd 285, 1
schmerzlos 286
schmerzmildernd 285, 1

schmerzstillend 285, 1
schmettern 316, 2;
1018, 1; 1443, 1;
1465, 2
Schmettern 734, 5;
739, 1
schmettern, einen
1600, 2
schmieden 102, 4
schmieden, Eisen
1196, 2
schmieden, Komplott
1717, 4
schmieden, Pläne
1259, 1
schmiedend, Ränke
323, 1
schmiegen, aneinander
1056, 3
schmiegsam 1890, 1
Schmiegsamkeit 623, 2
schmierbar 1890, 1
Schmiere 1406, 1;
1576, 1
schmieren 769, 4;
924, 3; 1252; 1421, 4
schmieren, aufs Brot
1855
Schmierfilm 618, 1
Schmierfink 1407
Schmiergeld 436, 2
Schmierheft 828, 1
schmierig 768, 6; 1408
Schminke 1558, 2
schminken 268; 1249, 5
schmirgeln 769, 3
Schmiss 1446, 2
schmissig 1026, 3
Schmöker 336, 1
schmökern 1050, 1
schmollen 1959, 1
schmollend 322, 1;
1152
Schmollmund 1131
Schmonzes 1674, 1
schmoren 325, 1;
1445, 1
Schmu 292
schmuck 626; 869;
1365, 1
Schmuck 976, 2;
1286, 2; 1291, 1
schmücken 167, 2;
1292, 1
schmücken, sich mit

fremden Federn
881, 2
schmückend 1405
Schmuckform 1136, 1;
1291, 2
Schmuckgegenstände
976, 2
Schmuckkästchen
922, 1
schmucklos 433, 3
Schmucknadel 1291, 5
Schmucksachen 1291, 1
Schmuckschatulle
922, 1
Schmuckspange 1291, 5
Schmuckstücke 976, 2
Schmuckwaren 976, 2
schmuddelig 1408
schmuen 293, 1
schmuggeln 437, 3
Schmuggler 294, 4
schmunzeln 651, 2;
1009, 1
Schmunzeln 650, 3
schmunzelnd 654, 4;
835, 1; 1492, 2
Schmus 737, 2; 1062, 4;
1256, 2
schmusen 1056, 3
Schmutz 1406; 1551, 1
schmutzen 1808
Schmutzfink 1407
schmutzig 91, 4; 318, 2;
1408
schmutzig machen 1808
Schmutzlache 1406, 1
Schmutzstreifen 1406, 1
Schnabel 415, 2; 1131
schnäbeln 1056, 3
schnabulieren 566, 3
Schnack 737, 2; 1256, 2
Schnalle 211, 2; 812, 1;
1291, 5; 1784, 2
schnallen 210, 1;
1793, 2
schnallen, Gürtel enger
1478, 4
schnallen, Riemen enger
1478, 4
schnalzen 1584, 3
Schnapp 518, 2; 923
Schnäppchen 923
schnappen 588, 1;
924, 2; 1168, 1
schnappen, Luft 524, 1

schnappen, nach Luft 115
Schnappschuss 126, *1*; 308, *3*
Schnapsdrossel 1601
schnapsen 1600, *2*
Schnapsidee 1674, *3*; 1778, *2*
schnarchen 1392, *2*
Schnarchhuhn 1255
Schnarchzapfen 1781
schnarren 1584, *2*
schnarrend 406, *5*
schnattern 1494, *3*; 1584, *3*; 1946, *1*
schnauben 115; 316, *1*; 1391, *2*
schnaufen 115
Schnauzbart 187
Schnäuzchen 1131
Schnauze 1131
schnauzen 1391, *2*
Schnecke 1255
Schneckentempo, im 1015, *1*
Schnee 1186, *2*; 1311; 1746, *2*
Schnee von gestern 1017, *2*; 1707
schneebedeckt 914, *1*
schneebleich 592, *1*
Schneefall 1186, *2*
Schneegebirge 257, *2*
Schneegestöber 1186, *2*
schneeig 592, *1*; 839, *2*
Schneeschleicher 852
Schneesturm 1186, *2*; 1542, *1*
schneeweiß 592, *1*
Schneid 478, *1*; 1138
Schneide 1106
Schneide, auf Messers 690, *1*
schneiden 546; 1218; 1404, *1*; **1409**
schneiden, in Stücke 1409, *1*; 1561, *1*
schneiden, klein 1937
schneiden, sich 901, *5*; **1409**
schneiden, sich ins eigene Fleisch 1369, *4*; 1409, *7*
schneidend 1307, *5*;

1373, *1*; 1373, *4*; 1492, *1*
schneidern 102, *4*
schneidig 479
schneien 1325
Schneise 1053
schnell 301, *1*; 626; 1036, *5*; 1290, *2*; **1410**
schnell machen 428, *2*
schnellen 597, *1*
schneller werden 391, *3*
schnellfertig 1037, *1*
Schnelligkeit 427, *2*
Schnellkraft 623, *2*
Schnellsegler 579, *6*
schnellstens 429, *3*; 1410, *1*
Schnellstraße 1527
schniegeln, sich 1292, *2*
schnieke 626
schnippeln 1409, *1*
schnippen 1584, *3*
schnippisch 642, *2*; 1661, *2*
Schnipsel 1539, *2*
schnipseln 1409, *1*
Schnitt 518, *2*; 632, *3*; 806, *2*; 1136, *3*; 1195, *2*; 1299, *1*; 1731, *2*; 1923
Schnitt machen 761, *1*
Schnittbogen 1136, *3*
Schnitte 1539, *3*
Schnitter Tod 1581, *3*
schnittig 416, *2*; 626; 1973, *2*
Schnittmenge 1102, *1*
Schnittmuster 1136, *3*
Schnittpunkt 415, *1*; 1119, *6*; 1593, *3*
Schnittstelle 1718, *2*
Schnittvorlage 1136, *3*
Schnitzel 5, *1*; 1340, *1*
schnitzeln 1409, *3*; 1937
schnitzen 756; 1409, *3*
Schnitzer 599, *1*
schnobern 1344, *3*
schnoddrig 642, *3*
schnöde 914, *4*
Schnörkel 1291, *2*
Schnörkelei 1623, *1*
schnörkelig 992, *1*
schnörkellos 433, *3*
Schnorrer 1402, *2*
Schnösel 1544

Schnüffelei 1178
schnüffeln 1344, *3*
Schnüffler 248, *2*
Schnulze 940, *2*
schnulzig 941
schnuppe 772, *5*
schnuppern 1344, *3*
Schnur 575, *1*; 1329, *1*
Schnürchen, wie am 768, *5*
schnüren 313, *4*; 402, *2*
schnurgerade 732, *2*
Schnürlregen 1186, *1*
Schnurrbart 187
schnurren 1584, *3*
schnurrig 835, *4*; 1254, *3*
schnurstracks 1663, *2*
schnurz 772, *5*
Schnute 1131
Schober 1483, *2*
Schock 62, *1*; 552; 1295, *1*
schockierend 91, *6*; 553
schockweise 1823, *1*
schofel 1397, *5*; 1479, *1*
Schokolade 759, *3*
Schokoladenseite 1857, *2*
schon 1411
schön 738, *2*; 781, *3*; 1317, *1*; **1412**
schön machen, sich 1292, *2*
schön, allzu 941
Schöne 1414, *2*
schonen 1249, *1*; **1413**
schönen 268
schonen, sich 1413
schonend 757, *3*; 1109, *2*; 1475, *1*; 1845, *2*; 1931, *2*
Schoner 579, *6*
schöner werden 761, *3*
schönfärben 268
Schönfärberei 269
Schonfrist 1821, *3*
Schöngeist 726, *1*
schöngeistig 996, *2*
Schönheit 1286, *2*; **1414**
Schönheitsfehler 599, *2*
Schönheitspflege 1248, *3*
Schönheitssinn 746, *1*

Schonkost 379, 2
Schönling 1544
schönrechnen 268
Schönrechnerei 269
schönreden 268; 1401
Schönreden 269
Schönredner 1402, 1
Schönschrift 1422, 2
Schöntuer 1402, 1
schöntun 1401; 1741
Schonung 680; 784, 1;
  1110; 1351; 1868
schonungslos 334;
  820, 3; 1373, 3
Schonungslosigkeit 335;
  1536, 1
schonungsvoll 1109, 1;
  1475, 1; 1845, 1;
  1931, 2
Schönwetterzone 400, 4
schönzeichnen 268
Schönzeichnen 269
Schonzeit 1821, 3
Schopf 806, 1
schöpfen 674, 1
schöpfen, Atem 524, 1
schöpfen, aus dem Vol-
  len 807, 2
schöpfen, Luft 115
schöpfen, Mut 499, 2;
  1605, 2
schöpfen, Verdacht
  1771, 2; 1976
Schöpfer 785, 1
Schöpfergeist 724, 1
schöpferisch 1231, 1;
  1265, 1; **1415**
Schöpferkraft 1253;
  1274, 1
Schöpferlust 1274, 1
Schöpfertum 1274, 1
Schöpfung 563, 1;
  1046, 1; **1416**; 1892, 2
Schöpfungsakt 1416, 1
schorfig 1307, 2; 1642, 2
Schoßhund 871
Schoßkind 1431
Schössling 1598, 2
Schotter 712, 3
schotterig 1642, 2
schräg 1417
schräge 1417, 5; 1777, 1
Schräge 5, 4
Schramme 1496, 1;
  1923

schrammen 1326, 4
Schrank 1418
Schranke 790; 858, 4;
  1419
schrankenlos 1077, 3;
  1093, 1; 1647, 1
Schrankenwärter 1877
Schrankwand 1418
Schranze 1402, 1
schrappen 1326, 2
Schraubdeckel 1784, 1
Schraube 211, 2
Schraube los 1777, 1
Schraube ohne Ende
  1020, 2
schrauben 210, 1
Schraubenwindung
  1004
Schrebergarten 680
Schreck 552
schrecken 398, 1
Schrecken 62, 1
Schreckensbotschaft
  1658
Schreckensherrschaft
  847, 3
Schreckensnachricht
  1658
Schreckensregiment
  847, 3
schreckensstarr 1504, 3
schreckensvoll 1420, 1
Schreckgespenst 707, 3;
  1386
schreckhaft 64, 1; 64, 2;
  471, 3
schrecklich 163, 1;
  1420; 1452, 1
Schrecknis 1658
Schreckschuss 1875
Schrei 943, 2
Schrei, letzter 1125, 1
Schreibe 1517, 1
schreiben 162, 1; **1421**
Schreiben 332
schreiben über 224, 3;
  276, 2
schreiben, in den Kamin
  1029
schreiben, in den Schorn-
  stein 1767, 2
schreiben, in den Wind
  1029
schreiben, ins Gedächt-
  nis 526, 2

schreiben, ins Stamm-
  buch 1081, 2
schreiben, ins Unreine
  1259, 3; 1421, 2
schreiben, Maschine
  1421, 4
schreiben, sich hinter die
  Ohren 526, 2
schreiben, Skript
  1421, 2
schreiben, Vorrede
  437, 2
Schreiberling 1423
Schreibfehler 599, 1
Schreibheft 828, 1
Schreibschrift 1422, 1
Schreibtisch 1580
Schreibtischlampe
  1012, 1
Schreibtischtäter
  1725, 2
Schreibweise 1517, 1
schreien 944, 3; 1018, 1;
  1391, 2; 1465, 2;
  1584, 2
schreiend 591, 1; 1022
Schreihals 1436
schreinern 102, 4
schreit zum Himmel
  1397, 5
schreiten 703, 2; 1870
schreiten, rückwärts
  485, 1
Schrieb 332
Schrift 336, 2; **1422**
Schriftgut 1061
Schriftkontakt 966, 3
Schriftleiter 260, 1
Schriftleitung 260, 3
schriftlich 1124, 4
Schriftsprache 1493, 4
Schriftsteller 1423
Schrifttum 1061
Schrifttypen 1422, 1
Schriftwechsel 966, 3
Schriftwerk 1575
Schriftzeichen 337, 1;
  1422, 1
Schriftzüge 1422, 1
schrill 1022; 1373, 4;
  1777, 1; 1912, 2
schrillen 316, 1; 1584, 2
Schritt 302, 1
Schritt für Schritt
  1015, 2

Schritt tun, zweiten vor
dem ersten 1657, 2
Schritt und Tritt, auf
1611, 1
Schrittmacher 1257, 2
Schritttempo, im 1015, 1
schrittweise 457, 4;
1015, 2
schroff 31, 1; 376, 2;
1005, 2; 1535, 1;
1661, 1
Schroffen 257, 2
Schroffheit 643, 3;
1536, 2
schröpfen 153, 2;
1168, 3
Schrot 1289
Schrot und Korn, von
echtem 347, 2
schroten 1937
Schrott 5, 2
schrubben 1326, 1;
1367, 1
Schrulle 424, 4
schrullig 119, 2; 1254, 3
Schrulligkeit 424, 4
schrumpfen 1149, 3;
1478, 4; 1603, 6
schrumplig 11, 2
Schrunde 1496, 1; 1923
schrundig 1307, 2;
1495, 2; 1642, 2
Schub 400, 1; 1295, 1;
1446, 1; 1525; 1589, 2
Schuber 870, 4
Schubfach 571, 1
Schubiack 1429, 1
Schubkasten 571, 1
Schubkraft 400, 1;
478, 3; 980, 2
Schublade 571, 1
schubsen 391, 1; 1526
schüchtern 1673, 5;
1762, 1
schüchtern sein 1371, 1
schüchtern sein, zu
1371, 2
Schüchternheit 1370, 1;
1763, 2
schuckern 659, 1
schuckrig 914, 1
Schuft 1429, 1
Schufterei 1020, 2
schuftig 1397, 5

Schuftigkeit 1398
Schuhe und Strümpfe,
ohne 1154, 2
Schulanfänger 1428, 1
Schularbeiten 120, 6
Schulaufgaben 120, 6
Schulbank 184, 1
Schulbeispiel 235
Schulbuch 1032
schuld 1426, 2
Schuld 1340, 2; **1424**
Schuld haben 1425, 3
schuld sein 1425, 3
Schuld, in jmds. 1775, 1
Schuld, ohne 1672, 1
Schuldbekenntnis
1209, 2
schuldbeladen 1426, 2
schuldbewusst 1342;
1426, 2
Schuldbewusstsein
1424, 3
schulden 1425
Schulden 1424, 2
Schulden haben 1425, 1
Schulden machen 321, 1
schulden, Dank 357, 2
schuldenfrei 768, 4
Schuldenlast 1424, 2
schuldfrei 1672, 1
Schuldgefühle 1424, 3;
1763, 2
schuldhaft 1426, 2
schuldig 1426
schuldig bleiben, Ant-
wort nicht 1750, 1
schuldig bleiben, nichts
557, 2
schuldig machen, sich
1425, 3; 1749, 8
schuldig sein 1425, 1
schuldig, nicht 1672, 1
Schuldiger 1725, 1
Schuldigkeit 356; 1250;
1424, 1
Schuldkomplex 1424, 3
schuldlos 1672, 1
Schuldner sein 1425, 1
Schule 1033, 4; **1427**;
1537, 1
schulen 538, 2; 1034, 2;
1610
schulen, Blick 1374, 3
schulen, sich 1049, 1
Schüler 1428

schülerhaft 1694, 2
Schulfreund 652
Schulfreundin 653
Schulfuchs 1239, 1
Schulgebäude 1427, 2
schulgerecht 1001
Schulhaus 1427, 2
Schulheft 828, 1
Schulkind 936, 1;
1428, 1
Schulkomplex 1427, 2
Schullandheim 833, 2
Schullehrer 1035, 1
Schulleiter 1047, 2
schulmäßig 1001
Schulmeinung 1033, 4
Schulmeister 1035, 1;
1239, 1
schulmeisterlich 238, 2;
1241, 1
schulmeistern 1553, 2
Schulter an Schulter
443, 2; 1727, 1; 1962
Schulter, leichte 1037, 2
schultern 715, 1; 827, 1
Schulterschluss 1718, 1
Schultertuch 870, 5
Schulung 517, 2;
1033, 1; 1628
Schulversuch 1427, 1
Schummelei 292
schummeln 1252
schummerig 407, 1
schummern 409, 1
Schummerstunde 408, 1
Schund 940, 1; 1406, 3
Schundliteratur 1406, 3
schuppen 1066, 10
Schuppen 1483, 2
schuppig 1307, 2
schüren 851, 3
schürfen 787, 1
schürfend, tief 722, 3;
1579
schurigeln 1242, 1;
1553, 2
Schurke 1429
Schurkerei 1398
schurkig 1397, 5
schurkisch 349
schürzen 827, 1
schürzen, Knoten 210, 1
Schürzenjäger 1742, 1
Schuss 734, 3; 951, 2;
1193; 1446, 1

schussbereit machen
1066, 9
Schüssel 223
schusselig 1638, 1;
1914, 2
Schusswaffe 1858, 1
schustern 1252
Schute 971
Schutt 5, 1; 1186, 1
schütteln 546; 1081, 3;
1112, 1; 1526
schütteln, aus dem Är-
mel 963, 3
schütteln, Hand 802, 1
schütteln, sich 462
schütten 616, 1; 1325
schütten, voll 674, 1
schütter 410, 3; 954, 1
Schutthaufen 5, 3
Schutz 1248, 1; 1461, 2;
1787, 2
schutzbedürftig 856, 1
Schutzbefohlener 1431
Schütze 919, 1
schützen 873; 1249, 3;
1430
schützen, sich 1430;
1462, 3
Schutzengel 838, 1
Schützengraben 211, 4
Schutzfilm 618, 1
Schutzgeist 838, 1
Schützling 1431
schutzlos 1319
Schutzmarke 930, 3
Schutzraum 211, 4
Schutzschicht 618, 1
Schutzzone 211, 4
schwabbelig 1890, 4
Schwabenstreich
1674, 2
schwach 312, 3; 410, 4;
856, 1; 1044; **1432**;
1655, 1
schwach auf den Beinen
1432, 2
Schwäche 599, 2;
599, 5; 984, 1;
1172, 2; **1433**; 1693, 1
Schwäche haben für
1056, 1
schwächen 539, 1; **1434**
Schwachheit 1433, 1
schwachherzig 64, 2
Schwachkopf 405, 1

schwachköpfig 403, 1
schwächlich 471, 2;
1432, 1
Schwächlichkeit 472, 1
Schwächling 603
schwachmütig 64, 2
schwachnervig 1432, 1
Schwächung 540, 1
Schwaden 353, 2
Schwadronade 737, 2
Schwadroneur 1436
schwafeln 1269, 2;
1494, 3
Schwall 1102, 3; 1537, 2
Schwamm drüber
534, 1
schwammig 381, 2;
1654, 3; 1890, 4
schwanen 555, 3;
1771, 2
Schwanengesang
1400, 2
Schwang, im 678, 1;
1126, 2
schwanger sein 1588, 5
schwanger werden
466, 3
schwängern 411, 1
Schwangerschaftsab-
bruch 26
Schwangerschaftsunter-
brechung 26
schwank 622, 1
Schwank 960; 1674, 2
schwanken 1435; 1947;
1976
Schwanken 1709, 2;
1974, 1
schwanken, hin und her
1946, 2
schwankend 1649, 1;
1673, 4
schwankend werden
1435, 2
schwankhaft 835, 4
Schwankung 1444;
1709, 2
Schwanz 778, 2; 1400, 1
Schwanz, am 477, 3
Schwanz, kein 1188
schwänzeln 1443, 3
schwänzen 602, 3;
1782, 1
Schwanzende 1400, 1
schwappen 1584, 4

Schwarm 800, 5; 874, 2;
1102, 3
schwärmen 219, 2;
602, 2
Schwärmer 876, 2
Schwärmerei 875, 2;
1055, 4
schwärmerisch 473;
548, 3; 877, 1; 1766
Schwarmgeist 876, 1
Schwarte 336, 1; 870, 2
schwarz 407, 1; 407, 6;
591, 3; 834, 1;
1320, 2; 1659, 5
schwarz auf weiß
1460, 4
Schwarzarbeit 101, 3;
292
Schwarze, ins 722, 2
schwärzen 409, 3;
590, 1
schwarzgallig 1117
Schwarzhändler 294, 4
Schwarzkünstler 1276
schwärzlich 407, 6
Schwarzmaler 1245
Schwarzmarkt 1086, 2
Schwarzseher 1245
schwarzseherisch 1246
schwarz-weiß 695, 4
Schwarzweißgerät
609, 1
Schwatz 1683, 1
Schwatzbase 1436
Schwätzchen 1683, 1
schwatzen 948, 1;
1494, 3; 1681, 3
schwätzen 1494, 3
schwatzen, klug 1494, 3
Schwätzer 1436
schwatzhaft 253, 2; 1121
Schwatzhaftigkeit
1210, 2
Schwatzsucht 1210, 2
Schwebe, in der 1207, 3
Schwebebahn 579, 4
schweben 777, 3; **1437**
schweben, in den Wol-
ken 1590, 2
schweben, in Lebensge-
fahr 1040, 3
schwebend 1026, 5;
1207, 3; 1649, 3
schweifen 703, 2
Schweigegeld 436, 2

schweigen 1438
Schweigen 1355, *1*
schweigen wie ein Grab
1438, *2*
schweigen wie eine Auster 1438, *2*
schweigend 1044;
1357, *1*; 1439, *1*
schweigsam 1044; **1439**;
1960, *1*
Schweigsamkeit 1961, *3*
Schwein 780, *1*; 1407
Schwein haben 715, *2*
Schweinehund, innerer
1433, *1*
Schweinerei 662, *3*;
1406, *2*
Schweinigel 1407
schweinigeln 1808
schweinisch 91, *4*
Schweiß 156, *1*
schweißen 102, *4*
schweißgebadet 1871, *3*
schweißig 1408
schweißtreibend 757, *4*
schweißtriefend 1871, *3*
schwelen 330, *1*; 1308
schwelgen 725
Schwelger 726, *1*
Schwelgerei 711; 730, *2*
schwelgerisch 727;
1093, *3*; 1466, *2*
Schwelle, an der 1649, *3*
schwellen 1297;
1920, *1*
schwellend 381, *4*;
992, *1*
Schwellung 1921, *1*
Schwemme 681, *1*
Schwenk 1709, *2*
schwenken 395, *1*;
1443, *1*
Schwenkung 29, *2*; 1004
schwer 1158; **1440**;
1441, *2*
schwer fallen 539, *1*
schwer haben 1040, *4*
schwer tun, sich 92, *4*;
539, *2*
Schwerathlet 1488
Schwere 202, *3*; 400, *2*;
1020, *1*
schwerelos 1036, *1*
Schwerenöter 1742, *1*
schwerfällig 1264, *1*

Schwerkraft 400, *2*;
980, *2*
schwerlich 926, *1*
Schwermut 1591
schwermütig 1659, *1*
Schwerpunkt 823;
1119, *6*
Schwerstarbeit 1020, *2*
Schwertscheide 1379, *2*
Schwertschlucker 111, *2*
Schwerverbrecher
1725, *2*
schwerwiegend 1440, *2*;
1899, *1*
Schwester 867
schwesterlich 654, *3*
schwielig 1307, *4*
schwiemeln 602, *2*
schwierig 1273, *1*; **1441**;
1637, *1*; 1692, *1*
Schwierigkeit 120, *4*;
988, *2*; **1763**, *1*
Schwierigkeit, ohne
1036, *2*
Schwierigkeit, ohne jede
87
Schwierigkeiten 105, *3*
Schwierigkeiten machen
106, *1*
Schwierigkeiten, in 401
Schwierigkeiten, ohne
433, *1*
Schwimmbad 178, *2*
schwimmen 1437, *2*;
1442; 1520, *2*
schwimmen, gegen den
Strom 124, *2*
schwimmen, im Geld
807, *2*
schwimmen, in Tränen
944, *3*
schwimmen, obenauf
715, *2*; 1437, *2*
schwimmend 1162, *2*
Schwindel 292; 1071, *2*;
1558, *1*
Schwindelei 1071, *2*
Schwindelhuber 852
schwindelig 1914, *3*
schwindeln 293, *1*;
1072
schwinden 1749, *4*
schwinden lassen 122, *3*
schwindend 13
Schwindler 294, *1*

schwingen 597, *1*;
1298, *3*; **1443**; 1584, *1*
Schwingen 302, *4*; 1444
schwingen, hin und her
1443, *2*
schwingen, sich in die
Luft 1508, *3*
schwingend 587, *1*
Schwinger 1393, *1*
Schwingung 302, *4*;
1444
Schwingungen 1444
Schwips 1310, *1*
schwirren 395, *1*;
428, *1*; 1437, *1*;
1584, *2*
schwitzen 325, *2*; **1445**
schwitzen, Blut 63, *1*
schwitzend 1871, *3*
schwofen 1681, *5*
schwören lassen 89, *2*
schwören, falsch 1072
schwören, Meineid 1072
schwul 866
schwül 406, *2*; 1871, *2*
Schwüle 1872, *1*
Schwuler 867
Schwulität 1763, *1*
Schwulitäten 105, *3*
Schwulitäten, in 401
Schwulst 940, *1*;
1256, *2*; 1623, *1*
schwülstig 941
Schwund 1348, *1*;
1368, *1*; 1722, *2*
Schwung 302, *4*; 478, *1*;
623, *2*; 1025, *6*; 1144;
1446
Schwung, in 1026, *2*
Schwung, mit 1410, *1*
Schwunglosigkeit 540, *1*
schwungvoll 479;
829, *2*; 1026, *3*;
1410, *1*
Schwur 1787, *1*; 1941, *2*
Science-Community
636, *1*
Science-Fiction 1254, *2*
Sci-Fi 1254, *2*
Scoop 930, *7*
Scout 1257, *2*
Scratching 1133, *3*
Screen 311
Scripter 1423
secondhand 44, *4*

Secondhandladen 740, 2
sedieren 261, 4
sedierend 285, 1
Sediment 1186, 3
sedimentieren 1184, 6
See 760, 2; 760, 4
Seebad 178, 3
Seebär 1448
Seebeben 1165, 1
seebestatten 233, 1
Seebestattung 234, 2
Seebrücke 333
Seefahrer 1448
Seegang 302, 3
Seejungfer 707, 4
seekrank werden 462
Seele 340, 5; 693, 4;
  707, 1; 888, 2; 1119, 1;
  1447
Seele der Organisation
  1447, 2
Seele des Betriebs
  1447, 2
Seele, aus tiefster
  1145, 2
Seele, gute 1447, 2
Seele, keine 1188
Seele, schöne 876, 2
Seele, treue 1971, 1
Seele, zarte 471, 4
Seelenblindheit 1646, 4
Seelenfenster 141
Seelenfriede 1355, 2
Seelengröße 792, 2
seelengut 804, 1
Seelenheil 1449, 2
Seelenhirte 939, 1
seelenkrank 720
Seelenkrankheit 721
Seelenlage 1519, 1
Seelenleben 693, 4;
  1447, 1
seelenlos 1096, 3
Seelenmassage 436, 1
Seelenruhe 1355, 2
seelenruhig 1357, 3
Seelenschmerz 1403, 1
Seelenstärke 792, 2
Seelenstriptease
  1209, 2
seelentaub 403, 1
Seelentaubheit 404, 1
Seelenverfassung
  1519, 1
seelenvergnügt 835, 3

seelenverwandt 443, 1
Seelenverwandtschaft
  444
seelenvoll 473
seelisch 888, 2
Seelsorger 939, 1
Seemann 1448
Seemannsgarn 1071, 4
seetüchtig 1973, 2
Seeweg 1887, 4
Segelflugzeug 579, 7
segeln 300, 4; 777, 3;
  1437, 1
segeln, im Kielwasser
  1196, 2
segeln, im Windschatten
  1196, 2
segeln, vor dem Wind
  392
Segelohren 1217
Segelschiff 579, 6
Segen 673, 1; 780, 1;
  784, 2; **1449**
segensreich 781, 2;
  1197, 1
Segensspruch 1449, 1
Segenswunsch 1449, 1
Segment 1560, 1
segnen 1450
segnen, das Zeitliche
  1512, 1
Segnung 1449, 1
sehen 538, 1; **1451**;
  1866, 1
sehen können, nicht
  462; 821, 1
sehen können, nicht
  mehr 1039, 2
sehen wollen, nicht
  1051, 3; 1409, 5
sehen, anders 1708, 1
sehen, den Dingen ins
  Gesicht 1451
sehen, durch die Finger
  501, 4; 1236, 3;
  1413, 3
sehen, durch die rosa
  Brille 268
sehen, Gespenster 63, 2;
  964, 2
sehen, in den Spiegel
  1485, 1
sehen, keinen Ausweg
  1822, 1
sehen, klar 1793, 2

sehen, kommen 555, 3;
  1771, 2
sehen, rot 106, 2
sehen, Sache verschie-
  den 28, 4
sehen, schwarz 63, 2;
  496; 1822, 1
sehen, selbst 515, 1
sehen, sich 1592, 1
sehen, sich ähnlich
  1614, 3
sehen, sich genötigt 1135
sehen, sich gezwungen
  1135
sehen, sich satt 1924, 1
sehen, wieder 1592, 1
sehen, Zusammenhänge
  1793, 4
sehenswert 273, 2;
  892, 2
Sehenswürdigkeit 424, 3
Seher 141; 1276
Sehergabe 468, 4
seherisch 1277
Sehkreis 317
Sehnen 1761, 2
sehnen nach, sich 217, 2
sehnig 981, 1; 1489, 1;
  1928, 4
sehnlich 1145, 2
Sehnsucht 1761, 2
sehr 1452
sehr, allzu 1624, 1
Sehvermögen 1867, 2
Sehweite, außer 1891, 2
sei es, dass 1202
seichen 1325
seicht 182; 950, 3;
  1199, 2
Seichtheit 183, 1
Seide 1521, 3
seiden 1890, 3
Seidenband 1291, 6
Seidenfaden 575, 2
seidenglatt 1890, 3
seidenweich 1890, 3
seidig 1890, 3; 1931, 1
Seifenblase 1746, 2
Seifenoper 960
seifig 768, 6; 1928, 2
seihen 946, 3
Seil 575, 1
Seilbahn 579, 4
Seilschaft 800, 6; 953
seiltanzen 1023, 1

Seiltänzer 111, 2

Seim 567, 2

sein 212, 1; 1024, 1

Sein 570; 1025, 1

sein lassen 1019, 2

seinerzeit 666, 1

seismographisch 471, 1

seit 1482, 1

seitdem 1482, 1

Seite 424, 2; 1539, 7

Seite an Seite 1727, 1;
1962

Seite, auf der anderen
695, 2

Seite, auf der einen 1566

Seite, auf der linken
1059, 1

Seite, auf der rechten
1320, 1

Seite, starke 577;
1501, 5

Seitenarm 520, 5;
1977, 3

Seitenhieb 81, 1;
1490, 3

Seitenlinie 1977, 3

seitens 1124, 3

Seitensprung 1055, 4

Seitensprung machen
293, 3

Seitenstraße 1527

Seitenteil 1560, 2

Seitenweg 29, 2

Seitenzahl 930, 6

seither 1482, 1

seitlich 1155, 1

seitwärts 1155, 1

sekkant 1021, 2

sekkieren 1242, 1

Sekret 156, 1

Sekretär 1580

sekretieren 155

Sekretion 18, 3; 156, 1

Sekte 800, 6

Sektenführer 671, 6

Sektion 1977, 2

Sektor 1560, 1; 1977, 2

sekundär 1639

Sekunde 951, 3

sekundieren 837, 2;
1969, 2

Seladon 714

selbander 1962

selber 1244, 2

selber machen 188

selbst 117, 2; 1244, 2

Selbst 442, 3; 1103, 2

selbst wenn 1202

selbst, von 646; 1652, 1;
1952, 1

selbst, wie von 1096, 2

Selbstachtung 419, 1;
1454, 2

selbständig 273, 3;
644, 1

selbständig machen, sich
213, 4; 1066, 5

selbständig werden
213, 4

Selbständigkeit 645, 1;
1454, 2

Selbständigkeit, geistige
645, 1

Selbstanklage 1341;
1424, 3

Selbstaufopferung 1644

Selbstbedienungsladen
740, 5

Selbstbefreiung 645, 2

Selbstbeherrschung
229, 1; 1092, 1

Selbstbekenntnis 176;
1209, 2

Selbstbescheidung 1953

selbstbesessen 1456

Selbstbesessener 417

Selbstbesessenheit 1455

Selbstbesinnung 445, 1

Selbstbestimmung
645, 1

Selbstbestimmungs-
recht 1318, 3

Selbstbetrug 292; 880, 3

Selbstbeweihräuche-
rung 460, 1; 1455

selbstbewusst 1453

Selbstbewusstsein 1454

Selbstbewusstsein, ohne
1673, 5

selbstbezogen 1456

Selbstbiographie 176

Selbstdarstellung 176;
1517, 4

Selbstdemontage
1348, 2

Selbstdisziplin 1092, 1

Selbstekel 1424, 3

Selbstentwurf 1025, 4

Selbsterhaltungstrieb
1025, 5

Selbsterkenntnis 1454, 1

Selbsterkundung
1709, 3

Selbstfindung 445, 1;
1709, 3

selbstgefällig 459, 2;
840

Selbstgefälligkeit 460, 1

selbstgenügsam 83, 1

Selbstgenügsamkeit
1953

selbstgerecht 459, 2

Selbstgespräch 1850

selbstgewiss 1453

selbstherrlich 459, 2;
1456; 1908, 2

Selbstherrlichkeit
460, 1; 1455

Selbstinitiative 800, 7

Selbstinszenierung 1455

selbstisch 1456

selbstklebend 1928, 3

Selbstkosten 978, 2

Selbstkostenpreis
1270, 3

Selbstkritik 1454, 1

selbstkritisch 1453;
1772, 4

Selbstläufer 518, 4

Selbstlob 460, 1

selbstlos 1643

Selbstlosigkeit 805;
1644

Selbstmord 1587, 3

selbstmörderisch 690, 2

Selbstporträt 308, 2

selbstquälerisch 1579

selbstredend 738, 2

selbstsicher 1453

Selbstsicherheit 1454, 2

Selbstsucht 1455

selbstsüchtig 1456

Selbsttäuschung 880, 3

Selbsttötung 1587, 3

Selbstüberhebung
460, 1

Selbstüberwindung
229, 1

selbstverantwortlich
644, 1

Selbstverdammung 1341

selbstvergessen 1357, 4

Selbstvergewisserung
1454, 1

Selbstvergötterung 1455

selbstverliebt 459, 2;
1456

Selbstverliebter 417

Selbstverliebtheit
460, 1; 1455

Selbstverlust 1709, 4

selbstverständlich 87;
182; 678, 1; 738, 2;
1166, 2; 1790, 3

Selbstverständlichkeit
183, 1; 645, 3; 1192, 2

Selbstverständlichkeit
werden, zur 763, 1

Selbstvertrauen 1454, 2;
1800

Selbstverurteilung 1341

Selbstvorwurf 1341;
1424, 3

Selbstwertgefühl
1454, 2

selbstzerstörerisch
1659, 1

Selbstzeugnis 176

selchen 522, 2

selektieren 166, 4

Selektion 171, 1

Self-fulfilling Prophecy
1389, 2

selig 781, 1

Seligkeit 780, 2

selten 926, 1; 975; **1457**

selten, nicht 1216

Seltenheit 424, 3; 976, 1

seltsam 119, 2; 553;
892, 2; 1254, 3

Seltsamkeit 424, 3

Semantik 202, 1

Semester 1935, 1

Semesterarbeit 8, 2

Seminar 1033, 2

Sendefolge 609, 3

senden 1388, 1; 1621, 4;
1726, 2; 1773, 2

senden, Grüße 802, 1

Sender, auf jedem 262, 1

Sender, öffentlicher
609, 2

Sendung 120, 1; 136, 3;
1267, 2; 1589, 2;
1774, 2

Senf 1674, 1

Senge 1393, 1

sengen 330, 4

senil 44, 2

Senilität 45, 4

Senior 45, 2

Seniorenheim 833, 2

Senke 1172, 3; 1798, 1

senken 296, 1; 841, 3;
1149, 5; 1184, 5

senken, Niveau 509, 2

senken, sich 6, 1; 581, 2

senkend, sich 1417, 2

senkrecht 732, 2

Senkrechtstarter 579, 7;
782

Senkung 5, 4; 1092, 2;
1798, 1

Sensation 552; 742, 3;
1079

sensationell 163, 1

Sensationsjournalismus
1271, 1

Sensationslust 1178

sensationslüstern 895, 2

Sensationsmache
1623, 2

Sensationsnummer 1079

Sensationspresse 1271, 2

Sense 728

Sensenmann 1581, 3

sensibel 471, 1; 473

Sensibilität 472, 2; 474;
693, 1

sensitiv 471, 1

Sensitivität 474

Sensorium 693, 3;
1867, 2

sensualistisch 1466, 1

Sensualität 693, 1

Sentenz 374, 2

Sentiment 693, 1

sentimental 473; 941

Sentimentalität 474;
940, 3

separat 273, 1; 457, 1

Separation 18, 1;
1595, 2

Separatismus 18, 2

separieren 17, 1;
1594, 2

separieren, sich 17, 2

Separierung 18, 1;
1595, 2

Sequel 1904

Sequenz 630, 1; 1329, 1

Sequestration 267

Serie 630, 2; 1329, 2

Serie, in 1823, 1

seriell 1096, 1

serienmäßig 1096, 1;
1823, 1

Serienprodukt 562

Serienproduktion 563, 2

serienweise 1823, 1

seriös 86, 2; 545, 1

Seriosität 85, 2

Sermon 737, 2; 1082, 4;
1385, 1

Serpentine 1004

Service 204, 2; 204, 4;
383, 2; 854, 1; 1329, 2

servieren 50, 3; 203, 2

Servieren 204, 2

Serviererin 204, 3

Servierfräulein 204, 3

serviert 610, 4

servil 1690, 1

Servilität 706, 2

Sessel 1470, 2

Sesselbahn 579, 4

Sessellift 579, 4

sesshaft 59, 2; 227, 1

Session 1712, 2

Set 168, 2; 1329, 2

setteln 1184, 3

Settlement 1185, 1

setzen 560, 5

setzen auf 555, 1;
1799, 1

setzen, alle Hebel in Be-
wegung 92, 2

setzen, alles auf eine Karte 1859, 1

setzen, alles aufs Spiel
1369, 4

setzen, an die Luft 30, 5;
998, 2

setzen, auf die Straße
998, 2

setzen, auf die Wahlliste
1862, 2

setzen, aufeinander
1361, 2

setzen, aufs Spiel
1859, 1

setzen, auseinander
528, 1

setzen, außer Gefecht
857, 3

setzen, außer Kraft
484, 4; 509, 1

setzen, außer Kurs
509, 1

setzen, Denkmal 1734, 3

setzen, Distanz 485, 5
setzen, einen Fuß vor den andern 703, 1
setzen, Ende 857, 3
setzen, Fall 964, 2; 1771, 1
setzen, Floh ins Ohr 208
setzen, Fuß auf den Nacken 1679, 1
setzen, gefangen 1756
setzen, Grenzen 857, 2
setzen, in den Sand 1779, 4
setzen, in die Welt 682, 1
setzen, in die Zeitung 50, 2
setzen, in Erstaunen 1620, 1; 1924, 2
setzen, in Gang 52, 3; 89, 3; 1684, 2; 1710, 2
setzen, in Kenntnis 1120, 1; 1208, 2
setzen, in Szene 198, 6; 1400, 2; 1711, 2; 1814, 1
setzen, in Umlauf 1120, 3; 1726, 1; 1773, 2
setzen, ins Bild 528, 4; 1120, 1; 1208, 2
setzen, ins Werk 1684, 1; 1711, 2; 1814, 1
setzen, instand 543, 1
setzen, kleiner 1007, 3
setzen, matt 1463, 2
setzen, Messer an die Kehle 1979, 2
setzen, Pistole auf die Brust 398, 3; 1979, 2
setzen, Pointen 1927, 2
setzen, Priorität bei 298, 2
setzen, Schlusspunkt 475, 1
setzen, sich 1184, 2; 1469, 1
setzen, sich an einen Tisch 276, 3
setzen, sich auf den Hosenboden 1049, 1
setzen, sich auseinander 276, 3; 1534, 2

setzen, sich auseinander mit 266, 2
setzen, sich in Bewegung 52, 3; 485, 1
setzen, sich in den Kopf 1922, 1
setzen, sich in die Nesseln 1369, 4
setzen, sich in Marsch 485, 2
setzen, sich in Positur 1269, 1
setzen, sich in Szene 1269, 1
setzen, sich zum Ziel 1528, 1
setzen, sich zur Wehr 226, 3; 918, 3
setzen, Stuhl vor die Tür 998, 2
setzen, unter Druck 198, 5; 391, 2; 398, 3; 1979, 2
setzen, unter Wasser 1618, 1
setzen, vor die Tür 998, 2
setzen, Worte 1494, 2
setzen, zum Ziel 1259, 1
Seuche 984, 2; 1658
seufzen 944, 3
Seufzer 943, 2
Sex 1055, 3
Sex haben 1056, 3
Sex, gewerbsmäßiger 1282
Sex, käuflicher 1282
sexbesessen 1074
Sexbesessenheit 1073, 3
Sexclub 320
sexhungrig 1074
Sexismus 240; 389, 2
Sexist 1075
sexistisch 91, 4; 239, 2; 388
Sexlekt 1493, 4
Sexmaniac 1742, 1
Sexualdelikt 1458
sexualisiert 1074
Sexualität 1467
Sexualverbrechen 1724
Sexualverbrecher 1725, 2
sexy 1335

Sezession 18, 2; 800, 1; 1595, 3
Sezessionskrieg 987, 2
sezieren 635; 1561, 1; 1936, 2
Shakti 785, 3
Shit 1311
shocking 91, 6
Shootingstar 782
Shop 740, 2
Shopaholic 397, 2; 925
Shopping 923
Shopping-Center 740, 5
Short Story 559, 2
Show 1459; 1683, 6
Showdown 917, 2
Showmaster 1682
Shuttle 579, 7
Sibylle 1276
sich kennen lernen 1157, 4
Sichankleiden 1582, 2
sicher 227, 2; 341, 1; 516, 1; 929; 1453; **1460**; 1829, 2; 1863; 1911, 3; 1971, 3
sicher auf dem Parkett 1460, 8
sicher sein 555, 1
sicher sein, nicht 1771, 2
sicher, ganz 1460, 1
sicher, seines Wertes 1453
Sicherheit 342, 1; 517, 2; **1461**; 1917, 1
Sicherheit, in 1460, 3
Sicherheit, mit 1911, 3
sicherheitshalber 1845, 3
Sicherheitsmaßnahme 1787, 2
Sicherheitsnadel 211, 2
Sicherheitsvorkehrung 1787, 2
sicherlich 39; 79; 863, 1
sichern 123, 1; 210, 2; 339, 2; 1430, 1; 1430, 2; **1462**
sichern, sich 1462
sicherstellen 22, 3; 339, 2; 1339; 1462, 2
Sicherstellung 267
Sicherung 342, 2; 1461, 2; 1787, 2

sicherzugehen, um
1845, 3
Sichfrisieren 1582, 2
Sichfügen 688, 2
Sicht 165, 1; 947, 1
Sicht, auf lange 882, 1;
1856, 1
Sicht, in 180
sichtbar 945, 3; 1466, 1;
1498
sichtbar machen 528, 3;
1208, 1; 1934, 3
sichtbar werden 506, 3;
523, 3; 1934, 6
sichtbar, für jedermann
1211, 1
sichten 166, 1; 619, 1;
946, 3; 1451
sichtlich 119, 1; 1498
Sichtweite 317
Sichzurechtmachen
1582, 2
sickern 625
Sideboard 1418
sieben 166, 1; 946, 3;
1937
siebengescheit 642, 2;
1396, 2
Siebensachen 951, 4
siech 1042, 2
siechen 1040, 3
Siechtum 984, 1; 1658
Siedehitze 1872, 1
siedeln 1184, 1
sieden 106, 2; 956, 1;
1376, 1; 1445, 1;
1584, 4
siedend 322, 1; 1871, 2;
1905, 4
Siedepunkt 767, 2
Siedler 189, 1
Siedlung 1185, 1;
1499, 3
Siegel 279, 2; 930, 3;
1784, 2
Siegel der Verschwiegen-
heit, unter dem 1801
siegeln 931, 3
siegen 1463
Sieger 1464
Siegermacht 1464, 2
Siegespreis 518, 5;
1270, 4
sielen, sich 524, 3
Siesta 525, 1

Siff 1551, 1
Sigel 1933, 2
Sightseeing 281, 1
Signal 855; 1933, 4
signalisieren 1120, 2;
1934, 1
Signatur 930, 2
Signet 930, 3
signieren 278, 1; 931, 3
signifikant 348, 1;
1899, 1
Signum 930, 3; 1933, 2
Silbe, keine 1180, 1
Silbenschrift 1422, 2
Silbenstecher 1239, 1
Silbenstecherei 1240, 2
silbenstecherisch
1241, 1
Silber 976, 2
Silberblick 141
Silbergeld 712, 1
silberhell 839, 5
Silberstreifen 556, 3
silbrig 839, 2
Silhouette 1058, 2
Silo 1483, 2
Simili 583, 3; 1142, 1
simpel 312, 3; 328, 3;
678, 1
Simpel 405, 2
Simplifikation 1706
simplifizieren 1737
Simplifizierung 1706;
1738
Sims 415, 2
Simulant 852
Simulation 880, 4;
1258, 2; 1382
simulieren 1072;
1259, 3; 1848
simuliert 583, 3
simultan 776
Sinekure 1338, 1
Sinfonie 1826, 2
singen 1465
Singen 734, 5; 739, 1
singen, in den Schlaf
261, 4
singen, Loblied 1063, 1
singen, Partie 1486, 1
Single 640; 1084
Singsang 739, 1
singulär 163, 1; 886, 1
sinister 1659, 5
sinken 300, 2

sinken lassen, den Mut
nicht 555, 2
sinken lassen, Kopf
1822, 1
sinken lassen, Mut
1822, 1
sinken, in Schlaf 1392, 2
sinkend 13
Sinn 202, 1; 1172, 1;
1548; 1792, 1; 1943, 1
Sinn für 468, 1; 1562, 1
Sinn für Harmonie
746, 1
Sinn haben 201, 1
Sinn haben, im 1259, 1
Sinn wollen, nicht aus
dem 266, 3
Sinn, ohne 1028, 3
Sinn, sechster 468, 4
Sinnähnlichkeit 1616, 6
Sinnbild 308, 5; 1933, 1
sinnbildlich 310, 2
Sinndeutung 361, 2
Sinne nach, dem 1654, 2
Sinne, feine 468, 1
Sinne, im strengen
722, 5
sinnen 371, 2
Sinnen 1321
Sinnen, mit wachen
125, 1
Sinnen, nicht bei 1766;
1777, 1
Sinnen, von 829, 3
Sinnenfreude 730, 1;
1073, 2; 1467
sinnenfreudig 1466, 2
sinnenfroh 1037, 2
sinnenhaft 1466, 2
Sinnenlust 1073, 2;
1467
Sinnenrausch 1073, 2
Sinnenreiz 730, 1
Sinnentaumel 1073, 2
sinnentsprechend
1654, 2
Sinnes werden, anderen
1708, 5
Sinnesänderung 445, 1;
1709, 3
Sinnesart 346; 375
Sinneseindruck 1867, 1
Sinnesempfindung
1867, 2
Sinnesreiz 1333

Sinnestäuschung 880, 2;
1558, 2
Sinneswandel 1709, 3
Sinneswandlung 445, 1
sinnfähig 1790, 1
sinnfällig 78, 1; 945, 3
Sinnfälligkeit 1791
Sinngebung 361, 2
Sinngedicht 374, 1
sinngemäß 771, 4;
1654, 2
sinngleich 771, 4
Sinngleichheit 1616, 6
Sinnhorizont 202, 4
sinnieren 371, 2
sinnlich 78, 2; 218, 1;
467, 1; 727; 1074;
1466
Sinnlichkeit 468, 2;
1073, 3; **1467**
sinnlos 24; 403, 2;
1028, 3; 1692, 3; 1747
Sinnlosigkeit 1748
sinnreich 1468, 2;
1973, 2
Sinnspruch 374, 1
sinnverwandt 771, 4
Sinnverwandtschaft
1616, 6
sinnverwirrend 285, 1
sinnvoll 731, 3; 1197, 1;
1260, 1; **1468**; 1973, 2
sinnwidrig 24; 583, 5;
1692, 3
Sinter 1186, 3
sintern 946, 3
Sippe 800, 6; 1813, 1
Sippschaft 800, 6; 953;
1813, 1
Sippschaft, die ganze
38, 2
Sirene 641; 855
sirren 1584, 2
Sirup 567, 2
sistieren 1756
Sisyphusarbeit 1748
Sit-in 370, 1
Sitte 85, 2; 326, 2;
1322, 2
Sitten, gute 85, 1
sittenfest 86, 2
Sittenlosigkeit 1398
Sittenrichter 1239, 2
sittenrichterlich 1535, 2
sittenstreng 1535, 2

Sittenstrenge 1536, 4
Sittenverderber 186
Sittenverfall 1348, 6
Sittenwächter 1239, 2
sittig 86, 2
sittlich 86, 2
sittsam 86, 2
Sittsamkeit 85, 2
Situation 1010, 2; 1966
Situationsangst 62, 6
situiert, gut 1327, 1
situiert, wohl 1327, 1
Sitz 1119, 6; 1232, 2;
1919, 3
Sitz haben, guten
1469, 4
Sitz in, mit 227, 1
Sitzbank 184, 1;
1470, 2
sitzen 1024, 2; **1469**
sitzen bleiben 1520, 1;
1779, 4
sitzen gelassen 1659, 6
sitzen gelassen werden
1383, 5
sitzen lassen 1752, 2
sitzen, auf dem hohen
Roß 430, 3
sitzen, auf dem Trock-
nen 482
sitzen, auf glühenden
Kohlen 1876, 1
sitzen, im Fett 807, 2
sitzen, in der Wolle
807, 2
sitzen, wie angegossen
1469, 4
sitzen, zu Gericht
1701, 2
sitzend, fest 722, 6
sitzend, knapp 480, 3
sitzend, schlecht 1397, 2
Sitzfleisch 1355, 3
Sitzfleisch, kein 1671, 1
Sitzgelegenheit 1470, 1
Sitzmöbel 1470
Sitzung 277, 1; 1593, 2
Sitzungsgeld 498, 3
Skala 1089, 3; 1576, 2;
1826, 2
Skandal 552; 1372, 1
skandalös 130, 2
Skelett 810, 4; 973, 1
Skepsis 1974, 2
Skizze 308, 2; 1258, 2

skizzenhaft 1005, 5;
1199, 3
skizzieren 359, 1; 756;
1259, 3
skizziert 1199, 3
Sklavenseele 1402, 1
Sklaverei 1972, 1
sklavisch 1690, 2
sklerotisch 1504, 2
Skribent 260, 1
Skript 394
Skriptautor 1423
Skriptschreiber 1423
Skrupel 1424, 3;
1974, 1
skrupellos 349
skrupulös 1579
Skulpteur 309
Skulptur 1471
skurril 1254, 3
Skylab 579, 10
Skyline 1058, 2
slacken 1331, 2
Slacker 1545, 2
Slalom 1004
Slang 1493, 4
Slogan 374, 2; 1256, 1;
1897, 3
Slum 1499, 4
Small talk 1683, 1
smart 626; 744, 2;
1396, 1
Smog 5, 3; 353, 2
Smutje 1448
Snack 1080, 8
Snobismus 460, 1
snobistisch 84, 2; 459, 1
so 1472
so eben 1945
so genannt 426, 2
so lala 1091, 2
so oder so 695, 4; 1206;
1472
so sehr auch 1894, 1
so tun als ob 1381, 1;
1848
Soap-Opera 960
sobald 582; 1894, 2
Sockel 796, 1
Socken machen, sich auf
die 485, 1
soeben 1008
Sofa 1470, 2
sofern 582
sofort 254, 3; 429, 2;

771, 3; 1290, 2;
1410, 2
sofort, möglichst 429, 3
soft 1890, 1
soften 268
Software 352, 1
Sog 1537, 2; 1909
sogar 3; 117, 2
sogleich 771, 3
sohlen 543, 2
Sohlen, auf leisen 1044
Sohn 910, 1
Sohnemann 910, 1
Soiree 1712, 2
solange 776; 1864;
1894, 2
Solarauto 579, 2
Solarheizung 836
solchermaßen 1472
Sold 1731, 1
Soldat 919, 1; 1111, 1
Soldatenhauf 1111, 2
Soldateska 1111, 2
Solebad 178, 4
solenn 600, 2
Solennität 601, 1
solid 341, 1; 363, 1;
414, 2
solidarisch 443, 2;
1727, 1
solidarisieren, sich
1965, 1
Solidarität 444
Solidaritätsstreik 1531
solide 86, 3; 1317, 2;
1971, 1
Solidität 613, 1
solipsistisch 1456
Solist 1134, 2
solitär 450, 2
Solitär 424, 3
Sollbestimmung 750, 1
sollen 1135
Söller 181
solo 450, 1; 457, 3
solvent 1327, 1
Soma 973, 1
somatisch 1228, 1
somit 43
Sommer wie Winter
882, 1
Sommerende 46
Sommerfaden 46
Sommerfrische 525, 1
Sommerfrischler 1332, 1

Sommergast 1332, 1
Sommerhaus 824, 1
sommerlich 1871, 2
somnambul 1645, 2
Somnambulismus
1646, 3
sonder 161, 1
sonderbar 119, 2; 553
Sonderbündelei 18, 2
Sonderfall 424, 3; 1703
Sondergebiet 1484, 1
Sondergenehmigung
532, 3
sondergleichen 163, 1;
554
Sonderheit, in 273, 1
Sonderklasse 171, 1;
424, 3
Sonderkultur 1545, 1
sonderlich 119, 2
Sonderling 160, 1;
1230, 2
Sondermüll 5, 1
sondern 3; 1594, 2
Sonderrecht 532, 3;
1318, 4
Sonderstellung 424, 3
Sonderung 1595, 2
Sonderzulage 1956
sondieren 639, 1;
1284, 1; 1795, 2
Sondierung 537; 1285, 2
Song 739, 2
Sonne 1052, 1; 1513
Sonne im Herzen 1222
Sonnenaufgang 51, 3
Sonnenaufgang, bei 665
Sonnenenergie 478, 2
Sonnenglut 1872, 1
sonnenklar 945, 3
Sonnenlicht 1052, 1
sonnenlos 407, 2
Sonnenschein 1052, 1
Sonnenseite 780, 2;
1836, 1
Sonnenseite, auf der
781, 2
Sonnenuntergang 408, 1
sonnig 835, 1; 839, 3;
1871, 2
Sonntag 647
sonntäglich 600, 2
Sonntagskind 782
sonor 1827, 4
Sonstiges 48; 1823, 2

sooft 1894, 1
Sophisterei 1240, 2
sophisticated 76, 2
Sophistik 1240, 2
sophistisch 1241, 2
Sopran 1363, 2
Sorge 62, 3; 1020, 2;
1248, 1; **1473**
sorgen für 873; 1788, 2
Sorgen machen 1369, 2
Sorgen machen, sich
63, 2
sorgen, sich 63, 2
Sorgenfalte 585, 2
sorgenfrei 781, 2;
1327, 1
Sorgenlast 1473
sorgenlos 781, 2
sorgenvoll 64, 1; 1659, 1
Sorgfalt 1474
sorgfältig 722, 1;
1475, 1; 1845, 1;
1971, 2
Sorgfältigkeit 1474, 1
sorglich 1475, 1; 1845, 1
sorglos 1036, 4; 1037, 2;
1695, 2
Sorglosigkeit 1038, 1
sorgsam 722, 1; 1109, 1;
1475; 1845, 1
Sorgsamkeit 1474, 1
Sorte 110, 2; 1294, 2
sortieren 1226, 2
Sortiment 171, 2
Sosein 567, 1
soso 1091, 2
SOS-Ruf 855
Soße 1476
Sottise 1490, 3
Soubrette 1363, 2
Souffleur 838, 3
soufflieren 208; 837, 5
Sound 1583, 1
Sound, voller 1827, 4
Soundsystem 1133, 3
Soundtrack 1133, 3
Souper 1080, 7
soupieren 566, 2
Souterrain, im 1677, 2
Souvenir 527, 3
souverän 516, 1; 644, 1
Souverän 849
souverän werden 213, 4
Souveränität 517, 2;
645, 1

sowie 48; 117, *1*; 1894, *2*
sowohl 117, *1*
soziabel 748, *2*
Soziabilität 749, *1*
sozial 748, *2*; 1643
Sozialarbeiter 838, *1*
Sozialfürsorge 1176, *4*
Sozialisation 565
sozialisieren 564
Sozialisierung 483; 565
sozialistisch 1059, *3*
sozialkritisch 1059, *3*
Sozietät 717, *1*
Soziolekt 1493, *4*
Soziotop 1545, *1*
Sozius 1235, *1*
sozusagen 41; 54; 310, *3*;
   426, *2*; 774; 1160;
   1901, *1*
Space 1067, *1*
spähen 247, *2*; 1451;
   1549, *1*
Späher 248, *2*
Spalier 810, *4*; 1329, *3*
Spalt 1067, *1*; 1496, *1*
Spalte 1067, *1*; 1798, *1*
spalten 1561, *1*; 1594, *2*;
   1594, *5*; 1937
Spaltpilze 985
Spaltung 1595, *1*
Span 951, *2*; 1539, *6*
Spänbrenner 710
spänen 1409, *3*
Spange 211, *2*; 1291, *5*
spanisch 1692, *1*
Spanne 1731, *2*
spannen 769, *2*; 894, *1*;
   1530, *2*; 1942, *2*
spannen auf 555, *1*
spannen, auf die Folter
   1242, *5*
spannen, sich 1298, *3*
spannen, vor seinen Kar-
   ren 153, *3*
spannen, vor seinen Wa-
   gen 153, *3*
spannend 130, *1*; 892, *1*
Spanner 248, *1*
Spannkraft 478, *1*;
   623, *1*
Spannung 62, *2*; 400, *1*;
   556, *1*; **1477**
Spannung, ohne 1017, *2*
Spannungen 105, *3*;
   1477, *2*; 1533, *1*

spannungsgeladen
   690, *1*
spannungslos 1017, *1*
spannungsreich 892, *1*
Spannweite 146, *2*
Sparbrief 271, *3*
Sparbüchse 921, *1*
sparen 448, *2*; **1478**
sparend, Energie
   1479, *2*; 1636, *1*
sparend, Material
   1973, *2*
Sparkasse 184, *2*
spärlich 410, *3*; 954, *1*;
   1457, *2*; 1655, *1*
Sparmaßnahme 454, *1*
Sparren 424, *4*; 810, *3*;
   1778, *1*
sparsam 83, *1*; **1479**;
   1973, *2*
Sparsamkeit 1480
spartanisch 433, *3*;
   1535, *3*
Sparte 571, *2*; 1484, *1*;
   1917, *2*
Spaß 650, *1*; 1490, *1*;
   1674, *2*; 1683, *2*;
   1683, *3*
Spaß haben 1681, *4*
Spaß machen 651, *1*;
   1681, *4*
Spaß, im 1492, *2*
Spaß, ohne 545, *3*
spaßen 651, *2*; 1491, *1*;
   1681, *4*
spaßeshalber 1492, *2*
spaßhaft 835, *2*
spaßig 835, *2*
Spaßmacher 111, *2*;
   1384, *1*
Spaßvogel 1384, *1*
spät 1481
spät, ziemlich 1481, *4*
spät, zu 1481, *1*; 1743
spätabends 1481, *4*
später 1482
später als, nicht 1864
späterhin 1482, *2*
Spätfolgen 630, *3*
Spätschäden 630, *3*
Spätsommer 46
Spatzenhirn 405, *2*
Spätzünder 1781
spazieren 703, *2*
spazieren führen 1588, *2*

spazieren gehen 300, *1*;
   703, *2*; 1870
Spazierfahrt 578, *1*
Spaziergang machen
   703, *2*
spe, in 1482, *3*
Speckgürtel 1499, *4*
speckig 768, *6*; 1408;
   1928, *2*
spedieren 1388, *2*
Spedition 1589, *1*
Speed 427, *2*; 1311
Speichel 156, *1*
Speichellecker 1221
speichelleckerisch
   1690, *2*
Speicher 1011, *2*; **1483**
Speicherkapazität
   1501, *4*
speichern 123, *1*; 546;
   1361, *4*; 1788, *1*
speichern, auf Diskette
   1361, *4*
speichern, auf Festplatte
   1361, *4*
Speicherung 1362, *4*
Speichervermögen
   1501, *4*
speien 329, *3*
Speis(e) und Trank
   542, *1*
Speise 1080, *1*
Speisefolge 1080, *9*
Speisegaststätte 681, *1*
Speischaus 681, *1*
Speisekammer 993
speisen 566, *2*
Speiserestaurant
   681, *1*
Speisetisch 1080, *10*;
   1580
Spektakel 734, *3*;
   742, *3*; 1378, *2*;
   1712, *3*
spektakeln 1018, *1*
spektakulär 163, *1*
Spektrum 1826, *2*
Spektrum, im linken
   1059, *3*
Spektrum, im rechten
   1320, *2*
Spekulant 2; 1275
Spekulation 556, *2*;
   636, *2*; 1321
spekulativ 879; 1579

spekulieren 371, 2; 1859, 1
spekulieren auf 251, 2; 555, 1; 894, 4
Spelunke 681, 1
Spelze 1340, 4
spendabel 748, 3; 793, 1
Spende 677, 2
spenden 221, 3; 683, 2
spenden, Beifall 948, 2
spenden, Segen 1450, 1
spenden, Trost 1605, 1
spendend, Kraft 757, 4; 1158
Spender 1095
Spenderorgan 550, 3
spendieren 446, 2
spendierfreudig 793, 1
Sperenzien machen 807, 3
sperrangelweit 1207, 1
Sperre 33, 3; 858, 4; 1419; 1763, 4
sperren 857, 1
sperren, sich 1959, 2
sperrig 1660, 2
Sperrmüll 5, 1
Sperrstunde 1720, 2
Sperrung 267
Spesen 137, 1; 498, 3
Spezi 652
Spezialfall 424, 3
Spezialgebiet 571, 2; 1484, 1
spezialisieren 1936, 1
spezialisieren, sich 313, 5
Spezialisierung 454, 2
Spezialist 573
spezialistisch 572, 1
Spezialität 424, 2; 979; **1484**; 1501, 5
speziell 273, 1; 572, 1
Spezies 110, 2
Spezifikum 424, 2; 930, 1; 1484, 4
spezifisch 273, 2; 348, 1; 1231, 1
spezifizieren 1936, 1
Sphäre 685, 1; 1301, 2
Sphäre, öffentliche 1212, 1
Sphären, in höheren 877, 2
Sphinx 641

spicken 674, 2; 881, 2
Spider 579, 2
Spiegel 1291, 9
Spiegelbild 505, 2
spiegelbildlich 1323, 3
spiegelblank 768, 2
Spiegelfechterei 1558, 1
spiegelglatt 768, 6
spiegelgleich 1323, 3
spiegeln 1381, 2; **1485**
spiegeln, sich 1485
spiegelnd 768, 2
Spiegelreflexkamera 916, 1
spiegelverkehrt 1352
Spiel 1378, 1; 1463, 1; 1576, 1; 1683, 5
Spiel, abgekartetes 898; 1060, 2
Spiel, doppeltes 584, 1
Spiel, leichtes 951, 4
Spielart 1703
Spielball 1221
Spielbank 681, 2
Spielcharakter 1794, 3
spielen 359, 4; 1381, 2; **1486**
spielen, an die Wand 669, 2; 1394, 3
spielen, aus dem Stegreif 1486, 6
spielen, bösen Streich 1369, 1
spielen, erste Geige 669, 2
spielen, falsch 293, 1; 1252
spielen, Hauptrolle 669, 2
spielen, in Serie 1903, 3
spielen, Karten 1486, 5
spielen, Klavier 1486, 3
spielen, Meister 669, 2
spielen, mit dem Feuer 1859, 1
spielen, mit dem Gedanken 1259, 1
spielen, Rolle 359, 4; 1486, 1
spielen, Streich 1491, 1
spielen, Theater 1486, 1; 1848
spielen, va banque 1859, 1
spielen, Versteck 1848

spielend 1036, 2
Spieler 2; 1134, 2
Spielerei 386; 951, 4; 1055, 4; 1200
spielerisch 1037, 2; 1199, 4
Spieleshow 1459
Spielfeld 685, 3
Spielfilm 618, 3
Spielfläche 685, 3
Spielfreude 1274, 1
Spielgefährte 652
Spielgefährtin 653
Spielhölle 681, 2
Spielkasino 681, 2
Spielleiter 1047, 2
Spielpartner 1235, 2
Spielplatz 685, 3
Spielraum 1309, 2
Spielregel 1322, 2
Spielsachen 1291, 3
Spielstätte 1576, 1
Spielsucht 1550, 4
Spielverderber 1245
Spielwechsel 1119, 4
Spielwerk 1291, 3
Spielzeug 1291, 3
Spießbürger 340, 3
spießbürgerlich 341, 3; 1241, 3
Spießbürgerlichkeit 183, 2; 1240, 3
spießen 210, 1
Spießer 340, 3
spießerhaft 341, 3
Spießertum 183, 2
Spießgeselle 961
spießig 182; 328, 3; 341, 3
Spießigkeit 183, 2
Spin Doctor 897
Spind 1418
spindeldürr 410, 2
spinnefeind 605
spinnen 102, 4
spinnen, sein Garn 270, 2
Spinner 405, 4
spinnig 1777, 1
spinnwebfein 1931, 1
spinös 1241, 1
spintisieren 371, 2
Spion 248, 2
spionieren 247, 2
Spirale 1004

spiralig 992, *4*
Spiritismus 701
Spiritual 739, *2*
spiritualisieren 1547, *1*
Spirituosen 759, *2*
Spiritus 707, *1*
Spiritus Rector 1257, *2*;
  1447, *2*
Spital 983
spitz 31, *1*; 1022; 1074;
  1373, *1*; 1373, *4*;
  1492, *1*
Spitz auf Knopf 954, *2*
Spitzbart 187
Spitzbube 1429, *1*
spitzbübisch 835, *3*
Spitze 81, *1*; 415, *2*; 554;
  767, *1*; 767, *3*; 1048, *1*;
  1291, *8*; 1490, *2*
Spitze, an der 1840, *1*
Spitzel 248, *2*; 1429, *2*
spitzen 217, *2*; 1374, *1*;
  1451
Spitzen der Gesellschaft
  1201, *2*
spitzen, Ohren 128, *1*;
  868, *2*
spitzen, sich 555, *1*
spitzen, sich auf 251, *2*
Spitzengeschwindigkeit
  427, *2*
Spitzenklasse 171, *1*;
  554
Spitzenkraft 672
Spitzenleistung 554;
  767, *3*
Spitzenmanager 672
Spitzensportler 1488
spitzfindig 1241, *2*
Spitzfindigkeit 1240, *2*
spitzig 1373, *1*
Spitzname 930, *4*;
  1490, *5*
spitzzüngig 1492, *1*
Spleen 424, *4*; 1778, *2*
spleenig 119, *2*
Spleenigkeit 424, *4*
spleißen 1594, *5*
splendid 793, *1*
Splitter 951, *2*; 1539, *6*
splitterfasernackt
  1154, *1*
splitterig 1495, *2*
splittern 329, *1*; 1262, *1*;
  1561, *1*

splitternackt 1154, *1*
Splitterrichter 1239, *1*
Spökenkieker 1276
sponsern 837, *3*
Sponsor 838, *1*; 1003, *1*;
  1095
Sponsoring 854, *1*
spontan 646; 1263
Spontaneität 478, *1*
sporadisch 1457, *1*;
  1852, *1*
spornstreichs 429, *2*;
  1410, *2*; 1663, *2*
Sport 1487
Sportflugzeug 579, *7*
sportiv 1489, *1*
Sportler 1488
sportlich 1489
Sportplatz 685, *3*
Sportskanone 1488
Sportsmann 1488
Sporttreibender 1488
Sportwagen 579, *2*
Spot 1012, *7*; 1897, *3*
Spotlight 1012, *1*
Spott 1490
Spott, beißender 1490, *3*
Spottbild 1490, *4*
spottbillig 312, *1*
spötteln 1491, *1*
spotten 139, *4*; 1491
Spötter 990, *2*
spottet jeder Beschrei-
  bung 1397, *1*
Spottgeburt 1386
spöttisch 1492
Spottname 1490, *5*
Spottpreis, zu einem
  312, *1*
spottschlecht 1397, *1*
spottsüchtig 1492, *1*
Spottvogel 990, *2*
Sprachbewusstsein
  1493, *1*
Sprache 1493
Sprache, künstliche
  1493, *5*
Sprache, mathematische
  1493, *5*
Sprache, synthetische
  1493, *5*
Sprachfeeling 1493, *2*
Sprachgebrauch 1493, *2*
Sprachgefühl 1493, *2*
sprachgewandt 253, *1*

Sprachgewandtheit
  1493, *3*
Sprachintuition 1493, *2*
Sprachkompetenz
  1493, *1*
Sprachkunstwerk 1061
sprachlos 1439, *1*;
  1504, *3*
Sprachlosigkeit 552
Sprachmittler 1769
Sprachregelung 1616, *5*
Sprachschatz 1493, *2*
Sprachschnitzer 599, *1*
Sprachspiel 1493, *3*
Sprachvermögen
  1493, *1*
Sprachverwendung
  1493, *2*
sprayen 616, *1*
Sprechakt 1493, *1*
Sprechbegabung
  1493, *3*
Sprechblase 1256, *2*
sprechen 162, *1*; 1494
sprechen für 215
sprechen sein, für nie-
  manden zu 1755, *2*
sprechen, durch die Blu-
  me 861, *3*
sprechen, für die Galerie
  1269, *2*
sprechen, heilig 420, *1*
sprechen, in Bildern
  359, *5*
sprechen, laut 1018, *1*
sprechen, leise 629
sprechen, Machtwort
  412
sprechen, mit lauter
  Stimme 1354, *1*
sprechen, nicht 1438, *1*
sprechen, Recht 1701, *2*
sprechen, schuldig
  1809, *1*
sprechen, Segen 1450, *1*
sprechen, Urteil 1701, *2*;
  1809, *1*
sprechen, zur Diskussi-
  on 162, *1*
sprechend 78, *1*
Sprecher 1806, *3*
Sprechfähigkeit 1493, *1*
Sprechhandlung 1493, *1*
Sprechstil 1493, *2*
Sprechtheater 1576, *1*

Sprechweise 1493, *2*
Spreißel 1539, *6*
spreizen, sich 1269, *1*
Sprengel 938, *5*
sprengen 616, *1*;
  1214, *1*; 1594, *2*
Sprengkraft 399, *2*;
  478, *3*
Sprengstoffanschlag 116
Sprengung 1940, *1*
Sprenkel 1136, *5*
sprenkeln 1137, *1*
Spreu 1340, *4*
Spreu im Winde, wie
  1745
Sprichwort 374, *1*
sprichwörtlich 348, *2*
sprießen 506, *2*
springen 20, *2*; 329, *1*;
  597, *1*; 1214, *3*;
  1262, *1*
springen lassen 446, *2*
springen lassen, über die
  Klinge 1586, *1*
springen, in die Bresche
  837, *1*; 1805, *1*
springen, ins Auge
  1934, *6*
springen, über die Klin-
  ge 1512, *3*
springend, hin und her
  1671, *2*
Springflut 765; 1165, *2*
sprinten 428, *2*
Sprit 478, *2*
spritzen 428, *1*; 616, *1*;
  1325
Spritzer 951, *2*
spritzig 76, *2*; 1026, *4*
spröde 820, *1*; 1307, *2*;
  1495
Spross 936, *2*; 1598, *2*;
  1977, *3*
sprossen 506, *2*
Sprössling 936, *2*
Spruch 374, *2*; 1700, *1*
Spruchband 529, *4*
Sprüche 1256, *2*
spruchreif 534, *1*
Sprudel 759, *3*
sprudeln 625; 1376, *1*;
  1494, *3*
sprudelnd 1026, *4*; 1121
sprühen 616, *1*; 1325;
  1494, *3*

sprühend 76, *2*
Sprühregen 1186, *1*
Sprung 1215, *3*; **1496**
Sprung, auf dem 254, *3*;
  610, *2*; 1671, *1*
Sprung, auf einen
  1005, *4*
Sprung, mit einem
  1410, *1*
Sprünge machen 597, *2*
sprunghaft 1037, *1*
Spucke 156, *1*
spucken 329, *3*
Spuk 707, *3*
spuken 1633, *3*
spukhaft 1420, *2*;
  1692, *5*
Spule 1347, *2*
spulen 395, *2*
spülen 946, *3*; 1367, *3*
spülen, Geschirr 1367, *3*
Spund 211, *2*; 1784, *1*
Spundloch 1215, *7*
Spur 232; 951, *2*; 1193;
  1497; 1887, *1*; 1913, *2*
Spur von 1893, *1*
Spur, keine 1173
Spur, neben der 1777, *1*;
  1914, *2*
Spur, nicht die 1180, *1*
spürbar 378, *1*; 1466, *1*;
  1498
spuren 179, *1*; 704, *1*
spüren 668, *1*; 1549, *3*;
  1866, *1*; 1934, *3*
spurlos 679, *1*
Spürnase 693, *3*
Spürsinn 468, *1*; 693, *3*
Spurt 427, *4*; 1400, *5*
spurten 428, *2*
sputen, sich 428, *2*
Sputum 156, *1*
Staat 137, *2*; 949, *1*;
  1203; 1286, *1*
Staat machen 1287, *1*
staatenübergreifend 896
staatlich 751, *1*; 1213, *1*
Staatsangehörigkeit
  846, *2*
Staatsangehörigkeit, Ver-
  leihung der 431
Staatsanwalt 912, *2*
Staatsbediensteter 194
Staatsbürger 340, *5*
Staatsdiener 194

Staatsempfang 465, *2*
Staatsgewalt 1203
Staatsgrenze 790
Staatshaushalt 825, *2*
Staatsrepräsentant
  387, *1*
Staatsstreich 134, *2*
Stab 672; 800, *9*;
  1048, *1*
stabil 363, *1*; 414, *2*;
  612; 981, *1*
stabil, psychisch 981, *5*
stabilisieren 210, *2*;
  1543, *1*
Stabilisierung 1503, *3*
Stabilität 613, *1*
Stachel 794, *1*
Stacheldraht sein, hinter
  1469, *2*
stachelig 31, *1*; 1307, *2*;
  1373, *1*
stacheln 851, *3*; 1334, *2*
Stadel 1483, *2*
Stadion 685, *3*; 1377
Stadium 1966
Stadt 1232, *1*; **1499**
stadtbekannt 262, *1*
Stadtbücherei 306
Städtchen 1499, *1*
Stadtfeste 211, *4*
Stadtgebiet 1499, *3*
Stadtgespräch 262, *1*;
  737, *1*
Stadtguerilla 919, *3*
Stadtpark 680
Stadtrand 1499, *4*
Stadtstaat 1499, *1*
Stadtstreicher 1332, *2*
Stadtteil 1499, *3*
Stadtviertel 1499, *3*
Staffage 168, *3*; 1558, *2*
Staffel 800, *9*
staffeln 1226, *2*
Staffelung 23, *1*; 779
Stagnation 988, *3*; 1518
stagnieren 1520, *4*
stählen, sich 1502, *1*
stählern 820, *1*; 981, *1*
stahlhart 820, *1*; 981, *1*
Stahlross 579, *2*
staksen 703, *2*
Stall 846, *1*
Stall, aus gutem 1841
Stall, guter 416, *1*
stallwarm 719

Stallwärme 249, *1*

Stamm 110, 2; 1516, *1*

Stammbaum 846, *1*

Stamme Nimm, vom 808

stammeln 1520, 2; 1815, *3*

Stammesführer 671, *2*

Stammgast 283, *1*

Stammgast sein 282, *3*

Stammgäste 1000, *3*

Stammhalter 910, *1*; 936, *2*

stämmig 981, *3*

Stammkunden 1000, *1*

Stammtisch 800, *8*

Stammvater 45, *2*

stammverwandt 1812, *1*

Stampede 143, *3*

stampfen 703, 2; 1937

Stand 740, 4; 1010, 3; 1302, *1*

Stand der Dinge 1010, *2*

Stand haben, schweren 92, *4*

Stand, aktueller 1010, *2*

Stand, auf dem neuesten 1126, *2*

Standard 40, 1; 1089, 3; 1322, *2*

standardisieren 1737

Standardisierung 1738

Standarte 1933, *4*

Standbein 810, *2*

Standbild 308, 3; 1471

stand-by 254, *2*

Ständchen 801, *3*

Stander 1933, *4*

Ständer 331, *2*

standfest 981, 1; 1971, *1*

Standfestigkeit 613, 2; 613, *4*

Standfoto 126, *1*

standhaft 347, *1*

standhaft bleiben 226, *2*

Standhaftigkeit 613, *5*

standhalten 226, 2; 1511, *3*

ständig 882, 1; 882, *1*

Standing 716, *2*

Standing Ovations 231

Standort 1010, 1; 1100, 2; 1232, 2; 1919, *3*

Standort, geistiger 375

Standpauke 1385, *1*

Standpunkt 1100, 2; 1232, 3; 1700, *1*

Stange 810, *3*

Stange bleiben, bei der 226, *2*

Stange, eine 1823, *1*

Stange, von der 610, *5*

Stängel 1516, *1*

stängeln, sich 1959, *2*

Stänker 1272, *2*

stänkern 851, *3*

stanzen 447, *2*

Stapel 1295, *1*

Stapel lassen, vom 52, 3; 162, *1*

stapeln 1361, *2*

Stapelplatz 1483, *2*

stapfen 703, *2*

Star 1500

Starallüren 460, *1*

stark 376, 1; 381, 1; 576, 3; 791, 1; 829, 1; 891, 1; 920; 981, 1; 1077, 1, 1359, 2; 1452, 1; 1654, *1*

stark machen, sich 918, 1; 1786, *2*

stark, zu 285, *2*

Stärke 613, 1; 788; 980, 1; 1089, 5; 1484, 2; **1501**; 1630

Stärkemittel 1501, *6*

stärken 210, 2; 541, 2; 769, 2; **1502**

stärken, Rücken 541, 2; 837, 1; 1502, *2*

stärken, sich 524, 1; 566, 1; **1502**

stärkend 1606

stärker werden 145, *2*

stärker werdend 1958

starkherzig 1139, *1*

Stärkung 525, 2; 1080, 8; **1503**; 1604

Starlet 1500, *1*

starr 612; 820, 1; 914, 1; 1300; **1504**

Starre 1646, *5*

starren 1924, *3*

Starrheit 1646, *5*

Starrkopf 1272, *3*

starrköpfig 425

starrsinnig 425; 1504, *2*

Start 51, 2; 486, *3*

Startbahn 1887, *2*

startbereit 254, *2*

starten 52, 3; 1710, *2*

startklar 254, 2; 610, *2*

Statement 529, 1; 615, *1*

Station 810, 6; 1678, *1*

Station machen 811, *1*

stationär 59, *2*

stationieren 1511, *1*

statisch 612

Statist 1347, *1*

statt 1505

Statt 1232, *2*

Stätte 1232, *2*

stattfinden 10, 2; 216, *3*

stattfinden, nicht 598, *3*

stattgeben 503, 2; 531, *1*

statthaben 10, 2; 216, *3*

statthaft 252, *1*

Statthalter 1806, *2*

stattlich 381, 1; 791, 1; 885; 1412, 2; **1506**

Statue 373; 1471

Statuette 1471

statuieren 1735

statuieren, Exempel 412

Statur 159; 973, *1*

Status 1010, 3; 1966

Status quo 1966

Statussymbol 1933, *2*

Statut 750, *1*

Stau 858, 2; 1518

Staub 1289; 1406, *1*

Staub und Asche 1746, *2*

Staub werden, zu 1512, *1*

staubbedeckt 1602, *1*

Stäubchen 951, *2*

Stäubchen, kein 1180, *1*

Staube machen, sich aus dem 485, 1; 624, *1*

stauben 1808

staubfein 1938

staubig 1408; 1602, *1*

staubsaugen 1367, *1*

staubtrocken 1017, 1; 1602, *1*

staubüberzogen 1408

stauchen 402, *2*

Staudamm 211, *4*

Staude 343, *1*

stauen 1361, *2*

staunen 1924, *1*

Staunen 552

staunend 1504, *3*

staunenswert 553
Stausee 760, 2
Stauung 858, 2; 1518
Steadyseller 362, 4
stechen 789; 907, 1;
  1404, 1; 1409, 4;
  1910, 2
stechen, in ein Wespen-
  nest 129, 3; 1369, 4
stechen, Star 1729, 2
stechend 891, 1;
  1293, 1; 1373, 4
stechend, ins Auge
  119, 1
Steckbrief 930, 2
stecken 210, 1; 212, 3;
  861, 1; 1024, 2;
  1208, 2; 1729, 2
Stecken und Stab 652;
  810, 2
stecken, im Dreck
  1040, 4
stecken, in Brand
  1939, 5
stecken, in den Mund
  566, 4
stecken, in den Um-
  schlag 1233, 4
stecken, in die Tasche
  1394, 3
stecken, Kopf in den
  Sand 430, 2; 1051, 3
stecken, seine Nase in alles 894, 3; 1522, 2
stecken, unter einer De-
  cke 293, 2; 1965, 3
Steckenpferd 1172, 2;
  1484, 2
Steg 333; 1887, 1
Stegreif, aus dem
  1695, 3
Stehaufmännchen 1223
stehen 212, 1; **1507**;
  1520, 4; 1757, 2
stehen bleiben 811, 1;
  1520, 1
stehen für 1805, 1
stehen lassen 1627, 3;
  1752, 2
stehen mit 212, 2
stehen müssen 1507, 1
stehen zu 1507, 5;
  1965, 1
stehen, an der Spitze
  669, 2

stehen, an erster Stelle
  669, 2
stehen, auf dem Stand-
  punkt 1099
stehen, auf den Beinen
  1507, 1
stehen, auf jmdn. 691, 1
stehen, aufrecht 1507, 1
stehen, dazu 339, 1;
  1507, 5
stehen, gut 1793, 6
Stehen, im 1130, 1
stehen, im Dienst 102, 2
stehen, im Gegensatz
  967, 2
stehen, im Weg 1522, 1
stehen, in Ansehen
  201, 3
stehen, in Beziehung zu
  9, 4
stehen, in Blüte 1287, 2
stehen, in Briefkontakt
  974, 1
stehen, in Briefwechsel
  974, 1
stehen, in der Kreide
  1425, 1
stehen, in der Schuld
  1425, 1
stehen, in Flammen
  330, 2; 1056, 2
stehen, in jmds. Schuld
  357, 2
stehen, in Schriftwechsel
  974, 1
stehen, in Verbindung
  1633, 2
stehen, Kopf 1924, 1
stehen, offen 88, 1;
  1214, 4
stehen, Posten 128, 3
stehen, Rede 557, 1
stehen, Schlange 88, 3;
  1876, 4
stehen, schlecht 398, 2
stehen, sich im Licht
  1369, 4
stehen, Spalier 220, 1;
  802, 2
stehen, über den Dingen
  773
stehen, unter Druck
  1135
stehen, vor dem Spiegel
  80, 3

stehen, vor der Tür
  1620, 3
stehen, vor einem Rätsel
  1305, 2
stehen, Wache 128, 3
stehen, zu Berge 1511, 5
stehen, zu Gebote
  807, 1
stehen, zu Gesicht
  1507, 4
stehen, zu jmdm. 65, 3
stehen, zur Seite 837, 1
stehen, zur Verfügung
  837, 1
stehend 678, 3; 732, 1
stehend, allein 457, 2
stehend, frei 457, 2
stehend, hoch 791, 4;
  862, 2
stehend, im Raum
  1207, 3
stehend, leer 1028, 4
stehend, nahe 1155, 4;
  1802, 1
stehend, offen 1207, 4
Steher 346
Stehlampe 1012, 1
Stehleiter 1047, 1
stehlen 1168, 2
stehlen, dem lieben Gott
  die Zeit 594
steht aus 1207, 3
steht bevor 180
steht vor der Tür 180
steht zu erwarten 180
Stehvermögen 613, 3
steif 545, 2; 820, 1;
  968, 2; 1264, 1;
  1504, 1; 1762, 1
steif werden 551, 1
steifen 769, 2; 1502, 3
steifen, Nacken 541, 2
steifhalten, Nacken
  226, 2
steifhalten, Ohren
  226, 2
Steifheit 1536, 3;
  1646, 5; 1763, 3
steifleinen 1017, 1
Steig 1887, 1
Steigbügelhalter 1221
steigen 300, 2; 523, 2;
  1508
steigen, aufs Dach
  1391, 1

steigen, in die Arena
60, *1*
steigend 1417, *3*; 1958
steigern 371, *4*; **1509**;
1715, *2*
steigern, ins Erhabene
1547, *1*
steigern, sich 1509
steigern, Tempo 391, *3*;
428, *2*
steigernd, sich 1958
Steigerung 511, *1*; **1510**;
1798, *4*
Steigung 135, *2*
steil 732, *2*; 1417, *3*
Steile 5, *4*
Steilflug 135, *1*
Steilhang 5, *4*
Steilwandfahrer 111, *2*
Stein des Anstoßes
1637, *3*
Stein im Brett 243, *1*
Stein, werden zu 551, *3*
steinalt 44, *1*
Steinbank 184, *1*
Steinbruch 892, *2*
steinern 31, *1*; 820, *1*
steinhart 820, *1*; 820, *1*
steinig 1204, *1*; 1307, *1*
steinigen 1586, *1*
Steinmetz 309
steinreich 1327, *1*
Steinschluchten 1499, *2*
Steinzeit 1744
Steiß 1350
Stele 373
Stellage 331, *2*
Stelle 101, *2*; 685, *1*;
1232, *2*; 1560, *1*
Stelle von, an 1505
Stelle, an dieser 853
Stelle, an erster 1840, *1*
Stelle, auf der 254, *3*;
429, *2*; 771, *3*; 1410, *2*
Stelle, offene 1067, *2*
Stelle, schmale 481, *4*
Stelle, schwache 599, *2*
Stelle, unbesetzte
1067, *2*
Stelle, wunde 599, *2*
Stelle, zur 699, *3*
stellen 1511; 1620, *2*;
1756
stellen, an den Pranger
319, *2*

stellen, an die Wand
1586, *2*
stellen, anheim 531, *1*;
1844, *1*
stellen, Ansprüche
195, *1*
stellen, Antrag 197
stellen, auf die Beine
715, *1*; 1543, *2*;
1711, *2*
stellen, auf die Probe
1284, *3*
stellen, auf eine Stufe
1754, *1*
stellen, Aufgabe 122, *4*
stellen, Bein 1369, *1*
stellen, besser 1715, *3*
stellen, Bürgschaft
339, *1*
stellen, fertig 533, *1*;
1828
stellen, Frage 639, *1*
stellen, in Abrede
1051, *1*
stellen, in Aussicht 307;
1259, *1*
stellen, in den Schatten
1369, *1*; 1394, *3*
stellen, in Frage 1976
stellen, in Gegensatz
967, *1*
stellen, in Rechnung
193, *2*
stellen, kalt 995, *1*
stellen, Kaution 339, *2*
stellen, leicht zufrieden
zu 83, *1*
stellen, Licht unter den
Scheffel 841, *2*
stellen, nebeneinander
1754, *1*
stellen, obenan 298, *2*
stellen, Reichtum zur
Schau 1287, *1*
stellen, richtig 946, *1*
stellen, sich 1511;
1859, *2*
stellen, sich abseits 17, *2*
stellen, sich auf die Füße
523, *1*
stellen, sich auf die Hinterbeine 226, *3*;
1922, *2*
stellen, sich auf eigene
Füße 213, *4*

stellen, sich in den Weg
857, *2*; 1369, *1*
stellen, sich nicht 172, *2*
stellen, sich zur Schau
359, *3*
stellen, sich zur Verfü-
gung 50, *4*; 837, *1*
stellen, sich zur Wahl
1511, *3*
stellen, unter Kuratel
1679, *4*
stellen, zu Boden 22, *1*
stellen, zufrieden 214, *1*
stellen, zur Diskussion
1844, *3*
stellen, zur Rede 639, *2*
stellen, zur Schau 50, *1*;
1269, *1*
stellen, zur Verfügung
307; 683, *2*
stellen, zur Wahl 1862, *2*
stellend, nicht zufrieden
1655, *1*
stellend, zufrieden
504, *2*; 728; 1317, *1*
Stellenjäger 1520
Stellenwert 202, *3*
Stellung 101, *2*; 716, *1*;
1010, *1*; 1010, *3*;
1302, *1*; 1758, *3*
Stellung haben 102, *2*
Stellung, in leitender
862, *2*
Stellung, in sicherer
1460, *2*
Stellungnahme 164, *1*;
989, *1*; 1100, *4*;
1700, *1*
stellungslos 104
stellvertreten 1805, *1*
stellvertretend 1505
Stellvertreter 550, *4*;
1806, *2*
Stellvertretung 1807
stelzen 703, *2*
stemmen 827, *1*
stemmen, sich 1959, *2*
Stempel 279, *4*; 930, *3*
stempeln 509, *1*; 931, *3*
stempelnd 104
Stenogramm 1187, *2*
Steppdecke 870, *9*
Steppe 343, *1*; 1205, *4*
steppen 102, *4*
Steppke 910, *2*

Sterbefall 1581, *2*
sterben 475, *2*; 581, *3*;
 1512
Sterben 1581, *1*
sterben, von eigener
 Hand 1586, *5*
sterbenskrank 1042, *1*
sterbenslangweilig
 1017, *1*
sterbensmüde 1130, *1*
Sterbenswörtchen, kein
 1180, *1*
sterblich 1104, *2*; 1745
Sterblicher 1103, *1*
Sterblicher, gewöhnli-
 cher 1102, *6*
Sterblichkeit 1746, *1*
stereo 390
stereotyp 182; 678, *3*;
 771, *2*
Stereotyp 1322, *2*;
 1853
steril 1017, *1*; 1365, *1*;
 1602, *3*; 1653, *3*
sterilisieren 522, *2*;
 1586, *4*
sterilisiert 363, *2*
Sterilität 1205, *1*
Stern 1513
Stern, guter 780, *1*
Sternbilder 1513
Sternchen 1500, *1*
Sterne 1389, *2*
Sternenhimmel 1513
Sternenzelt 1513
sternhagelvoll 250, *1*
Sternschnuppe 1513
Sternstunde 780, *1*;
 1935, *1*
Sternsystem 1513
stet 144
Stete 613, *4*
stetig 144
Stetigkeit 362, *2*; 613, *4*
stets 882, *1*
stets und ständig 882, *1*
Steuer 7; **1514**
Steuer in der Hand ha-
 ben 848, *1*
Steuer, am 1840, *1*
steuerbord 1320, *1*
Steuerflucht 292
steuerfrei 1634, *1*
Steuerhinterziehung 292
Steuerknüppel 1514, *1*

steuern 203, *1*; 669, *2*;
 857, *1*; **1515**; 1944, *2*
Steuerprüfer 133, *3*
Steuerrad 1514, *1*;
 1514, *1*
Steuerung 204, *1*;
 1048, *1*
Steward 204, *3*
Stewardess 204, *3*
stibitzen 1168, *2*
Stich 81, *1*; 308, *2*;
 424, *4*; 1193; 1778, *1*;
 1923
Stich lassen, im 20, *1*
Stich lassen, nicht im
 65, *3*
Stichelei 81, *1*; 1490, *2*
sticheln 102, *4*; 861, *1*;
 1491, *1*
stichhaltig 1395;
 1460, *4*; 1980, *1*
stichhaltig sein 1626, *3*
stichig 844, *1*; 1397, *3*
Stichprobe 1285, *3*
Stichtag 1572
Stichwaffe 1858, *1*
Stichwort 930, *5*
sticken 102, *4*
Stickerei 1291, *8*
Stickgarn 575, *2*
stickig 406, *1*
stieben 316, *1*; 428, *1*
stiefeln 703, *2*; 1870
Stiefkind 936, *2*
Stiefmutter 1140, *1*
stiefmütterlich 1656
Stiefvater 1704, *1*
Stiege 1596
Stiegenhaus 1596
stiekum 834, *1*
Stiel 812, *1*; **1516**
Stielaugen 141
stier 1504, *1*; 1504, *3*
Stier 982
Stierkämpfer 919, *4*
Stiesel 405, *3*
stieselig 1017, *1*
Stift 211, *2*; 952; 1428, *4*
stiften 683, *2*
stiften gehen 624, *1*
stiften, Frieden 261, *1*
stiften, Unfrieden 851, *3*
stiften, Verwirrung
 1815, *1*
Stifter 1095; 1704, *3*

Stifterin 1140, *3*
Stiftung 677, *2*
Stigma 1933, *2*
stigmatisiert 534, *3*
Stil 110, *3*; 424, *1*;
 632, *2*; 746, *1*; **1517**;
 1537, *1*; 1758, *2*
Stil, klischierter 940, *1*
Stilett 1106
Stilgefühl 746, *1*
Stilgefühl, ohne 1264, *1*
stilisieren 756
stilisiert 1265, *1*
Stilistik 1493, *2*
still 1044; 1357, *1*;
 1439, *1*; 1960, *1*
still und leise 834, *1*
Stille 601, *1*; 1355, *1*
stillen 676, *1*; 1605, *1*
stillen, Durst 1600, *1*
stillen, Hunger 566, *1*
Stillen, im 834, *1*
stillhalten 1356, *1*
stilllegen 22, *2*; 122, *1*
Stilllegung 120, *2*
stillos 633, *2*
Stillosigkeit 940, *1*
stillschweigen 1438, *2*
Stillschweigen 532, *1*;
 1355, *1*
stillschweigend 1439, *2*
Stillstand 810, *6*;
 1181, *1*; 1355, *4*; **1518**
stillstehen 441, *1*;
 475, *2*; 1507, *3*;
 1779, *3*
stillvergnügt 835, *3*
Stilmischung 1113, *4*
stilvoll 996, *3*; 1412, *1*
stilwidrig 633, *2*
Stilwidrigkeit 940, *1*
Stimmabgabe 1861, *2*
Stimmaufwand 1144
Stimme 1100, *4*;
 1493, *1*; 1700, *1*
Stimme haben 1563, *1*
Stimme, innere 762
Stimme, mit einer 443, *2*
Stimme, mit gedämpfter
 1044
stimmen 503, *3*;
 1469, *4*; 1592, *3*;
 1862, *3*
stimmen für 215
stimmen, fröhlich 75, *4*

Stimmengewirr 734, 3
Stimmfärbung 1583, 4
stimmig 819, 1; 1615, 2
Stimmigkeit 818, 1;
 1616, 4
Stimmlage 1583, 4
Stimmrecht 1318, 3
stimmt 1460, 1
Stimmung 650, 1;
 1073, 1; **1519**; 1966
Stimmung, ohne 1017, 2
stimmungsvoll 600, 2
stimulieren 75, 3;
 541, 2; 1334, 1
stimulierend 76, 3
stimulierend, sexuell
 91, 3
stimuliert 1074
Stimuliertheit 1073, 3
Stimulus 1333
stinken 106, 1; 1344, 2
stinkend 109, 461, 2
stinkig 461, 2
stinklangweilig 1017, 1
stinknormal 678, 1
Stippe 1476
Stippvisite 281, 2
Stips 1525
Stirn haben 1859, 3
Stirn haben, nicht die
 1371, 2
Stirnseite 1836, 1
stirnseitig 1840, 2
stöbern 1050, 1; 1367, 1;
 1549, 1
Stock 796, 3; 955;
 1011, 2
stockbesoffen 250, 1
stockbetrunken 250, 1
stockblind 318, 1
stockdumm 403, 1
stockdunkel 407, 1
stöckeln 703, 2
stocken 441, 1; 811, 1;
 1507, 3; **1520**; 1532, 2;
 1779, 3; 1815, 3
Stocken, ohne 1829, 2
stockend 1015, 1
stockfinster 407, 1
stockfleckig 265, 1
stockig 406, 1
stocksauer 322, 1
stocksteif 1504, 1
Stockung 858, 2; 1518
Stoff 463, 1; 697, 2;

759, 1; 1164, 1; 1311;
 1521; 1548
Stoffel 1272, 1
stoffelig 1657, 1
Stoffgebiet 697, 2
stofflich 1911, 2
Stofflichkeit 1521, 2
stöhnen 944, 3
Stöhnen 943, 2
Stoiker 1255
stoisch 689, 2; 1357, 3;
 1540, 5
Stoizismus 1355, 2
Stollen 1798, 1
stolpern 581, 1; 1383, 2
stolz 1453; 1506, 1
Stolz 419, 1; 1454, 2;
 1925, 1
Stolz, falscher 460, 1
Stolz, ohne 1690, 2
stolzieren 1269, 1;
 1287, 1
stoned 250, 2
stone-washed 718, 2
stop and go 1518
stopfen 543, 2; 676, 1
Stopfen 1784, 1
stopfen, voll 674, 2;
 676, 1
Stopp 810, 6; 1518
Stoppelbart 187
stoppelig 1307, 2
Stoppeln 187
stoppen 22, 2; 441, 1;
 811, 1; 1507, 3
Stoppstelle 810, 6
Stöpsel 1784, 1
stöpseln 1399, 2
Store 870, 6
stören 907, 1; **1522**;
 1594, 2
stören, Nachtruhe
 1018, 1
störend 130, 2; 1021, 2;
 1660, 1
Störenfried 1523
Störfall 1650; 1981, 1
stornieren 122, 2
Stornierung 120, 3
störrisch 425
Störung 988, 2; 1041, 1;
 1524; 1678, 1;
 1981, 1
Störung, psychische 721
Störung, seelische 721

störungsfrei 768, 5
Story 258, 1; 559, 2;
 697, 3
Storyboard 394
Stoß 400, 1; 1295, 1;
 1446, 1; **1525**
stoßen 391, 1; **1526**;
 1937
stoßen auf 619, 1
stoßen, auf Unverständ-
 nis 1383, 6
stoßen, aufeinander
 1592, 2
stoßen, beiseite 1733, 1
stoßen, Bescheid 557, 2;
 1729, 2
stoßen, in die Seite 90, 3
stoßen, ins Elend 173, 1
stoßen, ins gleiche Horn
 1969, 2
stoßen, mit der Nase da-
 rauf 861, 1
stoßen, vor sich her
 1526
Stoßgebet 684; 943, 2
Stoßkraft 400, 1; 980, 2
Stoßseufzer 943, 2
Stoßverkehr 767, 4
stoßweise 1005, 2;
 1852, 1
Stoßzeit 767, 4
stottern 1520, 2; 1815, 3
strack 732, 1
stracks 429, 2; 771, 3;
 1290, 2; 1410, 2;
 1663, 2
Strafaktion 1751, 2
Strafanstalt 692, 2
Strafantrag 943, 1
Strafaufschub 1821, 3
strafbar 1721
strafbar machen, sich
 1749, 8
Strafdelikt 1724
Strafe 1751, 2
strafen, Lügen 557, 2
strafen, mit Verachtung
 1114, 2
Straferlass 784, 1
straff 612; 732, 1;
 1535, 1
straffällig 1426, 2
straffällig werden
 1749, 8
Straffälliger 1725, 1

straffen 769, 2; 1007, 4;
1530, 2
straffen, sich 499, 2
straffrei 1672, 2
straflos 1672, 2
Strafmaßnahme 1751, 2
Strafpredigt 1082, 4;
1385, 1
Strafprozess 1283, 1
Strafsache 1283, 1
Straftat 1724
Straftäter 1725, 1
Strafverfahren 1283, 1
Strafvollzugsanstalt
692, 2
strafwürdig 1721
Strahl 1052, 2
Strahlemann 1223
strahlen 651, 2; 1009, 1;
1287, 2; 1381, 2
Strahlen 1052, 2
strählen 1292, 3
strahlend 654, 4; 768, 2;
839, 2; 1412, 1
Strahlenkranz 832
Strahler 836; 1012, 1
Strahlkraft 1052, 2
Strahlung 1052, 2
Strähne 1295, 1
Strähnen 806, 1
strähnig 768, 3
straight 1663, 2
stramm 376, 1; 381, 1;
479; 480, 3; 612
strammstehen 704, 1;
802, 2
Strand 1629
stranden 1383, 2
Strandgut 5, 2
Strang 575, 1; 1295, 1
Strapaze 1020, 2
strapazieren 153, 2;
237, 2; 1723, 3
strapazieren, nicht
1413, 1
strapazierfähig 363, 1
Strapazierfähigkeit
613, 1
Strapazierung 154, 2
strapaziös 1021, 1
Straps 812, 2
Straße 1527
Straße, auf der 104
Straße, auf offener
1211, 1

Straßenbahn 579, 4
Straßenbahnlinie
1058, 3
Straßenfest 749, 2
Straßenhändler 816, 1
Straßenjunge 1272, 1
Straßenkreuzer 579, 2
Straßenlärm 734, 3
Straßenmädchen 1280
Straßenprostitution
1282
Straßenseite 1836, 1
Straßenstrich 1282
Straßentheater 1576, 1
Straßenzug 1499, 3
Stratege 387, 2
Strategie 743, 2;
1258, 4; 1258, 5
strategisch 744, 2;
1260, 1; 1554, 1
sträuben, sich 807, 3;
1511, 5; 1959, 2
Strauch 343, 1
straucheln 581, 1;
1383, 2
Strauß 343, 2; 917, 2;
1533, 2; 1826, 2
streben 1528
Streben 422, 1; 1761, 1
streben, vorwärts
1528, 2
Streber 1529
streberhaft 421
strebsam 421; 423; 621
Strebsamkeit 422, 2
Strecke 486, 1; 1539, 1;
1560, 1; 1887, 3
Strecke bleiben, auf der
1520, 3
Strecke, auf halber 809
Strecke, halbe 1119, 4
strecken 1530; 1739, 2;
1942, 2
strecken, alle viere von
sich 524, 3
strecken, Finger 1934, 5
strecken, sich 1530
strecken, Waffen 122, 3
strecken, zu Boden
1394, 2
Streckennetz 1176, 2
streckenweise 1566
Streetfighter 919, 3
Streetgang 919, 3
Streich 1393, 1; 1674, 2

Streich, dummer 1674, 3
Streicheleinheit 1062, 1
streicheln 1056, 3
streichen 122, 2; 590, 3;
1064, 3; 1437, 1
streichen, glatt 179, 1;
769, 2
streichen, Segel 122, 3;
704, 2
Streicher 1134, 2
streichfähig 1890, 1
Streichkonzert 454, 1
Streichung 454, 1;
486, 2
Streife 1285, 2
streifen 263, 4; 703, 2;
861, 1; 1137, 1
Streifen 618, 2; 1136, 5;
1539, 2
Streifzug 578, 1
Streik 370, 1; 1531
streiken 1520, 1; 1532;
1779, 3
Streit 277, 3; 606;
917, 2; **1533**; 1595, 1
Streit um des Kaisers
Bart 1533, 2
Streit um Worte
1533, 2
streitbar 842; 920
Streitbarkeit 830
streiten 1534
streiten, sich 1534
Streiter 919, 1
Streiterei 1533, 2
Streitfrage 638, 2
Streitgespräch 277, 3;
1533, 2
Streithammel 1272, 2
streitig machen 1779, 1
Streitigkeit 1533, 2
Streitkraft 1111, 2
Streitlust 830
streitlüstern 37, 1
streitlustig 37, 1
Streitmacht 1111, 2
Streitmichel 1272, 2
Streitsache 1283, 1
Streitsucher 1272, 2
Streitsucht 830
streitsüchtig 37, 1
streng 545, 1; 820, 3;
891, 1; **1535**
streng, nicht 1109, 4
Strenge 1144; 1536

strenggläubig 663;
1535, 3
Stress 400, 3; 1020, 2
Stress, im 401
stressen 195, 3; 237, 2
stressgeplagt 1130, 2
stretchen 1530, 4
streuen 1796, 2
streuen, Sand in die Au-
gen 293, 1
streuen, sich Asche aufs
Haupt 256
streuen, Weihrauch 1401
Streulage 1113, 4
streunen 1331, 2
Streuner 1332, 2
Strich 1058, 1; 1282
Strich durch die Rech-
nung 508
Strich durch die Rech-
nung machen 857, 3
Strich in der Landschaft
410, 3
Strich und Faden, nach
1225, 3
Stricher 1281
Stricherin 1280
Strichjunge 1281
Strichmädchen 1280
Strichregen 1186, 1
strichweise 1566
Strick 575, 1; 1384, 2
Strick, fauler 595
stricken 102, 4
Strickgarn 575, 2
Strickleiter 1047, 1
Strickmuster 1136, 3
striegeln 1292, 3
strikt 479; 1535, 1
stringent 1980, 1
Strippe 575, 1
strippen 175, 4
Strippenzieher 671, 6
Striptease 1459
Striptease machen
175, 4
Stripteaselokal 681, 1
strittig 1207, 3; 1273, 1;
1673, 1; 1975, 2
Strizzi 1954
Stroh, leeres 737, 2;
1256, 2
strohblond 839, 6
strohdumm 403, 1
Strohfeuer 1699, 2

Strohhut 971
strohig 1495, 2
Strohkopf 405, 1
Strohmann 1806, 4
Strolch 1384, 2
strolchen 1331, 2
Strom 478, 2; 760, 1
stromabwärts 27
stromauf 138
strömen 625; 1325
strömend 1327, 4
Stromer 1332, 2
stromern 1331, 2; 1870
stromlinienförmig
744, 2; 1973, 2
Stromschnelle 1881, 1
Strömung 1125, 1;
1537; 1569, 1
Strophe 1560, 1
Strophenlied 739, 2
strotzen 1287, 2
strotzend 757, 1;
1327, 4; 1359, 1
strubbelig 1150, 4
Strudel 302, 3; 396, 1;
1537, 2; 1881, 1
strudeln 395, 1;
1584, 4
strudelnd 1905, 4
Struktur 632, 1; 779;
1538
strukturell 205
strukturieren 756;
1226, 2
strukturiert 731, 3
Strumpf 921, 1
Strunk 1516, 3
struppig 1307, 2
Stubben 1516, 3
Stube 1309, 1
Stubenhocker 160, 1
Stubenmädchen 826, 2
stubenrein 86, 1;
1365, 2
stubenrein, nicht 91, 1
Stück 569; 1340, 1;
1378, 1; **1539**;
1560, 2; 1576, 1
Stück Land 795
Stück, antikes 976, 1
Stück, starkes 130, 2;
643, 3
Stückchen 951, 2;
1340, 1; 1539, 2
Stücke, seltene 976, 1

stückeln 519, 8
Stücken, aus freien 646
Stückeschreiber 1423
stückweise 1015, 2
Stückwerk 1251;
1693, 2
Student 1428, 2
Studentenverbindung
1718, 4
Studentenwohnheim
833, 2
Studie 8, 1; 308, 2;
1258, 2
Studienrat 1035, 1
studieren 80, 1; 371, 2;
1049, 1; 1050, 1;
1137, 2
Studierender 1428, 2
studiert 929
Studierter 1918
Studio 114
Studiokamera 916, 2
Studium 1033, 2
Stufe 788; 1302, 1
Stufe, auf gleicher 775
Stufen 1596
Stufenfolge 1303
stufenweise 1015, 2
Stuhl 156, 2; 1470, 1
Stührücken 1882, 1
Stuhlgang 156, 2
Stulpe 1291, 9
stumm 1044; 1439, 1
stumm bleiben 1438, 1
stumm, ganz 1504, 3
Stummel 1340, 1;
1516, 3
Stummfilm 618, 3
Stummheit 1355, 1
Stumpen 1516, 3
Stümper 384, 2; 405, 4
Stümperei 1251
stümperhaft 385, 2
stümpern 1252
stumpf 318, 2; 406, 3;
772, 4; 1504, 1; **1540**;
1645, 1
Stumpf 1340, 1; 1516, 3
Stumpf und Stiel, mit
679, 2
Stümpfchen 1340, 1
Stumpfheit 1014;
1205, 2; 1646, 1;
1646, 4
Stumpfsinn 404, 1; 1014

stumpfsinnig 406, 3; 1017, 2

Stunde 1935, 1

Stunde null 1343, 1

Stunde, blaue 408, 1

Stunde, in elfter 477, 2

Stunde, schwere 687

Stunde, zu später 1481, 4

Stunde, zu vorgerückter 1481, 4

Stunde, zur 699, 1

stunden 321, 2; **1541**

Stunden, alle 882, 2

Stundenfrau 826, 2

Stundenhotel 320

stundenlang 1013, 2

stundenweise 1852, 3

stündlich 180; 882, 2

Stunk 1533, 1

Stunt 550, 4

Stuntman 550, 4

stupend 553

stupid 403, 1

Stupidität 404, 1

Stuprum 1458

Stups 1446, 1; 1525

stupsen 1526

Stupser 1525

Stupsnase 1161

stur 425; 1504, 2; 1928, 1

Sturheit 404, 1; 481, 5; 481, 5; 1646, 1

Sturm 61, 1; **1542**; 1909

stürmen 60, 2; 316, 1; 428, 1; 1214, 1

Sturmflut 765

stürmisch 829, 2; 1070, 1; 1145, 2; 1307, 5; 1410, 1

Sturm-und-Drang-Zeit 908, 1

Sturmwind 1542, 1

Sturmwolken 408, 2

Sturz 134, 2; 580, 1

Sturz in die Tiefe 580, 1

stürzen 428, 1; 533, 3; 581, 1; 998, 2

stürzen, in die Tiefe 581, 1

stürzen, ins Verderben 1939, 1

stürzen, sich auf 60, 2

stürzen, sich in die Tiefe 20, 2

stürzen, sich in Unkosten 304, 3

sturzflutartig 1823, 1

Sturzhelm 971

Sturzwelle 1537, 2

Stuss 1674, 1

Stute 1247

Stütze 810, 2; 826, 2; 838, 1

Stütze, auf 104

stutzen 1007, 1; 1924, 3

stützen 210, 2; 837, 1; 1462, 1; **1543**

stützen, sich 1543

stützen, sich auf 9, 3; 124, 1; 1799, 1

Stutzer 1544

stutzerhaft 459, 1; 1624, 3

stutzig 125, 1; 1504, 3

stutzig werden 1924, 3

Stützpunkt 810, 2

Stützwerk 810, 4

stylen 167, 2

Styling 168, 3; 806, 2; 1517, 4

Suada 1493, 3

subaltern 1690, 1

Subjekt 1103, 2; 1429, 1

subjektiv 455, 1; 886, 1; 1244, 1; 1908, 1

Subkultur 1545

subkutan 1719, 1

sublim 416, 1; 996, 2

Sublimation 1546

sublimieren 946, 3; **1547**; 1733, 2

Sublimierung 1546

submikroskopisch 950, 1

Subordination 706, 2

Subsistenzmittel 1027, 2

subskribieren 280, 2

substantiell 1911, 2

Substanz 567, 1; 1164, 1; 1521, 1; **1548**

substanzlos 182; 1028, 3

Substanzlosigkeit 183, 1

Substitut 550, 2

subtil 84, 1; 416, 1; 1441, 2; 1931, 1

Subtilität 607, 1

subtrahieren 1007, 2; 1929, 1

subtropisch 1871, 2

Suburb 1499, 4

Subvention 854, 1

subventionieren 837, 3

Suche sein, auf der 1549, 2

suchen 1549

suchen sein, zu 212, 1

suchen, das Weite 624, 1

suchen, Gelegenheit 538, 1

suchen, seinen Vorteil 251, 2

suchen, sich anzugleichen 631, 3

suchen, Stellung 303

suchen, zu bekehren 1081, 3

suchen, zu bewegen 208; 541, 1; 1081, 1

suchen, zu bezwingen 918, 3

suchen, zu erreichen 1528, 1

suchen, zu verkaufen 50, 1

Sucherkamera 916, 1

Suchmeldung 930, 2

Sucht 1550; 1761, 1

süchteln 1528, 1

süchtig 1093, 3; 1651, 1

süchtig sein nach 9, 2

Süchtigkeit 1550, 1

Suchtmittel 1311

Suchtmittelabhängigkeit 1550, 2

Sudelbuch 828, 1

Sudelei 1251; 1406, 2

sudelig 1408

sudeln 1252; 1421, 4; 1808

Südeuropa 568, 1

südeuropäisch 568, 2

südlich 1871, 2

Suff 1310, 1

süffeln 1600, 2

süffig 100, 2

süffisant 840; 1492, 1

Süffisanz 1490, 3

suggerieren 75, 1; 208

suggestibel 467, 3

Suggestion 436, 1

suggestiv 1395; 1912, 2

suhlen, sich 395, 5
Sühne 1341; 1751, 2
sühnen 345
Sühneopfer 1219, 3
sui generis 163, 1;
  886, 1
Suite 1919, 2
Suizid 1587, 3
Sujet 697, 2; 1521, 4
Sukkubus 1574
sukzessiv 1015, 2
Sultan 849
sülzen 1494, 3
summarisch 1005, 3
Summe 521; 1270, 1
summen 1465, 1;
  1584, 2
Summen 734, 2; 739, 1
summieren 1929, 1
summieren, sich 1509, 3
Sumpf 953; 1406, 1,
  1551
sumpfig 1162, 2; 1408
Sums 1256, 2
Sündenbock 1806, 4
Sündenregister 1424, 1
sündhaft 862, 5; 1452, 1
super 149, 1; 554;
  1254, 1
Super-8-Kamera 916, 2
superb 100, 2; 148, 1
superklug 1396, 2
Superlativ 767, 7
superlativistisch 1624, 5
Superlearning 1049, 3
Supermacht 792, 3
Superman 1559
Supermarkt 740, 5
superschlau 1396, 2
Superstar 1500, 1
Supervision 1285, 2
Supplement 520, 3

surfen 300, 4; 1549, 4
Surplus 1195, 2; 1731, 2
surreal 1254, 2
surrealistisch 1254, 2
surren 1584, 2
Surren 734, 2
Surrogat 550, 2; 1142, 1
Survey 1631
suspekt 1975, 2
suspendieren 213, 2;
  998, 4
suspendiert 644, 5
Suspendierung 999, 1
Suspense 1477, 1
süß 71, 2; 583, 4; 869
Süße 70; 108
süßen 1927, 1
Süßholz 1062, 4
Süßholzraspler 1402, 1
Süßigkeit 108; 979
süßlich 583, 4; 941
Süßlichkeit 940, 3
süßreden 1401
süßsauer 844, 2;
  1495, 3
Süßspeise 1080, 5
Süßwasser 1880, 2
Swing 1444
swingen 293, 3
Sybarit 726, 1
sybaritisch 727
Syllogismus 1400, 3
Symbol 308, 5; 1933, 1
symbolisch 310, 2;
  1265, 1
symbolisieren 359, 5
Symbolisierung 361, 2
Symmetrie 1324, 1
symmetrisch 1323, 3
Sympathie 444; 655, 2;
  1055, 1; 1172, 1
Sympathisant 66, 2

sympathisch 57, 1;
  1054, 2; 1175, 1
sympathisieren 65, 1;
  1127, 2; 1793, 6
Symposium 1593, 2
Symptom 930, 1;
  1933, 2
symptomatisch 348, 1
Synagoge 938, 2
synchron 776
synchronisieren 73, 1
Synchronisierung 74, 1
Syndikat 1718, 6
synergetisch 1912, 1
Synergie 1274, 2;
  1913, 1
Synkretismus 1113, 4
Synode 1593, 2
synonym 771, 4
Synonym 1616, 6
Synopse 1612, 1
Synthese 1718, 1
synthetisch 1002
System 442, 1; 1227, 1;
  1552
System, totalitäres
  847, 3
Systematik 1552, 2
systematisch 731, 3;
  1260, 1; 1468, 3
systematisieren 1226, 2
systematisiert 731, 3
Systemkamera 916, 1
systemlos 1667, 2
Systemlosigkeit 1668, 1
Szenario 394; 1258, 2
Szene 140, 2; 1301, 2;
  1533, 2; 1545, 1
Szene machen 1391, 1
Szenekultur 1545, 1
Szenerie 1377
Szenesprache 1493, 4

T

Tabelle 1817, *1*
Table d'hôte 1080, *10*
Tableau 1826, *2*
Tablette 112, *2*; 1098, *2*
Tablettenabhängigkeit 1550, *2*
tabu 1721
Tabu 1720, *1*
tabuisiert 883, *2*; 1721
tacken 1584, *2*
Tadel 1082, *4*; 1385, *2*
tadellos 86, *2*; 416, *1*; 1225, *1*; 1317, *1*; 1829, *1*
tadeln 196; 1391, *1*; **1553**
tadelnd 31, *2*
Tadelsucht 1240, *2*
tadelsüchtig 1241, *2*
Tafel 620, *1*; 1080, *10*; 1580; 1817, *2*
Tafelfreuden 730, *2*
Tafelland 620, *1*
Tafelmesser 1106
tafeln 566, *2*
täfeln 200; 676, *2*
Tafelrunde 800, *8*
Täfelung 870, *3*
Tag 1935, *1*
Tag für Tag 882, *1*
Tag machen, sich einen schönen 594
Tag und Nacht, wie 695, *4*
Tag werden 52, *2*
Tag, bei 839, *1*
Tag, den ganzen 882, *1*
Tag, jeden 882, *1*
Tage 1322, *4*
Tage der Rosen 780, *2*
Tage, alle 882, *1*
Tage, dieser 180; 1008
Tage, ewig und drei 882, *1*
Tagebuch 527, *3*
Tagediebrei 1676, *1*
Tagegeld 137, *1*; 498, *3*

tagelang 1013, *2*
Tagelöhner 838, *2*
tagen 52, *2*; 276, *3*; 1592, *1*
Tages, eines 1207, *7*; 1482, *2*
Tagesanbruch 51, *3*
Tagesanbruch, bei 665
Tagesdecke 870, *9*
Tagesende 408, *1*
Tagesform 1519, *1*
Tagesgeschmack 1125, *1*
Tagesgespräch 742, *3*
Tagesgespräch sein 1633, *4*
Tageshelle 1052, *1*
Tageslicht 1052, *1*
Tageslicht, bei 839, *1*
Tagesordnungspunkt 697, *2*
Tagesschicht 1387, *2*
Tagesschriftsteller 260, *1*; 1423
tageweise 1852, *3*
taghell 839, *1*
täglich 882, *1*
tagtäglich 882, *1*
Tagung 1593, *2*
Taifun 1542, *1*
Take 126, *1*
Take-off 132
Takt 85, *1*; 468, *3*; 1089, *3*; 1324, *1*; 1961, *2*
Takt, im 1323, *1*
Taktfehler 599, *4*
taktfest 1460, *8*
taktieren 1023, *1*
Taktik 743, *2*; 1258, *4*; 1258, *5*
Taktiker 387, *2*
taktisch 744, *2*; 1260, *1*; **1554**
taktlos 1244, *5*; 1264, *2*; **1555**; 1661, *3*
Taktlosigkeit 599, *4*; 643, *3*
taktmäßig 1323, *1*
taktsicher 1460, *8*
taktvoll 1960, *2*
Tal 1798, *1*
Tal, zu 27
Talent 577; 677, *4*; 1501, *5*
talentiert 576, *1*

talentlos 403, *1*
Talentsucher 1257, *2*
Taler 712, *3*
Talfahrt 27
talgig 1928, *2*
Talisman 1932, *2*
Talk 1683, *1*
Talkmaster 1682
Talkshow 1459
Talkum 1289
Talmi 940, *1*; 1142, *1*
talwärts 27
Tamtam 291, *4*; 1286, *1*
Tand 940, *1*
tändeln 1056, *2*
Tandem 579, *2*
Tangente 1058, *1*
tangieren 263, *2*
Tank 223
tanken 674, *1*; 1600, *2*
tanken, voll 674, *1*
Tann 1868
Tantalusqualen 1403, *2*
Tante-Emma-Laden 740, *2*
Tantieme 1338, *1*
Tantiemen 137, *1*
Tanz 105, *3*; 749, *2*
Tanz auf dem Vulkan 988, *1*
tänzeln 703, *2*
tanzen 395, *1*; 1435, *1*; 1681, *5*
tanzen, auf zwei Hochzeiten 1561, *3*
tanzen, aus der Reihe 28, *1*; 118
tanzen, nach der Pfeife 704, *1*
tanzen, nicht aus der Reihe 73, *2*
tanzend 1026, *5*
Tanzerei 749, *2*
Tanzlokal 681, *2*
Tanzmusik 1133, *3*
Tanzschuppen 681, *2*
Tanztheater 1576, *1*
Tanzvergnügen 749, *2*
Tape 922, *2*
Tapete 870, *3*
Tapetenwechsel 525, *1*
tapezieren 200; 543, *1*
Tapezierer 1083, *2*
tapfer 328, *2*; 1139, *1*
Tapferkeit 1138

tappeln 703, *2*
tappen 703, *2*; 1549, *3*
tappen, im Dunkeln
   1305, *2*
täppisch 1657, *1*
tapsen 703, *2*
tapsig 1657, *1*
Tarif 1270, *2*
Tarifpartner 103;
   1686, *1*
tarnen 1714, *1*
Tarnname 1288
Tarnung 1558, *1*
Tartarus 1689, *2*
Tartüff 852
Tasche 870, *8*; 921, *3*
Taschenbuch 336, *2*
Taschenformat 1348, *9*
Taschengeld 712, *2*
Taschenlampe 1012, *1*
Taschenmesser 1106
Taschenspieler 111, *2*
Taschenspielerei 1932, *1*
Tasse, trübe 405, *2*
Tassen im Schrank, nicht
   alle 1777, *1*
Taste 812, *1*
tasten 263, *1*; 668, *1*;
   703, *2*; 1549, *3*;
   1795, *2*
tasten nach 263, *1*
Tastsinn 1867, *2*
Tat 1046, *1*; 1094;
   1685, *2*; 1731, *3*
Tat, auf frischer 1263
Tat, in der 39; 1911, *3*
Tatbestand 580, *2*;
   1010, *2*; 1557, *1*
Tatendrang 422, *1*;
   478, *1*
Tatendurst 422, *1*;
   478, *1*
tatendurstig 479;
   1026, *2*
tatenlos 1675, *1*
Tatenlosigkeit 1676, *2*
Tatenlust 422, *1*
tatenlustig 479; 1026, *2*
Täter 1725, *1*
Täterprofil 930, *2*
tätig 423; 479; 621;
   1556
tätig sein 102, *1*; 815, *1*
tätigen 533, *1*; 1684, *1*
Tätigkeit 101, *1*

Tätigkeitsbereich 121
Tätigkeitsbericht 258, *3*;
   1316, *2*
Tätigkeitsgebiet 121
Tätigung 535, *1*
Tatkraft 478, *1*; 980, *1*;
   1906, *2*
tatkräftig 479; 1556, *2*
tätlich 37, *1*
tätlich werden 1394, *2*
Tätlichkeit 1393, *2*
Tatort 1377
tätowieren 931, *4*
Tätowierung 930, *5*
Tatsache 580, *2*; **1557**
Tatsache, vollendete
   1557, *1*
Tatsachenbericht 258, *3*
Tatsachenwahrheit 1865
tatsächlich 39; 1863;
   1911, *3*
Tatsächlichkeit 1557, *2*;
   1865; 1865
tattrig 44, *2*
Tatze 778, *1*
Tau 575, *1*; 1186, *1*
Tau und Tag, vor 665
taub 286; 1504, *1*;
   1540, *3*
tauchen 1184, *5*;
   1442, *1*; 1549, *2*
tauen 1066, *2*
Taufe 438, *2*
taufen 437, *4*; 547, *2*;
   931, *5*; 1174, *1*
Taufname 930, *4*
taufrisch 660, *2*
Taufzeuge 338
taugen zu 382, *2*
Taugenichts 595; 1781
tauglich 576, *1*; 981, *1*;
   1197, *1*; 1912, *1*;
   1973, *1*
Tauglichkeit 577
Tauglichkeitsprüfung
   1285, *2*
tauig 1162, *4*
Taumel 549, *4*
taumelig 1673, *4*
taumeln 1435, *1*
taumelnd 1673, *4*
Tausch 814, *2*; 1882, *1*
tauschen 1883, *1*
täuschen 293, *1*; 1072;
   1381, *1*; 1848

tauschen, Platz 1883, *2*
täuschen, sich 901, *4*
täuschend 1380
Tauschgeschäft 814, *2*
Tauschhandel 814, *2*
Täuschung 292; 902, *1*;
   1558
Täuschungsmanöver
   1558, *1*
Tauschwert 1898, *2*
Tausende 1825
Tausenden, zu 1823, *1*
tausendfach 1216
Tausendsassa 1559
Tautologie 1616, *1*;
   1811, *3*
Tauziehen 917, *1*;
   1533, *2*; 1974, *3*
Taverne 681, *1*
Taxe 579, *2*; 1270, *2*;
   1514, *2*
Taxi 579, *2*
taxieren 80, *1*; 251, *1*;
   1137, *2*; 1373, *2*
Teach-in 370, *1*
Team 800, *2*
Teamarbeit 1963
Teamwork 1963
Technik 110, *3*; 611,
   1517, *1*
technisch 1096, *1*
technisieren 1306
Technologiemönche
   1545, *2*
Techtelmechtel 1055, *4*
Tee 759, *3*; 1080, *6*
TEE = Trans-Europa-Ex-
   press 579, *4*
Teenager 908, *3*; 1078, *2*
Teenie 1078, *2*
Teenies 908, *3*
Teens 908, *3*
Teich 760, *2*
teigig 1928, *2*
Teil 192, *1*; 1295, *2*;
   1539, *1*; **1560**
Teil, größerer 1102, *5*
Teil, letzter 1400, *1*
Teil, zum 1566
Teil, zum überwiegen-
   den 1101
Teilbetrag 1295, *2*
Teilchen 192, *2*; 1560, *3*
teilen 1220, *1*; 1409, *1*;
   1561; 1929, *1*

teilen, Auffassung
    1614, 2
teilen, brüderlich
    1561, 4
teilen, Kräfte 1561, 3
teilen, sich 1561
Teilen, zu gleichen 809
Teilgebiet 1560, 1
teilhaben 289; 1563, 1
Teilhaber 1235, 1
Teilhaberschaft 1562, 2
teilhaftig 1564, 2
Teilnahme 698, 2; **1562**
teilnahmslos 406, 4;
    772, 1; 1540, 4
Teilnahmslosigkeit
    1646, 2
teilnahmsvoll 1564, 1
teilnehmen 1563
teilnehmen lassen 287
teilnehmen, nicht 402, 4
teilnehmend 1564
Teilnehmer 95, 2;
    283, 3; **1565**
teils 1566
teils … teils 1566;
    1783, 2
Teilschicht 1387, 2
Teilstrecke 1560, 1
Teilstück 1560, 2
Teilung 1595, 3
teilweise 1566
Teilzeitarbeit 101, 3
Teint 589, 1
Telearbeit 101, 3
Telebrief 332
Telefax 972
telefaxen 1621, 6
Telefon 1567
Telefonanruf 1353, 2
telefonieren 1568;
    1621, 6
Telefonkonferenz
    1593, 4
Telefonsex 1282
Telefonvermittlung
    1770, 1
Telegrammstil, im
    1005, 3
telegraphieren 1621, 6
Telekolleg 1033, 2
Telekonferenz 1593, 4
Telekopie 972
Teleshopping 923
Teleskopie 1631

Telespiel 1683, 5
Teletex 1176, 2
Teleworking 101, 3
Telex 1176, 2
tellereben 768, 1
Tempel 938, 2
Temperament 346;
    478, 1; 830; 1446, 2
temperamentlos 914, 3
temperamentvoll
    1026, 3
Temperatur 788
Temperatur, tiefe 915, 1
Temperaturen, tropische
    1872, 1
Temperaturrückgang
    1348, 7
temperieren 1873, 1
temperiert 1091, 3;
    1871, 1
Tempo 427, 2; 1089, 3;
    1410, 2
temporär 1745; 1852, 1;
    1852, 3
Temposteigerung 427, 4
Tempus 1935, 1
Tendenz 1125, 1;
    1172, 2; 1537, 1; **1569**
tendenziös 455, 1; **1570**
tendieren 1127, 2;
    1515, 2; 1528, 1
Tennisplatz 685, 3
Tenno 849
Tenor 798, 1; 1363, 1;
    1537, 1
Tension 400, 1; 980, 2
Teppich 1571
Teppich bleiben, auf
    dem 228
Teppich, roter 419, 2
Teppichboden 1571
Term 222
Termin 277, 1; **1572**;
    1593, 1
Termindruck, im 401
termingemäß 1290, 1
terminieren 1541; 1735
terminiert 1852, 3
Terminkalender 527, 3
Terminologie 1493, 2
Terminus 147, 1; 222
Terra incognita 1177, 5
Terrain 685, 2; 795
Terrasse 181
Terrassierung 23, 1

Territorium 685, 2
Terrorherrschaft 847, 3
terrorisieren 398, 3;
    1679, 1; 1979, 2
Terrorisierung 1972, 1
Terrorist 919, 5
Terrorregime 847, 3
Test 1285, 1; 1794, 1
Testament 513, 4
testen 1284, 3; 1795, 2
testieren 278, 1
Testmuster 1794, 2
Tête-à-tête 1055, 4
teuer 1054, 2; **1573**
teuer, nicht 312, 1
Teuerung 1510, 2
Teufel 1574
Teufelei 324
Teufelsbrut 753
Teufelsdienst 786
Teufelskerl 1559
Teufelswerk 1932, 3
teuflisch 323, 1; 1452, 1
Text 1575
Text, erklärender 529, 4
Text, literarischer 1575
Text, weiter im 1854
Textbuch 394
texten 528, 5; 1421, 3
Texter 1423
Textil 1521, 3
textilfrei 1154, 1
Textilie 949, 1
Textur 632, 1; 1538
Theater 105, 3; **1576**;
    1683, 6; 1847, 3
Theater machen 1391, 1
Theateraufführung
    1576, 1
Theaterautor 1423
Theatercoup 134, 2
Theaterdichter 1423
Theaterkritiker 260, 1;
    990, 1
Theatersaison 1360
Theaterstück 1378, 1;
    1539, 5
Theatralik 1623, 1
theatralisch 1624, 5
Thema 638, 4; 697, 2;
    887, 1; 1521, 4
Thema haben, zum
    224, 3
thematisieren 224, 3
Thematisierung 225, 1

Theorem 798, 2; 1033, 4
Theoretiker 372
theoretisch 799; 879
Theorie 1033, 4
Theoriebildung 636, 2
Therapeut 113
Therapeutikum 1098, 2
Therapie 225, 3
therapieren 224, 2;
    831, 2
Thermalbad 178, 4
Thesaurus 1032
These 798, 2; 1033, 4
Thesen 8, 2; 1299, 2
Think-Tank 800, 2
Tick 424, 4; 1778, 1
ticken 1584, 2
Ticken 734, 2
tickern 1621, 6
Ticket 1577
Ticktack 734, 2
Tiden 765
tief 407, 4; 722, 3;
    891, 4; 1364, 3;
    1468, 2; **1578**; 1827, 4
Tief 400, 4; 988, 3;
    1118; 1591
tief gehend 1498
tief liegend 1578, 1
Tiefdruckgebiet 400, 4
Tiefe 146, 2; 202, 3;
    859, 1; 1798, 1
Tiefe, in der 1578, 1;
    1677, 1
Tiefe, in die 27
Tiefe, ohne 1199, 2
Tiefebene 620, 1
tiefenscharf 722, 3;
    1373, 5
tiefer hängen 1478, 4;
    1735
Tiefgang, ohne 182;
    1199, 2
tiefgekühlt 363, 2
tiefgreifend 1300
tiefgründig 1579
tiefkühlen 522, 2
Tiefkühlschrank 1418
Tieflader 579, 5
Tiefland 620, 1
Tiefpunkt 988, 1
tiefschwarz 407, 1
tiefsinnig 1441, 2; 1579
Tier 186; 747, 1
Tier, totes 973, 2

Tierbändiger 111, 2
Tiergarten 1948
Tiergehege 1948
tierisch 1452, 1
Tierpark 1948
Tierwelt 1164, 2
tilgen 34; 122, 2; 151, 2;
    304, 4; 1064, 2
Tilgung 150, 3; 486, 2;
    1930, 1
Timbre 1493, 2; 1583, 2
timen 73, 1
Timesharing 1595, 4
Timing 74, 1
Tingeltangel 1459;
    1683, 6
Tinktur 112, 2; 567, 2
Tinte 1763, 1
Tinte, in der 401
Tip 677, 1
Tipp 470; 860, 2;
    1304, 1; 1933, 2
Tippelbruder 1552, 2
tippelig 1241, 1
tippeln 1870
tippen 1421, 4; 1486, 5
Tippfehler 599, 1
tipptopp 1365, 1
Tiraden 1256, 2
tirilieren 1465, 3
Tirilieren 734, 5; 739, 1
Tisch 1580
Tisch machen, reinen
    946, 1
Tisch, am grünen 879
Tisch, vom 534, 1
Tischchen 1580
tischfertig 610, 4
Tischgast 283, 1
Tischgebet 684
tischlern 102, 4
Tischnachbar 1143, 3
Tischwäsche 1879
Titan 1345
titanisch 791, 1
Titel 336, 1; 419, 2;
    930, 4; 930, 7; 1302, 1
Titelblatt 1836, 2
Titelpart 1347, 1
Titelpartie 1347, 1
Titelrolle 1347, 1
Titelseite 1836, 2
Titelzeile 930, 7
Titten 344
Titulatur 930, 4

titulieren 931, 5; 1174, 1
Toast 801, 3
toasten 325, 1
toben 316, 1; 1391, 2
tobend 1905, 1
Tobsuchtsanfall 143, 2
Tochter 1078, 1; 1977, 1
Tochterfirma 1977, 1
Tod 1581
Tod, nach dem 1481, 3
todbringend 690, 5
todernst 545, 2
Todesengel 1581, 3
Todesfahrer 111, 2
Todesfall 1581, 2
Todesgefahr 399, 2
Todeskampf 917, 5
Todeslager 969
todesmutig 1139, 2
Todesschlaf 1581, 1
Todessprung 1496, 2
Todesstarre 915, 1
Todesstrafe 1587, 2
Todesverachtung, mit
    1652, 2
Todfeind 604, 1
todgeweiht 1042, 1
todkrank 1042, 1
tödlich 690, 5
todmüde 1130, 1
todsicher 1460, 1
todtraurig 1659, 1
todunglücklich 1659, 1
Tohuwabohu 1668, 1
Toilette 168, 3; **1582**
Toilette machen 98, 1;
    1292, 2
Toilettentisch 1580
Token 350, 1; 930, 3
Töle 871
tolerant 644, 3; 793, 2
Toleranz 1792, 3
tolerieren 531, 1
toll 829, 3; 1254, 1;
    1692, 3; 1777, 1
Tolle 806, 1
Tollhaus 1674, 3
Tollheit 650, 4; 830;
    1674, 1
tollkühn 1139, 2
Tollkühnheit 1138
Tollpatsch 405, 3
tollpatschig 1657, 1
Tölpel 405, 3
Tombola 783

Ton 589, *1*; 734, *1*;
  1133, *1*; 1144; 1193;
  1583
Ton, der die Musik
  macht 1583, *3*
tonangebend 670, *2*;
  1077, *2*; 1899, *3*
Tonarchiv 1483, *3*
Tonart 1583, *2*
Tonbandkassette 922, *2*
Tondichter 1134, *1*
Tondichtung 1133, *2*
Töne, falsche 941
tönen 590, *2*; 1018, *2*;
  1269, *2*; **1584**
Tönen 739, *1*
tönend 1827, *4*
tönend, hell 839, *5*
Tonfall 1493, *2*; 1583, *4*
Tonfall, im selben 771, *2*
Tonfilm 618, *3*
Tonfolge 1133, *1*
Tonkunst 1133, *2*
Tonkünstler 1134, *1*
tonlos 1044
Tonne 223
tonnenweise 1327, *4*
Tonrelation 1133, *1*
Tonschöpfer 1134, *1*
Tonschöpfung 1133, *2*
Tonschritt 1688
Tonsetzer 1134, *1*
Tonträger 922, *2*
too much 1624, *1*
top 804, *2*
topless 1154, *2*
Topmanager 672
Topmodel 1500, *1*
toppen 1394, *3*
topsecret 834, *2*
Topspeed 427, *2*
Topstar 1500, *1*
Tor 405, *4*; 1215, *1*
Toreador 919, *4*
Torero 919, *4*
Toresschluss, kurz vor
  477, *2*; 1481, *2*
Torheit 404, *2*; 1674, *3*
töricht 24; 403, *2*;
  1692, *3*
Törin 405, *4*
torkeln 1435, *1*
torkelnd 1673, *4*
Törn 578, *1*
Tornado 1542, *1*

torpedieren 857, *3*;
  1939, *9*
Torschluss 1400, *2*
Torso 1471; 1560, *2*
torsohaft 1694, *1*
Tort 240
Tortur 335; 1403, *2*
tosen 316, *1*; 1584, *4*
Tosen 734, *2*
tot 1096, *3*; 1504, *1*;
  1585; 1743
tot, halb 1130, *1*
total 679, *1*; 679, *3*;
  1829, *3*
Totalausverkauf 1759, *2*
Totalität 442, *1*
töten 533, *3*; **1586**
töten, Nerv 106, *1*
töten, sich 1586
totenblass 592, *1*
Totenklage 943, *2*
Totenreich 1689, *2*
Totenstadt 657
totenstill 450, *3*; 1357, *7*
Totentanz 1400, *2*
Toter 973, *2*
Totgeburt 1116
totlachen, sich 1009, *2*
Toto 783
Totschlag 1724
totschlagen 1586, *1*
totschlagen, Zeit 594;
  1016, *2*
Totschläger 1725, *2*
totschweigen 1409, *5*;
  1714, *1*
Tötung 1587
Tötungsdelikt 1587, *1*
Touch 159; 1193
touchieren 263, *4*
Toupet 806, *3*
Tour 326, *2*; 396, *1*;
  578, *1*
Tour de Force 917, *1*
Tour machen 1331, *1*
Tour, auf 393, *2*
Tour, in einer 882, *1*
Tour, krumme 292
touren 1331, *1*
Touren sein, immer auf
  851, *2*
Touren, auf 1026, *2*
Touren, auf vollen
  1026, *2*
Tourist 283, *2*; 1332, *1*

Touristen 649, *2*
Tournee 578, *2*
Tournee machen 1331, *1*
Tournee, auf 393, *2*
tout le monde 38, *2*
Trab 302, *1*
Trabant 66, *3*
Trabantenstadt 1499, *4*
traben 428, *1*; 703, *2*
Tracht 949, *2*; 1589, *2*
Tracht Prügel 1393, *1*
trachten 195, *1*; 1528, *1*
Trachten 1761, *1*
trachten nach 217, *1*;
  1259, *2*; 1922, *1*
trachten, zu bekommen
  245, *2*
Trader 816, *2*
Tradition 326, *1*
traditionalistisch
  1320, *2*
traditionell 59, *3*;
  365, *2*; 678, *1*
tragbar 803, *3*; 1128, *2*
träge 772, *3*; 1015, *1*;
  1150, *2*; 1675, *1*
tragen 837, *4*; 1040, *1*;
  1196, *1*; 1462, *1*; **1588**
tragen an, schwer
  1588, *3*
tragen haben, Päckchen
  zu 1588, *3*
tragen haben, zu 1588, *3*
tragen lassen, sich
  1437, *1*
tragen, auf dem Rücken
  1588, *1*
tragen, auf Händen
  1056, *2*; 1734, *1*;
  1816, *2*
tragen, Bedenken 1947
tragen, Folgen 345;
  1040, *2*
tragen, Frucht 1196, *1*
tragen, Herz auf der Zun-
  ge 1494, *3*
tragen, huckepack
  1588, *1*
tragen, Konsequenzen
  1040, *2*
tragen, Kosten 304, *1*
tragen, Nase hoch 430, *3*
tragen, Rechnung 193, *2*
tragen, Scheuklappen
  1051, *3*

tragen, Schleppe 1401
tragen, sich mit dem Ge-
danken 1259, 1
tragen, zu Grabe 122, 3;
233, 1
tragen, zur Schau
1934, 2
tragend 1827, 4
tragend, weit 1899, 1
Träger 810, 3; 812, 2
Tragesessel 579, 8
tragfähig 981, 1
Tragfähigkeit 1501, 2
Trägheit 249, 2; 1355, 3;
1676, 1
Tragik 1658
Tragikomödie 960
tragisch 1659, 4
Tragöde 360
Tragödie 1378, 1;
1658
Tragstuhl 579, 8
Tragstütze 810, 3
Tragweite 202, 3
Trailer 1897, 3
Trainee 1428, 4
Trainer 1035, 2
trainieren 1034, 2;
1502, 1; 1610
trainiert 744, 2; 981, 1;
1489, 1
Training 517, 2; 1033, 1;
1628
Trajekt 579, 6
Trakt 1560, 2
Traktat 8, 1
Traktor 579, 5
trällern 1465, 1
Tram 579, 4
Tramp 1332, 2
Trampel 405, 3
trampeln 703, 2
Trampelpfad 1887, 1
Trampeltier 405, 3
trampen 1331, 2
Tran 1310, 1
Tran, im 250, 1; 1638, 1
Trance 549, 3; 1646, 3
Trance, in 250, 2; 286;
1645, 2
Tranche 1539, 3
tranchieren 1409, 1;
1561, 1; 1936, 2
Tranchieren 1595, 3
Träne 1781

tränen 625
Tränen 943, 2
Tränen in den Augen,
mit 1659, 2
Tränen, in 1659, 2
tränenselig 473
Tränenseligkeit 474;
940, 3
Tränenströme 943, 2
tränenüberströmt
1659, 2
Tranfunzel 1255
Trank 759, 1
Tränke 760, 3
tränken 616, 1; 676, 1
tränken, sich 411, 1
Tranlampe 1012, 1
Transaktion 814, 2;
1685, 2
Transithandel 814, 3
transitorisch 1649, 3
transkribieren 1621, 5
Transkription 1422, 2
transnational 896
transparent 360; 945, 1;
1211, 2; 1790, 1
Transparenz 947, 1;
1212, 2; 1791
transpirieren 1445, 1
Transplantat 550, 3
transplantieren 1218
transponieren 1621, 5;
1708, 1
Transport 302, 2; **1589**
transportabel 301, 2
transportfähig machen
1233, 2
transportieren 300, 3;
1388, 2; 1588, 1
Transrapid 579, 4
Transuse 1255
transversal 1417, 1
transzendent 1692, 4
Transzendenz 408, 3
Trantüte 1255
Trapezkünstler 111, 2
trappeln 703, 2
Trapper 905, 1
Trara 291, 4
Trasse 1497, 3
Trassierung 1497, 3
Tratsch 737, 1
tratschen 948, 1;
1494, 3
Tratschtüte 1436

Trattoria 681, 1
Traube 800, 5
trauen, jmdm. 1799, 1
trauen, seinen Augen
nicht 1924, 1
trauen, sich 1859, 3
trauen, sich nicht
1371, 2
Trauer 1591
Trauerfall 1581, 2
trauern 944, 4; 1040, 4
Trauerspiel 1658
Traufe 1215, 7
träufeln 625
träufeln, Balsam auf die
Wunde 1605, 1
träufen 1325
traulich 719
Traulichkeit 249, 1
Traum 556, 1; 880, 3;
1746, 2
Traum haben 1590, 1
Traumbild 874, 3; 880, 1
träumen 1392, 3; **1590**
Träumer 876, 1
Träumerei 880, 3
träumerisch 877, 2;
1265, 2; 1357, 4;
1638, 1
Traumgesicht 880, 1
Traumgesichte haben
1590, 1
traumhaft 1254, 2;
1412, 1
Traumkarriere 135, 1
Traumland 1234
Traumtänzer 876, 1
Traumwelt 880, 1
traurig 1204, 1; 1293, 2;
1659, 1
Traurigkeit 1591
traut 719
Traute 1138
Trautheit 249, 1
Trauzeuge 338
Traveller 1332, 1
traversieren 1298, 1
Travestie 960; 1490, 4
travestieren 1491, 3
Treatment 394
Trebe, auf 850, 1
treffen 1592
Treffen 1593
Treffen auf höchster Ebe-
ne 767, 6

treffen, aufeinander
1592, 2

treffen, Auswahl 166, 1;
1594, 3

treffen, Entscheidung
499, 1

treffen, ins Herz 841, 1

treffen, ins Mark 841, 1

treffen, ins Schwarze
1592, 3

treffen, Nagel auf den
Kopf 1592, 3

treffen, nicht 598, 4

treffen, sich 1409, 6;
1592

treffen, Vorkehrungen
52, 3; 1834, 2

treffen, Wahl 499, 2;
1862, 1

treffend 722, 2; 1231, 3

Treffer 518, 4; 1393, 1

trefflich 149, 2

Treffpunkt 1593, 3

treffsicher 722, 2; 744, 1

Treffsicherheit 743, 1

treiben 75, 2; 391, 2;
506, 2; 851, 1;
1081, 2; 1437, 1;
1437, 2; 1740, 1

Treiben 291, 3

treiben, auf die Spitze
1622, 1

treiben, Aufwand
1287, 1

treiben, auseinander
1803, 1

treiben, doppeltes Spiel
293, 3

treiben, es zu weit
1622, 3

treiben, Handel 815, 2

treiben, Hokuspokus
305, 2

treiben, in die Enge
1511, 2

treiben, Keil zwischen
1594, 2

treiben, Kult mit 1063, 1

treiben, Missbrauch
153, 2

treiben, nach vorn
669, 3

treiben, quer 1522, 2

treiben, Raubbau 153, 2

treiben, Scherz 1491, 1

treiben, Schindluder
153, 2; 1114, 2

treiben, sein Unwesen
1749, 8

treiben, Spott 1491, 1

treiben, Vetternwirt-
schaft 293, 2

treiben, vorwärts 391, 2;
669, 3; 1715, 2

Treibjagd 904

Treibstoff 478, 2

trekken 1331, 2; 1870

tremolieren 1465, 1

Tremolo 474

Trend 1125, 1; 1537, 1;
1569, 1

trendeln 1820, 3

Trendscout 1257, 2

Trendsetter 671, 6;
1257, 2

trendsetting 1126, 2

trendy 1126, 1

trennen 1594; 1936, 1

trennen, sich 485, 5;
1066, 5; **1594**

trennen, sich von 329, 2;
1819, 2

trennen, Spreu vom Wei-
zen 166, 1; 1594, 3

Trennlinie 790

Trennung 486, 3; **1595**

Trennungsangst 1057

Trennungsschmerz
1057

Treppchen 1047, 1

Treppe 1596

Treppenhaus 1596

Tresor 921, 1

Tresse 1291, 4

treten 703, 2; 1242, 7;
1526

treten, an die Öffentlichkeit 958, 3

treten, an die Stelle
1805, 1

treten, an jmds. Stelle
1883, 2

treten, auf den Fuß
1934, 1

treten, außer Kraft 10, 3

treten, in Aktion 1684, 2

treten, in Ausstand
1532, 1

treten, in Beziehung
1157, 4

treten, in den Ruhestand
998, 1

treten, in den Weg
857, 2; 1511, 2

treten, in die Fußstapfen
631, 3

treten, in Erscheinung
958, 2

treten, in Streik 1532, 1

treten, ins Dasein 506, 1

treten, ins Fettnäpfchen
90, 4; 1369, 4

treten, kurz 1413, 4;
1478, 4

treten, kürzer 1413, 4;
1478, 4

treten, langsam 1413, 4

treten, mit Füßen
1114, 2

treten, näher 1157, 1

treten, über die Ufer
1618, 1

treten, zu nahe 90, 4;
1242, 6; 1334, 3

treten, zutage 958, 1;
1208, 2; 1934, 6

tretend, nicht in Erscheinung 1357, 6

Tretmühle 42, 2; 101, 4;
1014

treu 1971, 1

treu bleiben 65, 3

treu und brav 1091, 2

treudoof 1159

Treue 613, 5

Treueprämie 1956

Treuhänder 1806, 2

treuherzig 433, 2; 1159

Treuherzigkeit 434, 2

Treulosigkeit 755

Tribüne 1302, 2

Tribut 7; 419, 2; 1219, 1

Trichter 1798, 1

Trick 1060, 1; 1558, 1;
1597

Trickkünstler 111, 2

trickreich 1396, 1

tricksen 293, 1

Trieb 1550, 1; **1598**;
1761, 1

Triebfeder 794, 1

triebgemäß 1599, 1

triebhaft 1599

Triebhaftigkeit 1598, 1

Triebkraft 478, 3

triebmäßig 1599, *1*
Triebwagen 579, *4*
triefen 625; 1325
triefend 1162, *1*
Triefnase 1161
triezen 1242, *1*
trifft sich gut 57, *1*
Trift 1537, *2*
triftig 1395; 1899, *1*
trillern 1465, *2*
Trillern 739, *1*
trimmen 1292, *3*; 1610
trinken 1030, *3*; **1600**
trinken, auf ex 1030, *3*
trinken, auf jmds. Wohl
    90, *6*
trinken, Brüderschaft
    1157, *4*
trinken, über den Durst
    284, *3*
Trinker 397, *1*; **1601**
trinkfest 727
trinkfroudig 218, *2*; 727
Trinkgelage 711
Trinkgold 677, *1*
Trinkspruch 801, *3*
Trinkstube 681, *1*
Trinkwasser 1880, *2*
Trip 549, *4*; 578, *1*;
    1310, *2*
Trip machen 1331, *1*
trippeln 703, *2*
trist 1017, *2*; 1204, *1*
Tristesse 1591
Tritt 1047, *1*; 1497, *1*;
    1525
Trittbrettfahrer 1221
Trittleiter 1047, *1*
Triumph 518, *3*
triumphal 1268
Triumphator 1464, *1*
triumphieren 1463, *1*
trivial 182; 312, *3*
Trivialität 183, *1*
Trivialliteratur 1061
trocken 545, *2*; 820, *1*;
    844, *1*; 1358, *2*;
    1495, *2*; **1602**; 1653, *1*
trocken werden 1603, *2*
Trockenheit 1205, *1*
trockenlegen 1249, *4*;
    1603, *4*
trockenreiben 1326, *3*;
    1603, *1*
trocknen 1603

Trocknen, auf dem
    856, *2*
trocknen, Tränen
    1605, *1*
Troddel 1291, *4*
Trödel 5, *2*
Trödelei 1676, *1*;
    1821, *2*
trödelig 1675, *1*
trödeln 703, *2*; 1820, *3*
Trödler 740, *2*; 816, *1*
Troll 707, *4*
trollen, sich 485, *1*
Trombe 1542, *1*
Trommel 1347, *2*
Trommelfeuer 617, *3*;
    1897, *5*
trommeln 1018, *2*;
    1486, *3*; 1895, *1*
Trommler 1134, *2*; 1896
Trompe-l'Œil 1558, *2*
trompeten 316, *2*;
    1486, *3*
Trompeter 1134, *2*
Trope 308, *5*
Tropf 405, *2*
tröpfeln 625; 1325
Tröpfeln 734, *2*
tröpfelnd 457, *1*; 1015, *2*
tropfen 625
Tropfen 112, *2*; 734, *2*;
    759, *1*
Tropfen auf den heißen
    Stein 1893, *1*
Tropfen auf einem heißen
    Stein 1655, *1*
Tropfen, bis zum letzten
    679, *3*
Tropfen, guter 979
tropfenweise 1015, *2*
tropfnass 1162, *1*
Trophäe 518, *5*; 1270, *4*
tropisch 1871, *2*
Tropus 308, *5*
Tross 66, *4*
Trosse 575, *1*
Trost 1503, *2*; **1604**
Trost, nicht bei 403, *1*;
    1777, *1*
trösten 1605
trösten, sich 1605
tröstlich 1606
trostlos 1204, *1*; 1246;
    1659, *1*
Trostlosigkeit 1591

Trostpflaster 498, *3*
Trostpreis 498, *3*;
    1270, *4*
trostreich 1606
Tröstung 1604
trostvoll 1606
Trostworte 1604
Trott 42, *2*; 302, *1*; 1014
Trott, im selben 771, *2*
Trottel 405, *2*; 1781
trotten 703, *2*
Trottoir 1527
trotz 1607
Trotz 1608
Trotz, zum 16
trotzdem 3; 1202;
    1607, *2*
trotzen 1959, *2*
trotzig 425
trotzköpfig 425
Trotzreaktion 1608
Troubadour 1363, *1*
Troubadourin 1363, *2*
Trouvaille 675, *1*
trüb 407, *2*
trübe 318, *2*; 1246
Trubel 291, *3*; 1683, *2*
trüben 354; 496; 1808
trüben, Hoffnung 496
trüben, sich 409, *2*
Trübsal 1591
trübselig 1182, *1*
Trübseligkeit 1591
Trübsinn 1118
trübsinnig 1182, *1*;
    1182, *1*; 1246
Trübsinnigkeit 1591
Trübung 408, *2*
Truck 579, *3*
trudeln 395, *1*; 581, *2*
Trug 1071, *2*; 1558, *1*
Trugbild 880, *2*
trügen 293, *1*
trügerisch 583, *2*;
    583, *3*; 1380; 1747
Trugschluss 599, *3*;
    902, *1*
Truhe 1418
Trumm 1539, *6*
Trümmer 5, *1*
Trumpf 518, *4*; 1849, *1*
trumpfen 761, *2*
Trunk 759, *1*
trunken 250, *2*; 548, *3*
trunken machen 219, *1*

Trunkenbold 1601
Trunkenheit 549, 4;
    1310, 1
Trunksucht 1550, 3
Trupp 800, 5; 1329, 3
Truppe 442, 2; 800, 3;
    1111, 2
Truppeneinheit 442, 2
truppweise 1015, 2
Trust 1718, 6
tschilpen 1465, 3
Tube 223
Tuch 870, 5; 1521, 3
Tuch sein, rotes 821, 1
Tuchfühlung, auf
    1155, 2
tüchtig 328, 2; 479;
    576, 1; 1225, 3;
    1556, 2
Tüchtigkeit 478, 1; 577
Tücke 584, 1; 1060, 1
Tücke des Geschicks
    1389, 2
tuckern 1018, 2
tückisch 323, 2
tückschen 1959, 1
Tuerei 460, 1; 1623, 1
tüftelig 1241, 1
tüfteln 188; 1795, 2
Tüftler 1239, 1
Tugend 85, 2
Tugendbold 1239, 2
tugendhaft 328, 2
Tugendwächter 1239, 2
Tugendwächterei
    1240, 3
Tüll 1521, 3
Tülle 1215, 7
tümelnd 1707
tummeln, sich 102, 3;
    428, 2
Tummelplatz 1309, 2

Tümpel 760, 2
Tumult 134, 3; 1668, 4
tumultuarisch 829, 2;
    1667, 3
tun 102, 1; 274, 3;
    533, 1; 729, 1; 815, 1;
    1045, 1; 1684, 2;
    1814, 1
Tun 101, 1
Tun und Lassen 1025, 4
Tünche 870, 3; 1198, 3;
    1558, 2
tünchen 590, 3
Tüncher 1083, 2
Tundra 1205, 4
tunen 73, 1
Tunichtgut 1781
Tunke 1476
tunlich · 1973, 3
tunlichst 314, 1
Tunnel 1215, 8
tuntig 1495, 3
Tüpfchen 1136, 5
Tüpfelchen auf dem i
    767, 7
tüpfeln 1137, 1
Tupfen 1136, 5
Tür 1215, 1
Tür und Angel, zwischen
    1005, 4
Tür, nächste 1155, 2
Turban 971
turbulent 829, 2; 1667, 3
Turbulenz 830
Türen, hinter verschlos-
    senen 834, 1
Türgriff 812, 1
türken 293, 1
turkey 1042, 5
Turm 613, 6; **1609**
türmen 142, 3; 624, 1;
    1361, 2

turmhoch 791, 1; 862, 3
turnen 300, 1
Turner 1488
Turnier 962, 2
Turnus 630, 1; 1324, 1;
    1882, 1
Turnus, im 696
turnusgemäß 1323, 1
turnusmäßig 1323, 1
Türsteher 1877
Türstopper 1877
turteln 1056, 3
Tusch 801, 3
tuscheln 629; 948, 1
Tuscheln 734, 2; 737, 1
tuschen 590, 2
Tussi 405, 4
Tüte 870, 10
tuten 316, 2
Tutor 1035, 1
Tuttifrutti 1113, 3
TV 609, 1
TV-Gerät 609, 1
Twens 908, 3
Tyche 1389, 1
Tycoon 1686, 3
Typ 159; 346
Typ sein, jmds. 691, 1
Type 337, 1; 1230, 2;
    1384, 1
typen 1737
typisch 348, 1
typisieren 1705
Typisierung 1706; 1738
Typung 1738
Typus 110, 2
Tyrann 849
Tyrannei 847, 3
tyrannisch 1535, 3;
    1908, 2
tyrannisieren 1242, 1;
    1679, 1; 1979, 2

U

U-Bahn 579, *4*
übel 322, *3*; 461, *2*;
690, *5*; 1042, *1*;
1397, *4*
Übel 984, *1*; 1041, *1*;
1658
übel machend 461, *1*
übel nehmen 106, *3*;
1959, *1*
übel wollend 323, *1*
übel, nicht 804, *2*;
1091, *2*
Übel, notwendiges
1192, *1*
Übelbefinden 1041, *1*
Übelkeit 14, *2*
übellaunig 1117
Übellaunigkeit 1118
übelnehmerisch 1152;
1697
Übelstand 1190, *2*
Übeltat 1724
Übeltäter 1725, *1*
Übelwollen 324
üben 1610; 1903, *1*
üben, Blick 1374, *3*
üben, Nachsicht 501, *4*;
1413, *3*
üben, Solidarität
1965, *1*
über 862, *1*; 1124, *3*;
1364, *4*; 1627, *1*
überall 1611
überaltern 1749, *6*
überaltert 44, *2*
Überalterung 45, *4*
überambitioniert 766
Überangebot 1619, *1*
überanstrengen 153, *2*;
237, *2*; 539, *1*
überanstrengen, sich
539, *2*; 1723, *2*
überanstrengt 1130, *2*;
1624, *4*
Überanstrengung 154, *2*;
540, *2*; 1020, *2*
überantworten 1621, *1*

überarbeiten 198, *2*;
1715, *1*
überarbeiten, sich
539, *2*
überarbeitet 1130, *2*
Überarbeitung 225, *2*;
540, *2*
überaus 1452, *1*;
1452, *1*
überbacken 325, *1*
überbelegt 1827, *3*
überbetonen 1622, *1*
überbetont 1624, *2*
überbewerten, sich
430, *3*
überbieten 1394, *3*
Überbleibsel 5, *1*;
1340, *1*
Überblick 165, *1*;
1258, *2*; 1299, *2*; **1612**;
1792, *2*; 1917, *1*
überblicken 1793, *2*;
1916
überborden 1618, *1*
überbringen 280, *4*,
1617
überbringen, Grüße
802, *1*
Überbringer 1613
überbrücken 837, *1*;
1298, *3*; 1717, *2*
Überbrückung 333;
854, *1*
überbrühen 956, *2*
überbürden 153, *2*
überbürdet 1130, *2*
Überbürdung 540, *2*
überdachen 1430, *1*
überdauern 364, *3*
Überdauern 362, *3*
überdauernd 365, *1*
überdecken 200;
1430, *1*
überdehnen 264
überdehnt 722, *4*
überdenken 371, *2*
überdeutlich 378, *1*
überdeutlich machen
1622, *4*
überdies 117, *3*
überdimensional 791, *1*
überdrehen 264; 1622, *1*
überdreht 1777, *1*
Überdruss 14, *2*; 1014;
1118

überdrüssig 1117;
1364, *4*; 1659, *1*
überdrüssig sein 1039, *2*
überdurchschnittlich
149, *1*
übereck 1417, *1*
Übereifer 422, *2*; 427, *3*
übereifrig 423; 429, *2*
übereignen 683, *3*;
1621, *2*
übereilen 428, *4*
übereilen, nichts 1356, *2*
übereilt 1037, *1*; 1856, *2*
Übereilung 427, *3*
übereinkommen 1735
Übereinkommen 150, *4*;
1736, *1*
übereinkommen, nicht
28, *4*
Übereinkunft 326, *2*;
1322, *2*; 1736, *1*;
1753, *3*
übereinstimmen 503, *3*;
974, *2*; **1614**; 1793, *6*
übereinstimmen, nicht
28, *4*
übereinstimmend
443, *1*; 504, *1*; 771, *1*;
819, *1*; **1615**
übereinstimmend, nicht
mit den Tatsachen
583, *1*
übereinstimmend, zeit-
lich 776
Übereinstimmung 444;
1616
überempfindlich 471, *3*
Überempfindlichkeit
472, *1*
überempirisch 1692, *4*
übererregt 548, *1*
überessen, sich 566, *1*
überfahren 1114, *1*;
1298, *2*; 1586, *1*
Überfahrt 578, *3*
Überfall 61, *1*; 116;
281, *2*
überfallen 60, *2*; 282, *1*;
1620, *3*
überfällig 1481, *1*
überfeinert 471, *3*
Überfeinerung 472, *1*;
607, *2*
überfliegen 1050, *1*;
1298, *1*

Überflieger 2
überfließen 1618, 1
überflügeln 1394, 3
Überfluss 137, 2; 673, 1;
 1619, 1
überflüssig 1627, 1;
 1666
überflüssig sein 6, 2
überfluten 1618, 1
überflutet 1162, 2
Überflutung 1165, 2
überfordern 153, 2;
 237, 2; 293, 1; 539, 1
überfordern, sich
 539, 2
überfordert 1130, 2
Überforderung 154, 2;
 540, 2; 1020, 2
überfrachtet 766
überfragt 1696, 1
überfressen 1364, 1
überfrieren 659, 2
überführen 1388, 3;
 1620, 2
Überführung 333;
 1589, 1
Überfülle 1619, 1
überfüllt 1827, 2
überfüttern 676, 1
Übergabe 120, 5;
 1183, 1
Übergang 23, 1; 333;
 1215, 4; 1709, 2
Übergang, im 1649, 3
Übergang, ohne 1263
übergangen 1641, 1
Übergangsalter 908, 1
übergangslos 1263
übergeben 1617; 1618, 2
übergeben, der Erde
 233, 1
übergeben, der Öffent-
 lichkeit 547, 2
übergeben, sich 329, 3
übergegangen 844, 1
übergehen 20, 1; 152, 1;
 1114, 1; 1409, 5
übergehen, in andere
 Hände 1883, 1
übergehen, mit Schwei-
 gen 1714, 1
übergehen, zum Angriff
 60, 2
übergehend, ineinander
 1649, 3

übergenau 722, 1;
 1241, 1
übergenug 1327, 1;
 1823, 1
übergeordnet 862, 2
übergescheit 1241, 2
übergeschnappt 1777, 1
Übergewicht 673, 2
Übergewicht haben
 669, 2
übergewichtig 381, 1
übergießen 616, 1
überglücklich 781, 1
übergreifen 145, 2
übergreifend 40, 3
Übergriff 1669, 1
übergroß 791, 1
überhaben 1039, 2
überhand nehmen
 145, 4
Überhang 415, 2;
 1619, 1
überhängen 1920, 2
überhasten 428, 4
überhäufen 1622, 3
überhaupt 41; 679, 2
überheben, sich 430, 3;
 1269, 1
überheblich 459, 2
überheblich sein 430, 3
Überheblichkeit 460, 1
Überhebung 460, 2
überheizt 1871, 2
überhitzt 1624, 2
Überhitzung 1619, 1
überhöhen 1622, 2
überhöht 1624, 2;
 1624, 6
Überhöhung 269;
 1062, 3; 1546
überholen 543, 1;
 1394, 3
überholen, nicht zu
 1840, 1
überholt 1707; 1743
überhören 492, 1;
 1409, 5
Überich 762
überirdisch 1692, 4
überkandidelt 1624, 5;
 1777, 1
überkleben 200
überkommen 59, 3;
 60, 2; 514; 678, 1;
 1233, 1

überkriegen 1039, 2
überladen 1327, 4;
 1622, 1; 1622, 5;
 1624, 3
überlagern 200
überlang 791, 1
überlappen 200
überlappen, sich 263, 3
überlassen 683, 2;
 683, 4; 1621, 2;
 1760, 1
Überlassung 1818, 1
überlasten 153, 2
überlastet 1130, 2
überlastet, mit Schulden
 1426, 1
Überlastung 540, 2;
 1020, 2
Überlauf 1215, 6
überlaufen 20, 1;
 1508, 1; **1618**; 1827, 2
Überlaufen, zum 1827, 1
Überläufer 377
überlaut 1022
überleben 364, 3;
 1024, 1
überleben, sich 1749, 6
Überlebender 513, 3
überlebensfähig 981, 1
überlebensgroß 791, 1
überlebt 44, 2; 1707
Überlebtheit 45, 4
überlegen 371, 2; 516, 1;
 670, 2; 791, 4
überlegen sein 1394, 3
überlegen, allen 554
Überlegenheit 517, 2;
 1849, 1
Überlegenheitswahn
 389, 2
überlegt 890, 2; 1260, 1;
 1357, 2; 1468, 3;
 1475, 2; 1554, 1;
 1772, 1
überlegt, wohl 16;
 731, 3; 1468, 3;
 1475, 1; 1845, 2;
 1973, 2
Überlegung 878, 2;
 1258, 4; 1321
überleiten 1717, 2
überliefern 1621, 1
überliefert 678, 1
Überlieferung 326, 1;
 513, 2

überlisten 293, 4
Überlistung 1558, 1
übermannen 1233, 1;
    1463, 2
übermannsgroß 791, 1
übermannshoch 791, 1
Übermaß 673, 1; **1619**
übermäßig 1624, 1
übermenschlich 1624, 1
übermitteln 280, 4;
    1120, 3; 1388, 3;
    1617
übermitteln, Grüße
    802, 1
Übermittlung 275, 1;
    1589, 1
übermüdet 1130, 1
Übermüdung 540, 1
Übermut 460, 2; 650, 4
übermütig 642, 2;
    835, 3
übernachten 21, 2;
    282, 2
übernächtig 1130, 1
Übernahme 465, 1;
    515, 2; 923
übernatürlich 1692, 4
übernehmen 466, 1;
    631, 4; 924, 2
übernehmen, Erbe 514
übernehmen, sich
    539, 2; 1723, 2
übernervös 548, 1
übernommen 1130, 2
überorganisieren
    1622, 1
überparteilich 735, 1
Überparteilichkeit 736
überpflanzen 1218
Überproduktion 1619, 1
überprüfbar 1211, 2
Überprüfbarkeit 1212, 2
überprüfen 1284, 1;
    1626, 2
Überprüfung 1285, 2
überquellen 1618, 1
überquer 1417, 1
überqueren 1298, 1
Überquerung 578, 3
überragen 669, 2;
    1394, 3; 1920, 2
überragend 149, 1; 554;
    670, 2; 791, 1
überragend, alles 862, 3
überraschen 118; **1620**

überraschend 119, 1;
    553; 1263; 1395
überrascht 1263;
    1504, 3
Überraschung 552
Überraschungsei 552
Überraschungserfolg
    518, 2
überreagieren 1622, 1
überreaktiv 471, 3
überredbar 467, 3
überreden 208; 541, 1;
    1626, 1
Überredung 436, 1
überreichen 1617
überreichlich 1823, 1
überreif 1328, 1
Überreife 1619, 1
überreizt 548, 1
überrennen 60, 2;
    1463, 2
Überrest 1340, 1
Überreste, sterbliche
    973, 2
überrieseln 616, 1
überrollen 60, 2
überrumpeln 60, 2;
    1369, 1; 1620, 2
überrumpelt 1504, 3
Überrumpelung 61, 1;
    552
überrunden 1394, 3
übersäen 1137, 1
übersät 1827, 3
übersät mit 1823, 1
übersättigen 676, 1
übersättigt sein 1039, 2
Übersättigung 14, 2;
    1014
überscharf 1373, 3
überschatten 409, 2
überschätzen 901, 6;
    1622, 2
überschätzen, sich
    430, 3
überschätzt 1624, 6
Überschätzung 599, 3
Überschau 165, 1
überschaubar 433, 1
überschauen 1793, 4
überschäumen 1508, 1;
    1618, 1
überschäumend 829, 3
überschlafen, etwas
    1356, 2

Überschlag 1347, 3
überschlagen 152, 1;
    251, 1; 1091, 3;
    1375, 2; 1871, 1;
    1873, 1
überschlagen, sich
    428, 4; 489, 1; 1622, 3
überschlank 410, 2
überschlau 1396, 2
überschneiden, sich
    263, 3
Überschneidung 1593, 3
überschreiben 1621, 2
überschreiten 1298, 1
überschreiten, das Maß
    1622, 3
überschreiten, Zeit
    1820, 3
Überschrift 930, 7
überschuldet 534, 2;
    1426, 1
Überschuldung 1424, 2
Überschuss 1195, 2;
    1619, 1; 1731, 2
überschüssig 1627, 1
überschütten 616, 1;
    1622, 3
überschütten mit
    1816, 2
Überschwang 474;
    549, 4; 1623, 1
überschwänglich 473;
    1624, 5
Überschwänglichkeit
    474; 1623, 1
überschwemmen 1618, 1
überschwemmen mit
    1816, 2
überschwemmt 1162, 2
Überschwemmung
    1165, 2
übersehen 152, 1;
    492, 1; 1051, 3;
    1409, 5; 1641, 1;
    1793, 4
übersehen werden
    1236, 2
übersetzen 1298, 2;
    1621, 7
Übersetzer 1769
Übersetzung 1770, 2
Übersicht 165, 1;
    1258, 2; 1299, 2;
    1612, 1; 1817, 1;
    1917, 1

übersichtlich 433, *1*;
731, *3*; 945, *4*; 1225, *1*
Übersichtlichkeit 434, *3*;
947, *1*
übersiedeln 175, *1*;
485, *4*
Übersiedlung 486, *5*
übersinnlich 1692, *4*
Übersinnliches 702, *1*
überspannen 1298, *3*;
1622, *1*; 1717, *2*
überspannt 473; 548, *3*;
1254, *3*; 1624, *2*;
1777, *1*
Überspanntheit 474;
875, *2*; 1623, *1*
Überspannung 540, *2*
überspielen 1621, *8*;
1714, *1*; 1733, *2*; 1810
Überspielung 1811, *2*
überspitzen 1622, *1*
überspitzt 1241, *2*;
1373, *3*; 1624, *2*
überspringen 152, *1*
übersprudelnd 1026, *3*
überstaatlich 896
überstehen 1920, *2*
Übersteilen 362, *3*
überstehend 381, *4*
übersteigen 1622, *1*
übersteigert 1359, *3*;
1624, *2*
Übersteigerung 1619, *1*;
1623, *1*
überstreichen 590, *3*
überströmen 1618, *1*
überströmend 473
Überstunden 520, *3*
überstürzen 428, *4*
überstürzen, nichts
1356, *2*
überstürzt 429, *2*;
1037, *1*; 1410, *2*;
1856, *2*
Überstürzung 427, *3*
überteuern 293, *1*
Überteuerung 1510, *2*
übertölpeln 293, *1*
Übertölpelung 1558, *1*
übertragbar 301, *2*;
690, *5*
übertragbar, nicht
1244, *4*
übertragen 1, *3*; 310, *2*;
683, *2*; 1218; 1354, *3*;

1617; **1621**; 1705;
1708, *1*; 1726, *2*
übertragen, Daten
1621, *6*
übertragen, direkt
1663, *5*
Übertragung 308, *3*;
984, *1*; 1546; 1706;
1770, *2*; 1818, *1*
übertreffen 174, *2*;
1394, *3*
übertreiben 1072;
1269, *1*; **1622**
Übertreibung 1558, *4*;
1619, *2*; **1623**
übertreten 1618, *2*
übertrieben 1093, *3*;
1624
übertrumpfen 1394, *3*
übertünchen 200; 590, *3*
Übervater 874, *1*
übervölkert 1827, *3*
Übervölkerung 481, *3*
übervoll 1827, *2*
übervorsichtig 64, *2*
übervorteilen 293, *1*;
815, *3*; 1114, *1*
überwachen 247, *2*
überwachsen 200
Überwachung 133, *1*;
1285, *2*
überwältigen 1233, *1*;
1394, *2*; 1463, *2*; 1756;
1924, *2*
überwältigend 130, *1*
überwältigend, nicht
1091, *2*
überwechseln 1618, *2*
Überweg 333
überweisen 304, *4*
Überweisung 96, *3*;
1930, *4*
Überweisung, durch
1124, *4*
überwerfen 98, *1*;
1534, *1*
überwerfen, sich
1534, *2*; 1594, *1*
überwiegen 669, *2*
überwiegend 273, *1*;
1625
überwindbar 1128, *2*
überwinden 364, *3*;
1713, *1*
überwinden, sich 228

überwinternd 365, *3*
überwirklich 1692, *4*
überworfen 605; 695, *1*
überwuchern 145, *4*
Überwucherung 1619, *1*
überwunden 1743
überzählig 1627, *1*; 1666
überzählig sein 6, *2*
überzart 1890, *5*
überzeichnen 1739, *1*
Überzeichnung 1558, *4*
überzeugen 1626
überzeugen, sich 614, *2*;
1626
überzeugend 1395;
1790, *1*; 1912, *2*
überzeugend sein
1626, *3*
überzeugt sein 770, *1*
überzeugt, von sich
1453
Überzeugung 517, *1*;
1100, *1*; 1461, *1*
Überzeugung, gegen die
1652, *2*
überziehen 200
überziehen, etwas 98, *1*
überziehen, Konto
321, *1*
überziehen, mit Krieg
918, *3*
überziehen, sich 616, *3*
Überziehungskredit 986
überzogen 1624, *2*
überzüchtet 471, *3*
Überzüchtung 472, *1*
Überzug 618, *1*; 870, *9*;
1198, *1*; 1387, *1*
üblich 40, *1*; 678, *1*;
968, *1*
üblicherweise 41
übrig 1627
übrig bleiben 6, *2*
übrig geblieben 1627, *1*
übrig gelassen 1627, *1*
übrig haben 1627, *3*
übrig haben für, etwas
1127, *1*
übrig lassen 1627, *3*
übrig sein 6, *2*
Übrigen, im 1167, *1*
übrigens 1167, *1*
Übung 517, *2*; 611; **1628**
Übungsbuch 1032
Übungsgelände 685, *3*

Ufer 1629
Ufer, am anderen 695, 2
Ufer, befestigtes 1629
uferlos 1624, 1; 1823, 1;
    1891, 1
Uferstreifen 1629
Uhr, nach der 1323, 1
Ukas 209, 1
Ulk 1490, 1; 1674, 2;
    1683, 3
ulken 1681, 4
ulkig 835, 4
ultimativ 479; 1145, 1;
    1254, 1
Ultimatum 399, 1
ultra 1452, 1
um 1743
um … willen 69, 2;
    1888
umändern 1708, 1
umarbeiten 543, 1;
    1708, 1
Umarbeitung 544, 1;
    1709, 1
umarmen 1056, 3
Umarmung 801, 2;
    1055, 3
Umbau 544, 1; 1709, 1
umbauen 543, 1
umbenennen 931, 5
umbesetzen 1708, 1;
    1883, 2
Umbesetzung 1882, 1
umbiegen 586, 2
umbilden 1708, 1
Umbildung 1709, 1
Umblasen, zum 410, 3
umbrechen 756; 787, 1
umbringen 1586, 1
umbringen, sich 1586, 5
Umbruch 1343, 1;
    1709, 2
umbuhlen 1401
umdefinieren 1708, 1
umdeklarieren 1708, 1
umdenken 1708, 5
Umdenken 445, 1
umdeuten 1708, 1
Umdeutung 1709, 4
umdrängen 391, 5;
    1632, 3
umdrehen 19; 395, 6;
    1708, 1
umdrehen, den Magen
    462

umdrehen, den Schlüssel
    1399, 1
umdrehen, sich 395, 7;
    485, 1; 1549, 1
umdrehen, Spieß
    1750, 1
Umdrehung 396, 1
umfahren 28, 1
umfallen 20, 1; 1964, 2
Umfang 1501, 3; **1630**
Umfang, in diesem 1472
Umfang, in großem
    1823, 1
Umfang, in vollem
    679, 2
umfangen 1056, 3
umfänglich 1506, 2
umfangreich 1327, 2
umfärben 590, 1
umfassen 402, 2; 493;
    1056, 3
umfassend 40, 4; 453;
    679, 1; 722, 3; 1327, 2;
    1829, 3
Umfeld 517, 1113, 2;
    1156, 1; 1635, 2
Umfeld, soziales
    1635, 2
umformen 1708, 1
umformulieren 1708, 1
Umformung 1709, 1
Umfrage 1631
umfüllen 1030, 4
umfunktionieren
    1708, 1
Umgang 225, 1; 749, 3;
    966, 2
Umgang haben 1633, 2
Umgang, gesellschaftli-
    cher 749, 3
umgänglich 748, 1
Umgangsform 1583, 3
Umgangsformen 85, 1;
    1758, 2
Umgangssprache
    1493, 4
Umgangston 1583, 3
umgarnen 1741
umgebaut 1783, 1
umgeben 1632
umgebracht werden
    1512, 5
Umgebung 1143, 2;
    1156, 1; 1301, 2;
    1635, 1

Umgebung, in nächster
    1155, 2
umgedreht 1352
Umgegend 1156, 1
umgehen 172, 2; 624, 2;
    1409, 5; **1633**
umgehen mit 203, 1;
    224, 1; 1633, 2
umgehend 771, 3;
    1290, 2
umgehend, möglichst
    1410, 2
umgekehrt 1173; 1352
umgestalten 543, 3;
    1708, 1
Umgestalter 1257, 1
Umgestaltung 1343, 1;
    1709, 1
umgetan 516, 1
umgetrieben 1671, 1
umgewandelt 1783, 1
umgewandelt, wie
    1783, 1
umgießen 1030, 4
umgraben 787, 1
umgrenzen 1632, 4
umhaben 1588, 2
umhalsen 1056, 3
umhängen 98, 1
umhauen 1394, 4
umhegen 1249, 1
Umhegung 1248, 1
umhergehen 300, 1;
    703, 1
umherreisen 1331, 1
umherschwirren
    1437, 1
umherziehen 1331, 1
umherziehend 393, 2
umhinkönnen, nicht
    1135
umhören, sich 639, 1
umhüllen 200; 1233, 2;
    1430, 1
Umhüllung 870, 1
Uminterpretation
    1709, 4
uminterpretieren
    1708, 1
umjubelt 58
Umkehr 396, 1; 1349, 1;
    1709, 2
umkehren 395, 6;
    1739, 1
Umkehrpunkt 767, 2

Umkehrung 694, *1*;
1709, *2*
umkippen 20, *1*; 581, *1*
umklammern 402, *2*;
1233, *3*
Umklammerung 858, *3*
umklappen 395, *3*
umkleiden 200
Umkleidung 870, *3*
umkommen 1512, *4*;
1728, *1*
umkommen, vor Lange-
weile 1016, *2*
Umkreis 146, *2*; 317;
685, *1*; 1156, *1*;
1301, *2*
umkreisen 395, *1*;
1632, *5*
umkrempeln 1708, *1*
umkringeln 931, *3*
Umladung 1589, *1*
Umlauf 258, *2*; 396, *1*
Umlauf sein, in 1633, *4*
Umlauf, im 678, *4*
umlaufen 395, *1*;
1633, *4*
umlaufend 678, *4*
umlegen 1586, *1*;
1796, *1*; 1820, *1*
umleiten 11, *1*
Umleitung 29, *1*
umlenken 1733, *2*
umliegen 1632, *3*
umliegend 1155, *2*
ummodeln 1708, *1*
ummünzen 1708, *1*;
1739, *1*
Ummünzung 1709, *4*
umnachtet 708; 1777, *2*
Umnachtung 709
umnebeln, sich 409, *2*
umnebelt 406, *4*
Umorganisation 1709, *1*
umorganisieren 543, *3*;
1708, *1*
Umorientierung 29, *4*
umpflanzen 198, *3*
umpflügen 198, *3*; 787, *1*
umprogrammieren
1708, *1*
umrahmen 1632, *2*
Umrahmung 1301, *1*
umranden 1632, *1*
Umrandung 1301, *1*
umranken 1632, *2*

umräumen 1708, *2*
umreißen 1259, *3*;
1632, *4*; 1729, *1*;
1939, *7*
umringen 391, *5*;
1632, *3*
Umriss 632, *3*; 1058, *2*
umrissen 945, *4*
umrissen, fest 378, *2*
Umrissen, in 53, *2*;
1199, *3*
umrisshaft 407, *3*;
1199, *3*
Umrisslinie 1058, *2*
umsatteln 1708, *3*
Umsatz 814, *1*; 1759, *1*
Umsatzsteuer 1514, *2*
umschalten 1708, *5*;
1883, *1*
umschattet 407, *2*;
1659, *3*
Umschau 165, *1*
umschauen, sich nach
1549, *1*
umschichtig 696
umschichtig tun 1883, *2*
Umschlag 585, *1*;
814, *1*; 870, *4*; 988, *1*;
1709, *2*
umschlagen 586, *2*;
1388, *2*; 1394, *4*;
1708, *1*; 1883, *2*
Umschlagplatz 1086, *1*
Umschlagtuch 870, *5*
umschließen 493;
1056, *3*
umschlingen 1056, *3*
umschmeicheln 1401;
1734, *2*
umschmeißen 1233, *1*;
1526
umschmelzen 1708, *1*
umschneiden 1708, *1*
umschnüren 1233, *2*
umschreiben 198, *2*;
861, *1*; 1708, *1*
Umschrift 1422, *2*
umschulen 1708, *3*
umschwärmen 1734, *2*
umschwärmt 58; 243, *1*
Umschweife, ohne 87;
945, *2*; 1207, *2*
umschweifig 722, *4*
umschwenken 20, *1*;
395, *6*

Umschwung 988, *1*;
1343, *1*; 1709, *2*
umsehen nach, sich
1549, *1*
umsehen, sich 80, *1*
umsetzen 198, *3*;
1708, *1*; 1760, *1*;
1803, *1*
umsetzen, filmisch
198, *6*
umsetzen, in die Tat
533, *1*; 1814, *1*
Umsicht 1474, *2*
umsichtig 890, *2*;
1475, *2*; 1772, *1*
umsiedeln 175, *1*;
485, *4*; 1803, *1*
Umsiedler 1107
Umsiedlung 1108; 1804
umsonst 459, *3*; **1634**;
1747
umsonst, halb 312, *1*
umsorgen 1249, *1*;
1788, *2*
umspannen 402, *2*; 493;
1632, *1*
umspannend 1829, *3*
umspringen 224, *1*
umspulen 1621, *8*
Umstand 580, *2*;
1010, *2*; 1557, *1*
Umstände 137, *2*;
1010, *3*; 1020, *2*
Umstände machen 92, *1*
Umstände, missliche
1190, *1*
umständehalber 49
Umständen sein, in
1588, *5*
Umständen, unter 205;
1128, *3*
Umständen, unter allen
1640, *1*
Umständen, unter kei-
nen 1664
umständlich 722, *4*;
1017, *1*; 1241, *1*;
1441, *1*; 1657, *1*
Umstandskrämer
1239, *1*
Umstandskrämerei
1240, *1*
umsteigen 1708, *3*
umstellen 857, *4*;
1708, *2*; 1883, *2*

umstellen, sich 1708, 5
Umstellung 1709, 2;
    1709, 3
umstellungsfähig 301, 1
umstimmen 198, 5;
    1626, 1
umstoßen 1526; 1708, 1
umstritten 1273, 1;
    1673, 1
umstrukturieren 543, 3;
    1708, 1
Umstrukturierung
    1709, 1
umstülpen 395, 3;
    1708, 1
Umsturz 134, 1; 1343, 1
umstürzen 581, 1;
    1708, 1
umstylen, sich 1708, 6
Umtausch 1882, 1
umtauschen 1883, 1
umtexten 1708, 1
umtreiben 129, 4,
    263, 2
Umtrieb 291, 2
umtriebig 423; 1556, 1
Umtriebigkeit 422, 1
umtun, sich 639, 1;
    1549, 1
U-Musik 1133, 3
Umwallung 211, 4
umwälzen 543, 3
Umwälzung 1343, 1
umwandeln 543, 3;
    1708, 1
Umwandlung 1709, 2
umwechseln 1883, 1
Umweg 29, 2
Umweg machen 28, 1
Umweg, ohne 1663, 2
Umwegen, auf 1124, 2
umweglos 1663, 2
Umwelt 1301, 2; **1635**
Umweltfaktoren 985;
    1635, 3
umweltfreundlich
    1109, 2; 1479, 2; **1636**
umweltgerecht 1636, 1
Umweltgestaltung
    997, 4
Umweltpflege 997, 4
umweltschonend
    1636, 1
Umweltschutz 997, 4
Umweltverbrechen 1724

Umweltverbrecher
    1725, 2
umweltverträglich
    1636, 1
umwenden 395, 6
umwenden, sich 395, 7
umwerben 245, 2; 1401;
    1734, 2; 1741
Umwerbung 1897, 5
umwerfen 75, 2;
    1233, 1; 1526; 1708, 1
umwerfend 130, 1
umwerten 1708, 1
Umwertung 1343, 1;
    1709, 4
umwickeln 1233, 2
umwidmen 1708, 1
umwinden 1632, 2
umwittert 262, 1
umzäunen 1632, 4
umziehen 175, 1;
    1632, 1; 1632, 4
umzingeln 857, 4;
    1632, 5
Umzingelung 858, 3
Umzug 370, 1; 486, 5
unabänderlich 476;
    1191, 2; 1460, 5
Unabänderlichkeit
    1192, 3
unabdingbar 1640, 1
unabgelenkt 125, 1
Unabgeschlossenheit
    1693, 2
unabgesichert 1673, 2
unabhängig 644, 1
unabhängig machen,
    sich 213, 4
unabhängig von
    1640, 1
unabhängig, geistig
    644, 1
Unabhängigkeit 645, 1
unabkömmlich 1191, 1
unablässig 882, 1
unabsehbar 163, 1;
    791, 2; 1013, 2; 1647, 1
unabsichtlich 1652, 1
unabweislich 1395
unabwendbar 1191, 2;
    1980, 3
Unabwendbarkeit
    1192, 3
unachtsam 1037, 1;
    1638, 2

Unachtsamkeit 1038, 2;
    1151; 1780, 1
unähnlich 1783, 1
Unähnlichkeit 1688
unalltäglich 1457, 1
unambitioniert 433, 2
unanfechtbar 1460, 4;
    1829, 1
unangebracht 1555;
    1660, 2; 1661, 3
unangebrochen 660, 2;
    679, 1; 745, 2
unangefochten 644, 1;
    1460, 4
unangemeldet 1263
unangemessen 1660, 2;
    1661, 3
unangenehm 1021, 1;
    1243, 1; 1244, 5; **1637**
unangezogen 1150, 4
unangreifbar 86, 2;
    883, 2; 1460, 6;
    1829, 1
Unangreifbarkeit 613, 2;
    1830
unannehmbar 1664
Unannehmlichkeit
    105, 3
unanschaulich 574, 2
unansehnlich 574, 2;
    822, 1; 1639
unansprechbar 1441, 3;
    1540, 4
unanständig 91, 1;
    1359, 2
Unanständigkeit 662, 1
unantastbar 883, 2; 1721
unanzweifelbar 1460, 4;
    1863
unappetitlich 461, 2
unaromatisch 574, 1
Unart 643, 3
unartig 642, 3
unartikuliert 406, 3;
    1692, 2
unästhetisch 822, 1
unattraktiv 574, 2
unaufdringlich 1960, 2
Unaufdringlichkeit
    1961, 2
unauffindbar 1886, 1
unaufgearbeitet 1207, 3
unaufgefordert 646
unaufgeklärt 1692, 2;
    1696, 1

Unaufgeklärtheit 1662
unaufgeräumt 1667, 1
unaufhörlich 365, 1;
    882, 1; 1013, 2;
    1647, 2
unaufmerksam 1150, 2;
    1638; 1661, 1
unaufmerksam sein
    1392, 3
Unaufmerksamkeit
    33, 2; 1038, 2; 1151
unaufrichtig 583, 2;
    1698, 2
Unaufrichtigkeit 584, 1;
    1699, 2
unaufschiebbar 429, 3
unaufschiebbar sein
    428, 3
unausbleiblich 1191, 2
unausforschlich 1692, 4
unausführbar 1664
unausgefüllt 1028, 4;
    1207, 5; 1697
unausgefüllt sein 1016, 2
unausgeglichen 1207, 4
unausgegoren 1670, 1;
    1856, 2
unausgereift 1670, 1;
    1856, 2
unausgerüstet 1695, 1
unausgesetzt 882, 1
unausgesprochen
    406, 3; 1439, 2
unausgestattet 1695, 1
unausgewachsen 909, 2;
    1670, 2
unauslöschlich 891, 4
unaussprechbar 1721
unaussprechlich
    1452, 1; 1692, 4
unausstehlich 1637, 3
unausweichlich 1191, 2;
    1980, 1
Unausweichlichkeit
    1192, 3
unbändig 829, 2;
    1905, 1
Unbändigkeit 830
unbarmherzig 334;
    820, 3
Unbarmherzigkeit 335
unbeabsichtigt 1652, 1;
    1952, 1
unbeachtet 1641, 1
unbeanstandet 252, 1

unbeantwortet 1207, 3
unbeaufsichtigt 644, 1;
    690, 6; 1207, 1
unbebaut 1204, 1
unbebaut lassen 1019, 3
unbedacht 1037, 1;
    1638, 2; 1695, 2
Unbedachtsamkeit
    1038, 2
unbedarft 403, 1;
    433, 2; 1159; 1639;
    1696, 2
Unbedarftheit 404, 1;
    434, 2
unbedeckt 1154, 1
unbedenklich 87;
    1036, 4; 1037, 1;
    1139, 2; 1460, 2;
    1908, 1
Unbedenklichkeit 645, 3
unbedeutend 182;
    950, 2; **1639**; 1641, 1;
    1893, 1
unbedingt 1191, 1;
    1300; **1640**
unbedingt, nicht 205;
    1566
unbedroht 883, 1;
    1460, 3
unbedruckt 1028, 4
Unbeeindruckbarkeit
    1646, 1
unbeeindruckt 772, 3
unbeeinflussbar 1504, 4
unbeeinflusst 735, 1;
    1358, 1
unbeendet 1694, 1
unbefangen 644, 2;
    1358, 1
Unbefangenheit 645, 3;
    736
unbefriedigend 1655, 1
unbefriedigt 1697
unbefugt 1721
unbegabt 403, 1
Unbegabtheit 404, 1
unbegleitet 457, 2
unbegreiflich 1692, 1
unbegrenzt 242; 644, 1;
    679, 2; 1647, 1;
    1891, 1
Unbegrenztheit 146, 2;
    1648
unbegründet 797
unbehaart 768, 3; 913, 1

Unbehagen 1041, 1;
    1118
unbehaglich 64, 1;
    1637, 1
unbehauen 633, 1;
    1264, 2
unbehaust 393, 3
unbehelligt 644, 1
unbeherrscht 1093, 2;
    1905, 1
Unbeherrschtheit 830
unbehindert 644, 1;
    768, 5
unbeholfen 1657, 1
Unbeholfenheit 1763, 3
unbehütet 856, 4
unbeirrbar 347, 1; 479;
    1460, 6; 1971, 1
Unbeirrbarkeit 613, 5
unbeirrt 1460, 6
unbekannt 648, 1;
    1177, 2; **1641**
unbekannt mit 1696, 1
unbekehrbar 1640, 2;
    1691
unbekleidet 1154, 1
unbekömmlich 1660, 3
unbekümmert 1036, 4;
    1037, 2
Unbekümmertheit
    645, 3
unbelastet 644, 1
unbelebt 450, 3;
    1096, 3; 1585, 2
unbelegt 1602, 2
unbelehrbar 403, 1;
    425; 480, 2; 1504, 2;
    1691
Unbelehrbarkeit 481, 5
unbelehrt 1696, 1
Unbelehrtheit 1662
unbelesen 1696, 1
Unbelesenheit 1662
unbeliebt 1637, 3
unbeliebt machen, sich
    1369, 4
unbemannt 1028, 2
unbemäntelt 945, 2;
    1207, 2
unbemerkt 834, 1;
    1719, 1
unbemerkt bleiben
    1236, 2
unbemittelt 107, 1
unbenommen 252, 1

unbenutzt 1177, *1*
unbenützt 644, *4*
unbeobachtet 834, *1*
unbequem 1021, *1*;
    1637, *1*; 1660, *2*
Unbequemlichkeit
    1020, *2*
unberaten 1696, *1*
unberechenbar 690, *5*;
    1093, *2*; 1692, *4*;
    1698, *1*
Unberechenbarkeit
    1699, *1*
unberechnet 1634, *1*
unberechtigt 1721
unberücksichtigt lassen
    1114, *1*
Unberührbarer 160, *2*
unberührt 679, *1*;
    772, *1*; 1177, *1*
unbeschadet 1202;
    1607, *1*
unbeschädigt 679, *1*
unbeschäftigt 104
unbeschäftigt sein
    1016, *2*
unbescheiden 84, *1*;
    642, *1*
Unbescheidenheit
    643, *3*
unbeschlagen 1696, *1*
unbescholten 86, *2*;
    328, *2*
unbeschönigt 1207, *2*
unbeschrankt 690, *6*
unbeschränkt 242;
    644, *1*; 1647, *1*
Unbeschränktheit 1648
unbeschreiblich 163, *1*;
    1254, *1*; 1452, *1*
unbeschrieben 1028, *4*;
    1177, *1*; 1207, *5*
unbeschuht 1154, *2*
unbeschützt 856, *4*
unbeschwert 835, *1*;
    1036, *4*
Unbeschwertheit
    1038, *1*; 1222
unbeseelt 1096, *3*;
    1585, *2*
unbesehen 87; 1640, *1*
unbesetzt 644, *4*;
    1028, *4*
unbesetzt lassen 1019, *3*
Unbesiegbarkeit 613, *2*

unbesonnen 1037, *1*;
    1139, *2*; 1638, *2*
Unbesonnenheit 1038, *2*
unbesorgt 1036, *4*;
    1037, *2*
Unbesorgtheit 1038, *1*
unbeständig 1698, *1*;
    1745
Unbeständigkeit
    1699, *1*; 1746, *1*
unbestätigt 1673, *1*
unbestechlich 86, *3*;
    347, *1*; 735, *1*; 1971, *1*
Unbestechlichkeit
    613, *5*; 736
unbestimmbar 1692, *1*;
    1692, *2*
unbestimmt 407, *3*;
    1692, *2*; 1975, *1*
unbestreitbar 252, *1*;
    1460, *4*; 1911, *3*
unbestritten 1460, *4*
unbeteiligt 772, *1*;
    1199, *2*; 1638, *1*
unbetont 1107, *2*
unbeträchtlich 1639;
    1893, *1*
unbetretbar 745, *1*
unbetreten 1177, *5*
unbetroffen 772, *1*
unbewacht 690, *6*;
    1207, *1*
unbewältigt 1207, *3*
unbewandert 1696, *2*
unbeweglich 612;
    1504, *2*
unbewegt 772, *1*; 914, *4*;
    1504, *1*
Unbewegtheit 1355, *4*
unbewohnbar 265, *3*
unbewohnt 450, *3*;
    1028, *4*; 1905, *2*
unbewölkt 839, *3*;
    945, *1*
unbewusst 406, *3*; 899;
    1096, *2*; 1652, *1*
Unbewusste, das 693, *4*;
    1447, *1*
Unbewusstheit 1646, *4*
unbezahlbar 835, *4*;
    975; 1573
unbezahlt 1634, *1*
unbezähmbar 1905, *1*
unbezweifelbar 1395
unbezwinglich 1905, *1*

Unbilden 105, *3*; 1658
Unbill 1669, *1*
unbillig 1656
unblutig 658, *2*
unbotmäßig 425
unbrauchbar 265, *3*;
    583, *1*; 1397, *1*;
    1655, *1*; 1660, *2*
unbrauchbar machen
    1939, *3*
unbußfertig 1691
und so fort 1647, *2*
und zwar 1160
Undank 1646, *2*
undankbar 914, *3*; 1656
undefinierbar 1692, *2*
undenkbar 1664
Undenkbarkeit 1665
Undercover 248, *2*;
    957, *1*
Underdog 160, *2*
undeutlich 407, *3*;
    1692, *2*
undeutlich machen
    1723, *5*
undicht 265, *1*
undicht sein 411, *2*
undienlich 1660, *2*
undifferenziert 406, *3*
Undifferenziertheit
    434, *3*
Undine 707, *4*
undiplomatisch 1264, *3*
undiskutabel 1664
undiszipliniert 1093, *2*
undogmatisch 467, *2*;
    933
unduldsam 480, *2*;
    1504, *1*
Unduldsamkeit 481, *5*
undurchdringlich
    380, *1*; 407, *4*; 1692, *2*
undurchführbar 1664
Undurchführbarkeit
    1665
undurchlässig 380, *1*
undurchschaubar
    1273, *2*; 1975, *2*
undurchsichtig 318, *2*;
    380, *1*; 407, *3*;
    1692, *2*; 1975, *2*
uneben 1307, *1*; **1642**
uneben, nicht 804, *2*
unecht 583, *3*; 766; 941;
    1002

unegal 1642, *4*; 1783, *1*
unegoistisch 1643
Unehre 1372, *1*
unehrlich 583, *4*
uneigennützig 1643
Uneigennützigkeit 1644
Uneindeutigkeit 1824
uneingerechnet 161, *1*
uneingeschränkt 242;
  679, *2*; 1077, *3*;
  1640, *1*
uneingeweiht 648, *2*;
  1696, *1*
uneinheitlich 1783, *1*
uneinholbar 554
uneinig 695, *1*
uneinig bleiben 28, *4*
uneinig sein 28, *4*
Uneinigkeit 1533, *1*;
  1595, *1*
Uneinnehmbarkeit
  613, *2*
uneins 695, *1*
uneins, mit sich 1978
uneinsichtig 318, *4*;
  403, *1*; 1504, *2*;
  1504, *4*
unelastisch 820, *1*;
  1495, *2*
unelegant 1264, *1*
unempfänglich 883, *1*;
  914, *3*; 1540, *3*;
  1645, *1*
Unempfänglichkeit
  1646, *1*
unempfindlich 286;
  363, *1*; 772, *4*; 914, *3*;
  1504, *1*; 1540, *3*; **1645**
Unempfindlichkeit
  613, *1*; 915, *2*; **1646**
unendlich 163, *1*;
  791, *2*; 882, *1*; 1013, *2*;
  1452, *1*; **1647**
Unendliche, bis ins
  1647, *2*
Unendlichkeit 146, *2*;
  1648
unentbehrlich 1054, *2*;
  1191, *1*; 1899, *1*
Unentbehrlichkeit
  1192, *1*
unentdeckt 1641, *1*
unentgeltlich 1634, *1*
unentrinnbar 1191, *2*;
  1390

unentschieden 772, *2*;
  1207, *3*; 1273, *1*; **1649**;
  1978
Unentschiedenheit 593;
  1433, *1*; 1763, *1*;
  1974, *1*
unentschlossen 1649, *1*;
  1978
unentschlossen sein
  1947
Unentschlossenheit
  1433, *1*; 1763, *1*
unentwegt 365, *1*;
  882, *3*
unentwickelt 1670, *2*
unentwirrbar 407, *4*
unerbittlich 820, *3*;
  1535, *1*
Unerbittlichkeit 335;
  1536, *1*
unerfahren 909, *2*; 1159;
  1695, *1*; 1696, *2*
Unerfahrenheit 1662
unerfindlich 1692, *1*
unerforscht 1177, *5*
unerfreulich 1021, *1*;
  1243, *1*; 1637, *2*
unerfreulicherweise
  1043
unerfüllbar 1664
unerfüllt 1207, *3*
unergiebig 1017, *1*;
  1204, *1*; 1653, *1*
Unergiebigkeit 1205, *1*
unergründlich 1579;
  1692, *4*
Unergründlichkeit
  408, *3*
unerheblich 950, *2*;
  1639; 1893, *1*
unerhört 24; 130, *2*;
  1397, *5*
unerkannt 1641, *1*;
  1719, *1*
unerkennbar 407, *4*;
  1692, *4*
Unerkennbarkeit 408, *3*
unerklärbar 1692, *1*;
  1692, *4*
unerklärlich 1692, *1*
Unerklärlichkeit 408, *3*
unerlässlich 1191, *1*;
  1899, *1*
Unerlässlichkeit 1192, *1*
unerlaubt 1721

unerledigt 1207, *3*
unerledigt sein 88, *1*
Unerledigtes 1340, *2*
unermesslich 791, *2*;
  1647, *1*
Unermesslichkeit 1648
unermüdlich 144; 423;
  621; 1556, *1*; 1854
unermüdlich sein 392
Unermüdlichkeit 422, *2*
unernst 1037, *2*; 1199, *4*
unerotisch 574, *2*
unerquicklich 1243, *1*;
  1637, *2*
Unerquicklichkeiten
  105, *3*
unerreichbar 1664;
  1891, *2*
unerreicht 554
unersättlich 808;
  1093, *3*; 1624, *1*
Unersättlichkeit 1619, *2*;
  1761, *1*
unerschlossen 1177, *5*;
  1905, *2*
unerschöpflich 1647, *1*;
  1823, *1*
Unerschöpflichkeit 1648
unerschöpft 1647, *1*
unerschrocken 1139, *1*
Unerschrockenheit 1138
unerschütterlich 347, *2*;
  1357, *3*; 1460, *6*;
  1540, *5*; 1971, *1*
Unerschütterlichkeit
  613, *5*; 1355, *3*;
  1646, *2*
unerschüttert 772, *1*;
  1460, *6*
unerschwinglich 1573
unersetzlich 975
unerträglich 1637, *2*
unerwachsen 1670, *2*
unerwähnt lassen
  1714, *1*
unerwartet 1263
unerweichbar 1300
unerwiesen 1673, *1*
unerwünscht 1637, *2*
unerzogen 642, *3*
Unerzogenheit 643, *2*
unfachmännisch 385, *2*
unfähig 1655, *2*
unfair 1656
Unfall 1368, *1*; **1650**

unfallfrei 679, *1*
Unfallopfer 1219, *2*
unfarbig 592, *1*
unfassbar 1692, *2*
Unfassbarkeit 408, *3*
unfasslich 1692, *1*
unfehlbar 1829, *1*
Unfehlbarkeit 1830
unfein 91, *1*; 1264, *2*
unfertig 1670, *2*; 1694, *1*
Unflat 1406, *1*
unflätig 91, *4*; 1661, *2*
Unflätigkeit 662, *3*
unflexibel 1504, *2*
unfolgsam 425
unförmig 381, *1*; 1264, *1*
Unförmigkeit 673, *2*
unförmlich 633, *3*
unfrei 1651; 1673, *5*;
1762, *1*
Unfreiheit 1972, *1*
unfreiwillig 1652;
1952, *1*
unfreundlich 31, *1*;
1307, *5*; 1661, *1*
Unfreundlichkeit 643, *3*
Unfriede 606; 1533, *1*
unfriedlich 37, *1*
unfrisiert 1150, *4*
unfroh 1659, *3*
unfruchtbar 1653
Unfruchtbarkeit 1205, *1*
Unfug 1674, *1*
ungalant 1661, *3*
ungar 1694, *3*
ungastlich 1661, *1*
Ungastlichkeit 451, *1*
ungeachtet 1202;
1607, *1*
ungeahnt 1263
ungebändigt 1905, *1*
ungebärdig 1905, *1*
Ungebärdigkeit 830
ungebeten 646; 1021, *2*
ungebeugt 981, *2*
ungebildet 1696, *2*
ungebräuchlich 1457, *1*
ungebraucht 660, *2*;
1177, *1*
ungebrochen 433, *2*;
981, *2*; 1159
Ungebrochenheit 1222
ungebügelt 587, *3*
ungebührlich 642, *1*;
1661, *3*

Ungebührlichkeit 643, *3*
ungebunden 457, *3*;
644, *1*
Ungebundenheit 645, *1*
ungedruckt 1641, *1*
Ungeduld 549, *1*;
556, *1*; 1178; 1477, *1*
ungeduldig 1671, *1*
ungeeignet 1655, *1*;
1660, *2*
ungefähr 1654; 1945
ungefähr, von 1037, *1*;
1695, *4*; 1952, *2*
ungefährdet 883, *1*;
1460, *2*
ungefährlich 1109, *2*;
1460, *2*
ungefährlich, nicht
545, *4*
ungefällig 1661, *1*
ungefärbt 592, *1*
ungeformt 633, *1*
ungefragt 646
ungefüge 633, *1*;
1264, *1*
ungegenständlich 879
ungegliedert 433, *1*
ungehalten 322, *1*
Ungehaltenheit 105, *1*
ungeheißen 646
ungehemmt 87; 644, *2*
Ungehemmtheit 1619, *2*
ungeheuer 163, *1*;
791, *1*; 1452, *1*
Ungeheuer 186; 1345;
1386
ungeheuerlich 1397, *5*
Ungeheuerlichkeit 335;
643, *3*
ungehindert 644, *1*;
768, *5*
ungehobelt 376, *2*;
642, *3*; 1264, *2*;
1661, *2*
ungehörig 91, *1*; 1555;
1661, *3*
ungehorsam 425
Ungehorsam, ziviler
1900, *2*
ungekämmt 1150, *4*
ungeklärt 1207, *3*;
1273, *1*
ungekünstelt 433, *2*;
1166, *2*
ungeladen 1021, *2*

ungelegen 1021, *2*;
1637, *1*; 1660, *1*
Ungelegenheiten 105, *3*
ungelehrig 403, *1*
ungelehrt 1696, *1*
ungeleitet 457, *2*
ungelenk 1264, *1*
ungelernt 1696, *1*
ungelichtet 1905, *2*
ungelockt 768, *3*
ungelöst 1207, *3*;
1273, *1*
ungelüftet 406, *1*
Ungemach 1190, *2*; 1658
ungemein 163, *1*;
1452, *1*
ungemütlich 1637, *1*
ungenannt 1641, *1*
ungenau 385, *2*; 1037, *1*;
1150, *1*; 1199, *3*;
1654, *3*; 1692, *2*;
1694, *2*; 1698, *2*
Ungenauigkeit 1151;
1699, *2*
ungeniert 644, *2*
Ungeniertheit 615, *3*;
662, *2*
ungenießbar 461, *2*;
1117; 1397, *3*; 1637, *3*
ungenießbar machen
1728, *4*
Ungenügen 1693, *1*
ungenügend 1655;
1694, *2*
ungenutzt 1204, *1*;
1653, *1*; 1747
ungeöffnet 745, *2*
ungeordnet 1667, *1*;
1914, *1*
ungepflegt 1150, *4*; 1408
ungeplant 163, *2*;
1667, *2*; 1695, *2*
ungeprüft 87
ungeraten 642, *3*;
1397, *2*
ungerechnet 161, *1*
ungerecht 388; **1656**
ungerechtfertigt 797;
1721
Ungerechtigkeit 389, *1*;
1669, *1*
ungereimt 24; 1692, *3*
Ungereimtheit 1674, *1*
ungern 1652, *2*
ungerodet 1905, *2*

ungerührt 772, *1*;
820, *2*; 1357, *3*;
1504, *1*; 1540, *4*
Ungerührtheit 1646, *2*
ungesagt 1439, *2*
ungesalzen 574, *1*;
1109, *3*
ungesäumt 1290, *2*;
1410, *2*
ungeschehen machen
122, *2*
ungescheut 87
Ungeschick 599, *4*;
1763, *3*
Ungeschicklichkeit
599, *4*; 1763, *3*
ungeschickt 1660, *2*
ungeschickt (sein) 1657
ungeschlacht 376, *1*;
1264, *1*
ungeschliffen 1264, *2*;
1661, *2*
ungeschmeidig 1264, *1*
ungeschmiert 1602, *2*
ungeschminkt 945, *2*;
1207, *2*
ungeschoren lassen
1019, *1*
ungeschult 1696, *1*
Ungeschultheit 1662
ungesellig 31, *1*; 450, *2*
Ungeselligkeit 451, *1*
ungesetzlich 1721
Ungesetzlichkeit 1669, *2*
ungesichert 690, *6*;
1139, *2*
ungestaltet 633, *1*
ungestört 644, *1*; 768, *5*
ungestüm 829, *2*
Ungestüm 830
ungesühnt 1207, *3*
ungesund 1042, *1*;
1660, *3*
ungesüßt 844, *1*
ungetan 1207, *3*
ungeteilt 679, *2*; 1962
Ungeteiltheit 442, *1*
ungetragen 1177, *1*
ungetrennt 1962
ungetrost 1659, *1*
Ungetrostheit 1591
ungetrübt 781, *2*; 835, *1*;
839, *3*; 945, *1*; 1365, *2*
Ungetrübtheit 1366, *2*
Ungetüm 186; 1386

ungeübt 1696, *1*
Ungeübtheit 1662
ungewandt 1264, *1*
Ungewandtheit 1763, *3*
ungewaschen 1408
ungewellt 768, *3*
ungewiss 407, *4*;
1207, *3*; 1975, *1*
Ungewissheit 1473;
1974, *1*
Ungewitter 1186, *1*;
1385, *1*
ungewöhnlich 119, *1*;
163, *1*; 273, *2*; 892, *2*;
1177, *3*; 1231, *2*;
1457, *1*
ungewohnt 648, *1*;
1177, *2*
ungewollt 1652, *1*
ungewürzt 574, *1*
ungezählte 1825
ungezähmt 1093, *2*;
1905, *1*
ungeziert 1166, *2*
ungezogen 642, *3*;
1661, *2*
Ungezogenheit 643, *2*
ungezügelt 1093, *2*;
1905, *1*
ungezwungen 633, *3*;
644, *2*; 646; 719;
748, *1*; 1036, *4*
Ungezwungenheit
645, *3*
unglaubhaft 24
unglaublich 130, *2*;
1254, *1*
unglaubwürdig 1698, *2*
Unglaubwürdigkeit
1699, *2*
ungleich 1783, *1*
Ungleichheit 1688
ungleichmäßig 1783, *1*
Unglück 1650; **1658**
unglücklich 1182, *1*;
1659
unglücklicherweise 1043
Unglücksbote 1613, *3*
unglückselig 1659, *4*
Unglücksfall 1650
Unglücksrabe 1219, *2*
Unglückswurm 1219, *2*
Ungnade, in 534, *3*
ungnädig 31, *1*
ungraziös 1264, *1*

ungreifbar 407, *4*;
1692, *1*
ungründlich 1199, *3*
ungültig 1397, *6*
ungültig machen 509, *1*
ungültig werden 10, *3*;
1749, *7*
Ungunst der Verhältnis-
se 1389, *2*
ungünstig 1660
ungut 323, *1*
unhaltbar 583, *5*
unhandlich 1660, *2*
unharmonisch 695, *1*
Unheil 1658
Unheilbringer 1613, *3*
unheildrohend 690, *1*
Unheilprophet 1276
unheilschwanger 690, *1*
Unheilsprophet 1245
Unheilstifter 897
Unheilverkünder 1276
unheilvoll 690, *1*;
1397, *4*
unheimlich 163, *1*;
407, *7*; 1420, *2*;
1692, *5*
unhöflich 1264, *2*; 1555;
1661
Unhöflichkeit 643, *3*
Unhold 186; 1272, *3*
unhörbar 1044; 1357, *1*
unieren 1717, *3*
uniform 771, *2*
Uniform 949, *2*
uniformieren 1737
uniformiert 771, *2*
Uniformierung 1616, *5*
Uniformität 1324, *2*
Unikat 976, *1*
Unikum 976, *1*
unilateral 455, *2*
uninformiert 1696, *1*
unintelligent 403, *1*
uninteressant 1017, *2*
uninteressiert 772, *1*;
1199, *2*; 1358, *1*;
1638, *1*
Uninteressiertheit
1646, *2*
Union 1718, *6*
unirdisch 1692, *5*
Unisex 771, *2*
unisono 443, *1*
Unität 442, *1*

universal 40, *4*; 896;
1829, *3*
Universalerbe 513, *3*
Universalgenie 724, *1*
universell 40, *4*
Universitätsbibliothek
306
Universitätsprofessor
1035, *1*
Universitätsstadt
1499, *1*
Universum 1892, *2*
unkameradschaftlich
1656
unken 496
unkenntlich 1719, *1*
Unkenntnis 1662
Unkenruf 1875
Unkenrufer 1245
unklar 318, *2*, 407, *3*;
1441, *1*; 1692, *2*
Unklaren lassen, im
1714, *1*
Unklarheit 353, *2*;
408, *3*
unklug 403, *2*
Unklugheit 404, *2*;
1674, *1*
unkollegial 1456
unkompliziert 57, *1*;
433, *1*; 1036, *2*;
1790, *1*
Unkompliziertheit
434, *3*; 1791
unkontrolliert 644, *1*;
1093, *2*; 1207, *1*
unkonventionell 1783, *3*
unkonzentriert 1638, *1*;
1914, *2*
Unkonzentriertheit 33, *2*
unkörperlich 879
unkorrekt 583, *1*;
1150, *1*; 1698, *2*
Unkorrektheit 1699, *2*
Unkosten 137, *1*; 978, *1*
unkreativ 1653, *2*
unkritisch 433, *2*;
1971, *1*
unkultiviert 1264, *1*;
1264, *2*; 1905, *2*
unkündbar 1460, *2*
unkundig 648, *2*;
1696, *1*
unkünstlerisch 633, *2*;
941

unlängst 1008
Unlauterkeit 1699, *2*
unlebendig 1540, *4*
unleidlich 322, *1*;
1637, *3*
unlenkbar 1905, *1*
unlesbar 1692, *1*
unleserlich 1692, *1*
unleugbar 1460, *1*
unlieb 1637, *2*
unliebenswürdig 1661, *1*
Unliebenswürdigkeit
643, *3*
unliebsam 1637, *2*
Unliebsamkeiten 105, *3*
unlimitiert 1647, *1*
unlogisch 24; 583, *5*
unlösbar 407, *4*; 612
Unlösbarkeit 1665
unlöschbar 1460, *7*
Unlust 14, *2*; 1118
unlustig 1117; 1675, *1*
unmanierlich 1264, *2*;
1661, *2*
Unmaß 1619, *1*
unmaßgeblich 1639
unmäßig 1093, *1*;
1624, *1*
Unmäßigkeit 1619, *2*
Unmenge 1102, *4*;
1619, *1*; 1825
Unmensch 186
unmenschlich 334
Unmenschlichkeit 335
unmerklich 926, *1*;
1109, *1*; 1719, *1*
unmessbar 926, *1*
unmethodisch 1667, *2*
unmissverständlich
945, *2*; 1145, *1*
unmittelbar 1244, *2*;
1663
unmodern 1707
unmodern werden
1749, *6*
unmöglich 1637, *2*;
1661, *3*; **1664**; 1702
unmöglich gemacht
534, *3*
unmöglich machen 1764
unmöglich machen, sich
319, *1*; 1369, *4*
unmöglich, gesellschaft-
lich 534, *3*
Unmöglichkeit 1665

Unmoral 1398
unmotiviert 797; 1952, *1*
unmündig 1670, *2*
Unmut 14, *2*; 105, *1*;
1118
unmutig 322, *1*
unnachahmlich 163, *1*;
554
unnachgiebig 820, *2*;
1504, *2*; 1535, *1*;
1928, *1*
Unnachgiebigkeit
1536, *1*
unnachsichtig 820, *3*
Unnachsichtigkeit 335;
1536, *1*
unnahbar 31, *1*; 914, *3*;
1926, *1*
Unnahbarkeit 1536, *2*;
1925, *1*
unnatürlich 766; 1002;
1237
unnennbar 1692, *4*
unnötig 1624, *1*; **1666**
unnütz 1747
unobjektiv 1056
unökologisch 1660, *4*
unökonomisch 1660, *4*
unordentlich 1150, *4*;
1667
Unordentlichkeit 1151;
1668, *2*
Unordnung 1668
unorganisiert 1667, *2*;
1695, *2*
unoriginell 968, *1*;
1653, *2*
unorthodox 467, *2*;
1783, *3*
unparteiisch 347, *1*;
735, *1*; 772, *1*;
1358, *1*
Unparteiischer 911, *2*
Unparteilichkeit 736
unpassend 91, *1*; 1555;
1660, *2*; 1661, *3*
unpassend sein 1522, *1*
unpässlich sein 530
Unpässlichkeit 1041, *1*
unpersönlich 31, *1*;
968, *2*; 1213, *2*;
1358, *2*
unplastisch 574, *2*
unpoetisch 1358, *2*
unpolitisch 1264, *3*

unpraktisch 1657, *1*;
1660, *2*
unprätentiös 433, *2*
unpräzise 1654, *3*
unproblematisch 433, *1*
unproduktiv 1653, *2*
unpünktlich 1481, *1*;
1698, *2*
unpünktlich sein 1820, *3*
Unpünktlichkeit 1699, *2*
Unrast 427, *1*
Unrat 5, *1*; 1406, *1*
unrationell 1660, *4*
unratsam 1660, *2*
unrealisierbar 1664
unrealistisch 877, *2*;
1702
unrecht 583, *1*
Unrecht 1669
unrecht tun 1749, *8*
unrecht tun, jmdm.
1114, *1*
Unrecht, zu 903
unrechtmäßig 1721
Unrechtmäßigkeit
1669, *2*
Unrechtsbewusstsein
762
Unrechtsempfinden
468, *1*; 762
unredlich 1656
unreell 1656
unregelmäßig 1852, *1*;
1852, *3*
unreif 909, *2*; **1670**
unrentabel 1653, *1*;
1660, *4*
unrettbar 534, *2*
unrichtig 583, *1*
Unrichtigkeit 599, *1*;
1071, *2*
unritterlich 1661, *3*
Unruhe 62, *2*; 549, *1*
Unruhen 134, *3*
Unruhestifter 1523
unruhig 64, *1*; 429, *1*;
548, *1*; **1671**
uns, bei 699, *3*
uns, unter 1801
unsachlich 239, *1*;
1244, *5*; 1570; 1656
unsachlich werden
1391, *1*
unsagbar 1452, *1*
unsäglich 1452, *1*

unsanft 376, *2*
unsauber 1408; 1656
unschädlich 1109, *2*
unschädlich machen
857, *3*
unscharf 407, *3*;
1540, *1*; 1692, *2*
unschätzbar 975
unscheinbar 574, *2*;
1639
unschick 1264, *1*
unschicklich 91, *1*;
1661, *3*
Unschicklichkeit 662, *1*
unschlüssig 856, *2*;
1649, *1*; 1947; 1978
unschlüssig sein 1435, *2*
Unschlüssigkeit 1763, *1*;
1974, *1*
unschmackhaft 574, *1*
unschön 822, *1*
unschöpferisch 1653, *2*
Unschuld 434, *2*
unschuldig 1672
Unschuldsbeweis 495, *2*
unschwer 1036, *2*
Unsegen 1658
unselbständig 856, *1*;
1432, *3*; 1651, *1*
unselig 1659, *4*
unseriös 1037, *2*
unsicher 407, *4*; 856, *1*;
1673; 1762, *1*;
1845, *3*; 1975, *1*
unsicher machen 129, *2*
unsicher sein 1976
unsicher werden 1976
Unsicherheit 1473;
1763, *2*; 1974, *1*
unsichtbar 1719, *1*
Unsinn 737, *2*; **1674**
unsinnig 24; 403, *2*;
583, *5*; 1692, *3*; 1747
Unsinnigkeit 1674, *1*
unsolide 1037, *2*
unsozial 1456
unsportlich 1656
unstatthaft 1721
Unsterblichkeit 1648
Unstern 1658
unstet 393, *3*; 1671, *1*;
1698, *2*
Unstetigkeit 1699, *1*
unstillbar 218, *1*
unstimmig 695, *1*

Unstimmigkeit 599, *2*;
1533, *1*
Unstimmigkeiten
105, *3*
unsträflich 86, *2*
unstreitig 1460, *4*
unstrukturiert 633, *1*
Unsumme 1102, *4*
unsympathisch 1637, *3*
unsystematisch 1667, *2*
untadelig 86, *2*; 416, *1*;
1829, *1*
Untadeligkeit 1830
untaktisch 1264, *3*
untalentiert 403, *1*
Untat 1724
untätig 772, *3*; **1675**
untätig sein 594
Untätigkeit 1676
Unteilbarkeit 442, *1*
unten 1677
unten durch 534, *3*
unten, ganz 534, *2*
unten, nach 27
unten, tief 1578, *1*
unten, weit 1578, *1*
unten, weiter 1146
untendrunter 1677, *1*
unter 1677, *4*
unterarbeiten 1112, *1*
Unterbau 796, *1*
unterbauen 1462, *1*
unterbelichten 509, *2*
unterbelichtet 403, *1*
unterbewerten 841, *3*;
901, *6*
unterbewusst 406, *3*
Unterbewusstsein
693, *4*; 1447, *1*
unterbinden 857, *3*;
1515, *3*; 1779, *2*
Unterbindung 858, *2*
unterbleiben 598, *3*
unterbrechen 22, *2*; 25;
435, *3*; 441, *1*; 475, *1*;
811, *1*; 1356, *3*;
1522, *1*; 1594, *2*
unterbrechen, sich
1520, *1*
unterbrechen, Verbin-
dung 1594, *2*
Unterbrechung 29, *4*;
1518; 1524; **1678**
Unterbrechung, ohne
365, *1*; 1663, *2*

unterbreiten 50, *1*;
1844, *1*
unterbreiten, Antrag 197
unterbringen 22, *3*;
89, *1*; 123, *1*; 127, *1*;
266, *1*; 1233, *2*
unterbuttern 1679, *1*
unterdessen 1864
unterdrücken 857, *1*;
1547, *2*; **1679**; 1733, *2*
unterdrückt 1319
Unterdrückung, ge-
schlechtliche 1458
untereinander 696
unterernährt 1432, *4*
unterfahren 1543, *1*
unterfangen 1543, *1*
Unterfangen 1685, *3*
unterfangen, sich 531, *3*;
1859, *3*
Unterführung 333
Untergang 1658, 1940, *1*
Untergangsstimmung
1591
untergegangen 1677, *4*
untergehen 1383, *2*;
1728, *3*; 1939, *11*
untergehend 13
untergeordnet 950, *2*;
1639
untergliedern 1226, *2*
untergliedert 731, *3*
Untergliederung 779
untergraben 851, *3*;
1434; 1939, *1*
untergraben, Moral 496
Untergrund 796, *1*
Untergrundbahn 579, *4*
untergründig 1719, *1*
Untergrundkampf 917, *4*
Untergrundkämpfer
919, *5*
unterhalb 1677, *4*
Unterhalt 1027, *2*; **1680**
unterhalten 75, *4*;
522, *3*; 894, *1*; **1681**;
1788, *3*
unterhalten, Beziehun-
gen 1633, *2*
unterhalten, sich 1681
unterhaltend 76, *1*;
748, *1*; 835, *2*; 892, *1*
Unterhalter 927; **1682**
unterhaltsam 76, *2*;
748, *1*; 835, *2*; 892, *1*

Unterhaltskosten
1027, *1*
Unterhaltszahlungen
1680, *2*
Unterhaltung 77, *3*;
277, *2*; 1248, *2*; **1683**
Unterhaltungsliteratur
1061
Unterhaltungsmusik
1133, *3*
Unterhaltungsshow
1459
Unterhaltungsstoff
697, *2*
Unterhändler 387, *1*;
1769
unterhöhlen 787, *1*
Unterholz 343, *1*
unterjochen 1679, *1*
unterjocht 1319
unterkneten 1112, *1*
unterkommen 216, *2*;
1184, *1*
unterkriegen 1394, *2*
unterkühlt 31, *1*; 914, *2*
Unterkunft 1919, *1*
Unterkunft, ohne 393, *3*
Unterlage 796, *1*
Unterland 620, *1*
Unterlass, ohne 882, *1*
unterlassen 1019, *2*;
1782, *1*
Unterlassung 1669, *1*;
1780, *1*
unterlaufen 216, *2*
unterlegen 676, *2*;
1432, *5*; 1462, *1*
unterliegen 1383, *3*;
1767, *3*
Unterling 1221
untermalen 220, *2*
Untermalung 859, *1*
untermauern 1462, *1*;
1543, *1*
Untermauerung 794, *2*
untermengen 1112, *1*
Untermieter 1143, *2*
unterminieren 787, *1*;
851, *3*
unternehmen 52, *3*;
1684; 1711, *1*
Unternehmen 740, *1*;
1685
unternehmend 479;
1026, *2*; 1556, *2*

Unternehmer 741; **1686**
Unternehmung 1094;
1685, *2*
Unternehmungsgeist
478, *1*; 1446, *2*
Unternehmungslust
478, *1*
unternehmungslustig
1026, *2*; 1556, *2*
unterordnen 1226, *2*
unterordnen, sich 704, *1*
Unterordnung 706, *2*
Unterpfand 342, *1*
unterprivilegiert 107, *1*;
1677, *3*
Unterprivilegierter
160, *2*
unterreden 276, *1*
unterreden, sich 1681, *3*
Unterredung 277, *2*
Unterricht 1033, *1*
unterrichten 528, *4*;
1034, *1*; 1120, *1*;
1208, *2*
unterrichten, sich
1049, *2*
unterrichtet 929
unterrichtet, falsch
1696, *1*
unterrichtet, gut 516, *1*
unterrichtet, wohl 929
Unterrichtsfach 571, *2*
Unterrichtswerk 1032
Unterrichtung 96, *1*;
529, *1*; 1122
unterrühren 1112, *1*
untersagen 1779, *2*
untersagt 1721
Untersagung 1720, *1*
unterschätzen 901, *6*
Unterschätzung 599, *3*
unterscheiden 1687;
1701, *3*
unterscheiden, nicht zu
771, *1*
unterscheiden, sich 118;
967, *2*; **1687**
Unterscheidungsvermö-
gen 1789, *2*
Unterschicht 1387, *3*
unterschieben 293, *1*;
1764; 1855
Unterschied 1688
Unterschied machen
1687, *1*

Unterschied machen, keinen 1737
Unterschied, kein 771, *1*
unterschiedlich 1783, *1*
unterschlagen 152, *1*; 293, *1*
Unterschlagung 292
unterschlängeln 931, *3*
Unterschleif 292
unterschlüpfen 1184, *1*
unterschreiben 278, *3*; 533, *2*; 931, *3*; 1735
unterschrieben 534, *1*; 1213, *3*
Unterschrift 279, *4*; 529, *4*; 535, *2*; 930, *2*
unterschwellig 406, *3*; 1719, *1*
Unterseeboot 579, *6*
untersetzt 981, *3*
Unterstand 211, *4*
Unterste zuoberst, das 1667, *1*
unterstehen, sich 1859, *3*
unterstellen 123, *1*; 964, *2*; 1462, *1*; 1764; 1771, *2*; 1855
unterstellen, sich 704, *1*; 1430, *4*
Unterstellung 965, *3*; 1974, *2*
Unterstellung, böswillige 1765
unterstreichen 931, *3*; 1729, *1*
Unterstreichung 1144
unterstützen 278, *4*; 494, *1*; 538, *2*; 541, *2*; 837, *1*; 1543, *2*
Unterstützung 495, *1*; 854, *1*
untersuchen 80, *1*; 224, *2*; 276, *1*; 371, *2*; 536; 635; 1284, *1*
Untersuchung 8, *1*; 47; 225, *3*; 636, *2*; 1285, *2*
Untersuchungsgefangener 56
Untersuchungshaft 692, *1*
Untersuchungsobjekt 697, *2*
untertan 705
untertänig 1690, *1*

Untertänigkeit 706, *1*
untertauchen 1184, *5*; 1714, *4*
unterteilen 1226, *2*; 1561, *1*
unterteilt 731, *3*
Unterteilung 779; 1595, *2*
Unterton 232
untertreiben 268; 841, *3*
Untertreibung 269
untertunneln 787, *1*
unterwandern 432, *3*
unterwegs 393, *2*
unterwegs sein 1331, *1*
unterweisen 1034, *2*
Unterweisung 96, *1*; 1033, *1*
Unterwelt 1689
unterwerfen, sich 122, *3*; 704, *3*
Unterwerfung 706, *2*
unterworfen 1319
unterworfen, der Mode 1126, *2*
unterwürfig 705; 1690
Unterwürfigkeit 706, *2*
Unterzahl 1102, *5*
unterzeichnen 278, *3*; 931, *3*
Unterzeichnung 279, *4*
Untier 186; 1386
untragbar 1637, *2*
untrennbar 1727, *1*; 1962
untreu sein 293, *3*
untröstlich 1659, *1*
untrüglich 945, *3*
untüchtig 1655, *2*
Untugend 599, *5*
untunlich 1660, *3*
unüberbrückbar 695, *4*
Unüberbrückbarkeit 694, *2*
unüberhörbar 378, *1*; 1022; 1145, *1*
unüberlegt 403, *2*; 1037, *1*; 1638, *2*; 1695, *2*; 1856, *2*
Unüberlegtheit 33, *2*
unüberschaubar 1914, *4*
unübersehbar 119, *1*; 378, *1*; 945, *3*; 1891, *1*
unübersichtlich 1441, *1*; 1914, *4*

unübertroffen 554
unüberwacht 1207, *1*
unüberwindlich 1664
Unüberwindlichkeit 1665
unüblich 1457, *1*
unumgänglich 1191, *2*; 1899, *1*
Unumgänglichkeit 1192, *1*
unumschränkt 1640, *1*
unumstößlich 476
unumwunden 131
ununterbrochen 365, *1*; 882, *1*
ununterrichtet 1696, *1*
ununterscheidbar 771, *1*
unveränderlich 1504, *1*
Unveränderlichkeit 1648
unverbesserlich 1691
unverbildet 1166, *2*
unverbindlich 1207, *6*
unverblendet 1358, *1*
unverblümt 378, *1*; 945, *2*; 1207, *2*
unverbogen 1166, *2*
unverbraucht 909, *3*
unverbunden 450, *1*
unverbürgt 1673, *1*
unverdächtig 1971, *3*
unverdaulich 1660, *3*
unverderblich 363, *2*
unverdient 1634, *1*
unverdorben 660, *1*
unverdrossen 423; 621; 1556, *1*
Unverdrossenheit 422, *2*
unvereinbar 695, *4*
Unvereinbarkeit 694, *2*
unverfälscht 348, *2*; 414; 1166, *1*; 1365, *2*
Unverfälschtheit 1366, *2*
unverfroren 642, *3*
Unverfrorenheit 643, *2*
Unverführbarkeit 613, *5*
Unvergänglichkeit 1648
unvergessen sein 526, *5*
unvergesslich 891, *4*
unvergesslich sein 526, *5*
unvergleichbar 886, *1*
unvergleichlich 163, *1*; 1177, *3*; 1412, *1*
unvergoren 909, *2*

unverhältnismäßig
 1624, 1
unverhofft 1263
unverhohlen 131; 1121
unverhüllt 945, 3
unverkäuflich 1627, 1
Unverkäufliches 5, 2
unverkauft 1627, 1
unverkennbar 348, 1;
 945, 3
unverkrampft 644, 2
Unverkrampftheit
 1038, 1
unverkürzt 679, 2
unverlangt 646
unverlässlich 1698, 2
Unverlässlichkeit
 1699, 2
unverletzlich 1460, 6
unverlierbar 1460, 7
unvermeidlich 1191, 2
unvermindert 679, 2
unvermischt 414, 1;
 1365, 2
unvermittelt 1263
unvermögend 1655, 2
unvermutet 1263
Unvernunft 404, 1
unvernünftig 403, 2;
 1692, 3
unveröffentlicht
 1641, 1
unverpackt 1065, 3
unverrückbar 612;
 1460, 5
unverschämt 239, 1;
 642, 3; 862, 5;
 1359, 3; 1661, 2
Unverschämtheit 643, 2
unverschlossen 1207, 1
unverschuldet 1672, 1
unversehen 1695, 1
unversehens 1263
unversehrt 679, 1
unversetzt 1365, 2
unversöhnbar 605
unversöhnlich 605;
 695, 4; 820, 3; 1152
Unversöhnlichkeit 606;
 694, 2
unversorgt 107, 1;
 856, 4; 1673, 2
unversperrt 1207, 1
Unverstand 404, 1; 1662
unverstanden 407, 4

unverständig 403, 1;
 1696, 1
unverständlich 407, 4;
 1273, 2; **1692**
Unverständlichkeit
 408, 3
Unverständnis 1662
Unverstehbarkeit
 408, 3
unverstellt 131
unversucht lassen, nichts
 92, 2
unvertraut 648, 1;
 1696, 1
Unvertrautheit 1662
unverwandt 1504, 3
unverwechselbar 348, 1;
 886, 1; 1231, 1
unverwehrt 252, 1;
 644, 1
unverweilt 771, 3;
 1290, 2; 1410, 2
unverwendbar 583, 1;
 1397, 1; 1627, 1;
 1660, 2
unverwendet 1627, 1
unverwirklichbar 1702
unverwischbar 78, 2;
 891, 4
unverwischbar sein
 526, 5
unverwundbar 1460, 6
Unverwundbarkeit
 613, 2
unverwüstlich 363, 1
Unverwüstlichkeit
 613, 1
unverzagt 920; 1139, 1;
 1224
Unverzagtheit 1138
unverziert 433, 3
unverzüglich 771, 3;
 1290, 2
unvollendet 1694, 1
unvollkommen 1104, 2;
 1655, 1; 1694, 2
Unvollkommenheit
 599, 2; **1693**
unvollständig 265, 1;
 1655, 1; **1694**
Unvollständigkeit
 599, 2; 1693, 2
unvorbereitet 1695
unvoreingenommen
 735, 1; 1358, 1

Unvoreingenommenheit
 736
unvorhergesehen 1263
unvorhersehbar 1263
unvorsichtig 1037, 1;
 1638, 2
Unvorsichtigkeit
 1038, 2
unvorstellbar 791, 2;
 1254, 1
unvorteilhaft 822, 1;
 1660, 2
unwägbar 1692, 2
unwahr 583, 2
Unwahrheit 1071, 1
unwahrscheinlich
 163, 1; 926, 2; 1254, 1
unwandelbar 1971, 1
unwegsam 1905, 2
unweigerlich 1640, 1
unweit 1155, 2
unwesentlich 1639
Unwetter 1186, 1
unwichtig 950, 2; 1639
Unwichtigkeit 951, 1
unwiderleglich 1395;
 1460, 4
unwiderruflich 476;
 534, 1; 1390; 1460, 5
unwidersprechlich
 1460, 4; 1535, 1
unwidersprochen
 1460, 4
unwiderstehlich 892, 1;
 1335; 1980, 1
Unwiderstehlichkeit
 1333
unwiederbringlich 1743
Unwille 14, 2; 105, 1;
 1118
unwillig 31, 3; 322, 1;
 1652, 2
unwillkommen 1637, 2
unwillkürlich 1096, 2;
 1652, 1
unwirklich 877, 2; 879;
 1254, 2; 1265, 2
unwirksam 1747
unwirsch 31, 1; 322, 1;
 1661, 1
unwirtlich 1204, 1;
 1905, 2
Unwirtlichkeit 1205, 2
unwirtschaftlich 1660, 4
unwissend 403, 1; **1696**

Unwissenheit 404, *1*;
1662
Unwohlsein 1041, *1*
unwohnlich 1637, *1*
Unzahl 1102, *4*
unzählbar 1647, *1*
unzählbare 1825
unzählige 1825
Unzählige 1102, *3*
unzähmbar 1905, *1*
unzart 1264, *2*; 1661, *1*
Unzartheit 643, *3*
unzärtlich 914, *3*
Unzeit, zur 1660, *1*
unzeitgemäß 1707
unzeitig 1660, *1*;
1856, *2*
unzerbrechlich 363, *1*
unzeremoniell 644, *2*
unzerreißbar 363, *1*
Unzerstörbarkeit 1648
unzertrennlich 443, *1*;
1962
unzivilisiert 1264, *1*;
1905, *2*
Unzucht mit Abhängi-
gen 1458
unzüchtig 91, *2*
unzufrieden 1697
Unzufriedenheit 1118
unzugänglich 31, *1*;
380, *1*; 745, *1*; 820, *2*;
1441, *3*; 1495, *3*;
1540, *4*; 1905, *2*
Unzugänglichkeit
1536, *2*; 1961, *3*
unzulänglich 385, *2*;
1655, *1*; 1694, *2*
Unzulänglichkeit 599, *2*;
1693, *1*; 1780, *1*
unzulässig 1721
unzumutbar 1637, *2*
unzurechnungsfähig
1777, *1*
unzureichend 1655, *1*
unzusammenhängend
1914, *4*
unzuträglich 1660, *3*
Unzuträglichkeit 105, *3*

unzutreffend 583, *1*
unzuverlässig 1037, *1*;
1698
Unzuverlässigkeit 1699
unzweckmäßig 1660, *2*
unzweideutig 945, *2*
up and away 1886, *1*
up to date 1026, *3*;
1126, *2*
Upperclass 1201, *1*
Upperten 1201, *2*
üppig 381, *1*; 727;
992, *1*; 1268; 1327, *4*;
1359, *1*; 1506, *2*;
1627, *2*; 1823, *1*
üppig werden 145, *4*
Üppigkeit 673, *1*;
1286, *2*
Ups and Downs 1709, *2*
uralt 44, *1*
Uraufführung 51, *2*
urban 996, *2*
urbar gemacht 996, *1*
urbar machen 547, *3*
Urbehagen 1222
Urbevölkerung 297
Urbild 1136, *4*
ureigen 59, *3*
Ureinwohner 297
Urfassung 1230, *1*
urgemütlich 719
Urgeschichte 1744
Urgewalten 463, *2*
Urheber 561
Urheberrecht 1318, *1*
Urheberschaft 563, *1*
Urian 1574
urig 1166, *2*
Urin 156, *1*
Urin haben, im 668, *1*
urinieren 155
urkomisch 835, *4*
Urkunde 279, *2*; 1941, *1*
urkundlich 1460, *4*
Urlaub 525, *1*
Urlauber 1332, *1*
Urlaubsgeld 1956
urlaubsreif 1130, *2*
Urlaubszeit 647

Urne 223
urplötzlich 1263
Ursache 794, *1*
Ursache sein 1832
Urschrift 1230, *1*
Ursprung 846, *1*;
1296, *2*
Ursprung haben, seinen
506, *3*
ursprünglich 53, *2*;
414, *1*; 426, *1*; 1159;
1166, *1*; 1231, *1*
Ursprünglichkeit 424, *2*;
434, *4*
Urstoff 463, *1*
Urteil 500, *2*; 989, *1*;
1700
Urteil, vernichtendes
989, *3*
urteilen 1399, *3*; 1701
urteilsfähig 996, *2*;
1772, *4*
Urteilsfähigkeit 1789, *1*
Urteilskraft 947, *3*;
1700, *2*; 1789, *1*
urteilslos 433, *2*
Urteilslosigkeit 991
urteilssicher 84, *1*;
996, *2*; 1772, *4*
Urteilsspruch 1700, *3*
Urteilsvermögen 1789, *1*
Urtext 1230, *1*
urtümlich 1166, *2*
Urvertrauen 1222;
1800
Urwald 343, *1*
urwüchsig 1166, *2*
Urwüchsigkeit 434, *4*
Urzeit 1744
Usance 326, *2*
User 397, *1*
Usus 326, *2*; 1322, *2*
Utensil 733
Utopia 1234
Utopie 880, *3*
utopisch 877, *2*; 1702
Utopist 876, *2*
uzen 1491, *1*
Uzerei 1490, *2*

V

Vabanquespiel 783; 1860
Vademecum 671, 5; 1032
Vagabund 1332, 2
vagabundieren 1331, 2
Vagant 1332, 1
vage 407, 3; 1692, 2
Vagina 1379, 1
vakant 644, 4; 1028, 4
Vakanz 33, 1; 1067, 2
Vakuum 1181, 1
Vamp 641
Vampir 707, 4; 1275
Van 579, 2
Vandale 186
Vandalismus 335
Vanitas 1746, 1
Vaporetto 579, 6
variabel 301, 2; 1649, 1; 1783, 2
Variable 29, 6; 792, 1
Variante 1703; 1861, 1
variantenreich 1783, 2
Varianz 29, 6
Variation 29, 6; **1703**
Variationsbreite 1826, 1
Varietät 1703
Varieté 1459
Varietékünstler 111, 1
variieren 1708, 1
Vasall 66, 3; 1402, 2
Vase 223
Vater 1704
Vater im Himmel 785, 1
Vater und Mutter 464
Vater, allein erziehender 1704, 1
Vater, geistiger 1704, 3
Vater, himmlischer 785, 1
Vater, kesser 867
Vater, leiblicher 1704, 1
väterlich 654, 3
Vaterschaft 563, 1
Vati 1704, 2
Vegetation 1164, 2

vegetationslos 913, 2
vegetieren 482; 1024, 1
vehement 479; 829, 2; 1145, 1
Vehemenz 478, 1; 830; 1144
Vehikel 579, 1
Vektor 792, 1
Ventil 1215, 6
Ventilation 1068, 2
Ventilator 1068, 2
ventilieren 276, 1; 639, 1; 1834, 5
Venus 641
Venushügel 1370, 2
verabfolgen 683, 1; 1617; 1796, 1
verabreden 1735
Verabredung 1593, 1
verabreichen 683, 1; 1796, 1
verabreichen, Tracht Prügel 1394, 1
verabsäumen 1782, 1
verabscheuen 821, 1
verabscheuenswert 1397, 5
verabschieden 998, 2
verabschieden, sich 469, 3; 485, 2; 1594, 1
verabschiedet 44, 6
Verabschiedung 486, 3; 801, 1; 999, 2
verabsolutieren 1705
Verabsolutierung 1706
verachten 1114, 1
Verächter 990, 2; 1245
verachtet 534, 3
verächtlich 31, 2; 1397, 5; 1397, 5
verächtlich machen 319, 2
Verächtlichkeit 1398
Verachtung 1115
veralbern 1491, 1
verallgemeinern 1705
verallgemeinert 1005, 3
Verallgemeinerung 1706
veralten 1749, 6
veraltet 44, 5; **1707**
Veranda 181
veränderlich 1649, 1
veränderlich sein 1708, 1

verändern 543, 1; **1708**
verändern, Farbe 590, 1
verändern, Lage 300, 1
verändern, sich 175, 1; 998, 1; **1708**; 1883, 2
verändert 1177, 4; 1783, 1
verändert, völlig 1783, 1
Veränderung 511, 1; **1709**
verängstigen 398, 1
verängstigt 64, 2
verankern 210, 3
verankert 59, 2
verankert, fest 612
Verankerung 211, 1
veranlagen 237, 4
veranlagt 576, 1; 1901, 3
Veranlagung 346; 577; 1514, 2
veranlassen 75, 1; **1710**; 1910, 4
Veranlassung 77, 1; 794, 1
Veranlassung von, auf 1124, 3
veranschaulichen 241, 2; 528, 3; 1729, 1
veranschaulichend 238, 1
Veranschaulichung 361, 1; 370, 2; 529, 2
veranschlagen 251, 1; 1375, 2
veranschlagen, zu hoch 1622, 2
veranstalten 1229, 1; 1684, 1; **1711**
veranstalten, Allotria 1018, 1
veranstalten, Feier 602, 1
veranstalten, Razzia 1549, 1
veranstaltet werden 10, 2; 216, 3
Veranstaltung 749, 2; **1712**; 1847, 3
Veranstaltungssaison 1360
verantworten 339, 1; 501, 3
verantworten haben, zu 1425, 3

verantworten, sich
  494, *3*
verantwortlich 1967, *2*
verantwortlich machen
  944, *1*; 1855
verantwortlich sein
  1135; 1425, *3*
Verantwortlichkeit
  1968, *1*
Verantwortung, auf eige-
  ne 646
verantwortungsbewusst
  347, *2*
verantwortungslos
  1037, *1*
veräppeln 1491, *1*
verarbeiten 127, *3*; **1713**;
  1793, *2*
verarbeitet 1307, *4*
verargen 106, *3*; 1959, *1*
verärgern 106, *1*;
  1803, *2*
verärgert 322, *2*
Verärgerung 105, *1*
verarmen 1728, *3*
verarmt 107, *2*; 850, *1*
Verarmung 1190, *1*
verarschen 1491, *1*
verarzten 224, *2*; 831, *2*
verästeln, sich 1561, *5*
verästelt 992, *6*
Verästelung 1004
verausgaben 1220, *1*
verausgaben, sich 92, *3*;
  539, *2*; 1220, *1*;
  1723, *2*
verausgabt 1028, *5*
veräußerlich 1838, *1*
veräußern 1760, *1*
Veräußerung 1759, *1*
verbal 1663, *4*
Verbalinjurie 240
verbalisieren 162, *2*;
  1494, *1*
verballern 1785, *2*
verballhornen 509, *3*
Verband 1227, *2*
verbannen 173, *1*;
  1803, *1*
verbannt 1319
Verbannung 1804
verbarrikadieren 1399, *1*
verbarrikadieren, sich
  1714, *4*
verbarrikadiert 745, *1*

verbauen 857, *3*
verbeißen 1733, *1*
verbeißen, sich 1819, *2*;
  1922, *2*
verbeißen, sich das La-
  chen 1009, *2*
verbergen 1679, *3*;
  1714; 1755, *1*
verbergen, sich 1714
verbessern 198, *2*;
  543, *3*; 946, *5*; **1715**
verbessern, Blick
  1374, *3*
verbessern, sich 177;
  510, *5*; 1509, *2*; **1715**
Verbesserung 225, *2*;
  511, *2*; 1510, *4*; **1716**
verbeugen, sich 802, *1*
Verbeugung 801, *2*
verbiegen 264
verbiestert 322, *1*; 1152
Verbiesterung 105, *2*
verbieten 1779, *2*
verbilden 264
verbildlichen 528, *3*
Verbildlichung 361, *2*;
  529, *2*
verbilligen 1149, *5*
verbilligt 312, *1*
Verbilligung 1849, *2*
verbimsen 1394, *1*
verbinden 1112, *2*; **1717**;
  1768, *2*
verbinden, sich 1717
verbindend 443, *1*
verbindlich 40, *2*; 491;
  654, *1*; 751, *5*; 864;
  1213, *1*; 1980, *2*
Verbindlichkeit 490, *2*;
  716, *4*; 1250; 1424, *2*
Verbindung 211, *1*;
  717, *1*; 966, *1*; 1113, *4*;
  1718
Verbindungen 1718, *3*
Verbindungslinie
  1058, *1*
Verbindungsmann 1769
Verbindungsschnur
  1048, *3*
Verbindungsweg 1215, *4*
verbissen 1504, *4*;
  1624, *4*; 1928, *1*
Verbissenheit 830
verbittern, Leben
  1242, *1*

verbittert 1182, *1*; 1697
Verbitterung 606
verblasen 941
verblassen 1149, *3*
verblasst 592, *1*
verbleiben 6, *2*; 1735
verbleibend 365, *1*;
  1627, *1*
verblenden 200; 305, *1*
verblendet 459, *2*;
  1504, *4*; 1691
Verblendung 481, *5*
verblichen 592, *1*;
  1585, *1*
verblieben 1627, *1*
verblöden 1728, *3*
verblüffen 1620, *1*;
  1815, *2*
verblüffen sein, nicht zu
  516, *2*
verblüffend 553; 1395
verblüfft 1504, *3*
Verblüffung 552
verblühen 1603, *6*
verblüht 44, *2*
verblümen 268
verblümt 1124, *2*
verbluten 1030, *5*;
  1512, *3*
verbocken 901, *3*
verbockt 425
verbogen 265, *1*; 992, *1*
verbohren, sich 1922, *2*
verbohrt 403, *1*; 425;
  1504, *2*
Verbohrtheit 404, *1*;
  481, *5*
verborgen 321, *2*;
  1357, *6*; **1719**
Verborgenen, im 834, *1*
Verborgenheit 451, *2*
Verbot 1720
verboten 1721
verbrämen 268; 1292, *1*;
  1714, *2*
verbrämt 1124, *2*
Verbrämung 269; 361, *2*
verbrannt 1397, *3*
verbraten 1723, *1*;
  1785, *2*
Verbrauch 1722
verbrauchen 1723
verbrauchen, sich
  1149, *1*; **1723**
Verbraucher 925

Verbraucherbefragung
1087
verbrauchsgünstig
1479, 2
verbraucht 44, 3; 182;
265, 1; 850, 4;
1028, 1; 1130, 2
Verbrechen 1724
Verbrechen wider die
Menschlichkeit 1724
verbrechen, etwas
1749, 8
Verbrecher 1725
verbrecherisch 1397, 5
Verbrecherwelt 1689, 1
verbreiten 145, 1;
437, 1; 948, 1; 1120, 3;
1381, 2; **1726**; 1773, 2
verbreiten, Duftwolken
1344, 1
verbreiten, Gerücht
948, 1
verbreiten, Gestank
1344, 2
verbreiten, sich wie ein
Lauffeuer 948, 1
Verbreiterung 146, 1
verbreitet 262, 1
verbrennen 233, 1;
330, 2; 1749, 5;
1939, 5
verbrennen, sich den
Mund 901, 7; 1369, 4
verbrennen, sich die
Zunge 901, 7
Verbrennung 234, 2;
1923; 1940, 1
verbrettern 1785, 2
verbriefen 1786, 2
verbrieft 1460, 4
verbringen 173, 1;
1024, 2; 1803, 1
verbringen, Leben
1024, 1
Verbringung 1804
verbrüdern, sich 1717, 1
verbrüdert 1727, 1; 1962
verbumfiedeln 1785, 2
verbummeln 1752, 1;
1782, 1; 1820, 1
verbummelt 850, 2
Verbund 1176, 2
verbunden 355, 1;
443, 1; 654, 3;
1155, 4; **1727**; 1962

verbunden sein 1056, 1;
1965, 1
verbunden sein mit 9, 4
verbunden sein, treu
65, 1
verbunden, innig
1802, 1
verbünden, sich 1717, 3
Verbundenheit 444;
655, 2; 1055, 1;
1156, 2; 1718, 1
verbündet 443, 2;
1727, 1
Verbündete 653
Verbündeter 652; 961
Verbundnetz 1176, 2
Verbundwerbung
1897, 5
verbunkern, sich 17, 2
verbürgen 1786, 2
verbürgen, sich 278, 5;
339, 1; 1786, 2
verbürgt 1971, 3
verbüßen, Strafe 345
verbuttern 1723, 1;
1785, 2
Verdacht 1974, 2
verdächtig 1273, 2;
1975, 1
verdächtigen 944, 1;
1764; 1771, 2; 1855;
1976
Verdächtiger 56
Verdächtigung 1974, 2
verdammen 628;
1809, 2
verdammenswert
1397, 5
verdammt 534, 3
Verdammung 627
verdampfen 354; 522, 2;
1749, 4
verdanken 357, 2;
1425, 2
verdattert 1504, 3
verdauen 127, 3; 1713, 1;
1793, 2
verdaulich, leicht 757, 3;
1036, 3
verdecken 200; 1714, 1
verdeckt 1719, 1
verdenken 1959, 1
Verderb 1658
verderben 264; 1512, 3;
1728; 1939, 1

Verderben 1658
verderben, es 1369, 4
verderben, sich den Ma-
gen 566, 1
verderben, Spaß 496
verderben, Spiel 857, 3
Verderber 1574
Verderbnis 1398
verderbt 1397, 5
Verderbtheit 1398
verdeutlichen 528, 3;
1729
verdeutlichend 238, 1
Verdeutlichung 529, 2
verdeutschen 528, 1
verdichten 522, 2; 756;
1007, 4; 1502, 3
verdichtet 1005, 3;
1265, 1
Verdichtung 1006, 1
verdicken, sich 1920, 1
verdickt 381, 3
Verdickung 1921, 1
verdienen 761, 1; **1730**
verdienen, Beachtung
894, 1
verdienen, Lebensunter-
halt 522, 3
verdienen, Lob 420, 2
verdienen, sich Sporen
226, 2
Verdienst 1046, 1;
1195, 2; **1731**
Verdienst, ohne eigenes
1634, 1
Verdienstadel 36, 2
Verdienste 1731, 3
verdienstvoll 1732
verdient 735, 2
verdient machen, sich
1045, 1
verdientermaßen 504, 1;
735, 2
Verdikt 1700, 3
verdingen, sich 313, 3
verdinglichen 528, 3
verdonnern 1391, 1;
1701, 2
verdonnert 1504, 3
verdoppeln, sich 1509, 3
verdoppelt 390
Verdoppelung 1811, 3
verdorben 1397, 3
Verdorbenheit 1398
verdorren 1603, 5

verdorrt 1602, *1*
verdöst 1638, *1*
verdrahtet 1727, *2*
verdrängen 1547, *2*;
  1679, *3*; **1733**; 1752, *1*;
  1803, *1*
Verdrängung 1546
verdrecken 1808
verdreckt 1408
Verdreckung 1406, *2*
verdrehen 264; 1072;
  1739, *1*
verdrehen, Kopf 1741
verdrehen, Recht 293, *5*
verdreht 119, *2*; 265, *1*;
  992, *1*; 1570; 1777, *1*;
  1914, *1*
Verdrehtheit 424, *4*
Verdrehung 1071, *1*;
  1558, *4*
verdreifachen, sich
  1509, *3*
verdreschen 1394, *1*
verdrießen 106, *1*
verdrießlich 322, *1*;
  1117; 1243, *1*; 1637, *1*;
  1697
Verdrießlichkeit 105, *3*;
  1118
verdrossen 322, *2*; 1117;
  1697
Verdrossenheit 105, *1*;
  1118
verdrücken 566, *1*
verdrücken, sich 485, *1*;
  624, *1*
Verdruss 105, *1*; 1118
verduften 624, *1*;
  1749, *4*
verdummen 1728, *3*
verdunkeln 293, *1*;
  293, *2*; 359, *5*; 496;
  1399, *4*
verdunkeln, sich 409, *2*
Verdunkelung 361, *2*;
  1558, *4*
Verdunklung 408, *2*
verdünnen 1739, *2*
verdünnisieren, sich
  624, *1*
Verdünnung 1113, *2*
verdunsten 354;
  1603, *2*; 1749, *4*
Verdunstung 1746, *2*
verdursten 1512, *3*

verdüstern 496
verdüstern, sich 409, *2*
verdüstert 1659, *5*
Verdüsterung 408, *2*;
  1591
verdutzen 1620, *1*;
  1815, *2*
verdutzt 1504, *3*
verebben 475, *2*
veredeln 198, *4*; 1547, *1*;
  1715, *2*; 1951, *1*
Veredelung 1716, *2*
verehren 288; 683, *3*;
  1056, *2*; 1375, *1*;
  1734
Verehrer 66, *5*; 714;
  1003, *1*; 1896
verehrt 58
Verehrung 35; 716, *3*
verehrungswürdig
  149, *2*
vereidigen 89, *2*
Verein 1227, *2*
vereinbar 1128, *1*
vereinbaren 1735
vereinbart, wie 1290, *1*
Vereinbarung 1736
vereinen 1717, *2*
vereinfachen 1737
vereinfacht 433, *1*
Vereinfachung 1706;
  1738
vereinheitlichen 1737
Vereinheitlichung 1738
vereinigen 1717, *2*
vereinigen, sich 1229, *3*;
  1592, *5*; 1717, *3*
vereinigt 1727, *1*; 1962
Vereinigung 1055, *3*;
  1113, *4*; 1227, *2*;
  1718, *6*
Vereinnahmung 1020, *2*
vereinsamen 17, *2*
vereinsamt 450, *1*
Vereinsamung 451, *1*
vereinseitigen, sich
  313, *5*
vereinseitigt 455, *1*
Vereinseitigung 454, *2*
vereint 443, *2*; 1727, *1*;
  1962
vereinzelt 450, *1*; 457, *2*;
  926, *1*; 1457, *1*;
  1852, *1*
Vereinzelte 1893, *2*

Vereinzelung 18, *1*;
  451, *1*
vereisen 551, *2*; 659, *2*
vereist 768, *6*; 914, *1*;
  1504, *1*
Vereisung 1348, *7*
vereiteln 507; 857, *3*;
  1939, *1*
Vereitelung 508; 858, *2*
verekeln 496
verelenden 1728, *3*
verelendet 107, *2*
Verelendung 1190, *1*
verenden 1512, *3*
verengen 402, *2*
verengen, sich 12, *3*
Verengung 454, *2*;
  481, *4*
vererbbar 55
vererben 1621, *2*
vererbt 55
Vererbung 513, *2*
verewigen 1734, *3*
verfahren 224, *1*; 583, *1*;
  815, *1*; 1757, *1*
Verfahren 1283, *2*
verfahren, sich 901, *1*
Verfall 1348, *1*; 1348, *2*
verfallen 10, *3*; 265, *3*;
  1149, *4*; 1397, *6*;
  1651, *1*; 1728, *2*;
  1749, *2*; 1749, *7*
verfallen sein, jmdm.
  1056, *2*
verfallen, auf etwas
  435, *2*
verfallen, dem Trunk
  284, *3*
verfallen, in denselben
  Fehler 1903, *2*
Verfallensein 1550, *1*
verfälschen 1072; **1739**
Verfälschung 1071, *1*;
  1113, *2*; 1558, *4*
verfangen 1910, *2*
verfangen, sich 1815, *3*
verfänglich 1975, *2*
verfärben, sich 63, *1*
verfassen 1421, *3*
verfassen, Vorwort
  437, *2*
Verfasser 1423
Verfassung 750, *1*;
  1519, *1*; 1966
Verfassung, gute 758

Verfassung, in schlechter 1042, *1*
verfassungswidrig 1721
verfaulen 1728, *1*
verfechten 501, *3*; 1805, *2*
verfehlen 492, *1*; 598, *4*; 901, *3*
verfehlen, nicht 1592, *4*
verfehlen, sich 1782, *2*
verfehlen, Weg 598, *4*; 901, *1*
verfehlen, Ziel 598, *4*; 901, *3*; 1383, *2*
verfehlt 583, *1*; 1397, *2*; 1661, *3*; 1747
Verfehlung 1669, *1*
verfeinden 1534, *1*
verfeindet 605; 695, *1*
verfeinern 1547, *1*; 1715, *1*; 1927, *1*
verfeinert 84, *1*; 416, *1*; 996, *2*
Verfeinerung 607, *2*; 1716, *2*
verfemen 173, *1*; 1114, *1*; 1409, *5*
verfemt 534, *3*; 1319
verfertigen 102, *4*; 560, *3*
Verfertigung 563, *2*; 965, *1*
verfestigen 210, *2*
verfestigen, sich 551, *1*
verfilmen 198, *6*
verfilzen 1815, *1*
verfilzt 1914, *1*
Verfilzung 953; 1668, *3*
verfinstern, sich 409, *2*
verfinstert 407, *2*
Verfinsterung 408, *2*
verflachen 509, *3*; 1737
Verflachung 1738
verflechten 1717, *3*
Verflechtung 1718, *1*
verflecken 1808
verfleckt 1408
Verfleckung 1406, *2*
verfliegen 1749, *1*; 1749, *4*
verfließen 10, *1*
verflochten 1441, *2*; 1727, *3*
Verflochtenheit 1718, *1*
verflossen 1743

verfluchen 256; 628
verflucht 1452, *1*
verflüchtigen, sich 20, *1*; 624, *1*; 1749, *1*; 1749, *4*
Verflüchtigung 1746, *2*
Verfluchung 627
verflüssigen 1066, *2*
verflüssigt 1162, *5*
Verflüssigung 1746, *2*
verfolgen 65, *2*; 247, *2*; 391, *4*; 851, *1*; 1549, *2*; **1740**
verfolgen, jmds. Spuren 1740, *1*
verfolgen, mit Blicken 247, *1*
verfolgen, mit den Augen 1740, *1*
verfolgen, mit Hass 821, *2*
Verfolgter 1219, *2*
verformen 264
verformt 265, *1*
verfrachten 1388, *2*
Verfrachtung 1589, *1*
verfranzen, sich 901, *1*
verfremden 359, *5*
verfremdet 1265, *1*
Verfremdung 361, *2*
verfressen 218, *2*; 1785, *2*
verfrüht 1670, *1*; 1856, *1*
Verfrühung 427, *3*
verfügbar 254, *2*; 610, *3*; 644, *4*; 1838, *1*
Verfügbarkeit 255
verfugen 1717, *2*
verfügen 72, *1*; 499, *1*
verfügen über 807, *1*
verfügen, sich nach 216, *1*; 703, *1*
verfügen, über Wissen 1916
verfügt 1390
Verfügung 513, *4*; 750, *1*
Verfügung, zur 254, *2*; 610, *3*; 1838, *1*
verführbar 1432, *3*
verführbar, leicht 1698, *1*
Verführbarkeit 1433, *1*; 1699, *3*
verführen 208; **1741**

Verführer(in) 1574; **1742**
verführerisch 1335
Verführung 436, *2*; 1333
Verführungszauber 1333
Vergabe 120, *2*
vergafft 1766
vergällen, Freude 496
vergammeln 1728, *1*
vergammelt 265, *1*
vergangen 1743
Vergangenheit 1744
vergänglich 1005, *4*; **1745**
Vergänglichkeit 1006, *2*; **1746**
verganten 1760, *1*
Vergantung 1759, *3*
vergasen 1586, *2*
vergattern 89, *2*
vergeben 501, *2*; 1621, *1*
vergehen, Lizenz 531, *2*
vergeben, sich etwas 841, *2*
vergebens 1747
vergeblich 459, *3*; 1634, *2*; 1666; **1747**
Vergeblichkeit 1748
Vergebung 784, *1*
vergegenständlichen 528, *3*
Vergegenständlichung 529, *2*
vergegenwärtigen, sich 371, *2*
vergehen 1512, *2*; 1603, *5*; **1749**
Vergehen 1669, *2*; 1746, *2*
vergehen vor 217, *2*
vergehen vor Liebe 1056, *2*
Vergehen, sexuelles 1458
vergehen, sich 1749
vergehend 13
vergeigt 1397, *2*
vergeistigen 1547, *1*
Vergeistigung 1546
vergelten 357, *1*; 497, *1*; **1750**
Vergeltung 356; 498, *1*; **1751**
Vergeltungsdrang 606

Vergeltungsschlag
1751, *1*
vergessen 1743; **1752**;
1886, *2*
Vergessen 1780, *1*
vergessen können 122, *3*
vergessen, nicht zu
1167, *1*
vergessen, sich 1752
vergesslich 1638, *1*;
1698, *2*
Vergesslichkeit 33, *3*;
1151; 1699, *2*
vergeuden 1785, *2*
vergeudet 1886, *3*
Vergeudung 137, *2*
Vergewaltigung 1458
vergewissern, sich
1284, *1*; 1626, *2*
vergießen, Krokodilsträ-
nen 1072
vergießen, Träne 944, *3*
vergiften 1586, *1*; 1808;
1939, *10*
vergiftet 1397, *4*
vergilbt 592, *1*
vergittern 1399, *1*
Vergleich 150, *4*; 656, *1*;
1736, *1*; **1753**
Vergleich zu, im 1336
vergleichbar 771, *4*; 774;
1901, *4*
vergleichen 1754
vergleichen, sich 261, *3*;
1735; **1754**
vergleichsweise 310, *3*;
1336
Vergletscherung 1348, *7*
verglichen mit 1336
verglimmen 1749, *3*
verglühen 1749, *3*
vergnügen 75, *4*
Vergnügen 291, *4*;
650, *1*; 730, *1*; 1683, *2*
Vergnügen, mit 738, *2*
vergnügen, sich 602, *2*;
651, *1*; 1681, *4*
vergnüglich 835, *2*
Vergnüglichkeit 650, *1*
vergnügt 748, *1*; 835, *3*
Vergnügungsfahrt 578, *1*
Vergnügungsstätte
681, *1*
vergnügungssüchtig
1037, *2*

vergolden 268; 1715, *4*
vergönnen 531, *1*
vergoren 844, *1*; 1397, *3*
vergotten 420, *1*
vergöttern 1056, *2*;
1734, *2*
vergöttert 58; 1054, *2*
Vergötterung 716, *3*;
1055, *2*
Vergöttlichung 35
vergraben 1755
vergraben, sich 17, *2*;
1755
vergraben, sich in Bü-
cher 1050, *1*
vergrämen 1242, *1*;
1803, *2*
vergrämt 322, *1*; 1659, *1*
vergrätzen 106, *1*
vergrätzt 322, *1*
vergraulen 1803, *2*
vergreifen, sich 901, *3*
vergreifen, sich an
1168, *2*
vergreifen, sich im Aus-
druck 901, *7*
vergreisen 1149, *4*
vergreist 44, *2*
Vergreisung 45, *4*
vergriffen 1886, *2*
vergröbern 1737
Vergröberung 1738
vergrößern 145, *1*;
510, *3*; 1530, *2*
Vergrößerung 146, *1*;
308, *3*; 511, *2*; 520, *1*;
1510, *3*
vergucken, sich 1056, *2*
Vergünstigung 436, *2*;
1318, *4*; 1849, *2*
vergüten 304, *2*; 497, *1*;
1750, *3*
Vergütung 498, *1*;
1731, *1*; 1930, *2*
verhaften 1756
verhaftet 1651, *2*
Verhaftung 692, *1*
verhageln 857, *3*
verhallen 475, *2*
verhalten 31, *1*; 1044;
1679, *3*; 1960, *1*
Verhalten 1517, *4*; **1758**
verhalten, sich 1757
verhalten, sich unüber-
legt 1752, *3*

Verhaltenheit 1961, *2*
Verhaltenskodex 1322, *2*
Verhaltensmaßregel
96, *2*
Verhaltensmuster
1758, *1*
Verhaltensnorm 1322, *2*
Verhaltensregel 1322, *2*
Verhaltensweise 1758, *1*
Verhältnis 1055, *4*;
1089, *4*; 1718, *5*
Verhältnis zu, im 1336
Verhältnis, gespanntes
1477, *2*
Verhältnis, im richtigen
504, *1*; 819, *3*
verhältnismäßig 1336
Verhältnisse 1010, *3*
Verhältnisse, gedrückte
1190, *1*
Verhältnissen, in guten
1327, *1*
verhandeln 276, *1*
Verhandlung 277, *1*;
1283, *1*
verhandlungsbereit,
nicht 605
Verhandlungsgeschick
743, *2*
verhangen 407, *2*
verhängen 72, *1*; 200
verhängen, Fenster
1399, *4*
verhängen, Strafe
1809, *1*
Verhängnis 1389, *1*;
1658
verhängnisvoll 1659, *4*
verharmlosen 268
Verharmlosung 269
verhärmt 1659, *1*
verharren 1507, *3*;
1876, *1*
verhärten 551, *3*
verhärten, sich 551, *4*
verhärtet 820, *1*; 1691
verhaspeln, sich 1815, *3*
verhasst 1637, *3*
verhätscheln 1434;
1816, *1*
verhätschelt 1054, *2*
verhauen 1394, *1*
verhauen, sich 901, *3*
verheddern 1815, *1*
verheddern, sich 1815, *3*

verheddert 1667, *1*;
  1914, *1*
verheeren 1939, *8*
verheerend 1397, *1*;
  1420, *1*
verheert 265, *3*
Verheerung 1940, *1*
verhehlen 1714, *1*
verheilen 723, *2*; 831, *1*
verheimlichen 1714, *1*
Verheimlichung 1558, *4*
verheiraten, sich 1717, *5*
Verheiratete 1235, *4*
verheißend, Glück
  803, *1*
Verheißung 1839
verheißungsvoll 803, *1*
verheizen 1220, *3*
verhelfen zu 274, *1*
verherrlichen 420, *1*
Verherrlichung 1062, *3*
verhetzen 851, *3*
Verhetzung 367
verhexen 305, *1*
verhext 1766
verhext, wie 1664
verhimmeln 1734, *2*
verhindern 440; 857, *3*;
  1515, *3*; 1728, *6*
Verhinderung 858, *2*;
  1524
verhohlen 1124, *2*;
  1719, *1*
verhöhnen 509, *4*;
  1491, *2*
Verhöhnung 1490, *3*
verhökern 1760, *2*
verholzt 1602, *1*
Verhör 638, *3*
verhören 639, *2*
verhören, sich 901, *3*
verhuddeln 1815, *1*
verhüllen 200; 1714, *2*
verhüllt 310, *2*; 407, *2*;
  407, *3*; 1124, *2*;
  1692, *2*; 1719, *1*
Verhüllung 1558, *2*
verhungern 1512, *3*
verhunzen 264; 1728, *4*
verhüten 1430, *5*
Verhütung 1461, *3*
verhutzeln 1603, *6*
verhutzelt 44, *2*; 1602, *1*
verifizieren 1934, *4*
Verinnerlichung 1546

verirren, sich 598, *4*;
  901, *1*
Verirrung 29, *3*
veritabel 1911, *3*
verjagen 918, *3*;
  1803, *1*
verjähren 10, *3*; 1749, *7*
verjährt 1397, *6*; 1743
verjubeln 1785, *2*
verjuchheien 1785, *2*
verjüngen, sich 12, *3*;
  543, *5*
verjüngend 757, *4*
Verjüngung 544, *2*
verjuxen 1785, *2*
verkabeln 1717, *2*
verkabelt 1727, *2*
Verkabelung 1718, *1*
verkalken 551, *3*;
  1149, *4*
verkalkt 44, *2*
verkalkulieren, sich
  901, *5*
Verkalkung 45, *4*
verkannt 1641, *1*
verkannt werden 1383, *6*
verkappt 1124, *2*;
  1719, *1*
verkapseln 1399, *2*
verkapseln, sich 17, *2*
verkatert 1042, *1*
Verkauf 1759
verkaufen 1760; 1803, *3*
verkaufen, für dumm
  293, *4*
verkaufen, gut zu 678, *2*
verkaufen, sich 437, *1*;
  901, *5*; 1279; **1760**
verkaufen, sich unter
  Wert 841, *2*
Verkäufer 816, *1*;
  1806, *1*
verkäuflich 678, *2*;
  1838, *1*
Verkaufsförderung
  1897, *5*
Verkaufshäuschen
  740, *4*
Verkaufspreis 1270, *3*
Verkaufsschlager 518, *4*
Verkaufsstand 740, *4*
Verkaufsstelle 740, *4*
Verkehr 291, *3*; 749, *3*
verkehren 282, *3*;
  703, *3*; 1633, *2*

verkehren, schriftlich
  974, *1*
Verkehrsader 1527
Verkehrsflugzeug 579, *7*
Verkehrslärm 734, *3*
Verkehrsmittel 579, *1*
Verkehrsmittel, öffentli-
  ches 579, *4*
Verkehrsnetz 1176, *2*
Verkehrsopfer 1219, *2*
verkehrsreich 1827, *3*
Verkehrsschranke 1419
Verkehrsstrecke 1058, *3*
Verkehrsunfall 1650
Verkehrsunglück 1650
verkehrt 24; 583, *1*; 1117
verkehrt, völlig 583, *1*
verkennen 901, *4*;
  901, *6*; 1114, *1*
Verkennung 599, *3*
verketten 1717, *2*
Verkettung 630, *2*;
  1718, *1*
verketzern 851, *3*; 1764
Verketzerung 367; 1765
verkitschen 509, *3*;
  1760, *2*
verkitscht 941
verkitten 1717, *2*
verklagen 944, *1*
Verklagter 56
verklammern 210, *1*
verklaren 528, *1*
verklären 268; 420, *1*
verklärt 548, *3*; 781, *1*;
  1624, *6*
Verklärung 269; 1062, *3*
verklausuliert 1124, *2*
verkleben 1399, *2*; 1808
verkleiden 200; 1714, *2*
verkleidet 1719, *1*
Verkleidung 870, *3*;
  1558, *2*
verkleinern 509, *2*;
  841, *3*; 1007, *2*
Verkleinerung 454, *1*;
  1348, *9*
verkleistern 1808
verklemmt 1673, *5*;
  1762, *1*
verklingen 475, *2*;
  1749, *3*
verkloppen 1760, *2*
verknacken 1701, *2*;
  1809, *1*

verknallen, sich 1056, 2
verknallt 1766
verknappen 1007, 3
verknappt 1005, 3
Verknapptheit 1006, 1
Verknappung 454, 1
verknäueln 1815, 1
verknäuelt 1914, 1
verkneifen, sich 1819, 2
verkneten 1112, 1
verknöchern 551, 3
verknöchert 44, 2;
    820, 1; 1504, 2
verknoten 210, 1;
    1717, 2
verknotet 1914, 1
verknüpfen 1399, 3;
    1717, 2
verknüpfen mit 1729, 3
verknüpft 1727, 3
Verknüpfung 211, 1;
    1718, 1
verkohlen 330, 2; 1072;
    1728, 1; 1749, 5
verkohlt 1397, 3
verkommen 265, 1; 349;
    850, 2; 1728, 1;
    1728, 3; 1749, 2
verkommen lassen 264
Verkommenheit 1398
verkonsumieren 1723, 1
Verkopfter 372
verkoppeln 1717, 2
Verkoppelung 1718, 1
verkorken 1399, 1
verkorksen 1728, 4;
    1816, 1
verkorkst 1397, 2
verkörpern 201, 1;
    1486, 1; 1805, 1
Verkörperung 361, 2;
    1933, 1
verkosten 977, 2
verköstigen 1788, 3
Verköstigung 542, 1
verkrachen, sich 1534, 2
verkracht 534, 2; 695, 1
verkraften 1713, 1
verkramen 1767, 1
verkrampfen, sich 551, 4
verkrampft 1762, 1
Verkrampftheit 1763, 4
Verkrampfung 1763, 4
verkriechen, sich 17, 2;
    1714, 4

verkrümeln, sich 485, 1
verkrümmen 264
verkrümmt 265, 1
verkrumpelt 587, 3
verkrüppelt 265, 2
verkühlen, sich 530
verkümmern 1603, 6;
    1728, 3
Verkümmerung 1348, 2
verkünden 1120, 3;
    1278; 1773, 2
verkündend 1277
verkündend, Unheil
    407, 7; 690, 1; 1246
Verkünder 1276
verkündigen 1120, 4
Verkündiger 1276
Verkündigung 1122
Verkündung 1122
verkuppeln 1717, 2
verkürzen 1007, 1
verkürzt 1005, 1
Verkürzung 454, 1
verlachen 1491, 2
verladen 1388, 2
Verladung 1589, 1
verlagern 1708, 1
Verlagerung 1709, 2
verlangen 195, 1; 217, 1;
    872, 2
Verlangen 1055, 2;
    1073, 1; **1761**
verlangen können 88, 2;
    195, 1
verlangen nach 217, 2
Verlangen, auf 205
verlangen, Aufklärung
    1511, 2
verlangen, viel 195, 3
verlangend 218, 1
verlängern 152, 4;
    519, 8; 1530, 2;
    1739, 2
verlängern, Frist 1541
verlängert 1013, 2
verlangsamen 22, 2;
    1820, 1
Verlangsamung 1821, 2
verlangt, viel 243, 2;
    678, 2
verläppern 1785, 2
verlarven 1714, 2
verlarvt 1719, 1
Verlarvung 1558, 2
verlassen 450, 1; 485, 2;

856, 4; 1028, 2;
    1204, 1; 1594, 1
verlassen, das Haus
    485, 1
verlassen, jmdn. 329, 2
verlassen, nicht 65, 3
verlassen, sich 555, 1
verlassen, sich auf
    1543, 2; 1799, 1
verlassen, Welt 1512, 1
Verlassenheit 451, 1
verlässlich 131; 299;
    347, 1; 1460, 4;
    1971, 2
Verlässlichkeit 613, 5
verlästern 509, 4; 1764
Verlästerung 240; 1765
Verlauf 630, 1; 742, 2;
    1283, 2
Verlauf, im 1864
verlaufen 10, 2; 216, 3;
    411, 3; 1749, 1
verlaufen, sich 10, 1;
    485, 2; 598, 4; 901, 1;
    1749, 1; 1796, 3
verlaufend, flach 768, 1
verlautbaren 1120, 3
verlautbaren lassen
    1773, 2
Verlautbarung 1122
verlauten 506, 5
verlauten lassen 1494, 2
verleben 1024, 2
verlebendigen 270, 1;
    528, 3
verlebt 850, 3
verlegen 11, 1; **1762**;
    1767, 1; 1773, 1;
    1820, 1
verlegen sein 1371, 1
verlegen, sich auf 266, 2;
    313, 5
verlegen, Weg 857, 2
Verlegenheit 1763
Verlegenheit, in 401;
    856, 2
Verleger 561
verlegt werden 958, 3
Verlegung 29, 1
verleiden 15; 496
verleiden lassen, sich
    1039, 1
verleidet 1364, 4
verleihen 321, 2
verleihen, Leben 1486, 1

verleihen, Orden 174, *1*;
420, *1*; 1063, *2*
verleihen, Preis 174, *1*
verleihen, Staatsangehö-
rigkeit 127, *6*
verleihen, Staatsbürger-
schaft 127, *6*
verleiten 1741
verlernen 1752, *1*
verlesen 166, *1*; 1594, *3*
verlesen, sich 901, *3*
verletzbar 471, *1*
Verletzbarkeit 472, *3*
verletzen 841, *1*;
1242, *2*; 1369, *2*;
1409, *4*; 1592, *6*
verletzen, Pflicht 1749, *8*
verletzen, sich 1369, *3*
verletzend 91, *4*; 239, *1*;
323, *1*; 1293, *2*;
1492, *1*
verletzlich 471, *1*
Verletzlichkeit 472, *3*
verletzt 322, *2*; 1042, *3*;
1182, *1*
Verletzter 1238
Verletztheit 105, *1*
Verletzung 240; 1923
verleugnen 1051, *2*;
1409, *5*
verleugnen lassen, sich
30, *4*; 1633, *1*
verleumden 1764
Verleumder 897
verleumderisch 323, *1*
Verleumdung 240; **1765**
verlieben, sich 1056, *2*
verliebt 1766
Verliebtheit 1055, *2*
verliehen 252, *2*
verlieren 1029; 1752, *2*;
1767
verlieren, an Ansehen
1767, *2*
verlieren, an Höhe
581, *2*
verlieren, aus dem Ge-
dächtnis 1752, *1*
verlieren, Balance 581, *1*
verlieren, beim Spiel
1767, *2*
verlieren, Besinnung
1964, *1*
verlieren, Faden 28, *3*;
1520, *2*; 1815, *3*

verlieren, Farbe 1149, *3*
verlieren, Fassung
1815, *3*
verlieren, Gesicht 319, *1*
verlieren, Gewicht 12, *1*
verlieren, Gleichgewicht
581, *1*
verlieren, Gültigkeit
10, *3*
verlieren, guten Ruf
1369, *4*
verlieren, Halt 581, *1*
verlieren, kein Wort
1438, *2*
verlieren, keine Zeit
428, *2*
verlieren, keine Zeit zu
1481, *2*
verlieren, Kopf 219, *2*
verlieren, Mut 539, *2*;
1822, *1*
verlieren, Nerven 63, *1*;
142, *2*; 1779, *3*
verlieren, Rangplatz
21, *3*
verlieren, sich 1708, *5*
verlieren, sich an jmdn.
1056, *2*
verlieren, Vermögen
1383, *2*
verlieren, Wert 1749, *7*
Verlierer 1781
Verlierertyp 1781
Verlies 692, *2*
verloben, sich 1717, *5*
Verlöbnis 1718, *5*
Verlobte 1235, *4*
Verlobter 1235, *4*
Verlobung 1718, *5*
verlocken 1741
verlockend 100, *1*; 1335
Verlockung 1333
verlodern 1749, *3*
verlogen 583, *4*; 941
verlohnen, sich 1196, *1*
verloren 534, *2*; 1886, *1*;
1886, *3*
verloren gehen 1767, *1*
verloren, Hopfen und
Malz 1691
verlöschen 1512, *1*;
1749, *3*
Verlosung 783
verlottern 264; 1728, *3*
verlottert 265, *1*; 850, *2*

verludern 264; 1728, *3*
verludert 265, *1*; 850, *2*
verlumpen 1728, *3*
verlumpt 850, *2*
Verlust 1067, *2*; 1116;
1348, *1*; 1368, *1*;
1581, *2*; 1722, *2*
Verlustangst 1057
verlustbringend 13
vermachen 1621, *2*
Vermächtnis 513, *4*
vermählen, sich 1717, *5*
Vermählte 1235, *4*
Vermählung 1718, *5*
vermaledeien 628
vermarkten 50, *1*
vermasseln 1728, *4*
Vermehrung 146, *1*;
1510, *3*
vermeiden 492, *2*;
1633, *1*
vermeiden, Anstrengun-
gen 1413, *4*
vermeinen 770, *1*; 1099
vermeintlich 54; 1380
vermelden 1120, *1*
vermengen 1112, *1*
vermengt 1914, *1*
Vermengung 599, *3*;
1113, *4*
vermerken 614, *2*;
1421, *1*
vermerken, übel 1959, *1*
vermessen 459, *2*; 614, *3*
vermessen, sich 1859, *3*
Vermessenheit 460, *2*
Vermessung 615, *2*
vermieft 406, *1*
vermiesen 15; 496
vermiesen lassen, sich
1039, *1*
vermiest 1364, *4*
vermieten, zu 1028, *4*
Vermieter 272; 741
vermindern 841, *3*;
1007, *2*
vermindern, sich 1723, *4*
vermindert um 161, *1*
Verminderung 454, *1*;
1348, *3*; 1722, *2*
vermischen 1112, *1*
vermischt 1783, *2*
Vermischtes 1113, *3*
Vermischung 1113, *4*;
1950, *3*

vermissen 482; 598, 2
vermissen lassen 1779, 4
vermisst 1886, 1
vermisst werden 598, 1
vermittelbar 1790, 1
Vermittelbarkeit 1791
vermitteln 261, 1;
274, 1; 440; **1768**
vermitteln, Wissen
1034, 1
vermittels 1124, 3
vermittelt 1124, 1
Vermittler 1769
Vermittlung 275, 1;
1770
Vermittlung von, durch
1124, 3
Vermittlungsstelle
1770, 1
vermodern 1728, 1
vermodert 265, 1
vermöge 1124, 3
vermögen 963, 1
Vermögen 577; 1501, 1
Vermögen, ohne 107, 1
vermögend 576, 1;
1077, 2; 1327, 1
vermögend, viel 1077, 2
Vermögensanlage 271, 3
vermögenslos 107, 1
Vermögenswerte 271, 2
vermorschen 1066, 7
vermummen 1714, 2
vermummt 1719, 1
vermurksen 1728, 4
vermurkst 1397, 2
vermuten 430, 1; 1099;
1375, 2; **1771**
vermutlich 79; 863, 1;
1128, 3
Vermutung 1100, 3;
1833; 1974, 2
vernachlässigen 1114, 1
vernachlässigt 265, 1;
1150, 4
Vernachlässigung 1115;
1668, 2; 1780, 1
vernagelt 403, 1; 745, 1
vernarben 524, 2; 723, 2
vernarren, sich 1056, 2
vernarrt 1766
vernebeln 616, 1;
1714, 1
vernebeln, sich 409, 2
vernehmbar 1022

vernehmen 515, 3;
639, 2; 868, 1;
1793, 1; 1866, 1
vernehmen lassen
1120, 1
vernehmen lassen, sich
1584, 1
Vernehmen nach, dem
79
vernehmlich 378, 1;
1022
Vernehmung 638, 3
verneigen, sich 802, 1
Verneigung 801, 2
verneinen 30, 3; 1051, 1;
1779, 1
verneinend 31, 3
Verneinung 32, 2
vernetzen 1717, 2
vernetzt 1727, 2
Vernetzung 1176, 2;
1718, 1
vernichten 1586, 1;
1939, 1; 1939, 8
vernichtend 1420, 1
Vernichter 186
vernichtet 534, 2
Vernichtung 1090; 1658;
1940, 1
Vernichtungslager 969
verniedlichen 268
Verniedlichung 269
vernieten 1717, 2
Vernissage 51, 2
Vernunft 707, 1; 1789, 1
vernunftbegabt 890, 1;
1772, 1
vernunftbetont 1772, 4
vernünfteln 371, 2
vernunftgemäß 1772, 3
vernünftig 1468, 1;
1772
Vernünftigkeit 1789, 2
vernunftwidrig 24;
403, 2
veröden 1603, 5;
1728, 2
verödet 450, 3; 850, 2;
1204, 2
Verödung 1205, 3
veröffentlichen 1120, 3;
1726, 1; **1773**
veröffentlicht 1211, 1
veröffentlicht werden
958, 3

Veröffentlichung 336, 1;
1122; **1774**
verordnen 72, 1
verordnet 751, 5
Verordnung 750, 1
verpacken 167, 2;
1233, 2
verpackt 731, 1; 745, 2
Verpackung 168, 3;
870, 1
Verpackungsbeilage
96, 2
verpassen 1782, 1
verpassen, Anschluss
1779, 4
verpassen, Denkzettel
1750, 2
verpassen, eins 1394, 1
verpassen, kalte Dusche
496
verpassen, sich 1782, 2
verpasst 1743
verpatzen 901, 3; 1252;
1728, 4
verpatzt 1397, 2
verpesten, Luft 1344, 2
verpetzen 1776
verpfänden 321, 1;
339, 2
Verpfändung 358
verpfeifen 1776
verpflanzen 198, 3;
1218; 1708, 1;
1803, 1
verpflegen 1788, 3
Verpflegung 542, 1
verpflichten 89, 1;
266, 1; 313, 2
verpflichten, sich 50, 4;
313, 3; 339, 1
verpflichtend 751, 5;
1980, 2
verpflichtet 1775;
1967, 2
verpflichtet sein 1135;
1425, 2
verpflichtet, zu Dank
355, 1; 1775, 1
Verpflichtung 342, 2;
356; 1250; 1424, 2;
1736, 2; 1968, 1
verpfuschen 1252;
1728, 4
verpfuscht 583, 1
verpimpeln 1816, 1

verplappern, sich 901, 7;
1776
verplempern 1785, 2
verpönen 1114, 1;
1409, 5
verpönt 534, 3; 1721
verprassen 1785, 2
verproviantieren 1788, 3
verpuffen 1262, 1;
1749, 3
verpufft 1747
verpulvern 1785, 2
verpumpen 321, 2
verpusten 524, 1
Verputz 870, 3
verputzen 200
verquer 1021, 2; 1117
verquicken 1112, 2;
1717, 2
Verquickung 1718, 1
verquirlen 1112, 1; 1937
verquirlt 1938
verrammeln 1399, 1
verrammelt 745, 1
verramschen 1760, 3
verrannt 856, 2; 1504, 2
Verranntheit 481, 5
Verrat 5, 5; 755
verraten 6, 5; 948, 1;
1465, 4; **1776**
verraten, nichts 1438, 2
Verräter 1429, 2
verräterisch 754; 945, 3
verrätseln 359, 5
verrätselt 407, 4
Verrätselung 361, 2
verrauschen 1749, 1;
1749, 3
verrechnen 151, 4
verrechnen, sich 901, 3
Verrechnung 150, 3
verrechtlichen 1226, 4
verrecken 1512, 3
verregnet 1162, 3
verreisen 485, 3; 1331, 1
verreißen 1809, 2
verreist 1886, 1
Verrenkung 1923
verrichten 533, 1
verrichten, Arbeit 102, 1
verrichten, Hausarbeit
102, 3
verrichten, Notdurft 155
Verrichtung 101, 1;
275, 2; 383, 2; 535, 1

verriechen 1749, 4
verriegeln 1399, 1
verriegelt 745, 1
Verriegelung 1784, 2
verringern 841, 3;
1007, 2
verringern, sich 1723, 4
verringern, Tempo
22, 2
Verringerung 454, 1;
1348, 3; 1722, 2
verrinnen 10, 1; 475, 2;
1749, 1
Verriss 989, 3
verröcheln 1512, 2
verrohen 1728, 3
verroht 850, 2
Verrohung 335; 1348, 6
verrosten 1728, 2
verrostet 265, 1
verrotten 1728, 2
verrottet 265, 1; 850, 4
Verruchtheit 1398
verrücken 300, 3;
1708, 2
verrückt 24; 708;
1692, 3; **1777**
verrückt nach 218, 1
Verrücktheit 709;
1674, 1; 1674, 3; **1778**
Verrücktwerden, zum
130, 2
Verruf 1372, 1
verrühren 1112, 1; 1937
verrunzelt 44, 2
verrußt 1408
Vers 1560, 1
versacken 602, 2;
1728, 3
versackt 850, 2
versagen 507; 1383, 2;
1532, 2; **1779**
Versagen 1780
versagen, sich 1779;
1819, 2
Versager 1781
versagt bleiben 492, 3
Versagung 32, 2; 508;
1720, 1
Versal 337, 1
versalzen 857, 3; 1728, 4
versalzen, Suppe 496;
1369, 1
versammeln, sich
1592, 1

versammeln, sich zu sei-
nen Vätern 1512, 2
Versammlung 1593, 2
Versammlung, politische
370, 1
Versammlungsleiter
1047, 2
Versand 1589, 1;
1759, 1
versanden 1520, 4;
1603, 5
versandfähig machen
1233, 2
Versandkauf 923
Versandverkauf 1759, 1
versaubeuteln 1728, 4
versauen 1728, 4
versauern 1728, 2
versauern, Leben
1242, 1
versaufen 1785, 2
versäumen 1782
Versäumnis 1669, 1;
1780, 1
verschaben 264;
1725, 5
verschachern 1760, 2
verschaffen 274, 1; 307
verschaffen, Deckung
1462, 3
verschaffen, sich Gel-
tung 145, 4
verschaffen, sich Genug-
tuung 1750, 1
verschaffen, Unterstüt-
zung 1462, 3
verschaffen, Zutritt
432, 1
verschafft 1307, 4
verschalen 200
Verschalung 870, 3
verschämt 1762, 2
Verschämtheit 1763, 2
verschandeln 264
verschandelt 265, 1
verschanzen, sich 17, 2;
172, 2; 1714, 4
verschärfen, sich
1374, 2; 1509, 1
Verschärfung 1510, 5
verscharren 1755, 1
verscheiden 1512, 1
Verscheiden 1581, 1
verschenken 683, 4;
1220, 1

verschenken, sich
1220, *1*
verscherbeln 1760, *2*
verscherzen 1767, *2*
verscheuchen 1803, *1*
verschicken 173, *1*;
1388, *4*; 1803, *1*
Verschickung 1589, *1*;
1804
verschieben 293, *2*;
300, *3*; 1708, *2*;
1820, *1*
Verschiebung 1546;
1821, *2*
verschieden 648, *1*;
886, *2*; 1585, *1*; **1783**
verschiedenartig 1783, *1*
Verschiedenartigkeit
1826, *1*
verschiedene 1825
verschiedenerlei 1783, *2*
Verschiedenes 1823, *2*
Verschiedenheit 1688
verschiedentlich 1216
verschießen 1149, *3*
verschießen, sich
1056, *1*
verschiffen 1388, *2*
Verschiffung 1589, *1*
verschimmeln 1728, *1*
verschimmelt 265, *1*;
1397, *3*
verschlafen 1130, *1*;
1638, *1*; 1752, *1*;
1782, *2*
verschlagen 457, *1*;
1396, *1*
verschlagen worden sein
1024, *2*
verschlagen, Atem
1924, *2*
verschlagen, Sprache
1620, *1*; 1924, *2*
Verschlagenheit 584, *1*;
743, *2*
verschlampen 1752, *1*;
1767, *1*; 1782, *1*;
1820, *1*
verschlanken 1478, *4*
verschlechtern 509, *2*
verschlechtern, sich
1374, *2*; 1509, *1*;
1708, *1*
Verschlechterung
1348, *1*; 1510, *5*

verschleiern 1714, *1*
verschleiert 407, *2*;
407, *3*; 1124, *2*
Verschleierung 361, *2*;
408, *2*; 1558, *4*
verschleifen 1723, *5*
Verschleiß 1722, *2*
verschleißen 264;
1723, *3*
verschleppen 487;
1782, *1*; 1803, *1*;
1820, *1*
verschleppend 1649, *1*
Verschleppung 488;
1804; 1821, *2*
verschleudern 1760, *3*;
1785, *2*
verschließen 1399, *1*
verschließen, Augen
1051, *3*
verschlimmbessern 264;
1715, *1*
verschlimmern 509, *2*
verschlimmern, sich
1374, *2*; 1509, *1*
Verschlimmerung
1348, *1*; 1510, *5*
verschlingen 566, *1*;
1050, *1*; 1717, *2*
Verschlingung 1718, *1*
verschlissen 44, *3*;
265, *1*
verschlossen 31, *1*;
380, *1*; 745, *1*; 1439, *1*
Verschlossenheit
1536, *2*; 1961, *3*
verschluckt, wie vom
Erdboden 1886, *1*
verschludern 1767, *1*
verschlungen 1441, *2*;
1727, *3*
Verschluss 1784
Verschlussband 1784, *2*
verschlüsseln 1621, *7*
Verschlussmarke
1784, *2*
Verschlusssache 702, *2*
Verschlussstreifen
1784, *2*
verschmachten 1512, *3*;
1603, *5*
verschmachtet 1602, *1*
verschmähen 30, *3*;
1114, *1*
verschmälern, sich 12, *3*

verschmelzen 1717, *2*
Verschmelzung 1113, *4*;
1718, *1*
verschmerzen 1713, *1*
verschmerzt 1743
verschmieren 1808
verschmitzt 835, *3*;
1396, *1*
verschmolzen 443, *1*;
1727, *3*; 1962
verschmutzen 1808
verschmutzen, Umwelt
1344, *2*; 1808
verschmutzt 1408
Verschmutzung 1406, *2*
verschnappen, sich
901, *7*
verschnaufen 441, *1*;
524, *1*
verschnaufen, sich
1356, *1*
Verschnaufpause 525, *1*
verschneiden 1739, *2*
Verschnitt 1113, *2*
verschnitten 1005, *1*
verschnörkelt 992, *1*
verschnupfen 106, *1*
verschnupft 322, *2*
verschnüren 1233, *2*
verschollen 1886, *1*
verschonen 1413, *2*
verschönern 1249, *5*;
1292, *1*; 1507, *4*;
1715, *1*
verschönernd 1405
Verschönerung 1291, *2*;
1716, *2*
verschont bleiben 492, *2*
verschossen 592, *1*;
1766
verschränken 586, *1*;
1717, *2*
verschrauben 210, *1*;
1399, *2*
verschreiben 72, *1*;
339, *2*
Verschreiben 599, *1*
verschreiben, sich
313, *3*; 901, *3*; 1220, *1*
Verschreibung 358; 986
verschreien 1764
verschroben 119, *2*
Verschrobenheit 424, *4*
verschroten 1937
verschrumpeln 1603, *6*

verschüchtern 398, *3*
verschüchtert 64, *2*;
1762, *2*
verschulden 1710, *1*
Verschulden 1424, *1*
Verschulden, ohne eige-
nes 1672, *1*
verschuldet 534, *2*;
1426, *1*
verschuldet haben
1425, *3*
verschuldet sein
1425, *1*
Verschuldung 1424, *2*
verschusseln 1752, *1*
verschütten 1808
verschwägert 1812, *1*
verschwärmt 877, *2*
verschweigen 152, *1*;
1714, *1*
verschweißen 210, *1*;
1717, *2*
verschwenden 1785
verschwenden, sich
1220, *1*
verschwenderisch 727;
793, *1*; 1037, *2*;
1624, *1*
verschwendet 1747;
1886, *3*
Verschwendung 137, *2*
verschwiegen 1439, *1*;
1960, *1*
Verschwiegenheit
1961, *3*
verschwimmen 1749, *3*
verschwinden 485, *1*;
624, *1*; 1749, *1*
verschwinden lassen
1168, *1*
verschwinden, in der Ver-
senkung 1714, *4*
verschwinden, spurlos
1714, *4*
verschwinden, von der
Bildfläche 1714, *4*
verschwindend 950, *1*;
1893, *1*
verschwistert 1812, *1*
verschwitzen 1752, *1*;
1808
verschwitzt 1408;
1886, *2*
verschwommen 407, *3*;
1654, *3*

verschworen 443, *2*;
1727, *1*
verschwören 1717, *4*
verschwörerisch 1727, *1*
Verschwörung 898;
1060, *2*
verschwunden, spurlos
1886, *1*
versehen 167, *1*; 522, *3*
Versehen 599, *1*; 902, *1*;
1780, *1*
versehen mit 274, *3*
Versehen, aus 903
versehen, mit Bildern
199
versehen, mit Proviant
1788, *3*
versehen, sich 901, *3*
versehen, sich mit
1788, *1*
versehentlich 903;
1652, *1*
versehrt 1042, *3*
Verseklopfer 1423
versenden 1308, *4*
Versendung 1589, *1*
versengen 1939, *5*
versenken 1184, *5*;
1939, *9*
versenken, sich 371, *4*;
1755, *2*
Versenkung 445, *1*;
684
Verserzählung 559, *2*
Verseschmied 1423
versessen 218, *1*; 423
versetzbar 301, *2*
versetzen 198, *3*; 321, *1*;
435, *3*; 557, *2*;
1708, *2*; 1739, *2*;
1752, *2*
versetzen mit 1112, *1*
versetzen, in Angst
398, *1*
versetzen, in den Ruhe-
stand 998, *4*
versetzen, in die Lage
538, *2*
versetzen, in Trance
284, *1*
versetzen, Puff 1526
versetzen, sich in jmdn.
1793, *3*
versetzen, Stoß 541, *2*
versetzt werden 1383, *5*

verseuchen 1808;
1939, *10*
verseucht 1397, *4*
versichern 226, *1*; 1786
versichern, sich 1626, *2*;
1786
Versicherung 1787
versickern 10, *1*; 475, *2*;
1520, *4*; 1603, *2*;
1749, *1*
versieben 901, *3*; 1767, *1*
versiegeln 1399, *2*
versiegelt 745, *2*
versiegen 475, *2*;
1520, *4*; 1779, *3*
versiert 516, *1*; 929
versifft 1408
versilbern 1760, *2*
versimpeln 1728, *3*;
1737
versinken 371, *4*
versinnbildlichen 359, *5*
Versinnbildlichung
361, *2*
Version 1703
versippt 1812, *1*
versklaven 1679, *1*
versklavt 1319; 1651, *3*
verslumen 1728, *3*
versnobt 84, *2*
versohlen 1394, *1*
versöhnen 261, *1*
versöhnen, sich 261, *3*
versöhnlich 658, *1*;
689, *1*
Versöhnlichkeit 1110
Versöhnung 656, *1*;
1753, *3*
versonnen 1357, *4*
versorgen 274, *3*;
522, *3*; 873; 1681, *1*;
1788
versorgen mit 167, *1*
versorgen, ärztlich
224, *2*
versorgen, sich 1788
versorgen, sich mit
924, *1*
versorgt werden, von
jmdm. 9, *1*
Versorgung 204, *2*;
275, *2*; 1248, *1*
Versorgung, ärztliche
225, *3*
verspachteln 566, *1*

verspannen, sich
551, 4
verspäten, sich 1782, 2;
1820, 3
verspätet 1481, 1
Verspätung 1821, 1
Verspätung, ohne
1290, 1
verspeisen 566, 1
verspekulieren, sich
901, 5
versperren 1399, 1
versperren, Weg 857, 2
versperrt 745, 1
verspielen 1767, 2;
1785, 2
verspielen, guten Ruf
1369, 4
verspielt 1037, 2;
1638, 1; 1886, 3
versponnen 1357, 4
Versponnenheit 33, 2
verspotten 319, 2;
509, 4; 1491, 2
Verspottung 1490, 3
versprechen 307;
1786, 2
Versprechen 1736, 2;
1787, 1
versprechen, sich 901, 7;
1815, 3
versprechen, sich etwas
von 555, 1
versprechend, Erfolg
803, 1
versprechend, viel
803, 1
Versprecher 599, 1
versprengen 616, 1;
1803, 1
versprengt 457, 1
Versprengte 1893, 2
verspritzen 616, 1
versprochen 1775, 2
versprühen 616, 1
verspüren 668, 1
Versroman 559, 2
verstaatlichen 1168, 3
Verstaatlichung 483
Verstand 707, 1; 1789
Verstand, bei klarem
1772, 4
Verstand, klarer 1789, 2
verstanden werden,
nicht 1383, 6

verstandesbetont
1772, 4
verstandesmäßig
1358, 2; 1772, 3
Verstandesmensch 372;
1315
verständig 890, 2;
1772, 1
verständigen 1120, 1
verständigen, sich
261, 3; 1735; 1793, 6
Verständigkeit 1789, 2
Verständigung 656, 1;
1736, 1; 1753, 3
verständlich 378, 2;
433, 1; 1790
verständlich machen
501, 3; 1768, 3
verständlich, allgemein
1790, 1
verständlich, schwer
1441, 2
verständlicherweise
1790, 3
Verständlichkeit 434, 3;
947, 1; 1791
Verständnis 517, 1;
1612, 3; 1789, 2; 1792;
1917, 1
verständnislos 403, 1;
1540, 4
Verständnislosigkeit
1536, 4
verständnisvoll 793, 2;
1109, 4
verstärken 1502, 3;
1715, 2; 1729, 1
Verstärkung 1503, 3;
1510, 4
verstaubt 1408; 1707
verstauchen, sich den
Fuß 598, 5
Verstauchung 1923
verstauen 1233, 2
verstecken 1679, 3;
1714, 1; 1755, 1
verstecken, sich
1714, 4
versteckt 1719, 1
verstehbar 1790, 1
Verstehbarkeit 1791
verstehen 868, 1;
963, 1; 1793
verstehen lassen 1768, 3
verstehen, falsch 901, 3

verstehen, Handwerk
963, 1
verstehen, leicht zu
1036, 2
verstehen, nicht zu
1692, 1
verstehen, seine Sache
963, 1
verstehen, sich 1793
verstehen, sich auf
963, 1; 1793, 4
verstehen, sich von
selbst 1934, 6
verstehen, zu 1790, 3
versteht sich 738, 2;
1790, 3
versteifen 210, 2;
1502, 3
versteifen, sich 523, 4;
551, 4
versteigen, sich 430, 3;
901, 1
versteigern 1760, 1
Versteigerung 1759, 3
versteinern 551, 4
versteinert 820, 1;
1504, 1
verstellbar 301, 2
verstellen 1399, 1
verstellen, sich 1072;
1848
verstellt 583, 4
Verstellung 1558, 1;
1558, 2; 1576, 3
Verstellungskunst
1558, 2
versteppen 1603, 5
versteppt 1204, 2
Versteppung 1205, 3
versterben 1512, 1
versteuern 304, 4
Versteuerung 1514, 2
verstiegen 24; 119, 2;
877, 2; 1254, 3;
1624, 2
Verstiegenheit 875, 2
verstimmen 106, 1; 496
verstimmend 130, 2
verstimmt 322, 2; 1117
Verstimmtheit 1118
Verstimmung 105, 1;
1118; 1477, 2
verstockt 425; 1691
verstohlen 834, 1;
1124, 2

verstopfen 1399, *2*
Verstopfung 858, *2*
verstorben 1585, *1*
verstören 1815, *2*
verstört 548, *1*; 1504, *3*;
  1914, *3*
Verstörtheit 549, *1*
Verstoß 599, *1*
verstoßen 173, *1*;
  1803, *1*
verstoßen gegen 1749, *8*
verstoßen, gegen Geset-
  ze 1749, *8*
Verstoßung 1804
verstrahlen 1808
verstrahlt 1397, *4*
verstreben 1513, *1*
verstreichen 1749, *1*
verstreichen lassen
  1782, *1*
verstreuen 1796, *2*
verstreut 457, *1*
verstricken 1717, *1*;
  1815, *1*
verstricken, sich
  1815, *3*
verstrickt 1651, *3*
verstrickt, in Schuld
  1426, *2*
verströmen 1726, *1*
verstümmeln 264
verstümmelt 265, *1*;
  265, *2*
verstummen 1438, *1*;
  1520, *2*
Versuch 1794
Versuch machen 1795, *1*
versuchen 977, *2*; 1741;
  1795
versuchen, sein Glück
  1859, *1*
versuchen, sein Heil
  1795, *2*
Versucher 1574
Versuchsanordnung
  1258, *2*
Versuchsballon 1794, *2*
Versuchskaninchen
  1219, *2*
Versuchsstadium
  1794, *3*
Versuchsstück 1136, *2*
versuchsweise 1852, *2*
versumpfen 1520, *4*;
  1728, *3*

versündigen, sich
  1749, *8*
Versündigung 1669, *1*
versunken 125, *1*;
  1357, *4*; 1638, *1*;
  1677, *4*; 1743
versunken sein, in Ge-
  danken 371, *3*;
  1590, *3*
versunken, in Gedanken
  1357, *4*
Versunkenheit 33, *2*;
  1798, *4*
versüßen 1715, *4*;
  1927, *1*
vertäfeln 200
vertagen 1820, *1*
Vertagung 1821, *2*
vertan 1886, *3*
vertändeln 1779, *4*;
  1785, *2*
vertauschen 1883, *1*
verteidigen 226, *1*;
  501, *3*; 1430, *3*;
  1507, *5*; 1805, *2*
Verteidiger 912, *2*;
  1806, *2*
Verteidigung 495, *2*;
  1900, *2*
Verteidigungsanlage
  211, *4*
verteilen 1220, *1*;
  1561, *2*; **1796**
verteilen, sich 485, *2*;
  1796
Verteilung 1797
verteuern, sich 1508, *4*
Verteuerung 1510, *2*
verteufeln 1764; 1764
verteufelt 323, *1*;
  1441, *1*; 1452, *1*
Verteufelung 1765
vertiefen 210, *3*; 371, *4*;
  1715, *2*
vertiefen, sich 371, *4*
vertieft 125, *1*; 1357, *4*;
  1638, *1*
Vertieftheit 33, *2*
Vertiefung 585, *2*; **1798**
vertikal 732, *2*
vertilgen 566, *1*;
  1030, *3*; 1939, *2*
vertippen, sich 901, *3*
vertrackt 1441, *1*
Vertrag 1736, *2*

vertragen, gut zu 1036, *3*
vertragen, sich 261, *3*;
  1793, *6*
vertraglich 1213, *3*;
  1460, *5*
verträglich 689, *1*
verträglich sein 236, *2*
verträglich, gut 757, *3*
verträglich, sozial 433, *2*
Verträglichkeit 444;
  1110
vertragsgemäß 1213, *3*;
  1460, *5*
vertrauen 1799
Vertrauen 1800
vertrauen auf 555, *1*
Vertrauen haben 1799, *1*
Vertrauensbruch 1071, *3*
vertrauenssellig 403, *2*;
  1159
vertrauensvoll 1244, *3*
vertrauenswürdig 86, *3*;
  1971, *1*
vertraulich 654, *2*;
  1244, *3*; **1801**
vertraulich, plump
  1264, *3*
Vertraulichkeit 1055, *1*
verträumt 1357, *4*;
  1638, *1*
Verträumtheit 33, *2*
vertraut 299; 678, *1*;
  929; 1054, *2*; 1155, *4*;
  1727, *1*; **1802**
vertraut machen 528, *4*
vertraut machen mit
  1120, *1*
vertraut sein mit 928, *1*
vertraut werden 73, *2*;
  763, *1*; 1157, *4*
Vertraute 653
Vertrauter 66, *2*; 652
Vertrautheit 655, *2*;
  1156, *2*; 1917, *1*
vertreiben 173, *1*;
  918, *3*; 1760, *1*;
  1773, *1*; **1803**
vertreiben, sich die Zeit
  594
vertreiben, Zeit 1681, *2*
Vertreibung 1804
vertretbar 312, *2*;
  1128, *1*
vertreten 226, *1*;
  1507, *5*; **1805**

vertreten sein 1563, *1*

vertreten, sich den Fuß
598, *5*

vertreten, sich die Füße
703, *1*

vertreten, Standpunkt
1099

Vertreter 387, *1*; 550, *4*;
816, *3*; **1806**

Vertretung 838, *2*; **1807**

vertretungsweise
1852, *2*

Vertrieb 1759, *1*

vertrieben 457, *1*

Vertriebener 1107

Vertriebskosten 978, *2*

vertrocknen 1603, *5*

vertrocknet 44, *2*;
1602, *1*

vertrödeln 1782, *1*;
1785, *2*; 1820, *1*

vertrösten 1820, *2*

Vertröstung 1821, *2*

vertrotteln 1149, *4*

vertun 1785, *2*

vertuschen 1714, *1*

verübeln 106, *3*; 1959, *1*

verulken 1491, *1*

verunehren 1764

verunglimpfen 1764

Verunglimpfung 240;
1765

verunglücken 1383, *1*;
1512, *4*

Verunglückter 1238

verunklaren 359, *5*

verunreinigen 1808

verunreinigt 1408

Verunreinigung 1406, *2*

verunsichern 129, *2*;
1815, *2*

verunsichert 1673, *5*

Verunsicherung 988, *2*

verunstalten 264

verunstaltet 265, *2*;
822, *1*

veruntreuen 293, *1*;
293, *4*

Veruntreuung 292

verunzieren 264

verunziert 265, *1*

verursachen 560, *1*;
1710, *1*; 1832

verursachen, Aufregung
129, *3*

verursachen, Gewissens-
bisse 1404, *2*

verursachen, Mühe und
Kosten 237, *3*

verursachen, Schmerzen
1404, *1*

verursacht werden
506, *1*

Verursachung 77, *1*

verurteilen 1701, *2*;
1809

verurteilt 534, *3*;
1426, *2*

Verurteilung 1700, *3*

Verve 1446, *2*

vervielfachen 1810

vervielfachen, sich
1509, *3*

Vervielfachung 1510, *3*;
1811, *3*

vervielfältigen 1810

vervielfältigen, sich
1509, *3*

Vervielfältigung 972;
1510, *3*; **1811**

vervollkommnen 198, *2*;
510, *3*; 519, *1*; 1715, *2*

Vervollkommnung
520, *1*; 1716, *2*

vervollständigen 198, *2*;
510, *3*; 519, *1*

Vervollständigung
511, *2*; 520, *1*

verwachsen 59, *2*;
992, *2*

verwachsen mit 1184, *1*

verwachsen, sich
723, *2*

verwahren 123, *1*

verwahren, sich gegen
30, *3*; 557, *2*

verwahrlosen 264;
1728, *3*

verwahrlost 265, *1*

verwahrlost, seelisch
850, *2*

Verwahrung 1900, *2*

verwaist 450, *1*

verwalken 1394, *1*

verwalten 274, *3*

Verwaltung 230; 275, *2*;
1203

verwamsen 1394, *1*

verwandeln 1708, *1*;
1708, *1*

verwandelt 1177, *4*;
1783, *1*

Verwandlung 1709, *1*

verwandt 771, *4*; **1812**

Verwandte 1813, *1*

Verwandtenkreis 1813, *1*

Verwandtschaft 1813

verwarnen 1874

Verwarnung 1875

verwaschen 592, *1*;
1654, *3*; 1723, *5*

verwässern 1737;
1739, *2*

Verwässerung 1113, *2*;
1738

verweben 1717, *2*

verwechseln 901, *3*

Verwechseln, zum
771, *1*

Verwechslung 599, *3*;
902, *1*

verwegen 642, *1*; 690, *2*;
1139, *2*

Verwegenheit 1138

verwehen 1749, *1*

verwehren 507; 1779, *1*

verwehrt 1721

Verwehrung 1720, *1*

verweht 1743

verweichlichen 1434;
1816, *1*

verweichlicht 1432, *1*;
1890, *5*

verweigern 507;
1779, *1*

verweigern, Arbeit
1532, *1*

Verweigerung 32, *2*;
508; 1720, *1*

verweilen 212, *3*;
1184, *2*; 1356, *1*

Verweis 860, *1*; 1385, *2*

Verweischarakter, mit
310, *2*

verweisen 359, *5*;
861, *1*; 1553, *2*

verweisen, des Landes
173, *1*

verwelken 1603, *6*

verwelkt 1602, *1*

verwendbar 576, *1*;
744, *1*; 1197, *1*;
1973, *1*

verwendbar sein 1196, *1*

Verwendbarkeit 1195, *4*

verwenden 89, *1*; 246;
327; 1196, *3*; 1723, *1*
verwenden für, sich
298, *1*; 1805, *2*
verwenden, nicht mehr
166, *2*
verwenden, sich 215;
1768, *1*
verwenden, wieder
198, *4*
Verwendung 154, *1*
Verwendung haben, kei-
ne 30, *2*
Verwendungsmöglich-
keit 1195, *4*
verwerfen 30, *3*; 166, *2*;
1809, *2*
verwerflich 1397, *5*
Verwerfung 32, *2*;
1668, *3*
verwertbar 1197, *1*
Verwertbarkeit 1195, *4*
verwerten 246; 1196, *3*;
1713, *3*
Verwertung 154, *1*
verwesen 1728, *1*
Verweser 1806, *2*
Verwesung 596
verwetzen 264; 1723, *3*
verwetzt 265, *1*
verwickeln 1815, *1*
verwickeln, sich in Wi-
dersprüche 1072;
1815, *3*
verwickelt 1441, *1*
Verwicklung 1668, *3*
verwildern 1728, *3*
verwildert 850, *2*;
1204, *2*
verwinden 1713, *1*
verwinkelt 480, *1*
verwirken 1767, *2*
verwirklichen 533, *1*;
1711, *1*; **1814**
verwirklichen, sich
1708, *5*
Verwirklichung 518, *5*;
1709, *3*
verwirren 293, *1*;
1620, *1*; **1815**
verwirren, sich 1815
verwirrend 553; 1335;
1441, *1*; 1914, *4*
Verwirrspiel 1558, *1*
verwirrt 1504, *3*;

1762, *2*; 1777, *1*;
1914, *1*; 1914, *2*
Verwirrtheit 1763, *3*
Verwirrung 552; 1668, *3*
verwirtschaften 1723, *1*;
1785, *2*
verwischen 1723, *5*
verwischt 265, *1*
verwittern 1749, *2*
verwittert 1132, *1*
verwohnen 1723, *3*
verwöhnen 1816
verwöhnend 1109, *4*
verwohnt 265, *1*
verwöhnt 84, *1*; 1054, *2*;
1890, *5*
verworfen 534, *3*
Verworfenheit 1398
verworren 1441, *1*;
1667, *1*; 1914, *1*
Verworrenheit 1668, *3*
verwühlen 1815, *1*
verwundbar 471, *1*
Verwundbarkeit 472, *3*
verwunden 1242, *2*,
1369, *2*; 1409, *4*
verwunderlich 553
verwundern 1620, *1*;
1924, *2*
verwundern, sich
1924, *1*
verwundert 1504, *3*
Verwunderung 552
verwundet 1042, *3*
Verwundeter 1238
Verwundung 1923
verwunschen 1692, *5*
verwünschen 305, *2*;
628
Verwünschung 627
verwursteln 1815, *1*
verwurstelt 1667, *1*
verwurzelt 59, *2*
verwüsten 1939, *8*
Verwüster 186
verwüstet 265, *3*; 850, *3*
Verwüstung 1940, *1*
verzagen 1822, *1*
verzagt 64, *2*; 1182, *1*;
1659, *1*
Verzagtheit 62, *4*
verzählen, sich 901, *3*
verzahnen 1717, *2*
verzahnt 1727, *3*
Verzahnung 1718, *1*

verzanken, sich 1534, *2*
verzapfen 162, *1*; 1717, *2*
verzärteln 1434;
1816, *1*
verzärtelt 471, *2*;
1432, *1*; 1890, *5*
verzaubern 305, *1*
verzaubert 548, *3*; 1766
Verzauberung 1333
Verzehr 1722, *1*
verzehren 539, *1*;
566, *1*; 1723, *1*
verzehren, sich 217, *2*;
1040, *4*
verzehrend 1293, *2*
verzeichnen 1226, *2*;
1421, *1*; 1491, *3*;
1739, *1*
Verzeichnis 900, *2*;
1817
Verzeichnung 1558, *4*
verzeihen 501, *2*
verzeihlich 1790, *3*
Verzeihung 502, *1*,
784, *1*
verzerren 1072; 1491, *3*;
1739, *1*
verzerrt 119, *2*; 455, *1*;
822, *1*
Verzerrung 1071, *1*;
1558, *4*
verzetteln, sich 1561, *3*
Verzicht 120, *5*; 999, *1*;
1219, *1*; **1818**
verzichten 1220, *1*;
1779, *7*; **1819**
verzichten auf 30, *2*;
122, *2*
Verzichtleistung 1818, *1*
verziehen 175, *1*;
1816, *1*; 1820, *3*
verziehen, sich 20, *1*;
485, *1*
verzieren 1292, *1*
Verzierung 168, *3*;
1136, *1*; 1291, *2*
Verzierung, zur 318, *3*
verzinsen, sich 1196, *1*
verzogen 642, *3*; 992, *1*;
1886, *1*
verzögern 1782, *1*; **1820**
Verzögerung 1524; **1821**
Verzögerung, ohne
1663, *2*
verzopft 1707

verzuckern 522, 2;
1715, 4
verzückt 548, 3
Verzückung 549, 3;
1055, 2
Verzug 1821, 1
Verzug sein, in 1820, 3
Verzug, im 1426, 1;
1481, 1
Verzug, ohne 771, 3
verzürnt 605
verzwackt 1441, 1
verzweifeln 1040, 4;
1822
verzweifelt 534, 2;
856, 2; 1659, 1
Verzweiflung 1591
Verzweiflungstat 549, 5
verzweigen, sich 1561, 5
verzweigt 992, 6;
1441, 2
Verzweigung 1004
verzwickt 1441, 1
verzwisten 1534, 1
Verzwistung 1533, 1
Vesper 1080, 6
vespern 566, 2
Vestibül 1842, 2
Veteran 45, 2
Veterinärmedizin
1098, 1
Veto 1720, 1
Vetternwirtschaft 953
Vexierbild 880, 2
Viadukt 333
Vibration 302, 4; 1444
Vibrations 1444
vibrieren 597, 1;
1443, 4; 1946, 2
vibrierend 548, 1
Videoband 618, 2
Videokamera 916, 2
Videokassette 922, 2
Videorecorder 733
Videothek 1362, 2
Vieh 186
viehisch 334
Viehzüchter 189, 1
viel 1225, 3; **1823**
viel beschäftigt 1556, 4
viel sagend 1468, 2;
1579; 1975, 2
viel verlangt 243, 2;
678, 2
viel vermögend 1077, 2

viel versprechend 803, 1
viel, allzu 1624, 1
viel, nicht 1893, 1
viel, zu 1624, 1; 1627, 1
vielarmig 992, 6
vieldeutig 310, 2; 407, 4;
1975, 2
Vieldeutigkeit 408, 3;
1824
viele 1825
viele, nicht 1893, 2
viele, ziemlich 1825
vielerlei 1823, 2
Vielerlei 1113, 3; 1826, 1
vieles 1823, 2
vielfach 1216
Vielfalt 673, 1; **1826**
vielfältig 1327, 2;
1783, 2
Vielfältigkeit 743, 1;
1826, 1
vielfarbig 591, 1
Vielfarbigkeit 589, 1
vielförmig 1783, 2
Vielförmigkeit 1826, 1
Vielfraß 726, 3
vielgestaltig 1783, 2
Vielgestaltigkeit 1826, 1
Vielheit 1826, 1
vielleicht 1128, 3;
1654, 1
vielmals 1216
vielmehr 3
Vielschreiber 1423
vielseitig 744, 1
Vielseitigkeit 577
vielstimmig 819, 1;
1783, 2
vielstöckig 862, 3
Vielzahl 1102, 4
Vierbeiner 871
vierschrötig 1264, 1
Viertel 1499, 3
vif 1026, 3
vigilant 1396, 1
Vignette 930, 3
Viktualien 542, 2
Villa 824, 1
Villenviertel 1499, 4
violent 37, 1; 829, 3
Violenz 830
Violinist 1134, 2
VIPs 1201, 3
Viren 985
viril 1085

virtual 1128, 1
Virtual Vision 880, 4;
1382
virtuell 1128, 1
virtuos 149, 1; 1829, 2
Virtuose 573; 1134, 2
Virtuosität 767, 7
virulent 690, 5
Visage 752, 1
Visavis 1143, 3
vis-à-vis 695, 2
visieren 1944, 1
Vision 880, 2
visionär 1277; 1702
Visionär 876, 1
Visitation 1285, 2
Visite 281, 1
visitieren 1549, 1
visualisieren 528, 3
Visualisierung 361, 1;
529, 2
Visum 279, 1
Vita 1025, 2
vital 479; 981, 2; 1026, 3
Vitalität 478, 1; 1025, 6
Vitamin B 1718, 3
Vitrine 170, 1; 1418
Vivat 801, 3
Vize 1806, 2
Vogel 424, 4; 1778, 1
Vogelbauer 189, 2
vogelfrei 1319
Vogelkäfig 189, 2
vögeln 1056, 3
Vögeln 1055, 3
Vogelperspektive 165, 1
Vogelperspektive, aus
der 862, 1
Vogelschau 165, 1
Vogelscheuche 1386
Vogel-Strauß-Politik 292
Vokabel 147, 1
Vokabular 1493, 2
Vokalist 1363, 1
Vokalkomposition
739, 2
Vokalkünstler 1363, 1
Vokalmusik 1133, 3
Vokalstück 739, 2
Volant 585, 1; 1514, 1
Volk 297; 800, 5
Volk, junges 908, 2
Völkerrecht 1318, 3
Völkervernichtung 1090
volkreich 1827, 3

Volksabstimmung
1861, 2
Volksarmee 1111, 2
Volksaufstand 134, 1
Volksentscheid 1861, 2
Volksfest 749, 2
Volksheer 1111, 2
Volkslied 739, 2
Volksmenge 1102, 3
Volksmusik 1133, 3
Volkspark 680
Volksschule 1427, 1
Volkssprache 1493, 4
Volkstümelei 1163, 1
volkstümlich 243, 1;
433, 1
Volkstümlichkeit 434, 3;
716, 3
Volksvertreter 1806, 3
Volksweisheit 374, 1
Volkszugehörigkeit
846, 2
voll 250, 1; 981, 4;
1359, 1; 1364, 3; 1827
voll beschäftigt 1556, 4
voll gestopft 1364, 1
voll haben, die Nase
1039, 2
voll haben, Schnauze
1039, 2
voll laufen lassen, sich
284, 3
voll machen 519, 1;
674, 1
voll nehmen, nicht für
1114, 1
voll schlagen, Bauch
566, 1
voll stopfen, sich 566, 1
voll werden 674, 3
voll, gerappelt 1827, 2
voll, gerüttelt 1827, 1
voll, gesteckt 380, 2;
1827, 2
voll, gestopft 1827, 1
vollauf 728; 1327, 4;
1627, 2; 1823, 1
Vollbad 178, 5
Vollbart 187
Vollblut 1247
vollblütig 981, 2
vollbringen 102, 3;
533, 1; 1045, 1; 1828
Volldampf, mit 429, 3;
1410, 1

vollenden 533, 1; **1828**
vollendet 610, 1;
1412, 1; 1829, 1
vollends 679, 3
Vollendung 511, 2;
535, 2; 767, 7;
1400, 1; 1414, 1; 1830
Völlerei 711; 730, 2
vollführen 533, 1;
1045, 1
vollführen, Eiertanz
1023, 1
Vollführung 1831
Vollgas 427, 2
Vollgas, mit 429, 3
vollgesogen 1162, 1
völlig 679, 2
volljährig 1328, 2
volljammern, Ohren
944, 3
vollkommen 679, 2;
1829
Vollkommenheit 767, 7;
1830
Vollkraft 758
Vollmacht 532, 2;
1968, 1
vollmundig 459, 2
Vollrausch 1310, 1
vollreif 1328, 1
vollschlank 381, 1;
1506, 2
vollständig 38, 2; 679, 1;
679, 2; 722, 3; 1829, 1
Vollständigkeit 442, 1
vollstrecken 533, 1
Vollstreckung 1831
Volltreffer 518, 4
volltrunken 1827, 5
vollwertig 775; 1829, 1
Vollwertigkeit 1616, 3
vollzählig 38, 2; 679, 3
vollziehen 533, 1;
1711, 1
vollziehen, sich 216, 3
Vollziehung 1831
vollzogen 534, 1
Vollzug 1831
Volontär 1428, 4
Volontariat 1033, 2
Volte 988, 1
Volumen 673, 1; 1630
voluminös 791, 2
voluptuös 1074
von 1124, 3

von ... ab 1482, 1
vonnöten 1191, 1
vonseiten 1124, 3
Voodoo 701
vor 49
Vor- und Nachteil
1974, 3
vor, noch 418
vorab 53, 1; 1837; 1957
Vorabend 51, 1
Vorahnung 693, 2
voran 1840, 1; 1854
vorangegangen 1743
vorangehen 669, 2
vorankommen 177
Voranschlag 1258, 3
Voranschlag machen
251, 1
vorantreiben 669, 3
Vorarbeit 1835, 1
vorarbeiten 538, 2;
1834, 2
Voraus, im 1856, 1
vorausahnen 555, 3;
1278; 1771, 2
vorausahnend 1277
vorausberechnen 251, 1
vorausdenken 93
vorausgegangen 1743
vorausgehen 669, 2
vorausgesetzt 1894, 2
vorausgesetzt, dass 582
Voraussage 1839
voraussagen 1278
vorausschauen 1278
vorausschauend 890, 2;
1277; 1475, 2; 1845, 2
voraussehen 93; 555, 3;
1278; 1771, 2
voraussetzen 9, 4;
964, 2; **1832**
Voraussetzung 207, 1;
796, 2; 859, 3; **1833**
Voraussetzungen, die
577
voraussetzungslos
1640, 1
Voraussicht 1258, 4
Voraussicht nach, aller
79; 863, 1
Voraussicht, in weiser
1856, 1
voraussichtlich 79;
863, 1
vorausstellen 298, 2

vorauswerfen, Schatten
958, *1*
Vorauszahlung 358; 986
vorauszusehen 945, *4*
Vorbau 181
vorbauen 1430, *5*
vorbedacht 1468, *3*;
1554, *1*
Vorbedacht 1258, *4*;
1787, *2*
Vorbedacht, mit 16;
1475, *2*
Vorbedingung 207, *1*;
1833
Vorbehalt 207, *1*; 454, *3*;
1833
Vorbehalt, mit 205
Vorbehalt, ohne 1640, *1*
vorbehalten 1339
vorbehalten, sich 195, *1*
vorbehaltlich 205
vorbehaltlos 1640, *1*
vorbei 1743
vorbeibenehmen, sich
1752, *3*
vorbeidrücken, sich
1236, *2*
vorbeifahren 1236, *1*
vorbeigehen 1236, *1*;
1749, *1*
vorbeigehen, aneinander
1782, *2*
Vorbeigehen, im 1167, *1*
vorbeikommen 282, *1*
vorbeireden, aneinander
901, *4*
vorbeiziehen 1236, *1*
Vorbemerkung 438, *1*
vorbereiten 179, *2*;
538, *2*; 1034, *2*;
1229, *1*; **1834**; 1949
vorbereiten, sich 958, *1*;
1049, *1*; **1834**
Vorbereiter 1257, *2*
vorbereitet 516, *1*;
576, *3*; 1260, *1*
vorbereitet, wohl
1475, *2*; 1554, *1*
Vorbereitung 1835
Vorbereitung, innere
1362, *5*
vorbesprechen 1834, *5*
Vorbesprechung 1835, *1*
vorbestellen 280, *2*;
1339

vorbestimmt 1390
Vorbeter 939, *1*
vorbeugen 1430, *5*
vorbeugen, sich 296, *1*
vorbeugend 1845, *4*
Vorbild 235; 874, *1*
vorbildlich 149, *2*
Vorbildlichkeit 1830
Vorbote 1933, *3*
vorbringen 1844, *3*
vorbringen, Einwände
557, *2*
vordem 666, *1*
Vordenker 1257, *2*
Vorderansicht 1836, *1*
Vordergiebel 1836, *1*
Vordergrund, im 1899, *3*
vordergründig 1199, *2*
Vordergründigkeit 1200
vorderhand 1837; 1957
Vordermann 1143, *3*
Vorderseite 1198, *2*;
1836
Vorderteil 1836, *1*
vordrängen, sich 391, *1*;
1269, *1*
vordringen 60, *2*
vordringlich 429, *3*;
1899, *1*
Vordruck 634, *2*
Vordruck, ohne 633, *3*
voreilig 429, *2*; 1856, *2*
Voreiligkeit 427, *3*
voreingenommen
455, *1*; 480, *2*; 1570;
1656
Voreingenommenheit
14, *1*; 481, *5*; 1853
vorenthalten 1714, *1*;
1779, *1*
vorerst 1837; 1957
vorfabrizieren 1834, *2*
vorfahren 67, *1*
Vorfahren 1813, *1*
Vorfall 580, *2*; 742, *1*;
1378, *2*; 1981, *1*
vorfallen 216, *2*
vorfertigen 1834, *2*
vorfinanzieren 321, *2*
vorfinden 619, *3*
Vorfreude 556, *1*;
1477, *1*
vorfühlen 639, *1*;
1834, *5*
Vorführdame 360

vorführen 50, *1*; 307;
319, *2*; 528, *1*;
1486, *2*; 1846, *1*;
1934, *2*
Vorführstück 1136, *2*
Vorführung 438, *1*;
529, *1*; 1712, *2*
Vorgabe 1258, *1*; 1833
Vorgang 742, *1*; 1283, *2*;
1378, *2*
Vorgarten 680
vorgaukeln 1848
vorgaukeln, sich 430, *2*
vorgeben 1072; 1848
vorgeblich 54; 1380
Vorgefühl 556, *1*;
693, *2*
vorgegeben 1380
vorgehen 10, *2*; 60, *2*;
216, *3*; 815, *1*; 1684, *1*
Vorgehen 61, *1*; 1094;
1283, *2*
vorgehen gegen 440
Vorgehensweise 1552, *2*
Vorgericht 1080, *3*
Vorgeschichte 1744
Vorgeschmack 556, *1*
vorgeschrieben 751, *5*
vorgesehen 576, *3*
vorgestellt 879
vorgestrig 1707
vorgetäuscht 318, *3*;
583, *3*; 1380
vorgewärmt 1871, *1*
vorgewölbt 381, *4*
vorglühen 1873, *1*
vorgreifen 93
vorhaben 1259, *1*;
1922, *1*
Vorhaben 1258, *1*;
1906, *1*
Vorhalle 1842, *2*
vorhalten 1855
Vorhaltung 1385, *2*
Vorhaltungen machen
1081, *2*; 1553, *2*
Vorhand haben 669, *2*
vorhanden 1838;
1911, *1*
vorhanden sein 1024, *1*
Vorhandensein 570
Vorhang 870, *6*
vorher 418; 666, *1*;
1856, *1*
vorherbestimmt 1390

Vorherbestimmtheit
1389, *2*
vorhergegangen 1743
Vorherrschaft 847, *2*
vorherrschen 669, *2*;
848, *2*
vorherrschend 40, *1*;
678, *1*; 1625
Vorhersage 1839
vorhersagen 1278
vorhersehen 555, *3*;
1278
vorhersehend 1277
vorhin 1008
vorhonorieren 321, *2*
vorig 1743
Vorkämpfer 1257, *2*
Vorkehrung 1835, *1*
Vorkenntnis 796, *4*
vorknöpfen 1081, *3*
vorknöpfen, sich 1511, *2*
vorkommen 216, *2*,
1381, *1*; 1771, *1*
Vorkommen 370, 712, *1*
vorkommen wie 1584, *5*
vorkommen, sich 668, *2*
vorkommend, kaum
1457, *1*
Vorkommnis 742, *1*
vorkragend 381, *4*
vorladen 72, *1*; 280, *3*
Vorlage 94, *1*; 1136, *3*
Vorlage, ohne 1695, *3*
vorlassen 466, *2*
Vorläufer 1257, *2*
vorläufig 1837; 1852, *3*;
1957
Vorläufigkeit 1794, *3*
vorlaut 642, *2*
Vorleben 1744
vorlegen 50, *1*; 203, *2*;
321, *2*; 1934, *2*
vorlegen, Antrag 197
vorlegen, Papiere 173, *2*
Vorleger 1571
vorleiern 1851, *2*
Vorleistung 358; 986
vorlesen 1050, *2*;
1851, *1*; 1851, *1*
Vorlesung 1033, *2*; 1850
vorlieb nehmen 1478, *4*
Vorliebe 1055, *1*;
1172, *2*
vorliegend 1838, *1*
vormachen 1848

vormachen, blauen
Dunst 293, *1*; 1848
vormachen, ein X für ein
U 293, *1*
vormachen, sich etwas
430, *2*
vormachen, X für ein U
1848
Vormachtstellung 847, *2*
vormals 666, *1*
Vormarsch 61, *1*
vormerken 1339; 1339
Vormerkung 136, *1*
Vormund 1806, *2*
vorn 1840
vorn haben, Nase
1463, *1*
vorn, ganz 554
vorn, von 1840, *2*
Vorname 930, *4*
vorne, von 1902
vornehm 416, *3*; 996, *3*;
1841
vornehmen, Eingriff 25;
1218
vornehmen, sich
1259, *1*; 1922, *1*
Vornehmheit 36, *1*;
607, *1*; 1925, *1*
vornehmlich 273, *1*;
1625
vorneigen, sich 296, *1*
vornherein, von 771, *3*
vornweg 1840, *1*
vorordnen 298, *2*
vorpreschen 60, *2*
vorprogrammiert
1460, *1*
vorragen 1920, *2*
Vorrang 1857, *1*
vorrangig 1899, *2*
Vorrangstellung 847, *2*;
1857, *1*
Vorrat 900, *1*; 1011, *2*;
1362, *1*
vorrätig 1838, *1*
vorrätig haben 807, *1*
Vorratskammer 993
Vorratskeller 993
Vorratsschrank 1418
Vorraum 1842
vorrechnen 1855
Vorrecht 1318, *4*;
1857, *1*
Vorrede 438, *1*

Vorreiter 1257, *2*
Vorrichtung 449, *1*; 733
vorrücken 60, *2*; 177;
669, *3*
Vorruhegeld 1338, *2*
vorsagen 837, *5*
Vorsatz 798, *1*; 1258, *1*;
1906, *1*
vorsätzlich 16
vorschieben, andere
172, *2*
vorschieben, Riegel 412;
857, *3*
vorschießen 321, *2*
Vorschlag 77, *1*; 470;
1304, *1*; **1843**
Vorschlag machen
1844, *1*
vorschlagen 50, *1*; 75, *1*;
1174, *2*; 1305, *1*; **1844**
vorschnell 429, *2*;
1037, *1*; 1856, *2*
vorschreiben 72, *1*
Vorschrift 96, *2*, 750, *1*;
1322, *1*
vorschriftsmäßig 731, *2*;
751, *4*; 968, *1*
vorschriftswidrig 1721
Vorschub 854, *1*
Vorschuss 358; 986
Vorschusslorbeeren
1062, *1*
vorschützen 1848
vorschweben 430, *1*;
1771, *2*; 1846, *2*
vorsehen 1259, *1*;
1834, *2*
vorsehen, nicht 152, *1*
vorsehen, sich 128, *4*
Vorsehung 1389, *2*
vorsetzen 50, *3*; 203, *2*
Vorsicht 62, *3*; 1351
vorsichtig 1845
vorsichtshalber 1845, *3*
Vorsichtsmaßnahme
1787, *2*
vorsintflutlich 1707
vorsitzen 669, *1*
Vorsorge 1787, *2*;
1835, *1*
vorsorgen 1788, *1*;
1834, *2*
vorsorglich 1475, *2*;
1856, *1*
Vorspann 438, *1*

Vorspeise 438, *1*;
1080, *3*
vorspiegeln 1848
vorspiegeln, sich 430, *2*
Vorspiegelung 502, *2*;
1558, *2*
Vorspiel 438, *1*; 1055, *3*
vorsprechen 282, *1*;
303; 1851, *1*
vorspringen 1920, *2*
vorspringend 381, *4*
Vorspruch 438, *1*
Vorsprung 415, *2*;
1849, *1*
Vorstadt 1499, *4*
Vorstand 970, *2*; 1048, *1*
vorstehen 669, *1*;
1920, *2*
vorstehend 381, *4*
Vorsteher 1047, *2*
vorstellbar 1128, *1*;
1790, *1*
vorstellbar, schwer
926, *2*
vorstellen 201, *1*;
1805, *1*; **1846**; 1934, *2*
vorstellen, etwas 201, *3*
vorstellen, sich 371, *2*;
430, *1*; **1846**
vorstellig werden 197
Vorstellung 222; 438, *1*;
1100, *3*; 1576, *1*;
1712, *2*; **1847**
Vorstellung machen, sich
eine 1846, *2*
Vorstellungskraft 1253
Vorstellungsvermögen
1253
Vorstoß 61, *1*
Vorstoß machen 60, *2*
vorstoßen 60, *2*; 669, *3*
vorstoßend 670, *2*
vorstrecken 321, *2*
vortäuschen 1072; **1848**
vortäuschen, Gefühle
1072

Vortäuschung 1558, *2*
Vorteil 893; 1195, *1*;
1849; 1857, *2*
Vorteil sein, im 761, *2*
vorteilhaft 312, *1*;
803, *1*; 1197, *2*
vorteilsüchtig 1456
Vortrag 1850; 1851, *1*
vortragen 197; 259;
270, *2*; 1050, *2*;
1465, *1*; 1494, *2*;
1851
vortragen, szenisch
1851, *1*
Vortragsweise 1493, *2*
vortrefflich 149, *1*;
804, *2*; 1317, *1*
vortreiben 669, *3*
vortreten 1920, *2*
Vortritt lassen 172, *1*
Vorturner 671, *6*
vorüber 1743
vorübergehen 1236, *1*;
1749, *1*
vorübergehen lassen
1782, *1*
vorübergehend 1745;
1852
Vorurteil 1853
Vorurteile 481, *5*
vorurteilsfrei 1358, *1*
vorurteilslos 735, *1*;
1358, *1*; 1772, *2*
Vorurteilslosigkeit 736
vorurteilsvoll 455, *1*
Vorverhandlungen
438, *1*
Vorverurteilung 1853
vorverweisen 1934, *1*
Vorwand 502, *2*;
1071, *2*; 1558, *1*
Vorwarnung 1082, *2*
vorwärts 1854
vorwärts kommen 177;
510, *4*; 715, *2*
Vorwärtskommen 135, *1*

vorweg 53, *1*
vorwegnehmen 93
vorwegwissen 93
vorweisen 50, *1*;
1934, *2*
vorweisen, Leistungen
1045, *1*
vorwerfen 1553, *2*; **1855**
vorwerfen, Futter 676, *1*
vorwiegend 273, *1*; 1625
Vorwissen, ohne 1263
Vorwitz 643, *1*; 1178
vorwitzig 642, *2*; 895, *2*
Vorwitzigkeit 643, *1*
Vorwort 438, *1*
Vorwurf 1385, *2*
Vorwürfe machen 1855
vorzaubern 1848
Vorzeichen 1933, *3*
vorzeigen 50, *1*;
1934, *2*
Vorzeit 1744
Vorzeit, graue 1744
vorzeiten 666, *1*
vorzeitig 1856
vorziehen 298, *2*
Vorzimmer 1842, *2*
Vorzug 1857
Vorzügen, mit allen
1829, *1*
vorzüglich 149, *1*;
804, *2*
vorzugsweise 273, *1*
votieren 1862, *3*
votieren für 215
Votum 500, *1*; 1100, *4*;
1700, *1*; 1861, *2*
Voyeur 248, *1*
Voyeurismus 1178
vulgär 91, *4*; 376, *2*
Vulgarität 662, *3*
Vulgärsprache 1493, *4*
Vulkanausbruch 1165, *3*
vulkanisch 829, *2*
Vulkankegel 257, *1*
Vulva 1379, *1*

W

waagerecht 732, *2*
wabbelig 1890, *4*
wabern 330, *1*
Wabern 617, *1*
wabernd 1026, *5*
wach 125, *1*; 467, *2*;
   890, *1*; 1026, *2*;
   1026, *3*; 1772, *4*
wach machen 1885
Wachablösung 1882, *1*
Wache 1266, *2*
wachen 128, *3*
wachen über 1430, *1*
Wachhabender 133, *2*
Wachheit 468, *2*
Wachhund 871
Wachmann 1877
Wachposten 1877
wachrütteln 1233, *1*;
   1885
wachsam 125, *1*;
   1475, *1*; 1845, *3*
wachsen 506, *2*; 510, *2*;
   769, *3*; 1530, *1*
Wachsen 511, *1*
wachsen lassen über,
   Gras 1713, *1*
wachsend 1958
wachsend, wild 1905, *3*
wächsern 592, *1*;
   1504, *1*
Wachsfigur 747, *2*
Wachsfigurenkabinett
   170, *3*
Wachstum 132; 511, *1*;
   1294, *2*; 1510, *3*
Wachstumsjahre 908, *1*
Wacht 133, *1*
Wächter 1877
Wachturm 1609, *1*
wackelig 992, *3*;
   1065, *1*; 1132, *1*;
   1673, *4*
wackeln 1435, *1*;
   1443, *3*; 1946, *2*
wackelnd 1065, *1*
wacker 328, *2*; 1139, *1*

wacklig 265, *1*
Waffe 1858
Waffen, biologische
   1858, *1*
Waffen, chemische
   1858, *1*
Waffengang 987, *1*
Wagehals *2*
Wagemut 1138
wagemutig 920; 1139, *2*
wagen 1795, *2*; **1859**
Wagen 579, *1*
wägen 371, *2*; 1375, *2*
wagen, sich in die Höhle
   des Löwen 1859, *2*
Wagenburg 18, *1*
Wagenladung 1295, *1*
Wagestück 1860
waghalsig 690, *2*;
   1139, *2*
Waghalsigkeit 1138
Wagnis 1860
Wahl 500, *1*; **1861**
Wahl haben, keine
   1135
Wahl lassen, keine
   1979, *2*
Wahl, erste 148, *1*
Wahl, freie 645, *1*
Wahl, nach 242
wählen 499, *2*; **1862**
wählen, Freitod 1586, *5*
wählen, Nummer
   1862, *4*
wählen, Worte 1494, *2*
wählerisch 84, *1*; 727;
   996, *3*
wählerisch, nicht 433, *2*
Wählerumfrage 1631
Wahlgang 1861, *2*
wahllos 242; 1952, *2*
Wahllosigkeit 991
Wahlname 1288
Wahlrecht 1318, *3*
Wahlspruch 374, *1*
wahlverwandt 1812, *2*
Wahlverwandtschaft
   1813, *2*
wahlweise 242
Wählwort 930, *5*
Wahn 880, *1*
wähnen 430, *1*; 770, *1*;
   1099; 1771, *1*
Wahnidee 709
Wahnsinn 709; 1674, *3*

wahnsinnig 708;
   1452, *1*; 1777, *2*
Wahnvorstellung 880, *1*
Wahnwelt 880, *1*
Wahnwitz 1674, *3*
wahnwitzig 24; 1777, *3*
wahr 1317, *2*; **1863**
wahr machen 1814, *1*
wahren 1430, *1*
währen 364, *1*
wahren, Abstand 773
wahren, Dekorum
   1381, *1*
wahren, Gesicht 228
wahren, Schein 1381, *1*
wahren, Vorteil 1196, *2*
während 3; 365, *1*; 776;
   1864; 1894, *2*
während, immer 882, *1*
währenddessen 1864
Wahres dran, etwas
   1863
wahrhaben wollen, nicht
   1051, *3*; 1733, *2*
wahrhaft 1911, *3*
wahrhaftig 131, 1911, *3*
Wahrhaftigkeit 1210, *1*
Wahrheit 1865
Wahrheit werden
   1814, *2*
Wahrheit, in 1863
wahrheitsgetreu 1863
Wahrheitsliebe 1210, *1*
wahrheitsliebend 131
Wahrheitsnachweis
   279, *6*
wahrlich 1863; 1911, *3*
wahrnehmbar 1466, *1*;
   1498
wahrnehmen 668, *1*;
   868, *1*; 1451; **1866**
wahrnehmen, Vorteil
   1196, *2*
Wahrnehmung 693, *2*;
   1867
Wahrnehmungsvermö-
   gen 1867, *2*
wahrsagen 1278
Wahrsager 1276
Wahrsagung 1839
Wahrschauer 1276
wahrscheinlich 79;
   863, *1*
Wahrscheinlichkeit nach,
   aller 863, *1*

Währung 712, *1*
Währungsspekulant
1275
Wahrzeichen 1933, *2*
waidmännisch 572, *1*
Waisenkind 936, *2*
Wald 1164, *2;* **1868**
Waldgebiet 1868
Waldhüter 1877
waldig 1869
Waldlichtung 1053
waldreich 1869
Waldweg 1887, *1*
Wall 211, *4;* 858, *4*
Wallach 1247
wallen 625; 1376, *1*
wallend 1026, *5;* 1905, *4*
Wallung 549, *1;* 1519, *2*
walten 848, *2*
walten lassen, Milde
1413, *3*
walten lassen, Vorsicht
128, *4*
walten, seines Amtes
102, *2;* 274, *3*
Walze 326, *2;* 1347, *2*
Walze, auf 393, *2*
walzen 179, *1;* 769, *1;*
1331, *2;* 1870
wälzen 276, *1*
wälzen, Probleme 371, *2*
wälzen, sich 395, *5*
Wälzer 336, *1*
Wamme 673, *2*
Wampe 673, *2*
Wand 211, *4*
Wand, spanische 870, *7*
Wandbehang 870, *3;*
1571
Wandbekleidung 870, *3*
Wandbespannung 870, *3*
Wandbett 295
Wandbrett 331, *2*
Wände, vier 824, *2*
Wandel 1709, *2*
wandelbar 301, *1;* 1745;
1783, *1*
Wandelgang 1842, *3*
Wandelhalle 1842, *3*
wandeln 703, *2*
wandeln, sich 1708, *5*
Wanderbühne 1576, *1*
Wanderjahre 1033, *2*
wandern 703, *2;* **1870;**
1883, *1*

wandern nach 216, *1*
Wanderprediger 1035, *3*
Wanderschaft, auf
393, *2*
Wanderung 1108
Wanderung machen
1870
Wanderweg 1887, *1*
Wandlung 1709, *2*
wandlungsfähig 301, *1;*
622, *2;* 1783, *1*
Wandlungsfähigkeit
623, *2*
Wandschirm 870, *7*
Wandteppich 870, *3;*
1571
Wange 1560, *4*
Wankelmut 1433, *1;*
1699, *1*
wankelmütig 1432, *3;*
1698, *1*
wanken 1435, *1;* 1976
wankend 1435, *2;*
1649, *1;* 1673, *4*
wankend werden 1976
wann immer 1894, *1*
Wanst 673, *2*
Wappen 930, *3*
Wappenschild 930, *3*
wappnen 1834, *3*
wappnen, sich 1502, *1*
Ware 562
Warenaustausch 814, *1*
Warenhaus 740, *5*
Warenlager 1483, *2*
Warenprobe 1136, *2*
Warensendung 1267, *3*
Warensortiment 171, *2*
Warenverkehr 814, *1*
Warenvertrieb 814, *1*
Warenzeichen 930, *3*
Warenzirkulation
814, *1*
Warlord 671, *2*
warm 654, *1;* 981, *4;*
1054, *4;* 1364, *3;*
1827, *4;* **1871**
warm machen 1873, *1*
warm werden 1157, *4*
Wärme 693, *1;* **1872**
Wärme, ohne 914, *3*
Wärmegrad 788
wärmelos 914, *3*
wärmen 1873
wärmen, sich 1873

wärmend 1054, *4;* 1606;
1871, *1*
Wärmeverlust 1348, *7*
warmhalten, sich jmdn.
251, *2*
warmherzig 467, *5;*
1054, *4*
Warmherzigkeit 805;
1872, *2*
warnen 15; 861, *1;*
1874
Warner 1276
Warnruf 1353, *2;* 1875
Warnschuss 1875
Warnstreik 1531
Warnung 1875
Warnzeichen 1875;
1933, *4*
Warte 1100, *2;* 1609, *1*
Warte, hohe 1612, *3*
warten 88, *3;* 873;
1242, *5;* 1249, *1;*
1788, *2;* **1876**
warten lassen 1752, *2*
Wärter 1877
Warteschleife 1821, *3*
Wartezeit 1821, *3*
Wartung 1248, *1*
warum 1878
Warum 794, *1*
was 314, *2*
was auch immer 1202
was ich sagen wollte
1167, *1*
was man tun kann
538, *1*
Wäsche 1330, *3;* **1879**
Wäsche machen 1367, *3*
Wäscheausstattung 1879
waschecht 363, *1*
waschen 1367, *3*
waschen, Kopf 1081, *3;*
1391, *1*
waschen, sich rein
494, *3;* 1023, *2*
waschen, Wäsche
1367, *3*
Wäscherei 1330, *1*
Waschküche 353, *2*
Waschlappen 603
Waschraum 178, *1*
Waschung 1330, *3*
Waschweib 1436
Wasser 478, *2;* **1880**
Wasser lassen 155

Wasser, fallendes
  1348, *8*
Wasser, unter 1162, *2*
Wasserader 760, *1*
wasserarm 1602, *4*
Wässerchen 760, *1*
Wasserdampf 353, *2*
wasserdicht 380, *1*;
  1395
Wasserfall 1881
wässerig 574, *1*;
  1162, *5*
Wasserjungfrau 707, *4*
Wasserlauf 760, *1*
Wasserloch 760, *2*
wässern 616, *1*
wässern, Mund 217, *2*
Wasseroberfläche
  1198, *4*
wasserpass 768, *1*
Wassersack 870, *10*
Wasserscheide 1379, *2*
Wasserspiegel 1198, *1*
Wasserstelle 760, *3*
Wasserstraße 760, *1*
Wasserträger 1402, *1*
Wasserweg 760, *1*
Wasserzeichen 930, *3*
wässrig 410, *4*
Waterloo 1116
waterproof 380, *1*
Watsche 1393, *1*
watscheln 703, *2*
wattieren 676, *2*
Wattierung 870, *3*
Wauwau 871
WC 1582, *1*
Webarbeit 813, *2*
weben 102, *4*
Webfehler 1778, *1*
Website 97, *3*
Wechsel 1709, *2*;
  1826, *1*; **1882**
Wechsel, fliegender
  427, *3*
Wechselbeziehung 1884
wechselhaft 1698, *1*
Wechselhaftigkeit
  1699, *1*
wechseln 998, *1*; **1883**
wechseln, Beruf 1708, *3*
wechseln, Besitzer
  1883, *1*
wechseln, Programm
  1883, *1*

wechseln, Stellung
  300, *1*; 1708, *3*
wechseln, Thema
  1883, *1*
wechseln, Tonart
  1708, *1*
wechseln, Wohnsitz
  175, *1*
wechselnd 1783, *1*
Wechselrede 277, *2*
wechselseitig 696
Wechselseitigkeit 1884
wechselweise 696
Wechselwirkung 1884
wecken 1885
wecken, Verständnis
  528, *4*
Weckruf 1353, *2*
wedeln 995, *2*; 1443, *3*
weder ... noch 1173
weder jetzt noch später
  1664
weg 548, *3*; **1886**
Weg 110, *3*; **1887**
Weg machen, seinen 177
Weg machen, sich auf
  den 485, *2*
Weg zurück 1349, *1*
Weg, auf dem schnells-
  ten 1410, *1*
Weg, gangbarer 1129
Weg, halber 1119, *4*
weg, weit 450, *3*;
  1891, *2*
wegbegeben, sich 216, *1*
Wegbereiter 1257, *2*
wegbleiben 598, *1*;
  1779, *3*; 1779, *5*
wegbringen 484, *2*
wegdrängen 1733, *1*
wegdrücken 1733, *1*
Wege 1123, *2*
Wege, auf halbem 809
Wegemarke 930, *3*
wegen 49; 69, *2*; 290;
  1888
wegengagieren 19
wegfahren 485, *3*
Wegfall 1368, *1*
wegfallen 6, *2*; 598, *3*
wegfinden 1168, *2*
wegfliegen 624, *1*
wegfließen 1030, *5*
wegführen 11, *1*
Weggang 486, *3*; 999, *1*

weggeben 484, *1*;
  683, *4*; 1220, *1*
weggehen 175, *1*;
  485, *1*; 998, *1*;
  1594, *1*; 1760, *4*
weggelassen 1886, *2*
Weggenosse 652
weghaben 963, *1*
wegholen 19; 1168, *2*
wegjagen 851, *1*;
  1803, *1*
wegkommen 1767, *1*
wegkommen, schlecht
  1369, *4*
weglassen 152, *1*;
  1019, *2*
weglaufen 20, *1*; 624, *1*
weglegen 475, *1*; 484, *2*
wegloben 998, *2*
weglocken 19
wegmachen 484, *1*
Wegmitte 1119, *4*
wegnehmen 12, *2*;
  484, *1*; 1168, *2*;
  1594, *3*
wegräumen 484, *2*;
  1226, *1*
wegreißen 484, *1*
wegrennen 624, *1*
wegsacken 581, *2*
wegschaffen 484, *2*
wegscheren, sich 485, *1*
wegscheuchen 1803, *1*
wegschicken 998, *2*;
  1388, *4*
wegschieben 484, *1*;
  1733, *1*
wegschleichen 624, *1*
wegschleppen 1168, *2*
wegschließen 1462, *5*;
  1714, *3*
wegschmelzen 1749, *1*
wegschnappen 19;
  761, *2*
wegschneiden 1007, *1*
wegschütten 1030, *2*
wegschwemmen 1618, *1*
wegsehen 1051, *3*;
  1409, *5*
wegsperren 1462, *5*
wegstecken 1040, *2*;
  1713, *1*; 1714, *3*
wegstehlen 1168, *2*
wegstehlen, sich 624, *1*
wegstellen 484, *2*

wegstoßen 484, *1*;
  1803, *1*
wegstoßen, Decke
  213, *7*
wegstreichen 1007, *3*
wegtragen 1168, *2*
wegtreiben 1803, *1*
wegtreten 485, *1*
wegtun 484, *1*
wegverpflichten 19
wegweisend 670, *2*
Wegweiser 671, *5*;
  860, *1*; 930, *3*
wegwerfen 484, *2*
wegwerfen, sich 319, *1*
wegwerfend 31, *2*
wegwischen 484, *1*;
  1064, *3*; 1367, *2*
Wegzehrung 542, *1*
wegziehen 175, *1*;
  484, *3*
Wegzug 486, *5*
Weh 1403, *1*; 1761, *2*
Weh und Ach 943, *2*
wehen 316, *1*
wehend 1026, *5*
Wehgeschrei 943, *2*
Wehklage 943, *2*
wehklagen 944, *3*
Wehklagen 943, *2*
wehleidig 471, *2*;
  1432, *1*
Wehleidigkeit 472, *1*
Wehmut 1591
wehmütig 1659, *1*
Wehmütigkeit 1591
Wehr 211, *4*
wehren 857, *1*
wehren, sich 124, *2*
Wehrhaftigkeit 613, *2*
wehrlos 471, *1*; 856, *1*
Wehrlosigkeit 472, *3*
Wehrmacht 1111, *2*
Wehrpflichtiger 1111, *1*
wehtun 1242, *2*; 1404, *1*
Wehwehchen 951, *1*
Weib 640; 1235, *4*
Weibchen 1742, *2*
Weiberheld 1742, *1*
weiblich 1889
Weibsbild 640
Weibsperson 640
Weibsstück 640
weibstoll 1074
weich 1054, *3*; 1109, *1*;

  1132, *2*; 1432, *3*; **1890**;
  1931, *1*
weich machen 198, *5*;
  1066, *2*; 1626, *1*
weich werden 489, *2*
Weiche 29, *2*
weichen 485, *1*
Weichheit 472, *3*; 1110;
  1433, *1*
weichherzig 467, *5*;
  1890, *2*
Weichherzigkeit 472, *3*
weichlich 1432, *1*
Weichling 603
weichmütig 1432, *1*
weichzeichnen 268
weiden 566, *6*
weiden lassen 873
weiden, sich an 651, *1*
weidlich 1452, *1*
Weidmann 905, *1*
Weidwerk 904
weigern, sich 124, *2*
Weigerung 32, *2*;
  1900, *2*
Weihe 601, *1*; 1925, *2*
weihen 547, *2*; 683, *3*;
  1450, *1*
Weiher 760, *2*
weihevoll 600, *2*;
  1926, *1*
Weihnachtsgeld 1956
Weihung 438, *2*
weil 49; 69, *2*
weiland 666, *1*
Weile 362, *1*; 1935, *1*
Weile, geraume 1013, *2*
weilen 1024, *2*
weinen 944, *3*
weinend 1659, *2*
weinerlich 1182, *2*
Weines, voll des süßen
  250, *1*
Weinhaus 681, *1*
Weinkellner 204, *3*
Weinkenner 726, *2*
Weinlaune 1310, *1*
weinselig 250, *1*; 727
Weinstube 681, *1*
weise 1328, *4*
Weise 110, *3*; 739, *2*
Weise, auf welche
  1901, *2*
Weise, in dieser 1472
Weise, in keiner 1173

weisen 1934, *1*
weisen, von sich 30, *1*;
  1051, *1*
weisen, Weg 669, *2*
Weiser 372
Weisheit am Ende, mit
  der 856, *2*
Weisheitslehrer 1035, *3*
weislich 1475, *2*
weismachen 293, *1*;
  315, *1*; 1072
weiß 44, *1*; 592, *1*
weiß sich zu helfen
  744, *1*
Weiß, gebrochenes
  592, *1*
weiß, nicht 591, *3*
weiß, wie jeder 1460, *4*
weiß, wie man 1160
weissagen 1278
weissagend 1277
Weissager 1276
Weissagung 1839
Weißbinder 1083, *2*
Weißglut 1872, *1*
weißhaarig 44, *1*
weißlich 592, *1*
Weißwaren 1879
weißwaschen, sich
  1023, *2*
Weißzeug 1879
Weisung 136, *2*; 209, *1*;
  750, *1*
weit 587, *1*; 791, *2*; **1891**
weit blickend 890, *2*
weit reichend 791, *5*;
  1912, *2*
weit und breit 1611, *1*
weit, zu 1397, *2*
Weitblick 517, *2*; 1700, *2*
Weite 146, *2*; 486, *1*;
  620, *2*; 792, *1*; 1309, *2*
weitem, bei 1823, *3*
weitem, von 1891, *3*
weiten 1530, *2*
weiter 117, *1*; 1854
weiter machen 1530, *2*
weiterbilden, sich
  510, *5*; 1049, *2*
weiterbringen 1715, *2*
Weiteren, des 117, *1*
weiterentwickeln 510, *3*;
  1715, *2*
weiterentwickeln, sich
  510, *5*

weiterentwickeln, sich
nicht 1520, 3
Weiterentwicklung
1510, 4
weitererzählen 948, 1
weiteres, bis auf 1837;
1957
weiteres, ohne 87;
738, 1; 771, 3;
1640, 1; 1663, 2
weiterführen 1740, 2
Weiterführung 513, 2
Weitergabe 513, 2
weitergeben 1120, 3;
1617; 1621, 1
weitergehen 364, 2
weiterhelfen 298, 1;
1715, 3
weiterhin 117, 1
weiterkommen 177
weiterkommen, nicht
1520, 1
weiterkönnen, nicht
1779, 3
weiterleben 364, 3
weiterleiten 1120, 3;
1617; 1726, 1
Weiterleitung 1509, 1
weiterreichen 1621, 1
weitersagen 948, 1;
1120, 3; 1726, 1
weiterspinnen 127, 4;
1740, 2
weitertragen 948, 1
weitertreiben 371, 4
Weiterungen 630, 3
weiterverarbeiten
198, 4; 1713, 3
weiterverfolgen 1740, 2
weiterwirken 364, 3
weiterwissen, nicht
1520, 2
weiterwissen, nicht
mehr 1822, 1
weitgehend 1452, 1;
1823, 3
weither, von 1891, 3
weitherzig 793, 2
Weitherzigkeit 1110;
1792, 3
weitläufig 722, 4;
1891, 1
Weitläufigkeit 146, 2
weitmaschig 1065, 2
weiträumig 1891, 1

Weiträumigkeit 792, 1
weitschweifig 722, 4;
1017, 1
weitsichtig 890, 2
welche 1825
welche, kaum 1893, 2
welk 1602, 1
welken 1603, 6
Welle 1125, 1; 1537, 1;
1537, 2
wellen 300, 2; 395, 3
Wellen 806, 1
Wellenbad 178, 2
Wellenbewegung 302, 4;
1444
Wellenlinie 1004
wellig 992, 4; 1307, 1;
1642, 1
Wellpappe 870, 1
Welt 1892
Welt, alle 1212, 1
Welt, Alte 568, 1
Welt, auf der 686, 2;
1026, 1
Welt, auf der ganzen
1611, 1
Welt, die große 1201, 2
Welt, digitale 1382
Welt, vor aller 1211, 1
Welt, weite 649, 1
Weltall 1892, 2
Weltanschauung 375;
1100, 1; 1337, 1
weltaufgeschlossen
644, 3
Weltausstellung 170, 2
weltbekannt 262, 2
weltbewegend 1899, 2
Weltbild 375
Weltbürger 340, 4
weltbürgerlich 341, 4
Weltekel 1591
Welten, virtuelle 880, 4
Weltenbummler 1332, 1
Weltenlenker 785, 1
weltentrückt 450, 3
weltenweit 1891, 1
welterfahren 516, 1
Welterfahrung 517, 2
Welterfolg 767, 3
welterschütternd
1899, 2
weltfern 450, 3
Weltferne 451, 2
weltflüchtig 450, 2

weltfremd 433, 2; 877, 2
Weltfremdheit 434, 2;
875, 2
weltfreudig 1036, 4
Weltgebäude 1892, 2
Weltgetriebe 1746, 1
Weltgewandtheit 517, 2
Welthilfssprachen
1493, 5
Weltkenntnis 517, 2
Weltkind 726, 1
weltklug 516, 1
Weltklugheit 517, 2
Weltkrieg 987, 2
Weltlauf 742, 2
weltläufig 516, 1
Weltläufigkeit 517, 2
Weltmacht 792, 3
Weltmann 927
weltmännisch 996, 3
Weltmarkt 1086, 2
Weltmeere 760, 4
weltoffen 467, 2
Weltoffenheit 468, 2
weltpolitisch 896
Weltraum 1892, 2
Weltraumfahrt 578, 4
Weltreise 578, 2
Weltreisender 1332, 1
Weltruhm 716, 3
Weltschmerz 1591
weltschmerzlich
1182, 1
Weltstadt 1499, 1
Weltteile 1892, 1
weltumspannend 40, 4;
896; 1829, 3
Weltuntergang 1403, 2;
1940, 1
Weltverbesserer 876, 2
weltverloren 450, 2
weltverneinend 1246
Weltverneiner 1245
weltweit 896
Weltweite 517, 2
Weltwissen 517, 2
Weltzeit 1935, 2
Wende 396, 1; 988, 1;
1004; 1343, 1; 1709, 2
Wendehals 1221
Wendeltreppe 1596
wenden 395, 6; 543, 1;
1708, 1
wenden, hin und her
276, 1; 371, 2

wenden, sich 28, *1*;
216, *1*; 703, *1*; 1708, *1*
Wendepunkt 767, *2*;
988, *1*
wendig 301, *1*; 622, *2*;
744, *2*
Wendigkeit 611; 623, *2*;
743, *1*
Wendung 147, *1*; 988, *1*;
1004; 1709, *2*; 1981, *2*
Wendung, feste 1256, *1*
wenig 926, *1*; 954, *2*;
1893
wenig, ebenso 1173
wenig, nicht 1823, *2*;
1945
wenige 1893, *2*
wenige, nicht 1825
Wenigkeit 951, *2*; 951, *4*
wenigstens 1893, *3*
wenn 69, *1*; 582; **1894**
wenn auch 1202; 1607, *1*
wenn möglich 1207, *6*
Wenn und Aber 1974, *3*
wenngleich 1202;
1607, *1*
wer weiß 1128, *3*
Werbeabteilung 1897, *4*
Werbeagent 1897, *4*
Werbeagentur 1897, *4*
Werbebeigabe 1897, *3*
Werbebeilage 1897, *3*
Werbeblock 1897, *3*
Werbebrief 1897, *3*
Werbefeldzug 1897, *2*
Werbefernsehen 1897, *3*
Werbefigur 1897, *3*
Werbefilm 1897, *3*
Werbefunk 1897, *3*
Werbegestalter 1897, *4*
Werbegraphiker 1897, *4*
Werbemittel 1897, *3*
werben 89, *1*; 469, *1*;
1895
werben für 1063, *1*
werben um 245, *2*
werben, Kunden 1895, *3*
Werber 816, *3*; 1806, *1*;
1896
Werbeschlagwort
1897, *3*
Werbeschönheit 1414, *2*;
1897, *3*
Werbeschrift 1897, *3*
Werbeslogan 1897, *3*

Werbespot 1897, *3*
Werbetext 1575; 1897, *3*
Werbetexter 1897, *4*
Werbevorführung
1897, *3*
werbewirksam 1912, *2*
Werbewirksamkeit
1913, *1*
Werbung 1897
Werbungskosten 978, *2*
Werdegang 1025, *2*
werden 52, *2*; 506, *1*;
510, *1*
Werden 511, *1*
Werden, im 53, *2*
werden, nichts 475, *2*
werdend 53, *2*
Werder 889
Werdestatus 1794, *3*
werfen 682, *2*; 1443, *1*;
1486, *5*
werfen, alles in einen
Topf 1737
werfen, durcheinander
1815, *1*
werfen, Flinte ins Korn
122, *3*; 1822, *1*
werfen, Handtuch
122, *3*; 1383, *3*
werfen, in die Waagscha-
le 1844, *2*
werfen, ins Schloss
1399, *1*
werfen, keine Falten
1469, *4*
werfen, Knüppel zwi-
schen die Beine
857, *2*
werfen, Los 499, *1*
werfen, mit der Wurst
nach der Speckseite
251, *2*
werfen, Perlen vor die
Säue 1785, *1*
werfen, Schatten 409, *2*
werfen, sich in Gala
1292, *2*
werfen, Streiflicht auf
528, *4*
werfen, über Bord 122, *3*
werfen, zu Boden 1526
werfen, zum alten Eisen
998, *2*
Werk 8, *1*; 101, *1*;
291, *1*; 336, *1*;

1046, *1*; 1416, *2*;
1685, *2*; 1731, *3*
werkeln 102, *3*; 188
werkgerecht 572, *1*;
817, *1*; 1001
Werkstatt 114; 740, *3*
Werkstätte 740, *3*
Werkstoff 1521, *2*
Werktag 42, *1*
werktätig 1556, *3*
Werktätiger 103
Werkzeug 66, *3*; 733;
1123, *1*
wert 775; 1054, *2*
Wert 202, *3*; 1294, *2*;
1849, *2*; **1898**
wert sein 977, *1*; 1730, *2*
wert sein, der Mühe
1196, *1*
wert, der Mühe 1197, *3*
wert, keinen Pfifferling
1397, *1*
wert, keinen roten Heller
1397, *1*
wert, nicht der Rede
1639; 1893, *1*
wert, nichts 1397, *1*
Wert, von hohem 975
wertachten 1734, *1*
Wertarbeit 1294, *3*
wertbeständig 363, *1*
Wertbeständigkeit
362, *3*; 613, *1*
Wertbrief 1267, *3*
werten 1375, *2*; 1701, *1*
Wertgegenstand 976, *1*
werthalten 1734, *1*
wertlos 1028, *3*; 1397, *1*;
1666
wertlos werden 10, *3*
Wertmarke 350, *1*
Wertmesser 1089, *3*
Wertobjekt 976, *1*
Wertpapiere 271, *3*
Wertsachen 271, *2*;
976, *1*
wertschätzen 1734, *1*
Wertschätzung 35;
716, *2*
Wertskala 1089, *3*
Wertstück 976, *1*
Wertstufe 1294, *2*
Wertung 989, *1*;
1302, *1*; 1700, *1*
Werturteil 1700, *1*

wertvoll 975; 1899, 2
wertvoll sein 1196, 1
Werwolf 707, 4
Wesen 110, 1; 346;
567, 1; 747, 1; 887, 1;
1548
Wesen, göttliches 785, 1
Wesen, menschliches
1103, 1
Wesensart 110, 1; 346
wesenseigen 348, 1
wesensgemäß 348, 1
wesensgleich 771, 4
Wesensmerkmal 424, 2
Wesenszug 424, 2;
930, 1
wesentlich 1191, 1;
1899, 1
Wesentliche, das 567, 1;
823; 1548
weshalb 1878
Wespennest 690, 3
Weste, reine 86, 2
Westeuropa 568, 1
westeuropäisch 568, 2
weswegen 1870
wett 768, 4
Wettbewerb 962, 1
Wettbewerber 700, 3
wettbewerbsfähig 775
Wettbewerbsfähigkeit
1616, 3
Wette 783
Wetteifer 962, 1
wetteifern 918, 2
wetten 1486, 5
wetten, darauf 1786, 2
Wetter 1186, 1
Wetter, bei jedem
882, 2
wetterbedingt 205
Wetterfahne 1221
wetterfest 363, 1;
981, 1; 1489, 2
wetterfühlig 471, 2
wetterhart 981, 1
wetterleuchten 1381, 2
wettern 316, 1; 628;
1391, 2
Wettern 734, 2
Wettersturz 1348, 7
wetterwendisch 1698, 1
Wetterwendischkeit
1699, 3
Wettfahrt 962, 2

Wettkampf 917, 3;
962, 1
wettkämpfen 918, 2
Wettkämpfer 1488
Wettlauf 962, 2
wettmachen 151, 4; 345;
497, 1; 1750, 1
Wettrennen 962, 2
Wettspiel 783; 962, 2;
1683, 5
Wettsport 962, 2
Wettstreit 917, 1;
962, 1
wettstreiten 918, 2
Wettsucht 1550, 4
wetzen 1374, 1
wetzen, blank 264
wetzen, Messer 398, 3
Whirlpool 178, 1
White-Collar-Verbre-
cher 1725, 2
Wichs 1286, 1
wichsen 214, 2; 769, 3;
1367, 2
Wicht 910, 2
Wichtelmann 707, 4
wichtig 1054, 2; 1077, 2;
1191, 1; 1573; **1899**
wichtig machen, sich
1269, 2
wichtig sein 201, 3
wichtig sein für 9, 4
wichtig tun 1269, 1
Wichtigkeit 202, 3
Wichtigste, das 823
Wichtigstes, als 53, 1
Wichtigtuer 1436
Wichtigtuerei 460, 1
wichtigtuerisch 459, 2
Wickelkind 936, 1
wickeln 395, 2; 1249, 4
widerborstig 31, 1; 425
Widerborstigkeit 1608
widerfahren 216, 2
widerfahren lassen, Ge-
rechtigkeit 735, 3
Widerhall 413, 1;
1913, 2
widerhallen 1485, 4
Widerklang 413, 1
widerlegbar 1673, 1
widerlegen 557, 2
Widerlegung 558, 2
widerlich 461, 1; 822, 1
Widerling 1386

Widerpart 604, 1;
700, 1
widerraten 15
widerrechtlich 1721
Widerrede 164, 2;
558, 2
Widerruf 120, 3
Widerruf, auf 205
Widerruf, bis auf 1837
widerrufen 20, 1; 122, 2;
1051, 2
Widersacher 604, 1;
1574
widersetzen, sich
124, 2
widersetzlich 425
Widersinn 1674, 1
widersinnig 24; 583, 5;
1692, 3
widerspenstig 425
Widerspenstigkeit 1608
widerspiegeln 1485, 2
Widerspiel 694, 1
widersprechen 557, 2
widersprechen, sich
967, 2; 1072
widersprechend, sich
695, 3
Widerspruch 558, 2;
694, 1; 1720, 1;
1900, 2
widersprüchlich 695, 3
Widersprüchlichkeit
694, 1
widerspruchslos 87
widerspruchsvoll 695, 3
Widerstand 1900
Widerstände 14, 2
widerstandsfähig 363, 1;
883, 1; 981, 1; 1928, 1
Widerstandsfähigkeit
613, 1; 1501, 2
Widerstandskampf
917, 4
Widerstandskämpfer
919, 5
Widerstandskraft 613, 2;
1501, 2
widerstandslos 772, 3;
1432, 3
Widerstandslosigkeit
1433, 1
widerstehen 226, 3; 462
widerstreben 462
Widerstreben 14, 2

widerstrebend 31, 3;
1652, 2
Widerstreit 694, 1
Widerstreit, innerer
1974, 1
widerstreiten 557, 2
widerstreitend 695, 3
widerwärtig 461, 1;
822, 1; 1243, 1;
1637, 3
Widerwärtigkeiten
105, 3
Widerwille 14, 2
widerwillig 31, 3;
1652, 2
widmen 683, 3
widmen, sich 102, 1;
266, 2
Widmung 677, 3
widrig 1021, 2; 1243, 1;
1637, 3; 1660, 1
Widrigkeit 105, 3;
1658
wie 314, 2; 774; **1901**
wie auch immer 1472;
1640, 1
wie du mir, so ich dir
1751, 1
wie es scheint 79
wie folgt 1472
wie man so sagt 41
wie wenn 774
wieder 1902
wieder aufnehmen
1903, 3
wieder beleben 543, 5
wieder erkennen 526, 1;
1793, 2
wieder finden 619, 1
wieder gutmachen 345;
497, 2
wieder gutzumachen
1128, 2
wieder sehen 1592, 1
wieder tun 1903, 2
wieder und wieder
882, 3
wieder verwenden
198, 4
wieder zu erkennen,
nicht 1783, 1
wieder, immer 882, 3;
1216; 1902
Wiederaufbau 544, 1
Wiederaufleben 544, 2

Wiederaufnahme 544, 2;
1349, 2
Wiederauftreten
1349, 2; 1904
wiederbekommen 497, 3
Wiederbelebung 544, 2
wiederbringen 497, 1
Wiedererblühen 544, 2
wiedererlangen 497, 3
Wiedererscheinen
1349, 2
wiedererstatten 497, 1
Wiedererstehung 544, 2
Wiedererweckung
544, 2
Wiedergabe 308, 2;
361, 1
wiedergeben 1, 1;
270, 1; 497, 1;
1485, 2; 1851, 1
Wiedergeburt 544, 2
Wiedergutmachung
498, 2
Wiedergutmachungswil-
le 1341
wiederhergestellt 757, 2;
1177, 4
wiederhergestellt sein
723, 1
wiederherstellen 543, 1;
831, 2
Wiederherstellung
525, 2; 544, 1
wiederholen 543, 4;
1284, 1; 1610; **1903**
wiederholen, sich 1903
wiederholt 1216; 1902
Wiederholung 413, 1;
1324, 1; **1904**
Wiederholungszwang
1904
wiederkäuen 1903, 4
Wiederkäuen 1014
Wiederkäuer 1239, 1
Wiederkehr 1324, 1;
1349, 2
wiederkehren 395, 6
wiederkehrend 1323, 1;
1902
wiederkehrend, ständig
771, 2
wiederkommen 526, 1
wiederkommen, nicht
1512, 4
Wiederkunft 1349, 2

wiedersagen 948, 1
Wiedersehen 1593, 1
wiederum 3; 1902
Wiedervergeltung 498, 2
Wiege 51, 1; 295;
1296, 2
Wiege an, von der 882, 4
wiegen 201, 2; 614, 3
wiegen, in den Schlaf
261, 4
wiegen, in Sicherheit
1848
wiegen, schwer 402, 1
wiegen, sich 1437, 1;
1443, 2
wiegen, sich in Sicher-
heit 901, 5
wiegend 1026, 5
wiegend, schwer 1440, 1
Wiegendruck 1230, 1
Wiegenkind 936, 1
wiehern 1009, 2;
1584, 3
Wiesel, wie ein 1410, 1
wieselig 1410, 1
wieseln 428, 1
Wiesengrund 620, 1
wieso 1878
wiewohl 3; 1202;
1607, 1
wild 218, 1; 322, 1;
829, 2; 1204, 1; **1905**
wild machen 106, 1
wild werden 106, 2;
1262, 2
Wildbach 1881, 1
Wilddieb 905, 2
Wilderer 905, 2
wildern 1168, 3
wildfremd 648, 1
Wildheit 830
Wildhüter 905, 1
Wildnis 343, 1; 649, 1
Wildpark 1948
Wildschütz 905, 2
Wildwasser 1881, 1
wildwüchsig 1905, 3
will nicht 1664
Wille 478, 1; 500, 1;
1906
Wille, böser 324
Wille, letzter 513, 4
Willen, aus eigenem 646
Willen, mit 16
Willen, wider 1652, 2

willenlos 349; 1432, 3;
  1651, 1
Willenlosigkeit 1433, 1
willens 254, 1
willens sein 489, 1;
  1922, 1
Willens, guten 1342
willens, nicht 31, 3
Willensakt 500, 1
Willensäußerung
  1906, 1
Willensbekundung
  500, 1
Willenserklärung 500, 1;
  1906, 1
Willensfreiheit 645, 1
Willenskraft 478, 1;
  1906, 2
willenskräftig 479
Willenslenkung 436, 1
willensschwach 349;
  1432, 3
Willensschwäche
  1433, 1
willensstark 479
Willensstärke 478, 1;
  1906, 2
willentlich 16
willfahren 489, 2;
  503, 2; 704, 1
willfährig 254, 1; 491;
  705; 1432, 3
Willfährigkeit 255;
  706, 2; 1433, 1
willig 254, 1; 738, 1
Willigkeit 255
Willkomm 126, 3;
  465, 2; 801, 1
willkommen 57, 1;
  738, 2; 1054, 1; **1907**
Willkür 1669, 1
Willkürherrschaft 847, 3
willkürlich 242; **1908**
wimmeln von 145, 4;
  1827, 2
wimmelnd 1827, 3
wimmern 944, 3
Wimmern 943, 2
Wimpel 1933, 4
Wind 1909
Wind machen 1269, 1
Wind, durch den 1777, 1
Wind, wie der 1410, 1
Windbeutel 1429, 1;
  1436

Winde 140, 1
windeln 1249, 4
windelweich 1342
winden 316, 1; 395, 2;
  395, 4
winden, sich 172, 2;
  395, 4; 1023, 2;
  1371, 1
Windeseile, in 1410, 1
Windfahne 1221
Windhose 1542, 1
windig 349; 1028, 3;
  1070, 1; 1307, 5
Windmacherei 1623, 2
Windsbraut 1542, 1
Windschatten, im
  1357, 7
windschief 992, 3
windschlüpfrig 1973, 2
windstill 1357, 7
Windstille 1355, 4
Windung 1004
Wink 860, 2; 1082, 1;
  1875, 1933, 2
Winkel 415, 1; 685, 2;
  1232, 2
Winkelzug 1060, 1
Winkelzüge, ohne 131
winken 802, 1
winken, mit dem Zaun-
  pfahl 861, 1
winklig 480, 1
winseln 244, 1; 315, 1;
  944, 3
Winter 915, 1
winterfest 365, 3
Wintergarten 181
Winterkälte 915, 1
winterlich 914, 1
winzig 950, 1
Wipfel 767, 1
wippen 597, 1
Wirbel 291, 2; 302, 3;
  396, 1; 1537, 2;
  1881, 1
wirbelig 1671, 1
wirbeln 395, 1;
  1437, 1
Wirbelsäule 810, 4
Wirbelsturm 1542, 1
Wirbelwind 1671, 3
wirken 102, 4; 158;
  691, 2; 815, 1; 1045, 1;
  1313; 1381, 1; **1910**
Wirken 101, 1

wirken, durcheinander
  1112, 1
wirklich 1026, 1;
  1838, 2; **1911**
Wirklichkeit 1557, 2;
  1865
Wirklichkeit werden
  958, 1; 1814, 2
Wirklichkeit, in 426, 2;
  1863
wirklichkeitsblind 877, 2
wirklichkeitsfremd
  877, 2
wirklichkeitsnah 78, 2;
  1772, 4
Wirklichkeitsnähe
  589, 2
Wirklichkeitssinn
  1789, 2
wirklichkeitsüberstei-
  gend 1702
wirksam 757, 4; **1912**
Wirksamkeit 716, 4;
  1913, 1
Wirkung 630, 3; 980, 2;
  1195, 3; 1314, 1; **1913**
Wirkungsbereich 121;
  436, 3
Wirkungsdauer 716, 4
Wirkungskreis 121
wirkungslos 1747
Wirkungslosigkeit 1748
wirkungsvoll 1268;
  1405; 1912, 2
wirr 1667, 1; 1692, 2;
  1777, 1; **1914**
Wirren 134, 3
Wirrkopf 405, 1
Wirrwarr 1668, 1
Wirt 1915
Wirtschaft 190; 681, 1
wirtschaften 1478, 3
Wirtschafterin 826, 2
wirtschaftlich 959;
  1197, 2; 1479, 2;
  1973, 2
Wirtschaftlichkeit 1480
Wirtschaftsaufschwung
  132
Wirtschaftsbeziehungen
  814, 1
Wirtschaftsblüte 132
Wirtschaftsform 1552, 4
Wirtschaftsführung
  825, 2

Wirtschaftsgeld 712, *2*
Wirtschaftskampf 962, *3*
Wirtschaftskrise 988, *3*
Wirtschaftsprüfer 133, *3*
Wirtschaftsverbrechen
    1724
Wirtshaus 681, *1*
Wirtsstube 681, *1*
Wisch 332; 1539, *7*
wischen 1367, *1*
wischen, Staub 1367, *1*
wischen, vom Tisch
    30, *4*; 1114, *1*
Wischiwaschi 737, *2*
Wischnu 785, *2*
wispern 629
Wispern 734, *2*
Wissbegier 1178
Wissbegierde 893;
    1178
wissbegierig 895, *1*
wissen 928, *2*; 963, *1*;
    1916
Wissen 1917
wissen lassen 280, *4*;
    1120, *1*; 1726, *1*
wissen, auswendig
    526, *5*
wissen, Bescheid 963, *1*;
    1793, *4*; 1916
wissen, Dank 357, *1*
wissen, die Menschen zu
    nehmen 516, *2*
wissen, nicht aus noch
    ein 1822, *2*
wissen, nichts anzufan-
    gen 1016, *2*
wissen, sich anzuziehen
    98, *2*
wissen, sich nicht zu las-
    sen 1009, *2*
wissen, sich zu helfen
    516, *2*; 837, *6*;
    963, *3*
wissen, wie der Hase
    läuft 1793, *4*
wissen, wie es gemacht
    wird 963, *1*
wissen, zu leben 725
wissen, zu nehmen
    1793, *6*
wissen, zu würdigen
    1375, *1*
wissend 929
wissend, nichts 1696, *1*

Wissenschaft 636, *1*;
    1917, *2*
Wissenschaftler 372;
    636, *1*; **1918**
wissenschaftlich 572, *1*;
    1260, *1*
wissenschaftseifrig
    385, *1*
Wissensdrang 893;
    1178
Wissensdurst 893; 1178
Wissensgebiet 571, *2*
Wissensmangel 1662
wissenswert 238, *1*;
    892, *2*
wissentlich 16
wittern 668, *1*; 1344, *3*;
    1866, *1*
Witterung 468, *1*; 693, *3*
Witterung für 1792, *1*
Witwe 640
Witwer 1084
Witz 707, *2*; 1683, *3*
Witzbold 1384, *1*
Witze 1683, *4*
witzeln 1491, *1*; 1681, *4*
witzig 76, *2*; 835, *4*;
    1231, *3*
witzlos 182; 1017, *1*
Witzlosigkeit 183, *1*
Witzwort 1683, *4*
wo auch immer 1611, *1*
wo man hinguckt
    1611, *1*
wo Milch und Honig
    fließt 1234
woanders sein, mit den
    Gedanken 1392, *3*
Wochen 1013, *2*
Wochenbett 687
Wochenende 647
wochenlang 1013, *2*
Wochenmarkt 1086, *1*
Wochentag 42, *1*
wofern 582; 1894, *2*
wofür 1878
Woge 1537, *2*
wogegen 3
wogen 90, *2*; 300, *2*;
    625; 1435, *1*;
    1443, *2*
wogend 1026, *5*
wohingegen 3
wohl 757, *1*; 863, *1*;
    1128, *3*

Wohl 758; 1449, *2*
wohl oder übel 1652, *2*
wohl sein lassen, es sich
    725
wohl tun 236, *2*; 683, *2*
Wohlanständigkeit 85, *2*
wohlauf 757, *1*
Wohlbefinden 758
Wohlbehagen 1953
wohlbehalten 679, *1*;
    757, *1*
wohlbeleibt 381, *1*
wohlbeschaffen 1412, *2*
wohlbestallt 781, *2*;
    1327, *1*
wohlbewusst 1260, *1*
wohlduftend 109
Wohlergehen 758
wohlerwogen 731, *3*;
    1260, *1*; 1475, *2*;
    1845, *2*
wohlerzogen 86, *2*;
    328, *1*; 864; 1175, *2*
Wohlfahrt 1176, *4*
wohlfeil 312, *1*
Wohlgefallen 650, *2*;
    1055, *1*; 1953
Wohlgefallen, nach 242
wohlgefällig 57, *1*
wohlgeformt 819, *3*;
    1412, *2*
Wohlgefühl 730, *1*
wohlgegliedert 819, *3*
wohlgelitten 243, *1*;
    1907
wohlgemut 835, *3*
wohlgenährt 381, *1*
Wohlgenährtheit 673, *2*
Wohlgeruch 108;
    1344, *1*
wohlgerundet 381, *1*
Wohlgeschmack 108
wohlgesinnt 654, *2*;
    803, *2*
Wohlgestalt 1414, *1*
wohlgestaltet 1412, *2*
wohlgetan 804, *2*
wohlgewogen 654, *2*
wohlhabend 1327, *1*
wohlig 719
Wohlklang 818, *1*
wohlklingend 819, *1*
Wohllaut 818, *1*
wohllautend 819, *1*;
    1827, *4*

wohlmeinend 654, 2;
803, 2
wohlproportioniert
819, 3; 1412, 2
wohlriechend 109
wohlschmeckend 100, 2;
109
Wohlsein 758
Wohltäter 1095
wohltätig 757, 4; 1643
Wohltätigkeit 1644
wohltönend 819, 1
wohltuend 57, 2; 757, 4;
1197, 1
wohlverdient 735, 2
Wohlverhalten 532, 1
wohlversehen 1327, 2
wohlweislich 16
Wohlwollen 490, 2
wohlwollend 491;
654, 2; 803, 2; 840
Wohnblock 1499, 3
wohnen 212, 3; 282, 2;
1024, 2
Wohngegend 1499, 3
Wohngemeinschaft
717, 2
wohnhaft 227, 1
Wohnhaus 824, 1
Wohnheim 833, 2
wohnlich 719
Wohnlichkeit 249, 1
Wohnort 1919, 3
Wohnraum 1309, 1
Wohnsitz 1919, 3;
1968, 2
Wohnsitz haben
1024, 2
Wohnsitz, ohne festen
393, 3
Wohnsitzwechsel 1108
Wohnstadt 1499, 4
Wohnung 833, 1; **1919**
Wohnungseinrichtung
449, 2
wohnungslos 393, 3
Wohnungsloser 1332, 2
Wohnungsnachbar
1143, 2
Wohnungsnot 1190, 2
Wohnungsspekulant
1275
Wohnungswechsel
486, 5
Wohnwagen 66, 1

Wohnzimmerschrank
1418
wölben 1920
wölben, sich 1920
Wölbung 1921
Wolf im Schafspelz 852
Wolke sieben, auf 1766
wölken 354; 1308
Wolken, in den 1638, 1
Wolkenbruch 1186, 1
Wolkenhimmel 408, 2
Wolkenkratzer 824, 1
Wolkenkuckucksheim
880, 3
wolkenlos 781, 2;
839, 3; 945, 1
Wolkenwand 408, 2
wolkig 407, 2
Wolldecke 870, 9
Wolle 806, 1; 1521, 3
wollen 195, 1; 217, 1;
1259, 1; 1528, 1; **1922**
Wollen 781, 1; 1906, 1
Wollfaden 575, 2
wollig 1890, 3
Wollust 1073, 3
wollüstig 1074
Women's Lib 608
womöglich 1128, 3
Wonne 650, 2; 730, 1;
780, 2
wonnesam 781, 3
wonnetrunken 250, 2;
781, 1
wonnevoll 781, 3
wonnig 781, 3
Workaholic 397, 2
Workshop 1033, 2;
1593, 2
Workstation 352, 2
World-wide Web 1176, 3
Wort 147, 1; 222;
1787, 1
Wort für Wort 722, 4
Wort, geflügeltes
1256, 1
Wort, im 1775, 2
Wort, mit einem 477, 1
wortarm 1439, 1
Wortbruch 1071, 3
Worte machen, große
1622, 4
Worte, ohne 1439, 2
Wortemacher 1436
Wortemacherei 1256, 2

Worten, mit anderen
1160
Worten, mit diesen 1472
Worten, mit drei 1005, 3
Wörterbuch 1032
wortfaul 1439, 1
Wortführer 671, 6;
1806, 3
Wortgeklapper 1256, 2
Wortgeklingel 1256, 2
wortgetreu 722, 4
wortgewandt 253, 1
Worthülse 1256, 2
wortkarg 1005, 2;
1439, 1; 1960, 1
Wortkargheit 1961, 3
Wortkaskade 1881, 2
Wortklauber 1239, 1
Wortklauberei 1240, 2
wortklauberisch 1241, 2
Wortlaut 1575
Wortlaut, im 414, 1
wörtlich 722, 4; 1663, 4
wörtlich, nicht 1654, 2
wortlos 1044; 1439, 1
Wortprägung 147, 1
wortreich 253, 2; 1121
Wortschatz 1493, 2
Wortschrift 1422, 2
Wortschwall 734, 3
Wortspiel 1683, 4
Wortstreit 1533, 2
Wortverdreher 1239, 1
Wortwechsel 277, 3;
1533, 2
wortwörtlich 722, 4
Wotan 785, 2
wozu 1878
Wrack 850, 3
wringen 402, 2
Wucherer 294, 1; 1275
wuchern 145, 4; 293, 1;
815, 3; 1509, 3
wuchernd, wild 1905, 3
Wucherung 1921, 1
Wuchs 159; 511, 1;
973, 1
Wucht 400, 2; 830;
1020, 1; 1144; 1446, 1
wuchten 402, 1; 827, 1
wuchtig 829, 1; 1440, 1
wühlen 635; 787, 1;
851, 3; 1549, 1
Wulst 1921, 1
wulsten 1920, 1

wulstig 381, *4*
wund 381, *3*
Wunde 1923
Wunder 702, *1*
wunderbar 553; 892, *2*;
1254, *1*; 1412, *1*
wunderfitzig 895, *2*
Wunderglaube 4
Wunderkind 724, *1*
wunderlich 119, *2*;
1254, *3*; 1777, *1*
Wunderlichkeit 424, *4*
wundern 1924
wundern, sich 1924
wundernehmen 1924, *2*
wundersam 553
wunderschön 1412, *1*
Wundertüte 552
wundervoll 1412, *1*
Wunderwelt 1234
Wunsch 1172, *1*;
1761, *2*; 1861, *1*;
1943, *3*
Wunsch, frommer
880, *3*
Wunsch, nach 242
Wunschbild 874, *3*;
880, *3*
wünschen 217, *1*; 315, *1*
Wünschen 1761, *1*
wünschen haben, nichts
zu 781, *5*
wünschen, etwas an den
Hals 628
wünschen, Glück 90, *6*
wünschen, sich 1590, *2*
wünschen, ungeschehen
256
wünschen, zu 863, *2*
wünschen, zum Ku-
ckuck 628

wünschen, zum Teufel
628
wünschenswert 57, *1*;
863, *2*
wunschgemäß 242;
504, *2*
wunschlos 83, *2*; 781, *1*;
1364, *2*
Wunschlosigkeit 1953
Wunschtraum 874, *3*;
880, *3*
Wunschvorstellung
880, *3*
Wunschziel 874, *3*;
1943, *3*
wuppen 715, *1*; 1828
Würde 202, *3*; 419, *1*;
601, *1*; **1925**
würdelos 349; 1397, *5*
Würdelosigkeit 1398
würdevoll 545, *1*;
600, *1*; 1357, *3*;
1926, *1*
würdig 504, *1*; 775;
1926
würdigen 276, *2*; 420, *1*;
1063, *1*; 1701, *1*
würdigen, keines Wortes
1409, *5*
würdigen, Verdienste
1063, *2*
Würdigung 527, *2*;
989, *1*; 1062, *2*;
1700, *1*
Wurf 1046, *1*
würfeln 1486, *5*
Würfelspiel 783
Wurfsendung 1897, *3*
würgen 402, *2*
Wurm 936, *1*
wurmen 106, *1*; 1242, *3*

Wurmfortsatz 520, *9*
wurmig 1397, *3*
wurmstichig 265, *1*;
1397, *3*
Wurstel 1384, *1*
wurstig 772, *4*; 1540, *5*
Wurstigkeit 1646, *2*
Würze 108
Wurzel 794, *1*; 1296, *2*
Wurzel, bis in die 1300
Wurzel, mit der 1300
Wurzeln 846, *1*
wurzeln in 9, *3*
wurzeltief 1300
würzen 1927
würzig 100, *2*; 109;
844, *2*
Würzigkeit 108
würzlos 574, *1*
Wuschelkopf 806, *1*
wuselig 1671, *1*
wuselnd 1827, *3*
Wust 1668, *1*
wüst 91, *4*; 1204, *1*;
1307, *5*; 1667, *1*;
1905, *2*
Wüste 1205, *4*
Wüstenei 1205, *4*
Wüstling 186
Wut 105, *2*
Wutanfall 105, *2*;
143, *2*
Wutausbruch 143, *2*
wüten 1376, *2*; 1391, *2*
wütend 322, *1*; 829, *3*;
1905, *1*
wutentbrannt 322, *1*
Wüterich 186; 1272, *3*
wütig 322, *1*
wutschnaubend 322, *1*
Wutz 1407

X

Xanthippe 641
x-beliebig 242
Xenie 374, *1*
xenophob 605
Xeroskopie 972
x-mal 1216

Y

Yellow press 1271, *2*
Youngster 1488
Youngsters 908, 3
Yuppies 1201, 3

Z

Zacke 415, 2; 767, 1
zacken 1409, 3
Zacken 257, 2; 767, 1;
1310, 1
zackig 1642, 2
zage 64, 2; 1762, 1
zagen 63, 1; 1947
zaghaft 64, 2; 1762, 1
Zaghaftigkeit 62, 4
zäh 144; 421; 981, 2;
1928
Zähe 613, 1
zähflüssig 1928, 2
Zähheit 613, 1
Zähigkeit 613, 4;
1501, 2
Zahl 930, 6; 1102, 1;
1295, 2, 1329, 1
Zahl, größere 1102, 5
Zahl, in großer 1825
Zahl, nach der 722, 3
zahlbar 1207, 4
zählebig 981, 1
Zählebigkeit 1501, 2
zahlen 304, 1
zählen 201, 2; 1929
zählen auf 555, 1;
1799, 1
zahlen haben, zu 1425, 1
Zahlen sein, in den roten
1425, 1
zahlen, Gehalt 304, 2
Zahlen, in 722, 5
zahlen, in Raten 34
zählen, kann nicht bis
drei 403, 1
zahlen, kleckerweise 34
zahlen, Lehrgeld 515, 2
zahlen, Lohn 304, 2
zahlen, mit gleicher Mün-
ze 1750, 1
zahlen, ratenweise 34
zahlen, Reparationen
497, 2
zahlen, Teilzahlungen 34
zahlen, zu 1207, 4
zahlenmäßig 722, 5

Zahlkellner 204, 3
zahllos 1647, 1; 1823, 1
zahllose 1825
zahlreiche 1825
Zahlschalter 921, 2
Zahlstelle 921, 2
Zahlung 96, 3; **1930**
Zahlungseinstellung 185
zahlungskräftig 1327, 1
Zahlungsmittel 712, 1
zahlungspflichtig
1426, 1
Zahlungsschwierigkeit
1190, 1
Zahlungstag 1572
zahlungsunfähig 534, 2
Zahlungsunfähigkeit
185
Zahlwort 930, 6
Zahlzeichen 930, 6
zahm 328, 3; 705
zähmen 1951, 2
Zähmer 1035, 2
Zähmung 1950, 2
Zahn, für den hohlen
1893, 1
Zahn, süßer 218, 2
zähnefletschend 1905, 1
Zähneklappern 62, 2
zähneklappernd 64, 2;
914, 1
Zähneknirschen 105, 2
zähneknirschend 322, 1;
1652, 2
Zahnersatz 550, 3
Zahnprothese 550, 3
Zahnradbahn 579, 4
Zähren 943, 2
Zange 812, 1
Zank 606; 1533, 2
zanken 1391, 1; 1534, 1
Zänker 1272, 2
Zänkerei 1533, 1
zänkisch 37, 1
Zanksucht 830
zanksüchtig 37, 1
Zäpfchen 112, 2
zapfen 1030, 4
Zapfen 211, 2; 1784, 1
zappelig 548, 1; 1671, 1
Zappeligkeit 549, 1
zappeln lassen 1242, 5
Zappelphilipp 471, 4;
1671, 3
zappen 1883, 1

zappenduster 407, 1;
534, 2
Zar 849
zart 410, 2; 471, 1;
1132, 2; 1890, 3; **1931**
zart besaitet 471, 3
Zärtelei 472, 2
Zartgefühl 468, 3;
1961, 2
Zartheit 472, 3; 607, 1;
1110
zärtlich 1054, 4
Zärtlichkeit 1055, 3
Zärtlichkeit, ohne 914, 3
Zärtling 471, 4
zartsinnig 473
Zartsinnigkeit 474
Zaster 712, 3
Zäsur 1678, 1
Zauber 70; 1333; **1932**
Zauber, fauler 292
Zauberei 1932, 3
Zauberer 1276
Zauberformel 1932, 2
Zauberglaube 4
zauberhaft 71, 1; 1412, 1
Zauberkunst 1932, 1
Zauberkünstler 111, 2
Zauberland 1234
zaubermächtig 407, 4
Zaubermittel 1932, 2
zaubern 274, 1; 305, 2
Zauberspruch 1932, 2
Zaubertier 1932, 2
Zauberwesen 1932, 3
zaudern 1435, 2;
1820, 1; 1947
Zaudern 1974, 1
Zaudern, ohne 1663, 2
zaudernd 1015, 1;
1649, 1
Zaun 1419
Zaungast 248, 1
zausen 1394, 1; 1942, 2
Zebrastreifen 333
Zechbruder 1601
zechen 1600, 2
Zecher 726, 3; 1601
Zecherei 711
Zechgelage 711
Zechinen 712, 3
Zechpreller 294, 2
Zechprellerei 292
zedieren 683, 2
Zedierung 1818, 1

Zehen, auf 1044
Zehenspitzen, auf
  1845, 1
Zehnt 1514, 2
zehntausend, die oberen
  1201, 2
zehren 1242, 3; 1434;
  1723, 3
zehren, von der Sub-
  stanz 1520, 3
zehrend 1293, 1
Zeichen 860, 2; 930, 1;
  930, 3; 1497, 2; **1933**
Zeichen, binäres
  1933, 5
Zeichendeuter 1276
zeichenhaft 310, 2
Zeichenhaftigkeit 361, 2
Zeichensystem 1422, 2;
  1493, 2; 1575
zeichnen 278, 3; 359, 1;
  683, 2; 931, 3
Zeichnung 308, 2;
  1136, 1
Zeigefinger, mit erhobe-
  nem 238, 2
zeigen 1, 1; 50, 1;
  162, 3; 307; 528, 1;
  861, 1; 1034, 2;
  1208, 2; 1485, 2;
  1486, 2; **1934**
zeigen, Flagge 1208, 3;
  1729, 2; 1934, 3
zeigen, Interesse 245, 2
zeigen, kalte Schulter
  30, 4; 1409, 5
zeigen, Luxus 1287, 1
zeigen, mit dem Finger
  861, 1
zeigen, neue Wege
  669, 2
zeigen, Reaktion 1313
zeigen, rote Karte 998, 3
zeigen, Rückgrat 226, 2
zeigen, sich 359, 3;
  619, 3; 958, 2;
  1208, 2; **1934**
zeigen, sich erkenntlich
  357, 1; 1750, 3
zeigen, sich interessiert
  245, 2
zeigen, was eine Harke
  ist 412
zeigen, Wirkung 1313
zeigen, Zähne 398, 3

zeihen 944, 1; 1764;
  1855
Zeile 1058, 1; 1329, 1
Zeilen 332
Zeilen, zwischen den
  1124, 2
zeit 1864
Zeit 1935
Zeit lassen, sich 1356, 2;
  1876, 1
Zeit lassen, sich keine
  428, 2
Zeit von, in der 1864
Zeit zu Zeit, von 1852, 1
Zeit, auf 1852, 3
Zeit, auf kurze 1852, 1
Zeit, auf lange 1013, 2
Zeit, freie 647
Zeit, für die nächste
  1837
Zeit, goldene 780, 2
Zeit, höchste 1481, 2
Zeit, immer zur selben
  1323, 1
Zeit, in absehbarer 180
Zeit, in letzter 1008
Zeit, in nächster 180;
  1155, 3
Zeit, kommende 1955
Zeit, nach langer 1481, 3
Zeit, unsere 698, 1
Zeit, zu gleicher 776
Zeit, zu keiner 1664
Zeit, zu nachtschlafen-
  der 1481, 4
Zeit, zur 1290, 1
Zeit, zur rechten 1290, 1
Zeit, zur selben 776
Zeit, zur vereinbarten
  1290, 1
Zeitablauf, nach dem
  351
Zeitabschnitt 1935, 1
Zeitalter 1935, 1
Zeitalter, goldenes 1234
Zeitarbeiter 838, 2
zeitbedingt 205
Zeitbombe 690, 3
Zeitdauer 362, 1;
  1935, 1
Zeiten, gewesene 1744
Zeiten, künftige 1955
Zeiten, vergangene 1744
Zeitenfolge 742, 2
Zeitenfolge, in der 351

Zeiterscheinung 1125, 1
zeitfremd 1707
zeitgebunden 1126, 2;
  1745
Zeitgebundenheit
  1746, 1
Zeitgeist 997, 2; 1125, 1;
  1569, 1
zeitgemäß 699, 2;
  1126, 2
Zeitgenosse sein 515, 1
zeitgenössisch 699, 2
Zeitgepräge 997, 2
Zeitgeschmack 1125, 1
zeitgleich 776
zeitig 665; 1290, 1
zeitigen 1710, 1
Zeitlauf 742, 2
Zeitläufe 742, 2
zeitlebens 882, 1
Zeitlichkeit 1746, 1
zeitlos 363, 1
Zeitlosigkeit 362, 3;
  1648
Zeitlupe, in 1015, 1
Zeitmangel 427, 1
Zeitmaß 1089, 3
Zeitnot 427, 1
Zeitnot, in 401
Zeitplan 1258, 3
Zeitpunkt 1572; 1935, 1
Zeitpunkt, zu einem spä-
  teren 1482, 2
zeitraubend 1021, 3
Zeitraum 362, 1;
  1935, 1
Zeitreisender 1332, 1
Zeitschriften 1271, 2
Zeitspanne 1935, 1
Zeitstil 997, 2; 1125, 1;
  1517, 2
Zeitströmung 1125, 1
Zeitungen 1271, 2
Zeitungsanzeige 97, 1
Zeitungsfritze 260, 1
Zeitungsmann 260, 1
Zeitungsschreiber
  260, 1
Zeitungswesen 1271, 1
Zeitvergeudung 1676, 1
Zeitverlust 1821, 1
Zeitverschwendung
  1676, 1
Zeitvertreib 1683, 2
zeitweilig 1852, 1

zeitweise 1852, *1*
Zeitzeuge sein 515, *1*
Zeitzeugenschaft 517, *1*
Zelebration 601, *2*
Zelle 952
Zelluloid 618, *2*
Zelot 876, *2*
Zeltlager 1011, *1*
Zeltstadt 1499, *4*
Zement 211, *3*
zementieren 210, *2*
Zenit 767, *2*; 1119, *4*
zensieren 1284, *1*;
    1701, *1*
Zensor 990, *1*
Zensur 133, *1*; 989, *3*;
    1700, *1*; 1720, *1*
zentimeterhoch 950, *3*
Zentnerlast 1020, *1*
zentral 1119, *5*; 1899, *2*
Zentrale 1048, *1*;
    1119, *3*
Zentralheizung 836
zentralisieren 1361, *3*
Zentralpunkt 1119, *6*
Zentrum 823; 845;
    1119, *2*; 1499, *3*
Zentrum, im 1119, *5*
Zentrum, ins 722, *2*
Zephir 1909
Zeppelin 579, *7*
zerbomben 1939, *5*
zerbombt 265, *3*
zerborsten 265, *3*
zerbrechen 329, *1*;
    1939, *3*; 1939, *4*
zerbrechen an 1040, *4*;
    1383, *2*
zerbrechen, sich den
    Kopf 371, *2*; 1305, *2*
zerbrechlich 410, *2*;
    471, *1*; 1495, *2*;
    1931, *1*
Zerbrechlichkeit
    472, *3*
zerbrochen 265, *3*
zerbröckeln 1066, *7*;
    1749, *2*; 1937
zerbröseln 1937
zerdrücken 586, *3*;
    1937; 1939, *8*
zerdrücken, Träne
    944, *3*
Zeremonie 326, *3*;
    601, *2*

zeremoniell 600, *3*;
    1213, *2*
Zeremoniell 326, *3*;
    601, *2*
zeremoniös 1213, *2*
zerfahren 1638, *1*;
    1914, *2*
Zerfahrenheit 33, *2*
Zerfall 596; 1940, *2*
zerfallen 265, *3*;
    1066, *2*; 1728, *2*;
    1749, *2*
zerfallen, mit sich 1978
zerfallen, mit sich und
    der Welt 1182, *1*
zerfallend 1132, *1*
zerfasern 1936, *2*
zerfasert 265, *1*
Zerfaserung 1940, *2*
zerfetzen 1939, *6*
zerfetzt 265, *3*
zerflattern 1749, *3*
zerfleddern 1939, *6*
zerfleddert 265, *3*
zerfleischen 1939, *6*
zerfließen 1066, *2*
zerfließen lassen 152, *3*
zerflossen 1162, *5*;
    1890, *1*
zerfranst 265, *1*
zerfressen 265, *3*;
    1939, *8*
zergangen 1890, *4*
zergehen 1066, *2*
zergehen lassen, auf der
    Zunge 977, *2*
zergliedern 1561, *1*;
    1936
Zergliederung 47
zergrübeln, sich 371, *2*
zerhacken 1937; 1939, *8*
zerhackt 1938
zerhauen 1561, *1*;
    1594, *4*
zerkleinern 566, *4*;
    1409, *1*; **1937**
zerkleinert 1938
zerklopfen 1937
zerklüftet 265, *3*;
    1204, *1*; 1642, *1*
zerknautscht 587, *3*;
    1150, *4*
zerknicken 329, *1*; 1937
zerknirscht 1342
Zerknirschtheit 1341

Zerknirschung 1341
zerknittern 586, *3*
zerknittert 44, *2*; 587, *3*;
    1117; 1150, *4*
zerknüllen 586, *3*
zerknüllt 1150, *4*
zerkrachen 1262, *1*
zerkratzen 264
zerkratzt 265, *1*
zerkrümeln 329, *1*; 1937
zerkrumpeln 586, *3*
zerlassen 152, *3*; 1066, *2*
zerlaufen 1066, *2*;
    1890, *4*
zerlegbar 301, *2*
zerlegen 1561, *1*
zerlegen, in einzelne
    Schritte 1936, *1*
Zerlegung 47; 1595, *3*
zerlesen 265, *3*; 1939, *6*
zerlumpt 265, *1*
zermahlen 1937
zermalmen 566, *4*;
    1937; 1939, *8*
zermatscht 1938
zermürben 496; 539, *1*
zermürbt 1130, *2*
Zermürbung 540, *2*
zernagen 1939, *8*
zerpflücken 1809, *2*;
    1937
zerplatzen 329, *1*;
    1262, *1*
zerquält 1659, *1*
zerquetschen 1937
zerquetscht 1938
zerraufen 1815, *1*
zerreden 1936, *2*
zerreiben 1723, *3*; 1937
zerreißen 329, *1*;
    1809, *2*; 1939, *6*
zerreißen, in der Luft
    1809, *2*
zerreißen, sich die Mäu-
    ler 948, *1*
Zerreißprobe 1285, *3*;
    1794, *3*
zerren 1242, *3*; 1530, *2*;
    1942, *1*
zerrieben 1938
zerrinnen 1066, *2*
zerrissen 265, *3*;
    1204, *1*; 1659, *1*
zerrissen, innerlich 1978
Zerrissenheit 1974, *1*

zerronnen 1162, 5;
1886, 3
Zerrung 1923
zerrupfen 1809, 2; 1937
zerrütten 1939, 1
zerrüttet 534, 2
zersägen 1561, 1
zerschellen 329, 1;
1939, 4
zerschlagen 1130, 2;
1937; 1939, 3
zerschlagen, Porzellan
1369, 4
zerschlagen, sich 475, 2;
1262, 3; 1383, 1
zerschlissen 44, 3;
265, 1
zerschmeißen 1939, 3
zerschmettern 496;
1939, 3
zerschmettert 265, 3;
1182, 1
zerschneiden 1409, 1;
1561, 1; 1937
zerschneiden, Tischtuch
1594, 1
zerschnipseln 1561, 1
zerschrunden 1204, 1
zersetzen 1594, 2
zersetzen, sich 1728, 1;
1749, 2
Zersetzung 1940, 2
zerspalten 1937; 1978
zerspellen 1939, 4
zersplittern 329, 1;
1561, 3; 1939, 4
zersplittert 265, 3;
457, 1
Zersplitterung 1595, 3
zerspringen 329, 1;
1262, 1
zersprungen 265, 3
zerstampfen 1937;
1939, 8
zerstäuben 616, 1
zerstören 1939
zerstören, sich 1939
Zerstörer 186
zerstörerisch 37, 1
zerstört 265, 3
Zerstörung 1940
Zerstörungswut 335
zerstoßen 265, 3; 1937;
1938
zerstreuen 75, 4;

1522, 1; 1681, 2;
1796, 3; 1803, 1
zerstreuen, sich 485, 2
zerstreuend 76, 2;
835, 2
zerstreut 1638, 1
Zerstreutheit 33, 2
Zerstreuung 77, 3;
1683, 2
zerstritten 605; 695, 1
zerstückeln 1561, 1;
1939, 3
Zerstückelung 1595, 3;
1940, 2
zerteilen 1409, 1;
1561, 1; 1936, 2
Zerteilung 1595, 3;
1940, 2
zerteppern 1939, 3
Zertifikat 1941, 1
zertrennen 1594, 4
zertrümmern 1939, 3
zertrümmert 265, 3
Zertrümmerung
1940, 1
zerwühlen 1815, 1
Zerwürfnis 1533, 1
zerzausen 1815, 1
zerzaust 1150, 4
Zetergeschrei 734, 3;
943, 2
zetern 1391, 2
Zettel 1539, 7
Zeug 5, 1; 949, 1
Zeug dazu 577
Zeug, dummes 1674, 1
Zeug, wertloses 5, 2;
940, 1
Zeuge 248, 1; 338
zeugen 560, 2; 1120, 2
Zeugen, ohne 834, 1
Zeugenaussage 1941, 2
Zeughaus 1483, 2
Zeugnis 279, 1; **1941**
Zeugung 563, 1
zeugungsfähig 664
zeugungsunfähig
1653, 3
Zeus 785, 2
zickig 766; 1495, 3
Zickzackkurs 1668, 1
Ziege, dumme 405, 4
Ziegenbart 187
ziehen 175, 1; 175, 2;
316, 1; 560, 5;

1404, 1; 1530, 2;
1870; **1942**
ziehen aus, Nutzen 246
ziehen aus, Vorteil
1196, 2
ziehen, alle Register
1895, 1
ziehen, an einem Strang
1965, 1
ziehen, an sich 1942, 1
ziehen, aus dem Verkehr
509, 1
ziehen, aus der Nase
639, 2
ziehen, Blicke auf sich
98, 3; 1287, 2
ziehen, den Kürzeren
1369, 4
ziehen, eine Lehre
1793, 5
ziehen, Fazit 1399, 3
ziehen, Fell über die Oh-
ren 293, 4
ziehen, Folgerung
1399, 3
ziehen, glatt 769, 2
ziehen, Hosen stramm
1394, 1
ziehen, Hut 802, 1
ziehen, in Betracht
193, 2; 371, 2
ziehen, in den Dreck
319, 2
ziehen, in den Schmutz
1764
ziehen, in die Breite
175, 5
ziehen, in die Höhe
175, 5
ziehen, in die Länge
145, 3; 175, 5
ziehen, in Frage 371, 2
ziehen, in Mitleiden-
schaft 264; 1369, 5
ziehen, in Zweifel 1976
ziehen, ins Feld 918, 5
ziehen, ins Lächerliche
1491, 3
ziehen, Karre aus dem
Dreck 837, 4
ziehen, Kopf aus der
Schlinge 492, 4
ziehen, Kreise 145, 4
ziehen, lang 1530, 2
ziehen, Lehre 1049, 4

ziehen, Leine 485, *1*
ziehen, Los 499, *1*;
   1486, *5*
ziehen, nach sich 631, *2*;
   1710, *1*
ziehen, Nutzen 1196, *2*
ziehen, Parallelen
   1754, *1*
ziehen, Schluss 1399, *3*
ziehen, Schlüsse 371, *2*
ziehen, Schlussstrich
   475, *1*; 1594, *1*
zichen, über den Tisch
   293, *1*
ziehen, Vergleich
   1754, *1*
ziehen, vom Leder
   1391, *1*
ziehen, zu Felde 918, *3*
ziehen, zu Rate 245, *1*;
   246
ziehen, zur Rechenschaft
   944, *1*; 1511, *2*
ziehend 1293, *1*
Ziehmutter 1140, *1*
Ziehvater 1704, *1*
Ziel 1258, *1*; **1943**
zielbewusst 479;
   1260, *1*; 1928, *1*
zielen 1515, *2*; **1944**
zielführend 1197, *1*;
   1468, *3*
zielgenau 722, *2*
ziellos 1667, *2*
Ziellosigkeit 1668, *1*
Zielpunkt 1943, *4*
Zielscheibe 1943, *4*
Zielsetzung 1258, *1*;
   1943, *1*
zielsicher 479
zielstrebig 144; 479
Zielstrebigkeit 613, *3*
ziemen, sich 88, *2*
ziemlich 86, *1*; 1091, *2*;
   1336; **1945**
ziepen 1465, *3*; 1942, *2*
Ziepen 734, *5*
Zier 1291, *2*
Zierband 1291, *6*
Zierbengel 1544
Zierde 1291, *2*
zieren 1292, *1*
zieren, sich 807, *3*;
   1371, *1*
zierend 1405

Ziergarten 680
zierlich 71, *2*; 410, *2*
Zierlichkeit 70
Ziernadel 1291, *5*
Zierrat 976, *2*; 1291, *2*
Zierstück 976, *1*
ziervoll 1405
Zierwerk 1291, *2*
Ziffer 930, *6*
Zifferblatt 752, *1*
Ziffern, in 722, *5*
ziffernmäßig 722, *5*
Zigarre 1385, *1*
Zimmer 1309, *1*
Zimmerflucht 1919, *2*
Zimmerkellner 204, *3*
Zimmermädchen
   204, *3*; 826, *2*
zimmern 102, *4*
Zimmernachbar 1143, *2*
zimperlich 471, *2*;
   1495, *3*
Zimperlichkeit 1536, *3*
zinken 293, *1*
Zinken 767, *1*; 1161
Zinne 767, *1*
Zinnober 1674, *1*
Zins 1731, *2*
Zinsen 1338, *1*
Zipfel 778, *2*; 1340, *5*;
   1539, *2*
zipfelig 1642, *4*
zirka 1654, *1*
Zirkel 800, *1*; 1346
zirkeln 1478, *3*
Zirkelschluss 599, *3*;
   902, *1*
Zirkular 258, *2*
zirkulieren 395, *1*
Zirkus 291, *4*
Zirkuskünstler 111, *1*
zirpen 1465, *3*
Zirpen 734, *2*
zischeln 629
Zischeln 734, *2*; 737, *1*
zischen 629; 1376, *1*;
   1391, *2*; 1584, *2*;
   1584, *3*; 1809, *2*
Zischen 734, *2*
zischend 322, *1*
ziselieren 789
ziseliert 1624, *5*
Zitadelle 211, *4*
Zitat 1256, *1*
Zitat, als 1492, *3*

zitieren 72, *1*; 280, *3*;
   1174, *2*; 1851, *1*
zitterig 64, *2*
zittern 63, *1*; **1946**
Zittern 62, *2*
zittern um 63, *2*
zittern wie Espenlaub
   63, *1*
zittern, vor Kälte 659, *1*
zitternd 64, *2*; 548, *1*;
   914, *2*
Zitterpartie 690, *4*;
   954, *2*; 1860
zittrig 44, *2*; 64, *2*;
   1432, *1*
zivil 312, *2*; 341, *1*; 369
Zivilcourage 1138
Zivilisation 997, *1*
Zivilisationsfluchtling
   169
zivilisiert 996, *2*
Zivilist 340, *1*
zockeln 703, *2*
zocken 1486, *5*
Zoff 1533, *1*
zögerlich 1845, *3*
zögern 1442, *2*; 1820, *1*;
   1876, *1*; **1947**
Zögern 1974, *1*
Zögern, ohne 87;
   1663, *2*
zögernd 1015, *1*; 1649, *1*
Zölibat 935
zölibatär 934
Zoll 7; 1514, *2*
zollen 683, *3*; 1734, *1*
zollen, Dank 357, *1*
zollfrei 1634, *1*
Zollgrenze 790
zollhoch 950, *1*
Zombie 707, *4*
Zone 685, *2*
Zoo 1948
Zopf, alter 326, *2*
Zores 105, *3*
Zorn 105, *2*
Zornausbruch 143, *2*;
   1385, *1*
zornentbrannt 322, *1*
zornig 322, *1*; 1905, *1*
zornig machen 106, *1*
zornig werden 106, *2*
zornmütig 829, *3*
Zornmütigkeit 830
Zornnickel 186; 1272, *3*

Zote 662, 3
zotig 91, 4
Zotigkeit 662, 3
zottelig 1307, 2
zotteln 703, 2
Zotteln 806, 1
zottig 1307, 2
zu 69, 1; 250, 1; 290;
    380, 1; 504, 4; 745, 1;
    1827, 5
zu früh 1856, 1
zu haben 644, 4
zu tun haben mit 289
zu tun sein um 217, 1
zu viel 1624, 1; 1627, 1
zu viel sein 6, 2
zuallererst 53, 1
zuarbeiten 837, 2
zuballern 1626, 1
Zubehör 520, 3; 1291, 2
zubereiten 1949
zubereiten, Essen 956, 3
zubereitet 610, 4
zubestimmt 1390
zubilligen 531, 1;
    1796, 1; 1969, 1
zubinden 1233, 2;
    1399, 2
zubringen 1024, 2
Zubringer 520, 8; 579, 4
Zubringerstraße 1527
zubuttern 1029; 1767, 2
Zucht 565; 1950
züchten 560, 5; 1951
Züchter 1035, 2
Zuchthaus 692, 2
züchtig 934
Züchtung 1950, 1
Zuchtwahl 1950, 1
zuckeln 703, 2
zucken 63, 1; 330, 1;
    1946, 1
zücken 1942, 3
zucken, Achseln 773;
    1114, 2; 1934, 1
zuckend 1671, 2
zuckern 1927, 1
zuckersüß 583, 4
Zudecke 870, 9
zudecken 200; 1430, 1;
    1714, 1; 1755, 1
zudem 117, 3
zudiktieren 72, 1
zudrehen 22, 2; 1399, 2
zudringlich 1021, 3

Zudringlichkeit 1458
zudrücken 1399, 2
zudrücken, Auge 501, 4;
    1051, 3; 1236, 3;
    1413, 3
zueignen 683, 3
Zueignung 677, 3
zueinander finden
    1157, 4; 1717, 1
zueinander halten
    1965, 1
zuerkennen 531, 1;
    1796, 1
Zuerkennung 1797
zuerst 53, 1; 1840, 1
Zufahrt 520, 8; 1215, 2
Zufahrtstraße 520, 8
Zufall 1389, 2
Zufall, durch einen
    glücklichen 781, 4
Zufall, per 1952, 1
zufallen 236, 1; 761, 2;
    1399, 5
zufällig 242; 797; 1952
Zufallsspiel 783
zufassen 837, 1; 1233, 3
zufliegen 236, 1; 958, 2;
    963, 3
zufließen 236, 1; 519, 7;
    1592, 5
Zuflucht 1461, 2
Zufluss 520, 5
zuflüstern 948, 1
zufrieden 83, 2; 781, 1;
    835, 1; 1364, 2
zufrieden sein 729, 2
zufrieden sein, nicht 196
zufrieden stellen 214, 1
zufrieden stellend
    504, 2; 728; 1317, 1
zufrieden, sehr 804, 2
Zufriedenheit 650, 2;
    1953
Zufriedenheit, zur 728
zufrieren 659, 2
zufügen 519, 1
zufügen, Arges 1369, 1
zufügen, Böses 1369, 1
zufügen, Leid 1242, 2;
    1369, 2
zufügen, Schaden
    1369, 1
Zufuhr 520, 7
zuführen 519, 7; 1388, 3
zuführen, sich 566, 1

Zuführung 520, 5
Zug 424, 2; 442, 2;
    579, 4; 930, 1; 1172, 2;
    1329, 3; 1537, 2;
    1569, 1; 1909
Zug der Zeit 1125, 1
Zug, schöner 1857, 2
Zugabe 520, 3
Zugang 126, 4; 520, 7;
    1215, 1; 1267, 2
zugänglich 467, 1;
    748, 1; 1207, 1
zugänglich machen
    547, 3
zugänglich, allen
    1211, 1
zugänglich, jedermann
    1211, 1
zugänglich, keinen Bit-
    ten 820, 2
zugänglich, schwer
    1441, 2; 1960, 1
zugänglich, Vernunft-
    gründen 1772, 1
Zugänglichkeit 468, 2;
    1212, 2
Zugbrücke 333
Züge 752, 1
zugeben 519, 1; 531, 1;
    1112, 2; 1208, 3;
    1511, 4
zugefallen 1634, 1
zugegeben 39
zugegen 699, 3
zugegen sein 1563, 2
zugegen sein, nicht
    598, 1
Zugegensein 698, 2
zugehen 522, 1
zugehen lassen 1388, 3
zugehen, auf jmdn.
    1157, 1
zugehen, nicht mit rech-
    ten Dingen 1633, 3
Zugehfrau 826, 2
zugehören 807, 1
zugehörig 453; 1727, 1
Zugehörigkeit, ethnische
    846, 2
zugeknöpft 31, 1;
    1439, 1; 1960, 1
Zugeknöpftheit 1961, 3
Zügel 1972, 1
Zügel in der Hand haben
    848, 1

zügellos 91, 2; 1093, 2;
1905, 1
Zügellosigkeit 1619, 2
zügeln 857, 1
zügeln, sich 228
Zügen, in großen
1199, 3
Zügen, in vollen 679, 3
zugeschnitten auf 504, 2
zugesellen, sich 220, 1;
631, 1; 1717, 1
zugesperrt 745, 1
zugespitzt 690, 1;
1145, 1; 1300; 1373, 3
zugestanden 252, 1
Zugeständnis 490, 1;
532, 1; 1736, 1
Zugeständnisse machen
1735
zugestehen 531, 1;
1969, 1
zugetan 1054, 2; 1766
zugetan sein 1056, 1
Zugetanheit 1055, 1
Zugführer 671, 3
zugießen 519, 1
zugig 1070, 1
zügig 768, 5; 1410, 1
Zügigkeit 427, 2
Zugkraft 980, 2
zugkräftig 1912, 2
zugleich 776; 1864
Zugluft 1909
Zugmittel 957, 1
Zugnummer 767, 5;
1079
zugreifen 588, 2; 924, 2;
1168, 1; 1233, 3
Zugriff 1094
zugrunde gehen 1512, 3;
1728, 3; 1939, 11
zugrunde liegen 1832
Zugstück 767, 5; 957, 2;
1079
zugute kommen 1196, 1
Zugvogel 1332, 1
Zugwind 1909
zuhaken 1399, 2
zuhalten 1399, 1
Zuhälter 1954
zuhanden 1838, 1
zuhängen 200
zuhängen, Fenster
1399, 4
zuhauf 1823, 1

Zuhause 824, 2; 833, 1
zuhinterst 477, 3
zuhören 128, 1; 247, 1;
868, 2
zuhören, mit halbem
Ohr 1590, 3
zuhören, nicht 1409, 5
Zuhörer 248, 1; 283, 3;
1565, 1
Zuhörerschaft 283, 4;
1565, 1
zuinnerst 888, 2
zujubeln 420, 1; 948, 2
zuklappen 1399, 1
zukleben 1399, 2
zuknallen 1399, 1
zuknöpfen 1399, 2
zukommen 88, 2;
761, 2; 1730, 2
zukommen auf 398, 4;
1157, 1
zukommen lassen
683, 2
zukommen, auf jmdn.
958, 1
zukommend 504, 1
Zukunft 1955
Zukunft, in 1482, 2
zukünftig 1482, 2;
1482, 3
zukunftsfreudig 781, 2
Zukunftsglaube 1222
zukunftsgläubig 1224
Zukunftsgläubiger
876, 2; 1223
Zukunftsmusik 880, 3
zukunftsträchtig 803, 1
Zukunftstraum 880, 3
Zukunftsträumer 876, 2
Zulage 520, 3; 1510, 1;
1956
zulänglich 728
Zulass 126, 4; 1215, 2
zulassen 127, 2; 531, 1;
531, 2; 538, 1
zulassen, keinen Zweifel
1626, 3
zulässig 252, 1; 751, 4
Zulassung 126, 2; 532, 2
Zulassungsarbeit 8, 2
Zulauf 518, 3; 520, 5
zulaufen 65, 4; 236, 1;
519, 7; 958, 2
zulaufen auf 1157, 1
zulaufen, spitz 12, 3

zulegen 519, 2; 1509, 2;
1715, 3; 1767, 2
zulegen, Schritt 428, 2
zulegen, sich 924, 1
zulegen, Zahn 391, 3
zuleiten 519, 7; 1388, 3
Zuleitung 520, 5;
520, 8; 1589, 1
zuletzt 477, 1
zum 69, 1
zumachen 122, 1; 392;
1399, 1
zumal 1202
zumeist 1101
zumessen 1561, 2;
1796, 1
zumindest 1893, 3
zumüllen 1808
zumutbar 312, 2; 1128, 1
zumute 576, 2
zumute sein 212, 2;
668, 2
zumuten 195, 1; 237, 2
zumuten, sich zu viel
539, 2
zunächst 53, 1; 1837;
1852, 3; 1937
Zunahme 146, 1; 511, 1;
1510, 3
Zuname 930, 4
zünden 89, 3; 1910, 2
zündend 1912, 2
Zunder 478, 1
Zündstoff 399, 2; 843, 2
Zündung 143, 1
zunehmen 145, 2;
1509, 3
zunehmend 1958
Zuneigung 805; 1055, 1
Zunft 1227, 2
zunftgemäß 572, 1
zunftgerecht 572, 1;
817, 1
zünftig 572, 1; 1001
Zunge 746, 2; 1493, 1
Zunge, böse 897; 1436
Zunge, feine 726, 2
Zunge, mit spitzer
1492, 1
Zunge, scharfe 323, 1
Zunge, spitze 31, 2
züngeln 330, 1
Zungendrescher 1436
Zungendrescherei
1210, 2

zungenfertig 253, *1*
Zungenfertigkeit
1493, *3*
Zünglein an der Waage
823
zunichte machen 857, *3*;
1383, *1*; 1939, *1*
zunichte machen, Hoffnung 507
zunicken 802, *1*; 1934, *1*
zunutze machen, sich
246; 1196, *2*
zuoberst 862, *4*
zuordnen 1226, *2*
Zuordnung 779
zupacken 588, *2*;
1233, *3*
zupackend 479
zupass 57, *1*; 803, *1*
zupfen 546; 1942, *2*
zuprosten 90, *6*
zurande kommen 715, *1*
zuraten 208; 1305, *1*
zurecht 1290, *1*
zurechtbiegen 946, *1*
zurechtfinden, sich
1793, *4*
zurechtformen 756
zurechtkommen 448, *2*
zurechtlegen 1226, *1*;
1834, *1*
zurechtlegen, sich
371, *2*
zurechtmachen 1834, *1*
zurechtmachen, sich
1249, *5*
zurechtrücken 946, *1*;
1226, *1*
zurechtsetzen 1226, *1*
zurechtstauchen 1081, *3*
zurechtstellen 1834, *1*
zurechtstoßen 1081, *3*
zurechtstutzen 756;
1007, *1*
zurechtweisen 1081, *3*;
1553, *2*
Zurechtweisung
1385, *2*; 1875
zureden 208; 541, *1*;
1081, *1*; 1605, *1*
Zureden 1082, *1*
zureden, gut 261, *1*;
541, *1*
zureichen 683, *1*; 729, *1*
zureichend 728

zureiten 1951, *2*
zurichten 198, *2*
zurichten, bös 264
zuriegeln 1399, *1*
zürnen 1959
zürnend 322, *1*
zurück 1352
zurückbehalten 123, *3*;
441, *2*; 1007, *2*
zurückbleiben 1149, *4*;
1520, *3*; 1779, *3*;
1779, *4*; 1820, *3*
zurückbleibend 1627, *1*
zurückblicken 526, *1*
zurückbringen 497, *1*
zurückdenken 526, *1*
zurückdrängen 1733, *1*
zurückerhalten 497, *3*
zurückerlangen 497, *3*
zurückerstatten 34
zurückfahren 63, *1*;
395, *6*
zurückfallen 21, *3*;
1779, *4*
zurückfallen, auf einen
selbst 901, *5*
zurückführen auf
1399, *3*
zurückgeben 30, *2*;
304, *4*; 497, *1*; 557, *2*;
1313
zurückgehen 395, *6*;
723, *2*; 1149, *1*
zurückgehend 13
zurückgesetzt werden
1369, *4*
zurückgestuft werden
21, *3*
zurückgezogen 450, *2*
Zurückgezogenheit
451, *1*
zurückgreifen auf 837, *6*;
1148, *2*; 1729, *3*
zurückhalten 123, *3*;
811, *2*; 857, *1*; 1679, *3*
zurückhalten, nichts
1208, *3*
zurückhalten, sich 228
zurückhaltend 31, *1*;
1357, *3*; 1439, *1*;
1495, *3*; **1960**
Zurückhaltung 1089, *1*;
1092, *1*; **1961**
zurückkehren 395, *6*
zurückkommen auf

1148, *2*; 1729, *3*;
1903, *3*
zurückkommen, nicht
vor- noch 1822, *2*
zurücklassen 1394, *3*;
1627, *3*
zurücklegen 1339;
1478, *1*
zurücklegen, Weg
703, *1*
zurückliegend 1743
zurücknehmen 122, *2*;
1051, *2*
zurückpfeifen 857, *2*
zurückprallen 63, *1*;
597, *1*
zurückrufen 557, *1*
zurückrufen, sich 526, *1*
zurückschaudern 63, *1*;
462
zurückschauen 526, *1*
zurückschicken 30, *2*
zurückschlagen 1313
zurückschnellen 597, *1*
zurückschrauben
1007, *3*
zurückschrecken 63, *1*;
624, *2*; 857, *1*
zurückschreckend, vor
nichts 1139, *2*
zurückschreiben 557, *1*
zurücksehnen, sich
217, *2*
zurücksetzen 395, *6*;
1114, *1*; 1149, *5*;
1369, *1*
Zurücksetzung 1115;
1368, *2*
zurückspielen, Ball
557, *2*
zurückspringen 597, *1*
zurückstecken 1819, *1*
zurückstecken, Pflöcke
1478, *4*
zurückstehen 1819, *1*
zurückstellen 1339;
1820, *1*
zurückstoßen 30, *1*;
395, *6*
zurücktreten 172, *1*;
485, *1*; 998, *1*
zurückversetzen, sich
526, *1*
zurückweichen 172, *1*;
485, *1*; 624, *2*

zurückweisen 30, *1*;
557, *2*; 1051, *1*
Zurückweisung 32, *1*
zurückwerfen 1485, *2*
zurückzahlen 497, *1*
zurückziehen 122, *2*;
1051, *2*
zurückziehen, sich 17, *2*;
329, *2*; 485, *1*; 485, *5*;
1356, *1*
Zuruf 1082, *3*; 1353, *2*
zurufen 1354, *1*
zurüsten 1834, *1*
Zurüstung 1835, *1*
zurzeit 699, *1*; 1837
Zusage 532, *1*
zusagen 503, *2*; 557, *1*;
691, *1*; 1786, *2*
zusagen, auf den Kopf
1511, *2*; 1620, *2*
zusagend 57, *1*
zusammen 1962
zusammen, alles 679, *3*
Zusammenarbeit 1963
zusammenarbeiten 287;
1717, *3*
zusammenballen 586, *3*
zusammenballen, sich
398, *4*; 551, *3*
Zusammenbau 965, *1*
zusammenbauen 964, *1*;
1717, *2*
zusammenbeißen, Zäh-
ne 228; 1679, *3*
zusammenbinden 313, *4*;
1233, *2*
zusammenbrauen
1112, *1*
zusammenbrauen, sich
398, *4*
zusammenbrechen
475, *2*; 1749, *2*;
1939, *11*; **1964**
zusammenbringen
1361, *1*; 1478, *1*;
1717, *2*
Zusammenbruch 185;
540, *2*; 1183, *1*;
1940, *1*
zusammendrängen
391, *1*
zusammendrücken
402, *2*
zusammenfahren 63, *1*;
1946, *1*

Zusammenfall 1616, *2*
zusammenfallen
1603, *6*; 1614, *1*
zusammenfallen, in sich
1964, *1*
zusammenfallend 776;
1615, *1*
zusammenfalten 586, *1*
zusammenfassen
1226, *2*; 1361, *3*;
1399, *3*
zusammenfassend
477, *1*
Zusammenfassung
1299, *2*; 1400, *2*;
1612, *1*
zusammenfinden, sich
1157, *4*
zusammenflechten
1717, *2*
zusammenfließen
1592, *5*
Zusammenfluss 1593, *3*
zusammenfügen 313, *4*;
964, *1*; 1717, *2*
zusammenführen 1717, *2*
zusammengedrängt
480, *1*
zusammengefallen 44, *2*
zusammengefasst
1005, *3*
zusammengehen
1603, *6*; 1614, *1*
zusammengehören
1965, *1*
zusammengehörig
504, *1*; 1727, *1*
Zusammengehörigkeit
442, *1*; 655, *2*; 1718, *1*
zusammengelegt 731, *1*
zusammengepfercht
480, *1*
zusammengepresst
380, *2*; 480, *1*
zusammengeschlossen
1727, *2*
zusammengeschrumpft
44, *2*; 1602, *1*
zusammengesetzt
1727, *3*
zusammengestellt 148, *3*
zusammengewürfelt
1783, *2*
zusammengezogen
380, *2*; 1727, *2*

zusammengießen
1112, *1*
Zusammenhalt 444
zusammenhalten
1478, *3*; **1965**
zusammenhalten, Ge-
danken 1361, *5*
Zusammenhang 966, *1*;
1552, *1*; 1718, *1*
Zusammenhang mit, im
49
Zusammenhang mit, in
1888
Zusammenhänge
1010, *3*
zusammenhängen mit
9, *4*; 289
zusammenhängend
1228, *2*; 1727, *3*
zusammenhanglos
1914, *4*
zusammenhauen 1252
zusammenketten 1717, *2*
Zusammenklang 818, *1*
zusammenklappen
586, *1*; 1964, *1*
zusammenkleben 1717, *2*
zusammenklingen
1793, *6*
zusammenknäueln
391, *1*
zusammenknoten 210, *1*
zusammenknüllen
586, *3*
zusammenkommen
1592, *1*
zusammenkoppeln
1717, *2*
zusammenkrachen
1383, *1*; 1749, *2*;
1939, *11*
zusammenkratzen
1361, *2*
Zusammenkunft 1593, *1*
zusammenläppern, sich
1509, *3*
zusammenlaufen
1592, *5*
zusammenlaufen, Wasser
im Mund 217, *2*
zusammenleben 1965, *2*
Zusammenleben 717, *1*
zusammenlegen 586, *1*;
1717, *2*
zusammenlesen 1361, *1*

zusammennehmen, sich
228; 1679, 3
zusammenpacken
475, 1; 484, 2;
1233, 2
zusammenpassen 519, 4;
1614, 1; 1793, 6
zusammenpassend
819, 2
zusammenpferchen
391, 1
Zusammenprall 1533, 2;
1650
zusammenprallen 1526;
1534, 2; 1592, 2
zusammenpressen
391, 1; 402, 2
zusammenquetschen
402, 2
zusammenraffen
1361, 2; 1478, 1
zusammenraffen, sich
499, 2
zusammenraufen, sich
763, 1; 1735
zusammenrechnen
1929, 1
zusammenreimen
1793, 2
zusammenreißen, sich
228; 499, 2
zusammenrollen 395, 2
zusammenrücken
1157, 4
zusammenrufen 1354, 2
zusammensacken
1964, 1
zusammenscharren
1361, 2; 1478, 1
Zusammenschau
1299, 2; 1612, 1
zusammenschießen
1586, 1
zusammenschlagen
586, 1; 1394, 2;
1939, 3
zusammenschlagen,
Hände über dem Kopf
1924, 1
zusammenschleppen
1361, 2
zusammenschließen,
sich 1229, 3; 1717, 3
Zusammenschluss
717, 1; 1718, 6

zusammenschmieden
1717, 2; 1979, 3
zusammenschnüren
402, 2; 1233, 2
zusammenschrumpfen
1603, 6
zusammenschustern
1252
zusammenschütten
1739, 2
zusammensetzen 964, 1;
1717, 2
zusammensetzen, sich
276, 3
zusammensetzen, sich
aus 493
Zusammensetzung
965, 1; 1538; 1718, 1
Zusammenspiel 818, 1
zusammenspinnen
964, 2
zusammenstauchen
1553, 2
zusammenstehen
1965, 1
zusammenstellen
1226, 2
Zusammenstellung
171, 2; 779; 1817, 1
zusammenstimmen
974, 2; 1614, 1;
1793, 6
zusammenstimmend
819, 1
zusammenstoppeln 1252
Zusammenstoß 1533, 2;
1650
zusammenstoßen 1526;
1534, 2; 1592, 2
zusammenstreichen
1007, 3
zusammenströmen
1592, 5
zusammenstückeln
519, 8
Zusammensturz 1940, 1
zusammenstürzen
1749, 2
zusammentragen
1361, 1
zusammentreffen
1409, 6; 1592, 1;
1614, 1
Zusammentreffen
1616, 2

Zusammentreffen von
Umständen 1389, 2
zusammentreten 1592, 1
Zusammentritt 1593, 2
zusammentrommeln
1354, 2
zusammentun, sich
1717, 3
zusammenwachsen
73, 2; 1717, 1
zusammenwerfen
1717, 2; 1739, 2
zusammenwinden 313, 4
zusammenwirken
1717, 3
Zusammenwirken 717, 1
zusammenwirkend
1228, 2
zusammenwohnen
1965, 2
zusammenzählen
1929, 1
zusammenziehen 586, 3;
1361, 3; 1965, 2
zusammenziehen, sich
398, 4
zusammenziehend
844, 1
zusammenzucken 63, 1
zusammenzwingen
402, 2; 1979, 3
Zusatz 520, 1; 1113, 2
zusätzlich 117, 3
Zusatzverdienst 520, 3
zusaufen, sich 284, 3
zuschanden 534, 2
zuschanden machen
857, 3; 1939, 1
zuschanden werden
1383, 1; 1939, 11
zuschanzen 274, 1
zuschauen 247, 1
Zuschauer 248, 1;
260, 2; 283, 3; 1565, 1
Zuschauerumfrage 1631
zuschicken 1388, 3
zuschieben 274, 1;
683, 1
zuschießen 837, 3
Zuschlag 532, 1;
1510, 1; 1956
zuschlagen 924, 2;
1399, 1; 1399, 5
zuschließen 1399, 1
zuschnallen 210, 1

zuschnappen 1399, 5
Zuschnitt 632, 4
zuschnüren 1233, 2
zuschnüren, Kehle
    402, 2
zuschrauben 1399, 2
zuschreiben 1621, 1;
    1771, 1
Zuschrift 332
Zuschuss 520, 3; 854, 1
zuschütten 1755, 1
zusehen 247, 1
zusciten 1155, 1
zusenden 1388, 3
zusetzen 198, 5; 208;
    315, 1; 391, 4; 1081, 1;
    1112, 2; 1242, 1;
    1767, 2
zusichern 1462, 2;
    1786, 2
Zusicherung 1787, 1
zusperren 1399, 1
zuspielen 274, 1
zuspielen, sich die
    Trümpfe 293, 2
zusplizen, sich 12, 3;
    1374, 2; 1509, 1
Zuspitzung 988, 1;
    1510, 5
zusprechen 541, 1;
    1561, 2; 1796, 1
zusprechen, Mut
    1605, 1
zuspringen 440; 837, 1
Zuspruch 279, 5; 470;
    518, 3; 1147; 1503, 2;
    1604
Zustand 110, 1; **1966**
Zustand, augenblicklicher 1010, 2
Zustand, guter 758
Zustand, natürlicher
    1164, 1
zustande kommen
    506, 4
zuständig 1967
Zuständigkeit 1968
Zuständigkeitsbereich
    121; 436, 3
zustatten kommen
    1196, 1
zustecken 683, 2
zustehen 88, 2; 1730, 2
zustehend 504, 1
zusteigen 456, 1

zustellen 1388, 3;
    1388, 4; 1617
Zusteller 1613, 1
Zustellung 96, 3;
    1589, 1
zusteuern 837, 3
zusteuern auf 1944, 2
zustimmen 278, 2;
    494, 2; 531, 1; **1969**
zustimmend 1970
Zustimmung 279, 5;
    413, 2; 532, 1;
    1062, 1; 1449, 3
zustopfen 543, 2
zustöpseln 1399, 2
zustoßen 216, 2; 515, 2
zustoßen, etwas 1512, 4
Zustrom 518, 3; 520, 5
zuströmen 65, 4; 519, 7
zustutzen 756
zutage treten 958, 1;
    1208, 2; 1934, 6
Zutat 1291, 2
zuteil werden 236, 1;
    522, 1; 761, 2
zuteilen 683, 2; 1561, 2;
    1796, 1
Zuteilung 1295, 2;
    1797
zutiefst 888, 2; 1452, 1
zutragen 948, 1
zutragen, sich 216, 2
Zuträger 897; 1402, 1
Zuträgerei 737, 1
zuträglich 757, 3;
    1036, 3
zuträglich sein 236, 2
Zutrauen 1800
Zutrauen haben 1799, 1
zutraulich 1054, 3
zutreffen 1592, 3;
    1814, 2
zutreffend 1317, 2;
    1460, 1; 1863
zutreten, auf jmdn.
    1157, 1
zutrinken 90, 6
Zutritt 126, 4; 1215, 2
Zutun 854, 1
Zutun, ohne 646
zutunlich 654, 2
zuunterst 1677, 1
zuverlässig 86, 3;
    347, 1; 1475, 1; **1971**
Zuverlässigkeit 613, 5

Zuversicht 556, 1; 1222;
    1800
zuversichtlich 1224
Zuversichtlichkeit 1222
Zuviel 1619, 1
zuvor 53, 1; 666, 1
zuvorderst 53, 1;
    1840, 1
zuvorkommen 489, 1;
    857, 3
zuvorkommend 125, 2;
    491; 654, 1; 864
Zuvorkommenheit
    490, 1
Zuwachs 146, 1; 511, 1;
    1510, 3
zuwachsen 200
zuwandern 1184, 1
zuwarten 1876, 1; 1947
zuwartend 689, 1;
    1649, 1; 1675, 2
zuweilen 1216; 1852, 1
zuweisen 1621, 1
Zuweisung 1295, 2
zuwenden 683, 2
zuwenden, Rücken
    1409, 5
zuwenden, sich 266, 2
Zuwendung 677, 2; 805;
    1055, 1
zuwerfen 1399, 1;
    1443, 1
zuwerfen, Blick 80, 2
zuwider 1637, 3
zuwider sein 462; 821, 1
zuwiderhandeln 1749, 8
zuwiderlaufen 1522, 1
zuwinken 802, 1;
    1934, 1
zuzahlen 519, 2; 1029;
    1767, 2
zuzählen 1929, 1
Zuzahlung 520, 3
zuzeiten 1852, 1
zuziehen 1184, 1;
    1399, 1
zuziehen, sich 236, 3;
    1793, 5
zuziehen, sich etwas 530
zuziehen, Vorhang
    1399, 4
zuzüglich 453
zuzumuten 1128, 1
zwacken 1242, 4;
    1478, 2

Zwang 229, *3*; 399, *1*;
400, *3*; 1192, *2*; 1250;
1972
Zwang, ohne 646
zwängen 391, *1*; 402, *2*
zwanghaft 708; 1651, *1*
Zwanghaftigkeit 709
zwanglos 633, *3*; 644, *2*;
719; 748, *1*; 1036, *4*
Zwanglosigkeit 645, *3*
Zwangsarbeit 1972, *1*
Zwangsbefürchtung
62, *6*
Zwangsbindung 1972, *1*
Zwangsfixierung 1972, *1*
Zwangsfreistellung
999, *1*
Zwangskonsument 925
Zwangslage 988, *2*;
1190, *1*; 1763, *1*
Zwangslage, in einer 401
zwangsläufig 1096, *2*;
1191, *2*
Zwangsläufigkeit
1192, *3*
Zwangsmaßnahme
1972, *1*
Zwangsmittel 1123, *3*;
1972, *1*
Zwangsneurose 721
zwangsneurotisch 720
Zwangsprostitution
1458
Zwangsregiment 847, *3*
zwangsumsiedeln
1803, *1*
Zwangsumsiedlung
1804
Zwangsvorstellung 709;
880, *1*
zwangsweise 1652, *2*
zwar 3; 39; 1202
Zweck 1943, *1*
Zweck, zu welchem
1878
zweckbestimmt 1570
zweckdienlich 1973, *1*
Zweckdienlichkeit
1195, *4*
zweckentsprechend
1973, *1*
zweckgebunden 205
Zweckgemeinschaft
717, *2*
zweckgerichtet 1973, *2*

zweckhaft 1554, *1*
zwecklos 1747
zweckmäßig 1197, *1*;
1489, *2*; **1973**
zweckmäßig sein 469, *2*
Zweckmäßigkeit 1195, *4*
zwecks 1888
zweckvoll 1554, *1*;
1973, *1*
zwei rechts, zwei links
771, *2*
Zweibeiner 1103, *1*
zweideutig 91, *1*; 407, *4*;
1975, *2*
Zweideutigkeit 408, *3*;
662, *1*; 1824
zweierlei 695, *3*
zweifach 390
Zweifel 1473; **1974**
Zweifel, im 1649, *1*
zweifelhaft 91, *1*;
1207, *3*; 1273, *1*; **1975**
zweifellos 945, *3*
zweifeln 1435, *2*; **1976**
zweifeln, nicht 555, *1*
zweifeln, nicht daran zu
1460, *1*
zweifelnd 1649, *1*
Zweifelsfrage 638, *2*;
1974, *1*
zweifelsfrei 1460, *1*
Zweig 571, *2*; **1977**
zweigeschlechtig 390
zweigeteilt 809
Zweigstelle 1185, *2*;
1977, *1*
Zweikampf 917, *2*
zweimal 390
zweisam 1962
zweischneidig 390;
690, *2*
zweiseitig 390
zweispaltig 390
zweit, zu 390
Zweitbesetzung 550, *4*;
1807
zweiteilen 1561, *4*
zweiteilig 390
Zweiteilung 1595, *2*
zweitrangig 1639
Zweitschrift 1811, *2*
Zweiwertigkeit 1824
zwerchfellerschütternd
835, *4*
Zwerg 910, *2*

zwergenhaft 950, *1*
Zwickel 452, *3*
zwicken 1242, *4*
Zwickmühle 988, *2*;
1763, *1*
Zwickmühle, in der 401
zwiebeln 1242, *1*
zwiefach 390
zwiefältig 390
Zwiegespräch 277, *2*
Zwielicht 408, *1*
zwielichtig 407, *1*;
1975, *3*
Zwielichtigkeit 408, *3*
Zwiespalt 1533, *1*;
1595, *1*; 1763, *1*;
1974, *1*
zwiespältig 1649, *1*;
1978
Zwiespältigkeit 1974, *1*
Zwiesprache 277, *2*;
1683, *1*
Zwietracht 1533, *1*
zwieträchtig 605
Zwillingsgeschehen
1616, *2*
zwingen 1979
zwingen, in die Knie
1463, *2*
zwingend 1191, *1*; 1395;
1980
Zwinger 692, *2*
zwinkern 1934, *1*
Zwirbelbart 187
Zwirn 575, *2*
zwirnen 395, *2*
Zwirnsfaden 575, *2*
zwischen 809
Zwischenbemerkung
1678, *3*
Zwischending 1113, *5*
zwischendrängen, sich
391, *1*
zwischendurch 1864
Zwischenfall 1524;
1678, *3*; **1981**
Zwischenfälle, ohne
768, *5*
Zwischenfrage 164, *2*;
638, *2*; 1678, *3*
zwischenfunken 1522, *2*
zwischenhandeln 815, *2*
Zwischenhändler 741;
1769
zwischenhinein 1864

Zwischenlandung
   810, *6*; 1678, *1*
zwischenliegend 809
Zwischenlösung 550, *1*;
   1736, *1*
Zwischenmahlzeit
   1080, *8*
Zwischenraum 486, *1*;
   1067, *1*
Zwischenruf 164, *2*;
   520, *4*; 1678, *3*
zwischenrufen 162, *1*
Zwischensatz 1291, *8*
zwischenschalten, sich
   440
zwischenschieben 519, *6*

Zwischenspiel 1678, *2*;
   1981, *2*
zwischenstaatlich 896
Zwischenstation, ohne
   1663, *2*
Zwischenstopp 810, *6*
Zwischenstopp machen
   811, *1*
Zwischenton 1193
zwischenwerfen 162, *1*
Zwischenwirt 1915, *2*
Zwischenzeit 1678, *2*
Zwischenzeit, in der
   1864
zwischenzeitlich
   1852, *2*; 1864

Zwist 606; 1533, *1*
Zwistigkeit 1533, *1*
zwitschern 1465, *3*
Zwitschern 734, *5*;
   739, *1*
Zwitter 1113, *5*
Zwitterding 1113, *5*
zwittrig 390
zyklisch 1323, *1*
Zyklon 1542, *1*
Zyklop 1345
Zyklus 1322, *4*;
   1324, *1*
Zylinder 971
Zyniker 990, *2*
zynisch 334; 1492, *1*

rowohlts monographien
Begründet von Kurt Kusenberg, herausgegeben von Wolfgang Müller und Uwe Naumann.

Alfred Andersch
dargestellt von
Bernhard Jendricke
(50395)

Lou Andreas-Salomé
dargestellt von Linde Salber
(50463)

Bettine von Arnim
dargestellt von
Helmut Hirsch
(50369)

Jane Austen
dargestellt von
Wolfgang Martynkewicz
(50528)

Simone de Beauvoir
dargestellt von
Christiane Zehl Romero
(50260)

Wolfgang Borchert
dargestellt von
Peter Rühmkorf
(50058)

Albert Camus
dargestellt von
Brigitte Sändig
(50635)

Raymond Chandler
dargestellt von
Thomas Degering
(50377)

Joseph von Eichendorff
dargstellt von
Hermann Korte
(50568)

Ernest Hemingway
Hans-Peter Rodenberg

Theodor Fontane
dargestellt von
Helmuth Nürnberger
(50145)

Frauen um Goethe
dargestellt von Astrid Seele
(50636)

Ernest Hemingway
dargestellt von
Hans-Peter Rodenberg
(50626)

Henrik Ibsen
dargestellt von
Gerd E. Rieger
(50295)

James Joyce
dargestellt von Jean Paris
(50040)

Ein Gesamtverzeichnis der Reihe *rowohlts monographien* finden Sie in der *Rowohlt Revue*. Vierteljährlich neu. Kostenlos in Ihrer Buchhandlung. Rowohlt im Internet: www.rowohlt.de

Literatur

rowohlts monographien

rowohlts monographien
Begründet von Kurt Kusenberg, herausgegeben von Wolfgang Müller und Uwe Naumann.

Ingeborg Bachmann
dargestellt von Hans Höller
(50545)

Thomas Bernhard
dargestellt von Hans Höller
(50504)

Paul Celan
dargestellt von
Wolfgang Emmerich
(50397)

Agatha Christie
dargestellt von
Monika Gripenberg
(50493)

Johann Wolfgang von Goethe
dargestellt von Peter Boerner
(50577)

Carlo Goldoni
dargestellt von
Hartmut Scheible
(50462)

Franz Kafka
dargestellt von
Klaus Wagenbach
(50091 / Neuausgabe
ab Januar 2002)

Jack London
dargestellt von Thomas Ayck
(50244)

Die Familie Mann
dargestellt von
Hans Wißkirchen
(50630)

Nelly Sachs
dargestellt von
Gabriele Fritsch-Vivié
(50496)

William Shakespeare
dargestellt von Alan Posener
(50641)

Theodor Storm
dargestellt von
Hartmut Vinçon
(50186)

Italo Svevo
dargestellt von
François Bondy und
Ragni Maria Gschwend
(50459)

Jules Verne
dargestellt von Volker Dehs
(50358)

Oscar Wilde
dargestellt von Peter Funke
(50148)

Stefan Zweig
dargestellt von
Hartmut Müller
(50413)

Weitere Informationen in der **Rowohlt Revue**, kostenlos im Buchhandel, und im **Internet:** www.rororo.de

Literatur

rowohlts monographien

Hertha Beuschel-Menze /
Frohmut Menze
Die neue Rechtschreibung
*Wörter und Regeln leicht
gelernt*
(rororo sachbuch 60788)
Dieses Handbuch übersetzt
die wichtigsten neuen und
alten Regeln für Rechtschreibung und Zeichensetzung in
leicht fassliche Form. Es
enthält das amtliche Wörterverzeichnis sowie ein Varian-
tenverzeichnis: Wörter mit
neuer Schreibweise und
solche mit Wahlmöglichkeit
sind zur schnellen Orientierung rot gedruckt. Ratschlä-
ge zur Lerntechnik zeigen,
wie Sie sich am einfachsten
und sichersten Regeln oder
Wörter merken können.

Hertha Beuschel-Menze /
Frohmut Menze
So schreibt man das jetzt! *Die
neue Rechtschreibung*
(rororo sachbuch 60172)
Dieses Handbuch für den
Arbeitsplatz und zu Hause
orientiert schnell und sicher:
Es enthält das amtliche
Wörterverzeichnis zur neuen
Rechtschreibung, dazu die
wichtigste Regel über den
Gebrauch von s / ss / ß.

Horst Fröhler
**Das ändert sich: alle Wörter mit
neuer Rechtschreibung**
*Alphabetisch aufgeführt
und nach Gruppen
geordnet*
(rororo sachbuch 60384)

Ernst Brandl /
Catharina von Fürstenberg
**Einfach umlernen – so schnell
sitzt die neue Rechtschreibung**
(rororo sachbuch 60866)
Die neue Rechtschreibung ist
da. Aber keine Sorge, Sie
stehen keineswegs vor der
Aufgabe, ein komplettes
Regelwerk neu lernen zu
müssen. Wenn Sie die alten
Rechtschreibregeln korrekt
anwenden können, ist das
Umlernen ein Leichtes für
Sie.

Schülern der 7. bis 10.
Klasse empfehlen wir zum
Umlernen den Titel aus
unserer Reihe **klipp & klar
Lerntrainer:**
Deutsch, 7. bis 10. Klasse
*Die neue Rechtschreibung
– so klappt's sicher. Leicht
verstehen, schnell umlernen*
(rororo sachbuch 60626)

Weitere Informationen in der
Rowohlt Revue, kostenlos im
Buchhandel, und im **Internet:
www.rororo.de**

Die praktische Psychologie ist traditionell ein Schwerpunkt im Sachbuch bei *rororo*. Praxisorientierte Ratgeber leisten Hilfestellung bei privaten und beruflichen Problemen.

Kuni Becker
Die perfekte Frau und ihr Geheimnis *Eß- und Brechsucht: Hilfen für Betroffene und Angehörige*
(rororo sachbuch 19576)

Annette Bopp /
Sigrid Nolte-Schefold
StiefKinder – RabenEltern – RabenKinder – StiefEltern *Leben in einer Patchworkfamilie: Probleme erkennen, Perspektiven gewinnen*
(rororo sachbuch 60541)

Gerd Hennenhofer /
Klaus D. Heil
Angst überwinden *Selbstbefreiung durch Verhaltenstherapie*
(rororo sachbuch 16939)

Eleonore Höfner /
Hans-Ulrich Schachtner
Das wäre doch gelacht! *Humor und Provokation in der Therapie*
(rororo sachbuch 60231)

Eva Jaeggi
Zu heilen die zerstoßnen Herzen *Die Hauptrichtungen der Psychotherapie und ihre Menschenbilder*
(rororo sachbuch 60352)

Spencer Johnson
Ja oder Nein. Der Weg zur besten Entscheidung *Wie wir Intuition und Verstand richtig nutzen*
(rororo sachbuch 19906)

Ursula Lambrou
Helfen oder aufgeben? *Ein Ratgeber für Angehörige von Alkoholikern*
(rororo sachbuch 19955)

Frank Naumann
Miteinander streiten *Die Kunst der fairen Auseinandersetzung*
(rororo sachbuch 19795)

Ann Weiser Cornell
Focusing – Der Stimme des Körpers folgen *Anleitungen und Übungen zur Selbsterfahrung*
(rororo sachbuch 60353)

Weitere Informationen in der **Rowohlt Revue,** kostenlos im Buchhandel, oder im **Internet:** **www.rororo.de**

Reizvolle Exkursionen in die
Welt der Zahlen:

Pierre Basieux führt mit
seinen vier Standardwerken
in eine lebendige Mathematik ein. «Mathematik ist kein
starres Konstrukt aus Grund-
annahmen und logischen
Regeln. Sie hat ihren eigenen,
lebendigen Geist. Die Ästhetik
des Abstrakten, die Poesie
der Fiktionen machen sie zur
Lyrik der Wissenschaften.»

Pierre Basieux
Abenteuer Mathematik
Brücken zwischen
Wirklichkeit und Fiktion
(rororo science 60178)
Nicht Mathematik zu
betreiben, sondern zu
erfahren ist das Abenteuer,
das dieses Buch bietet.

Pierre Basieux
Die Architektur der Mathematik
Denken in Strukturen
(rororo science 61119)
Zwar besteht die Mathema-
tik aus mehr als dreitausend
Einzeldisziplinen, doch ruht
ihr Hauptgebäude auf nur
drei Säulen: der Ordnungs-
struktur, der algebraischen
Struktur und der topo-
logischen Struktur. Dieser
Essay versucht den gemeinsa-
men Nenner aller mathema-
tischen Objekte und Inhalte
zu beschreiben.

Pierre Basieux
Die Welt als Roulette
Denken in Erwartungen
(rororo science 19707)
Es gibt beim Roulette
Erkenntnisse über Abwei-
chungen vom reinen Zufall,
und einige von ihnen
konnten zu wissenschaftlich
fundierten Methoden mit
positiver Gewinnerwartung
ausgebaut werden. Dies gilt
nicht nur für den Spieltisch,
auch im täglichen Leben
lässt sich der Zufall zähmen.

Pierre Basieux
**Die Top Ten der schönsten
mathematischen Sätze**
(rororo science 60883)
Wer hätte gedacht, dass es in
der Welt der Mathematik
einen Laufsteg gibt?

Weitere Informationen in der
Rowohlt Revue, kostenlos im
Buchhandel, oder im **Internet:**
www.rororo.de

Stephen W. Hawking

Ein «Jahrhundertgenie wie Albert Einstein» *(Der Spiegel)*, ein Wissenschaftler, der der Weltformel auf der Spur ist, ein Mann, der entgegen allen Prognosen der Ärzte seit zwanzig Jahren mit einer unheilbaren tödlichen Nervenerkrankung lebt, kurz ein Mythos – **Stephen W. Hawking**, 1942 geboren, Physiker und Mathematiker an der Universität Cambridge, seit 1979 Nachfolger Newtons auf dem berühmten «Lukasischen Lehrstuhl» und der wohl bekannteste Wissenschaftler unserer Zeit.

Eine kurze Geschichte der Zeit
Die Suche nach der Urkraft
Deutsch von Hainer Kober.
Mit einer Einleitung von
Carl Sagan
224 Seiten. Gebunden und
als rororo science 60555
Der Bestseller, der Hawking
weltberühmt machte. «Eine
rasante Geisterbahnfahrt
durch das Labyrinth kosmologischer Denkmodelle.»
Der Spiegel

Stephen W. Hawking (Hg.)
**Stephen Hawkings Kurze
Geschichte der Zeit**
*Ein Wissenschaftler
und sein Werk*
Deutsch von Hainer Kober.
Mit Illustrationen von
Ted Bafaloukos
224 Seiten mit zahlreichen
Abbildungen. Gebunden und
unter dem Titel **Stephen
Hawkings Welt** als rororo
science 19961

Einsteins Traum *Expeditionen
an die Grenzen der
Raumzeit*
(rororo science 60132)

**Die illustrierte Kurze Geschichte
der Zeit** *Aktualisierte und
erweiterte Ausgabe*
Deutsch von Hainer Kober
248 Seiten. Gebunden
Der Klassiker der modernen
Astrophysik, auf den aktuellen Erkenntnisstand gebracht, mit einem neuen
Kapitel über Wurmlöcher
und Zeitreisen, vielen Fotos
und über 150 Farbillustrationen.

Stephen Hawking /
Roger Penrose
Raum und Zeit
(rororo science 60885)

Über Stephen Hawking:

Michael White /John Gribbin
Stephen Hawking
Die Biographie
(rororo science 19992)

Weitere Informationen in der
Rowohlt Revue, kostenlos im
Buchhandel, oder im **Internet:
www.rowohlt.de**

rororo sachbuch